KB219248

선형대수학의 이해와 응용

Introduction to Linear Algebra with Applications

이부영 원중연 허돈 박필성 배유석 진상일 공역
Jim DeFranza Daniel Gagliardi 공저

홍릉과학출판사

Introduction to Linear Algebra, 1st Edition.

1   2   3   4   5   6   7   8   9   10   Hongreung   20   11

Original : Introduction to Linear Algebra, 1st Edition.
          By Jim Defranza, Daniel Gagliardi.
          ISBN 978-0-07-353235-6

This book is exclusively distributed by Hongreung Science Publishing Co.

When ordering this title, please use ISBN 978-89-7283-928-6

Printed in Korea

역자 서문

선형대수학은 자연과학뿐만 아니라 응용과학에도 많이 사용되는 수학의 한 분야이다. 특히 사회과학과 정보과학 등의 여러 분야, 물리학, 통계학, 전기공학, 전산학, 산업공학 등에서 응용되는 선형방정식의 해, 행렬의 수치계산, 자료의 통계적 분석 및 선형시스템의 최적해 등을 구하는데 있어서 그 기초를 제공하고 있다. 또한 선형대수학은 실용성에 바탕을 둔 실제적인 문제와 이를 적절히 추상화시킨 이론의 전개를 포함하고 있으므로 수학이나 응용분야를 전공하는데 많은 도움이 되리라 생각된다.

이 책은 저자인 Jim DeFranza, Daniel Gagliardi가 여러 해 동안 강의한 내용을 바탕으로 하여 수학의 기초지식 없이도 이해와 흥미를 가질 수 있도록 하였고, 각 장의 서두에 응용분야의 실제 예를 소개하여 앞으로 다루어질 내용이 실제 문제에 어떻게 응용되어지는지를 아주 흥미롭게 설명하고 있다. 그리고 처음 다루는 이론은 반드시 예제를 들어 새로운 개념이나 정리를 이해할 수 있도록 하였다. 따라서 학습자들로 하여금 아주 자연스럽게 그 학습 동기를 유발시켜 학습효과를 배가 시키도록 유도하고 있다.

각 절마다 다양한 연습문제를 제시하였으며, 연습문제의 앞부분은 아주 기초적인 내용으로, 뒷부분에서는 이론이나 정리들을 이해하고 풀 수 있도록 구성하였다. 그리고 해답을 수록하여 학습자들이 그 결과를 확인할 수 있도록 하였다.

각 장에서는 다음 내용을 중심으로 다루었다.

제 1장에서는 연립일차방정식의 해를 구하는 체계적인 방법, 특히 행렬과 행렬식의 성질과 이를 이용한 해를 구하는 방법에 대하여 다룬다. 이공학에서의 다양한 응용들이 연립방정식으로 모델화되어 있으며, 연립방정식은 수학 특히, 선형대수학에서 중요하다.

제 2장에서는 벡터들의 집합에 대해 학습하고, 벡터의 일차결합과 일차독립 등 벡터들의 덧셈 특성에 대하여 다룬다.

제 3장에서는 한 벡터 집합으로부터 만들어지는 모든 일차결합의 집합이 벡터공간을 형성하므로, 앞 장의 개념들을 확장하여 함수들의 공간을 포함하는 추상벡터공간을 소개하고 이들의 성질에 대하여 다룬다.

벡터공간 사이의 선형사상을 이용한 응용 예들 중의 하나로서 컴퓨터 그래픽스의 생성과 조작을 들 수 있을 것이다. 제 4장에서는 유한차원의 벡터공간들 간의 모든 선형변환은 행렬의 곱으로 표시될 수 있음을 보이는 등 선형변환과 행렬 사이의 관련성에 대하여 다룬다.

제 5장에서는 선형대수학에서 중요한 개념인 고유치와 고유벡터를 구하는 문제와 연립 선형 미분방정식에서의 응용, 일차독립인 고유벡터의 수에 의해 결정되는 행렬의 대각화, 그리고 확률 이론에서 일련의 확률 사건을 분석하는 수학적 모델을 일컫는 마르코프 연쇄 등을 다룬다.

제 6장에서는 먼저 유클리드 공간에서의 점곱의 성질과 기하학적 도형과 점곱 간의 관계에 대해서 논의한 후, 내적공간, 대칭행렬의 대각화, 정규직교기저, 그리고 응용으로서 이차형식과 특이값 분해 등을 다룬다.

부록에서는 공통의 특성을 갖는 개체들을 분류하거나 분석하는데 이용되는 집합과 함수에 대한 성질, 공리와 명제, 수학적귀납법 등을 간단히 소개한다.

역자들은 이 책을 번역하면서 가능한 우리의 표현법으로 쉽게 알 수 있도록 노력하였으나, 수학적 내용을 표현하는데 있어서 약간 어려움이 있음을 밝혀둔다. 앞으로 독자들이 이해하기 쉽고, 혼자서도 학습할 수 있는 책이 되도록 그 표현법을 개선하는데 더욱 노력하고자 한다.

이 책을 번역하는데 있어서 수학을 전공한 많은 교수님들로부터 조언을 얻었고, 대한수학회에서 제공한 용어를 따르고자 노력하였다. 앞으로 이 책이 더욱 알찬 교재가 될 수 있도록 많은 비평과 지적을 해주실 것을 당부드리며, 끝으로 이 책이 출판될 수 있도록 수고해주신 홍릉과학출판사 관계자 여러분에게 진심으로 감사를 드린다.

차례

4장 선형변환

5장 고유값과 고유벡터

6장 내적공간

부록 A 예비 학습(preliminaries)

서문

*Introduction to Linear Algebra with Applications*은 학부 2학년 학생을 대상으로 한 기초 교재이다. 본 교재는 우리의 경험에 의하여 한 학기 동안 학생들이 학부 선형대수학 과목에서 숙지해야 할 기본적인 개념 위주로 구성되어 있다. 교재 편찬에 있어서 우리가 역점을 둔 부분은 독*자가* 다음으로 넘어가기 전에 각 주제는 철저히 이해되어야 한다는 것이다. 또한 각 주제 간에는 자연스러운 연결 고리가 있어야 한다. 우리는 이 두 가지 목적을 충족하기 위해 노력을 기울인 것이다. 이를 위해서 우리는 다음 논리적인 것으로 진행하기 전에 심도 있게 각 주제가 다루어지기 위한 작업에 집중한 것이다. 그 결과, 독자는 매 새로운 단원을 위한 준비에 차질이 없도록 하고, 후속 단원에서 어떤 개념이 다루어지더라도 그것을 반복할 필요는 없다.

선형대수학은 학부 초기 교과과정에서 다루어지나, 수학에서나 선형대수학을 필요로 하는 다른 많은 분야에서조차 추상적 개념의 중요성을 소개할 기회를 아직 제공하지 못하고 있다. 우리의 접근 방식은 가능한 빨리 추상적인 벡터 공간을 제시함으로써 이러한 기회를 활용하고자 하는 것이다. 현 수준에서의 학생들이 추상적인 개념을 파악하는데 어려움을 겪고 있다는 것을 우리는 알고 있기에 교재 전반에 걸쳐 우선은 이 개념을 잘 보여주는 예제를 통해서 새로운 개념을 소개하고자 한다. 추상적인 벡터 공간의 정의 및 일차 독립의 절묘한 개념을 설명하기 위해 우리는 유클리드 공간에서의 벡터 덧셈 및 스칼라 곱셈을 활용한다. 우리는 계산, 문제 풀이, 그리고 추상적 개념 간의 균형을 도모하기 위해 심혈을 기울였다. 이러한 방식은 어떤 주제의 수많은 응용 사례에 대한 폭넓은 이해와 공감을 감안한 추상적인 설정에서 필요한 기법 및 문제 풀이 전략을 학생들에게 제공할 수 있을 것이다.

교육적 특징

1. **선형 시스템, 행렬 대수, 그리고 행렬식:** 우리는 1장에서 선형 시스템, 행렬 대수, 행렬식, 그리고 그들 간의 관계를 푸는 방식에 대해 간결하기는 하지만 완전한 논의가 이루어졌다. 계산 방식이 소개되고, 수 많은 정리가 증명되어 있다. 이러한 방식으로 해서 학생들은 선형대수학의 근원적인 주제에 대한 개념화를 수립해 나갈 수 있음과 동시에, 문제 풀이 요령도 터득할 수 있다. 행렬식이 더 이상 선형대수학에 있어서 중심도 아니고, 현 수준의 교과과정에서는 단지 몇몇 강의만이 그 주제에 집중해야 한다고 우리는 생각한다. 이러한 이유로 우리는 1장에서 행렬식의 선형 시스템 및 역행렬에서의 관계를 포함한 행렬식과 관련된 필수적인 내용은 모두 언급하였다. 이렇게 함으로써 우리는 교재에서 필요성이 제기될 때마다 이론적인 도구로서 행렬식을 활용할 수 있다.

2. **벡터:** 교재 후반부에서 추상적인 벡터 공간을 설명하기 위해서 사용되는 특성들을 학생들이 이해하는데 도움이 되는 친숙한 구조를 제공하기 위해서 벡터는 1장에서 소개된다.

3. **일차 독립:** 우리는 많은 학생들이 선형 결합 및 일차 독립의 개념에 어려움을 겪고 있다는 것을 알았다. 이들 주제는 선형대수학에 있어서는 가장 기본적이고, 선형 시스템 이후의 거의 모든 주제에 있어서 본질이 된다고 할 수 있다. 학생들이 그것들을 이해하지 못한다면, 선형 대수학 과목으로부터의 교육 효과는 실현될 수 없다. *Introduction to Linear Algebra with Applications*에서는 유클리드 공간 관점에서 선형 결합 및 일차 독립을 상세히 설명하는데 2장을 할애하였다. 이것은 여러 가지 목적을 달성할 수 있게 해 준다. 먼저, 독립된 하나의 장에 이들 개념들을 제시함으로써 중요성이 강조된다. 둘째, 교재를 사용하는 강사는 이들 개념들을 다른 문제나 상황에 적용하기에 앞서 이들 개념에만 독자적으로 초점을 맞출 수 있다. 셋째, 선형 결합 및 일차 독립으로부터 파생되는 많은 중요한 결과물들이 친숙한 유클리드 영역에서 고려된다.

4. **유클리드 공간 $\mathbb{R}^n$:** 유클리드 공간 및 그들의 대수적 특성들은 2장에서 소개되고, 3장의 추상적 벡터 공간을 위한 모형으로서 이용된다. 우리는 이러한 접근 방식이 현 수준에서 추상적 개념에 제한적으로 노출된 학생들에게는 효과적이라는 것을 알았다.

5. **기하학적 표현:** 가능하면, 우리는 제시된 주제를 이해하는데 도움을 줄 수 있는 기하적 표현 및 해석 방식인 그림을 포함한다.

6. **새로운 개념:** 새로운 개념들은 거의 항상 구체적인 예제들을 통해서 먼저 소개된다. 그리고 나서 공식적인 정의 및 정리들이 일반적인 상황을 표현하기 위해서 주어진다. 좀 더 심화된 방식으로 새로운 주제를 전개하고 분석하기 위하여 추가적인 예제들이 제공된다.

7. **참/거짓 단원 테스트:** 각 단원은 대략 40 문제 정도의 참/거짓 단원 테스트로 마무리된다. 이들 질문들은 학생들의 개념 파악 및 단원에서 제시된 사실들의 이해를 돕기 위하여 기획된 것이다.

8. **엄격한 적용 및 직관:** 우리가 취한 접근 방식은 선형대수학의 엄격한 적용을 제시하는 것과 직관력을 향상시키는 것 사이에서의 균형을 맞추는데 공을 들였다고 할 수 있다. 예를 들면, 특별히 이해에 아주 도움이 되지 않는 과도한 계산을 요구하는 정리에 대한 증명은 과감하게 생략하였다. 증명은 제시되어 있지 않지만, 우리는 결과의 중요성 및 유용성, 그리고 가능하다면 증명 이면에 감추어진 발상 등에 대한 동기를 부여하기 위한 논의는 포함한다.

9. **추상적 벡터 공간:** 가급적 빨리 3장에서 추상적 벡터 공간에 대한 소개를 함으로써 추상적 벡터 공간을 *Introduction to Linear Algebra with Applications*에서의 핵심 주제로 선정하였다. 추상적 벡터 공간에 대한 적절한 강조가 필요하다는 생각에서 이와 같이 한 것이다. 전형적인 학부 수학 교과과정에서, 학생들이 이러한 수준의 추상화 개념을 접해보는 것은 선형대수학 과정이 첫 번째일 것이다. 그러나, 유클리드 공간의 친숙성과 광범위한 활용으로 인해 그것들은 우리의 접근 방식에서도 여전히 중요한 역할을 수행하고 있다. 3장의 마지막 부분에서, 우리는

벡터 공간의 추상화 이론의 필요성을 강조하는 미분 방정식에 관한 소단원을 포함하고 있다.

10.단원 사실 요약: 각 단원에서 제시된 중요한 사실 및 기법들의 요약으로 각 단원은 마무리된다. 이것들은 가급적이면 비기술적인 방식으로 기술되며, 대체로 수식도 포함하고 있지 않다. 이들 요약은 단원의 세부 내용 및 수식을 되풀이하기 위한 의도라기보다는 단원의 주요한 주제에 대한 개요를 보여주기 위함이다. 학생들이 폭넓은 관점에서 주제를 살펴볼 수 있도록 단원에서 제시된 개념 간의 관계를 유추하는데 도움을 주고자 하는데 우리의 의도가 있다.

응용

지난 수십 년에 걸쳐, 선형대수학의 적용 분야는 수적으로뿐만 아니라 적용되는 분야의 다양성 측면에서도 급속하게 커졌다고 할 수 있다. 이러한 성장의 대부분은 최신 컴퓨터의 활용 및 대규모 행렬과 관련된 문제에 대한 계산을 수행하는데 사용되는 전산용 대수 시스템의 개발로부터 비롯된 것이라고 할 수 있다. 이러한 인상적인 변화는 선형대수학을 이전에 비해 훨씬 더 유의미하게 만드는데 일조하였다. 최근에 수학 교육자 컨소시엄에서는 응용과 관련된 선형대수학의 중요성을 대수학에 이어 두 번째로 꼽았다. 점점 더 많은 대학들이 선형대수학의 응용에 초점을 맞춘 선형대수학 교과과정을 제공하고 있다. 수강생이 공학도, 경제학도, 과학도, 또는 수학전공자이든 간에, 추상화 이론은 선형대수학이 어떻게 적용되는지를 이해하기 위해서는 꼭 필요한 것이라고 할 수 있다.

본 교재에서는 선형대수학의 응용 사례가 1.8절에서 시작되는데, 화학, 공학, 경제학, 영양학, 그리고 도시 계획과 관련된 문제를 푸는데 있어서 선형 시스템이 어떻게 활용되는지를 보여주고 있다. 그러나, 응용 사례의 많은 유형은 본 교재에서 제시된 좀 더 복잡한 개념들을 포함하고 있다. 이러한 응용 사례들은 1장에서의 기본적인 주제를 넘어선 이론적인 개념을 필요로 하고, 요구되는 배경 지식의 소개가 완료되자마자 각 단원의 마지막에 기술되어 있다. 물론 우리는 고려할 수 있는 응용 사례 대상의 수에 제한을 둘 수밖에 없었다. 우리가 선택한 주제들이 독자의 관심사이고 향후 추가적인 조사로 유인될 수 있으면 하는 것이 우리의 바람이다.

특히, 4.6절에서 우리는 컴퓨터 그래픽스에서의 선형대수학의 역할에 대해 논의한다. 미분 방정식과 선형대수학 간의 관계에 대한 소개는 3.5절과 5.3절에서 이루어지고, 마르코프 체인 및 이차형식은 5.4절과 6.7절에서 각각 설명된다. 6.5절에서는 해가 존재하지 않는(inconsistent) 선형 시스템에 대한 근사해를 찾는 문제를 다룬다. 이와 관련하여 가장 친숙한 응용 사례 중의 하나는 데이터 점의 집합에 가장 부합하는 직선의 방정식을 찾는 문제이다. 마지막으로 6.8절에서는 행렬의 특이해 분해 및 데이터 압축과 관련된 응용에 대해서 고려한다.

기술

계산은 수학, 특히 선형대수학에 있어서 기초적인 과정의 필수적인 부분이다. 기법을 정복하기 위해서는 우리는 학생들이 가능한 많은 문제를 필산하는 것을 장려한다. 그렇기는 하지만, 우리는 학생들이 꽤 지루한 계산의 일부를 수월하게 완전히 수행할 목적으로 고안된 가용한 기술을 적절하게 활용하는 것도 장려한다. 예를 들면, 대규모 행렬을 행간소화하기 위하여 MAPLE 또는 MATLAB과 같은 전산용 대수 시스템을 활용하는 것은 상당히 바람직하다. *Introduction to Linear Algebra with Applications*에서의 원칙은 일부 기술이 활용될 수는 있겠지만, 개별 강사 및 학생에게 그 선택을 일임하는 것이다. 우리는 특정 소프트웨어를 사용하는 논의 또는 연습문제를 포함하는 것이 필요하다고 생각하지는 않는다. 본 교재는 기술이 있든 없든 활용될 수 있는 것임을 명심할 필요가 있다. 활용되는 정도는 강사의 판단에 맡긴다. 우리의 경험에 비추어 볼 때, 전산용 대수 시스템 MuPad에 메뉴 형식의 접근과 더불어 사용자가 직접 이용하는 $\LaTeX$을 제공하는 Scientific Notebook™은 학생들이 수식을 분명하게 쓰는 것을 학습할 수 있음과 동시에 계산을 수행하기 위한 기술 활용 경험을 취득하는데 도움을 줄 수 있다는 것을 우리는 알았다. 또 다른 대안은 수식 쓰는 것은 $\LaTeX$을, 계산 수행은 전산용 대수 시스템을 이용하는 것이다.

선형대수학에서의 기술의 또 다른 측면은 계산의 정확성 및 효율성과 관련되어 잇다. 인터넷 검색 엔진과 관련된 몇몇 응용 사례는 광범위한 연산을 필요로 하는 대규모 행렬과 연관되어 있다. 게다가 결과의 정확성은 컴퓨터 반올림 오차에 의해 영향을 받을 수 있다. 예를 들면, 대규모 행렬의 고유값을 찾기 위한 특성방정식에서 해가 존재하지 않을 수도 있다. 이러한 유형의 문제를 해결하는 것은 매우 중요하다. 수치 선형대수학으로 알려진 연구 분야는 전산 프로그램 기술자와 실용적인 해를 찾는데 관심이 있는 응용 수학자 모두에게 활발한 연구의 대상이 된다. 본 교재에서는 선형대수학의 근본적인 개념을 간단한 예제를 통하여 소개한다. 그러나 학생들은 예제에서 사용된 소규모 행렬을 초월하여 이러한 개념을 확장시킬 때 직면할 수 있는 계산상의 어려움에 대해서도 인지하고 있어야만 한다.

다른 특징

1. **단원의 시작:** 각 단원의 시작은 그 단원의 내용과 직접적으로 관련된 응용 사례를 언급하는 것으로 하고 있다. 이러한 것들은 추가적인 관심을 불러일으키고 다루어져야 할 내용과의 관련성을 강조한다고 할 수 있다.

2. **문체:** 문체는 분명하고, 흥미를 유발하며, 이해하기 쉽도록 하고 있다. 중요한 새로운 개념들은 독자의 직관력 향상에 도움을 줄 수 있도록 먼저 예제들을 가지고 소개한다. 우리는 전문 용어의 사용을 자제하며, 가능한 독자 친화적인 설명을 부가하고 있다. 모든 설명은 학생 입장에서 서술된다. 특히 *Introduction to Linear Algebra with Applications*은 학생들이 선형대수학의 기본적인 개념을 습득할 수 있는 읽기 수월한 교재라고 할 수 있다.

3. **연습문제:** 연습문제는 앞 부분은 통상적인 문제로 시작하여 후반부로 갈수록 보다 심오한 문제로 구성되어 있다. 계산 문제와 일부 증명을 필요로 하는 이론 문제가 혼재해 있다. 각 연습문제의 전반부는 학생들의 기본적인 개념을 적용하는 능력을 평가하기 위한 것이다. 이러한 연습문제들은 주로 계산 문제들이며, 풀이는 소단원에 나와 있는 예제들을 참고하면 된다.

각 연습문제의 후반부는 학생들에게 논거를 확실히 제시할 수 있도록 개념 및 기법들을 확장
시켜 준다.

4. **복습문제:** 복습문제는 10문제의 시험문제 견본으로 구성되어 있다. 이들 복습문제들은 교재에
서 논의된 다양한 기법 및 개념들과 연관되어 있는 복합형 문제 유형이다. 각 문제들 중 최소
한 하나의 문제는 그 단원의 내용으로부터 새로운 발상을 제안하고 있다.

5. **분량:** 교재의 분량은 특히 학부 수준의 한 학기용 선형대수학 강좌를 위한 교재를 염두에 두
고 집필된 것이다.

6. **부록:** 부록은 집합에서의 대수, 함수, 증명의 기법, 그리고 수학적 귀납법 등 추가적인 자료들
을 포함한다. 이러한 특징과 함께, 강사는 필요에 따라 고등 수학에 앞서 일반적으로 중간 과
정에 포함될 수 있는 주제들을 다룰 수도 있다.

단원 개요

*Introduction to Linear Algebra with Applications*에서 우리가 선택한 주제들은 한 학기용 기초
과정에서 일반적으로 다루어지는 내용을 총망라한 것이다. 우리가 이들 주제들을 나열한 순서는
우리의 교육적 방식과 강조할 목적의 선호도를 반영한 것이다. 그럼에도 불구하고, 우리는 교재
가 일관성을 유지한 채로 순서를 변경하는 것이 가능하도록 유연성 있게 저술하였다. **1장에서** 우
리는 선형 시스템, 행렬 대수, 행렬식, 기본행렬, LU 분해와 같은 모든 기본적인 내용을 담고 있
다. **2장에서는** $\mathbb{R}^n$ 공간에서의 선형 결합 및 일차 독립에 대한 설명을 자세히 다루고 있다. 우리
는 학생들이 이들 개념에 어려움을 겪고 있다는 것을 알았다. 우리는 2장을 추가함으로써 친숙
한 설정으로 모든 중요한 발상을 전개할 수 있는 기회를 가지게 된다. 앞에서 언급했듯이, 추상
적인 벡터 공간의 중요성을 강조하기 위하여 우리는 **3장에서** 가급적 빨리 소개하도록 하였다. 또
한 3장에서 부분공간, 기저, 좌표 등에 대해서도 논의한다. **4장의** 주제는 벡터 공간 간의 선형 변
환이다. 초반부에 우리는 선형 변환의 영공간과 치역에 대해서 알아보고, 그리고 나서 모든 차원
n인 유한차원 벡터 공간은 $\mathbb{R}^n$ 공간과 동형사상임을 보여준다. 또한 4장에서 우리는 행렬의 4 가
지 기본적인 부분공간들을 소개하고, $m \times n$ 행렬이 $\mathbb{R}^n$ 공간의 하나의 벡터에 미치는 영향에 대
해서도 논의한다. **5장은** 고유값과 고유벡터와 관련되어 있다. 고유값과 그에 대응하는 고유벡터
를 찾기 위한 기법을 보여주기 위해 많은 분량의 문제가 나열되어 있다. 우리는 고유값의 대수적
및 기하학적 중복도에 대한 논의도 하고, 정사각행렬이 대각화 가능하기 위한 기준에 대해서도
살펴본다. **6장에서는,** $\mathbb{R}^n$ 공간을 모형으로 활용하여, 우리는 내적에 의하여 기하학적 구조가 벡
터 공간 상에서 어떻게 정의될 수 있는지를 보여준다. 또한 우리는 내적 공간을 위한 정규직교기
저를 찾는데 활용될 수 있는 그람-슈미트 과정을 소개하고, 직교여공간에 대한 내용도 제시한다.
6장 후반부에서 우리는 $m \times n$ 행렬의 특이해 분해에 대해서도 다룬다. **부록은** 고등 수학으로 나
아가기 위해 중간 과정에서 필요한 일부 주제들의 간단한 요약이 포함되어 있다. 우리는 여기서
집합에서의 대수, 함수, 증명의 기법, 수학적 귀납법에 관한 내용을 보여주고 있다. 응용 사례에

절대적으로 필요한 내용이 모두 다루어졌다고 판단되면, 각 장의 마지막에 응용 사례를 기술하고 있다.

보충 자료

1. **강사용 해답집:** 이 해답집에는 모든 문제에 대한 상세한 풀이가 포함되어 있다.
2. **학생용 해답집:** 이 해답집에는 홀수번 문제에 대한 상세한 풀이가 포함되어 있다.
3. **www.mhhe.com/defranza 교재 웹사이트:** 이 웹 사이트는 교재와 유사한 구성을 가지며, 학생과 강사 모두 이용 가능하다. 학생들은 각 단원에 대한 자기평가용 퀴즈문제 및 추가적인 예제, 단원 마지막의 종합 퀴즈문제 등을 풀어볼 수 있다. 이 외에도 강사는 추가적인 퀴즈문제, 시험문제 견본, 단원 마지막의 참/거짓 테스트, 그리고 강사용 해답집 등을 찾아볼 수 있다.

감사의 글

우리는 교재 개발의 각 단계에서 원고를 검토해 준 많은 개인들에게 진심어린 감사의 말씀을 전하고 싶다. 그들의 사려 깊은 의견과 훌륭한 제안들이 우리의 노력과 더불어 선형대수학 분야에 있어서 독자 친화적인 기초적인 교재를 개발하겠다는 우리의 신념을 실현하는데 도움을 주었다.

우리는 또한 원고의 철저한 검토와 교재의 내용 전개가 원활하도록 통찰력 있는 의견을 개진해 준 오하이오 주 Bowling Green 시의 Bowling Green 주립 대학의 David Meel에게 특별한 감사를 하고자 한다. 그리고 우리는 모든 문제를 포함하여 교정을 위해 전체 원고를 검토하는 등의 지리한 작업을 해 준 North Carolina 주립 대학의 Ernie Stitzinger에게도 감사의 말씀을 전하고자 한다. 처음 시작부터 끝날 때까지 다방면으로 도움을 준 우리의 편집장 (그리고 보조 인력), Liz Covello (Sr. Sponsoring Editor), Michelle Driscoll (Developmental Editor), 그리고 Joyce Watters (Project Manager)에게도 특별한 감사의 뜻을 전하고자 한다.

개인적으로는 사랑과 지원을 아끼지 않은 우리의 아내들, Regan DeFranza와 Robin Gagliardi, 그리고 교재를 집필할 동기를 제공해 준 Saint Lawrence 대학과 SUNY Canton의 학생들에게도 감사한다. 끝으로, 우리의 원고를 취합하여 교재로 편찬해 준 McGraw-Hill 고등 교육원 관계자 여러분께도 감사의 뜻을 전하고 싶다.

검수위원

Marie Aratari, *Oakland Community College*
Cik Azizah, *Universiti Utara Malaysia (UUM)*
Przcmyslaw Bogacki, *Old Dominion University*
Rita Chattopadhyay, *Eastern Michigan University*
Eugene Don, *Queens College*
Lou Giannini, *Curtin University of Technology*
Gregory Gibson, *North Carolina A&T University*
Mark Gockenback, *Michigan Technological University*
Dr. Leong Wah June, *Universiti Putra Malaysia*
Cerry Klein, *University of Missouri–Columbia*
Kevin Knudson, *Mississippi State University*
Hyungiun Ko, *Yonsei University*
Jacob Kogan, *University of Maryland–Baltimore County*
David Meel, *Bowling Green State University*
Martin Nakashima, *California State Poly University–Pomona*
Eugene Spiegel, *University of Connecticut–Storrs*
Dr. Hajar Sulaiman, *Universiti Sains Malaysia (USM)*
Gnana Bhaskar Tenali, *Florida Institute of Technology–Melbourne*
Peter Wolfe, *University of Maryland–College Park*

학생에게

학생들은 아마도 두 학기 또는 세 학기 정도의 대수학 교과목을 수강한 이후, 특히 학부 2학년 때 선형대수학 과목을 수강하게 될 것이다. 대수학과 마찬가지로, 선형대수학은 정교한 이론과 많은 다양한 응용 분야가 상존하는 과목이다. 그러나, 이 과목에서 학생들은 상당히 높은 수준의 추상화 개념에 직면할 수도 있을 것이다. 이러한 이행에 도움을 주기 위해, 몇몇 전문대학 및 대학에서는 고등 수학으로 나아가기 전에 중간 난이도 수준의 과정을 제공하기도 한다. 학생들이 그러한 과목을 접해 본 적이 없다면, 학생들이 정리의 증명을 정독하고, 이해하고, 연습문제 일부인 증명을 수행해 보고, 제시된 개념들을 적용해 볼 것으로 기대되는 첫 번째 수학 과목이 될 수도 있을 것이다. 이 모든 것은 지식의 중심부라는 맥락 안에서 가능한 것이다. 학생들이 이 작업을 열린 마음으로 접근하고, 몇몇 부분은 한 번 이상 정독해야겠지만, 교재를 읽고자 하는 의욕만 보인다면, 이러한 작업은 흥미진진하고 가치 있는 경험이 될 것이다. 학생들이 수학 전공의 일부로 수강하든 아니면 특정 학습 분야에 선형대수학이 적용되기 때문에 수강하든지 간에 선형대수학의 개념들을 수학 또는 다른 과학 분야에 적용하는데 있어서 이론에 대한 명확한 이해는 필수적이다. 본문의 예제와 연습문제는 모두 학생들이 이 과목 그리고 수학의 다른 심화 과목에서 접할 수 있는 여러 유형의 문제들을 여러분들이 대비할 수 있도록 하기 위함이다. 내용의 구성은 독자들이 다음으로 넘어가기 전에 각 주제는 완벽하게 이해되어야 한다는 우리의 철학에 근거하고 있다. 외표지에 나와 있는 나무 형상은 학습 전략을 은유적으로 표현한 것이다. 특히 수학 공부에 적용될 수 있다. 나무의 줄기는 추후에 등장하게 될 모든 것에 대한 근간을 형성하는 내용을 의미한다. 본 교재에서는 이러한 내용이 1장에서부터 4장에 걸쳐 제시되어 있다. 한층 심화된 주제 및 응용 사례를 나타내는 나무의 다른 모든 가지들은 줄기의 근간 또는 가로질러 있는 가지들의 부수적인 내용으로부터 확장되어 퍼져나간다. 우리는 특히 학생들이 선형대수학 교재를 정독하고, 개념들을 순차적이고 완전한 방식으로 터득할 수 있도록 교재를 집필하였다. 학생들이 이 아름다운 과목을 학습하는데 열성적이라면, 그 보답은 여러분들이 수강하는 다른 교과목에서나 당신의 전문적인 경력에서 이루 형언할 수 없을 정도로 소중할 것이다. 행운이 함께 하기를!

Jim DeFranza
jdefranza@stlawu.edu

Dan Gagliardi
gagliardid@canton.edu

응용 사례 색인

1장
연립일차방정식과 행렬

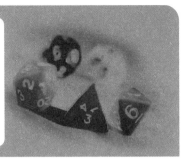

광합성 과정에서 태양에너지는 살아있는 유기체가 사용할 수 있는 형태로 변환된다. 식물의 잎에서 일어나는 화학반응이 이산화탄소와 물을 탄수화물로 변환시킨다. 이러한 반응의 화학방정식은 아래와 같은 형식을 가진다.

$$a\mathrm{CO}_2 + b\mathrm{H}_2\mathrm{O} \longrightarrow c\mathrm{O}_2 + d\mathrm{C}_6\mathrm{H}_{12}\mathrm{O}_6$$

여기서 a, b, c, d는 어떤 자연수이다. 질량 보존의 법칙은 화학반응 전, 후의 모든 물질의 총 질량은 동일하다는 것이다. 즉, 화학반응에서 원자는 생성되지도 파괴되지도 않는다. 따라서 화학방정식은 안정을 이루어야 한다. 광합성 반응방정식이 안정을 이루기 위하여, 방정식의 양 변에 동일한 수의 탄소 원자가 나타나야 하므로,

Photograph by Jan Smith/RF

$$a = 6d$$

이다. 그리고 양 변에 동일한 수의 산소원자가 나타나야 하므로,

$$2a + b = 2c + 6d$$

이고, 역시 양 변에 동일한 수의 수소원자가 나타나야 하므로,

$$2b = 12d$$

이다.

이러한 것은 네 개의 변수를 갖는 세 개의 일차방정식으로 된 연립일차방정식

$$\begin{cases} a \quad\quad\quad\; - 6d = 0 \\ 2a + b - 2c - 6d = 0 \\ \quad\;\; 2b \quad\quad -12d = 0 \end{cases}$$

으로 표시된다. 위의 세 방정식을 만족하는 임의의 자연수 a, b, c, d를 연립일차방정식의 해 (solution)라 한다. 이 해는 화학방정식이 안정을 이루게 한다. 예를 들어, $a = 6$, $b = 6$, $c = 6$, $d = 1$ 는 위의 방정식을 만족시킨다.

여러 다양한 응용들이 연립방정식으로 모델화되어 있다. 연립방정식은 수학 특히, 선형대수학에서 중요하다. 이 장에서는 연립일차방정식의 해를 구하는 체계적인 방법에 대하여 논하고자 한다.

1.1 연립일차방정식

앞에서 소개된 예와 같이 많은 자연적으로 발생하는 과정들은 하나 이상의 방정식을 사용하여 모델화되고, 여러 개의 변수를 가지는 방정식을 요구한다. 예를 들면 경제에 관련된 모델들은 수천 개의 변수와 방정식을 가진다. 이런 개념을 전개하기 위하여 미지수 x, y에 대한 연립방정식

$$\begin{cases} 2x - y = 2 \\ x + 2y = 6 \end{cases}$$

을 생각하자. 각 방정식을 만족하는 미지수 x와 y의 값을 연립방정식의 해(solution)라 한다. 위의 예에서 첫 번째 방정식을 y에 대하여 풀면

$$y = 2x - 2$$

이고, 이것을 두 번째 방정식에 대입하면

$$x + 2(2x - 2) = 6$$

이므로 $x = 2$이다. $x = 2$를 첫 번째 방정식에 대입하면 $2(2) - y = 2$이므로 $y = 2$이다. 그러므로 주어진 연립방정식의 해는 $x = 2$, $y = 2$이다. 두 방정식은 평면 위에서 직선으로 표시되므로, 직선이 교차하면 연립방정식의 해가 존재한다. 위에서 주어진 두 직선은 그림 1(a)에서 보이는 것처럼 평면상의 단 한 점 (2, 2)에서 교차한다. 적어도 하나 이상의 해를 가지는 연립방정식을 일치(consistent)라 하고, 해가 없는 연립방정식을 불능(inconsistent)이라 한다. 두 변수를 갖는 두 일차방정식으로 된 연립방정식에서는 다음 세 가지 가능성이 존재한다.

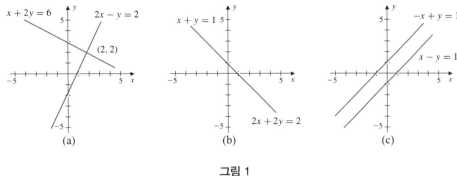

그림 1

1. 두 직선의 기울기가 다르면, 그림 1 (a)처럼 단 한 점에서 만난다.

2. 두 직선이 완전히 일치하면(한 방정식은 다른 방정식의 $k(\neq 0)$ 배이다), 그림 1 (b)처럼 무한히 많은 해를 갖는다.

3. 두 직선이 평행하고(같은 기울기를 가지면) 만나지 않으면, 그림 1 (c)처럼 연립방정식은 불능이다.

많은 변수를 다룰 때 일차방정식을 표현하는 표준적인 방법은 계수와 변수를 아래첨자를 사용한다. n 개의 변수 $x_1, x_2, \ldots, x_n$에 관한 일차방정식(linear equation)은

$$a_1 x_1 + a_2 x_2 + \cdots + a_n x_n = b$$

형인 방정식이다. n 개의 변수에 관한 m 개의 방정식으로 된 연립방정식을 표시하기 위하여, 각 계수에 두자리 아래첨자를 사용한다. 첫 번째 첨자는 방정식의 갯수를 표시하고, 두 번째 첨자는 방정식의 항을 나타낸다.

정의 1 연립일차방정식

n 개의 변수에 대한 m 개의 일차방정식으로 된 연립방정식, 또는 연립일차방정식(linear system) 은

$$\begin{cases} a_{11}x_1 + a_{12}x_2 + \cdots + a_{1n}x_n = b_1 \\ a_{21}x_1 + a_{22}x_2 + \cdots + a_{2n}x_n = b_2 \\ a_{31}x_1 + a_{32}x_2 + \cdots + a_{3n}x_n = b_3 \\ \quad\vdots \qquad\quad \vdots \qquad\quad \vdots \qquad\quad \vdots \qquad\quad \vdots \\ a_{m1}x_1 + a_{m2}x_2 + \cdots + a_{mn}x_n = b_m \end{cases}$$

이다. 이 연립일차방정식을 $m \times n$ 연립일차방정식이라고도 한다.

예를 들면,

$$\begin{cases} -2x_1 + 3x_2 + x_3 - x_4 = -2 \\ \quad x_1 \qquad\;\; + x_3 - 4x_4 = \;\;1 \\ \;\; 3x_1 - \;x_2 \qquad\quad - x_4 = \;\;3 \end{cases}$$

은 네 변수에 대한 세 개의 연립일차방정식, 또는 3×4 연립일차방정식이다.

n 개의 변수에 대한 연립일차방정식의 각 방정식이

$$x_1 = s_1, \; x_2 = s_2, \; \dots \; , \; x_n = s_n$$

일 때 성립하면 순서열 $(s_1, \, s_2, \, \dots, \, s_n)$을 위에서 주어진 연립일차방정식의 해(solution)라 한다. 그리고 연립일차방정식의 모든 해로 이루어진 집합을 일반해(general solution) 또는 해집합(solution set)이라 한다.

소거법

소거법(elimination method) 또는 가우스 소거법(Gaussian elimination method)은 연립일차방정식의 해를 구하는데 사용되는 한 알고리즘이다. 이 알고리즘을 설명하기 위하여 먼저 연립일차방정식의 삼각꼴(triangular form)을 소개한다.

$m \times n$ 연립일차방정식의 계수 a_{ij}가 $i > j$ 이면 $a_{ij} = 0$ 일 때 이 연립일차방정식을 삼각꼴(triangular form)이라 하고, 삼각연립일차방정식(triangular system)이라 한다. 다음은 삼각연립일차방정식의 예이다.

$$\begin{cases} x_1 - 2x_2 + x_3 = -1 \\ \qquad\quad x_2 - 3x_3 = \;\;5 \;, \\ \qquad\qquad\quad\;\; x_3 = \;\;2 \end{cases} \qquad \begin{cases} x_1 + x_2 - \;x_3 - \;x_4 = 2 \\ \qquad\quad x_2 - \;x_3 - 2x_4 = 1 \\ \qquad\qquad\;\; 2x_3 - \;x_4 = 3 \end{cases}$$

연립일차방정식이 삼각꼴일 때, 그 해집합은 역대입법(back substitution)이라는 기법을 사용하여 구할 수 있다. 이 역대입법을 설명하기 위하여 다음 연립일차방정식을 생각하자.

$$\begin{cases} x_1 - 2x_2 + x_3 = -1 \\ \qquad\quad x_2 - 3x_3 = \;\;5 \\ \qquad\qquad\quad\;\; x_3 = \;\;2 \end{cases}$$

마지막 식에서 $x_3 = 2$이며, 이것을 두 번째 식에 대입하면 $x_2 - 3(2) = 5$에 의하여 $x_2 = 11$이다. 마지막으로 이 값을 첫 번째 식에 대입하면 $x_1 - 2(11) + 2 = -1$ 즉, $x_1 = 19$이다. 그러므로 주어진 연립일차방정식의 해는 $(19, 11, 2)$이다.

정의 2 동치연립일차방정식

동일한 해를 갖는 두 연립일차방정식을 동치(equivalent)라 한다.

예를 들면, 연립방정식

$$\begin{cases} x_1 - 2x_2 + x_3 = -1 \\ 2x_1 - 3x_2 - x_3 = 3 \\ x_1 - 2x_2 + 2x_3 = 1 \end{cases}$$

은 단 하나의 해 $x_1 = 19$, $x_2 = 11$, $x_3 = 2$를 가지므로,

$$\begin{cases} x_1 - 2x_2 + x_3 = -1 \\ x_2 - 3x_3 = 5 \\ x_3 = 2 \end{cases}$$

와

$$\begin{cases} x_1 - 2x_2 + x_3 = -1 \\ 2x_1 - 3x_2 - x_3 = 3 \\ x_1 - 2x_2 + 2x_3 = 1 \end{cases}$$

은 동치인 연립방정식이다.

다음 정리에서 한 연립일차방정식을 동치인 연립일차방정식으로 변환하는 세 연산을 소개하고, 임의의 연립일차방정식을 동치인 삼각꼴의 연립일차방정식으로 변환할 수 있음을 보인다.

정리 1 연립일차방정식

$$\begin{cases} a_{11}x_1 + a_{12}x_2 + \cdots + a_{1n}x_n = b_1 \\ a_{21}x_1 + a_{22}x_2 + \cdots + a_{2n}x_n = b_2 \\ a_{31}x_1 + a_{32}x_2 + \cdots + a_{3n}x_n = b_3 \\ \phantom{a_{11}}\vdots \phantom{x_1 + a_{12}}\vdots \vdots \vdots \vdots \\ a_{m1}x_1 + a_{m2}x_2 + \cdots + a_{mn}x_n = b_m \end{cases}$$

에 대하여 다음 세 연산을 수행하여 동치인 연립일차방정식으로 변환할 수 있다.

  1. 두 방정식을 교환한다.
  2. 한 방정식에 0이 아닌 상수를 곱한다.
  3. 한 방정식을 상수배하여 다른 방정식에 더한다.

증명 두 방정식을 교환하여도 연립일차방정식의 해는 변하지 않으므로, 동치인 연립일차방정식이 된다. 그리고 방정식 i에 상수 $c \neq 0$를 곱하여 된 새로운 연립일차방정식의 방정식 i는

$$ca_{i1}x_1 + ca_{i2}x_2 + \cdots + ca_{in}x_n = cb_i$$

이다. 그리고 처음의 연립일차방정식의 해를 $(s_1, s_2, ..., s_n)$이라 하면,

$$a_{i1}s_1 + a_{i2}s_2 + \cdots + a_{in}s_n = b_i$$

이므로

$$ca_{i1}s_1 + ca_{i2}s_2 + \cdots + ca_{in}s_n = cb_i$$

이다. 그러므로 $(s_1, s_2, ..., s_n)$은 새로운 연립일차방정식의 해이다. 결론적으로 두 연립일차방정식은 동치가 된다.

정리의 세 번째 연산에 대해서, 방정식 i를 c배하여 방정식 j에 더하여 얻어진 새로운 연립일차방정식에 대하여 생각하자. 새로운 연립일차방정식의 j 번째 방정식은

$$(ca_{i1} + a_{j1})x_1 + (ca_{i2} + a_{j2})x_2 + \cdots + (ca_{in} + a_{jn})x_n = cb_i + b_j$$

또는

$$c(a_{i1}x_1 + a_{i2}x_2 + \cdots + a_{in}x_n) + (a_{j1}x_1 + a_{j2}x_2 + \cdots + a_{jn}x_n) = cb_i + b_j$$

이다. $(s_1, s_2, ..., s_n)$을 처음의 연립일차방정식의 해라 하면,

$$a_{i1}s_1 + a_{i2}s_2 + \cdots + a_{in}s_n = b_i,$$
$$a_{j1}s_1 + a_{j2}s_2 + \cdots + a_{jn}s_n = b_j$$

이므로,

$$c(a_{i1}s_1 + a_{i2}s_2 + \cdots + a_{in}s_n) + (a_{j1}s_1 + a_{j2}s_2 + \cdots + a_{jn}s_n) = cb_i + b_j$$

이다. 따라서 $(s_1, s_2, ..., s_n)$ 역시 변형된 연립일차방정식의 해가 되므로 두 연립일차방정식은 동치이다.

예제 1

소거법을 사용하여 다음 연립일차방정식의 해를 구하라.

$$\begin{cases} x + y = 1 \\ -x + y = 1 \end{cases}$$

풀이 첫 번째 방정식을 두 번째 방정식에 더하면 동치인 연립일차방정식

$$\begin{cases} x + y = 1 \\ 2y = 2 \end{cases}$$

을 얻을 수 있고, 두 번째 식으로 부터 $y = 1$이다. 그리고 역대입법을 사용하면 $x = 0$이다. 두 연

립일차방정식의 그래프는 그림 2와 같다. 두 연립일차방정식의 해가 동일함을 알 수 있고, 첫 번째 방정식을 두 번째 식에 더하면 직선 $-x+y=1$은 교점에 관하여 회전한다.

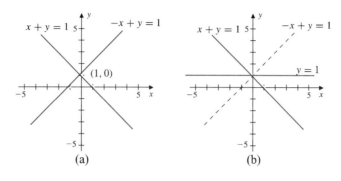

그림 2

연립일차방정식을 삼각꼴로 변환하려면 여러 단계를 거치게 된다. 더욱이 어떤 연립일차방정식을 다른 연립일차방정식으로 변환하는데 사용되는 연산들은 유일하지 않으며 조사해 보면 명확하지 않을 수도 있다. 이 과정을 표기법으로 표현하면, 예를 들면

$$(-2)\cdot E_1 + E_3 \longrightarrow E_3$$

은 "첫 번째 방정식을 -2배하여 세 번째 식에 더해 얻어진 식을 세 번째 방정식으로 대체"하는 것을 의미한다. 표기법

$$E_i \longleftrightarrow E_j$$

는 "i번째 방정식과 j번째 방정식을 서로 교환한다"는 의미로 사용되어진다.

예제 2

연립일차방정식

$$\begin{cases} x+y+ \ z= \ 4 \\ -x-y+ \ z=-2 \\ 2x-y+2z= \ 2 \end{cases}$$

의 해를 구하라.

풀이 주어진 연립일차방정식을 동치인 삼각꼴로 고치기 위하여 먼저 두 번째와 세 번째 식에서 변수 x를 소거하면

$$\begin{cases} x+y+ \ z= \ 4 \\ -x-y+ \ z=-2 \\ 2x-y+2z= \ 2 \end{cases} \quad \begin{matrix} E_1+E_2 \to E_2 \\ -2E_1+E_3 \to E_3 \end{matrix} \quad \longrightarrow \quad \begin{cases} x+ \ y+ \ z= \ 4 \\ \qquad\qquad 2z= \ 2 \\ -3y \qquad =-6 \end{cases}$$

이다. 두 번째와 세 번째 식을 교환하면 삼각연립일차방정식

$$\begin{cases} x+ y+ z= 4 \\ \qquad\quad 2z= 2 \\ -3y \qquad =-6 \end{cases} \quad E_2 \longleftrightarrow E_3 \quad \longrightarrow \quad \begin{cases} x+ y+ z= 4 \\ -3y \qquad =-6 \\ \qquad\quad 3z= 2 \end{cases}$$

를 얻을 수 있다. 이 연립일차방정식에서 역대입법을 이용하면

$$z = 1,\ y = 2,\ x = 4 - y - z = 1$$

이다. 그러므로 주어진 연립일차방정식은 단 하나의 해 $(1, 2, 1)$을 갖는다. ■

입체기하학으로부터 $ax + by + cz = d$ 형태인 방정식의 그래프는 3차원 공간에서 하나의 평면을 나타냄을 생각하자. 예제 2에서 주어진 연립일차방정식의 단 하나의 해는 그림 3 (a)에서와 같이 세 평면의 교차점이다. 다른 측면에서 보면 그림 3 (b)에서 세 평면 중 각 두 평면의 교점은 직선을 이루고 있으며, 이 직선들은 3×3 연립일차방정식의 해인 한 점에서 만난다.

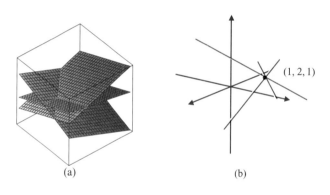

그림 3

2×2 경우와 비슷하게, 유클리드 평면기하는 세 변수를 갖는 세 개의 방정식으로 된 연립일차방정식의 일반해를 구하는 것을 더 잘 이해할 수 있도록 도와준다. 특히 예제 2에서 설명한 것처럼, 세 평면이 단 한 점에서 만나면 연립일차방정식은 단 하나의 해를 갖는다. 이와 달리, 만약 3×3 연립일차방정식의 각 방정식이 표시하는 세 평면이 다음 경우 중 어느 한 경우이면 이 연립일차방정식은 무한히 많은 해를 갖는다.

1. 세 평면 모두가 같은 평면이다.
2. 세 평면이(책의 페이지처럼) 한 직선에서 만난다.
3. 두 평면이 같은 평면이며, 그 두 평면과 나머지 한 평면은 한 직선에서 만난다.

예를 들면, 연립방정식

$$\begin{cases} -y+z=0 \\ \quad y \quad =0 \\ \qquad z=0 \end{cases}$$

은 x축에서 만나는 세 평면을 표시한다. 즉, $z=0$은 xy-평면이고, $y=0$은 xz-평면이며, $y=z$는 x-축을 $45°$ 각도로 뚫고 지나가는 평면이다.

마지막으로, 3×3 연립일차방정식이 해를 갖지 않는 두 경우가 있다. 첫째, 평면 중 적어도 하나 이상이 나머지 다른 평면과 같지는 않지만 평행하면, 이 연립일차방정식은 해를 갖지 않는다. 연립일차방정식

$$\begin{cases} z \;=\; 0 \\ z \;=\; 1 \\ z \;=\; 2 \end{cases}$$

처럼 확실히 세 평면 모두가 평행하면(각각 두 평면은 같지 않고) 이 연립일차방정식은 해를 갖지 않는다.

3×3 연립일차방정식에서 각각 두 평면이 만나는 직선들이 같지 않고 그림 4처럼 평행하면, 이 연립일차방정식은 해를 갖지 않는다.

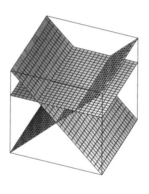

그림 4

앞의 설명에서 3×3 연립일차방정식은 2×2 연립일차방정식처럼 해를 갖지 않거나, 단 하나의 해를 갖거나, 무수히 많은 해를 가지는 경우를 보았다. 이 장의 4절에서 임의의 $m \times n$ 연립일차방정식에 대해서도 이러한 경우가 성립함을 보일 것이다.

다음 예제 3에서는 네 개의 변수를 갖는 연립일차방정식을 생각한다. 물론 위와 같은 기하학적인 원리를 새로운 방정식에 직접 적용할 수 없지만, 여러 변수를 갖는 연립일차방정식의 해를 구하는 방법을 이해하는 동기를 제공한다.

예제 3

연립일차방정식

$$\begin{cases} 4x_1 - 8x_2 - 3x_3 + 2x_4 = 13 \\ 3x_1 - 4x_2 - x_3 - 3x_4 = 5 \\ 2x_1 - 4x_2 - 2x_3 + 2x_4 = 6 \end{cases}$$

의 해를 구하라.

풀이 세 방정식의 모든 항은 항상 2로 나눌 수 있으므로, 세 번째 방정식을 $\frac{1}{2}$ 배 하면 x_1의 계수는 1이 된다. 그 후 첫 번째 방정식과 세 번째 방정식을 교환하면

$$\begin{cases} 4x_1 - 8x_2 - 3x_3 + 2x_4 = 13 \\ 3x_1 - 4x_2 - x_3 - 3x_4 = 5 \\ 2x_1 - 4x_2 - 2x_3 + 2x_4 = 6 \end{cases} \quad \tfrac{1}{2}E_3 \longrightarrow E_3 \quad \begin{cases} 4x_1 - 8x_2 - 3x_3 + 2x_4 = 13 \\ 3x_1 - 4x_2 - x_3 - 3x_4 = 5 \\ x_1 - 2x_2 - x_3 + x_4 = 3 \end{cases}$$

$$E_1 \longleftrightarrow E_3 \longrightarrow \begin{cases} x_1 - 2x_2 - x_3 + x_4 = 3 \\ 3x_1 - 4x_2 - x_3 - 3x_4 = 5 \\ 4x_1 - 8x_2 - 3x_3 + 2x_4 = 13 \end{cases}$$

이다. 이 연립일차방정식에 연산

$$-3E_1 + E_2 \longrightarrow E_2, \quad -4E_1 + E_3 \longrightarrow E_3$$

을 시행하면, 동치인 삼각연립일차방정식

$$\begin{cases} x_1 - 2x_2 - x_3 + x_4 = 3 \\ 2x_2 + 2x_3 - 6x_4 = -4 \\ x_3 - 2x_4 = 1 \end{cases}$$

을 얻는다. 따라서 x_4를 임의의 실수로 가정하고 역대입법을 사용하면 주어진 연립일차방정식의 일반해는

$$x_3 = 2x_4 + 1 \qquad x_2 = x_4 - 3 \qquad x_1 = 3x_4 - 2$$

이다. 이 경우 x_4 대신 매개변수 t를 사용하는 것이 보통이다. 따라서 일반해는

$$S = \{(3t-2, \ t-3, \ 2t+1, \ t) \,|\, t \in \mathbb{R}\}$$

로 표시할 수 있으며, 해의 1-매개변수 족(1-parameter family)이라 한다. 임의의 t에 대하여 $x_1 = 3t-2$, $x_2 = t-3$, $x_3 = 2t+1$, $x_4 = t$ 를 주어진 방정식에 대입해 보면 이들이 해가 됨을 알 수 있다. 그리고 t에 어떤 특정한 값을 대입하여 하나의 특수해를 구할 수 있다. 예를 들어, $t = 0$이 면 특수해는 $(-2, -3, 1, 0)$이다. ■

예제 3에서 변수 x_4를 임의의 실수라 하면 연립일차방정식은 무한히 많은 해를 갖는다. 이와 같은 경우 x_4를 자유변수(free variable)라 한다. 연립일차방정식이 무한히 많은 해를 가질 때는 한 개 이상의 자유변수가 있다. 만약 자유변수의 갯수가 r 개이면 해집합은 해들의 r-매개변수

족이다.

예제 4

연립일차방정식

$$\begin{cases} x_1 - x_2 - 2x_3 - 2x_4 - 2x_5 = 3 \\ 3x_1 - 2x_2 - 2x_3 - 2x_4 - 2x_5 = -1 \\ -3x_1 + 2x_2 + x_3 + x_4 - x_5 = -1 \end{cases}$$

의 해를 구하라.

풀이 연산 $E_3 + E_2 \longrightarrow E_3$ 을 수행한 후 연산 $E_2 - 3E_1 \longrightarrow E_2$ 를 시행하면, 동치인 연립방정식

$$\begin{cases} x_1 - x_2 - 2x_3 - 2x_4 - 2x_5 = 3 \\ x_2 + 4x_3 + 4x_4 + 4x_5 = -10 \\ - x_3 - x_4 - 3x_5 = -2 \end{cases}$$

가 된다. x_4와 x_5는 자유변수이므로 $x_4 = s,\ x_5 = t$ 라 두면, 세 번째 식으로부터

$$x_3 = 2 - x_4 - 3x_5 = 2 - s - 3t$$

이고, 이 값을 두 번째 식에 대입하면

$$\begin{aligned} x_2 &= -10 - 4x_3 - 4x_4 - 4x_5 \\ &= -10 - 4(2 - s - 3t) - 4s - 4t \\ &= -18 + 8t \end{aligned}$$

이다. 이들을 첫 번째 식에 대입하면

$$\begin{aligned} x_1 &= 3 + x_2 + 2x_3 + 2x_4 + 2x_5 \\ &= 3 + (-18 + 8t) + 2(2 - s - 3t) + 2s + 2t \\ &= -11 + 4t \end{aligned}$$

이다. 그러므로 2-매개변수 해집합은

$$S = \{(-11 + 4t, -18 + 8t, 2 - s - 3t, s, t) \mid s, t \in \mathbb{R}\}$$

이고, $s = t = 0$일 때의 특수해는 $(-11, -18, 2, 0, 0)$이며, $s = 0,\ t = 1$일 때의 특수해는 $(-7, -10, -1, 0, 1)$이다. ■

예제 5

연립일차방정식

$$\begin{cases} x_1 - x_2 + 2x_3 = 5 \\ 2x_1 + x_2 \qquad = 2 \\ x_1 + 8x_2 - x_3 = 3 \\ -x_1 - 5x_2 - 12x_3 = 4 \end{cases}$$

의 해를 구하라.

풀이 주어진 연립일차방정식을 동치인 삼각연립일차방정식으로 변환하기 위하여, 먼저 두 번째, 세 번째, 네 번째 식에서 첫째 항을 소거한 후, 세 번째, 네 번째 식에서 둘째 항을 소거한다. 그리고 마지막으로 네 번째식에서 셋째 항을 소거한다. 이러한 것은 다음 연산들을 수행함으로 얻어진다.

$$\begin{cases} x_1 - x_2 + 2x_3 = 5 \\ 2x_1 + x_2 \qquad = 2 \\ x_1 + 8x_2 - x_3 = 3 \\ -x_1 - 5x_2 - 12x_3 = 4 \end{cases} \quad \begin{matrix} -2E_1 + E_2 \to E_2 \\ -E_1 + E_3 \to E_3 \\ E_1 + E_4 \to E_4 \end{matrix} \quad \longrightarrow \quad \begin{cases} x_1 - x_2 + 2x_3 = 5 \\ 3x_2 - 4x_3 = -8 \\ 9x_2 - 3x_3 = -2 \\ -6x_2 - 10x_3 = 9 \end{cases}$$

$$\begin{matrix} -3E_2 + E_3 \to E_3 \\ 2E_2 + E_4 \to E_4 \end{matrix} \quad \longrightarrow \quad \begin{cases} x_1 - x_2 + 2x_3 = 5 \\ 3x_2 - 4x_3 = -8 \\ 9x_3 = 22 \\ 18x_3 = -7 \end{cases}$$

$$2E_3 + E_4 \to E_4 \quad \longrightarrow \quad \begin{cases} x_1 - x_2 + 2x_3 = 5 \\ 3x_2 - 4x_3 = -8 \\ 9x_3 = 22 \\ 0 = -37 \end{cases}$$

위에서 마지막 연립일차방정식의 네 번째 식은 불가능하므로, 원 연립일차방정식은 불능이며 해가 없다. ■

앞의 예에서 연립일차방정식을 삼각꼴로 변환하는 알고리즘은 한 방정식의 첫 번째 변수(이를 선행변수(leading variable)이라 한다)를 이 방정식의 아래에 있는 모든 방정식에서 소거하는 것에 그 기초를 두고 있다. 이 알고리즘은 임의의 연립일차방정식을 삼각꼴로 변환하는데 항상 사용된다.

예제 6

세 점 $(-1, 1)$, $(2, -2)$, $(3, 1)$을 지나는 포물선의 방정식을 구하고, 이 포물선의 꼭지점을 구하라.

풀이 포물선의 일반형은 $y = ax^2 + bx + c$ 이므로, 이 식에 주어진 세 점을 대입하면 a, b, c에 대한 연립일차방정식

$$1 = a(-1)^2 + b(-1) + c = a - b + c$$
$$-2 = a(2)^2 + b(2) + c = 4a + 2b + c$$
$$1 = a(3)^2 + b(3) + c = 9a + 3b + c$$

즉,

$$\begin{cases} a - b + c = 1 \\ 4a + 2b + c = -2 \\ 9a + 3b + c = 1 \end{cases}$$

을 얻을 수 있다. 먼저, 첫 번째 방정식의 선행변수 a를 두 번째와 세 번째 방정식에서 소거하는 행 연산을 행하면,

$$\begin{cases} a - b + c = 1 \\ 4a + 2b + c = -2 \\ 9a + 3b + c = 1 \end{cases} \quad \begin{matrix} -4E_1 + E_2 \to E_2 \\ -9E_1 + E_3 \to E_3 \end{matrix} \quad \longrightarrow \quad \begin{cases} a - b + c = 1 \\ 6b - 3c = -6 \\ 12b - 8c = -8 \end{cases}$$

이다. 다음에 두 번째 방정식의 선행변수 b를 세 번째 방정식에서 소거하는 행 연산을 행하면,

$$\begin{cases} a - b + c = 1 \\ 6b - 3c = -6 \\ 12b - 8c = -8 \end{cases} \quad -2E_2 + E_3 \to E_3 \quad \longrightarrow \quad \begin{cases} a - b + c = 1 \\ 6b - 3c = -6 \\ -2c = 4 \end{cases}$$

이다. 이로부터 $c = -2$이고, 역대입법을 사용하면 $b = -2$, $a = 1$이다.
따라서 구하고자 하는 포물선은

$$y = x^2 - 2x - 2$$

이다. 이 포물선의 표준형은

$$y = (x-1)^2 - 3$$

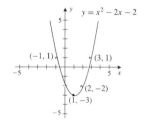

그림 5

이므로 그 꼭지점은 그림 5와 같이 $(1, -3)$이다.

핵심 요약

1. $m \times n$ 연립일차방정식은 단 하나의 해를 갖거나, 무한히 많은 해를 갖거나, 해를 갖지 않는다.
2. 연립일차방정식의 두 식을 교환해도 그 해집합은 변하지 않는다.
3. 연립일차방정식의 한 식을 0이 아닌 상수배 하여도 그 해집합은 변하지 않는다.
4. 연립일차방정식의 한 행을 몇 배하여 다른 행에 더하여도 그 해집합은 변하지 않는다.
5. 모든 연립일차방정식은 동치인 삼각연립일차방정식으로 변경할 수 있다.

연습문제 1.1

1. 연립일차방정식

$$\begin{cases} x_1 - x_2 - 2x_3 = 3 \\ -x_1 + 2x_2 + 3x_3 = 1 \\ 2x_1 - 2x_2 - 2x_3 = -2 \end{cases}$$

에 대하여 연산 $E_1 + E_2 \to E_2$ 와 $-2E_1 + E_3 \to E_3$을 시행하여, 동치인 연립일차방정식을 구하라. 그리고 이 연립일차방정식의 해를 구하라.

2. 연립일차방정식

$$\begin{cases} 2x_1 - 2x_2 - x_3 = -3 \\ x_1 - 3x_2 + x_3 = -2 \\ x_1 - 2x_2 = 2 \end{cases}$$

에 대하여 연산 $E_1 \leftrightarrow E_2$, $-2E_1 + E_2 \to E_2$, $-E_1 + E_3 \to E_3$, $E_2 \leftrightarrow E_3$, $-4E_2 + E_3 \to E_3$을 시행하여, 동치인 연립일차방정식을 구하라. 그리고 이 연립일차방정식의 해를 구하라.

3. 연립일차방정식

$$\begin{cases} x_1 + 3x_4 = 2 \\ x_1 + x_2 + 4x_4 = 3 \\ 2x_1 + x_3 + 8x_4 = 3 \\ x_1 + x_2 + x_3 + 6x_4 = 2 \end{cases}$$

에 대하여 연산 $-E_1 + E_2 \to E_2$, $-2E_1 + E_3 \to E_3$, $-E_1 + E_4 \to E_4$, $-E_2 + E_4 \to E_4$, $-E_3 + E_4 \to E_4$를 시행하여, 동치인 연립일차방정식을 구하라. 그리고 이 연립일차방정식의 해를 구하라.

4. 연립일차방정식

$$\begin{cases} x_1 + x_3 = -2 \\ x_1 + x_2 + 4x_3 = -1 \\ 2x_1 + 2x_3 + x_4 = -1 \end{cases}$$

에 대하여 연산 $-E_1 + E_2 \to E_2$ 와 $-2E_1 + E_3 \to E_3$을 시행하여, 동치인 연립일차방정식을 구하라. 그리고 이 연립일차방정식의 해를 구하라.

소거법을 사용하여 연습문제 5–18에 주어진 연립일차방정식의 해를 구하라.

5. $$\begin{cases} 2x + 3y = -2 \\ -2x = 0 \end{cases}$$

6. $$\begin{cases} x + 3y = -1 \\ -y = -1 \end{cases}$$

7. $$\begin{cases} 4x = 4 \\ -3x + 2y = -3 \end{cases}$$

8. $$\begin{cases} 2x + 3y = -1 \\ x - y = 0 \end{cases}$$

9. $$\begin{cases} 3x - 2y = 4 \\ x - \frac{2}{3} y = \frac{4}{3} \end{cases}$$

10. $$\begin{cases} 3x - 5y = 1 \\ -x + \frac{5}{3} y = -\frac{1}{3} \end{cases}$$

11. $$\begin{cases} -3x - 2y + 2z = -2 \\ -x - 3y + z = -3 \\ x - 2y + z = -2 \end{cases}$$

12. $$\begin{cases} x + 3y + z = 2 \\ -2x + 2y - 4z = -1 \\ -y + 3z = 1 \end{cases}$$

13. $$\begin{cases} -2x - 2y + 2z = 1 \\ x + 5z = -1 \\ 3x + 2y + 3z = -2 \end{cases}$$

14. $$\begin{cases} -x + y + 4z = -1 \\ 3x - y + 2z = 2 \\ 2x - 2y - 8z = 2 \end{cases}$$

15. $$\begin{cases} 3x_1 + 4x_2 + 3x_3 = 0 \\ 3x_1 - 4x_2 + 3x_3 = 4 \end{cases}$$

16. $\begin{cases} -2x_1 + x_2 \quad\quad = 2 \\ 3x_1 - x_2 + 2x_3 = 1 \end{cases}$

17. $\begin{cases} x_1 - 2x_2 - 2x_3 - x_4 = -3 \\ -2x_1 + x_2 + x_3 - 2x_4 = -3 \end{cases}$

18. $\begin{cases} 2x_1 + 2x_2 - x_3 \quad\quad = 1 \\ \quad - x_2 \quad\quad + 3x_4 = 2 \end{cases}$

연습문제 19–22에 주어진 x, y, z 에 대한 연립일차방정식의 해를 구하라. 여기서 a, b, c 는 상수이다.

19. $\begin{cases} -2x + y = a \\ -3x + 2y = b \end{cases}$

20. $\begin{cases} 2x + 3y = a \\ x + y = b \end{cases}$

21. $\begin{cases} 3x + y + 3z = a \\ -x - \quad z = b \\ -x + 2y \quad = c \end{cases}$

22. $\begin{cases} -3x + 2y + z = a \\ x - y - z = b \\ x - y - 2z = c \end{cases}$

연습문제 23–28에 주어진 연립일차방정식이 해를 가지는 a, b, c 를 구하라.

23. $\begin{cases} x - 2y = a \\ -2x + 4y = 2 \end{cases}$

24. $\begin{cases} -x + 3y = a \\ 2x - 6y = 3 \end{cases}$

25. $\begin{cases} x - 2y = a \\ -x + 2y = b \end{cases}$

26. $\begin{cases} 6x - 3y = a \\ -2x + y = b \end{cases}$

27. $\begin{cases} x - 2y + 4z = a \\ 2x + y - z = b \\ 3x - y + 3z = c \end{cases}$

28. $\begin{cases} x - y + 2z = a \\ 2x + 4y - 3z = b \\ 4x + 2y + z = c \end{cases}$

연습문제 29–32에 주어진 연립일차방정식이 불능이 되는 a의 값을 구하라.

29. $\begin{cases} x + y = -2 \\ 2x + ay = 3 \end{cases}$

30. $\begin{cases} 2x - y = 4 \\ ax + 3y = 2 \end{cases}$

31. $\begin{cases} x - y = 2 \\ 3x - 3y = a \end{cases}$

32. $\begin{cases} 2x - y = a \\ 6x - 3y = a \end{cases}$

연습문제 33–36에서 주어진 세 점을 지나는 포물선 $y = ax^2 + bx + c$와 그 포물선의 꼭지점을 구하라.

33. $(0, 0.25), (1, -1.75), (-1, 4.25)$

34. $(0, 2), (-3, -1), (0.5, 0.75)$

35. $(-0.5, -3.25), (1, 2), (2.3, 2.91)$

36. $(0, -2875), (1, -5675), (3, 5525)$

37. 세 직선

$$-x + y = 1, \quad -6x + 5y = 3, \quad 12x + 5y = 39$$

의 교점을 구하고, 이 직선의 개형을 그려라.

38. 네 직선

$$2x + y = 0, \ x + y = -1,$$
$$3x + y = 1, \ 4x + y = 2$$

의 교점을 구하고, 이 직선의 개형을 그려라.

39. 다음 각 경우가 성립하는 2×2 연립일차방정식의 예를 들어라.
   a. 단 하나의 해를 갖는다.
   b. 무한히 많은 해를 갖는다.
   c. 불능이다.

40. 만약 $ad - bc \neq 0$이면 연립일차방정식

$$\begin{cases} ax + by = x_1 \\ cx + dy = x_2 \end{cases}$$

는 단 하나의 해를 가짐을 보여라.

41. 다음 각 경우에 대하여 연립일차방정식

$$\begin{cases} x_1 - x_2 + 3x_3 - x_4 = 1 \\ \quad\quad x_2 - x_3 + 2x_4 = 2 \end{cases}$$

의 해집합을 구하라.

a. x_3과 x_4가 자유변수일 때 해집합.

b. x_2와 x_4가 자유변수일 때 해집합.

42. 다음 각 경우에 대하여 연립일차방정식

$$\begin{cases} x_1 - x_2 + x_3 - x_4 + x_5 = 1 \\ \quad\quad x_2 \quad\quad - x_4 - x_5 = -1 \\ \quad\quad\quad\quad x_3 - 2x_4 + 3x_5 = 2 \end{cases}$$

의 해집합을 구하라.

a. x_4와 x_5가 자유변수일 때 해집합.

b. x_3과 x_5가 자유변수일 때 해집합.

43. 연립일차방정식

$$\begin{cases} 9x + ky = 9 \\ kx + y = -3 \end{cases}$$

이 다음 각 경우가 성립하도록 k의 값을 구하라.

a. 해가 없는 경우.

b. 무한히 많은 해를 갖는 경우.

c. 단 하나의 해를 갖는 경우.

44. 연립일차방정식

$$\begin{cases} kx + y + z = 0 \\ x + ky + z = 0 \\ x + y + kz = 0 \end{cases}$$

이 다음 각 경우가 성립하도록 k의 값을 구하라.

a. 단 하나의 해를 갖는 경우.

b. 해의 1-매개변수 족을 갖는 경우.

c. 해의 2-매개변수 족을 갖는 경우.

1.2 행렬과 기본 행 연산

1절에서 연립일차방정식이 동치인 삼각연립일차방정식으로 변환되는 것이 연립일차방정식의 해를 구할 수 있는 알고리즘을 제공하는 것을 보았다. 이 알고리즘은 연립일차방정식을 행렬을 이용하여 표현함으로써 간소화할 수 있다.

정의 1 행렬

mn 개의 수를 m 개의 행과 n 개의 열로 배열한 것을 $m \times n$ 행렬(matrix)이라 한다.

예를 들어, 수의 배열

$$\begin{bmatrix} 2 & 3 & -1 & 4 \\ 3 & 1 & 0 & -2 \\ -2 & 4 & 1 & 3 \end{bmatrix}$$

은 3×4 행렬이다.

소거법을 이용하여 연립일차방정식의 해를 구할 때는 단지 변수의 계수와 오른쪽의 상수항만 필요하다. 변수는 위치표시자(placeholders)이다. 행렬의 구조를 이용하면 변수에 대한 위치표시자로서 열을 이용하여 계수와 상수항을 기록할 수 있다. 예를 들어 연립일차방정식

$$\begin{cases} -4x_1 + 2x_2 \quad\quad - 3x_4 = \quad 11 \\ 2x_1 - \ x_2 - 4x_3 + 2x_4 = - \ 3 \\ \quad\quad 3x_2 \quad\quad - \ x_4 = \quad 0 \\ -2x_1 \quad\quad\quad + \ x_4 = \quad 4 \end{cases}$$

의 계수와 상수항으로 된 행렬은

$$\left[\begin{array}{cccc|c} -4 & 2 & 0 & -3 & 11 \\ 2 & -1 & -4 & 2 & -3 \\ 0 & 3 & 0 & -1 & 0 \\ -2 & 0 & 0 & 1 & 4 \end{array} \right]$$

이다. 이 행렬을 연립일차방정식의 첨가행렬(augmented matrix)이라 한다. $m \times n$ 연립일차방정식의 첨가행렬은 $m \times (n+1)$ 행렬이다. 첨가행렬에서 마지막 열을 삭제한 행렬

$$\left[\begin{array}{cccc} -4 & 2 & 0 & -3 \\ 2 & -1 & -4 & 2 \\ 0 & 3 & 0 & -1 \\ -2 & 0 & 0 & 1 \end{array} \right]$$

을 계수행렬(coefficient matrix)이라 한다. 연립일차방정식의 각 식에서 생략된 항은 계수가 0인 점을 주의하자.

연립일차방정식에 소거법을 적용하는 것은 첨가행렬의 행에 비슷한 연산을 행하는 것과 같다. 이 관계를 다음과 같이 설명한다.

연립일차방정식	대응된 첨가행렬
$$\begin{cases} x + y - \ z = \ 1 \\ 2x - y + \ z = -1 \\ -x - y + 3z = \ 2 \end{cases}$$	$$\left[\begin{array}{ccc|c} 1 & 1 & -1 & 1 \\ 2 & -1 & 1 & -1 \\ -1 & -1 & 3 & 2 \end{array} \right]$$
연산 $-2E_1 + E2 \rightarrow E_2$ 와 $E_1 + E_3 \rightarrow E_3$ 을 시행하면, 동치인 삼각연립일차방정식	연산 $-2R_1 + R_2 \rightarrow R_2$ 와 $R_1 + R_3 \rightarrow R_3$ 을 시행하면, 동치인 첨가행렬
$$\begin{cases} x + \ y - \ z = \ 1 \\ -3y + 3z = -3 \\ 2z = \ 3 \end{cases}$$	$$\left[\begin{array}{ccc|c} 1 & 1 & -1 & 1 \\ 0 & -3 & 3 & -3 \\ 0 & 0 & 2 & 3 \end{array} \right]$$
이 구해진다.	이 구해진다.

첨가행렬에서 연산을 기술하는데 사용된 기호는 방정식을 소개할 때 사용한 기호와 유사하다. 앞의 예에서

$$-2R_1 + R_2 \quad \longrightarrow \quad R_2$$

는 "1행을 –2배하여 2행에 더한 것을 2행으로 한다"는 것을 의미한다. 만약 행렬의 각 행의 0이 아닌 첫 번째 성분이 그 행의 위쪽 행에서 0이 아닌 첫 번째 성분의 오른쪽에 있으면, 이 행렬을 삼각꼴(triangular form)이라 하며, 이것은 연립일차방정식의 삼각꼴과 유사하다.

다음 정리는 1절의 정리 1을 첨가행렬의 행에 대한 연산의 관점에서 다시 설명한 것이다.

정리 2

연립일차방정식의 첨가행렬상에서 수행되는 다음 연산은 동치인 연립일차방정식의 첨가행렬을 만든다.

1. 두 행을 교환한다.
2. 한 행을 0이 아닌 상수배한다.
3. 한 행을 상수배하여 다른 행에 더한다.

첨가행렬을 이용한 연립일차방정식의 풀이

정리 2에 주어진 연산을 행 연산(row operation)이라 한다. 만약 $m \times n$ 행렬 B가 $m \times n$ 행렬 A의 순차적인 행 연산에 의해 얻어진 행렬이면 행렬 A를 행렬 B와 행 동치(row equivalent)인 행렬이라 한다.

다음은 연립일차방정식의 해를 구하는 과정을 순서대로 요약한 것이다.

1. 연립일차방정식의 첨가행렬을 쓴다.
2. 행 연산을 사용하여 첨가행렬을 삼각꼴로 변환한다.
3. 마지막 행렬을 연립일차방정식으로 표시한다(이 방정식은 처음 연립일차방정식과 동치이다).
4. 역대입법을 사용하여 해를 구한다.

다음 예제 1에서 위 과정의 3단계와 4단계를 실행하는 방법을 설명한다.

예제 1

다음에 주어진 각 첨가행렬에 대응되는 연립일차방정식의 해를 구하라.

a. $\begin{bmatrix} 1 & 0 & 0 & | & 1 \\ 0 & 1 & 0 & | & 2 \\ 0 & 0 & 1 & | & 3 \end{bmatrix}$ **b.** $\begin{bmatrix} 1 & 0 & 0 & 0 & | & 5 \\ 0 & 1 & -1 & 0 & | & 1 \\ 0 & 0 & 0 & 1 & | & 3 \end{bmatrix}$ **c.** $\begin{bmatrix} 1 & 2 & 1 & -1 & | & 1 \\ 0 & 3 & -1 & 0 & | & 1 \\ 0 & 0 & 0 & 0 & | & 0 \end{bmatrix}$

풀이 a. 첨가행렬로부터 해는 명백히 $x_3 = 3$, $x_2 = 2$, $x_1 = 1$이다. 따라서 연립일차방정식은 일치이 고 단 하나의 해를 갖는다.

b. 이 경우의 연립일차방정식의 해는 $x_4 = 3$, $x_2 = 1 + x_3$, $x_1 = 5$이다. 그러므로 변수 x_3는 자유변수이 며, 그 해집합은 $S = \{(5, 1+t, t, 3) \mid t \in \mathbb{R}\}$이다.

c. 주어진 첨가행렬은 연립일차방정식

$$\begin{cases} x_1 + 2x_2 + x_3 - x_4 = 1 \\ \quad\quad 3x_2 - x_3 \quad\quad = 1 \end{cases}$$

과 동치이므로, 역대입법을 사용하면

$$x_2 = \frac{1}{3}(1 + x_3), \qquad x_1 = 1 - 2x_2 - x_3 + x_4 = \frac{1}{3} - \frac{5}{3}x_3 + x_4$$

이다. 따라서 변수 x_3과 x_4는 자유변수이고 2-매개변수 해집합은

$$S = \left\{ \left(\frac{1}{3} - \frac{5s}{3} + t, \frac{1}{3} + \frac{s}{3}, s, t \right) \,\middle|\, s, t \in \mathbb{R} \right\}$$

이다. ∎

예제 2

연립일차방정식

$$\begin{cases} x - 6y - 4z = -5 \\ 2x - 10y - 9z = -4 \\ -x + 6y + 5z = 3 \end{cases}$$

의 첨가행렬과 해를 구하라.

풀이 이 연립일차방정식의 첨가행렬은

$$\begin{bmatrix} 1 & -6 & -4 & | & -5 \\ 2 & -10 & -9 & | & -4 \\ -1 & 6 & 5 & | & 3 \end{bmatrix}$$

이며, 이 행렬에서 어둡게 표시된 성분들이 소거할 성분이다. 위에서 설명한 절차를 사용하기 위 하여 첨가행렬을 아래와 같이 삼각꼴로 바꾼다.

$$\begin{bmatrix} 1 & -6 & -4 & -5 \\ 2 & -10 & -9 & -4 \\ -1 & 6 & 5 & 3 \end{bmatrix} \quad \begin{array}{c} -2R_1 + R_2 \to R_2 \\ R_1 + R_3 \to R_3 \end{array} \quad \longrightarrow \quad \begin{bmatrix} 1 & -6 & -4 & -5 \\ 0 & 2 & -1 & 6 \\ 0 & 0 & 1 & -2 \end{bmatrix}$$

따라서 동치인 삼각연립일차방정식은

$$\begin{cases} x - 6y - 4z = -5 \\ \quad 2y - z = 6 \\ \quad\quad z = -2 \end{cases}$$

이므로 구하는 해는 $x = -1$, $y = 2$, $z = -2$ 이다. ∎

행렬의 사다리꼴

예제 2에서 마지막 첨가행렬

$$\begin{bmatrix} 1 & -6 & -4 & -5 \\ 0 & 2 & -1 & 6 \\ 0 & 0 & 1 & -2 \end{bmatrix}$$

는 행 사다리꼴(row echelon form)이다. 행 사다리꼴인 행렬의 일반적인 구조는 그림 1과 같다. 각 계단의 높이는 한 행이고, 한 행에서 처음으로 0이 아닌 항은, 그림 1에서 *로 표시된 행은 그 행의 앞 행의 0이 아닌 첫 항보다 오른쪽에 있다. 그리고 계단 아래의 모든 항은 전부 0이다.

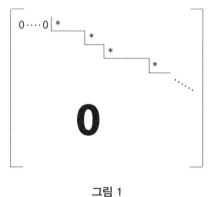

그림 1

그림 1에서 각 계단의 높이는 한 행임에도 불구하고, 한 계단의 폭은 여러 열 위에 걸칠 수 있다. 각 행에서 0이 아닌 선행항을 피보트원소(pivot element) 또는 피보트라 한다. 더욱이 행렬의 각 피보트가 1이고 피보트가 1인 열의 다른 모든 성분이 0인 행렬을 기약 행 사다리꼴(reduced row echelon form)이라 한다. 이 용어는 조금 후에 다시 정의할 것이다. 예를 들면, 행렬

$$\begin{bmatrix} 1 & -6 & -4 & -5 \\ 0 & 2 & -1 & 6 \\ 0 & 0 & 1 & -2 \end{bmatrix}$$

의 기약 행 사다리꼴은

$$\begin{bmatrix} 1 & 0 & 0 & -1 \\ 0 & 1 & 0 & 2 \\ 0 & 0 & 1 & -2 \end{bmatrix}$$

이다. 행 사다리꼴 행렬을 기약 행 사다리꼴로 효과적으로 변환하는 것은 사실상 그 행렬에 행 연산과 역대입법을 혼합하여 행한 것이다. 위의 마지막 행렬에 대응하는 연립일차방정식의 해는 앞에서처럼 $x = -1$, $y = 2$, $z = -2$ 이다.

행렬

$$\begin{bmatrix} 1 & 0 & 0 & -1 \\ 0 & 1 & 0 & 2 \\ 0 & 0 & 1 & 4 \end{bmatrix} \quad \begin{bmatrix} 1 & 0 & 0 & 0 \\ 0 & 1 & 0 & 0 \\ 0 & 0 & 1 & 0 \\ 0 & 0 & 0 & 1 \end{bmatrix} \quad \begin{bmatrix} 1 & -2 & 0 & 1 & -1 \\ 0 & 0 & 1 & -1 & 2 \\ 0 & 0 & 0 & 0 & 0 \end{bmatrix}$$

은 기약 행 사다리꼴이고, 행렬

$$\begin{bmatrix} 1 & 3 & 2 & 1 \\ 0 & 1 & -5 & 6 \\ 0 & 1 & 4 & 1 \end{bmatrix} \quad \begin{bmatrix} 1 & -2 & 1 & 0 \\ 0 & 0 & 2 & 1 \\ 0 & 0 & 0 & 3 \end{bmatrix}$$

은 기약 행 사다리꼴이 아니다.

일반적으로 기약 행 사다리꼴인 $m \times n$ 행렬에 대하여, 피보트 성분은 종속변수에 대응되고, 피보트가 아닌 성분은 독립변수이거나 자유변수에 대응된다. 행 사다리꼴인 행렬에 대한 앞의 논의를 요약하면 다음 정의와 같다.

정의 2 사다리꼴

다음 두 조건을 만족하는 $m \times n$ 행렬을 행 사다리꼴(row echelon form)이라 한다.

1. 성분이 모두 0인 모든 행은 0이 아닌 성분을 갖는 행의 아래쪽에 있다.
2. 만약 $1, 2, \ldots, k$ 행이 0이 아닌 성분을 가지고, i행$(1, 2, \ldots, k)$의 0이 아닌 선행성분(피보트 (pivot)라 부른다)이 c_i열에 있으면 $c_1 < c_2 < \cdots < c_k$ 이다.

행 사다리꼴 행렬이 다음 두 조건을 만족하면 기약 행 사다리꼴(reduced row echelon form)이라 한다.

3. 각 행의 처음으로 0이 아닌 성분은 1이다.

4. 피보트를 포함하는 열의 다른 성분은 전부 0이다.

행렬을 기약 행 사다리꼴로 변환하는 과정을 가우스–조르당 소거법(Gauss-Jordan elimination)
이라 한다.

예제 3

첨가행렬을 기약 행 사다리꼴로 변환하여 다음 연립일차방정식의 해를 구하라.

$$\begin{cases} x_1 - x_2 - 2x_3 + x_4 = 0 \\ 2x_1 - x_2 - 3x_3 + 2x_4 = -6 \\ -x_1 + 2x_2 + x_3 + 3x_4 = 2 \\ x_1 + x_2 - x_3 + 2x_4 = 1 \end{cases}$$

풀이 주어진 연립일차방정식의 첨가행렬은

$$\left[\begin{array}{cccc|c} 1 & -1 & -2 & 1 & 0 \\ 2 & -1 & -3 & 2 & -6 \\ -1 & 2 & 1 & 3 & 2 \\ 1 & 1 & -1 & 2 & 1 \end{array}\right]$$

이다. 이 행렬을 기약 행 사다리꼴로 변환시키기 위해, 1행의 선행성분이 피보트인 1을 이용하여
2, 3, 4행의 1열의 항을 소거한다. 따라서 다음 세 행 연산

$$-2R_1 + R_2 \longrightarrow R_2$$
$$R_1 + R_3 \longrightarrow R_3$$
$$-R_1 + R_4 \longrightarrow R_4$$

를 연속적으로 사용하여 첨가행렬을 다음과 같이 변환시킨다.

$$\left[\begin{array}{cccc|c} 1 & -1 & -2 & 1 & 0 \\ 2 & -1 & -3 & 2 & -6 \\ -1 & 2 & 1 & 3 & 2 \\ 1 & 1 & -1 & 2 & 1 \end{array}\right] \longrightarrow \left[\begin{array}{cccc|c} 1 & -1 & -2 & 1 & 0 \\ 0 & 1 & 1 & 0 & -6 \\ 0 & 1 & -1 & 4 & 2 \\ 0 & 2 & 1 & 1 & 1 \end{array}\right]$$

다음으로 2행의 피보트인 맨 왼쪽의 1을 사용하여 2열의 피보트 위쪽 항과 아래쪽 항을 소거
한다. 이때 필요한 행 연산은

$$R_2 + R_1 \longrightarrow R_1$$
$$-R_2 + R_3 \longrightarrow R_3$$
$$-2R_2 + R_1 \longrightarrow R_4$$

이고, 행렬은 다음과 같이 기약화 된다.

$$
\left[\begin{array}{cccc|c}
1 & -1 & -2 & 1 & 0 \\
0 & 1 & 1 & 0 & -6 \\
0 & 1 & -1 & 4 & 2 \\
0 & 2 & 1 & 1 & 1
\end{array}\right]
\longrightarrow
\left[\begin{array}{cccc|c}
1 & 0 & -1 & 1 & -6 \\
0 & 1 & 1 & 0 & -6 \\
0 & 0 & -2 & 4 & 8 \\
0 & 0 & -1 & 1 & 13
\end{array}\right]
$$

3행의 각 성분은 2로 나눌 수 있으므로, 연산 $-\frac{1}{2}R_3 \longrightarrow R_3$ 을 시행함으로써 선행항을 1로 만들어 행렬

$$
\left[\begin{array}{cccc|c}
1 & 0 & -1 & 1 & -6 \\
0 & 1 & 1 & 0 & -6 \\
0 & 0 & 1 & -2 & -4 \\
0 & 0 & -1 & 1 & 13
\end{array}\right]
$$

을 구한다. 그 후 3행의 피보트인 선행항 1을 사용하여 연산

$$
R_3 + R_1 \to R_1
$$
$$
-R_3 + R_2 \to R_2
$$
$$
R_3 + R_4 \to R_4
$$

를 시행함으로써, 다음과 같이 행을 기약화한다.

$$
\left[\begin{array}{cccc|c}
1 & 0 & -1 & 1 & -6 \\
0 & 1 & 1 & 0 & -6 \\
0 & 0 & 1 & -2 & -4 \\
0 & 0 & -1 & 1 & 13
\end{array}\right]
\longrightarrow
\left[\begin{array}{cccc|c}
1 & 0 & 0 & -1 & -10 \\
0 & 1 & 0 & 2 & -2 \\
0 & 0 & 1 & -2 & -4 \\
0 & 0 & 0 & -1 & 9
\end{array}\right]
$$

그리고 연산 $-R_4 \longrightarrow R_4$ 를 시행하여 4행의 성분들의 부호를 바꾸어 행렬

$$
\left[\begin{array}{cccc|c}
1 & 0 & 0 & -1 & -10 \\
0 & 1 & 0 & 2 & -2 \\
0 & 0 & 1 & -2 & -4 \\
0 & 0 & 0 & -1 & -9
\end{array}\right]
$$

를 얻는다. 마지막으로, 4행의 피보트인 선행항 1을 사용하여 4열의 다른 항을 소거한다. 구체적으로 연산

$$
R_4 + R_1 \to R_1
$$
$$
-2R_4 + R_2 \to R_2
$$
$$
2R_4 + R_3 \to R_3
$$

을 적용시키면 최종적으로 구하고자 하는 기약 행 사다리꼴

$$\begin{bmatrix} 1 & 0 & 0 & 0 & -19 \\ 0 & 1 & 0 & 0 & 16 \\ 0 & 0 & 1 & 0 & -22 \\ 0 & 0 & 0 & 1 & -9 \end{bmatrix}$$

로 변환된다.

따라서 구하고자 하는 해는 기약행렬로 부터

$$x_1 = -19, \quad x_2 = 16, \quad x_3 = -22, \quad x_4 = -9$$

이다.

예제 4

연립일차방정식

$$\begin{cases} 3x_1 - x_2 + x_3 + 2x_4 = -2 \\ x_1 + 2x_2 - x_3 + x_4 = 1 \\ -x_1 - 3x_2 + 2x_3 - 4x_4 = -6 \end{cases}$$

의 해를 구하라.

풀이 첨가행렬

$$\begin{bmatrix} 3 & -1 & 1 & 2 & -2 \\ 1 & 2 & -1 & 1 & 1 \\ -1 & -3 & 2 & -4 & -6 \end{bmatrix}$$

은

$$\begin{bmatrix} 1 & 2 & -1 & 1 & 1 \\ 0 & 1 & -1 & 3 & 5 \\ 0 & 0 & 1 & -\frac{20}{3} & -10 \end{bmatrix}$$

으로 기약화 할 수 있다. 마지막 행으로부터 x_4는 자유변수이므로, 주어진 연립일차방정식은 무한히 많은 해를 가진다는 점에 주목하자. 게다가 행렬을 기약화할 수 있지만, 해는 먼저 역대입법을 사용하면 사다리꼴로부터

$$x_3 = -10 + \frac{20}{3}x_4$$

$$x_2 = 5 + x_3 - 3x_4 = 5 + \left(-10 + \frac{20}{3}x_4\right) - 3x_4 = -5 + \frac{11}{3}x_4$$

$$x_1 = 1 - 2x_2 + x_3 - x_4 = 1 - \frac{5}{3}x_4$$

인 것은 쉽게 알 수 있다. 여기서 x_4를 임의의 매개변수 t 라 두면 구하고자 하는 일반해는

$$S = \left\{ \left(1 - \frac{5t}{3}, -5 + \frac{11t}{3}, -10 + \frac{20t}{3}, t \right) \middle| t \in \mathbb{R} \right\}$$

이다. ■

예제 5는 불능인 연립일차방정식에 관한 기약행렬에 대한 설명이다.

예제 5

연립일차방정식

$$\begin{cases} x+ y+ z=4 \\ 3x- y- z=2 \\ x+3y+3z=8 \end{cases}$$

을 풀어라.

풀이 이 연립일차방정식을 풀기 위하여 첨가행렬을 삼각꼴로 바꾼다. 다음 단계는 그 과정을 설명한 것이다.

$$\begin{bmatrix} 1 & 1 & 1 & 4 \\ 3 & -1 & -1 & 2 \\ 1 & 3 & 3 & 8 \end{bmatrix} \quad \begin{matrix} -3R_1 + R_2 \to R_2 \\ -R_1 + R_3 \to R_3 \end{matrix} \longrightarrow \begin{bmatrix} 1 & 1 & 1 & 4 \\ 0 & -4 & -4 & -10 \\ 0 & 2 & 2 & 4 \end{bmatrix}$$

$$R_2 \leftrightarrow R_3 \longrightarrow \begin{bmatrix} 1 & 1 & 1 & 4 \\ 0 & 2 & 2 & 4 \\ 0 & -4 & -4 & -10 \end{bmatrix}$$

$$\tfrac{1}{2}R_2 \to R_2 \longrightarrow \begin{bmatrix} 1 & 1 & 1 & 4 \\ 0 & 1 & 1 & 2 \\ 0 & -4 & -4 & -10 \end{bmatrix}$$

$$4R_2 + R_3 \to R_3 \longrightarrow \begin{bmatrix} 1 & 1 & 1 & 4 \\ 0 & 1 & 1 & 2 \\ 0 & 0 & 0 & -2 \end{bmatrix}$$

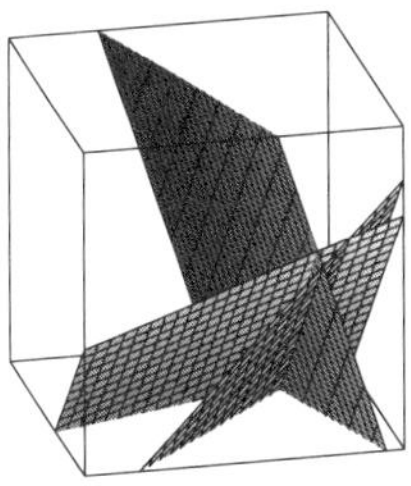

그림 2

마지막 행렬의 3행으로부터 $0 = -2$이다. 따라서 이 연립일차방정식은 불능이며 해를 갖지 않는다. 이러한 사실은 그림 2에서와 같이 세 평면은 공통점을 갖지 않는다는 사실로부터도 알 수 있다. ■

예제 5에서 기약 계수행렬의 마지막 행의 각 성분이 모두 0이지만 상수항은 0이 아니므로 연립일차방정식은 불능이다. 일치인 연립일차방정식의 기약 첨가행렬은 모두가 0인 행을 가질 수

있지만, 이 경우에는 이 행은 마지막 열의 항 또한 0이 되어야 한다. 이러한 경우는 다음 예에서 설명한다.

예제 6

첨가행렬이

$$\begin{bmatrix} 1 & 0 & 2 & a \\ 2 & 1 & 5 & b \\ 1 & -1 & 1 & c \end{bmatrix}$$

인 연립일차방정식이 일치가 되도록 a, b, c를 결정하여라.

풀이 연산 $-2R_1 + R_2 \rightarrow R_2$ 와 $-R_1 + R_3 \rightarrow R_3$ 그리고 $R_2 + R_3 \rightarrow R_3$ 을 차례로 시행하면 첨가행렬은

$$\begin{bmatrix} 1 & 0 & 2 & a \\ 0 & 1 & 1 & b-2a \\ 0 & 0 & 0 & b+c-3a \end{bmatrix}$$

로 바뀐다. 그러므로 $b + c - 3a = 0$이면 연립일차방정식은 일치이다. 즉, 평면 $b + c - 3a = 0$ 상의 모든 점 (a, b, c)에 대해 연립일차방정식은 일치이다. 이 연립일차방정식이 일치이면 3행의 모든 성분은 0이며, x_3 은 자유변수임에 주목하자. ■

다음 목록은 한 행렬을 동치인 기약 행 사다리꼴로 변환하는 과정을 요약한 것이다.

1. 만약 필요하면 1행의 0이 아닌 선행성분이 행의 가장 왼쪽 성분이 되도록 행을 교환한다. 그리고 1행의 모든 성분을 선행성분으로 나눈다.
2. 이 선행열의 다른 모든 항을 소거한다.
3. 1단계와 2단계를 2행에 대해서도 시행한다. 선행성분은 2열에 있지 않을 수도 있다.
4. 이러한 방법을 계속하여 각 행의 선행성분이 1이 되고 그 열의 다른 성분은 0이 되도록 한다.
5. 한 행의 선행성분 1을 그 행의 윗 행의 선행성분 1의 오른쪽에 있도록 한다.
6. 모든 성분이 0인 행들은 행렬의 아래쪽에 놓이도록 한다.

위에서 설명하는 과정에서 모든 행렬은 정확히 기약 행 사다리꼴인 행렬과 행 동치임을 암묵적으로 가정하였다. 다음 정리는 중요한 내용이므로 증명없이 소개한다.

정리 3

한 행렬의 기약 행 사다리꼴은 유일하다.

핵심 요약

1. 연립일차방정식의 첨가행렬의 두 행을 교환하거나, 한 행을 0이 아닌 상수배하거나, 한 행을 상수배하여 다른 행에 더하여 첨가행렬을 변경시켜도 대응하는 연립일차방정식의 해집합은 변하지 않는다.

2. 만약 첨가행렬을 삼각꼴로 행 변환시켰을 때, 이 변환된 계수행렬이 한 행의 성분이 모두 0인 행을 가지며 이 행의 첨가항이 0이 아니면, 주어진 연립일차방정식은 해를 갖지 않는다.

3. 모든 행렬은 단 하나의 기약 행 사다리꼴을 갖는다.

4. 만약 $n \times n$ 연립일차방정식의 첨가행렬을 삼각꼴로 행 변환한 계수행렬이 모든 성분이 0인 행을 갖지 않으면, 주어진 연립일차방정식은 단 하나의 해를 갖는다.

5. 만약 $n \times n$ 연립일차방정식의 첨가행렬을 삼각꼴로 행 변환한 계수행렬이 모든 성분이 0인 행을 갖고 이 행의 첨가항이 0이면, 주어진 연립일차방정식은 무한히 많은 해를 갖는다.

연습문제 1.2

연습문제 1–8에서, 연립일차방정식을 풀지는 말고, 첨가행렬만 구하라.

1. $\begin{cases} 2x - 3y = 5 \\ -x + y = -3 \end{cases}$

2. $\begin{cases} 2x - 2y = 1 \\ 3x = 1 \end{cases}$

3. $\begin{cases} 2x - z = 4 \\ x + 4y + z = 2 \\ 4x + y - z = 1 \end{cases}$

4. $\begin{cases} -3x + y + z = 2 \\ -4z = 0 \\ -4x + 2y - 3z = 1 \end{cases}$

5. $\begin{cases} 2x_1 - x_3 = 4 \\ x_1 + 4x_2 + x_3 = 2 \end{cases}$

6. $\begin{cases} 4x_1 + x_2 - 4x_3 = 1 \\ 4x_1 - 4x_2 + 2x_3 = -2 \end{cases}$

7. $\begin{cases} 2x_1 + 4x_2 + 2x_3 + 2x_4 = -2 \\ 4x_1 - 2x_2 - 3x_3 - 2x_4 = 2 \\ x_1 + 3x_2 + 3x_3 - 3x_4 = -4 \end{cases}$

8. $\begin{cases} 3x_1 - 3x_3 + 4x_4 = -3 \\ -4x_1 + 2x_2 - 2x_3 - 4x_4 = 4 \\ 4x_2 - 3x_3 + 2x_4 = -3 \end{cases}$

연습문제 9–20에 주어진 각 기약 첨가행렬에 대응되는 연립일차방정식의 해를 구하라.

9. $\left[\begin{array}{ccc|c} 1 & 0 & 0 & -1 \\ 0 & 1 & 0 & \frac{1}{2} \\ 0 & 0 & 1 & 0 \end{array}\right]$

10. $\left[\begin{array}{ccc|c} 1 & 0 & 0 & 2 \\ 0 & 1 & 0 & 0 \\ 0 & 0 & 1 & -\frac{2}{3} \end{array}\right]$

11. $\left[\begin{array}{ccc|c} 1 & 0 & 2 & -3 \\ 0 & 1 & -1 & 2 \\ 0 & 0 & 0 & 0 \end{array}\right]$

12. $\left[\begin{array}{ccc|c} 1 & 0 & -\frac{1}{3} & 4 \\ 0 & 1 & 3 & \frac{4}{3} \\ 0 & 0 & 0 & 0 \end{array}\right]$

13. $\begin{bmatrix} 1 & -2 & 0 & | & -3 \\ 0 & 0 & 1 & | & 2 \\ 0 & 0 & 0 & | & 0 \end{bmatrix}$

14. $\begin{bmatrix} 1 & 5 & 5 & | & -1 \\ 0 & 0 & 0 & | & 0 \\ 0 & 0 & 0 & | & 0 \end{bmatrix}$

15. $\begin{bmatrix} 1 & 0 & 0 & | & 0 \\ 0 & 1 & 0 & | & 0 \\ 0 & 0 & 0 & | & 1 \end{bmatrix}$

16. $\begin{bmatrix} 1 & 0 & 0 & | & 0 \\ 0 & 0 & 1 & | & 0 \\ 0 & 0 & 0 & | & 1 \end{bmatrix}$

17. $\begin{bmatrix} 1 & 0 & -2 & 5 & | & 3 \\ 0 & 1 & -1 & 2 & | & 2 \end{bmatrix}$

18. $\begin{bmatrix} 1 & 3 & -3 & 0 & | & 1 \\ 0 & 0 & 0 & 1 & | & 4 \end{bmatrix}$

19. $\begin{bmatrix} 1 & 0 & 0 & -3 & | & 1 \\ 0 & 1 & 0 & -1 & | & 7 \\ 0 & 0 & 1 & 2 & | & -1 \end{bmatrix}$

20. $\begin{bmatrix} 1 & 0 & \frac{2}{5} & 0 & | & -1 \\ 0 & 1 & -3 & 0 & | & 1 \\ 0 & 0 & 0 & 1 & | & \frac{4}{5} \end{bmatrix}$

연습문제 21–28에서 주어진 각 행렬이 기약 행 사다리꼴인지 아닌지 결정하여라.

21. $\begin{bmatrix} 1 & 0 & 2 \\ 0 & 1 & 3 \end{bmatrix}$

22. $\begin{bmatrix} 1 & 2 & 0 \\ 0 & 0 & 1 \end{bmatrix}$

23. $\begin{bmatrix} 1 & 2 & 3 \\ 0 & 1 & 2 \\ 0 & 0 & 1 \end{bmatrix}$

24. $\begin{bmatrix} 1 & 2 & 0 \\ 0 & 0 & 2 \\ 0 & 0 & 0 \end{bmatrix}$

25. $\begin{bmatrix} 1 & 2 & 0 & -1 \\ 0 & 0 & 1 & -2 \\ 0 & 0 & 0 & 0 \end{bmatrix}$

26. $\begin{bmatrix} 1 & 0 & -3 & 4 \\ 0 & 1 & 1 & 5 \\ 0 & 0 & 0 & 0 \end{bmatrix}$

27. $\begin{bmatrix} 1 & 0 & 0 & 4 & -1 \\ 0 & 0 & 1 & 5 & 2 \\ 0 & 1 & 0 & 0 & -1 \end{bmatrix}$

28. $\begin{bmatrix} 1 & 1 & 0 & 4 & \frac{2}{3} \\ 0 & 1 & 1 & 5 & 6 \\ 0 & 0 & 0 & 1 & \frac{1}{3} \end{bmatrix}$

연습문제 29–36의 각 행렬의 기약 행 사다리꼴을 구하라.

29. $\begin{bmatrix} 2 & 3 \\ -2 & 1 \end{bmatrix}$

30. $\begin{bmatrix} -3 & 2 \\ 3 & 3 \end{bmatrix}$

31. $\begin{bmatrix} 3 & 3 & 1 \\ 3 & -1 & 0 \\ -1 & -1 & 2 \end{bmatrix}$

32. $\begin{bmatrix} 0 & 2 & 1 \\ 1 & -3 & -3 \\ 1 & 2 & -3 \end{bmatrix}$

33. $\begin{bmatrix} -4 & 1 & 4 \\ 3 & 4 & -3 \end{bmatrix}$

34. $\begin{bmatrix} -4 & -2 & -1 \\ -2 & -3 & 0 \end{bmatrix}$

35. $\begin{bmatrix} -2 & 2 & -1 & 2 \\ 0 & 3 & 3 & -3 \\ 1 & -4 & 2 & 2 \end{bmatrix}$

36. $\begin{bmatrix} 4 & -3 & -4 & -2 \\ -4 & 2 & 1 & -4 \\ -1 & -3 & 1 & -4 \end{bmatrix}$

연습문제 37–48에 주어진 각 연립일차방정식의 첨가행렬을 구하고, 이 첨가행렬을 기약 행 사다리꼴로 바꾸어라. 그리고 연립일차방정식의 해를 구하라.

37. $\begin{cases} x + y = 1 \\ 4x + 3y = 2 \end{cases}$

38. $\begin{cases} -3x + y = 1 \\ 4x + 2y = 0 \end{cases}$

39. $\begin{cases} 3x - 3y = 3 \\ 4x - y - 3z = 3 \\ -2x - 2y = -2 \end{cases}$

40. $\begin{cases} 2x - 4z = 1 \\ 4x + 3y - 2z = 0 \\ 2x + 2z = 2 \end{cases}$

41. $\begin{cases} x + 2y + z = 1 \\ 2x + 3y + 2z = 0 \\ x + y + z = 2 \end{cases}$

42. $\begin{cases} 3x - 2z = -3 \\ -2x + z = -2 \\ - z = 2 \end{cases}$

43. $\begin{cases} 3x_1 + 2x_2 + 3x_3 = -3 \\ x_1 + 2x_2 - x_3 = -2 \end{cases}$

44. $\begin{cases} -3x_2 - x_3 = 2 \\ x_1 + x_3 = -2 \end{cases}$

45. $\begin{cases} -x_1 + 3x_3 + x_4 = 2 \\ 2x_1 + 3x_2 - 3x_3 + x_4 = 2 \\ 2x_1 - 2x_2 - 2x_3 - x_4 = -2 \end{cases}$

46. $\begin{cases} -3x_1 - x_2 + 3x_3 + 3x_4 = -3 \\ x_1 - x_2 + x_3 + x_4 = 3 \\ -3x_1 + 3x_2 - x_3 + 2x_4 = 1 \end{cases}$

47. $\begin{cases} 3x_1 - 3x_2 + x_3 + 3x_4 = -3 \\ x_1 + x_2 - x_3 - 2x_4 = 3 \\ 4x_1 - 2x_2 + x_4 = 0 \end{cases}$

48. $\begin{cases} -3x_1 + 2x_2 - x_3 - 2x_4 = 2 \\ x_1 - x_2 - 3x_4 = 3 \\ 4x_1 - 3x_2 + x_3 - x_4 = 1 \end{cases}$

49. 연립일차방정식의 첨가행렬이

$$\begin{bmatrix} 1 & 2 & -1 & a \\ 2 & 3 & -2 & b \\ -1 & -1 & 1 & c \end{bmatrix}$$

일 때, 다음에 답하라.

a. 연립일차방정식이 일치가 되도록 a, b, c의 값을 정하라.

b. 연립일차방정식이 불능이 되도록 a, b, c의 값을 정하라.

c. 연립일차방정식이 일치이면 그 해는 단 하나인가? 아니면 무한히 많은 해를 갖는가?

d. 일치인 한 연립일차방정식을 구하고 그 특수해를 구하라.

50. 연립일차방정식의 첨가행렬이

$$\begin{bmatrix} ax & y & 1 \\ 2x & (a-1)y & 1 \end{bmatrix}$$

일 때, 다음에 답하라.

a. 연립일차방정식이 일치가 되도록 a의 값을 정하라.

b. 연립일차방정식이 일치이면 그 해는 단 하나인가? 아니면 무한히 많은 해를 갖는가?

c. 일치인 한 연립일차방정식을 구하고 그 특수해를 구하라.

51. 연립일차방정식의 첨가행렬이

$$\begin{bmatrix} -2 & 3 & 1 & a \\ 1 & 1 & -1 & b \\ 0 & 5 & -1 & c \end{bmatrix}$$

일 때, 다음에 답하라.

a. 연립일차방정식이 일치가 되도록 a, b, c의 값을 정하라.

b. 연립일차방정식이 불능이 되도록 a, b, c의 값을 정하라.

c. 연립일차방정식이 일치이면 그 해는 단 하

나인가? 아니면 무한히 많은 해를 갖는가?

d. 일치인 한 연립일차방정식을 구하고 그 특수해를 구하라.

52. 모든 2×2 기약 행 사다리행렬을 구하라.

1.3 행렬의 연산

수학은 구체적인 상황에서의 자연적인 개념에 바탕을 둔 추상적인 개념을 다룬다. 예를 들면, 수의 사용과 숫자에 따르는 모든 대수적 성질을 허용한다. 수는 더할 수 있고 곱할 수도 있어서 분배되거나 결합하는 성질을 갖는다. 어떤 면에서 행렬은 수로 간주할 수도 있다. 예를 들면, 행렬들의 덧셈과 곱셈을 정의함으로써 이러한 대수적 연산을 행렬에 대하여 실행할 수 있다. 이러한 연산은 연립일차방정식을 표현하는 방법을 넘어 행렬을 다양하게 응용하도록 확대할 수 있다.

A를 $m\times n$ 행렬이라 하자. A의 각 성분은 그림 1에서와 같이 그들의 위치를 표시하는 행첨수와 열첨수를 이용하여 단 하나로 구체적으로 표시할 수 있다.

$$
\begin{array}{c}
j \text{ 열} \\
\downarrow
\end{array}
$$

$$
i\text{ 행} \longrightarrow \begin{bmatrix} a_{11} & \cdots & a_{1j} & \cdots & a_{1n} \\ \vdots & & \vdots & & \vdots \\ a_{i1} & \cdots & \boldsymbol{a_{ij}} & \cdots & a_{in} \\ \vdots & & \vdots & & \vdots \\ a_{m1} & \cdots & a_{mj} & \cdots & a_{mn} \end{bmatrix} = A
$$

그림 1

이와 같이 첨수화 된 성분을 이용하여 $m\times n$ 행렬 A를 $A=(a_{ij})$ 로 표시하기도 한다.

예를 들어,

$$
A=\begin{bmatrix} -2 & 1 & 4 \\ 5 & 7 & 11 \\ 2 & 3 & 22 \end{bmatrix}
$$

는

$$
\begin{array}{lll}
a_{11}=-2 & a_{12}=1 & a_{13}=\ \ 4 \\
a_{21}=\ \ 5 & a_{22}=7 & a_{23}=11 \\
a_{31}=\ \ 2 & a_{32}=3 & a_{33}=22
\end{array}
$$

이다.

$n\times 1$ 행렬을 벡터(vector)라 한다. 그리고 벡터의 각 항을 성분(component)이라 한다. 행렬 A

는 그 행벡터(row vector)와 열벡터(column vector)로 생각하는 것이 편리하다. 예를 들면, 행렬

$$A = \begin{bmatrix} 1 & 2 & -1 \\ 3 & 0 & 1 \\ 4 & -1 & 2 \end{bmatrix}$$

의 열벡터는

$$\begin{bmatrix} 1 \\ 3 \\ 4 \end{bmatrix} \quad \begin{bmatrix} 2 \\ 0 \\ -1 \end{bmatrix} \quad \begin{bmatrix} -1 \\ 1 \\ 2 \end{bmatrix}$$

이고, 행벡터는 수직으로 표현하면

$$\begin{bmatrix} 1 \\ 2 \\ -1 \end{bmatrix} \quad \begin{bmatrix} 3 \\ 0 \\ 1 \end{bmatrix} \quad \begin{bmatrix} 4 \\ -1 \\ 2 \end{bmatrix}$$

이다.

두 $m \times n$ 행렬 $A = (a_{ij})$ 와 $B = (b_{ij})$ 가 같다(equal)고 하는 것은 두 행렬의 행의 수와 열의 수가 각각 같고 대응되는 두 성분이 각각 같을 때를 말한다. 따라서 $A = B$일 필요충분조건은 모든 $1 \leq i \leq m$과 $1 \leq j \leq n$에 대하여 $a_{ij} = b_{ij}$인 것이다. 행렬의 덧셈과 스칼라곱 역시 각 성분별로 정의한다.

정의 1 덧셈과 스칼라곱

두 $m \times n$ 행렬 $A = (a_{ij})$와 $B = (b_{ij})$의 합(sum) $A + B$는 $a_{ij} + b_{ij}$를 ij 항으로 갖는 $m \times n$ 행렬이다. 실수 c와 행렬 $A = (a_{ij})$의 스칼라 곱(scalar product)는 ca_{ij}를 ij 항으로 갖는 $m \times n$ 행렬로서 cA로 표시한다.

예제 1

두 행렬

$$A = \begin{bmatrix} 2 & 0 & 1 \\ 4 & 3 & -1 \\ -3 & 6 & 5 \end{bmatrix} \quad B = \begin{bmatrix} -2 & 3 & -1 \\ 3 & 5 & 6 \\ 4 & 2 & 1 \end{bmatrix}$$

에 대하여 다음을 구하라.

a. $A + B$ **b.** $2A - 3B$

풀이 **a.** 두 행렬의 대응되는 성분을 각각 더하면

$$A + B = \begin{bmatrix} 2 & 0 & 1 \\ 4 & 3 & -1 \\ -3 & 6 & 5 \end{bmatrix} + \begin{bmatrix} -2 & 3 & -1 \\ 3 & 5 & 6 \\ 4 & 2 & 1 \end{bmatrix}$$

$$= \begin{bmatrix} 2+(-2) & 0+3 & 1+(-1) \\ 4+3 & 3+5 & -1+6 \\ -3+4 & 6+2 & 5+1 \end{bmatrix}$$

$$= \begin{bmatrix} 0 & 3 & 0 \\ 7 & 8 & 5 \\ 1 & 8 & 6 \end{bmatrix}$$

이다.

b. 먼저 행렬 A의 각 성분에 2를 곱하고 행렬 B의 각 성분에 -3을 곱하여 구한 행렬을 합하면

$$2A + (-3B) = 2\begin{bmatrix} 2 & 0 & 1 \\ 4 & 3 & -1 \\ -3 & 6 & 5 \end{bmatrix} + (-3)\begin{bmatrix} -2 & 3 & -1 \\ 3 & 5 & 6 \\ 4 & 2 & 1 \end{bmatrix}$$

$$= \begin{bmatrix} 4 & 0 & 2 \\ 8 & 6 & -2 \\ -6 & 12 & 10 \end{bmatrix} + \begin{bmatrix} 6 & -9 & 3 \\ -9 & -15 & -18 \\ -12 & -6 & -3 \end{bmatrix}$$

$$= \begin{bmatrix} 10 & -9 & 5 \\ -1 & -9 & -20 \\ -18 & 6 & 7 \end{bmatrix}$$

이다.

예제 1의 a에서 행렬의 덧셈의 순서를 바꾸어도 그 결과는 같다. 즉, $A + B = B + A$이다. 이것은 실수의 덧셈은 교환법칙이 성립하기 때문이다. 이러한 결과는 일반적으로 두 행렬의 덧셈은 교환법칙이 성립함을 보여준다. 실수에 대해 성립하는 다른 몇 개의 유사한 성질은 행렬과 스칼라에 대해서도 성립한다. 그러한 성질은 정리 4에 주어진다.

정리 4 행렬의 덧셈과 스칼라곱의 성질

A, B, C를 $m \times n$ 행렬이라 하고 c와 d를 실수라 하면 다음이 성립한다.

1. $A + B = B + A$
2. $A + (B + C) = (A + B) + C$
3. $c(A + B) = cA + cB$
4. $(c + d)A = cA + dA$
5. $c(dA) = (cd)A$
6. 모든 성분이 0인 $m \times n$ 행렬을 **0**(이 행렬을 영행렬(zero matrix) 라 부른다)으로 표시하면

$A + \mathbf{0} = \mathbf{0} + A = A$이다.

7. 행렬 A의 각 성분을 -1배한 것을 성분으로 갖는 행렬을 $-A$로 표시하면 $A + (-A) = (-A) + A = \mathbf{0}$이다.

증명 각 경우에 두 행렬의 열벡터에 대하여 성립함으로 보이면 충분하다. 여기서는 **2**번만 증명하고 나머지는 연습문제로 남긴다.

2. 행렬 A, B, C는 같은 크기를 가지므로 행렬 $(A + B) + C$와 $A + (B + C)$ 역시 같은 크기를 갖는다. $\mathbf{A}_i$, $\mathbf{B}_i$, $\mathbf{C}_i$ 를 각각 A, B, C의 i번 열벡터라 하면

$$(\mathbf{A}_i + \mathbf{B}_i) + \mathbf{C}_i = \left(\begin{bmatrix} a_{1i} \\ \vdots \\ a_{mi} \end{bmatrix} + \begin{bmatrix} b_{1i} \\ \vdots \\ b_{mi} \end{bmatrix} \right) + \begin{bmatrix} c_{1i} \\ \vdots \\ c_{mi} \end{bmatrix}$$

$$= \begin{bmatrix} a_{1i} + b_{1i} \\ \vdots \\ a_{mi} + b_{mi} \end{bmatrix} + \begin{bmatrix} c_{1i} \\ \vdots \\ c_{mi} \end{bmatrix} = \begin{bmatrix} (a_{1i} + b_{1i}) + c_{1i} \\ \vdots \\ (a_{mi} + b_{mi}) + c_{mi} \end{bmatrix}$$

이다. 그 성분은 실수이므로 덧셈에 관한 교환법칙이 성립한다. 그러므로

$$(\mathbf{A}_i + \mathbf{B}_i) + \mathbf{C}_i = \begin{bmatrix} (a_{1i} + b_{1i}) + c_{1i} \\ \vdots \\ (a_{mi} + b_{mi}) + c_{mi} \end{bmatrix}$$

$$= \begin{bmatrix} a_{1i} + (b_{1i} + c_{1i}) \\ \vdots \\ a_{mi} + (b_{mi} + c_{mi}) \end{bmatrix} = \mathbf{A}_i + (\mathbf{B}_i + \mathbf{C}_i)$$

이다. 이러한 사실은 모든 열벡터에 대해서도 성립하므로 행렬 $(A + B) + C$와 $A + (B + C)$는 같다. 따라서 $(A + B) + C = A + (B + C)$이다.

행렬의 곱셈

앞에서 행렬의 덧셈과 스칼라곱을 정의하였다. 그러한 연산은 실수에 대한 여러 유사한 성질들을 만족시키는 것을 관찰하였다. 그러나 아직 행렬의 곱셈에 대해서는 생각하지 않았다. 행렬의 곱은 보다 더 어렵게 정의되며 두 벡터의 점곱으로 전개된다.

정의 2 벡터의 점곱

두 벡터

$$
\mathbf{u} = \begin{bmatrix} u_1 \\ u_2 \\ \vdots \\ u_n \end{bmatrix} \qquad \mathbf{v} = \begin{bmatrix} v_1 \\ v_2 \\ \vdots \\ v_n \end{bmatrix}
$$

의 점곱(dot product)은

$$
\mathbf{u} \cdot \mathbf{v} = u_1 v_1 + u_2 v_2 + \cdots + u_n v_n = \sum_{i=1}^{n} u_i v_i
$$

에 의하여 정의된다.

두 벡터의 점곱은 스칼라임을 알 수 있다. 예를 들면,

$$
\begin{bmatrix} 2 \\ -3 \\ -1 \end{bmatrix} \cdot \begin{bmatrix} -5 \\ 1 \\ 4 \end{bmatrix} = (2)(-5) + (-3)(1) + (-1)(4) = -17
$$

이다.

이제 행렬의 곱에 대한 개념과 필요성을 설명하기 위하여 먼저 행렬과 벡터의 곱 연산을 소개한다. 예를 들어

$$
B = \begin{bmatrix} 1 & -1 \\ -2 & 1 \end{bmatrix} \qquad \mathbf{v} = \begin{bmatrix} 1 \\ 3 \end{bmatrix}
$$

이라 하면, $B\mathbf{v}$로 정의된, B와 $\mathbf{v}$의 곱(product)는 두 성분을 갖는 하나의 벡터이다. $B\mathbf{v}$의 첫 성분은 B의 첫 행벡터와 $\mathbf{v}$의 점곱이고, 두 번째 성분은 B의 둘째 행벡터와 $\mathbf{v}$의 점곱으로서

$$
B\mathbf{v} = \begin{bmatrix} 1 & -1 \\ -2 & 1 \end{bmatrix} \begin{bmatrix} 1 \\ 3 \end{bmatrix} = \begin{bmatrix} (1)(1) + (-1)(3) \\ (-2)(1) + (1)(3) \end{bmatrix} = \begin{bmatrix} -2 \\ 1 \end{bmatrix}
$$

이다. 이 연산을 사용함으로써 행렬 B는 벡터 $\mathbf{v} = \begin{bmatrix} 1 \\ 3 \end{bmatrix}$를 벡터 $B\mathbf{v} = \begin{bmatrix} -2 \\ 1 \end{bmatrix}$로 변환시킨다. 만약

$A = \begin{bmatrix} -1 & 2 \\ 0 & 1 \end{bmatrix}$ 이면 A와 $B\mathbf{v}$의 곱은

$$
A(B\mathbf{v}) = \begin{bmatrix} -1 & 2 \\ 0 & 1 \end{bmatrix} \begin{bmatrix} -2 \\ 1 \end{bmatrix} = \begin{bmatrix} 4 \\ 1 \end{bmatrix}
$$

이다.

여기서 처음에 주어진 벡터 $\begin{bmatrix} 1 \\ 3 \end{bmatrix}$ 를 $\begin{bmatrix} 4 \\ 1 \end{bmatrix}$ 로 변환시키는 행렬은 무엇일까? 하는 물음을 생각

하자. 이 물음에 답하기 위하여

$$\mathbf{v} = \begin{bmatrix} x \\ y \end{bmatrix} \qquad A = \begin{bmatrix} a_{11} & a_{12} \\ a_{21} & a_{22} \end{bmatrix} \qquad B = \begin{bmatrix} b_{11} & b_{12} \\ b_{21} & b_{22} \end{bmatrix}$$

라 두면, B와 $\mathbf{v}$의 곱은

$$B\mathbf{v} = \begin{bmatrix} b_{11}x + b_{12}y \\ b_{21}x + b_{22}y \end{bmatrix}$$

이고, A와 $B\mathbf{v}$의 곱은

$$\begin{aligned} A(B\mathbf{v}) &= \begin{bmatrix} a_{11} & a_{12} \\ a_{21} & a_{22} \end{bmatrix} \begin{bmatrix} b_{11}x + b_{12}y \\ b_{21}x + b_{22}y \end{bmatrix} \\ &= \begin{bmatrix} a_{11}(b_{11}x + b_{12}y) + a_{12}(b_{21}x + b_{22}y) \\ a_{21}(b_{11}x + b_{12}y) + a_{22}(b_{21}x + b_{22}y) \end{bmatrix} \\ &= \begin{bmatrix} (a_{11}b_{11} + a_{12}b_{21})x + (a_{11}b_{12} + a_{12}b_{22})y \\ (a_{21}b_{11} + a_{22}b_{21})x + (a_{21}b_{12} + a_{22}b_{22})y \end{bmatrix} \\ &= \begin{bmatrix} a_{11}b_{11} + a_{12}b_{21} & a_{11}b_{12} + a_{12}b_{22} \\ a_{21}b_{11} + a_{22}b_{21} & a_{21}b_{12} + a_{22}b_{22} \end{bmatrix} \begin{bmatrix} x \\ y \end{bmatrix} \end{aligned}$$

이다. 따라서 $A(B\mathbf{v})$는 행렬

$$\begin{bmatrix} a_{11}b_{11} + a_{12}b_{21} & a_{11}b_{12} + a_{12}b_{22} \\ a_{21}b_{11} + a_{22}b_{21} & a_{21}b_{12} + a_{22}b_{22} \end{bmatrix}$$

와 벡터 $\begin{bmatrix} x \\ y \end{bmatrix}$ 와의 곱이다. AB로 정의하는 위의 행렬을 A와 B의 곱(product)이라 한다. 이 행렬을 주목하면

$$A(B\mathbf{v}) = (AB)\mathbf{v}$$

이다. 그림 2를 보자.

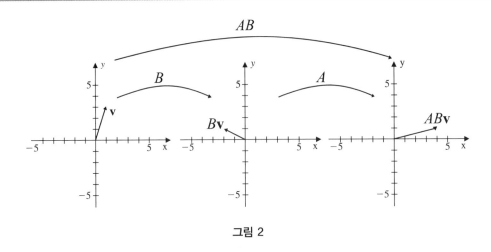

그림 2

곱 행렬 AB는 왼쪽에 있는 행렬 A의 각 행벡터와 오른쪽에 있는 행렬 B의 각 열벡터의 점곱을 계산하여 얻어진다. 위에서 주어진 행렬 A와 B를 사용하면

$$AB = \begin{bmatrix} -1 & 2 \\ 0 & 1 \end{bmatrix} \begin{bmatrix} 1 & -1 \\ -2 & 1 \end{bmatrix}$$

$$= \begin{bmatrix} (-1)(1)+(2)(-2) & (-1)(-1)+(2)(1) \\ (0)(1)+(1)(-2) & (0)(-1)+(1)(1) \end{bmatrix} = \begin{bmatrix} -5 & 3 \\ -2 & 1 \end{bmatrix}$$

이다. 이 행렬은 한번에 벡터 $\begin{bmatrix} 1 \\ 3 \end{bmatrix}$를 $\begin{bmatrix} 4 \\ 1 \end{bmatrix}$로 변환시킨다. 즉,

$$(AB)\mathbf{v} = \begin{bmatrix} -5 & 3 \\ -2 & 1 \end{bmatrix} \begin{bmatrix} 1 \\ 3 \end{bmatrix} = \begin{bmatrix} 4 \\ 1 \end{bmatrix}$$

이 여기서 하고자 하는 원래 목표이다. 변환으로서의 행렬의 개념은 제 4장에서 다시 다룬다. 여기서는 보다 더 일반적인 벡터의 변환을 다루어 본다.

행렬의 곱을 또 다른 방법으로 설명하기 위하여, 다음 두 행렬

$$A = \begin{bmatrix} 1 & 3 & 0 \\ 2 & 1 & -3 \\ -4 & 6 & 2 \end{bmatrix} \qquad B = \begin{bmatrix} 3 & -2 & 5 \\ -1 & 4 & -2 \\ 1 & 0 & 3 \end{bmatrix}$$

을 생각하자. 곱 행렬 AB의 첫 번째 행은 처음 행렬 A의 첫 행벡터와 두 번째 행렬 B의 첫째, 둘째, 셋째 열벡터 각각의 점곱을 성분으로 나열하여 얻어진다. AB의 두 번째 행의 항은 A의 두 번째 행벡터와 B의 첫째, 둘째, 셋째 열벡터 각각의 점곱이다. 그리고 마지막으로 AB의 세 번째 행의 항은 A의 세 번째 행벡터와 다시 B의 첫째, 둘째, 셋째 열벡터 각각의 점곱이다. 따라서 곱 행렬은

$$AB = \begin{bmatrix} (1)(3) + (3)(-1) + (0)(1) & -2+12+0 & 5-6+0 \\ 6-1-3 & -4+4+0 & 10-2-9 \\ -12-6+2 & 8+24+0 & -20-12+6 \end{bmatrix}$$

$$= \begin{bmatrix} 0 & 10 & -1 \\ 2 & 0 & -1 \\ -16 & 32 & -26 \end{bmatrix}$$

이다.

앞의 예에서 행렬 A와 B는 같은 행의 개수와 같은 열의 개수를 가지므로 곱 행렬 AB가 존재한다. 행렬의 곱의 조건으로써 이 조건은 다소 느긋할 수 있다. 일반적으로 행렬 A의 열의 개수와 행렬 B의 행의 개수가 같으면 두 행렬의 곱은 존재한다.

정의 3 행렬의 곱

A가 $m \times n$ 행렬이고 B가 $n \times p$ 행렬이면 곱 AB는 $m \times p$ 행렬이다. AB의 ij항은 A의 i번째 행벡터와 B의 j번째 열벡터와의 점곱

$$(AB)_{ij} = a_{i1}b_{1j} + a_{i2}b_{2j} + \cdots + a_{in}b_{nj} = \sum_{k=1}^{n} a_{ik}b_{kj}$$

이다.

실수의 모든 성질이 곧 행렬의 성질이 아닌 것을 인식하는 것이 중요하다. 행렬의 곱은 왼쪽 행렬의 열의 수와 오른쪽 행렬의 행의 수가 같을 때만 정의되기 때문에, AB는 존재하지만 BA는 정의되지 않는 경우가 있다. 예를 들면,

$$AB = \begin{bmatrix} 1 & 3 & 0 \\ 2 & 1 & -3 \end{bmatrix} \begin{bmatrix} 3 & -2 & 5 \\ -1 & 4 & -2 \\ 1 & 0 & 3 \end{bmatrix}$$

는 정의되지만,

$$BA = \begin{bmatrix} 3 & -2 & 5 \\ -1 & 4 & -2 \\ 1 & 0 & 3 \end{bmatrix} \begin{bmatrix} 1 & 3 & 0 \\ 2 & 1 & -3 \end{bmatrix}$$

은 정의되지 않는다. 따라서 사전에 행렬이 교환가능하지 않으면 행렬의 곱하는 순서를 바꿀 수는 없다. $AB = BA$인 두 행렬 A와 B를 교환가능(commute)하다고 한다.

다음 예제 2는 AB와 BA는 모두 정의되지만 같지는 않음을 보인다.

예제 2

두 행렬

$$A = \begin{bmatrix} 1 & 0 \\ -1 & 2 \end{bmatrix} \qquad B = \begin{bmatrix} 0 & 1 \\ 1 & 1 \end{bmatrix}$$

은 곱셈에 대하여 교환가능하지 않음을 보여라.

풀이 두 행렬의 곱은

$$AB = \begin{bmatrix} 1 & 0 \\ -1 & 2 \end{bmatrix} \begin{bmatrix} 0 & 1 \\ 1 & 1 \end{bmatrix} = \begin{bmatrix} 0 & 1 \\ 2 & 1 \end{bmatrix}$$

이고,

$$BA = \begin{bmatrix} 0 & 1 \\ 1 & 1 \end{bmatrix} \begin{bmatrix} 1 & 0 \\ -1 & 2 \end{bmatrix} = \begin{bmatrix} -1 & 2 \\ 0 & 2 \end{bmatrix}$$

이므로, $AB \neq BA$이다.

예제 3에서 한 행렬과 곱셈에 대하여 교환가능한 모든 행렬을 구하고자 한다.

예제 3

행렬

$$A = \begin{bmatrix} 1 & 0 \\ 1 & 1 \end{bmatrix}$$

과 곱셈에 대하여 교환가능한 모든 2×2 행렬을 찾아라.

풀이 행렬 A와 곱셈에 대하여 교환가능한 2×2 행렬을

$$B = \begin{bmatrix} a & b \\ c & d \end{bmatrix}$$

라 하면, 행렬 A와 B의 곱은

$$AB = \begin{bmatrix} 1 & 0 \\ 1 & 1 \end{bmatrix} \begin{bmatrix} a & b \\ c & d \end{bmatrix} = \begin{bmatrix} a & b \\ a+c & b+d \end{bmatrix}$$

이다. 한편, 행렬 B와 A의 곱은

$$BA = \begin{bmatrix} a & b \\ c & d \end{bmatrix} \begin{bmatrix} 1 & 0 \\ 1 & 1 \end{bmatrix} = \begin{bmatrix} a+b & b \\ c+d & d \end{bmatrix}$$

이다. 따라서 $AB = BA$라 두면

$$a = a + b, \qquad a + c = c + d, \qquad b + d = d$$

이므로 $b = 0$, $a = d$이다. 따라서 2×2 행렬들의 집합

$$S = \left\{ \begin{bmatrix} a & 0 \\ c & a \end{bmatrix} \,\middle|\, a, c \in \mathbb{R} \right\}$$

의 원소인 모든 행렬은 A와 곱셈에 대하여 교환가능하다. ■

예제 4

행렬

$$A = \begin{bmatrix} -3 & 1 \\ 2 & 2 \\ -1 & 5 \end{bmatrix} \qquad B = \begin{bmatrix} -1 & 1 & -1 & 3 \\ 2 & 5 & -3 & 1 \end{bmatrix} \qquad C = \begin{bmatrix} 3 & 2 & -2 & 1 \\ 1 & 6 & -2 & 4 \end{bmatrix}$$

에 대하여 다음 연산을 실행하여라.

a. $A(B + C)$ **b.** $AB + AC$

풀이 A는 3×2 행렬이고 B와 C는 2×4행렬인 점을 주목하면 AB와 AC는 정의된다. 행렬 B와 C는 각각 같은 행의 수와 같은 열의 수를 가지므로, 행렬 $B + C$ 역시 정의된다.

a. 괄호 안의 행렬 B와 C를 먼저 더한 다음 왼쪽에 행렬 A를 곱하면

$$\begin{aligned}
&A(B + C) \\
&= \begin{bmatrix} -3 & 1 \\ 2 & 2 \\ -1 & 5 \end{bmatrix} \left(\begin{bmatrix} -1 & 1 & -1 & 3 \\ 2 & 5 & -3 & 1 \end{bmatrix} + \begin{bmatrix} 3 & 2 & -2 & 1 \\ 1 & 6 & -2 & 4 \end{bmatrix} \right) \\
&= \begin{bmatrix} -3 & 1 \\ 2 & 2 \\ -1 & 5 \end{bmatrix} \begin{bmatrix} 2 & 3 & -3 & 4 \\ 3 & 11 & -5 & 5 \end{bmatrix} \\
&= \begin{bmatrix} -3(2)+1(3) & -3(3)+1(11) & -3(-3)+1(-5) & -3(4)+1(5) \\ 2(2)+2(3) & 2(3)+2(11) & 2(-3)+2(-5) & 2(4)+2(5) \\ -1(2)+5(3) & -1(3)+5(11) & -1(-3)+5(-5) & -1(4)+5(5) \end{bmatrix} \\
&= \begin{bmatrix} -3 & 2 & 4 & -7 \\ 10 & 28 & -16 & 18 \\ 13 & 52 & -22 & 21 \end{bmatrix}
\end{aligned}$$

이다.

b. 먼저 AB와 AC를 각각 계산한 다음 그들을 더하면

$$AB + AC = \begin{bmatrix} -3 & 1 \\ 2 & 2 \\ -1 & 5 \end{bmatrix} \begin{bmatrix} -1 & 1 & -1 & 3 \\ 2 & 5 & -3 & 1 \end{bmatrix}$$

$$+ \begin{bmatrix} -3 & 1 \\ 2 & 2 \\ -1 & 5 \end{bmatrix} \begin{bmatrix} 3 & 2 & -2 & 1 \\ 1 & 6 & -2 & 4 \end{bmatrix}$$

$$= \begin{bmatrix} 5 & 2 & 0 & -8 \\ 2 & 12 & -8 & 8 \\ 11 & 24 & -14 & 2 \end{bmatrix} + \begin{bmatrix} -8 & 0 & 4 & 1 \\ 8 & 16 & -8 & 10 \\ 2 & 28 & -8 & 19 \end{bmatrix}$$

$$= \begin{bmatrix} -3 & 2 & 4 & -7 \\ 10 & 28 & -16 & 18 \\ 13 & 52 & -22 & 21 \end{bmatrix}$$

이다. ■

위의 예제 4에서

$$A(B + C) = AB + AC$$

임을 보았다. 실수의 곱셈과 덧셈을 포함하는 위와 같은 성질과 다른 유사한 성질들은 행렬에 대해서도 성립한다. 이러한 성질들을 다음 정리 5에서 소개하였다.

정리 5 행렬의 곱셈에 대한 성질

A, B, C를 아래에서 표시된 덧셈과 곱셈이 정의되는 행렬이라 하고, c를 실수라 하면 다음이 성립한다.

1. $A(BC) = (AB)C$
2. $c(AB) = (cA)B = A(cB)$
3. $A(B + C) = AB + AC$
4. $(B + C)A = BA + CA$

앞에서 실수와는 달리 행렬의 곱은 교환가능하지 않음을 이미 보았다. 이와 같이 실수에 대해서는 성립하지만 행렬에 대해서는 성립하지 않는 다른 성질들이 있다. 만약 $xy = 0$인 두 실수 x와 y를 생각하면 $x = 0$이거나 $y = 0$이다. 그러나 이러한 성질은 행렬에 대해서는 성립하지 않는다. 예를 들어,

$$A = \begin{bmatrix} 1 & 1 \\ 1 & 1 \end{bmatrix}, \quad B = \begin{bmatrix} -1 & -1 \\ 1 & 1 \end{bmatrix}$$

의 곱은

$$AB = \begin{bmatrix} 1 & 1 \\ 1 & 1 \end{bmatrix} \begin{bmatrix} -1 & -1 \\ 1 & 1 \end{bmatrix} = \begin{bmatrix} 0 & 0 \\ 0 & 0 \end{bmatrix}$$

이다.

행렬의 전치

행렬의 전치는 행렬의 행과 열을 교환하여 얻어진다.

정의 4 전치

$m \times n$ 행렬 $A = (a_{ij})$의 전치행렬(transposed matrix) 또는 전치(transpose)는 ij 항을

$$(A^t)_{ij} = a_{ji}$$

로 갖는 $n \times m$ 행렬이며, A^t로 표시한다. 여기서 $1 \le i \le n, 1 \le j \le m$이다.

예를 들면, 행렬

$$A = \begin{bmatrix} 1 & 2 & -3 \\ 0 & 1 & 4 \\ -1 & 2 & 1 \end{bmatrix}$$

의 전치는

$$A^t = \begin{bmatrix} 1 & 0 & -1 \\ 2 & 1 & 2 \\ -3 & 4 & 1 \end{bmatrix}$$

이다. A의 행벡터는 A^t의 열벡터가 됨을 주목하자. 다음 정리 6에서는 전치행렬의 성질이 주어져 있다.

정리 6

A와 B를 $m \times n$ 행렬, C를 $n \times p$ 행렬, 그리고 c를 스칼라라 하면 다음이 성립한다.

1. $(A + B)^t = A^t + B^t$
2. $(AC)^t = C^t A^t$
3. $(A^t)^t = A$
4. $(cA)^t = cA^t$

증명 2. 먼저 주어진 곱이 정의됨을 보이자. AC는 $m \times p$ 행렬이므로 $(AC)^t$는 $p \times m$ 행렬이다. C^t는 $p \times n$ 행렬이고 A^t는 $n \times m$ 행렬이므로 $C^t A^t$ 역시 $p \times m$ 행렬이다. 따라서 곱 행렬의 크기는 같다. 이제 양변의 곱 행렬이 동일한 것임을 보이자. 행렬의 곱과 전치의 정의를 적용하면 다음이 성립한다.

$$
\begin{aligned}
(C^t A^t)_{ij} &= \sum_{k=1}^{n} (C^t)_{ik} (A^t)_{kj} \\
&= \sum_{k=1}^{n} c_{ki} a_{jk} = \sum_{k=1}^{n} a_{jk} c_{ki} = (AC)_{ji} \\
&= ((AC)^t)_{ij}
\end{aligned}
$$

1과 **3** 및 **4**의 증명은 연습문제로 남긴다.

정의 5 대칭행렬

$A = A^t$인 $n \times n$ 행렬 A를 대칭행렬(symmetric matrix) 또는 대칭(symmetric)이라 한다.

예제 5

2×2 대칭행렬을 모두 찾아라.

풀이 행렬

$$
A = \begin{bmatrix} a & b \\ c & d \end{bmatrix}
$$

가 대칭일 필요충분조건은

$$
A = \begin{bmatrix} a & b \\ c & d \end{bmatrix} = \begin{bmatrix} a & c \\ b & d \end{bmatrix} = A^t
$$

즉, $b = c$이다. 따라서 2×2 행렬이 대칭일 필요충분조건은 그 행렬이

$$
\begin{bmatrix} a & b \\ b & d \end{bmatrix}
$$

인 모든 행렬이다. ∎

핵심 요약

A, B, C를 아래의 연산이 정의되는 세 행렬이라 하자.

1. 행렬의 덧셈과 스칼라곱의 정의는 실수와 같은 성질을 만족한다. 이것은 행렬의 대수적 연산을 수행할 수 있음을 뜻한다.

2. AB가 정의되면 AB의 ij 성분은 A의 i번째 행벡터와 B의 j번째 열벡터의 점곱이다.

3. 일반적으로 행렬의 곱셈은 교환가능하지 않다. 비록 AB와 BA가 모두 정의되더라도 $AB \neq BA$ 일 수 있다.

4. 행렬의 덧셈과 곱셈에 대하여 분배법칙

$$A(B + C) = AB + AC, \quad (B + C)A = BA + CA$$

가 성립한다.

5. $(A + B)^t = A^t + B^t$, $(AB)^t = B^t A^t$, $(A^t)^t = A$, $(cA)^t = cA^t$

6. 행렬 $A = \begin{bmatrix} a & b \\ c & d \end{bmatrix}$ 가 대칭일 필요충분조건은 $b = c$이다.

연습문제 1.3

다음에 주어진 행렬을 사용하여 연습문제 1~4를 구하라.

$$A = \begin{bmatrix} 2 & -3 \\ 4 & 1 \end{bmatrix} \quad B = \begin{bmatrix} -1 & 3 \\ -2 & 5 \end{bmatrix} \quad C = \begin{bmatrix} 1 & 1 \\ 5 & -2 \end{bmatrix}$$

1. $A + B$와 $B + A$를 구하라.

2. $3A - 2B$를 구하라.

3. $(A + B) + C$와 $A + (B + C)$를 구하라.

4. $3(A + B) - 5C$ 를 구하라.

다음에 주어진 행렬을 사용하여 연습문제 5와 6을 풀어라.

$$A = \begin{bmatrix} -3 & -3 & 3 \\ 1 & 0 & 2 \\ 0 & -2 & 3 \end{bmatrix} \quad B = \begin{bmatrix} -1 & 3 & 3 \\ -2 & 5 & 2 \\ 1 & 2 & 4 \end{bmatrix}$$

$$C = \begin{bmatrix} -5 & 3 & 9 \\ -3 & 10 & 6 \\ 2 & 2 & 11 \end{bmatrix}$$

5. $(A - B) + C$와 $2A + B$를 구하라.

6. $A + 2B - C = \mathbf{0}$임을 보여라.

다음에 주어진 행렬을 사용하여 연습문제 7과 8을 풀어라.

$$A = \begin{bmatrix} 3 & 1 \\ -2 & 4 \end{bmatrix} \quad B = \begin{bmatrix} 2 & 0 \\ 1 & -2 \end{bmatrix}$$

7. AB와 BA를 구하라.

8. $3(AB) = A(3B)$임을 보여라.

다음에 주어진 행렬을 사용하여 연습문제 9와 10을 풀어라.

$$A = \begin{bmatrix} 2 & -3 & -3 \\ -3 & -2 & 0 \end{bmatrix} \quad B = \begin{bmatrix} 3 & -1 \\ 2 & -2 \\ 3 & 0 \end{bmatrix}$$

9. AB를 구하라.

10. BA를 구하라.

11. 행렬

$$A = \begin{bmatrix} -1 & 1 & 1 \\ 3 & -3 & 3 \\ -1 & 2 & 1 \end{bmatrix} \qquad B = \begin{bmatrix} -2 & 3 & -3 \\ 0 & -1 & 2 \\ 3 & -2 & -1 \end{bmatrix}$$

의 곱 AB를 구하라.

12. 행렬

$$A = \begin{bmatrix} -2 & -2 & -1 \\ -3 & 2 & 1 \\ 1 & -1 & -1 \end{bmatrix} \qquad B = \begin{bmatrix} 1 & -1 & -2 \\ -2 & -2 & 3 \\ -3 & 1 & -3 \end{bmatrix}$$

의 곱 AB를 구하라.

다음에 주어진 행렬을 사용하여 연습문제 13–16을 풀어라.

$$A = \begin{bmatrix} -2 & -3 \\ 3 & 0 \end{bmatrix} \qquad B = \begin{bmatrix} 2 & 0 \\ -2 & 0 \end{bmatrix}$$

$$C = \begin{bmatrix} 2 & 0 \\ -1 & -1 \end{bmatrix}$$

13. $A(B + C)$를 구하라.

14. $(A + B)C$ 를 구하라.

15. $2A(B - 3C)$를 구하라.

16. $(A + 2B)(3C)$를 구하라.

다음에 주어진 행렬을 사용하여 만약 연산이 가능하면 연습문제 17–24를 풀고, 계산이 불가능하면 그 이유를 설명하라.

$$A = \begin{bmatrix} 2 & 0 & -1 \\ 1 & 0 & -2 \end{bmatrix} \qquad B = \begin{bmatrix} -3 & 1 & 1 \\ -3 & -3 & -2 \end{bmatrix}$$

$$C = \begin{bmatrix} 3 & -1 \\ -1 & -3 \end{bmatrix}$$

17. $2A^t - B^t$

18. $B^t - 2A$

19. AB^t

20. BA^t

21. $(A^t + B^t)C$

22. $C(A^t + B^t)$

23. $(A^tC)B$

24. $(A^tB^t)C$

25. 행렬

$$A = \begin{bmatrix} -1 & -2 \\ 1 & 2 \end{bmatrix} \qquad B = \begin{bmatrix} 1 & 3 \\ 2 & -1 \end{bmatrix}$$

$$C = \begin{bmatrix} 7 & 5 \\ -1 & -2 \end{bmatrix}$$

에 대하여 $B \neq C$이지만 $AB = AC$임을 보여라.

26. 행렬

$$A = \begin{bmatrix} 0 & 2 \\ 0 & 5 \end{bmatrix}$$

에 대하여 AB가 영행렬이지만 그 자신은 영행렬이 아닌 2×2 행렬 B를 구하라.

27. 행렬의 곱

$$A^2 = AA = \begin{bmatrix} 1 & 0 \\ 0 & 1 \end{bmatrix}$$

이 성립하는 모든 2×2 행렬

$$A = \begin{bmatrix} a & b \\ 0 & c \end{bmatrix}$$

를 구하라.

28. 행렬 $A = \begin{bmatrix} 2 & 1 \\ 1 & 1 \end{bmatrix}$ 에 대하여 $AM = MA$ 인 모든 행렬 $M = \begin{bmatrix} a & b \\ c & d \end{bmatrix}$를 구하라.

29. $AB = \mathbf{0}$이지만 $BA \neq \mathbf{0}$인 행렬 A와 B를 구하라.

30. 모든 2×2 행렬 A와 B에 대하여

$$AB - BA = \begin{bmatrix} 1 & 0 \\ 0 & 1 \end{bmatrix}$$

은 성립하지 않음을 보여라.

31. 다음이 성립하는 a와 b의 값을 모두 구하라.

$$\begin{bmatrix} 1 & 2 \\ a & 0 \end{bmatrix} \begin{bmatrix} 3 & b \\ -4 & 1 \end{bmatrix} = \begin{bmatrix} -5 & 6 \\ 12 & 16 \end{bmatrix}$$

32. 만약 A와 B가 2×2 행렬이면 $AB - BA = (a_{ij})$의 대각성분의 합 $a_{11} + a_{22}$는 0임을 보여라.

33. 행렬

$$A = \begin{bmatrix} 1 & 0 & 0 \\ 0 & -1 & 0 \\ 0 & 0 & 1 \end{bmatrix}$$

에 대하여 A^{20}을 구하라.

34. A와 B가 $n \times n$ 행렬일 때 $(A + B)(A - B) = A^2 - B^2$이 성립하는 경우는 어떤 경우인가?

35. 만약 A와 B가 교환가능한 행렬이면 $A^2 B = BA^2$임을 보여라.

36. A, B, C가 $n \times n$ 행렬이고 B와 C는 모두 A에 대하여 교환가능하다고 하자.
  a. BC와 A는 교환가능함을 보여라.
  b. BC와 CB가 같지 않은 예를 들어라.

37. $n \times n$ 행렬 A와 $\mathbb{R}^n$ 상의 벡터 $\mathbf{x}$에 대하여 $A\mathbf{x} = \mathbf{0}$이면 A는 영행렬임을 보여라.

38. 모든 자연수 n에 대하여

$$A_n = \begin{bmatrix} 1-n & -n \\ n & 1+n \end{bmatrix}$$

이면 $A_n A_m = A_{n+m}$임을 보여라.

39. $AA^t = \mathbf{0}$인 모든 2×2 행렬 A를 구하라.

40. 두 대칭행렬 A와 B가 $AB = BA$이면 AB 역시 대칭행렬임을 보여라.

41. 만약 A가 $m \times n$ 행렬이면, AA^t와 $A^t A$가 정의됨을 보이고 두 행렬 모두 대칭행렬임을 보여라.

42. $A^2 = AA = A$ 인 $n \times n$ 행렬 A를 멱등행렬(idempotent matrix)이라 한다. 만약 A와 B가 $n \times n$ 멱등행렬이고 $AB = BA$이면 AB 역시 멱등행렬임을 보여라.

43. $A^t = -A$인 $n \times n$ 행렬 A를 반대칭행렬(skew symmetric matrix)이라 한다. 행렬 A가 반대칭이면 A의 모든 대각성분 a_{ii}은 0임을 보여라.

44. $n \times n$ 행렬 $A = (a_{ij})$의 대각성분의 합 $\displaystyle\sum_{i=1}^{n} a_{ii}$ 를 A의 대각합(trace)이라 부르고, $\mathbf{tr}(A)$로 표시한다.
  a. A와 B가 $n \times n$ 행렬일 때, $\mathbf{tr}(A + B) = \mathbf{tr}(A) + \mathbf{tr}(B)$임을 보여라.
  b. A가 $n \times n$ 행렬이고 c가 스칼라일 때, $\mathbf{tr}(cA) = c\,\mathbf{tr}(A)$임을 보여라.

1.4 정사각행렬의 역행렬

실수계에서 1은 곱셈에 대한 항등원이다. 즉, 모든 실수 a에 대하여

$$a \cdot 1 = 1 \cdot a = a$$

이다. 그리고 $x \neq 0$인 각 실수 x에 대하여

$$x \cdot \frac{1}{x} = 1$$

인 실수 $\frac{1}{x}$이 존재하며, 이것을 x^{-1}이라 쓴다.

$n \times n$ 행렬을 (n차) 정사각행렬(square matrix)이라 한다. 정사각행렬에 대해서도 위와 유사한 관계를 찾고자 한다. A가 $n \times n$ 행렬이면 $n \times n$ 행렬

$$I = \begin{bmatrix} 1 & 0 & 0 & \cdots & 0 \\ 0 & 1 & 0 & \cdots & 0 \\ 0 & 0 & 1 & \cdots & 0 \\ \vdots & \vdots & \vdots & \ddots & \vdots \\ 0 & 0 & 0 & \cdots & 1 \end{bmatrix}$$

이 곱셈항등원(multiplicative identity)임을 알 수 있다. 즉, A가 $n \times n$ 행렬이면

$$AI = IA = A$$

이다. 이 특수한 행렬 I를 단위행렬(identity matrix)이라 부른다. 예를 들어 2×2, 3×3, 4×4 단위행렬은 각각

$$\begin{bmatrix} 1 & 0 \\ 0 & 1 \end{bmatrix} \quad \begin{bmatrix} 1 & 0 & 0 \\ 0 & 1 & 0 \\ 0 & 0 & 1 \end{bmatrix} \quad \begin{bmatrix} 1 & 0 & 0 & 0 \\ 0 & 1 & 0 & 0 \\ 0 & 0 & 1 & 0 \\ 0 & 0 & 0 & 1 \end{bmatrix}$$

이다.

정의 1 정사각행렬의 역행렬

A가 $n \times n$ 행렬일 때, $n \times n$ 행렬 B가

$$AB = I = BA$$

이면, 이 행렬 B를 행렬 A의 (곱에 대한) 역행렬(inverse matrix)이라 한다.

예제 1

행렬

$$A = \begin{bmatrix} 1 & 1 \\ 1 & 2 \end{bmatrix}$$

의 역행렬을 구하라.

풀이 2×2 행렬 $B = \begin{bmatrix} x_1 & x_2 \\ x_3 & x_4 \end{bmatrix}$ 가 A의 역행렬이면,

$$\begin{bmatrix} 1 & 1 \\ 1 & 2 \end{bmatrix} \begin{bmatrix} x_1 & x_2 \\ x_3 & x_4 \end{bmatrix} = \begin{bmatrix} x_1 + x_3 & x_2 + x_4 \\ x_1 + 2x_3 & x_2 + 2x_4 \end{bmatrix} = \begin{bmatrix} 1 & 0 \\ 0 & 1 \end{bmatrix}$$

이다. 이 행렬방정식은 연립일차방정식

$$\begin{cases} x_1 & + & x_3 & & = 1 \\ & x_2 & & + x_4 & = 0 \\ x_1 & & + 2x_3 & & = 0 \\ & x_2 & & + 2x_4 & = 1 \end{cases}$$

과 동치이다. 연립일차방정식의 첨가행렬과 기약 행 사다리꼴은

$$\begin{bmatrix} 1 & 0 & 1 & 0 & | & 1 \\ 0 & 1 & 0 & 1 & | & 0 \\ 1 & 0 & 2 & 0 & | & 0 \\ 0 & 1 & 0 & 2 & | & 1 \end{bmatrix} \longrightarrow \begin{bmatrix} 1 & 0 & 0 & 0 & | & 2 \\ 0 & 1 & 0 & 0 & | & -1 \\ 0 & 0 & 1 & 0 & | & -1 \\ 0 & 0 & 0 & 1 & | & 1 \end{bmatrix}$$

이다. 따라서 해는 $x_1 = 2, x_2 = -1, x_3 = -1, x_4 = 1$ 이고, 구하는 역행렬은

$$B = \begin{bmatrix} 2 & -1 \\ -1 & 1 \end{bmatrix}$$

이다. 독자는 $AB = BA = I$ 를 확인해보기 바란다.   ■ ■

다음 정리 7에서는 곱셈에 대한 역원이 존재하면 단 하나 존재함을 보인다.

정리7

한 행렬의 역행렬이 존재하면 단 하나 존재한다.

증명   정사각행렬 A가 역행렬 B와 C를 가진다고 하면 $AB = BA = I$ 이고 $AC = CA = I$ 이다. 따라서

$$B = BI = B(AC) = (BA)C = IC = C$$

이다. 그러므로 한 행렬의 역행렬이 존재하면 단 하나 존재한다.

위 정리로부터 행렬 A의 역행렬이 존재하면 단 하나 존재한다. 앞으로 행렬 A의 역행렬을 A^{-1} 라 표시한다. 행렬 A의 역행렬이 존재할 때 A를 가역(invertible)이라 하고, 그렇지 않을 때 비가

역(noninvertible)이라 한다.

정리 8

행렬 $A = \begin{bmatrix} a & b \\ c & d \end{bmatrix}$ 의 역행렬이 존재할 필요충분조건은 $ad - bc \neq 0$이다. 이 경우 그 역행렬은

$$A^{-1} = \frac{1}{ad - bc} \begin{bmatrix} d & -b \\ -c & a \end{bmatrix}$$

이다.

증명 먼저, $ad - bc \neq 0$이라 가정하고,

$$B = \begin{bmatrix} x_1 & x_2 \\ x_3 & x_4 \end{bmatrix}$$

라 하자. 그러면

$$AB = \begin{bmatrix} 1 & 0 \\ 0 & 1 \end{bmatrix}$$

인 x_1, x_2, x_3, x_4를 구하면 된다. 두 행렬의 곱의 정의로 부터

$$\begin{bmatrix} ax_1 + bx_3 & ax_2 + bx_4 \\ cx_1 + dx_3 & cx_2 + dx_4 \end{bmatrix} = \begin{bmatrix} 1 & 0 \\ 0 & 1 \end{bmatrix}$$

이며, 행렬의 상등의 정의로부터 연립일차방정식

$$\begin{cases} ax_1 & + bx_3 & = 1 \\ & ax_2 & + bx_4 = 0 \\ cx_1 & + dx_3 & = 0 \\ & cx_2 & + dx_4 = 1 \end{cases}$$

을 구할 수 있다. 이 연립일차방정식의 첨가행렬

$$\left[\begin{array}{cccc|c} a & 0 & b & 0 & 1 \\ 0 & a & 0 & b & 0 \\ c & 0 & d & 0 & 0 \\ 0 & c & 0 & d & 1 \end{array} \right]$$

은 기약 행 사다리꼴인

$$\left[\begin{array}{cccc|c} 1 & 0 & 0 & 0 & \frac{d}{ad-bc} \\ 0 & 1 & 0 & 0 & -\frac{b}{ad-bc} \\ 0 & 0 & 1 & 0 & -\frac{c}{ad-bc} \\ 0 & 0 & 0 & 1 & \frac{a}{ad-bc} \end{array}\right]$$

로 바꾸어진다. $ad-bc \neq 0$이므로, A의 역행렬은

$$A^{-1} = \left[\begin{array}{cc} \frac{d}{ad-bc} & -\frac{b}{ad-bc} \\ -\frac{c}{ad-bc} & \frac{a}{ad-bc} \end{array}\right] = \frac{1}{ad-bc}\left[\begin{array}{cc} d & -b \\ -c & a \end{array}\right]$$

이다.

역의 증명은 대우 즉, "$ad-bc=0$이면 역행렬이 존재하지 않는다"를 이용한다. 증명의 개요는 연습문제 41에서 주어진다.

정리 8에 주어진 역행렬에 관한 식을 설명하기 위하여,

$$A = \left[\begin{array}{cc} 2 & -1 \\ 1 & 3 \end{array}\right]$$

이라 하면,

$$A^{-1} = \frac{1}{6-(-1)}\left[\begin{array}{cc} 3 & 1 \\ -1 & 2 \end{array}\right] = \left[\begin{array}{cc} \frac{3}{7} & \frac{1}{7} \\ -\frac{1}{7} & \frac{2}{7} \end{array}\right]$$

이다.

역행렬이 존재하는 필요조건인 $ad-bc \neq 0$에 대한 예로서, 행렬

$$A = \left[\begin{array}{cc} 1 & 1 \\ 1 & 1 \end{array}\right]$$

을 생각하면, 명백히 $ad-bc = 1-1 = 0$이다. 이제 행렬 A가 가역이면

$$\left[\begin{array}{cc} 1 & 1 \\ 1 & 1 \end{array}\right]\left[\begin{array}{cc} x_1 & x_2 \\ x_3 & x_4 \end{array}\right] = \left[\begin{array}{cc} 1 & 0 \\ 0 & 1 \end{array}\right]$$

인 행렬 $B = \left[\begin{array}{cc} x_1 & x_2 \\ x_3 & x_4 \end{array}\right]$가 존재한다. 그러나 이 행렬의 식은 불능인 연립일차방정식

$$\begin{cases} x_1 & +x_3 & = 1 \\ & x_2 & +x_4 = 0 \\ x_1 & +x_3 & = 0 \\ & x_2 & +x_4 = 1 \end{cases}$$

을 유도하므로, A는 가역이 아니다.

일반적으로 정사각행렬의 역행렬을 구하기 위해 첨가행렬의 방법을 확대한다. A와 B를 $n \times n$ 행렬이라 하고, $\mathbf{B}_1$, $\mathbf{B}_2$, ..., $\mathbf{B}_n$을 B의 열벡터라 하자. $A\mathbf{B}_1$, $A\mathbf{B}_2$, ..., $A\mathbf{B}_n$은 AB의 열벡터이므로, B가 A의 역행렬이기 위해서는

$$A\mathbf{B}_1 = \begin{bmatrix} 1 \\ 0 \\ \vdots \\ 0 \end{bmatrix} \qquad A\mathbf{B}_2 = \begin{bmatrix} 0 \\ 1 \\ \vdots \\ 0 \end{bmatrix} \qquad \cdots \qquad A\mathbf{B}_n = \begin{bmatrix} 0 \\ 0 \\ \vdots \\ 1 \end{bmatrix}$$

이어야 한다. 즉, 행렬방정식

$$A\mathbf{x} = \begin{bmatrix} 1 \\ 0 \\ \vdots \\ 0 \end{bmatrix} \qquad A\mathbf{x} = \begin{bmatrix} 0 \\ 1 \\ \vdots \\ 0 \end{bmatrix} \qquad \cdots \qquad A\mathbf{x} = \begin{bmatrix} 0 \\ 0 \\ \vdots \\ 1 \end{bmatrix}$$

이 단 하나의 해를 가져야 한다. 그러나 n개의 연립일차방정식은 $n \times 2n$ 첨가행렬

$$\left[\begin{array}{cccc|cccc} a_{11} & a_{12} & \cdots & a_{1n} & 1 & 0 & \cdots & 0 \\ a_{21} & a_{22} & \cdots & a_{2n} & 0 & 1 & \cdots & 0 \\ \vdots & \vdots & \ddots & \vdots & \vdots & \vdots & \ddots & \vdots \\ a_{n1} & a_{n2} & \cdots & a_{nn} & 0 & 0 & \cdots & 1 \end{array}\right]$$

을 행 기약화함으로서 동시에 해를 구할 수 있다. 위 행렬의 왼쪽 부분은 행렬 A이고, 오른쪽 부분은 행렬 I이다. 따라서 행렬 A가 역행렬을 가질 필요충분조건은 A가 단위행렬과 행 동치인 것이다. 이 경우 각 연립일차방정식의 해를 구할 수 있다. 만약 행렬 A가 역행렬을 갖지 않으면 왼쪽 행렬의 행 기약행렬은 성분 모두가 0인 행을 적어도 하나 이상 가지고, 연립일차방정식 중 적어도 하나 이상은 해를 갖지 않는다.

예제 2에서 이와 같은 과정을 설명한다.

예제 2

행렬

$$A = \begin{bmatrix} 1 & 1 & -2 \\ -1 & 2 & 0 \\ 0 & -1 & 1 \end{bmatrix}$$

의 역행렬을 구하라.

풀이 주어진 행렬의 역행렬을 구하기 위하여, 행렬의 오른쪽 부분에 단위행렬을 두어 만들어진

3×6 행렬

$$\left[\begin{array}{rrr|rrr} 1 & 1 & -2 & 1 & 0 & 0 \\ -1 & 2 & 0 & 0 & 1 & 0 \\ 0 & -1 & 1 & 0 & 0 & 1 \end{array}\right]$$

을 생각하자. 이제 왼쪽 부분의 행렬을 단위행렬로 바꾸는 행 연산을 시행하면서 오른쪽 부분의 행렬에도 동시에 같은 행 연산을 적용하면,

$$\left[\begin{array}{rrr|rrr} 1 & 0 & 0 & 2 & 1 & 4 \\ 0 & 1 & 0 & 1 & 1 & 2 \\ 0 & 0 & 1 & 1 & 1 & 3 \end{array}\right]$$

이다. 그러므로 구하는 역행렬은

$$A^{-1} = \left[\begin{array}{rrr} 2 & 1 & 4 \\ 1 & 1 & 2 \\ 1 & 1 & 3 \end{array}\right]$$

이다.

독자는 $AA^{-1} = A^{-1}A = I$ 임을 살펴보아라. ■

예제 3

예제 2의 방법을 사용하여 다음 행렬의 가역 여부를 결정하여라.

$$A = \left[\begin{array}{rrr} 1 & -1 & 2 \\ 3 & -3 & 1 \\ 3 & -3 & 1 \end{array}\right]$$

풀이 예제 2에서 설명한 과정을 따르기 위하여 행렬

$$\left[\begin{array}{rrr|rrr} 1 & -1 & 2 & 1 & 0 & 0 \\ 3 & -3 & 1 & 0 & 1 & 0 \\ 3 & -3 & 1 & 0 & 0 & 1 \end{array}\right]$$

을 생각하자. 먼저 행 연산 $-3R_1 + R_2 \to R_2$을 시행한 후 다시 행 연산 $-3R_1 + R_3 \to R_3$을 시행하면, 주어진 행렬은

$$\left[\begin{array}{rrr|rrr} 1 & -1 & 2 & 1 & 0 & 0 \\ 0 & 0 & -5 & -3 & 1 & 0 \\ 0 & 0 & -5 & -3 & 0 & 1 \end{array}\right]$$

로 바뀐다. 그 후 행 연산 $-R_2 + R_3 \rightarrow R_3$을 시행하면 행렬

$$\begin{bmatrix} 1 & -1 & 2 & | & 1 & 0 & 0 \\ 0 & 0 & -5 & | & -3 & 1 & 0 \\ 0 & 0 & 0 & | & 0 & -1 & 1 \end{bmatrix}$$

이 얻어진다. 왼쪽의 계수들로 된 3×3 행렬은 단위행렬로 바꿀 수 없으므로, 주어진 원 행렬은 역행렬을 갖지 않는다. 그리고

$$A\mathbf{x} = \begin{bmatrix} 1 \\ 0 \\ 0 \end{bmatrix}$$

은 해를 가지지만,

$$A\mathbf{x} = \begin{bmatrix} 0 \\ 1 \\ 0 \end{bmatrix}, \qquad A\mathbf{x} = \begin{bmatrix} 0 \\ 0 \\ 1 \end{bmatrix}$$

은 해를 갖지 않음을 주의하자. ▨■

예제 3에서 주어진 행렬 A는 두 행이 같으며 단위행렬로 행 기약화할 수 없다. 이것은 두 행이 같은 임의의 $n \times n$ 행렬에 대해서도 성립하며, 그러한 행렬이 가역이 아님을 결정하는 하나의 방법을 제공한다.

정리 9에는 가역인 행렬의 곱의 역행렬에 대한 식이 주어져 있다.

정리 9

A와 B가 가역인 $n \times n$ 행렬이면, AB 역시 가역이고

$$(AB)^{-1} = B^{-1}A^{-1}$$

이다.

증명 행렬의 곱의 성질을 이용하면,

$$(AB)(B^{-1}A^{-1}) = A(BB^{-1})A^{-1} = AIA^{-1} = AA^{-1} = I$$

이고

$$(B^{-1}A^{-1})(AB) = B^{-1}(A^{-1}A)B = B^{-1}IB = BB^{-1} = I$$

이다. 행렬의 역행렬이 존재하면 단 하나 존재하므로, AB의 역행렬은 $B^{-1}A^{-1}$ 즉, $(AB)^{-1} = B^{-1}A^{-1}$
이다.

예제 4

행렬 B가 가역이고, A가 $AB = BA$인 행렬이면 A와 B^{-1}는 곱셈에 관하여 교환가능함을 보여라.

풀이 $AB = BA$이므로, 양변의 오른쪽에 B^{-1}를 곱하면

$$(AB)B^{-1} = (BA)B^{-1}$$

이다. 행렬의 곱에 대한 결합성에 의하여

$$A(BB^{-1}) = BAB^{-1}$$

이고, $BB^{-1} = I$이므로

$$A = BAB^{-1}$$

이다. 다음에 윗 식 양변의 왼편에 B^{-1}을 곱하면

$$B^{-1}A = B^{-1}BAB^{-1} = AB^{-1}$$

이므로, A와 B^{-1}은 곱셈에 관하여 교환가능하다. ■

핵심 요약

행렬 A와 B에 대하여 다음이 성립한다.

1. 행렬의 역행렬이 존재하면 단 하나 존재한다.

2. 만약 $A = \begin{bmatrix} a & b \\ c & d \end{bmatrix}$이고 $ad - bc \neq 0$이면 A의 역행렬은

$$A^{-1} = \frac{1}{ad-bc} \begin{bmatrix} d & -b \\ -c & a \end{bmatrix}$$

이다.

3. 행렬 A가 가역일 필요충분조건은 A가 단위행렬과 행 동치인 것이다.

4. $n \times n$ 행렬 A와 B가 가역이면 AB 역시 가역이고 $(AB)^{-1} = B^{-1}A^{-1}$이다.

연습문제 1.4

연습문제 1~16에서 주어진 행렬을 A라 한다. 이때 그 역행렬 A^{-1}를 구하거나 역행렬이 존재하지 않음을 보여라. 만약 A^{-1}이 존재하면, $AA^{-1} = I$임을 보임으로서 역행렬임을 확인하여라.

1. $\begin{bmatrix} 1 & -2 \\ 3 & -1 \end{bmatrix}$

2. $\begin{bmatrix} -3 & 1 \\ 1 & 2 \end{bmatrix}$

3. $\begin{bmatrix} -2 & 4 \\ 2 & -4 \end{bmatrix}$

4. $\begin{bmatrix} 1 & 1 \\ 2 & 2 \end{bmatrix}$

5. $\begin{bmatrix} 0 & 1 & -1 \\ 3 & 1 & 1 \\ 1 & 2 & -1 \end{bmatrix}$

6. $\begin{bmatrix} 0 & 2 & 1 \\ -1 & 0 & 0 \\ 2 & 1 & 1 \end{bmatrix}$

7. $\begin{bmatrix} 3 & -3 & 1 \\ 0 & 0 & 1 \\ -2 & 2 & -1 \end{bmatrix}$

8. $\begin{bmatrix} 1 & 3 & 0 \\ 1 & 2 & 3 \\ 0 & -1 & 3 \end{bmatrix}$

9. $\begin{bmatrix} 3 & 3 & 0 & -3 \\ 0 & 1 & 2 & 0 \\ 0 & 0 & -1 & -1 \\ 0 & 0 & 0 & -2 \end{bmatrix}$

10. $\begin{bmatrix} 1 & 3 & 0 & -3 \\ 0 & 1 & 2 & -3 \\ 0 & 0 & 2 & -2 \\ 0 & 0 & 0 & 2 \end{bmatrix}$

11. $\begin{bmatrix} 1 & 0 & 0 & 0 \\ 2 & 1 & 0 & 0 \\ -3 & -2 & -3 & 0 \\ 0 & 1 & 3 & 3 \end{bmatrix}$

12. $\begin{bmatrix} 1 & 0 & 0 & 0 \\ -2 & 1 & 0 & 0 \\ 1 & -1 & -2 & 0 \\ 2 & -2 & 0 & 2 \end{bmatrix}$

13. $\begin{bmatrix} 2 & -1 & 4 & -5 \\ 0 & -1 & 3 & -1 \\ 0 & 0 & 0 & 2 \\ 0 & 0 & 0 & -1 \end{bmatrix}$

14. $\begin{bmatrix} 3 & 0 & 0 & 0 \\ -6 & 1 & 0 & 0 \\ 2 & -5 & 0 & 0 \\ 1 & -3 & 4 & 2 \end{bmatrix}$

15. $\begin{bmatrix} -1 & 1 & 0 & -1 \\ -1 & 1 & -1 & 0 \\ -1 & 0 & 0 & 0 \\ -2 & 1 & -1 & 1 \end{bmatrix}$

16. $\begin{bmatrix} -2 & -3 & 3 & 0 \\ 2 & 0 & -2 & 0 \\ 2 & 0 & -1 & -1 \\ -2 & 0 & 1 & 1 \end{bmatrix}$

17. 행렬

$$A = \begin{bmatrix} 2 & 1 \\ 3 & -4 \end{bmatrix} \qquad B = \begin{bmatrix} 1 & 2 \\ -1 & 3 \end{bmatrix}$$

에 대하여 $AB + A$를 $A(B + I)$로 인수분해할 수 있고, $AB + B$를 $(A + I)B$로 인수분해할 수 있음을 보여라.

18. A가 $n \times n$ 행렬일 때, $A^2 + 2A + I$를 인수분해하여라.

19. 아래 행렬 A에 대하여 다음 물음에 답하여라.

$$A = \begin{bmatrix} 1 & 2 \\ -2 & 1 \end{bmatrix}$$

a. $A^2 - 2A + 5I = \mathbf{0}$임을 보여라.

b. $A^{-1} = \frac{1}{5}(2I - A)$ 임을 보여라.

c. $A^2 - 2A + 5I = \mathbf{0}$인 정사각행렬 A의 역행렬은 $A^{-1} = \frac{1}{5}(2I - A)$ 임을 보여라.

20. 행렬

$$\begin{bmatrix} 1 & \lambda & 0 \\ 3 & 2 & 0 \\ 1 & 2 & 1 \end{bmatrix}$$

이 가역이 아니도록 λ를 정하여라.

21. 행렬

$$\begin{bmatrix} 1 & \lambda & 0 \\ 1 & 3 & 1 \\ 2 & 1 & 1 \end{bmatrix}$$

이 가역이 아니도록 λ를 정하여라.

22. 행렬

$$\begin{bmatrix} 2 & \lambda & 1 \\ 3 & 2 & 1 \\ 1 & 2 & 1 \end{bmatrix}$$

이 가역이 아니도록 λ를 정하여라.

23. 행렬

$$A = \begin{bmatrix} 1 & \lambda & 0 \\ 1 & 1 & 1 \\ 0 & 0 & 1 \end{bmatrix}$$

에 대하여 다음 물음에 답하여라.

a. A가 가역이 되는 λ의 값을 정하여라.

b. 위의 문제 **a**에서 구한 λ의 각 값에 대하여 A의 역행렬을 구하라.

24. 행렬

$$\begin{bmatrix} \lambda & -1 & 0 \\ -1 & \lambda & -1 \\ 0 & -1 & \lambda \end{bmatrix}$$

가 가역이 되도록 λ의 값을 정하여라.

25. A와 B는 가역이 아니지만 $A + B$는 가역인 2×2 행렬 A와 B를 구하라.

26. A와 B는 가역이지만 그 합 $A + B$는 가역이 아닌 2×2 행렬 A와 B를 구하라.

27. A와 B가 $n \times n$ 행렬이고 A가 가역일 때,

$$(A+B)A^{-1}(A-B) = (A-B)A^{-1}(A+B)$$

임을 보여라.

28. $B = PAP^{-1}$이고 k가 자연수일 때 $B^2, B^3, \ldots, B^k$ 등을 A, P, P^{-1}에 관한 식으로 표시하여라.

29. A와 B를 $n \times n$ 행렬이라 하자.

a. 만약 A가 가역이고 $AB = \mathbf{0}$이면 $B = \mathbf{0}$임을 보여라.

b. A가 가역이 아니면, $AB = \mathbf{0}$인 영행렬이 아닌 $n \times n$ 행렬 B가 존재함을 보여라.

30. 만약 A가 가역인 대칭행렬이면 그 역행렬 A^{-1} 역시 대칭행렬임을 보여라.

연습문제 31–34에서 주어진 행렬 A와 B는 가역인 대칭행렬이며 $AB = BA$라 하자.

31. AB가 대칭행렬임을 보여라.

32. $A^{-1}B$가 대칭행렬임을 보여라.

33. AB^{-1}도 대칭행렬임을 보여라.

34. $A^{-1}B^{-1}$ 역시 대칭행렬임을 보여라.

35. $A^t = A^{-1}$인 행렬 A를 직교행렬(orthogonal matrix)이라 부른다. 두 직교행렬의 곱 역시 직교행렬임을 보여라.

36. 행렬

$$A = \begin{bmatrix} \cos\theta & -\sin\theta \\ \sin\theta & \cos\theta \end{bmatrix}$$

는 직교행렬임을 보여라(문제 35 참조).

37. 다음 물음에 답하여라.

  a. A, B, C가 $n \times n$ 가역행렬일 때,

$$(ABC)^{-1} = C^{-1}B^{-1}A^{-1}$$

  임을 보여라.

  b. 임의의 자연수 k에 대하여 A_1, A_2, ..., A_k가 $n \times n$ 가역행렬이면,

$$(A_1 A_2 \cdots A_k)^{-1} = A_k^{-1} A_{k-1}^{-1} \cdots A_1^{-1}$$

  임을 수학적귀납법을 이용하여 보여라.

38. $n \times n$ 행렬 $A = (a_{ij})$가 $i \neq j$ 이면 $a_{ij} = 0$일 때, A를 대각행렬(diagonal matrix)라 한다. $n \times n$ 대각행렬 $A = (a_{ij})$의 모든 대각원소가 0이 아니면 즉, $a_{ii} \neq 0$ $(i = 1, 2, \cdots, n)$ 이면, A가 가역임을 보이고, 그 역행렬은

$$\begin{bmatrix} \frac{1}{a_{11}} & 0 & 0 & \cdots & 0 \\ 0 & \frac{1}{a_{22}} & 0 & \cdots & 0 \\ \vdots & \vdots & \ddots & \vdots & \vdots \\ 0 & 0 & \cdots & \frac{1}{a_{n-1\,n-1}} & 0 \\ 0 & 0 & \cdots & 0 & \frac{1}{a_{nn}} \end{bmatrix}$$

임을 보여라.

39. A를 가역인 $n \times n$ 행렬이라 하자. 만약 A가 상부(하부)삼각꼴이면 그 역행렬 역시 상부(하부)삼각꼴임을 보여라(상부(하부)삼각꼴은 다음 6절 참조).

40. 행렬 B가 가역인 $n \times n$ 행렬 A와 행 동치이면 B 역시 가역임을 보여라.

41. 만약 $ad - bc = 0$이면 $A = \begin{bmatrix} a & b \\ c & d \end{bmatrix}$는 가역이 아님을 보여라.

  a. 행렬방정식

$$\begin{bmatrix} a & b \\ c & d \end{bmatrix} \begin{bmatrix} x_1 & x_2 \\ x_3 & x_4 \end{bmatrix} = \begin{bmatrix} 1 & 0 \\ 0 & 1 \end{bmatrix}$$

  을 전개하여라.

  b. 위 문제 **a**에서 생성된 변수 x_1과 x_3에 관한 2×2 연립일차방정식에서 $d = 0$임을 보여라. 이와 비슷하게 문제 **a**에서 생성된 변수 x_2와 x_4에 관한 2×2 연립일차방정식에서 $b = 0$임을 보여라.

  c. 위 문제 **b**의 결과를 이용하여 $ad - bc = 0$ 임을 보여라.

1.5 행렬방정식

    이 절에서는 행렬의 곱이 연립일차방정식을 표시하는데 행렬과 벡터에 의하여 어떻게 사용되어지는지 보인다. 연립일차방정식은 한 행렬과 두 벡터를 사용하여 하나의 방정식으로 쓸 수 있고, 이 방정식은 실수에 관한 일차방정식 $ax = b$ 를 일반화한 것이다. 우리가 앞으로 보이는 것과 같이 몇몇 경우에는 실수에 관한 일차방정식을 푸는데 사용된 연산과 유사한 대수적 연산을 사용함으로써 연립일차방정식의 해를 구할 수 있다.

    그 과정을 설명하기 위하여 연립일차방정식

$$\begin{cases} x - 6y - 4z = -5 \\ 2x - 10y - 9z = -4 \\ -x + 6y + 5z = 3 \end{cases}$$

을 생각하자. 이 연립일차방정식의 계수행렬은

$$A = \begin{bmatrix} 1 & -6 & -4 \\ 2 & -10 & -9 \\ -1 & 6 & 5 \end{bmatrix}$$

이다. 이제 두 벡터 $\mathbf{x}$와 $\mathbf{b}$를

$$\mathbf{x} = \begin{bmatrix} x \\ y \\ z \end{bmatrix} \qquad \mathbf{b} = \begin{bmatrix} -5 \\ -4 \\ 3 \end{bmatrix}$$

이라 하면, 주어진 연립일차방정식은

$$A\mathbf{x} = \mathbf{b}$$

로 표시할 수 있다. 이런 꼴의 방정식을 연립일차방정식의 행렬꼴(matrix form)이라 하고, $\mathbf{x}$를 해의 벡터꼴(vector form)이라 한다.

어떤 경우에는 행렬의 곱을 직접 행렬꼴에 사용함으로써 연립일차방정식의 해를 구할 수 있다. 특히 A가 가역이면 위 방정식의 양변의 왼쪽에 A^{-1}을 곱하면

$$A^{-1}(A\mathbf{x}) = A^{-1}\mathbf{b}$$

이다. 행렬의 곱셈은 결합가능하므로

$$(A^{-1}A)\mathbf{x} = A^{-1}\mathbf{b}$$

이다. 그러므로

$$\mathbf{x} = A^{-1}\mathbf{b}$$

이다.

위에서 주어진 예에서,

$$A = \begin{bmatrix} 1 & -6 & -4 \\ 2 & -10 & -9 \\ -1 & 6 & 5 \end{bmatrix}, \qquad A^{-1} = \begin{bmatrix} 2 & 3 & 7 \\ -\frac{1}{2} & \frac{1}{2} & \frac{1}{2} \\ 1 & 0 & 1 \end{bmatrix}$$

이므로, 연립일차방정식의 벡터꼴인 해는

$$\mathbf{x} = A^{-1}\mathbf{b} = \begin{bmatrix} 2 & 3 & 7 \\ -\frac{1}{2} & \frac{1}{2} & \frac{1}{2} \\ 1 & 0 & 1 \end{bmatrix} \begin{bmatrix} -5 \\ -4 \\ 3 \end{bmatrix} = \begin{bmatrix} -1 \\ 2 \\ -2 \end{bmatrix}$$

이다. 따라서

$$x = -1, \qquad y = 2, \qquad z = -2$$

이다.

만약 A가 역행렬을 가지면 방정식 $A\mathbf{x} = \mathbf{b}$는 단 하나의 해를 가진다는 것을 보았다. 정리 10에 이러한 사실을 요약하였다.

정리 10

만약 $n \times n$ 행렬 A가 가역이면, n개의 성분을 갖는 모든 벡터 $\mathbf{b}$에 대하여 연립일차방정식 $A\mathbf{x} = \mathbf{b}$는 단 하나의 해 $\mathbf{x} = A^{-1}\mathbf{b}$를 갖는다.

예제 1

다음에 주어진 연립일차방정식의 행렬꼴을 쓰고 그 해를 구하라.

$$\begin{cases} 2x + \ y = 1 \\ -4x + 3y = 2 \end{cases}$$

풀이 연립일차방정식의 행렬꼴은

$$\begin{bmatrix} 2 & 1 \\ -4 & 3 \end{bmatrix} \begin{bmatrix} x \\ y \end{bmatrix} = \begin{bmatrix} 1 \\ 2 \end{bmatrix}$$

이다. $2(3) - (1)(-4) = 10 \neq 0$이므로 계수행렬은 가역이다. 그러므로 4절의 정리 8에 의하여 계수행렬의 역행렬은

$$\frac{1}{10} \begin{bmatrix} 3 & -1 \\ 4 & 2 \end{bmatrix}$$

이다. 따라서 정리 10에 의하여 연립일차방정식의 해는

$$\mathbf{x} = \frac{1}{10} \begin{bmatrix} 3 & -1 \\ 4 & 2 \end{bmatrix} \begin{bmatrix} 1 \\ 2 \end{bmatrix} = \frac{1}{10} \begin{bmatrix} 1 \\ 8 \end{bmatrix} = \begin{bmatrix} \frac{1}{10} \\ \frac{8}{10} \end{bmatrix}$$

즉,

$$x = \frac{1}{10}, \qquad y = \frac{8}{10}$$

이다. ◼◼

정의 1 동차연립일차방정식

$A\mathbf{x} = \mathbf{0}$ 형인 연립일차방정식을 동차연립일차방정식(homogeneous linear system)이라고 한다.

벡터 $\mathbf{x} = \mathbf{0}$ 은 항상 동차연립일차방정식 $A\mathbf{x} = \mathbf{0}$ 의 해이다. 이 해 $\mathbf{x} = \mathbf{0}$ 을 자명한 해(trivial solution)이라 한다.

예제 2

다음 행렬 A와 벡터 $\mathbf{x}$에 대한 동차연립일차방정식 $A\mathbf{x} = \mathbf{0}$ 의 해 $\mathbf{x}$를 구하라.

$$A = \begin{bmatrix} 1 & 2 & 1 \\ 1 & 3 & 0 \\ 1 & 1 & 2 \end{bmatrix}, \qquad \mathbf{x} = \begin{bmatrix} x_1 \\ x_2 \\ x_3 \end{bmatrix}$$

풀이 먼저 $\mathbf{x} = \mathbf{0}$ 가 한 해임은 명백하다. 이제 일반해를 찾기 위하여 첨가행렬을 행 기약화하면

$$\left[\begin{array}{ccc|c} 1 & 2 & 1 & 0 \\ 1 & 3 & 0 & 0 \\ 1 & 1 & 2 & 0 \end{array}\right], \qquad \left[\begin{array}{ccc|c} 1 & 2 & 1 & 0 \\ 0 & 1 & -1 & 0 \\ 0 & 0 & 0 & 0 \end{array}\right]$$

이다. 기약행렬로부터 x_3은 자유변수이고, $x_2 = x_3$, $x_1 = -2x_2 - x_3 = -3x_3$이다. 따라서 벡터꼴인 해집합은

$$S = \left\{ \left. \begin{bmatrix} -3t \\ t \\ t \end{bmatrix} \right| t \in \mathbb{R} \right\}$$

이다. 자명한 해는 $t = 0$인 특수해로서 S에 역시 포함되어 있다. ◼◼

예제 2에서 계수행렬은 I와 행 동치가 아니므로 A는 가역이 아니다.
만약 A가 가역이면, 정리 10에 의하여 동차연립일차방정식 $A\mathbf{x} = \mathbf{0}$은 단 하나의 해 $\mathbf{x} = \mathbf{0}$을 갖는다. 이 명제의 역이 성립하는 것은 이 장의 6절에서 보일 것이다.

예제 3

만약 $\mathbf{x}$와 $\mathbf{y}$가 동차연립일차방정식 $A\mathbf{x} = \mathbf{0}$의 서로 다른 해이면, 모든 실수 c에 대하여 $\mathbf{x} + c\mathbf{y}$ 역시 $A\mathbf{x} = \mathbf{0}$의 한 해이다.

풀이 행렬의 대수적 성질을 이용하면,

$$A(\mathbf{x} + c\mathbf{y}) = A(\mathbf{x}) + A(c\mathbf{y})$$
$$= A\mathbf{x} + cA\mathbf{y}$$
$$= \mathbf{0} + c\mathbf{0}$$
$$= \mathbf{0}$$

이므로, $\mathbf{x} + c\mathbf{y}$ 역시 동차연립일차방정식 $A\mathbf{x} = \mathbf{0}$ 의 한 해이다. ■

예제 3의 결과는 동차연립일차방정식 $A\mathbf{x} = \mathbf{0}$ 이 서로 다른 두 해를 가지면 그 방정식은 무한히 많은 해를 가진다는 것을 의미한다. 즉, 동차방정식 $A\mathbf{x} = \mathbf{0}$ 은 자명한 해 하나를 갖거나 무한히 많은 해를 가지거나 둘 중 하나이다. 이와 같은 결과는 $\mathbf{b} \neq \mathbf{0}$ 인 비동차방정식 $A\mathbf{x} = \mathbf{b}$ 에 대해서도 성립한다. 이것을 보이기 위하여 $\mathbf{u}$ 와 $\mathbf{v}$ 를 $A\mathbf{x} = \mathbf{b}$ 의 서로 다른 두 해라 하고, c 를 실수라 하면,

$$A(\mathbf{v} + c(\mathbf{u} - \mathbf{v})) = A\mathbf{v} + A(c(\mathbf{u} - \mathbf{v}))$$
$$= A\mathbf{v} + cA\mathbf{u} - cA\mathbf{v}$$
$$= \mathbf{b} + c\mathbf{b} - c\mathbf{b} = \mathbf{b}$$

이다.

이러한 결과를 정리 11에 요약하였다.

정리 11

만약 A 가 $m \times n$ 행렬이면 연립일차방정식 $A\mathbf{x} = \mathbf{b}$ 는 해를 갖지 않거나, 단 하나의 해를 갖거나, 무한히 많은 해를 갖는다.

핵심 요약

A 를 $m \times n$ 행렬이라 하자.

1. A 가 가역이면 모든 $n \times 1$ 벡터 $\mathbf{b}$ 에 대하여 행렬방정식 $A\mathbf{x} = \mathbf{b}$ 는 단 하나의 해 $\mathbf{x} = A^{-1}\mathbf{b}$ 를 갖는다.

2. A 가 가역이면 동차방정식 $A\mathbf{x} = \mathbf{0}$ 은 단 하나의 해인 자명한 해 $\mathbf{x} = \mathbf{0}$ 을 갖는다.

3. $\mathbf{u}$ 와 $\mathbf{v}$ 가 $A\mathbf{x} = \mathbf{0}$ 의 해이면, 모든 스칼라 c 에 대하여 벡터 $\mathbf{u} + c\mathbf{v}$ 역시 $A\mathbf{x} = \mathbf{0}$ 의 또 다른 하나의 해이다.

4. 연립일차방정식 $A\mathbf{x} = \mathbf{b}$ 는 단 하나의 해를 갖거나, 무한히 많은 해를 갖거나, 해를 갖지 않는다.

연습문제 1.5

연습문제 1~6에서 주어진 연립일차방정식을 $A\mathbf{x} = \mathbf{b}$로 표시하였을 때, 행렬 A와 벡터 $\mathbf{x}$ 및 $\mathbf{b}$를 구하라.

1. $\begin{cases} 2x + 3y = -1 \\ -x + 2y = 4 \end{cases}$

2. $\begin{cases} -4x - y = 3 \\ -2x - 5y = 2 \end{cases}$

3. $\begin{cases} 2x - 3y + z = -1 \\ -x - y + 2z = -1 \\ 3x - 2y - 2z = 3 \end{cases}$

4. $\begin{cases} 3y - 2z = 2 \\ -x + 4z = -3 \\ -x - 3z = 4 \end{cases}$

5. $\begin{cases} 4x_1 + 3x_2 - 2x_3 - 3x_4 = -1 \\ -3x_1 - 3x_2 + x_3 = 4 \\ 2x_1 - 3x_2 + 4x_3 - 4x_4 = 3 \end{cases}$

6. $\begin{cases} 3x_2 + x_3 - 2x_4 = -4 \\ 4x_2 - 2x_3 - 4x_4 = 0 \\ x_1 + 3x_2 - 2x_3 = 3 \end{cases}$

연습문제 7~12에 주어진 행렬 A와 벡터 $\mathbf{x}$ 및 $\mathbf{b}$에 대하여 방정식 $A\mathbf{x} = \mathbf{b}$를 연립일차방정식으로 표시하여라.

7. $A = \begin{bmatrix} 2 & -5 \\ 2 & 1 \end{bmatrix}$ $\mathbf{x} = \begin{bmatrix} x \\ y \end{bmatrix}$ $\mathbf{b} = \begin{bmatrix} 3 \\ 2 \end{bmatrix}$

8. $A = \begin{bmatrix} -2 & 4 \\ 0 & 3 \end{bmatrix}$ $\mathbf{x} = \begin{bmatrix} x \\ y \end{bmatrix}$ $\mathbf{b} = \begin{bmatrix} -1 \\ 1 \end{bmatrix}$

9. $A = \begin{bmatrix} 0 & -2 & 0 \\ 2 & -1 & -1 \\ 3 & -1 & 2 \end{bmatrix}$ $\mathbf{x} = \begin{bmatrix} x \\ y \\ z \end{bmatrix}$ $\mathbf{b} = \begin{bmatrix} 3 \\ 1 \\ -1 \end{bmatrix}$

10. $A = \begin{bmatrix} -4 & -5 & 5 \\ 4 & -1 & 1 \\ -4 & 3 & 5 \end{bmatrix}$ $\mathbf{x} = \begin{bmatrix} x \\ y \\ z \end{bmatrix}$ $\mathbf{b} = \begin{bmatrix} -3 \\ 2 \\ 1 \end{bmatrix}$

11. $A = \begin{bmatrix} 2 & 5 & -5 & 3 \\ 3 & 1 & -2 & -4 \end{bmatrix}$ $\mathbf{x} = \begin{bmatrix} x_1 \\ x_2 \\ x_3 \\ x_4 \end{bmatrix}$ $\mathbf{b} = \begin{bmatrix} 2 \\ 0 \end{bmatrix}$

12. $A = \begin{bmatrix} 0 & -2 & 4 & -2 \\ 2 & 0 & 1 & 1 \\ 1 & 0 & 1 & -2 \end{bmatrix}$ $\mathbf{x} = \begin{bmatrix} x_1 \\ x_2 \\ x_3 \\ x_4 \end{bmatrix}$ $\mathbf{b} = \begin{bmatrix} 4 \\ -3 \\ 1 \end{bmatrix}$

연습문제 13~16에서 주어진 정보를 이용하여 연립일차방정식 $A\mathbf{x} = \mathbf{b}$의 해를 구하라.

13. $A^{-1} = \begin{bmatrix} 2 & 0 & -1 \\ 4 & 1 & 4 \\ 1 & 2 & 4 \end{bmatrix}$ $\mathbf{b} = \begin{bmatrix} 1 \\ -4 \\ 1 \end{bmatrix}$

14. $A^{-1} = \begin{bmatrix} -4 & 3 & -4 \\ 2 & 2 & 0 \\ 1 & 2 & 4 \end{bmatrix}$ $\mathbf{b} = \begin{bmatrix} 2 \\ 2 \\ -2 \end{bmatrix}$

15. $A^{-1} = \begin{bmatrix} -3 & -2 & 0 & 3 \\ -1 & 2 & -2 & 3 \\ 0 & 1 & 2 & -3 \\ -1 & 0 & 3 & 1 \end{bmatrix}$ $\mathbf{b} = \begin{bmatrix} 2 \\ -3 \\ 2 \\ 3 \end{bmatrix}$

16. $A^{-1} = \begin{bmatrix} 3 & 0 & -2 & -2 \\ 2 & 0 & 1 & -1 \\ -3 & -1 & -1 & 1 \\ 2 & -1 & -2 & -3 \end{bmatrix}$ $\mathbf{b} = \begin{bmatrix} 1 \\ -4 \\ 1 \\ 1 \end{bmatrix}$

연습문제 17~22에서 계수행렬의 역행렬을 구하여 주어진 연립일차방정식의 해를 구하라.

17. $\begin{cases} x + 4y = 2 \\ 3x + 2y = -3 \end{cases}$

18. $\begin{cases} 2x - 4y = 4 \\ -2x + 3y = 3 \end{cases}$

19. $\begin{cases} -x \qquad - \ z = -1 \\ -3x + \ y - 3z = \ 1 \\ x - 3y + 2z = \ 1 \end{cases}$

20. $\begin{cases} -2x - 2y - \ z = \ 0 \\ -x - \ y \qquad = -1 \\ \quad - \ y + 2z = \ 2 \end{cases}$

21. $\begin{cases} - \ x_1 - x_2 - 2x_3 + \ x_4 = -1 \\ 2x_1 + x_2 + 2x_3 - \ x_4 = \ 1 \\ -2x_1 - x_2 - 2x_3 - 2x_4 = \ 0 \\ -2x_1 - x_2 - \ x_3 - \ x_4 = \ 0 \end{cases}$

22. $\begin{cases} -x_1 - 2x_2 \qquad + \ x_4 = -3 \\ -x_1 + \ x_2 - 2x_3 + \ x_4 = -2 \\ -x_1 + 2x_2 - 2x_3 + \ x_4 = \ 3 \\ \quad - 2x_2 + 2x_3 - 2x_4 = -1 \end{cases}$

23. 역행렬을 사용하여 행렬

$$A = \begin{bmatrix} 1 & -1 \\ 2 & 3 \end{bmatrix}$$

과 아래에 주어진 벡터 **b**에 대한 연립일차방정식 $A\mathbf{x} = \mathbf{b}$의 해를 구하라.

a. $\mathbf{b} = \begin{bmatrix} 2 \\ 1 \end{bmatrix}$

b. $\mathbf{b} = \begin{bmatrix} -3 \\ 2 \end{bmatrix}$

24. 역행렬을 사용하여 행렬

$$A = \begin{bmatrix} -1 & 0 & -1 \\ -3 & 1 & -3 \\ 1 & -3 & 2 \end{bmatrix}$$

와 아래에 주어진 벡터 **b**에 대한 연립일차방정식 $A\mathbf{x} = \mathbf{b}$의 해를 구하라.

a. $\mathbf{b} = \begin{bmatrix} -2 \\ 1 \\ 1 \end{bmatrix}$

b. $\mathbf{b} = \begin{bmatrix} 1 \\ -1 \\ 0 \end{bmatrix}$

25. 행렬

$$A = \begin{bmatrix} -1 & -4 \\ 3 & 12 \\ 2 & 8 \end{bmatrix}$$

에 대하여 $A\mathbf{x} = \mathbf{0}$의 자명하지 않은 해를 구하라.

26. 행렬

$$A = \begin{bmatrix} 1 & -2 & 4 \\ 2 & -4 & 8 \\ 3 & -6 & 12 \end{bmatrix}$$

에 대하여 $A\mathbf{x} = \mathbf{0}$의 자명하지 않은 해를 구하라.

27. 벡터

$$\begin{bmatrix} 1 \\ -1 \\ 1 \end{bmatrix}$$

이 $A\mathbf{x} = \mathbf{0}$의 해가 되는 3×3 행렬 A를 구하라. 단, A는 영행렬은 아니다.

28. 벡터

$$\begin{bmatrix} -1 \\ 2 \\ 1 \end{bmatrix}$$

이 $A\mathbf{x} = \mathbf{0}$의 해인 3×3 행렬 A를 구하라. 단, A는 영행렬은 아니다.

29. A를 $n \times n$ 행렬, **u**와 **v**를 $\mathbb{R}^n$ 상의 벡터라 하자. 만약 $A\mathbf{u} = A\mathbf{v}$이고 $\mathbf{u} \neq \mathbf{v}$이면 A가 가역이 아님을 보여라.

30. **u**가 $A\mathbf{x} = \mathbf{b}$의 해이고 **v**가 $A\mathbf{x} = \mathbf{0}$의 해이면, $\mathbf{u} + \mathbf{v}$는 $A\mathbf{x} = \mathbf{b}$의 해임을 보여라.

31. 연립일차방정식

$$\begin{cases} 2x + y = 1 \\ -x + y = -2 \\ x + 2y = -1 \end{cases}$$

에 대하여 다음 물음에 답하여라.

a. 앞에서 주어진 연립일차방정식을 행렬꼴 $A\mathbf{x} = \mathbf{b}$로 표시하고, 그 해를 구하라.

b. 위 문제 **a**에서 구한 행렬 A에 대하여 $CA = I$인 2×3 행렬 C를 구하라. (이러한 행렬 C를 좌역행렬(left inverse matrix)라 한다).

c. 주어진 연립일차방정식의 해는 $\mathbf{x} = C\mathbf{b}$임을 보여라.

32. 연립일차방정식

$$\begin{cases} 2x + y = 3 \\ -x - y = -2 \\ 3x + 2y = -5 \end{cases}$$

에 대하여 다음 물음에 답하여라.

a. 위에서 주어진 연립일차방정식을 행렬꼴 $A\mathbf{x} = \mathbf{b}$로 표시하고, 그 해를 구하라.

b. 위 문제 **a**에서 구한 행렬 A에 대하여 $CA = I$인 2×3 행렬 C를 구하라.

c. 주어진 연립일차방정식의 해는 $\mathbf{x} = C\mathbf{b}$임을 보여라.

1.6 행렬식

4절에서 2×2 행렬

$$A = \begin{bmatrix} a & b \\ c & d \end{bmatrix}$$

와 관련된 수 $ad - bc$가 특별한 의미를 갖는 것을 보았다. 이 수를 A의 행렬식(determinant)이라 한다. 이 행렬식은 행렬에 관한 유용한 정보를 제공한다. 특히, 이 용어를 사용하면 행렬 A가 가역일 필요충분조건은 그 행렬식이 0이 아닌 것이다. 이 절에서 행렬식의 정의를 보다 더 큰 정사각행렬로 확대하여 본다. 행렬식에 의하여 제공되는 정보는 이론적인 값을 가지며 몇가지 응용에 사용되어진다. 하지만 실제 아주 큰 행렬의 행렬식의 값을 구하는데는 계산상의 어려움이 크다. 이러한 이유로 원하는 정보는 일반적으로 보다 더 효과적인 다른 방법을 사용하여 찾아진다.

정의 1 2 × 2 행렬의 행렬식

행렬 $A = \begin{bmatrix} a & b \\ c & d \end{bmatrix}$의 행렬식(determinant)은 $|A|$ 또는 $\det(A)$로 표시하며,

$$|A| = \det(A) = \begin{vmatrix} a & b \\ c & d \end{vmatrix} = ad - bc$$

로 정의한다.

이 용어를 사용하면 2×2 행렬이 가역일 필요충분조건은 이 행렬의 행렬식이 0이 아닌 것이다.

예제 1

다음에 주어진 행렬의 행렬식을 구하라.

a. $A = \begin{bmatrix} 3 & 1 \\ -2 & 2 \end{bmatrix}$
  b. $A = \begin{bmatrix} 3 & 5 \\ 4 & 2 \end{bmatrix}$
  c. $A = \begin{bmatrix} 1 & 0 \\ -3 & 0 \end{bmatrix}$

풀이 **a.** $|A| = \begin{vmatrix} 3 & 1 \\ -2 & 2 \end{vmatrix} = (3)(2) - (1)(-2) = 8$

b. $|A| = \begin{vmatrix} 3 & 5 \\ 4 & 2 \end{vmatrix} = (3)(2) - (5)(4) = -14$

c. $|A| = \begin{vmatrix} 1 & 0 \\ -3 & 0 \end{vmatrix} = (1)(0) - (0)(-3) = 0$ ■

2×2 행렬의 행렬식을 이용하여, 행렬식의 정의를 3×3 행렬로 확대한다.

정의 2 3×3 행렬의 행렬식

행렬

$$A = \begin{bmatrix} a_{11} & a_{12} & a_{13} \\ a_{21} & a_{22} & a_{23} \\ a_{31} & a_{32} & a_{33} \end{bmatrix}$$

의 행렬식을

$$|A| = a_{11} \begin{vmatrix} a_{22} & a_{23} \\ a_{32} & a_{33} \end{vmatrix} - a_{12} \begin{vmatrix} a_{21} & a_{23} \\ a_{31} & a_{33} \end{vmatrix} + a_{13} \begin{vmatrix} a_{21} & a_{22} \\ a_{31} & a_{32} \end{vmatrix}$$

로 정의한다.

3×3 행렬식의 계산은

$$|A| = a_{11} \begin{vmatrix} * & * & * \\ * & a_{22} & a_{23} \\ * & a_{32} & a_{33} \end{vmatrix} - a_{12} \begin{vmatrix} * & * & * \\ a_{21} & * & a_{23} \\ a_{31} & * & a_{33} \end{vmatrix} + a_{13} \begin{vmatrix} * & * & * \\ a_{21} & a_{22} & * \\ a_{31} & a_{32} & * \end{vmatrix}$$

꼴을 취한다. 여기서 첫 번째 2×2 행렬식은 1행과 1열을 제외한 것이고, 두 번째 2×2 행렬식은 1행과 2열을 제외한 것이며, 세 번째 2×2 행렬식은 1행과 3열을 제외한 것이다.

예제 2

행렬

$$A = \begin{bmatrix} 2 & 1 & -1 \\ 3 & 1 & 4 \\ 5 & -3 & 3 \end{bmatrix}$$

의 행렬식을 구하라.

풀이 정의 2에 의하여 구하고자 하는 행렬식은

$$\begin{aligned} \det(A) = |A| &= 2\begin{vmatrix} 1 & 4 \\ -3 & 3 \end{vmatrix} - 1\begin{vmatrix} 3 & 4 \\ 5 & 3 \end{vmatrix} + (-1)\begin{vmatrix} 3 & 1 \\ 5 & -3 \end{vmatrix} \\ &= (2)[3-(-12)] - (1)(9-20) + (-1)(-9-5) \\ &= 30 + 11 + 14 \\ &= 55 \end{aligned}$$

이다. ■

예제 2에서 3×3 행렬의 행렬식은 제 1행에 관해 전개하여 구했다. 부호의 조정을 고려하면 행렬식은 임의의 행에 관해서도 전개하여 계산할 수 있다. 부호의 형태는 그림 1에 주어져 있다. 제 2행에 관해 전개하면

$$\begin{bmatrix} + & - & + \\ - & + & - \\ + & - & + \end{bmatrix}$$

그림 1

$$\begin{aligned} \det(A) = |A| &= -3\begin{vmatrix} 1 & -1 \\ -3 & 3 \end{vmatrix} + 1\begin{vmatrix} 2 & -1 \\ 5 & 3 \end{vmatrix} - 4\begin{vmatrix} 2 & 1 \\ 5 & -3 \end{vmatrix} \\ &= -3(3-3) + (6+5) - 4(-6-5) = 55 \end{aligned}$$

이다. 위 식에서 2×2 행렬식들은 원 행렬식에서 2행과 1열, 2행과 2열, 2행과 3열을 각각 제외한 것이다. 비슷한 방법으로 제 3행에 관해서도 전개할 수 있다. 이 경우는

$$\begin{aligned} \det(A) = |A| &= 5\begin{vmatrix} 1 & -1 \\ 1 & 4 \end{vmatrix} - (-3)\begin{vmatrix} 2 & -1 \\ 3 & 4 \end{vmatrix} + 3\begin{vmatrix} 2 & 1 \\ 3 & 1 \end{vmatrix} \\ &= 5(4+1) + 3(8+3) + 3(2-3) = 55 \end{aligned}$$

이다.

행에 관한 전개와 비슷한 방법으로, 임의의 열에 관한 전개를 이용하여 역시 행렬식을 계산할 수 있다. 3×3 행렬의 행렬식을 계산하는 방법은 임의의 정사각행렬로 확대할 수 있다.

정의 3 행렬의 소행렬식과 여인수

$A = (a_{ij})$가 정사각행렬이면, 행렬 A에서 i행과 j열을 제외하여 얻어진 $(n-1) \times (n-1)$ 행렬의 행렬식을 성분 a_{ij}의 소행렬식(minor)라 하고, M_{ij}로 표시한다. 그리고 $C_{ij} = (-1)^{i+j}M_{ij}$를 a_{ij}의 여인수(cofactor)라 부른다.

예제 2에서 주어진 행렬에 대하여, 소행렬식은

$$M_{11} = \begin{vmatrix} 1 & 4 \\ -3 & 3 \end{vmatrix} \qquad M_{12} = \begin{vmatrix} 3 & 4 \\ 5 & 3 \end{vmatrix} \qquad M_{13} = \begin{vmatrix} 3 & 1 \\ 5 & -3 \end{vmatrix}$$

이다. 정의 3에서 주어진 기호를 사용하면, A의 행렬식은 여인수전개인

$$\begin{aligned} \det(A) &= a_{11}C_{11} + a_{12}C_{12} + a_{13}C_{13} \\ &= 2(-1)^2(15) + 1(-1)^3(-11) - 1(-1)^4(-14) \\ &= 30 + 11 + 14 = 55 \end{aligned}$$

이다.

정의 4 정사각행렬의 행렬식

$A = (a_{ij})$가 $n \times n$행렬이면,

$$\det(A) = a_{11}C_{11} + a_{12}C_{12} + \cdots + a_{1n}C_{1n} = \sum_{k=1}^{n} a_{1k}C_{1k}$$

를 $A = (a_{ij})$의 행렬식(determinant)이라 한다.

3×3 행렬에 대한 경우와 비슷하게 하여, 정사각행렬의 행렬식은 임의의 행이나 열에 대해 전개하여 구할 수 있다.

정리 12

$n \times n$ 행렬 $A = (a_{ij})$의 행렬식은 A의 임의의 행이나 열에 대한 여인수전개와 같다. 즉, 각 $i = 1, \cdots, n$와 $j = 1, \cdots, n$에 대하여

$$\det(A) = a_{i1}C_{i1} + a_{i2}C_{i2} + \cdots + a_{in}C_{in} = \sum_{k=1}^{n} a_{ik}C_{ik}$$

$$\det(A) = a_{1j}C_{1j} + a_{2j}C_{2j} + \cdots + a_{nj}C_{nj} = \sum_{k=1}^{n} a_{kj}C_{kj}$$

이다.

어떤 특별한 형태인 정사각행렬의 행렬식의 계산은 간소화할 수 있다. 그러한 한 형태의 행렬은 정사각인 삼각꼴행렬이다.

정의 5 삼각꼴행렬

$m \times n$ 행렬 $A = (a_{ij})$의 성분이 $i > j$이면 $a_{ij} = 0$일 때 A를 상부삼각꼴행렬(upper triangular matrix)라 하고, $i < j$이면 $a_{ij} = 0$일 때 A를 하부삼각꼴행렬(lower triangular matrix)라 한다.   상부삼각꼴행렬 또는 하부삼각꼴행렬을 보통 삼각꼴행렬(triangular matrix)라 부른다. 그리고 $i \neq j$이면 $a_{ij} = 0$인 정사각행렬 $A = (a_{ij})$을 대각행렬(diagonal matrix)라 부른다.

행렬

$$\begin{bmatrix} 1 & 1 \\ 0 & 2 \end{bmatrix}, \quad \begin{bmatrix} 2 & -1 & 0 \\ 0 & 0 & 3 \\ 0 & 0 & 2 \end{bmatrix}, \quad \begin{bmatrix} 1 & 1 & 0 & 1 \\ 0 & 0 & 0 & 1 \\ 0 & 0 & 1 & 1 \end{bmatrix}$$

은 상부삼각꼴행렬이고,

$$\begin{bmatrix} 1 & 0 \\ 1 & 1 \end{bmatrix}, \quad \begin{bmatrix} 2 & 0 & 0 \\ 0 & 1 & 0 \\ 1 & 0 & 2 \end{bmatrix}, \quad \begin{bmatrix} 1 & 0 & 0 & 0 \\ 0 & 0 & 0 & 0 \\ 1 & 3 & 1 & 0 \\ 0 & 1 & 2 & 1 \end{bmatrix}$$

은 하부삼각꼴행렬이다.

정리 13

A가 $n \times n$ 삼각꼴행렬이면, A의 행렬식은 대각선상의 성분들의 곱인

$$\det(A) = a_{11} \cdot a_{22} \cdots a_{nn}$$

이다.

증명   상부삼각꼴행렬에 대해서만 증명하고자 한다. 하부삼각꼴행렬에 대해서는 동일하게 증명할 수 있다. 증명은 n에 대한 수학적귀납법으로 한다. 만약 $n = 2$이면 $\det(A) = a_{11}a_{22} - 0$이므로 행렬식은 대각항들의 곱이다.

 $n \times n$ 삼각꼴행렬에 대하여 주어진 결과가 성립한다 하자. 그러면 $(n+1) \times (n+1)$ 삼각꼴행렬 A에 대하여 정리의 결과가 성립함을 보이는 것이 필요하다. 이것을 위하여

$$A = \begin{bmatrix} a_{11} & a_{12} & a_{13} & \cdots & a_{1n} & a_{1\,n+1} \\ 0 & a_{22} & a_{23} & \cdots & a_{2n} & a_{2\,n+1} \\ 0 & 0 & a_{33} & \cdots & a_{3n} & a_{3\,n+1} \\ \vdots & \vdots & \vdots & \ddots & \vdots & \vdots \\ 0 & 0 & 0 & \cdots & a_{nn} & a_{n\,n+1} \\ 0 & 0 & 0 & \cdots & 0 & a_{n+1\,n+1} \end{bmatrix}$$

을 생각하자. A의 $n+1$행에 관해 여인수전개를 하면

$$\det(A) = (-1)^{(n+1)+(n+1)} a_{n+1\,n+1} \begin{bmatrix} a_{11} & a_{12} & a_{13} & \cdots & a_{1n} \\ 0 & a_{22} & a_{23} & \cdots & a_{2n} \\ 0 & 0 & a_{33} & \cdots & a_{3n} \\ \vdots & \vdots & \vdots & \ddots & \vdots \\ 0 & 0 & 0 & \cdots & a_{nn} \end{bmatrix}$$

이다. 오른쪽의 행렬식은 $n \times n$ 상부삼각꼴행렬이므로, 수학적귀납법에 의하여

$$\det(A) = (-1)^{2n+2}(a_{n+1\,n+1})(a_{11}a_{22}\cdots a_{nn})$$
$$= a_{11}a_{22}\cdots a_{nn}a_{n+1\,n+1}$$

이다.

행렬식의 성질

크기가 큰 행렬의 행렬식은 계산하는데 시간이 많이 걸릴 수 있으므로, 계산의 회수를 줄일 수 있는 행렬식의 성질이 유용하다. 정리 14에서는 행 연산이 행렬식에 어떤 영향을 미치는지를 보인다.

정리 14

A를 정사각행렬이라 하자.

1. A의 두 행을 서로 교환하여 만든 행렬을 B라 하면 $\det(B) = -\det(A)$이다.
2. A의 한 행을 몇 배하여 다른 행에 더하여 만든 행렬을 B라 하면 $\det(B) = \det(A)$이다.
3. A의 한 행을 실수 α배하여 만든 행렬을 B라 하면 $\det(B) = \alpha\det(A)$이다.

증명 1. n에 대한 수학적귀납법을 사용하여 증명한다.

$n = 2$인 경우는

$$A = \begin{bmatrix} a & b \\ c & d \end{bmatrix}$$

이므로 $\det(A) = ad - bc$ 이다. A의 두행을 교환하면 행렬

$$B = \begin{bmatrix} c & d \\ a & b \end{bmatrix}$$

이며 $\det(B) = bc - ad = -\det(A)$이다.

$n \times n$ 행렬에 대해 성립한다고 가정하고, $A = (a_{ij})$를 $(n+1) \times (n+1)$ 행렬이라 하자. 그리고 $B = (b_{ij})$를 A의 i행과 j행을 서로 교환하여 만들어진 행렬이라 하자. A의 행렬식의 i행에 관한 전개는

$$\det(A) = a_{i1}C_{i1} + a_{i2}C_{i2} + \cdots + a_{in}C_{in}$$

이고, B의 행렬식의 j행에 관한 전개는

$$\det(B) = b_{j1}D_{j1} + b_{j2}D_{j2} + \cdots + b_{jn}D_{jn}$$
$$= a_{i1}D_{j1} + a_{i2}D_{j2} + \cdots + a_{in}D_{jn}$$

이다. 여기서 C_{ij}와 D_{ij}는 각각 A와 B의 여인수이다. 그리고 이 여인수에 대해 다음 두 경우를 생각할 수 있다. 만약 여인수 C_{ij}와 D_{ij}의 부호가 같으면 그들은 한 행을 교환함으로써 달라진다. 만약 여인수 C_{ij}와 D_{ij}의 부호가 다르면 그들은 두 행을 교환함으로써 달라진다. 수학적귀납법에 의하여, 두 경우 모두

$$\det(B) = -\det(A)$$

이다.

2와 3의 증명은 연습문제로 남긴다.

정리 14에서의 결과는 열 연산에 대해서도 비슷하게 성립함을 주목하자. 이 정리의 유용성을 강조하기 위하여 삼각꼴행렬의 행렬식은 대각성분들의 곱이 되는 정리 13을 상기하자. 그래서 행렬 A의 행렬식을 구하는 또 다른 방법은 행 기약행렬로 그리고 삼각꼴로 변환하고 정리 14를 적용하여 행렬식의 값을 구한다. 이 방법을 다음 예제 3에서 설명한다.

예제 3

행렬

$$A = \begin{bmatrix} 0 & 1 & 3 & -1 \\ 2 & 4 & -6 & 1 \\ 0 & 3 & 9 & 2 \\ -2 & -4 & 1 & -3 \end{bmatrix}$$

의 행렬식을 구하라.

풀이 1열은 0인 두 성분을 가지므로, 이 열에 대한 전개가 가장 적은 계산을 수반할 것이다. 또

한 정리 14에 의하여 2행을 4행에 더하면 행렬식은 변화없이

$$\det(A) = \begin{vmatrix} 0 & 1 & 3 & -1 \\ 2 & 4 & -6 & 1 \\ 0 & 3 & 9 & 2 \\ 0 & 0 & -5 & -2 \end{vmatrix}$$

로 바뀐다. 이것을 제 1열에 관해 전개하면

$$\det(A) = -2 \begin{vmatrix} 1 & 3 & -1 \\ 3 & 9 & 2 \\ 0 & -5 & -2 \end{vmatrix}$$

이다. 다음에 연산 $-3R_1 + R_2 \longrightarrow R_2$ 를 시행하면 행렬식은 다시

$$\det(A) = -2 \begin{vmatrix} 1 & 3 & -1 \\ 0 & 0 & 5 \\ 0 & -5 & -2 \end{vmatrix}$$

가 된다. 그리고 2행과 3행을 서로 교환하면

$$\det(A) = (-2)(-1) \begin{vmatrix} 1 & 3 & -1 \\ 0 & -5 & -2 \\ 0 & 0 & 5 \end{vmatrix}$$

이다. 이 행렬식은 삼각꼴이므로 정리 13에 의하여

$$\det(A) = (-2)(-1)[(1)(-5)(5)] = -50$$

이다.

다음 정리에 행렬식의 유용한 성질들을 나열하였다. ■

정리 15

A와 B를 $n \times n$ 행렬이라 하고 α를 하나의 실수라 하면, 다음이 성립한다.

1. 행렬식의 계산은 곱셈적이다. 즉,

$$\det(AB) = \det(A)\det(B)$$

이다.

2. $\det(\alpha A) = \alpha^n \det(A)$

3. $\det(A^t) = \det(A)$

4. A의 한 행(열)의 모든 성분이 0이면 $\det(A) = 0$이다.

5. A가 동일한 두 행(열)을 가지면 $\det(A) = 0$이다.

6. A의 한 행(열)이 다른 행(열)의 상수배이면 $\det(A) = 0$이다.

예제 4

행렬

$$A = \begin{bmatrix} 1 & 2 \\ 3 & -2 \end{bmatrix} \quad B = \begin{bmatrix} 1 & -1 \\ 1 & 4 \end{bmatrix}$$

에 대하여 정리 15의 1이 성립함을 보여라.

풀이 행렬 A와 B의 곱은

$$AB = \begin{bmatrix} 3 & 7 \\ 1 & -11 \end{bmatrix}$$

이므로, $\det(AB) = -33 - 7 = -40$이다. 역시 $\det(A)\det(B) = (-8)(5) = -40$이다. ∎

정리 15에서 주어진 행렬식의 성질은 행렬식과 정사각행렬의 가역성과의 관계를 확립하는데 사용할 수 있다.

정리 16

정사각행렬 A가 가역일 필요충분조건은 $\det(A) \neq 0$인 것이다.

증명 만약 행렬 A가 가역이면, 정리 15에 의하여

$$1 = \det(I) = \det(AA^{-1}) = \det(A)\det(A^{-1})$$

이다. 두 실수의 곱이 0이 아닐 필요충분조건은 두 실수 모두 0이 아닌 것이므로, $\det(A) \neq 0$이고 $\det(A^{-1}) \neq 0$이다.

역을 보이기 위하여 증명하고자 하는 명제의 대우를 증명하자. A를 가역이 아니라 하자. 4절 끝머리의 내용을 주목하면, 행렬 A는 한 행의 모든 성분이 0인 행렬 R과 행 동치이다. 그러므로 정리 14에 의하여 $\det(A) = k \det(R)$인 0이 아닌 실수 k가 존재한다. 따라서 정리 15의 4에 의하여

$$\det(A) = k \det(R) = k0 = 0$$

이다.

따름정리 1

행렬 A가 가역이면

$$\det(A^{-1}) = \frac{1}{\det(A)}$$

이다.

증명 A가 가역이면, 정리 16에 의하여 $\det(A) \neq 0$이고, $\det(A^{-1}) \neq 0$이며,

$$\det(A)\det(A^{-1}) = 1$$

이다. 그러므로

$$\det(A^{-1}) = \frac{1}{\det(A)}$$

이다.

다음 정리에서 역행렬과 행렬식 그리고 연립일차방정식 사이의 관계를 요약하였다.

정리 17

A가 정사각행렬이면 다음은 서로 동치이다.

1. 행렬 A는 가역이다.
2. 모든 벡터 $\mathbf{b}$에 대하여 연립일차방정식 $A\mathbf{x} = \mathbf{b}$는 단 하나의 해를 가진다.
3. 동차연립일차방정식 $A\mathbf{x} = \mathbf{0}$은 단 하나의 자명한 해만 갖는다.
4. 행렬 A는 단위행렬과 행 동치이다.
5. 행렬 A의 행렬식은 0이 아니다.

행렬식은 특별한 점을 지나는 원뿔곡선(원추곡선이라고도 한다)을 구하는데 사용할 수 있다. 방정식

$$\frac{(x-h)^2}{a^2} + \frac{(y-k)^2}{b^2} = 1$$

의 그래프는 중심이 (h, k)이고, 수평축의 길이가 $2a$, 수직축의 길이가 $2b$인 타원이다.

17세기에 Johannes Kepler는 태양 주위의 행성의 궤도를 관측하여 이들의 궤도가 타원궤도라는 것을 추측을 하였다. 같은 세기 후반 Isaac Newton은 Kepler의 추측을 증명하였다.

$$Ax^2 + Bxy + Cy^2 + Dx + Ey + F = 0$$

꼴인 방정식의 그래프를 원뿔곡선(conic section) 또는 원추곡선이라 한다. 본질적으로 원뿔곡선의 그래프는 원, 타원, 쌍곡선, 포물선 등이다.

예제 5

태양 주위를 이동하는 어떤 물체의 접근궤도를 정하기를 원하는 한 천문학자는 원점에 태양을 두고 그 주위 행성의 궤도를 나타내는 좌표계를 만들었다. 그리고 그 물체의 위치를 관찰한 결과 다섯 개의 근사값 (0, 0.31), (1, 1), (1.5, 1.21), (2, 1.31), (2.5, 1)을 구하였다. 이 관측치를 이용하여 물체의 위치에 근사한 타원의 방정식을 구하라.

풀이 구하고자 하는 방정식은

$$Ax^2 + Bxy + Cy^2 + Dx + Ey + F = 0$$

꼴인 타원의 방정식이다.

주어진 다섯 개의 좌표점은 이 방정식을 만족해야 한다. 예를 들어, (2, 1.31)은 원뿔곡선상의 점이므로,

$$A(2)^2 + B(2)(1.31) + C(1.31)^2 + D(2) + E(1.31) + F = 0$$

즉,

$$4A + 2.62B + 1.7161C + 2D + 1.31E + F = 0$$

이다. 타원의 일반식에 주어진 다섯 개 점을 대입하면, 5×6 연립일차방정식(소수점 둘째자리인 계수를 갖는)

$$\begin{cases} 0.1C + 0.31E + F = 0 \\ A + B + C + D + E + F = 0 \\ 4A + 2.62B + 1.72C + 2D + 1.31E + F = 0 \\ 2.25A + 1.82B + 1.46C + 1.5D + 1.21E + F = 0 \\ 6.25A + 2.5B + C + 2.5D + E + F = 0 \end{cases}$$

이 얻어진다. 다섯 개 점을 지나는 타원을 표시하는 방정식 $Ax^2 + Bxy + Cy^2 + Dx + Ey + F = 0$ 은 무한히 많은 해를 가지므로, 정리 17에 의하여

$$\begin{vmatrix} x^2 & xy & y^2 & x & y & 1 \\ 0 & 0 & 0.1 & 0 & 0.31 & 1 \\ 1 & 1 & 1 & 1 & 1 & 1 \\ 4 & 2.62 & 1.72 & 2 & 1.31 & 1 \\ 2.25 & 1.82 & 1.46 & 1.5 & 1.21 & 1 \\ 6.25 & 2.5 & 1 & 2.5 & 1 & 1 \end{vmatrix} = 0$$

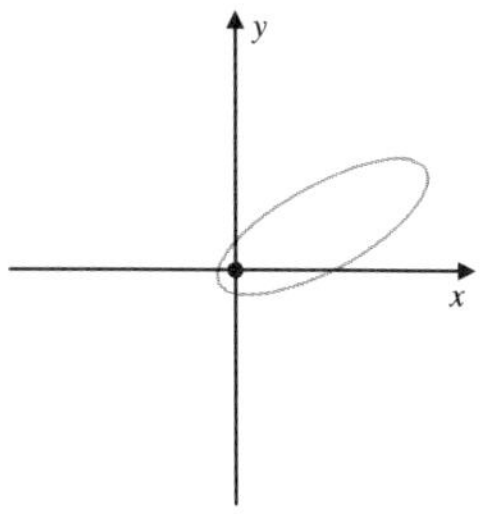

그림 2

이다. 이 행렬식을 전개하면

$$-0.014868x^2 + 0.0348xy - 0.039y^2 + 0.017238x - 0.003y + 0.00483 = 0$$

이고, 이 그래프는 그림 2에 주어져 있다.   ■

크래머의 공식

행렬식은 연립일차방정식의 해를 구하는데 사용할 수 있다. 이것을 설명하기 위하여 $ad - bc \neq 0$인 2×2 연립일차방정식

$$\begin{cases} ax + by = u \\ cx + dy = v \end{cases}$$

를 생각하자. 정리 17에 의하여 주어진 연립일차방정식은 단 하나의 해를 갖는다.

변수 y를 소거하기 위하여, 첫 방정식에 d를 곱하고 두 번째 방정식에 b를 곱한 후, 두 방정식의 차 즉, 첫 번째 식에 두 번째 식을 빼면,

$$adx + bdy - (bcx + bdy) = du - bv$$

이다. 이것을 간단히 하면 $(ad - bc)x = du - bv$ 이므로

$$x = \frac{du - bv}{ad - bc}$$

이다. 비슷한 방법으로 y에 대하여 풀면

$$y = \frac{av - cu}{ad - bc}$$

이다. 행렬식을 사용하면, 구하고자 하는 해는

$$x = \frac{\begin{vmatrix} u & b \\ v & d \end{vmatrix}}{\begin{vmatrix} a & b \\ c & d \end{vmatrix}}, \qquad y = \frac{\begin{vmatrix} a & u \\ c & v \end{vmatrix}}{\begin{vmatrix} a & b \\ c & d \end{vmatrix}}$$

로 쓸 수 있다.

x와 y에 대한 해가 비슷한 형태인 점에 주목하자. 각 해의 분모는 계수행렬의 행렬식이다. 해 x의 분자는 계수행렬의 제 1열을 연립일차방정식의 오른쪽에 있는 상수열로 바꾼 행렬의 행렬식이다. 해 y의 분자는 계수행렬의 제 2열을 상수열로 바꾼 행렬의 행렬식이다. 연립일차방정식의 해를 구하는 위와 같은 방법을 크래머의 공식이라 한다.

예제 6

크래머의 공식을 사용하여 연립일차방정식

$$\begin{cases} 2x + 3y = 2 \\ -5x + 7y = 3 \end{cases}$$

의 해를 구하라.

풀이 계수행렬의 행렬식이 0이 아닌

$$\begin{vmatrix} 2 & 3 \\ -5 & 7 \end{vmatrix} = 14 - (-15) = 29$$

이므로, 연립일차방정식은 단 하나의 해를 가지며, 그 해는

$$x = \dfrac{\begin{vmatrix} 2 & 3 \\ 3 & 7 \end{vmatrix}}{29} = \dfrac{14 - 9}{29} = \dfrac{5}{29}, \quad y = \dfrac{\begin{vmatrix} 2 & 2 \\ -5 & 3 \end{vmatrix}}{29} = \dfrac{6 - (-10)}{29} = \dfrac{16}{29}$$

이다. ■

정리 18 크래머의 공식(Cramer's rule)

A를 $n \times n$ 가역행렬, $\mathbf{b}$를 n개의 성분을 갖는 열벡터, 그리고 A_i를 A의 제 i열을 $\mathbf{b}$로 바꾼 행렬이라 하자.

$$\mathbf{x} = \begin{bmatrix} x_1 \\ x_2 \\ \vdots \\ x_n \end{bmatrix}$$

가 연립일차방정식 $A\mathbf{x} = \mathbf{b}$의 단 하나의 해이면

$$x_i = \frac{\det(A_i)}{\det(A)} \qquad i = 1, 2, \cdots, n$$

이다.

증명 I_i를 단위행렬의 제 i열을 $\mathbf{x}$로 바꾼 행렬이라 하면, 연립일차방정식은 행렬방정식

$$AI_i = A_i$$

와 동치이며, 정리 15의 1에 의하여

$$\det(A)\det(I_i) = \det(AI_i) = \det(A_i)$$

이다. A가 가역이므로, $\det(A) \neq 0$이며

$$\det(I_i) = \frac{\det(A_i)}{\det(A)}$$

이다. I_i의 행렬식을 제 i행에 관하여 전개하여 구하면

$$\det(I_i) = x_i \det(I) = x_i$$

이다. 여기서 I는 $(n-1) \times (n-1)$ 단위행렬이다. 그러므로

$$x_i = \frac{\det(A_i)}{\det(A)}$$

이다.

    만약 연립일차방정식이 단 하나의 해를 가지면, 크래머의 공식을 보다 더 큰 정사각 연립일차 방정식의 해를 구하는데 사용할 수 있다. 예제 7에서 3×3 연립일차방정식에 대한 크래머의 공식을 설명한다.

예제 7

연립일차방정식

$$\begin{cases} 2x + 3y - z = 2 \\ 3x - 2y + z = -1 \\ -5x - 4y + 2z = 3 \end{cases}$$

의 해를 구하라.

풀이 계수행렬의 행렬식은

$$\begin{vmatrix} 2 & 3 & -1 \\ 3 & -2 & 1 \\ -5 & -4 & 2 \end{vmatrix} = -11$$

이므로, 크래머의 공식에 의하여 구하는 해는

$$x = -\frac{1}{11} \begin{vmatrix} 2 & 3 & -1 \\ -1 & -2 & 1 \\ 3 & -4 & 2 \end{vmatrix} = -\frac{5}{11},$$

$$y = -\frac{1}{11} \begin{vmatrix} 2 & 2 & -1 \\ 3 & -1 & 1 \\ -5 & 3 & 2 \end{vmatrix} = \frac{36}{11},$$

$$z = -\frac{1}{11} \begin{vmatrix} 2 & 3 & 2 \\ 3 & -2 & -1 \\ -5 & -4 & 3 \end{vmatrix} = \frac{76}{11}$$

이다. 독자는 위에서 구한 해를 주어진 연립방정식에 대입하여 이를 만족함을 보여라. ■

핵심 요약

A와 B를 $n \times n$ 행렬이라 하자.

1. $\det \begin{bmatrix} a & b \\ c & d \end{bmatrix} = ad - bc.$

2. A의 행렬식은

$$\begin{bmatrix} + & - & + & - & \cdots \\ - & + & - & + & \cdots \\ + & - & + & - & \cdots \\ - & + & - & + & \cdots \\ \vdots & \vdots & \vdots & \vdots & \ddots \end{bmatrix}$$

형태를 사용하여 부호를 조정하면, 한 행이나 한 열에 대해 전개하여 A의 행렬식을 계산할 수 있다.

3. 행렬 A가 가역일 필요충분조건은 $\det(A) \neq 0$인 것이다.

4. A가 삼각꼴행렬이면, A의 행렬식은 대각성분들의 곱이다.

5. A의 두 행을 서로 교환하여 만든 행렬의 행렬식은 A의 행렬식과 부호가 반대이다.

6. A의 한 행을 몇 배하여 다른 행에 더하여 만든 행렬의 행렬식은 A의 행렬식과 같다.

7. A의 한 행을 스칼라 c배하여 만든 행렬의 행렬식은 A의 행렬식의 c배이다.

8. $\det(AB) = \det(A)\det(B)$, $\det(cA) = c^n\det(A)$, $\det(A^t) = \det(A)$

9. A의 한 행 또는 한 열의 모든 성분이 0이면 $\det(A) = 0$이다.

10. A의 한 행(열)이 다른 행(열)의 상수배이면 $\det(A) = 0$이다.

11. A가 가역이면 $\det(A^{-1}) = \frac{1}{\det(A)}$ 이다.

연습문제 1.6

연습문제 1–4에서 주어진 행렬의 모양을 점검하여 행렬식을 구하라.

1. $\begin{bmatrix} 2 & -40 & 10 \\ 0 & 3 & 12 \\ 0 & 0 & 4 \end{bmatrix}$

2. $\begin{bmatrix} 1 & 2 & 3 \\ 4 & 5 & 6 \\ 1 & 2 & 3 \end{bmatrix}$

3. $\begin{bmatrix} 1 & 0 & 0 & 0 \\ 3 & -1 & 0 & 0 \\ 4 & 2 & 2 & 0 \\ 1 & 1 & 6 & 5 \end{bmatrix}$

4. $\begin{bmatrix} 1 & -1 & 2 \\ 2 & -2 & 4 \\ 1 & 2 & -1 \end{bmatrix}$

연습문제 5–8에서 주어진 행렬이 가역인지 아닌지를 행렬식을 사용하여 결정하여라.

5. $\begin{bmatrix} 2 & -1 \\ -2 & 2 \end{bmatrix}$

6. $\begin{bmatrix} 1 & 3 \\ 5 & -2 \end{bmatrix}$

7. $\begin{bmatrix} 1 & 0 & 0 \\ 3 & 6 & 0 \\ 0 & 8 & -1 \end{bmatrix}$

8. $\begin{bmatrix} 7 & 2 & 1 \\ 7 & 2 & 1 \\ 3 & 6 & 6 \end{bmatrix}$

9. 행렬

$$A = \begin{bmatrix} 2 & 0 & 1 \\ 3 & -1 & 4 \\ -4 & 1 & -2 \end{bmatrix}$$

를 사용하여 다음 물음에 답하여라.

a. 제 1행에 대한 전개를 하여 행렬의 행렬식을 구하라.

b. 제 2행에 대한 전개를 하여 행렬의 행렬식을 구하라.

c. 제 2열에 대한 전개를 하여 행렬의 행렬식을 구하라.

d. A의 제 1행과 제 3행을 서로 교환하여 만든 행렬의 행렬식을 구하라.

e. **d**에서 만든 행렬의 제 1행을 –2배 하여 만든 새로운 행렬의 행렬식을 구하라. 그리고 이 값을 이용하여 행렬 A의 행렬식을 구하라.

f. **e**에서 만든 행렬의 제 1행을 –2배 하여 제 3행에 더하여 만든 새로운 행렬의 행렬식을 다음 두 방법으로 구하라. 먼저 새로운 행렬의 제 3행에 대한 전개를 사용하여 구한다. 두 번째, 이미 계산되어 있는 A의 행렬식의 값을 사용하여 구한다.

g. 행렬 A가 역행렬을 갖는가? 역행렬을 구할 필요는 없다.

10. 행렬

$$A = \begin{bmatrix} -1 & 1 & 1 & 2 \\ 3 & -2 & 0 & -1 \\ 0 & 1 & 0 & 1 \\ 3 & 3 & 3 & 3 \end{bmatrix}$$

를 사용하여 다음 물음에 답하여라.

a. 제 4행에 관한 전개를 이용하여 행렬 A의 행렬식을 구하라.

b. 제 3행에 관한 전개를 이용하여 행렬 A의 행렬식을 구하라.

c. 제 2열에 관한 전개를 이용하여 행렬 A의 행렬식을 구하라.

d. 위의 문제 **a**, **b**, **c**에서 독자는 어떤 방법으

로 계산하는 것이 좋다고 생각하는가? 그
이유는?

e. 행렬 A는 역행렬을 갖는가? 역행렬을 계
산할 필요는 없다.

연습문제 11–26에서 주어진 행렬의 행렬식을 구
하라. 그리고 역행렬을 구하지 않고 주어진 행렬
이 역행렬을 갖는지를 결정하여라.

11. $\begin{bmatrix} 5 & 6 \\ -8 & -7 \end{bmatrix}$

12. $\begin{bmatrix} 4 & 3 \\ 9 & 2 \end{bmatrix}$

13. $\begin{bmatrix} -1 & -1 \\ -11 & 5 \end{bmatrix}$

14. $\begin{bmatrix} 1 & 2 \\ 4 & 13 \end{bmatrix}$

15. $\begin{bmatrix} -1 & 4 \\ 1 & -4 \end{bmatrix}$

16. $\begin{bmatrix} 1 & 1 \\ 2 & 2 \end{bmatrix}$

17. $\begin{bmatrix} 5 & -5 & -4 \\ -1 & -3 & 5 \\ -3 & 1 & 3 \end{bmatrix}$

18. $\begin{bmatrix} 3 & -3 & 5 \\ 2 & 4 & -3 \\ -3 & -1 & -5 \end{bmatrix}$

19. $\begin{bmatrix} -3 & 4 & 5 \\ 1 & 1 & 4 \\ -1 & -3 & 4 \end{bmatrix}$

20. $\begin{bmatrix} -2 & -2 & -4 \\ 1 & 1 & 3 \\ -4 & 0 & 4 \end{bmatrix}$

21. $\begin{bmatrix} 1 & -4 & 1 \\ 1 & -2 & 4 \\ 0 & 2 & 3 \end{bmatrix}$

22. $\begin{bmatrix} 1 & 2 & 4 \\ 4 & 0 & 0 \\ 1 & 2 & 4 \end{bmatrix}$

23. $\begin{bmatrix} 2 & -2 & -2 & -2 \\ -2 & 2 & 3 & 0 \\ -2 & -2 & 2 & 0 \\ 1 & -1 & -3 & -1 \end{bmatrix}$

24. $\begin{bmatrix} 1 & -1 & 0 & 0 \\ -3 & -3 & -1 & -1 \\ -1 & -1 & -3 & 2 \\ -1 & -2 & 2 & 1 \end{bmatrix}$

25. $\begin{bmatrix} -1 & 1 & 1 & 0 & 0 \\ 0 & 0 & -1 & 0 & 0 \\ 0 & 0 & 1 & -1 & 0 \\ 0 & 1 & 1 & 0 & 1 \\ 1 & -1 & 1 & 1 & 0 \end{bmatrix}$

26. $\begin{bmatrix} 1 & 0 & -1 & 0 & -1 \\ -1 & -1 & 0 & 0 & -1 \\ 1 & 0 & 0 & 0 & -1 \\ 0 & 1 & 1 & 1 & 0 \\ -1 & 1 & 1 & -1 & 0 \end{bmatrix}$

연습문제 27–30에서, 행렬

$$A = \begin{bmatrix} a & b & c \\ d & e & f \\ g & h & i \end{bmatrix}$$

의 행렬식이 $\det(A) = 10$ 이라 하자.

27. $\det(3A)$ 를 구하라.

28. $\det(2A^{-1})$ 을 구하라.

29. $\det[(2A)^{-1}]$ 을 구하라.

30. 행렬식

$$\det \begin{bmatrix} a & g & d \\ b & h & e \\ c & i & f \end{bmatrix}$$

를 구하라.

31. 다음을 만족하는 x를 구하라.

$$\det \begin{bmatrix} x^2 & x & 2 \\ 2 & 1 & 1 \\ 0 & 0 & -5 \end{bmatrix} = 0$$

32. 행렬

$$\begin{bmatrix} 1 & 1 & 1 & 1 & 1 \\ 0 & 1 & 1 & 1 & 1 \\ 1 & 0 & 1 & 1 & 1 \\ 1 & 1 & 0 & 1 & 1 \\ 1 & 1 & 1 & 0 & 1 \end{bmatrix}$$

의 행렬식을 구하라.

33. $a_1 \neq b_1$일 때, 방정식

$$\det \begin{bmatrix} 1 & 1 & 1 \\ x & a_1 & b_1 \\ y & a_2 & b_2 \end{bmatrix} = 0$$

을 만족하는 모든 점 (x, y)로 된 집합을 구하라.

34. 연립일차방정식

(1) $\begin{cases} x + y = 3 \\ 2x + 2y = 1 \end{cases}$ (2) $\begin{cases} x + y = 3 \\ 2x + 2y = 6 \end{cases}$

(3) $\begin{cases} x + y = 3 \\ 2x - 2y = 1 \end{cases}$

을 사용하여 다음 물음에 답하여라.

a. 세 연립일차방정식의 각 계수행렬 A, B, C를 구하라.

b. $\det(A)$, $\det(B)$, $\det(C)$를 구하라. 그들의 관계는 어떠한가?

c. 각 계수행렬들은 역행렬을 갖는가?

d. 연립일차방정식 (1)의 모든 해를 구하라.

e. 연립일차방정식 (2)의 모든 해를 구하라.

f. 연립일차방정식 (3)의 모든 해를 구하라.

35. 연립일차방정식

$$\begin{cases} x - y - 2z = 3 \\ -x + 2y + 3z = 1 \\ 2x - 2y - 2z = -2 \end{cases}$$

에 대하여 다음 물음에 답하여라.

a. 연립일차방정식의 계수행렬 A을 구하라.

b. $\det(A)$를 구하라.

c. 연립일차방정식은 단 하나의 해를 갖는가? 설명하라.

d. 연립일차방정식의 모든 해를 구하라.

36. 연립일차방정식

$$\begin{cases} x + 3y - 2z = -1 \\ 2x + 5y + z = 2 \\ 2x + 6y - 4z = -2 \end{cases}$$

에 대하여 다음 물음에 답하여라.

a. 연립일차방정식의 계수행렬 A을 구하라.

b. $\det(A)$를 구하라.

c. 연립일차방정식은 단 하나의 해를 갖는가? 설명하라.

d. 연립일차방정식의 모든 해를 구하라.

37. 연립일차방정식

$$\begin{cases} x - z = -1 \\ 2x + 2z = 1 \\ x - 3y - 3z = 1 \end{cases}$$

에 대하여 다음 물음에 답하여라.

a. 연립일차방정식의 계수행렬 A을 구하라.

b. $\det(A)$를 구하라.

c. 연립일차방정식은 단 하나의 해를 갖는가? 설명하라.

d. 연립일차방정식의 모든 해를 구하라.

일반형으로 표시된 방정식

$$Ax^2 + Bxy + Cy^2 + Dx + Ey + F = 0$$

의 그래프가 본질적으로 포물선, 원, 타원, 쌍곡선이라는 사실을 이용하여, 다음 연습문제 38–43에 답하여라.

38. a. 세 점 $(0, 3)$, $(1, 1)$, $(4, -2)$을 지나는

$$Ax^2 + Dx + Ey + F = 0$$

꼴인 포물선의 방정식을 구하라.

b. 앞에서 구한 포물선의 개형을 그려라.

39. a. 세 점 $(-2, -2)$, $(3, 2)$, $(4, -3)$을 지나는

$$Cy^2 + Dx + Ey + F = 0$$

꼴인 포물선의 방정식을 구하라.

b. 위에서 구한 포물선의 개형을 그려라.

40. a. 세 점 $(-3, -3)$, $(-1, 2)$, $(3, 0)$을 지나는

$$A(x^2 + y^2) + Dx + Ey + F = 0$$

꼴인 원의 방정식을 구하라.

b. 위에서 구한 원의 개형을 그려라.

41. a. 네 점 $(0, -4), (0, 4), (1, -2), (2, 3)$을 지나는

$$Ax^2 + Cy^2 + Dx + Ey + F = 0$$

꼴인 쌍곡선의 방정식을 구하라.

b. 위에서 구한 쌍곡선의 개형을 그려라.

42. a. 네 점 $(-3, 2), (-1, 3), (1, -1), (4, 2)$를 지나는

$$Ax^2 + Cy^2 + Dx + Ey + F = 0$$

꼴인 타원의 방정식을 구하라.

b. 위에서 구한 타원의 개형을 그려라.

43. a. 네 점 $(-1, 0)$, $(0, 1)$, $(1, 0)$, $(2, 2)$, $(3, 1)$을 지나는

$$Ax^2 + Bxy + Cy^2 + Dx + Ey + F = 0$$

꼴인 타원의 방정식을 구하라.

b. 위에서 구한 타원의 개형을 그려라.

크래머의 공식을 이용하여 연습문제 44–51에 주어진 연립일차방정식을 풀어라.

44. $\begin{cases} 2x + 3y = 4 \\ 2x + 2y = 4 \end{cases}$

45. $\begin{cases} 5x - 5y = 7 \\ 2x - 3y = 6 \end{cases}$

46. $\begin{cases} 2x + 5y = 4 \\ 4x + \ y = 3 \end{cases}$

47. $\begin{cases} -9x - 4y = \ \ \ 3 \\ -7x + 5y = -10 \end{cases}$

48. $\begin{cases} -10x - \ 7y = -12 \\ \ 12x + 11y = \ \ \ 5 \end{cases}$

49. $\begin{cases} \ -x - 3y = 4 \\ -8x + 4y = 3 \end{cases}$

50. $\begin{cases} -2x + \ \ y - 4z = -8 \\ \ \ \ \ \ - 4y + \ z = \ \ 3 \\ \ \ 4x \ \ \ \ \ \ - z = -8 \end{cases}$

51. $\begin{cases} \ \ 2x + 3y + 2z = -2 \\ \ -x - 3y - 8z = -2 \\ -3x + 2y - 7z = \ \ 2 \end{cases}$

52. $A^t = -A$ 인 $n \times n$ 행렬 A를 반대칭이라 하였다. 만약 A가 반대칭행렬이고 n이 홀수이면 A는 가역이 아님을 보여라.

53. A가 3×3 행렬이면 $\det(A) = \det(A^t)$임을 보여라.

54. A가 $n \times n$ 상부삼각꼴행렬이면 $\det(A) = \det(A^t)$임을 보여라.

1.7 기본행렬과 LU 분해

2절에서 첨가행렬에 가우스 소거법을 사용하여, 연립일차방정식 $A\mathbf{x} = \mathbf{b}$를 어떻게 푸는지를 보았다. 행 연산을 이용하여 계수행렬을 사다리꼴로 변환하는 개념을 다시 생각하자. 이 변환된 상부삼각꼴행렬은 역소거법을 사용하여 해를 구하기 쉽게 만든다 (2절의 예제 1을 보아라). 유사한 방법으로, 첨가행렬이 하부삼각꼴로 변형되어지면 대응된 연립일차방정식의 해를 구하는데 전진대입법(forward substitution)을 사용할 수 있다. 예를 들어, 연립일차방정식의 첫 번째 식으로부터 시작하여 해 $x_1 = 3$, $x_2 = 2$, $x_3 = 1$을 구할 수 있다. 따라서 계산상의 관점에서는 연립일차방정식의 해를 찾기 위하여 대응되는 행렬을 상 또는 하부삼각꼴로 변환하는 것이 바람직하다.

이 절에서는 어떤 경우에 $m \times n$ 행렬 A를 $A = LU$로 쓸 수 있는지를 보인다. 여기서 L은 하부삼각꼴행렬이고, U는 상부삼각꼴행렬이다. 이것을 A의 LU 분해(LU factorization)라 한다.

예를 들어, 행렬 $\begin{bmatrix} -3 & -2 \\ 3 & 4 \end{bmatrix}$의 LU 분해는

$$\begin{bmatrix} -3 & -2 \\ 3 & 4 \end{bmatrix} = \begin{bmatrix} -1 & 0 \\ 1 & 2 \end{bmatrix} \begin{bmatrix} 3 & 2 \\ 0 & 1 \end{bmatrix}$$

이고, $L = \begin{bmatrix} -1 & 0 \\ 1 & 2 \end{bmatrix}$이며 $U = \begin{bmatrix} 3 & 2 \\ 0 & 1 \end{bmatrix}$이다. 그리고 또한 이 절에서 A의 그러한 분해가 존재할 때, 연립일차방정식 $A\mathbf{x} = \mathbf{b}$의 해를 구하는데 사용할 수 있는 전진대입법과 역대입법을 동반한 과정을 보인다.

기본행렬

첫 번째 단계로서 기본행렬을 사용하여 행 연산을 실행하는 다른 한 방법을 설명한다.

정의 1 기본행렬

기본행렬(elementary matrix)란 단위행렬에 하나의 기본 행 연산을 수행하여 얻어진 행렬을 말한다.

하나의 실제 예로써, 기본행렬 E_1은 3×3 단위행렬 I의 제 1행과 제 3행을 서로 교환하여 만들어진 행렬 즉,

$$E_1 = \begin{bmatrix} 0 & 0 & 1 \\ 0 & 1 & 0 \\ 1 & 0 & 0 \end{bmatrix}$$

이다.

2절의 정리 2에서 주어진 세 가지 행 연산에 대응되는 세 가지 형태의 기본행렬이 있다. 예를 들면, 조금 전에 본 바와 같이 E_1은 단위행렬 I의 제 1행과 제 3행을 서로 교환하는 행 연산 $R_1 \leftrightarrow R_3$에 의하여 유도된다. 역시 행 연산 $kR_1 + R_2 \longrightarrow R_2$를 I에 적용하면 기본행렬

$$E_2 = \begin{bmatrix} 1 & 0 & 0 \\ k & 1 & 0 \\ 0 & 0 & 1 \end{bmatrix}$$

이 구해진다. 다음으로 $c \neq 0$이면 행 연산 $cR_2 \longrightarrow R_2$
를 I에 적용시키면 기본행렬

$$E_3 = \begin{bmatrix} 1 & 0 & 0 \\ 0 & c & 0 \\ 0 & 0 & 1 \end{bmatrix}$$

이 된다. 임의의 행 연산을 사용함으로써, 유사한 방법으로 보다 큰 단위행렬로부터 보다 큰 기본행렬을 얻을 수 있다.

이제 기본행렬이 행 연산을 수행하는데 어떻게 사용되는지 보자. 그 과정을 설명하기 위하여, A를 3×3 행렬

$$A = \begin{bmatrix} 1 & 2 & 3 \\ 4 & 5 & 6 \\ 7 & 8 & 9 \end{bmatrix}$$

라 하자. A에 위에서 정의된 행렬 E_1을 곱하면,

$$E_1 A = \begin{bmatrix} 7 & 8 & 9 \\ 4 & 5 & 6 \\ 1 & 2 & 3 \end{bmatrix}$$

이다. $E_1 A$는 A의 1행과 3행을 서로 교환한 행렬임을 주시하자.

정리 19에 앞의 사실의 일반화가 주어져 있다.

정리 19

A를 $m \times n$ 행렬, E를 $m \times m$ 단위행렬 I에 대해 한 행 연산 $\mathcal{R}$을 수행하여 얻어진 기본행렬이라 하자. A에 대해 행 연산 $\mathcal{R}$을 수행하여 만든 행렬을 $\mathcal{R}(A)$라 하면 $\mathcal{R}(A) = EA$이다.

정리 19를 반복적으로 적용시킴으로써, 행 연산에 대응되는 기본행렬을 행렬 A에 순차적으로 곱함으로써 행렬 A상에서 행 연산들이 수행되어진다. 특히, E_i를 행 연산 $\mathcal{R}_i (1 \leq i \leq k)$에 대응되

는 기본행렬이라 하면

$$\mathcal{R}_k \left(\cdots \left(\mathcal{R}_2 \left(\mathcal{R}_1 (A) \right) \right) \cdots \right) = E_k \cdots E_2 E_1 A$$

이다.

예제 1

행렬

$$A = \begin{bmatrix} 1 & 2 & -1 \\ 3 & 5 & 0 \\ -1 & 1 & 1 \end{bmatrix}$$

에 행 연산 $\mathcal{R}_1$: $R_2 - 3R_1 \longrightarrow R_2$, $\mathcal{R}_2$: $R_3 + R_1 \longrightarrow R_3$, $\mathcal{R}_3$: $R_3 + 3R_2 \longrightarrow R_3$ 을 수행시키도록 기본행렬을 사용하여라.

풀이 주어진 세 행 연산에 대응되는 기본행렬은 각각

$$E_1 = \begin{bmatrix} 1 & 0 & 0 \\ -3 & 1 & 0 \\ 0 & 0 & 1 \end{bmatrix} \quad E_2 = \begin{bmatrix} 1 & 0 & 0 \\ 0 & 1 & 0 \\ 1 & 0 & 1 \end{bmatrix} \quad E_3 = \begin{bmatrix} 1 & 0 & 0 \\ 0 & 1 & 0 \\ 0 & 3 & 1 \end{bmatrix}$$

이다. 따라서

$$E_3 E_2 E_1 A = \begin{bmatrix} 1 & 2 & -1 \\ 0 & -1 & 3 \\ 0 & 0 & 9 \end{bmatrix}$$

이다. 독자는 오른편의 행렬이 행렬 A에 주어진 세 행 연산을 수행한 결과와 같음을 체크해야 한다.

기본행렬의 역행렬

기본행렬의 중요한 성질 중의 하나는 그들이 가역이라는 것이다.

정리 20

$n \times n$ 기본행렬 E는 가역이다. 더욱이 기본행렬의 역행렬 역시 기본행렬이다.

증명 기본행렬 E가 가역임을 보이기 위하여, E의 행렬식을 계산하고 6절의 정리 17을 적용한다. E의 형태는 세 가지 경우이다. 첫째, E가 I의 두 행을 서로 교환하여 유도된 경우이면 $\det(E) = -\det(I) = -1$이다. 둘째, E가 I의 한 행을 0이 아닌 스칼라 c배한 기본행렬이면 $\det(E) = c\det(I) = c \neq 0$이다. 셋째, E가 I의 한 행을 몇 배하여 다른 행에 더하여 유도된 경우이면 $\det(E) =$

$\det(I) = 1$이다. 위 세 경우 모두 $\det(E) \neq 0$이므로 E는 가역이다. E^{-1}가 기본행렬인 것을 보이기 위하여, 역행렬의 계산에 4절의 알고리즘을 사용한다. 이 경우 $n \times 2n$ 첨가행렬

$$[E \,|\, I]$$

로부터 시작하여, I를 E로 변환한 연산의 역 연산을 적용하여, 왼쪽에 있는 기본행렬을 (I로) 변형하여

$$\left[I \,|\, E^{-1} \right]$$

을 얻을 수 있다. 각 행 연산의 역 연산 역시 행 연산이라는 사실로부터 E^{-1} 역시 기본행렬이다.

위의 정리에서의 설명처럼 $\mathcal{R}$ 을 행 연산 $2R_2 + R_1 \longrightarrow R_1$ 이라 하면, 이 연산은 "2행을 2배하여 1행에 더한다"이다. 이에 대응되는 기본행렬은

$$E = \begin{bmatrix} 1 & 2 & 0 \\ 0 & 1 & 0 \\ 0 & 0 & 1 \end{bmatrix}$$

이다. $\det(E) = 1$이므로 E는 가역으로써

$$E^{-1} = \begin{bmatrix} 1 & -2 & 0 \\ 0 & 1 & 0 \\ 0 & 0 & 1 \end{bmatrix}$$

이다. E^{-1}은 행 연산 $\mathcal{R}_2 : -2R_2 + R_1 \longrightarrow R_1$ 에 대응되는 것을 보았고, 이는 처음의 행 연산 $\mathcal{R}$ 의 역 연산인 "2행을 2배하여 1행에 뺀다"이다.

2절로부터 $m \times n$ 행렬 B가 $m \times n$ 행렬 A를 유한 번의 행 연산을 하여 얻어진 행렬이면, A는 B와 행 동치인 점을 생각하자. 정리 21에서 기본행렬에 관해서 이 사실을 바꾸어 말하고자 한다.

정리 21

A와 B를 $m \times n$ 행렬이라 하자. 행렬 A가 B와 행 동치일 필요충분조건은 $B = E_k E_{k-1} \cdots E_2 E_1 A$인 기본행렬 $E_1, E_2, \cdots, E_k$가 존재하는 것이다.

정리 21의 관점에서 생각하면, A가 B와 행 동치이면 B 역시 A와 행 동치이다. 왜냐하면, 만약 A가 B와 행 동치이면

$$B = E_k E_{k-1} \cdots E_2 E_1 A$$

인 기본행렬 $E_1, E_2, \cdots, E_k$가 존재한다. 위 식의 양변에

$$E_k^{-1}, \ E_{k-1}^{-1}, \ \cdots, \ E_1^{-1}$$

을 차례대로 곱하면

$$A = E_1^{-1} \cdots E_{k-1}^{-1} E_k^{-1} B$$

이다. 행렬 $E_1^{-1}, E_2^{-1}, \cdots, E_k^{-1}$ 각각은 기본행렬이므로, B는 A와 행 동치이다.

다음 정리 22에서는 가역행렬의 특성을 기본행렬을 이용하여 보인다.

정리 22

$n \times n$ 행렬 A가 가역일 필요충분조건은 A를 기본행렬들의 곱으로 표시할 수 있다는 것이다.
증명   먼저

$$A = E_1 E_2 \cdots E_{k-1} E_k$$

인 기본행렬 $E_1, E_2, \cdots, E_k$가 존재한다고 하자. 이때 행렬 $B = E_k^{-1} \cdots E_2^{-1} E_1^{-1}$이 A의 역행렬임을 보이고자 한다. 이를 위하여, $A = E_1 E_2 \cdots E_{k-1} E_k$의 양변에 B를 곱하면

$$BA = (E_k^{-1} \cdots E_2^{-1} E_1^{-1}) A = (E_k^{-1} \cdots E_2^{-1} E_1^{-1})(E_1 E_2 \cdots E_{k-1} E_k) = I$$

이다. 따라서 B는 A의 역행렬이므로 A는 가역행렬이다.
   한편, A를 가역행렬이라 가정하자. 4절에서 A가 단위행렬과 행 동치임을 보였다. 그러므로 정리 21에 의하여

$$I = E_k E_{k-1} \cdots E_2 E_1 A$$

인 기본행렬 $E_1, E_2, \cdots, E_k$가 존재한다. 결론적으로,

$$A = E_1^{-1} \cdots E_k^{-1} I$$

이다. $E_1^{-1}, \cdots, E_k^{-1}, I$ 모두 기본행렬이므로, A는 기본행렬들의 곱으로 표시된다.

LU 분해

한 행렬의 LU 분해를 하는 것이 왜 필요한가 하는 많은 이유가 있다. 예를 들어, A를 $m \times n$ 행렬이라 하고, $\mathbf{b}_i (1 \le i \le k)$를 연립일차방정식 $A\mathbf{x} = \mathbf{b}_i$에 대한 출력을 의미하는 $\mathbb{R}^n$ 상의 벡터라 하자. k개의 연립일차방정식을 풀어서 입력 벡터 x_i를 찾고자 한다. 하지만 각 연립일차방정식에 대해서 행렬 A가 동일하므로, 만약 A를 그 LU 분해로 바꾼다면 그 과정은 대단히 간단하다. LU 분해를 이용하여 연립일차방정식을 푸는 구체적인 방법은 이 절의 후반

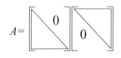

그림 1

부에 소개한다. 만약 A가 $A = LU$인 LU 분해를 갖는 $n \times n$ 행렬이면 L과 U 역시 $n \times n$ 행렬이다. 그림 1을 참조하기 바란다.

5절의 정리 13에 의하여 A의 행렬식은

$$\det(A) = (\ell_{11} \cdots \ell_{nn})(u_{11} \cdots u_{nn})$$

이다. 여기서 ℓ_{ii}과 u_{ii}는 각각 L과 U의 대각성분이다. 만약 이 행렬식이 0이 아니면 4절의 정리 9에 의하여, 행렬 A의 역행렬은

$$A^{-1} = (LU)^{-1} = U^{-1}L^{-1}$$

이다. $m \times n$ 행렬 A의 LU 분해를 얻기 위한 과정을 설명하기 위하여, 하부삼각꼴 기본행렬에 대응되는 연속적인 행 연산들의 수열에 의해 A를 상부삼각꼴행렬로 바꿀 수 있다고 가정하자. 즉,

$$L_k L_{k-1} \cdots L_1 A = U$$

인 하부삼각꼴 기본행렬 $L_1, L_2, \cdots, L_k$ 가 존재한다. 각 행렬 $L_i (1 \le i \le k)$는 가역이므로,

$$A = L_1^{-1} L_2^{-1} \cdots L_k^{-1} U$$

이다. 그리고 정리 20에 의하여 $L_1^{-1}, L_2^{-1}, \cdots, L_k^{-1}$은 기본행렬이다. 또한 그들은 하부삼각꼴행렬이다. 이제 $L = L_1^{-1} L_2^{-1} \cdots L_k^{-1}$이라 하자. L이 하부삼각꼴행렬들의 곱으로써 하부삼각꼴인 점을 주목하면, 원하는 분해는 $A = LU$이다.

예제 2

행렬

$$A = \begin{bmatrix} 3 & 6 & -3 \\ 6 & 15 & -5 \\ -1 & -2 & 6 \end{bmatrix}$$

의 LU 분해를 구하라.

풀이 A를 행 연산 $\mathcal{R}_1: \frac{1}{3}R_1 \longrightarrow R_1$, $\mathcal{R}_2: -6R_1 + R_2 \longrightarrow R_2$, $\mathcal{R}_3: R_1 + R_3 \longrightarrow R_3$ 에 의하여 상부삼각꼴행렬로 행 변환할 수 있는 점에 주목하자. 이 행 연산 각각에 대응되는 기본행렬은

$$E_1 = \begin{bmatrix} \frac{1}{3} & 0 & 0 \\ 0 & 1 & 0 \\ 0 & 0 & 1 \end{bmatrix} \quad E_2 = \begin{bmatrix} 1 & 0 & 0 \\ -6 & 1 & 0 \\ 0 & 0 & 1 \end{bmatrix} \quad E_3 = \begin{bmatrix} 1 & 0 & 0 \\ 0 & 1 & 0 \\ 1 & 0 & 1 \end{bmatrix}$$

이고,

$$E_3 E_2 E_1 A = \begin{bmatrix} 1 & 0 & 0 \\ 0 & 1 & 0 \\ 1 & 0 & 1 \end{bmatrix} \begin{bmatrix} 1 & 0 & 0 \\ -6 & 1 & 0 \\ 0 & 0 & 1 \end{bmatrix} \begin{bmatrix} \frac{1}{3} & 0 & 0 \\ 0 & 1 & 0 \\ 0 & 0 & 1 \end{bmatrix} \begin{bmatrix} 3 & 6 & -3 \\ 6 & 15 & -5 \\ -1 & -2 & 6 \end{bmatrix}$$

$$= \begin{bmatrix} 1 & 2 & -1 \\ 0 & 3 & 1 \\ 0 & 0 & 5 \end{bmatrix} = U$$

이다. 따라서 A의 LU 분해는 $A = \left(E_1^{-1} E_2^{-1} E_3^{-1} \right) U$ 이므로

$$\begin{bmatrix} 3 & 6 & -3 \\ 6 & 15 & -5 \\ -1 & -2 & 6 \end{bmatrix} = \begin{bmatrix} 3 & 0 & 0 \\ 6 & 1 & 0 \\ -1 & 0 & 1 \end{bmatrix} \begin{bmatrix} 1 & 2 & -1 \\ 0 & 3 & 1 \\ 0 & 0 & 5 \end{bmatrix}$$

이다.   ■

위의 예제 2에서 살펴본 바와 같이, 이 전개과정을 성공적으로 이용하기 위해서는 행렬 A가 한계점을 가지고 있다는 것을 알아야 한다. 특히, A는 임의의 행을 서로 교환하지 않고 상부삼각꼴로 바꾸어야 한다. 이것은 소거 절차에 사용된 기본행렬 모두가 하부삼각꼴이므로 확실할 것이다.

정리 23

$m \times n$ 행렬 A를, $m \times m$ 하부삼각꼴행렬 $L_1, L_2, \cdots, L_k$에 의하여 행을 서로 교환하지 않고, 상부삼각꼴행렬 U로 변환할 수 있는 행렬이라 하자. 만약 $L = L_1^{-1} L_2^{-1} \cdots L_k^{-1}$ 이면 A는 LU 분해 $A = LU$를 갖는다.

행을 서로 교환하지 않고는 상부삼각꼴로 변환할 수 없는 행렬의 간단한 예는 $P = \begin{bmatrix} 0 & 1 \\ 1 & 0 \end{bmatrix}$ 이다. 이 행렬은 LU 분해를 갖지 않는다(문제 29를 보아라).

정리 23에서 언급한 것처럼 A가 정사각행렬일 필요가 없는 것은 다음 예제 3에서 보인다.

예제 3

행렬

$$A = \begin{bmatrix} 1 & -3 & -2 & 0 \\ 1 & -2 & 1 & -1 \\ 2 & -4 & 3 & 2 \end{bmatrix}$$

의 *LU* 분해를 구하라.

풀이 기본행렬

$$E_1 = \begin{bmatrix} 1 & 0 & 0 \\ -1 & 1 & 0 \\ 0 & 0 & 1 \end{bmatrix} \quad E_2 = \begin{bmatrix} 1 & 0 & 0 \\ 0 & 1 & 0 \\ -2 & 0 & 1 \end{bmatrix} \quad E_3 = \begin{bmatrix} 1 & 0 & 0 \\ 0 & 1 & 0 \\ 1 & -2 & 1 \end{bmatrix}$$

을 사용하여 *A*를 상부삼각꼴행렬

$$U = \begin{bmatrix} 1 & -3 & -2 & 0 \\ 0 & 1 & 3 & -1 \\ 0 & 0 & 1 & 4 \end{bmatrix}$$

로 변형할 수 있으므로,

$$A = (E_1^{-1} E_2^{-1} E_3^{-1})\, U$$

$$= \left(\begin{bmatrix} 1 & 0 & 0 \\ 1 & 1 & 0 \\ 0 & 0 & 1 \end{bmatrix} \begin{bmatrix} 1 & 0 & 0 \\ 0 & 1 & 0 \\ 2 & 0 & 1 \end{bmatrix} \begin{bmatrix} 1 & 0 & 0 \\ 0 & 1 & 0 \\ 0 & 2 & 1 \end{bmatrix} \right) \begin{bmatrix} 1 & -3 & -2 & 0 \\ 0 & 1 & 3 & -1 \\ 0 & 0 & 1 & 4 \end{bmatrix}$$

$$= \begin{bmatrix} 1 & 0 & 0 \\ 1 & 1 & 0 \\ 2 & 2 & 1 \end{bmatrix} \begin{bmatrix} 1 & -3 & -2 & 0 \\ 0 & 1 & 3 & -1 \\ 0 & 0 & 1 & 4 \end{bmatrix} = LU$$

이다. ■

LU 분해를 사용한 연립일차방정식의 해법

이제 *LU* 분해를 사용하여 연립일차방정식의 해를 구하는 과정을 살펴 보자. 이 절차를 설명

하기 위해 연립일차방정식 $A\mathbf{x} = \mathbf{b}$를 생각하자. 여기서 $\mathbf{b} = \begin{bmatrix} 3 \\ 11 \\ 9 \end{bmatrix}$이고 *A*는 예제 2에서 주어진

행렬이다. 예제 2에서 구한 *A*의 *LU* 분해를 사용하면, 연립일차방정식

$$A\mathbf{x} = \begin{bmatrix} 3 & 6 & -3 \\ 6 & 15 & -5 \\ -1 & -2 & 6 \end{bmatrix} \begin{bmatrix} x_1 \\ x_2 \\ x_3 \end{bmatrix} = \begin{bmatrix} 3 \\ 11 \\ 9 \end{bmatrix} = \mathbf{b}$$

는

$$LU\mathbf{x} = \begin{bmatrix} 3 & 0 & 0 \\ 6 & 1 & 0 \\ -1 & 0 & 1 \end{bmatrix} \begin{bmatrix} 1 & 2 & -1 \\ 0 & 3 & 1 \\ 0 & 0 & 5 \end{bmatrix} \begin{bmatrix} x_1 \\ x_2 \\ x_3 \end{bmatrix} = \begin{bmatrix} 3 \\ 11 \\ 9 \end{bmatrix}$$

로 동등하게 쓸 수 있다. 이 방정식의 해를 효과적으로 구하기 위해, 방정식 $U\mathbf{x} = \mathbf{y}$인 벡터

$\mathbf{y} = \begin{bmatrix} y_1 \\ y_2 \\ y_3 \end{bmatrix}$ 을 정의하면,

$$\begin{bmatrix} 1 & 2 & -1 \\ 0 & 3 & 1 \\ 0 & 0 & 5 \end{bmatrix} \begin{bmatrix} x_1 \\ x_2 \\ x_3 \end{bmatrix} = \begin{bmatrix} y_1 \\ y_2 \\ y_3 \end{bmatrix}$$

이다. 이것을 연립일차방정식 $L(U\mathbf{x}) = \mathbf{b}$에 대입하면

$$\begin{bmatrix} 3 & 0 & 0 \\ 6 & 1 & 0 \\ -1 & 0 & 1 \end{bmatrix} \begin{bmatrix} y_1 \\ y_2 \\ y_3 \end{bmatrix} = \begin{bmatrix} 3 \\ 11 \\ 9 \end{bmatrix}$$

이다. 전진대입법을 사용하여 $\mathbf{y}$에 대한 연립일차방정식 $L\mathbf{y} = \mathbf{b}$을 풀면 $y_1 = 1$, $y_2 = 5$, $y_3 = 10$이다. 다음에 연립일차방정식 $U\mathbf{x} = \mathbf{y}$ 즉,

$$\begin{bmatrix} 1 & 2 & -1 \\ 0 & 3 & 1 \\ 0 & 0 & 5 \end{bmatrix} \begin{bmatrix} x_1 \\ x_2 \\ x_3 \end{bmatrix} = \begin{bmatrix} 1 \\ 5 \\ 10 \end{bmatrix}$$

을 역대입법을 사용하여 풀면 $x_3 = 2$, $x_2 = 1$, $x_1 = 1$이다.

다음은 A가 LU 분해되었을 때 연립일차방정식 $A\mathbf{x} = \mathbf{b}$의 해를 구하는 과정을 단계별로 요약한 것이다.

1. 정리 23을 사용하여 연립일차방정식 $A\mathbf{x} = \mathbf{b}$를 $L(U\mathbf{x}) = \mathbf{b}$로 표기한다.
2. 방정식 $U\mathbf{x} = \mathbf{y}$에 의하여 벡터 $\mathbf{y}$를 정의한다.
3. 전진대입법을 사용하여 $\mathbf{y}$에 대한 연립일차방정식 $L\mathbf{y} = \mathbf{b}$를 푼다.
4. 역대입법을 사용하여 $\mathbf{x}$에 대한 연립일차방정식 $U\mathbf{x} = \mathbf{y}$를 푼다. 이 $\mathbf{x}$가 처음 주어진 연립일차방정식의 해이다.

PLU 분해

행렬 A가 행을 서로 교환하지 않고 행 변환할 수 있으면 A는 LU 분해를 가지는 것을 보았다. 행을 서로 교환하여 A를 변환할 필요가 있을 때에도 분해는 아직 가능하다는 것을 지적하면서

이 절을 마치려 한다. 이 경우 행렬 A를 $A = PLU$로 분해할 수 있다. 여기서 P는 치환행렬 (permutation matrix) 즉, 단위행렬의 행을 서로 교환하여 만든 행렬이다. 예를 들어, 행렬

$$A = \begin{bmatrix} 0 & 2 & -2 \\ 1 & 4 & 3 \\ 1 & 2 & 0 \end{bmatrix}$$

는 행 연산 $\mathcal{R}_1: R_1 \leftrightarrow R_3$, $\mathcal{R}_2: -R_1 + R_2 \longrightarrow R_2$, $\mathcal{R}_3: -R_2 + R_3 \longrightarrow R_3$ 에 의하여

$$U = \begin{bmatrix} 1 & 2 & 0 \\ 0 & 2 & 3 \\ 0 & 0 & -5 \end{bmatrix}$$

로 변형된다. 이 행 연산에 대응되는 기본행렬은

$$E_1 = \begin{bmatrix} 0 & 0 & 1 \\ 0 & 1 & 0 \\ 1 & 0 & 0 \end{bmatrix} \quad E_2 = \begin{bmatrix} 1 & 0 & 0 \\ -1 & 1 & 0 \\ 0 & 0 & 1 \end{bmatrix} \quad E_3 = \begin{bmatrix} 1 & 0 & 0 \\ 0 & 1 & 0 \\ 0 & -1 & 1 \end{bmatrix}$$

이다. 기본행렬 E_1은 치환행렬이고, E_2와 E_3은 하부삼각꼴이다. 그러므로

$$\begin{aligned} A &= E_1^{-1} \left(E_2^{-1} E_3^{-1} \right) U \\ &= \begin{bmatrix} 0 & 0 & 1 \\ 0 & 1 & 0 \\ 1 & 0 & 0 \end{bmatrix} \begin{bmatrix} 1 & 0 & 0 \\ 1 & 1 & 0 \\ 0 & 1 & 1 \end{bmatrix} \begin{bmatrix} 1 & 2 & 0 \\ 0 & 2 & 3 \\ 0 & 0 & -5 \end{bmatrix} \\ &= PLU \end{aligned}$$

이다.

핵심 요약

1. 행렬 A에서의 행 연산은 A에 기본행렬을 곱하여 실행할 수 있다.
2. 기본행렬은 가역이고, 그 역행렬 역시 기본행렬이다.
3. $n \times n$ 행렬 A가 가역일 필요충분조건은 A가 기본행렬들의 곱으로 표시되는 것이다.
4. $m \times n$ 행렬 A를 행을 서로 교환하지 않고 상부삼각꼴행렬로 변형할 수 있으면 A는 LU 분해를 가진다.
5. $A = LU$이면 L은 가역이다.
6. A의 LU 분해는 연립일차방정식 $A\mathbf{x} = \mathbf{b}$를 풀기 위한 하나의 효과적인 방법을 제공한다.

연습문제 1.7

연습문제 1–4에서 다음 물음에 답하라.

a. 주어진 행 연산을 수행하는 3×3 기본행렬 E 를 구하라.

b. 행렬

$$A = \begin{bmatrix} 1 & 2 & 1 \\ 3 & 1 & 2 \\ 1 & 1 & -4 \end{bmatrix}$$

에 대하여 EA를 구하라.

1. $2R_1 + R_2 \longrightarrow R_2$

2. $R_1 \leftrightarrow R_2$

3. $-3R_2 + R_3 \longrightarrow R_3$

4. $-R_1 + R_3 \longrightarrow R_3$

연습문제 5–10에서 다음 물음에 답하라.

a. A를 단위행렬로 변형시키는 기본행렬들을 구하라.

b. A를 기본행렬들의 곱으로 표시하여라.

5. $A = \begin{bmatrix} 1 & 3 \\ -2 & 4 \end{bmatrix}$

6. $A = \begin{bmatrix} -2 & 5 \\ 2 & 5 \end{bmatrix}$

7. $A = \begin{bmatrix} 1 & 2 & -1 \\ 2 & 5 & 3 \\ 1 & 2 & 0 \end{bmatrix}$

8. $A = \begin{bmatrix} -1 & 1 & 1 \\ 3 & 1 & 0 \\ -2 & 1 & 1 \end{bmatrix}$

9. $A = \begin{bmatrix} 0 & 1 & 1 \\ 1 & 2 & 3 \\ 0 & 1 & 0 \end{bmatrix}$

10. $A = \begin{bmatrix} 0 & 0 & 0 & 1 \\ 0 & 0 & 1 & 0 \\ 0 & 1 & 0 & 0 \\ 1 & 0 & 0 & 0 \end{bmatrix}$

연습문제 11–16에서 주어진 행렬 A의 LU 분해를 구하라.

11. $A = \begin{bmatrix} 1 & -2 \\ -3 & 7 \end{bmatrix}$

12. $A = \begin{bmatrix} 3 & 9 \\ \frac{1}{2} & 1 \end{bmatrix}$

13. $A = \begin{bmatrix} 1 & 2 & 1 \\ 2 & 5 & 5 \\ -3 & -6 & -2 \end{bmatrix}$

14. $A = \begin{bmatrix} 1 & 1 & 1 \\ -1 & 0 & -4 \\ 2 & 2 & 3 \end{bmatrix}$

15. $A = \begin{bmatrix} 1 & \frac{1}{2} & -3 \\ 1 & \frac{3}{2} & 1 \\ -1 & -1 & 4 \end{bmatrix}$

16. $A = \begin{bmatrix} 1 & -2 & 1 & 3 \\ -2 & 5 & -3 & -7 \\ 1 & -2 & 2 & 8 \\ 3 & -6 & 3 & 10 \end{bmatrix}$

LU 분해를 사용하여 연습문제 17–22에 주어진 연립일차방정식의 해를 구하라.

17. $\begin{cases} -2x + y = -1 \\ 4x - y = 5 \end{cases}$

18. $\begin{cases} 3x - 2y = 2 \\ -6x + 5y = -\frac{7}{2} \end{cases}$

19. $\begin{cases} x + 4y - 3z = 0 \\ -x - 3y + 5z = -3 \\ 2x + 8y - 5z = 1 \end{cases}$

20. $\begin{cases} x - 2y + z = -1 \\ 2x - 3y + 6z = 8 \\ -2x + 4y - z = 4 \end{cases}$

21. $\begin{cases} x - 2y + 3z + w = 5 \\ x - y + 5z + 3w = 6 \\ 2x - 4y + 7z + 3w = 14 \\ -x + y - 5z - 2w = -8 \end{cases}$

22. $\begin{cases} x + 2y + 2z - w = 5 \\ y + z - w = -2 \\ -x - 2y - z + 4w = 1 \\ 2x + 2y + 2z + 2w = 1 \end{cases}$

연습문제 23과 24에 주어진 행렬 A의 PLU 분해를 구하라.

23. $A = \begin{bmatrix} 0 & 1 & -1 \\ 2 & -1 & 0 \\ 1 & -3 & 2 \end{bmatrix}$

24. $A = \begin{bmatrix} 0 & 0 & 1 \\ 2 & 1 & 1 \\ 1 & 0 & -3 \end{bmatrix}$

LU 분해를 사용하여 연습문제 25–28에 주어진 행렬 A의 역행렬을 구하라.

25. $A = \begin{bmatrix} 1 & 4 \\ -3 & -11 \end{bmatrix}$

26. $A = \begin{bmatrix} 1 & 7 \\ 2 & 20 \end{bmatrix}$

27. $A = \begin{bmatrix} 2 & 1 & -1 \\ 2 & 2 & -2 \\ 2 & 2 & 1 \end{bmatrix}$

28. $A = \begin{bmatrix} -3 & 2 & 1 \\ 3 & -1 & 1 \\ -3 & 1 & 0 \end{bmatrix}$

29. 행렬 $A = \begin{bmatrix} 0 & 1 \\ 1 & 0 \end{bmatrix}$ 은 LU 분해를 갖지 않음을 직접 보여라.

30. A, B, C를 $m \times n$ 행렬이라 하자. A는 B와 행 동치이고, B는 C와 행 동치이면, A는 C와 행 동치임을 보여라.

31. A와 B가 $n \times n$ 가역행렬이면 A와 B는 행 동치임을 보여라.

32. $n \times n$ 행렬 A가 LU 분해를 가질 때 즉, $A = LU$일 때, 다음 물음에 답하여라.
  a. L의 대각성분은 무엇인가?
  b. L과 U의 성분으로 $\det(A)$를 표시하여라.
  c. 단지 연산만 사용하여 A가 U로 행 변환될 수 있다는 것을 보여라.

1.8 연립일차방정식의 응용

이 장을 처음 시작할 때, 광합성 과정을 연립일차방정식과 연결지어 설명함으로써 연립일차방정식을 소개하였다. 이 절에서는 여러가지 다양한 문제를 모델화 하기 위하여 연립일차방정식을 이용할 수 있는지를 보이고, 연립일차방정식의 응용의 범위를 확대하고자 한다.

안정된 화학방정식

이 장의 서론으로부터 "화학방정식이 안정되었다는 것은 이 방정식의 양쪽의 각 원소의 원자가 같은 개수를 가질 때를 뜻한다"는 것임을 상기하자.

화학방정식을 안정시키는데 필요한 분자의 개수를 찾는 것은 연립일차방정식의 해를 구하는 것과 같다.

예제 1

프로판은 요리와 난방에 사용하는 보통 가스이다. 프로판의 각 분자는 세 개의 탄소 원자와 여덟 개의 수소 원자로 이루어져 있으며, C_3H_8로 표시한다. 프로판이 연소될 때, 산소 O_2와 결합하여 이산화탄소 CO_2와 물 H_2O 형태로 된다. 이 과정을 설명하는 화학방정식

$$C_3H_8 + O_2 \longrightarrow CO_2 + H_2O$$

를 안정화 시키고, 이 과정을 묘사하여라.

풀이 방정식

$$x_1 C_3H_8 + x_2 O_2 \longrightarrow x_3 CO_2 + x_4 H_2O$$

를 안정시키는 범자연수 x_1, x_2, x_3, x_4를 찾고자 한다. 이 방정식 양변의 탄소, 수소 그리고 산소 원자의 개수를 방정식으로 나타내면 연립일차방정식

$$\begin{cases} 3x_1 & - x_3 & = 0 \\ 8x_1 & - 2x_4 = 0 \\ 2x_2 - 2x_3 - x_4 = 0 \end{cases}$$

과 같이 된다. 이 연립일차방정식을 풀면 그 해집합은

$$S = \left\{ \left(\frac{1}{4}t, \frac{5}{4}t, \frac{3}{4}t, t \right) \,\middle|\, t \in \mathbb{R} \right\}$$

이다. 화학방정식을 안정시키는 범자연수가 필요하므로, $t = 0, 4, 8, \cdots$으로 두면 특수해가 구해진다. 예를 들어, $t = 8$이면 $x_1 = 2$, $x_2 = 10$, $x_3 = 6$, $x_4 = 8$이다. 그리고 이에 대응되는 안정된 화학방정식은

$$2C_3H_8 + 10O_2 \longrightarrow 6CO_2 + 8H_2O$$

이다.

네트워크 흐름

도심지의 교통 흐름을 연구하기 위하여 도시계획가들은 유향그래프(directed graph 또는 digraph)라 부르는 수학적 모형을 사용한다. 그러한 모형에서 가장자리와 점은 각각 차도와 교차점을 표시한다. 화살표는 교통 방향을 표시한다. 교통 네트워크가 균형을 이루기 위하여 각 교차점의 진입량과 출차량이 같다고 가정하고, 이 네크워크에 진입하는 전체 양과 나가는 전체 양 역시 동일

하다고 가정한다.

예제 2

매시간마다 주어진 부분적인 교통 흐름의 정보는, 그림 1에서와 같이 다섯 개의 길로 된 네트워크로 이루어져 있다. 이 네트워크에 대한 흐름 형태를 완성하여라.

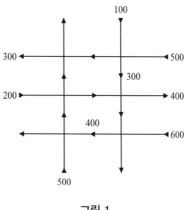

그림 1

풀이 교통 모델을 완성하기 위하여, 그림 2에서와 같이 여덟 개의 알려지지 않은 흐름에 대한 값을 찾는 것이 필요하다.

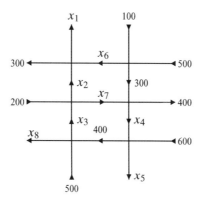

그림 2

교차점에 관한 가정으로부터 일차방정식

$$\begin{cases} x_2 + x_6 &= 30 + x_1 \\ 100 + 500 &= x_6 + 300 \\ 200 + x_3 &= x_2 + x_7 \\ 300 + x_7 &= 400 + x_4 \\ 400 + 500 &= x_3 + x_8 \\ x_4 + 600 &= 400 + x_5 \end{cases}$$

를 구할 수 있다. 더욱이 네트워크에 진입하는 전체 양과 나가는 전체 양의 균형화로부터 방정식

$$500 + 600 + 500 + 200 + 100 = 400 + x_5 + x_8 + 300 + x_1$$

이 얻어진다. 따라서 연립일차방정식

$$\begin{cases} -x_1 + x_2 & + x_6 & = 300 \\ & x_6 & = 300 \\ x_2 - x_3 & + x_7 & = 200 \\ -x_4 & + x_7 & = 100 \\ x_3 & + x_8 & = 900 \\ -x_4 + x_5 & & = 200 \\ x_1 & + x_5 & + x_8 = 1200 \end{cases}$$

을 구할 수 있다. 이 연립일차방정식의 해는

$$x_1 = 1100 - s - t \qquad x_2 = 1100 - s - t \qquad x_3 = 900 - t \qquad x_4 = -100 + s$$
$$x_5 = 100 + s \qquad x_6 = 300 \qquad x_7 = s \qquad x_8 = t$$

이다. 여기서 x_7과 x_8은 자유변수이다. 하지만 특수해를 구하기 위하여 이 연립일차방정식에서 각 변수 x_i 가 양수가 되도록 s와 t의 값을 택해야 한다. 그렇지 않으면 자동차는 역방향으로 가게 될 것이다. 예를 들어, $s = 400$이고 $t = 300$이면 예상 가능한 해를 구할 수 있다.

영양학

건강 식단을 설계하는 것은 적절한 양을 고려하여 어떤 영양학적인 요구를 만족시키는 여러 식품 그룹들로 부터 식품들을 선택하는 것이다.

예제 3

표 1은 네 가지 다른 식품 1그램(g) 각각에 포함된 비타민 A와 비타민 C 그리고 칼슘의 양(단위는 밀리그램(mg))을 나타낸다. 예를 들어 1그램의 식품 1에는 비타민 A가 10mg, 비타민 C가 50mg, 그리고 칼슘 60mg이 함유되어 있다. 영양학자는 200mg의 비타민 A, 250mg의 비타민 C, 300mg의 칼슘을 공급할 수 있는 한 끼분의 식사를 준비한다고 가정하자. 각 식품을 얼마만큼씩 사용하여야 하는가?

표 1

	식품 1	식품 2	식품 3	식품 4
비타민 A	10	30	20	10
비타민 C	50	30	25	10
칼 슘	60	20	40	25

풀이 x_1, x_2, x_3, x_4를 각각 식품 1, 2, 3, 4의 양이라 하자. 영양학자가 원하는 각 식품의 양은 연립일차방정식

$$\begin{cases} 10x_1 + 30x_2 + 20x_3 + 10x_4 = 200 \\ 50x_1 + 30x_2 + 25x_3 + 10x_4 = 250 \\ 60x_1 + 20x_2 + 40x_3 + 25x_4 = 300 \end{cases}$$

을 풀어서 구할 수 있다. 소숫점 둘째 자리까지 자르면, 연립일차방정식의 해는

$$x_1 = 0.63 + 0.11t \qquad x_2 = 3.13 + 0.24t$$
$$x_3 = 5 - 0.92t \qquad x_4 = t$$

이다. 그 값은 모두 음이 아니어야 한다. 그러므로 특수해는 t의 값이 음이 안되도록

$$0 \leq 5 - 0.92t$$

인 값을 택하여 구할 수 있다. 따라서 t는

$$t \leq \frac{5}{0.92} \approx 5.4$$

인 값이다. ■

경제 투입–산출 모형

경제 모형을 구성하는 것은 연립일차방정식의 또 다른 형태의 응용이다. 실제 경제에는 무수히 많은 상품과 서비스가 있다. 경제의 특수 영역에 초점을 맞추면, Leontief 투입-산출모형은 간단하지만 유용한 실제 경제 모형을 설명한다. 예를 들어 산출이 서비스, 원자재, 완제품 등인 경제를 생각하자. 표 2에 단위 산출당 필요한 투입이 주어져 있다.

표 2

	서비스	원자재	완제품
서비스	0.04	0.05	0.02
원자재	0.03	0.04	0.04
완제품	0.02	0.3	0.2

여기서는 \$1.00 값어치의 서비스를 창출하기 위하여 서비스 영역은 \$0.04 값어치의 서비스, \$0.05 값어치의 원자재, \$0.02 값어치의 완제품을 필요로 한다. 표 2에 주어진 자료는 행렬

$$A = \begin{bmatrix} 0.04 & 0.05 & 0.02 \\ 0.03 & 0.04 & 0.04 \\ 0.02 & 0.3 & 0.2 \end{bmatrix}$$

로 표시할 수 있다. 이 행렬을 투입–산출행렬(input-output matrix)라 부른다. 수요벡터 **D**는 수십 억달러에 달하는 세 영역의 총 수요이고, 생산벡터 **x** 역시 수십억 달러에 달하는 각 영역에 대한 생산수준 정보를 포함한다. **A**x의 각 성분은 대응된 영역에서 사용되어진 생산수준을 표시하며, 내부수요라 부른다.

예를 들어, 생산벡터를

$$\mathbf{x} = \begin{bmatrix} 200 \\ 100 \\ 150 \end{bmatrix}$$

이라 하면, 내부수요는

$$A\mathbf{x} = \begin{bmatrix} 0.04 & 0.05 & 0.02 \\ 0.03 & 0.04 & 0.04 \\ 0.02 & 0.3 & 0.2 \end{bmatrix} \begin{bmatrix} 200 \\ 100 \\ 150 \end{bmatrix} = \begin{bmatrix} 16 \\ 16 \\ 64 \end{bmatrix}$$

이다. 이 결과는 서비스 영역을 창출하는데는 $160억불의 서비스와 $160억불의 원자재와 $640 억불의 완제품을 필요로 한다는 것을 의미한다. 외부수요는 $1,840억의 서비스와 $840억의 원자재 그리고 $860억의 완제품을 초과할 수 없다는 것을 의미한다.

위와 다른 면으로서, 외부수요 **D**가 주어질 때, 각 영역에 대한 생산수준을 찾기를 원한다면 내부수요와 외부수요가 만나는 곳이다. 따라서 경제의 균형을 잡기 위하여 **x**는

$$\mathbf{x} - A\mathbf{x} = \mathbf{D}$$

즉,

$$(I - A)\mathbf{x} = \mathbf{D}$$

를 만족해야 한다. *I–A*가 가역이면

$$\mathbf{x} = (I - A)^{-1}\mathbf{D}$$

이다.

예제 4

표 2에서 묘사된 경제에서 서비스와 원자재 그리고 완제품에 대한 외부수요가

$$\mathbf{D} = \begin{bmatrix} 300 \\ 500 \\ 600 \end{bmatrix}$$

이라 가정하면, 경제가 균형을 이루는 생산수준을 구하라.

풀이 위에서 논의된 내용으로부터 생산벡터 **x**는

$$(I - A)\mathbf{x} = \mathbf{D}$$

를 만족해야 한다. 즉,

$$\begin{bmatrix} 0.96 & -0.05 & -0.02 \\ -0.03 & 0.96 & -0.04 \\ -0.02 & -0.3 & 0.8 \end{bmatrix} \begin{bmatrix} x_1 \\ x_2 \\ x_3 \end{bmatrix} = \begin{bmatrix} 300 \\ 500 \\ 600 \end{bmatrix}$$

이다. 왼쪽의 행렬은 가역이므로, 생산벡터 **x**는 양변에 역행렬을 곱하여 구할 수 있다. 따라서

$$\begin{bmatrix} x_1 \\ x_2 \\ x_3 \end{bmatrix} = \begin{bmatrix} 1.04 & 0.06 & 0.03 \\ 0.03 & 1.06 & 0.05 \\ 0.04 & 0.4 & 1.27 \end{bmatrix} \begin{bmatrix} 300 \\ 500 \\ 600 \end{bmatrix}$$

$$\approx \begin{bmatrix} 360 \\ 569 \\ 974 \end{bmatrix}$$

이다. 그러므로 서비스 영역은 대략 \$3,600억 값어치의 서비스를 생산해야 하고, 원자재 영역은 대략 \$5,690억 값어치의 원자재를 생산해야 하며, 그리고 완제품 영역은 대략 \$9,740억 값어치의 완제품을 생산해야 한다. ◼

연습문제 1.8

연습문제 1–4에서, 가능한한 가장 작은 양의 정수를 사용하여 화학방정식을 안정시켜라.

1. 열을 가할 때, 알루미늄에 구리 산화물을 반응시키면, 화학방정식

$$\mathrm{Al}_3 + \mathrm{CuO} \longrightarrow \mathrm{Al}_2\mathrm{O}_3 + \mathrm{Cu}$$

에 따라서, 구리와 알루미늄 산화물이 만들어지기 위하여 알루미늄과 산화구리가 반응한다. 위의 화학방정식을 안정화하여라.

2. 티오황산나트륨 용액을 갈색 요오드 용액에 섞으면, 화학방정식

$$\mathrm{I}_2 + \mathrm{Na}_2\mathrm{S}_2\mathrm{O}_3 \longrightarrow \mathrm{NaI} + \mathrm{Na}_2\mathrm{S}_4\mathrm{O}_6$$

에 따라서, 요오드가 무색의 요오드화나트륨으로 화학변화하여, 혼합물은 무색이 된다. 위의 화학방정식을 안정화하여라.

3. Alka-Seltzer(독일의 Seltzer 지방의 광천수)와 같은 감기 치료약은 중탄산나트륨(중조)과 구연산 용액이 반응하는 것을 이용하여 거품(탄산이산화물가스)를 만든다. 화학방정식

$$\mathrm{NaHCO}_3 + \mathrm{C}_6\mathrm{H}_8\mathrm{O}_7 \longrightarrow$$
$$\mathrm{Na}_3\mathrm{C}_6\mathrm{H}_5\mathrm{O}_7 + \mathrm{H}_2\mathrm{O} + \mathrm{CO}_2$$

에 따라, 이 반응은 구연산 나트륨, 물, 그리고 탄산가스를 만든다. 위의 화학방정식을 안정화하여라. 100mg의 중탄산나트륨(중조)에

대하여, 구연산을 얼마나 사용해야 하는가? 얼마나 많은 탄산가스가 만들어지는가?

4. 화학방정식

$$MnS + As_2Cr_{10}O_{35} + H_2SO_4 \longrightarrow$$
$$HMnO_4 + AsH_3 + CrS_3O_{12} + H_2O$$

를 안정화하여라.

5. 다음 그림에서 주어진 네트워크에 대한 교통 흐름 형태를 찾아라. 흐름 비율은 시간당 지나가는 자동차 수이다. 흐름 비율을 구하라. 그리고 하나의 특수해를 구하라.

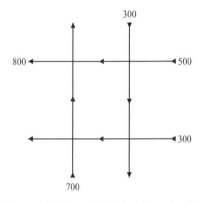

6. 다음 그림에서 주어진 네트워크에 대한 교통 흐름 형태를 찾아라. 흐름 비율은 시간당 지나가는 자동차 수이다. 하나의 특수해를 구하라.

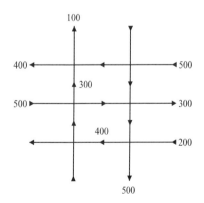

7. 다음 그림에서 주어진 네트워크에 대한 교통 흐름 형태를 찾아라. 흐름 비율은 30분당 지나가는 자동차 수이다. x_5번 도로의 현재 상태는 어떤가?

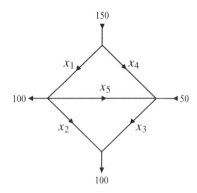

8. 다음 그림에서 주어진 네트워크에 대한 교통 흐름 형태를 찾아라. 흐름 비율은 30분당 지나가는 자동차 수이다. x_8에 대한 가능한 가장 작은 값은 무엇인가?

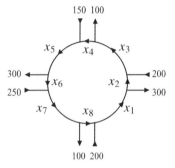

9. 아래 표는 네 개의 다른 식품 1g에 들어 있는 비타민 A, 비타민 B, 비타민 C, 그리고 니아신의 양(단위는 mg)을 나열한 것이다. 한 영양사가 250mg의 비타민 A, 300mg의 비타민 B, 400mg의 비타민 C, 그리고 700mg의 니아신을 공급할 수 있는 한끼 식사를 준비하기 원한다. 각각의 식품을 몇 그램씩 포함시켜야 하는지 결정하여라. 그리고 사용할 수 있는 각 식품의 분량의 한계를 설명하라.

	식품 1	식품 2	식품 3	식품 4
비타민 A	20	30	40	10
비타민 B	40	20	35	20
비타민 C	50	40	10	30
니아신	5	5	10	5

10. 아래 표는 세가지 음식물 한 그릇에 들어있는 화학나트륨, 칼륨, 탄수화물, 섬유질의 양을 나열한 것이다. 또한 2000-칼로리식에 근거한 일일 권장량도 나열했다. 일일 권장량을 충족시키는 세 가지 음식물을 사용해서 한끼 식사를 준비하는 것이 가능한가?

	식품 1	식품 2	식품 3	일일권장량
화학나트륨(mg)	200	400	300	2,400
칼슘(mg)	300	500	400	3,500
탄수화물(mg)	40	50	20	300
섬유질(mg)	5	3	2	25

11. 경제는 아래 표에서 표시된 것처럼 세 영역으로 나뉘어진다. 각 성분은 1단위 생산물을 제작하기 위해 그 영역에 필요한 단위 수를 표시한 것이다.

	서비스	원자재	완제품
서비스	0.02	0.04	0.05
원자재	0.03	0.02	0.04
완제품	0.03	0.3	0.1

a. 위 경제에 대한 투입-산출행렬 A를 구하라.

b. 만약 경제의 세 영역의 생산수준(단위는 10억)이 각각 300, 150, 200이면, 그 경제에 대한 내부수요벡터를 구하라. 세 영역을 충족시키는 총 외부수요는 얼마인가?

c. 행렬 $I-A$의 역행렬을 구하라.

d. 세 영역에 대한 외부수요가 각각 350, 400, 600이면, 경제가 균형을 이룰 수 있는 생산수준을 결정하여라.

12. 일반적으로 경제는 수많은 영역을 가지는 아주 복잡한 것이다. 투입-산출행렬 A는 서로 다른 산업과 서비스를 10개의 영역으로 분리하여 모은 것에 기반을 두고 있다. 만약 이들 영역에 대한 외부수요가 벡터 **D**로 주어져 있을 때, 경제가 균형을 이룰 수 있는 생산수준을 결정하여라.

$$A = \begin{bmatrix} 0.041 & 0.032 & 0.018 & 0.041 & 0.009 & 0.002 & 0.039 & 0.048 & 0.04 & 0.021 \\ 0.023 & 0.037 & 0.046 & 0.011 & 0.004 & 0.024 & 0.041 & 0.006 & 0.004 & 0.007 \\ 0.018 & 0.03 & 0.039 & 0.05 & 0.038 & 0.011 & 0.049 & 0.001 & 0.028 & 0.047 \\ 0.034 & 0.005 & 0.034 & 0.039 & 0.023 & 0.007 & 0.009 & 0.023 & 0.05 & 0.006 \\ 0.022 & 0.019 & 0.021 & 0.009 & 0.007 & 0.035 & 0.044 & 0.023 & 0.019 & 0.019 \\ 0.044 & 0.005 & 0.02 & 0.006 & 0.013 & 0.005 & 0.032 & 0.016 & 0.047 & 0.02 \\ 0.018 & 0.001 & 0.049 & 0.011 & 0.043 & 0.003 & 0.024 & 0.047 & 0.027 & 0.042 \\ 0.026 & 0.004 & 0.03 & 0.015 & 0.044 & 0.021 & 0.01 & 0.004 & 0.011 & 0.044 \\ 0.01 & 0.011 & 0.039 & 0.025 & 0.005 & 0.029 & 0.024 & 0.023 & 0.021 & 0.042 \\ 0.048 & 0.03 & 0.019 & 0.045 & 0.044 & 0.033 & 0.014 & 0.03 & 0.042 & 0.05 \end{bmatrix} \quad D = \begin{bmatrix} 45 \\ 10 \\ 11 \\ 17 \\ 48 \\ 32 \\ 42 \\ 21 \\ 34 \\ 40 \end{bmatrix}$$

13. 아래 표는 국민건강관리에 대한 추정치를 포함하고 있다.

년도	달러(단위: 10 억)
1965	30
1970	80
1975	120
1980	250
1985	400
1990	690

a. 자료의 분산된 도면을 만들어라.

b. 1970년, 1980년, 그리고 1990년의 자료를 사용하여, 자료에 근사한 포물선을 구하는 데 사용할 수 있는 연립일차방정식을 구하라.

c. **b**에서 구한 연립일차방정식을 풀어라.

d. 자료점을 지나는 포물선의 개형을 그려라.

e. **c**에서 구한 모형을 사용하여, 2010년에 소

비될 국민건강관리에 대한 추정량을 예측
하여라.

14. 1985년부터 2002년까지 전 세계의 휴대전화
가입자 수가 다음 표에 주어져 있다. 1985년,
1990년, 2000년 자료를 사용하여 그 자료점
을 지나는 포물선의 방정식을 구하라. 이차
함수를 사용하여 2010년에 예상되는 휴대전
화 가입자 수를 예측하여라.

년도	휴대전화 가입자(단위: 백만명)
1985	1
1990	11
2000	741
2001	955
2002	1,155

연습문제 15-18에서, 행렬의 멱(power)을 이용하
여 주어진 문제의 해를 구하라. 즉, 행렬 A에 대
하여 n번 멱은

$$A^n = \underbrace{A \cdot A \cdot A \cdots A}_{n \, 회}$$

를 뜻한다.

15. 인구 통계학자들은 한 지역에서 다른 지역으
로 인구의 이동이 단체로 이주하는 것에 관
심을 가진다. 매년 한 도시의 시민의 90%가
남아 있고 10%가 도시 근교로 이주하며, 도
시 근교 주민의 92%는 그대로 남아 있고
8%는 도시로 이주한다고 가정하자.

a. 도시에서 도시로(도시에 남아있는), 도시에
서 근교로, 근교에서 근교로(근교에 남아
있는), 근교에서 도시로 이동하는 인구의
백분율(%)을 설명하는 2×2 추이행렬을
써라.

b. 2002년도에 도시의 인구는 1,500,000명이
었고, 근교의 인구는 600,000명이었다고
하면, 2003년도의 도시 인구와 근교 인구

로 된 2×1 벡터를 행렬의 곱을 써서 나타
내어라. 그리고 곱셈을 하여 그 인구 수를
구하라.

c. 2002년도에 도시의 인구는 1,500,000명이
었고, 근교의 인구는 600,000명이었다고
하면, 2004년도의 도시 인구와 근교 인구
로 된 2×1 벡터를 행렬의 곱을 써서 나타
내어라. 그리고 곱셈을 하여 그 인구 수를
구하라.

d. 2002년 이후의 임의의 년도의 도시와 근교
의 인구 수에 대해 위 문제 **a**에서 구한 행
렬의 멱으로 행렬의 곱을 표시하여라.

16. 질병의 전염을 연구하기 위하여, 의학 연구자
는 1,000마리의 실험쥐로 구성된 모집단에서
200마리를 감염시켰다. 연구자는 감염된 쥐
의 80%가 일주일내에 회복될 것이고 건강한
쥐의 20%가 일주일내에 질병에 걸릴 것 같
다고 추정한다.

a. 건강한 쥐가 건강한 쥐로(질병에 걸리지
않고), 건강한 쥐가 질병에 감염된 쥐로,
감염된 쥐가 감염된 쥐로(질병이 낫지 않
고), 감염된 쥐가 건강한 쥐로(회복되었고)
변화된 모집단의 백분율(%)을 설명하는
2×2 행렬을 써라.

b. 일주일 후의 건강한 쥐와 감염된 쥐의 마
릿수를 결정하여라.

c. 이주일 후의 건강한 쥐와 감염된 쥐의 마
릿수를 결정하여라.

d. 6주일 후의 건강한 쥐와 감염된 쥐의 마릿
수를 결정하여라.

17. 50,000명으로 된 모집단에서 비흡연자가 20,000
명이고, 하루에 한갑이하인 흡연자가 20,000
명, 하루에 한갑보다 더 많이 피우는 흡연자
가 10,000명이다. 어느 달에 비흡연자의 단
10%만 하루에 한갑 이하로 담배를 피우는

흡연자가 될 것이고 나머지는 그대로 비흡연자로 남을 것 같으며, 하루에 한갑 이하로 피우는 흡연자의 20%는 담배를 끊을 것이며, 30%는 하루에 한갑보다 더 많이 피워 흡연량이 증가할 것 같고, 하루 한갑보다 더 많이 피우는 흡연자의 30%는 흡연자로 계속 남겠지만 하루 한갑 이하로 줄일 것 같으며, 10%는 갑자기 금연을 하여 담배를 끊을 것 같다. 한 달 후에 모집단의 각 집단은 어떤 분류로 나누어지는가? 두 달 후에 각 집단에는 얼마나 많은 사람이 있는가? 일 년 후에는 각 집단에는 얼마나 많은 사람이 있는가?

18. 어떤 기업가가 새로운 회사를 이제 방금 창업하여 시장에서 이미 설립된 대형회사와 경쟁하려고 한다. 기업가는 광고회사를 고용하여 회사 제품을 시장에 소개하기 위한 캠페인을 전개시켰다. 대대적인 광고는 효과를 거둔 것 같고, 임의의 정해진 달에 소비자의 2%가 전통적인 제품을 새로 개량된 제품으로 바꿔 구입하였으나, 같은 기간에 새 제품을 사용한 고객의 5%는 이전의 입증된 상표로 되돌아갈 것을 결정했다. 이 새 회사가 20%의 고객을 확보하는데 얼마나 오랜 기간이 걸리겠는가?

아래 그림에 전기회로망이 주어져 있다. 전기 회로망에서 전류는 암페어로, 저항은 옴(Ω), 그리고 전류와 저항의 곱은 볼트로 측정되어 있다. 전지는 길이가 다른 두 개의 나란한 선분을 사용하여 표현되고, 전류는 긴 선분으로 표시된 단자를 통해 흘러 나온다. 저항은 톱니모양을 사용하여 나타낸다. 전기회로망을 분석하기 위한 Kirchhoff의 첫 번째 법칙은 검은 점으로 표시된 접합점으로 "흘러 들어가는 모든 전류는 반드시 흘러 나와야 하며", 두 번째 법칙은 "한 폐쇄된 회로(루프)에서 전류 I 와 저항 R 의 곱의 합은 그 폐쇄회로의 총 전압량과 같다"이다. 연습문제 19와 20에 답하여라.

19. a. Kirchhoff의 첫 번째 법칙을 둘 중 하나의 접합점에 적용하여 I_1, I_2, I_3를 포함하는 방정식을 구하라.

b. Kirchhoff의 두 번째 법칙을 두 회로에 적용하여 두 일차방정식을 구하라.

c. 위 문제 **a**와 **b**로부터 주어지는 연립일차방정식을 풀고, 전류 I_1, I_2, I_3을 구하라.

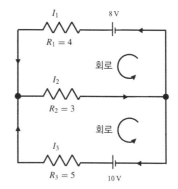

20. a. Kirchhoff의 첫 번째 법칙을 네 접합점에 적용하여 전류를 포함하는 네 개의 방정식을 구하라.

b. Kirchhoff의 두 번째 법칙을 세 회로에 적용하여 세 일차방정식을 써라.

c. 위 문제 **a**와 **b**로 부터 주어지는 연립일차방정식을 풀고, 전류 I_1, I_2, I_3, I_4, I_5, I_6을 구하라.

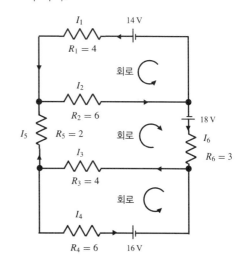

감광판이 열평형에 도달하면 감광판 그리드 점(경계가 아닌)의 온도는 네 그리드 점 가장 가까운 곳의 평균 온도가 된다는 사실을 이용하자. 아래 그림에서 보이는 것처럼 한쪽 경계상에 있는 각 점에서의 온도는 모두 같다. 연습문제 21과 22에 주어진 감광판 내부의 각 그리드 점에서의 온도를 추정하여라.

21.
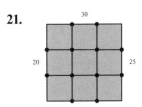

22.
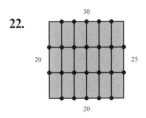

1장 복습문제

1. 연립일차방정식

$$\begin{cases} x + y + 2z + w = 3 \\ -x \quad\quad + z + 2w = 1 \\ 2x + 2y \quad\quad + w = -2 \\ x + y + 2z + 3w = 5 \end{cases}$$

에 대하여 다음 물음에 답하여라.

a. 연립일차방정식의 계수행렬 A를 정의하여라.

b. $\det(A)$를 구하라.

c. 연립일차방정식은 일치인가? 아닌가? 그 이유를 설명하라.

d. $A\mathbf{x} = \mathbf{b}$의 해를 구하라.

e. 행렬 A는 가역인가? 만약 가역이면 그 역행렬을 구하라.

f. 연립일차방정식의 해를 구하라.

2. 연립일차방정식의 첨가행렬이

$$\begin{bmatrix} 1 & -1 & 2 & 1 & a \\ -1 & 3 & 1 & 1 & b \\ 3 & -5 & 5 & 1 & c \\ 2 & -2 & 4 & 2 & d \end{bmatrix}$$

일 때, 다음 물음에 답하여라.

a. 계수행렬의 행렬식이 0인지 어떤지를 대략적으로 점검하여 결정할 수 있는지 설명하라.

b. 모든 a, b, c, d에 대해서 연립일차방정식이 단 하나의 해를 갖는지를 대략적으로 점검하여 결정할 수 있는지 설명하라.

c. 연립일차방정식이 일치가 되도록 a, b, c, d의 값을 정하여라.

d. 연립일차방정식이 불능이 되도록 a, b, c, d의 값을 정하여라.

e. 연립일차방정식이 단 하나의 해를 갖는가? 아니면 무한히 많은 해를 갖는가?

f. $a = 2, b = 1, c = -1, d = 4$일 때, 연립일차방정식의 해집합을 구하라.

3. 다음에 주어진 형태의 멱등행렬을 구하라.

$$\begin{bmatrix} a & b \\ 0 & c \end{bmatrix}$$

4. S를 모든 2×2 행렬들로 된 집합이라 할 때, S의 모든 원소와 곱셈에 대해 교환가능한 모든 행렬

$$\begin{bmatrix} a & b \\ c & d \end{bmatrix}$$

을 구하라.

5. A와 B를 2×2 행렬이라 하자.

  a. $AB - BA$의 모든 대각성분의 합이 0임을 보여라.

  b. M이 모든 대각성분의 합이 0인 2×2 행렬 이면

$$M^2 = cI$$

인 상수 c가 존재함을 보여라.

  c. A, B, C가 2×2 행렬이면, **a**와 **b**를 사용하여

$$(AB - BA)^2 C = C(AB - BA)^2$$

임을 보여라.

6. 아래 그림에서 주어진 네트워크에 대한 교통 흐름 형태를 구하고, 흐름 비율은 시간당 지나가는 자동차의 수이다. 하나의 특수해를 찾아라.

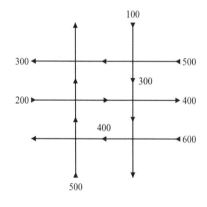

7. a. 행렬

$$A = \begin{bmatrix} 1 & 1 & 1 & 1 & 1 \\ 0 & 1 & 1 & 1 & 1 \\ 0 & 0 & 1 & 1 & 1 \\ 0 & 0 & 0 & 1 & 1 \\ 0 & 0 & 0 & 0 & 1 \end{bmatrix}$$

이 왜 가역인지를 설명하라.

  b. A의 k개의 0 성분을 1로 바꾸어 얻어진 행렬이 가역이 되는 k의 최대값은?

8. A가 가역이면 A^t 역시 가역이고 $(A^t)^{-1} = (A^{-1})^t$ 임을 보여라.

9. $A^t = -A$인 행렬 A를 반대칭이라 한다.

  a. A가 $n \times n$ 행렬이고

$$B = A + A^t, \qquad C = A - A^t$$

이면 B는 대칭이고 C는 반대칭임을 보여라.

  b. 모든 $n \times n$ 행렬은 대칭행렬과 반대칭행렬의 합으로 표시할 수 있음을 보여라.

10. **u**와 **v**를 연립일차방정식 $A\mathbf{x} = \mathbf{b}$의 해라 하자. 만약 스칼라 α와 β가 $\alpha + \beta = 1$이면, $\alpha\mathbf{u} + \beta\mathbf{v}$ 역시 연립일차방정식 $A\mathbf{x} = \mathbf{b}$의 한 해임을 보여라.

1장 시험문제

시험문제 1–45에서 주어진 명제가 참인지 거짓인지를 결정하여라.

1. 2×2 연립일차방정식은 단 하나의 해를 갖거나, 해를 갖지 않거나, 무한히 많은 해를 갖거나 셋 중 하나이다.

2. 3×3 연립일차방정식은 해를 갖지 않거나, 단 하나의 해를 갖거나, 두 개의 해를 갖거나, 세 개의 해를 갖거나, 무한히 많은 해를 갖거나 중 하나이다.

3. A와 B가 모든 성분이 0이 아닌 $n \times n$ 행렬이

면 $AB \neq \mathbf{0}$이다.

4. 동차연립일차방정식은 항상 적어도 하나의 해를 갖는다.

5. A가 $n \times n$ 행렬일 때, $Ax = \mathbf{0}$이 자명하지 않은 해를 가질 필요충분조건은 행렬 A가 역행렬을 가지는 것이다.

6. A와 B가 $n \times n$ 행렬이고 모든 $n \times 1$ 행렬 $\mathbf{x}$에 대하여 $A\mathbf{x} = B\mathbf{x}$이면 $A = B$이다.

7. A, B, C가 가역인 $n \times n$ 행렬이면 $(ABC)^{-1} = A^{-1}B^{-1}C^{-1}$이다.

8. A가 $n \times n$ 가역행렬이면, 연립일차방정식 $A\mathbf{x} = \mathbf{b}$는 단 하나의 해를 갖는다.

9. A와 B가 $n \times n$ 가역행렬이고 $AB = BA$이면, A와 B^{-1}는 곱셈에 관하여 교환가능하다.

10. A와 B가 곱셈에 관하여 교환가능하면, $A^2B = BA^2$이다.

11. 행렬

$$\begin{bmatrix} 1 & -2 & 3 & 1 & 0 \\ 0 & -1 & 4 & 3 & 2 \\ 0 & 0 & 3 & 5 & -2 \\ 0 & 0 & 0 & 0 & 4 \\ 0 & 0 & 0 & 0 & 6 \end{bmatrix}$$

은 역행렬을 갖지 않는다.

12. 행렬의 두 행을 서로 교환하여 얻어진 행렬의 행렬식은 원 행렬의 행렬식과 부호가 반대이다.

13. 행렬의 한 행에 0이 아닌 상수 c를 곱하여 얻어진 행렬의 행렬식은 원 행렬의 행렬식을 c배한 것이다.

14. 행렬의 두 행이 같으면 그 행렬의 행렬식은 0이다.

15. 행렬에 연산 $aR_i + R_j \to R_j$를 시행하여 얻어

진 행렬의 행렬식은 원 행렬의 행렬식을 a배한 것이다.

16. $A = \begin{bmatrix} 1 & 2 \\ 4 & 6 \end{bmatrix}$이면 $A^2 - 7A = 2I$ 이다.

17. A와 B가 가역행렬이면 $A + B$도 가역행렬이다.

18. A와 B가 가역행렬이면 AB 역시 가역행렬이다.

19. $n \times n$ 행렬 A가 역행렬을 갖지 않으면 연립일차방정식 $A\mathbf{x} = \mathbf{b}$는 불능이다.

20. 연립일차방정식

$$\begin{bmatrix} 1 & 2 & 3 \\ 6 & 5 & 4 \\ 0 & 0 & 0 \end{bmatrix} \begin{bmatrix} x \\ y \\ z \end{bmatrix} = \begin{bmatrix} 1 \\ 2 \\ 3 \end{bmatrix}$$

은 불능이다.

21. 행렬

$$\begin{bmatrix} 2 & -1 \\ 3 & 1 \end{bmatrix}$$

의 역행렬은

$$\begin{bmatrix} 1 & 1 \\ -3 & 2 \end{bmatrix}$$

이다.

22. 행렬

$$\begin{bmatrix} 2 & -1 \\ 4 & -2 \end{bmatrix}$$

는 역행렬을 갖지 않는다.

23. $n \times n$ 행렬 A가 멱등이고 가역이면 $A = I$이다.

24. A와 B가 곱에 대해 교환가능이면 A'와 B' 역시 곱에 대하여 교환가능이다.

25. A가 $n \times n$ 행렬이고 $\det(A) = 3$이면 $\det(A^tA)$

=9이다.

시험문제 26–32에서는 연립일차방정식

$$\begin{cases} 2x+2y=3 \\ x-\ y=1 \end{cases}$$

을 사용한다.

26. 계수행렬은

$$A = \begin{bmatrix} 2 & 2 \\ 1 & -1 \end{bmatrix}$$

이다.

27. 계수행렬 A의 행렬식은 $\det(A) = 0$ 이다.

28. 연립일차방정식은 단 하나의 해를 갖는다.

29. 연립일차방정식의 단 하나의 해는 $x = -7/4$, $y = -5/4$이다.

30. 계수행렬 A의 역행렬은

$$A^{-1} = \begin{bmatrix} \frac{1}{4} & \frac{1}{2} \\ \frac{1}{4} & -\frac{1}{2} \end{bmatrix}$$

이다.

31. 연립일차방정식은 행렬방정식

$$\begin{bmatrix} 2 & 2 \\ 1 & -1 \end{bmatrix} \begin{bmatrix} x \\ y \end{bmatrix} = \begin{bmatrix} 3 \\ 1 \end{bmatrix}$$

과 동치이다.

32. 연립일차방정식의 해는 행렬방정식

$$\begin{bmatrix} x \\ y \end{bmatrix} = \begin{bmatrix} \frac{1}{4} & \frac{1}{2} \\ \frac{1}{4} & -\frac{1}{2} \end{bmatrix} \begin{bmatrix} 3 \\ 1 \end{bmatrix}$$

로 주어진다.

시험문제 33–36에서는 연립일차방정식을 사용한다.

$$\begin{cases} x_1 + 2x_2 - 3x_3 = 1 \\ 2x_1 + 5x_2 - 8x_3 = 4 \\ -2x_1 - 4x_2 + 6x_3 = -2 \end{cases}$$

33. 계수행렬의 행렬식은

$$\begin{vmatrix} 5 & -8 \\ -4 & 6 \end{vmatrix} + \begin{vmatrix} 2 & -8 \\ -2 & 6 \end{vmatrix} + \begin{vmatrix} 2 & 5 \\ -2 & -4 \end{vmatrix}$$

이다.

34. 계수행렬의 행렬식은 0이다.

35. 연립일차방정식의 한 해는 $x_1 = -4$, $x_2 = 0$, $x_3 = -1$ 이다.

36. 연립일차방정식은 무한히 많은 해를 가지며, 그 일반해는 x_3은 자유변수이고 $x_2 = 2 + 2x_3$ 이며 $x_1 = -3 - x_3$ 이다.

시험문제 37–41에서는 행렬

$$A = \begin{bmatrix} -1 & -2 & 1 & 3 \\ 1 & 0 & 1 & -1 \\ 2 & 1 & 2 & 1 \end{bmatrix}$$

을 사용한다.

37. 연산 $R_1 \longleftrightarrow R_2$ 를 시행하면, 행렬은

$$\begin{bmatrix} 1 & 0 & 1 & -1 \\ -1 & -2 & 1 & 3 \\ 2 & 1 & 2 & 1 \end{bmatrix}$$

로 바뀐다.

38. 시험문제 37에서 구한 행렬에 연산 $-2R_1 + R_3 \longrightarrow R_3$ 을 시행하면, 행렬은

$$\begin{bmatrix} 1 & 0 & 1 & -1 \\ -1 & -2 & 1 & 3 \\ 0 & -2 & 0 & -3 \end{bmatrix}$$

으로 바뀐다.

39. 행렬 A는

$$\begin{bmatrix} 1 & 0 & 1 & -1 \\ 0 & -2 & 2 & 2 \\ 0 & 0 & 1 & 4 \end{bmatrix}$$

와 행 동치이다.

40. A의 기약행사다리꼴은

$$\begin{bmatrix} 1 & 0 & 0 & -5 \\ 0 & 1 & 0 & 3 \\ 0 & 0 & 1 & 4 \end{bmatrix}$$

이다.

41. A가 어떤 연립일차방정식의 첨가행렬이면, 그 연립일차방정식의 해는 $x = -5$, $y = 3$, $z = 4$이다.

시험문제 42–45에서는 행렬

$$A = \begin{bmatrix} 1 & 1 & 2 \\ -2 & 3 & 1 \\ 4 & 0 & -3 \end{bmatrix}$$

$$B = \begin{bmatrix} 1 & 2 & 1 \\ -1 & 3 & 2 \end{bmatrix}$$

시험문제를 사용한다.

42. 두 행렬의 곱 AB와 BA가 정의된다.

43. 행렬 $-2BA + 3B$는 2×3 행렬이다.

44. 행렬 $-2BA + 3B$는

$$\begin{bmatrix} -3 & -5 & 3 \\ -5 & 7 & 16 \end{bmatrix}$$

이다.

45. 행렬 A^2은

$$\begin{bmatrix} 7 & 4 & -3 \\ -4 & 7 & -4 \\ -8 & 4 & 17 \end{bmatrix}$$

이다.

2장
일차결합과 일차독립

넓은 의미에서 신호(signal)는 시간에 따라 변하는 양을 의미한다. 예를 들어, 공간 내 입자의 운동도 신호로 볼 수 있으며, 지구의 지각 변동도 지구 내부로부터 발생한 신호의 형태로 탐지된다. 현의 진동에 의해 발생되는 소리도 신호이며, 전파도 신호이다. 숫자로 표현할 수 있는 디지털 영상도 신호라고 볼 수 있다. 동영상도 연속된 영상으로 이루어진 신호이다. 실수(real number)로 표현할 수 있는 신호들을 연속(continuous) 신호라고 부르고, 반면에 정수(integer)로 표현할 수 있는 신호들을 이산(discrete) 신호라고 부른다. 예를 들어, CD는 소리를 나타내는 이산 신호를 담고 있다. 어떤 신호는 주기적(periodic)이다. 즉, 일정한 간격으로 신호의 파형(waveform)이나 형태(shape)가 반복된다. 주기 신호의

주기(period)는 한번 반복하는데 걸리는 시간을 의미하고, 주파수(frequency)는 단위 시간 내에 몇 번 반복되었는지를 의미한다. 만약 주기가 $2T$라면 주파수는 $F = \frac{1}{2T}$ 이다. 기본 주파수(fundamental frequency)라 부르는 공통 주파수의 배수인 주파수를 갖는 사인(sine) 함수들과 코사인(cosine) 함수들로 모든 주기적인 움직임을 표현할 수 있다. 예를 들어, 주기가 $2T$인 신호는 다음의 함수들로 표현된다.

$$1, \cos\frac{\pi x}{T}, \sin\frac{\pi x}{T}, \cos\frac{2\pi x}{T}, \sin\frac{2\pi x}{T}, \cos\frac{3\pi x}{T}, \sin\frac{3\pi x}{T}, \ldots$$

그리고 임의의 n에 대해 다음의 기본 함수들의 집합(fundamental set)을 이용하여 주기적 신호의 근사값을 구할 수 있다.

$$1, \cos\frac{\pi x}{T}, \sin\frac{\pi x}{T}, \cos\frac{2\pi x}{T}, \sin\frac{2\pi x}{T}, \ldots, \cos\frac{n\pi x}{T}, \sin\frac{n\pi x}{T}$$

신호의 근사값은 기본 함수들에 적절한 계수(coefficient) 또는 가중값(weight)을 곱하여 합한 것으로 다음과 같은 형태를 갖는다.

$$a_0 + a_1\cos\frac{\pi x}{T} + b_1\sin\frac{\pi x}{T} + a_2\cos\frac{2\pi x}{T} + b_2\sin\frac{2\pi x}{T} + \cdots + a_n\cos\frac{n\pi x}{T} + b_n\sin\frac{n\pi x}{T}$$

위의 형태를 기본 함수들의 일차결합(linear combination)이라 부른다. 예를 들어, $[-\pi, \pi]$ 구간에서 정의되는 사각파(square wave)는 그림 1과 같이 근사식으로 표현할 수 있다. 항이 추가될수록 근사값은 더욱 정확해 진다.

$$\frac{4}{\pi}\sin x, \quad \frac{4}{\pi}\sin x + \frac{4}{3\pi}\sin 3x, \quad \frac{4}{\pi}\sin x + \frac{4}{3\pi}\sin 3x + \frac{4}{5\pi}\sin 5x$$

$$\frac{4}{\pi}\sin x + \frac{4}{3\pi}\sin 3x + \frac{4}{5\pi}\sin 5x + \frac{4}{7\pi}\sin 7x$$

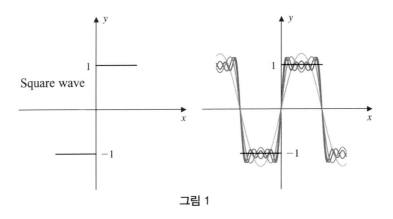

그림 1

1장에서 n개 성분(entry)을 갖는 벡터를 $n \times 1$ 행렬로 정의했는데, 벡터는 수학에서만 사용되는 것이 아니라 과학의 거의 모든 분야에서 사용된다. 2장에서는 벡터들의 집합에 대해 학습하고, 벡터들의 덧셈 특성을 분석해 볼 것이다. 2장에서 제시되는 벡터와 관련된 개념들은 선형대수학에서 매우 기본적인 것이다. 3장에서는 2장의 개념들을 확장하여 서두에 언급했던 함수들의 공간을 포함하는 추상 벡터 공간(abstract vector space)을 다룰 것이다.

2.1 다차원 유클리드 공간($\mathbb{R}^n$)에서의 벡터

2차원 유클리드 공간($\mathbb{R}^2$)은 성분이 2개인 모든 벡터들로 구성된다. 즉,

$$\mathbb{R}^2 = \left\{ \begin{bmatrix} x_1 \\ x_2 \end{bmatrix} \middle| \; x_1, x_2 \text{ 는 실수} \right\}$$

마찬가지로 3차원 유클리드 공간($\mathbb{R}^3$)은 성분이 3개인 모든 벡터들의 집합이다. 즉,

$$\mathbb{R}^3 = \left\{ \begin{bmatrix} x_1 \\ x_2 \\ x_3 \end{bmatrix} \middle| \; x_1, x_2, x_3 \text{ 는 실수} \right\}$$

일반적으로 n차원 유클리드 공간은 n개 성분을 갖는 벡터들로 이루어진다.

정의 1 n차원 유클리드 공간 $\mathbb{R}^n$

n차원 유클리드 공간 $\mathbb{R}^n$ (줄여서, n차원 공간)은 다음과 같이 정의된다.

$$\mathbb{R}^n = \left\{ \begin{bmatrix} x_1 \\ x_2 \\ \vdots \\ x_n \end{bmatrix} \middle| \; x_i \in \mathbb{R}, \; i \text{는 } 1, 2, \ldots, n \right\}$$

이때, 벡터의 성분(entry)는 벡터의 요소(component)라고도 부른다.

기하학적으로, $\mathbb{R}^2$, $\mathbb{R}^3$의 벡터들은 원점으로부터 좌표계의 한 점을 향하는 방향성 있는 선분이다. 예를 들어, $\mathbb{R}^2$의 한 벡터 $\mathbf{v} = \begin{bmatrix} 1 \\ 2 \end{bmatrix}$는 그림 2와 같이 점 $(0, 0)$과 점 $(1, 2)$를 연결하는 방향성 있는 선분이다.

이때, 점 $(0, 0)$을 처음점(initial point), 점 $(1, 2)$를 끝점(terminal point)이라고 부른다. 벡터의 길이(length)는 처음점과 끝점을 연결한 선분의 길이이다. 예를 들어, $\mathbf{v} = \begin{bmatrix} 1 \\ 2 \end{bmatrix}$의 길이는 $\sqrt{1^2 + 2^2} = \sqrt{5}$ 이다. 길이와 방향이 동일하다면, 좌표평면 상의 어디에 위치하더라도 동일한 벡터이다. 예를 들어, 처음점과 끝점이 $(0, 0)$과 $(1, 2)$인 선분과 처음점과 끝점이 $(2, 2)$와 $(3, 4)$인 선분은 모두 벡터 $\mathbf{v} = \begin{bmatrix} 1 \\ 2 \end{bmatrix}$이다.

그림 3에서 처음점이 원점일 때 벡터가 표준 위치(standard position)에 있다고 말한다.

벡터도 일종의 행렬이므로 해당 성분이 같은 2개의 벡터는 서로 같은 벡터이다. 벡터 간 덧셈과 스칼라 곱셈은 행렬의 경우처럼 해당 성분간 연산으로 정의된다.

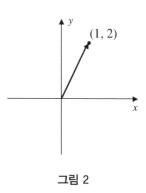

그림 2

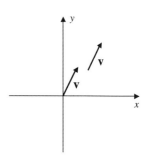

그림 3

정의 2 벡터간 덧셈과 스칼라 곱셈

$\mathbf{u}$와 $\mathbf{v}$가 $\mathbb{R}^n$에 속한 벡터이고 c가 스칼라 값이라면,

1. $\mathbf{u}$와 $\mathbf{v}$의 덧셈은 다음과 같다.

$$\mathbf{u} + \mathbf{v} = \begin{bmatrix} u_1 \\ u_2 \\ \vdots \\ u_n \end{bmatrix} + \begin{bmatrix} v_1 \\ v_2 \\ \vdots \\ v_n \end{bmatrix} = \begin{bmatrix} u_1 + v_1 \\ u_2 + v_2 \\ \vdots \\ u_n + v_n \end{bmatrix}$$

2. c와 $\mathbf{u}$의 스칼라 곱셈은 다음과 같다.

$$c\mathbf{u} = c\begin{bmatrix} u_1 \\ u_2 \\ \vdots \\ u_n \end{bmatrix} = \begin{bmatrix} cu_1 \\ cu_2 \\ \vdots \\ cu_n \end{bmatrix}$$

위와 같은 대수적 정의는 기하학적 정의와도 일치한다. 두 벡터 $\mathbf{u}$와 $\mathbf{v}$는 그림 4(a)처럼 평행사변형 법칙(parallelogram rule)에 의해 더해진다. 벡터 $c\mathbf{u}$는 벡터 $\mathbf{u}$와 방향은 같고 길이만 바뀐(scaling) 벡터인데, 그림 4(b)에 $c > 1$인 경우, $0 < c < 1$인 경우, $c < 0$인 경우의 예를 나타내었다. $c < 0$인 경우에는 벡터의 방향이 바뀐다. 그림 4(c)는 벡터간 뺄셈 $\mathbf{u} - \mathbf{v} = \mathbf{u} + (-\mathbf{v})$을 보여준다. 그림 4(c)처럼, $\mathbf{v}$의 끝점에서 $\mathbf{u}$의 끝점으로 선분을 연결하여 $\mathbf{u} - \mathbf{v}$를 그리는 것이 일반적이다.

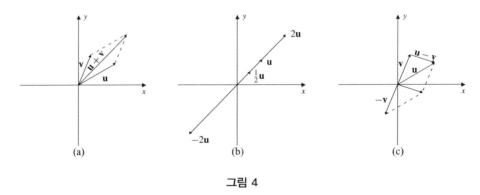

그림 4

예제 1

벡터 $\mathbf{u}, \mathbf{v}, \mathbf{w}$가 다음과 같을 때, $(2\mathbf{u} + \mathbf{v}) - 3\mathbf{w}$를 구하라.

$$\mathbf{u} = \begin{bmatrix} 1 \\ -2 \\ 3 \end{bmatrix} \qquad \mathbf{v} = \begin{bmatrix} -1 \\ 4 \\ 3 \end{bmatrix} \qquad \mathbf{w} = \begin{bmatrix} 4 \\ 2 \\ 6 \end{bmatrix}$$

풀이 벡터 간 덧셈과 스칼라 곱셈은 해당 성분 간 연산이므로,

$$(2\mathbf{u} + \mathbf{v}) - 3\mathbf{w} = \left(2\begin{bmatrix} 1 \\ -2 \\ 3 \end{bmatrix} + \begin{bmatrix} -1 \\ 4 \\ 3 \end{bmatrix} \right) - 3\begin{bmatrix} 4 \\ 2 \\ 6 \end{bmatrix}$$

$$= \left(\begin{bmatrix} 2 \\ -4 \\ 6 \end{bmatrix} + \begin{bmatrix} -1 \\ 4 \\ 3 \end{bmatrix} \right) + \begin{bmatrix} -12 \\ -6 \\ -18 \end{bmatrix}$$

$$= \begin{bmatrix} 1 \\ 0 \\ 9 \end{bmatrix} + \begin{bmatrix} -12 \\ -6 \\ -18 \end{bmatrix} = \begin{bmatrix} -11 \\ -6 \\ -9 \end{bmatrix}$$

$\mathbb{R}^n$ 의 벡터는 $n \times 1$ 행렬이므로 1장에서 살펴본 행렬의 대수적 특성이 그대로 성립한다.

예제 2

벡터 간 덧셈에 대해 교환법칙이 성립함을 증명하라

풀이 $\mathbf{u}$와 $\mathbf{v}$가 $\mathbb{R}^n$에 속하는 벡터라면, 다음과 같이 쓸 수 있다.

$$\mathbf{u} + \mathbf{v} = \begin{bmatrix} u_1 \\ u_2 \\ \vdots \\ u_n \end{bmatrix} + \begin{bmatrix} v_1 \\ v_2 \\ \vdots \\ v_n \end{bmatrix} = \begin{bmatrix} u_1 + v_1 \\ u_2 + v_2 \\ \vdots \\ u_n + v_n \end{bmatrix}$$

실수 간 덧셈은 교환법칙이 성립하므로, 다음의 식이 성립한다.

$$\mathbf{u} + \mathbf{v} = \begin{bmatrix} u_1 + v_1 \\ u_2 + v_2 \\ \vdots \\ u_n + v_n \end{bmatrix} = \begin{bmatrix} v_1 + u_1 \\ v_2 + u_2 \\ \vdots \\ v_n + u_n \end{bmatrix} = \mathbf{v} + \mathbf{u}$$

n차원 영벡터(zero vector)는 모든 성분이 0인 벡터이다. 즉,

$$\mathbf{0} = \begin{bmatrix} 0 \\ 0 \\ \vdots \\ 0 \end{bmatrix}$$

그러므로 임의의 n차원 벡터 $\mathbf{v}$에 대해, $\mathbf{v} + \mathbf{0} = \mathbf{v}$ 가 성립한다. 임의의 실수 a에 대해 $a + (-a)$

$= 0$ 인 유일한 실수 $(-a)$가 존재하는 것처럼, 임의의 벡터 $\mathbf{v}$에 대해서도 $\mathbf{v} + (-\mathbf{v}) = \mathbf{0}$ 을 만족하는 덧셈에 관한 역원(additive inverse) $-\mathbf{v}$ 가 다음과 같이 정의된다.

$$-\mathbf{v} = \begin{bmatrix} -v_1 \\ -v_2 \\ \vdots \\ -v_n \end{bmatrix}$$

　　정리 1은 n차원 벡터에 대한 기본적인 대수 특성들이다. 이 특성들은 3장의 추상 벡터 공간을 위해 필요한 체계(structure)를 위한 모델 역할을 한다. 첫 번째 특성은 예제 2에서 증명되었고, 나머지 특성들은 연습문제로 남겨 놓았다.

정리 1

$\mathbf{u}, \mathbf{v}, \mathbf{w}$가 n차원 벡터이고 c와 d가 스칼라일 때, 다음의 대수적 특성이 성립한다.

1. 교환법칙 : $\mathbf{u} + \mathbf{v} = \mathbf{v} + \mathbf{u}$
2. 결합법칙 : $(\mathbf{u} + \mathbf{v}) + \mathbf{w} = \mathbf{u} + (\mathbf{v} + \mathbf{w})$
3. 덧셈에 관한 항등원(identity): 벡터 $\mathbf{0}$은 $\mathbf{0} + \mathbf{u} = \mathbf{u} + \mathbf{0} = \mathbf{u}$ 을 만족한다.
4. 덧셈에 관한 역원(inverse): 모든 벡터 $\mathbf{u}$에 대해 벡터 $-\mathbf{u}$ 는 $\mathbf{u} + (-\mathbf{u}) = -\mathbf{u} + \mathbf{u} = \mathbf{0}$ 을 만족한다.
5. $c(\mathbf{u} + \mathbf{v}) = c\mathbf{u} + c\mathbf{v}$
6. $(c + d)\mathbf{u} = c\mathbf{u} + d\mathbf{u}$
7. $c(d\mathbf{u}) = (cd)\mathbf{u}$
8. $(1)\mathbf{u} = \mathbf{u}$

　　결합법칙에 의하여 벡터 합 $\mathbf{u}_1 + \mathbf{u}_2 + \cdots + \mathbf{u}_n$ 는 괄호 필요없이 명백하게 계산된다. 이 점은 2.2절에서 중요한 역할을 한다.

예제 3

벡터 $\mathbf{u}, \mathbf{v}, \mathbf{w}$가 다음과 같을 때, 이 세 벡터 사이에 결합법칙이 성립함을 보여라.

$$\mathbf{u} = \begin{bmatrix} 1 \\ -1 \end{bmatrix} \quad \mathbf{v} = \begin{bmatrix} 2 \\ 3 \end{bmatrix} \quad \mathbf{w} = \begin{bmatrix} 4 \\ -3 \end{bmatrix}$$

그리고, 임의의 스칼라 c, d에 대해서도 $c(d\mathbf{u}) = (cd)\mathbf{u}$ 가 성립함을 보여라.

풀이　먼저 세 벡터간 결합법칙을 증명하자.

$$(\mathbf{u} + \mathbf{v}) + \mathbf{w} = \left(\begin{bmatrix} 1 \\ -1 \end{bmatrix} + \begin{bmatrix} 2 \\ 3 \end{bmatrix} \right) + \begin{bmatrix} 4 \\ -3 \end{bmatrix} = \begin{bmatrix} 1+2 \\ -1+3 \end{bmatrix} + \begin{bmatrix} 4 \\ -3 \end{bmatrix}$$

$$= \begin{bmatrix} 3 \\ 2 \end{bmatrix} + \begin{bmatrix} 4 \\ -3 \end{bmatrix} = \begin{bmatrix} 7 \\ -1 \end{bmatrix}$$

이고,

$$\mathbf{u} + (\mathbf{v} + \mathbf{w}) = \begin{bmatrix} 1 \\ -1 \end{bmatrix} + \left(\begin{bmatrix} 2 \\ 3 \end{bmatrix} + \begin{bmatrix} 4 \\ -3 \end{bmatrix} \right)$$

$$= \begin{bmatrix} 1 \\ -1 \end{bmatrix} + \begin{bmatrix} 6 \\ 0 \end{bmatrix} = \begin{bmatrix} 7 \\ -1 \end{bmatrix}$$

이므로, $(\mathbf{u} + \mathbf{v}) + \mathbf{w} = \mathbf{u} + (\mathbf{v} + \mathbf{w})$ 이다.

스칼라 곱셈에 관한 결합법칙을 증명하면 다음과 같다.

$$c(d\mathbf{u}) = c \left(d \begin{bmatrix} 1 \\ -1 \end{bmatrix} \right) = c \begin{bmatrix} d \\ -d \end{bmatrix} = \begin{bmatrix} cd \\ -cd \end{bmatrix} = cd \begin{bmatrix} 1 \\ -1 \end{bmatrix} = (cd)\mathbf{u}$$

정리 1의 특성들은 다른 유용한 특성들을 이끌어 내는데 사용된다. 예를 들어, $\mathbf{u}$가 n차원 벡터이고, c가 스칼라일 때, 다음의 식이 성립한다.

$$0\mathbf{u} = 0 \begin{bmatrix} u_1 \\ u_2 \\ \vdots \\ u_n \end{bmatrix} = \begin{bmatrix} 0 \\ 0 \\ \vdots \\ 0 \end{bmatrix} = \mathbf{0} \qquad c\mathbf{0} = \mathbf{0}$$

또한, $(-1)\mathbf{u} = -\mathbf{u}$ 이므로, 벡터 $\mathbf{u}$에 스칼라 -1을 곱하여 덧셈에 관한 역원을 구할 수 있다. 실수의 경우, 만약 $xy = 0$이면, $x = 0$이거나 $y = 0$라고 할 수 있는 것과 마찬가지로, 벡터와 스칼라의 곱셈에서도, 만약 $c\mathbf{u} = \mathbf{0}$, 이면 $c = 0$이거나 $\mathbf{u} = \mathbf{0}$이다. 이를 확인하기 위해, 다음의 식을 생각해 보자.

$$\begin{bmatrix} cu_1 \\ cu_2 \\ \vdots \\ cu_n \end{bmatrix} = \begin{bmatrix} 0 \\ 0 \\ \vdots \\ 0 \end{bmatrix}$$

위의 식으로부터, $cu_1 = 0$, $cu_2 = 0$, ... $cu_n = 0$이다. 만약 $c = 0$이면, 위의 식이 성립하고, 만약 $c \neq 0$이면, $u_1 = u_2 = \cdots = u_n = 0$이므로, $\mathbf{u} = \mathbf{0}$이다.

핵심 요약

1. 벡터 간 덧셈과 스칼라 곱셈에 대한 정의는 일반적인 행렬 간 덧셈과 스칼라 곱셈에 대한 정의와 일치하며, 행렬에 대한 모든 대수적 특성은 벡터에 대해서도 성립한다.

2. 모든 성분이 0인 영벡터는 벡터 간 덧셈에 관한 항등원이고, 벡터 $\mathbf{v}$의 덧셈에 관한 역원 $(-\mathbf{v})$는 $\mathbf{v}$의 각 성분에 -1을 곱하여 구한다.

3. $\mathbb{R}^2$, $\mathbb{R}^3$의 벡터들에 대해서 벡터 합은 평행사변형 법칙(parallelogram law)과 일치한다. 벡터에 양수 스칼라를 곱하면 벡터의 방향은 유지하면서 길이를 변경할 수 있다. 만일 음수 스칼라를 곱하면 벡터의 방향이 정반대로 바뀐다.

연습문제 2.1

벡터 $\mathbf{u}, \mathbf{v}, \mathbf{w}$가 다음과 같을 때, 연습문제 1–6을 풀어라.

$$\mathbf{u} = \begin{bmatrix} 1 \\ -2 \\ 3 \end{bmatrix} \quad \mathbf{v} = \begin{bmatrix} -2 \\ 4 \\ 0 \end{bmatrix} \quad \mathbf{w} = \begin{bmatrix} 2 \\ 1 \\ -1 \end{bmatrix}$$

1. $\mathbf{u} + \mathbf{v}$와 $\mathbf{v} + \mathbf{u}$을 구하라.

2. $(\mathbf{u} + \mathbf{v}) + \mathbf{w}$과 $\mathbf{u} + (\mathbf{v} + \mathbf{w})$을 구하라.

3. $\mathbf{u} - 2\mathbf{v} + 3\mathbf{w}$을 구하라.

4. $-\mathbf{u} + \frac{1}{2}\mathbf{v} - 2\mathbf{w}$을 구하라.

5. $-3(\mathbf{u} + \mathbf{v}) - \mathbf{w}$을 구하라.

6. $2\mathbf{u} - 3(\mathbf{v} - 2\mathbf{w})$을 구하라.

벡터 $\mathbf{u}, \mathbf{v}$가 다음과 같을 때, 연습문제 7–10을 풀어라.

$$\mathbf{u} = \begin{bmatrix} 1 \\ -2 \\ 3 \\ 0 \end{bmatrix} \quad \mathbf{v} = \begin{bmatrix} 3 \\ 2 \\ -1 \\ 1 \end{bmatrix}$$

7. $-2(\mathbf{u} + 3\mathbf{v}) + 3\mathbf{u}$을 구하라.

8. $3\mathbf{u} - 2\mathbf{v}$을 구하라.

9. x_1, x_2가 실수 스칼라일 때, $(x_1 + x_2)\mathbf{u} = x_1\mathbf{u} + x_2\mathbf{u}$을 증명하라.

10. x_1가 실수 스칼라일 때, $x_1(\mathbf{u} + \mathbf{v}) = x_1\mathbf{u} + x_1\mathbf{v}$을 증명하라.

벡터 $\mathbf{e}_1, \mathbf{e}_2, \mathbf{e}_3$가 다음과 같을 때, 연습문제 11–14의 주어진 벡터를 $\mathbf{e}_1, \mathbf{e}_2, \mathbf{e}_3$로 나타내라.

$$\mathbf{e}_1 = \begin{bmatrix} 1 \\ 0 \\ 0 \end{bmatrix} \quad \mathbf{e}_2 = \begin{bmatrix} 0 \\ 1 \\ 0 \end{bmatrix} \quad \mathbf{e}_3 = \begin{bmatrix} 0 \\ 0 \\ 1 \end{bmatrix}$$

11. $\mathbf{v} = \begin{bmatrix} 2 \\ 4 \\ 1 \end{bmatrix}$

12. $\mathbf{v} = \begin{bmatrix} -1 \\ 3 \\ 2 \end{bmatrix}$

13. $\mathbf{v} = \begin{bmatrix} 0 \\ 3 \\ -2 \end{bmatrix}$

14. $\mathbf{v} = \begin{bmatrix} -1 \\ 0 \\ \frac{1}{2} \end{bmatrix}$

연습문제 15–16의 벡터 $\mathbf{u}$, $\mathbf{v}$에 대해, $-\mathbf{u}+3\mathbf{v}-2\mathbf{w}=\mathbf{0}$를 만족하는 벡터 $\mathbf{w}$를 구하라.

15. $\mathbf{u}=\begin{bmatrix}1\\4\\2\end{bmatrix}$　　$\mathbf{v}=\begin{bmatrix}-2\\2\\0\end{bmatrix}$

16. $\mathbf{u}=\begin{bmatrix}-2\\0\\1\end{bmatrix}$　　$\mathbf{v}=\begin{bmatrix}2\\-3\\4\end{bmatrix}$

연습문제 17–24에서, 주어진 식으로부터 연립방정식을 도출하고, 연립방정식을 풀어라. 그리고 연립방정식의 해가 벡터 식에 관해 무엇을 알려주는지 설명하라.

17. $c_1\begin{bmatrix}1\\-2\end{bmatrix}+c_2\begin{bmatrix}3\\-2\end{bmatrix}=\begin{bmatrix}-2\\-1\end{bmatrix}$

18. $c_1\begin{bmatrix}2\\5\end{bmatrix}+c_2\begin{bmatrix}-1\\-2\end{bmatrix}=\begin{bmatrix}0\\5\end{bmatrix}$

19. $c_1\begin{bmatrix}1\\2\end{bmatrix}+c_2\begin{bmatrix}-1\\-2\end{bmatrix}=\begin{bmatrix}3\\1\end{bmatrix}$

20. $c_1\begin{bmatrix}-1\\3\end{bmatrix}+c_2\begin{bmatrix}2\\-6\end{bmatrix}=\begin{bmatrix}-1\\1\end{bmatrix}$

21. $c_1\begin{bmatrix}-4\\4\\3\end{bmatrix}+c_2\begin{bmatrix}0\\3\\-1\end{bmatrix}+c_3\begin{bmatrix}-5\\1\\-5\end{bmatrix}=\begin{bmatrix}-3\\-3\\4\end{bmatrix}$

22. $c_1\begin{bmatrix}0\\-1\\1\end{bmatrix}+c_2\begin{bmatrix}1\\1\\0\end{bmatrix}+c_3\begin{bmatrix}1\\1\\-1\end{bmatrix}=\begin{bmatrix}-1\\0\\-1\end{bmatrix}$

23. $c_1\begin{bmatrix}-1\\0\\1\end{bmatrix}+c_2\begin{bmatrix}-1\\1\\1\end{bmatrix}+c_3\begin{bmatrix}1\\-1\\-1\end{bmatrix}=\begin{bmatrix}-1\\0\\2\end{bmatrix}$

24. $c_1\begin{bmatrix}-1\\2\\4\end{bmatrix}+c_2\begin{bmatrix}0\\2\\4\end{bmatrix}+c_3\begin{bmatrix}2\\1\\2\end{bmatrix}=\begin{bmatrix}6\\7\\3\end{bmatrix}$

연습문제 25–28에서, 주어진 벡터 식이 해를 갖도록, 가능한 모든 벡터 $\begin{bmatrix}a\\b\end{bmatrix}$를 구하라.

25. $c_1\begin{bmatrix}1\\-1\end{bmatrix}+c_2\begin{bmatrix}2\\1\end{bmatrix}=\begin{bmatrix}a\\b\end{bmatrix}$

26. $c_1\begin{bmatrix}1\\1\end{bmatrix}+c_2\begin{bmatrix}-1\\1\end{bmatrix}=\begin{bmatrix}a\\b\end{bmatrix}$

27. $c_1\begin{bmatrix}1\\-1\end{bmatrix}+c_2\begin{bmatrix}2\\-2\end{bmatrix}=\begin{bmatrix}a\\b\end{bmatrix}$

28. $c_1\begin{bmatrix}3\\1\end{bmatrix}+c_2\begin{bmatrix}6\\2\end{bmatrix}=\begin{bmatrix}a\\b\end{bmatrix}$

연습문제 29–32의 $\mathbf{v}_1$, $\mathbf{v}_2$, $\mathbf{v}_3$에 대하여, $c_1\mathbf{v}_1+c_2\mathbf{v}_2+c_3\mathbf{v}_3=\mathbf{v}$가 해를 갖도록, 가능한 모든 벡터 $\mathbf{v}=\begin{bmatrix}a\\b\\c\end{bmatrix}$를 구하라.

29. $\mathbf{v}_1=\begin{bmatrix}1\\0\\1\end{bmatrix}$　$\mathbf{v}_2=\begin{bmatrix}0\\1\\1\end{bmatrix}$　$\mathbf{v}_3=\begin{bmatrix}2\\1\\0\end{bmatrix}$

30. $\mathbf{v}_1=\begin{bmatrix}1\\1\\1\end{bmatrix}$　$\mathbf{v}_2=\begin{bmatrix}0\\1\\0\end{bmatrix}$　$\mathbf{v}_3=\begin{bmatrix}1\\1\\0\end{bmatrix}$

31. $\mathbf{v}_1=\begin{bmatrix}1\\1\\-1\end{bmatrix}$　$\mathbf{v}_2=\begin{bmatrix}2\\1\\1\end{bmatrix}$　$\mathbf{v}_3=\begin{bmatrix}3\\2\\0\end{bmatrix}$

32. $\mathbf{v}_1=\begin{bmatrix}-1\\0\\2\end{bmatrix}$　$\mathbf{v}_2=\begin{bmatrix}1\\-2\\8\end{bmatrix}$　$\mathbf{v}_3=\begin{bmatrix}1\\-1\\3\end{bmatrix}$

연습문제 33–44을 증명하라.

33. 정리 1의 특성 2.

34. 정리 1의 특성 3.

35. 정리 1의 특성 4.

36. 정리 1의 특성 5.

37. 정리 1의 특성 6.

38. 정리 1의 특성 7.

39. 정리 1의 특성 8.

40. $\mathbb{R}^n$의 영벡터는 유일(unique)하다.

2.2 일차결합

3차원 유클리드 공간 $\mathbb{R}^3$에서 세 좌표축을 나타내는 좌표벡터(coordinate vector)는 다음과 같다.

$$\mathbf{e}_1 = \begin{bmatrix} 1 \\ 0 \\ 0 \end{bmatrix} \quad \mathbf{e}_2 = \begin{bmatrix} 0 \\ 1 \\ 0 \end{bmatrix} \quad \mathbf{e}_3 = \begin{bmatrix} 0 \\ 0 \\ 1 \end{bmatrix}$$

$\mathbb{R}^3$의 모든 벡터는 이 세 좌표벡터들로 표현할 수 있다. 예를 들어, 벡터 $\mathbf{v}$는 다음과 같이 표현된다.

$$\mathbf{v} = \begin{bmatrix} 2 \\ 3 \\ 3 \end{bmatrix} = 2 \begin{bmatrix} 1 \\ 0 \\ 0 \end{bmatrix} + 3 \begin{bmatrix} 0 \\ 1 \\ 0 \end{bmatrix} + 3 \begin{bmatrix} 0 \\ 0 \\ 1 \end{bmatrix}$$

그림 1처럼, 기하학적으로도 벡터 $\mathbf{v}$는 좌표벡터들에 각각 스칼라를 곱한 후 합하여 구할 수 있다.

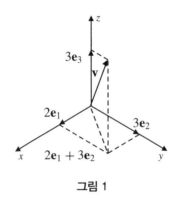

그림 1

벡터 $\mathbf{e}_1$, $\mathbf{e}_2$, $\mathbf{e}_3$가 이런 역할을 하는 유일한 벡터들은 아니다. 예를 들어, 벡터 $\mathbf{v}$는 다음의 벡터들의 조합으로 나타낼 수도 있다.

$$\mathbf{v}_1 = \begin{bmatrix} 1 \\ 1 \\ 1 \end{bmatrix} \quad \mathbf{v}_2 = \begin{bmatrix} 0 \\ 1 \\ 1 \end{bmatrix} \quad \mathbf{v}_3 = \begin{bmatrix} -1 \\ 1 \\ 1 \end{bmatrix}$$

즉, $\mathbf{v}$는 다음과 같이 $\mathbf{v}_1, \mathbf{v}_2, \mathbf{v}_3$를 이용해서 표현할 수 있다.

$$3\mathbf{v}_1 - \mathbf{v}_2 + \mathbf{v}_3 = \begin{bmatrix} 2 \\ 3 \\ 3 \end{bmatrix}$$

어떤 벡터를 다른 벡터들의 스칼라 곱셈과 벡터 간 덧셈으로 나타낸 것을 일차결합(linear combination)이라고 부른다. 벡터들의 일차결합은 유클리드 공간 및 3장에서 다룰 추상 벡터 공간을 묘사하는데 중요한 역할을 한다.

정의 1 일차결합

$S=\{\mathbf{v}_1, \mathbf{v}_2, \ldots, \mathbf{v}_k\}$가 n차원 벡터들의 집합이고, $c_1, c_2, \ldots, c_k$가 스칼라일 때, 다음 형태의 표현을 집합 S의 벡터들의 일차결합이라고 부른다.

$$c_1\mathbf{v}_1 + c_2\mathbf{v}_2 + \cdots + c_k\mathbf{v}_k = \sum_{i=1}^{k} c_i\mathbf{v}_i$$

위의 형태로 표현할 수 있는 모든 벡터 $\mathbf{v}$들을 집합 S의 벡터들의 일차결합이라고 부른다.

예제 1을 통해서, 어떤 벡터가 다른 벡터들의 일차결합인지 아닌지, 연립일차방정식을 이용하여 판별하는 방법을 알아보도록 하자.

예제 1

벡터 $\mathbf{v}_1, \mathbf{v}_2, \mathbf{v}_3$가 다음과 같을 때,

$$\mathbf{v}_1 = \begin{bmatrix} 1 \\ 0 \\ 1 \end{bmatrix} \qquad \mathbf{v}_2 = \begin{bmatrix} -2 \\ 3 \\ -2 \end{bmatrix} \qquad \mathbf{v}_3 = \begin{bmatrix} -6 \\ 7 \\ 5 \end{bmatrix}$$

벡터 $\mathbf{v} = \begin{bmatrix} -1 \\ 1 \\ 10 \end{bmatrix}$가 $\mathbf{v}_1, \mathbf{v}_2, \mathbf{v}_3$의 일차결합인지 아닌지 판별하라.

풀이 만일 다음의 식을 만족하는 스칼라 c_1, c_2, c_3가 존재한다면, 벡터 $\mathbf{v}$는 $\mathbf{v}_1, \mathbf{v}_2, \mathbf{v}_3$의 일차결합이라고 할 수 있다.

$$\mathbf{v} = \begin{bmatrix} -1 \\ 1 \\ 10 \end{bmatrix} = c_1\mathbf{v}_1 + c_2\mathbf{v}_2 + c_3\mathbf{v}_3$$

$$= c_1\begin{bmatrix} 1 \\ 0 \\ 1 \end{bmatrix} + c_2\begin{bmatrix} -2 \\ 3 \\ -2 \end{bmatrix} + c_3\begin{bmatrix} -6 \\ 7 \\ 5 \end{bmatrix}$$

$$= \begin{bmatrix} c_1 - 2c_2 - 6c_3 \\ 3c_2 + 7c_3 \\ c_1 - 2c_2 + 5c_3 \end{bmatrix}$$

해당 성분이 같으므로, 다음과 같이 연립일차방정식을 세울 수 있다.

$$\begin{cases} c_1 - 2c_2 - 6c_3 = -1 \\ \qquad\quad 3c_2 + 7c_3 = 1 \\ c_1 - 2c_2 + 5c_3 = 10 \end{cases}$$

위의 연립일차방정식을 풀기 위해, 다음과 같이 첨가행렬(augmented matrix)을 만든 다음, 이를 위삼각행렬(upper triangular matrix)로 변환한다.

$$\left[\begin{array}{ccc|c} 1 & -2 & -6 & -1 \\ 0 & 3 & 7 & 1 \\ 1 & -2 & 5 & 10 \end{array}\right] \longrightarrow \left[\begin{array}{ccc|c} 1 & 0 & 0 & 1 \\ 0 & 1 & 0 & -2 \\ 0 & 0 & 1 & 1 \end{array}\right]$$

변환된 행렬로부터 연립일차방정식의 해는 $c_1 = 1$, $c_2 = -2$, $c_3 = 1$이다. 이 해를 이용하면 벡터 $\mathbf{v}$를 다음과 같이 $\mathbf{v}_1, \mathbf{v}_2, \mathbf{v}_3$의 일차결합으로 나타낼 수 있다.

$$\mathbf{v} = \begin{bmatrix} -1 \\ 1 \\ 10 \end{bmatrix} = 1\begin{bmatrix} 1 \\ 0 \\ 1 \end{bmatrix} + (-2)\begin{bmatrix} -2 \\ 3 \\ -2 \end{bmatrix} + 1\begin{bmatrix} -6 \\ 7 \\ 5 \end{bmatrix}$$

예제 2에서는 주어진 벡터가 일차결합으로 표현되지 않는 경우를 다루어 보자.

예제 2

벡터 $\mathbf{v}_1, \mathbf{v}_2, \mathbf{v}_3$가 다음과 같을 때,

$$\mathbf{v}_1 = \begin{bmatrix} 1 \\ -2 \\ 2 \end{bmatrix} \quad \mathbf{v}_2 = \begin{bmatrix} 0 \\ 5 \\ 5 \end{bmatrix} \quad \mathbf{v}_3 = \begin{bmatrix} 2 \\ 0 \\ 8 \end{bmatrix}$$

벡터 $\mathbf{v} = \begin{bmatrix} -5 \\ 11 \\ -7 \end{bmatrix}$가 $\mathbf{v}_1, \mathbf{v}_2, \mathbf{v}_3$의 일차결합인지 아닌지 판별하라.

풀이 만일 다음의 식을 만족하는 스칼라 c_1, c_2, c_3가 존재한다면 벡터 $\mathbf{v}$는 $\mathbf{v}_1, \mathbf{v}_2, \mathbf{v}_3$의 일차결합이라고 할 수 있다.

$$\begin{bmatrix} -5 \\ 11 \\ -7 \end{bmatrix} = c_1\begin{bmatrix} 1 \\ -2 \\ 2 \end{bmatrix} + c_2\begin{bmatrix} 0 \\ 5 \\ 5 \end{bmatrix} + c_3\begin{bmatrix} 2 \\ 0 \\ 8 \end{bmatrix}$$

위의 연립방정식을 풀기 위해, 다음과 같이 첨가행렬을 만든 다음, 이를 위삼각행렬로 변환한다.

$$\begin{bmatrix} 1 & 0 & 2 & | & -5 \\ -2 & 5 & 0 & | & 11 \\ 2 & 5 & 8 & | & -7 \end{bmatrix} \longrightarrow \begin{bmatrix} 1 & 0 & 2 & | & -5 \\ 0 & 5 & 4 & | & 1 \\ 0 & 0 & 0 & | & 2 \end{bmatrix}$$

변환된 행렬로부터 이 연립일차방정식의 해가 존재하지 않음(inconsistent)을 알 수 있다. 그러므로 벡터 $\mathbf{v}$는 $\mathbf{v}_1, \mathbf{v}_2, \mathbf{v}_3$의 일차결합으로 표현할 수 없다.

이를 기하학적으로 살펴보면, 우선 $\mathbf{v}_3$가 $\mathbf{v}_1$과 $\mathbf{v}_2$의 일차결합으로 표현된다.

$$\mathbf{v}_3 = 2\mathbf{v}_1 + \frac{4}{5}\mathbf{v}_2$$

그러므로 임의의 $\mathbf{v}_1, \mathbf{v}_2, \mathbf{v}_3$의 일차결합은 $\mathbf{v}_1, \mathbf{v}_2$의 일차결합이 된다.

$$c_1\mathbf{v}_1 + c_2\mathbf{v}_2 + c_3\mathbf{v}_3 = c_1\mathbf{v}_1 + c_2\mathbf{v}_2 + c_3\left(2\mathbf{v}_1 + \frac{4}{5}\mathbf{v}_2\right)$$
$$= (c_1 + 2c_3)\mathbf{v}_1 + \left(c_2 + \frac{4}{5}c_3\right)\mathbf{v}_2$$

$\mathbf{v}_1$, $\mathbf{v}_2$의 일차결합으로 표현되는 벡터들은 그림 2와 같이 3차원 공간에서 하나의 평면을 구성하는데, 벡터 $\mathbf{v}$는 이 평면 상에 있지 않다.

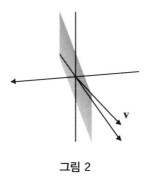

그림 2

$\mathbb{R}^n$의 좌표벡터는 n개이고, 다음과 같다.

$$\mathbf{e}_1 = \begin{bmatrix} 1 \\ 0 \\ \vdots \\ 0 \end{bmatrix} \quad \mathbf{e}_1 = \begin{bmatrix} 0 \\ 1 \\ \vdots \\ 0 \end{bmatrix} \quad \cdots \quad \mathbf{e}_n = \begin{bmatrix} 0 \\ 0 \\ \vdots \\ 1 \end{bmatrix}$$

이 벡터들은 다음의 식으로 정의할 수 있다. $(1 \le k \le n)$

$$(\mathbf{e}_k)_i = \begin{cases} 1 & i = k \text{ 일 때} \\ 0 & i \ne k \text{ 일 때} \end{cases}$$

좌표벡터의 중요한 특성 중 하나는 $\mathbb{R}^n$의 모든 벡터가 좌표벡터의 일차결합으로 표현된다는 것이다. 임의의 벡터 $\mathbf{v}$에 대해, 벡터 $\mathbf{v}$의 성분들은 좌표벡터에 곱해지는 스칼라 계수가 된다.

$$\mathbf{v} = \begin{bmatrix} v_1 \\ v_2 \\ \vdots \\ v_n \end{bmatrix} = v_1 \begin{bmatrix} 1 \\ 0 \\ \vdots \\ 0 \end{bmatrix} + v_2 \begin{bmatrix} 0 \\ 1 \\ \vdots \\ 0 \end{bmatrix} + \cdots + v_n \begin{bmatrix} 0 \\ 0 \\ \vdots \\ 1 \end{bmatrix}$$

$$= v_1 \mathbf{e}_1 + v_2 \mathbf{e}_2 + \cdots + v_n \mathbf{e}_n$$

2×2 행렬을 사용한 예제 3처럼 더 추상적인 대상으로 일차결합을 구성할 수도 있다. 3장에서 추상 벡터 공간을 살펴볼 때, 이런 종류의 구성 방식이 폭넓게 사용될 것이다.

예제 3

행렬 M_1, M_2, M_3가 다음과 같을 때,

$$M_1 = \begin{bmatrix} 1 & 0 \\ 0 & 1 \end{bmatrix} \qquad M_2 = \begin{bmatrix} 0 & 1 \\ 1 & 1 \end{bmatrix} \qquad M_3 = \begin{bmatrix} 1 & 1 \\ 1 & 1 \end{bmatrix}$$

행렬 $A = \begin{bmatrix} 1 & 1 \\ 1 & 0 \end{bmatrix}$가 M_1, M_2, M_3의 일차결합임을 증명하라.

풀이   벡터의 경우와 유사하게, $c_1 M_1 + c_2 M_2 + c_3 M_3 = A$를 만족하는 스칼라 c_1, c_2, c_3를 구해야 한다.

$$c_1 \begin{bmatrix} 1 & 0 \\ 0 & 1 \end{bmatrix} + c_2 \begin{bmatrix} 0 & 1 \\ 1 & 1 \end{bmatrix} + c_3 \begin{bmatrix} 1 & 1 \\ 1 & 1 \end{bmatrix} = \begin{bmatrix} 1 & 1 \\ 1 & 0 \end{bmatrix}$$

스칼라 곱셈 및 벡터 덧셈을 수행하면 다음과 같다.

$$\begin{bmatrix} c_1 + c_3 & c_2 + c_3 \\ c_2 + c_3 & c_1 + c_2 + c_3 \end{bmatrix} = \begin{bmatrix} 1 & 1 \\ 1 & 0 \end{bmatrix}$$

위의 식으로부터 다음의 연립일차방정식이 도출된다.

$$\begin{cases} c_1 + \quad\ c_3 = 1 \\ \qquad c_2 + c_3 = 1 \\ c_1 + c_2 + c_3 = 0 \end{cases}$$

이 연립일차방정식의 해는 $c_1 = -1$, $c_2 = -1$, $c_3 = 2$이다. 따라서, 행렬 A는 M_1, M_2, M_3의 일차결합이다. ■

예제 4

연립일차방정식 $A\mathbf{x} = \mathbf{0}$ 에서, 만약 $\mathbf{x}_1, \mathbf{x}_2, ..., \mathbf{x}_n$ 이 연립일차방정식의 해라면 모든 일차결합 $c_1\mathbf{x}_1 + c_2\mathbf{x}_2 + \cdots + c_n\ \mathbf{x}_n$ 도 연립일차방정식의 해임을 증명하라.

풀이 $\mathbf{x}_1, \mathbf{x}_2, ..., \mathbf{x}_n$ 가 연립일차방정식의 해이므로,

$$A\mathbf{x}_1 = 0 \qquad A\mathbf{x}_2 = 0 \qquad ... \qquad A\mathbf{x}_n = 0$$

이다. 행렬의 대수적 특성을 이용하여 전개하면, 다음과 같다.

$$\begin{aligned} A(c_1\mathbf{x}_1 + c_2\mathbf{x}_2 + \cdots + c_n\mathbf{x}_n) &= A(c_1\mathbf{x}_1) + A(c_2\mathbf{x}_2) + \cdots + A(c_n\mathbf{x}_n) \\ &= c_1(A\mathbf{x}_1) + c_2(A\mathbf{x}_2) + \cdots + c_n(A\mathbf{x}_n) \\ &= c_1\mathbf{0} + c_2\mathbf{0} + \cdots + c_n\mathbf{0} \\ &= \mathbf{0} \end{aligned}$$

예제 4의 결과는 1.5절의 예제 3의 결과의 연장선 상에 있다.

연립일차방정식의 벡터 형태

식이 m개이고 변수가 n개인 연립일차방정식은 다음과 같은 형태를 갖는다.

$$\begin{cases} a_{11}x_1 + a_{12}x_2 + \cdots + a_{1n}x_n = b_1 \\ a_{21}x_1 + a_{22}x_2 + \cdots + a_{2n}x_n = b_2 \\ \vdots \qquad \vdots \qquad\quad \vdots \qquad \vdots \\ a_{m1}x_1 + a_{m2}x_2 + \cdots + a_{mn}x_n = b_m \end{cases}$$

위의 식들은 $A\mathbf{x} = \mathbf{b}$ 처럼 행렬로 표현할 수 있는데, 이때 A는 $m \times n$ 계수행렬(coefficient matrix)이고, $\mathbf{x}$는 n차원 변수벡터이며, $\mathbf{b}$는 m차원 상수벡터이다. 계수행렬 A의 열벡터(column vector)를 이용하여 위의 식을 다음과 같이 표현할 수 있다.

$$x_1 \begin{bmatrix} a_{11} \\ a_{21} \\ \vdots \\ a_{m1} \end{bmatrix} + x_2 \begin{bmatrix} a_{12} \\ a_{22} \\ \vdots \\ a_{m2} \end{bmatrix} + \cdots + x_n \begin{bmatrix} a_{1n} \\ a_{2n} \\ \vdots \\ a_{mn} \end{bmatrix} = \begin{bmatrix} b_1 \\ b_2 \\ \vdots \\ b_m \end{bmatrix}$$

위의 식을 $x_1\mathbf{A}_1 + x_2\mathbf{A}_2 + \cdots + x_n\mathbf{A}_n = \mathbf{b}$ 로 쓸 수 있고, 이를 연립일차방정식의 벡터 형태 (vector form)라고 부른다. 이때, $\mathbf{A}_i$는 계수 행렬 A의 i번째 열벡터이고, 벡터 $\mathbf{b}$가 A의 열벡터들의 일차결합이면 연립일차방정식의 해는 존재한다.

연립일차방정식 $A\mathbf{x} = \mathbf{b}$의 해는, 벡터 $\mathbf{b}$가 행렬 A의 열벡터들의 일차결합일 때에만 존재한다.

행렬간 곱셈

마지막으로, 일차결합이 두 행렬의 곱을 나타내는데 어떻게 사용될 수 있는지 살펴보자.

A가 $m \times n$ 행렬이고, B가 $n \times p$ 행렬일 때, B의 i번째 열벡터를 $\mathbf{B}_i$라 하면, 두 행렬의 곱 AB의 i번째 열벡터는 다음과 같다$(1 \le i \le p)$.

$$
A\mathbf{B}_i = \begin{bmatrix} a_{11} & a_{12} & \cdots & a_{1n} \\ a_{21} & a_{22} & \cdots & a_{2n} \\ \vdots & \vdots & \ddots & \vdots \\ a_{m1} & a_{m2} & \cdots & a_{mn} \end{bmatrix} \begin{bmatrix} b_{1i} \\ b_{2i} \\ \vdots \\ b_{ni} \end{bmatrix}
$$

$$
= \begin{bmatrix} a_{11}b_{1i} + a_{12}b_{2i} + \cdots + a_{1n}b_{ni} \\ a_{21}b_{1i} + a_{22}b_{2i} + \cdots + a_{2n}b_{ni} \\ \vdots & \vdots & \vdots \\ a_{m1}b_{1i} + a_{m2}b_{2i} + \cdots + a_{mn}b_{ni} \end{bmatrix}
$$

$$
= \begin{bmatrix} a_{11}b_{1i} \\ a_{21}b_{1i} \\ \vdots \\ a_{m1}b_{1i} \end{bmatrix} + \begin{bmatrix} a_{12}b_{2i} \\ a_{22}b_{2i} \\ \vdots \\ a_{m2}b_{2i} \end{bmatrix} + \cdots + \begin{bmatrix} a_{1n}b_{ni} \\ a_{2n}b_{ni} \\ \vdots \\ a_{mn}b_{ni} \end{bmatrix}
$$

$$
= b_{1i}\mathbf{A}_1 + b_{2i}\mathbf{A}_2 + \cdots + b_{ni}\mathbf{A}_n
$$

위의 식으로부터 두 행렬의 곱 AB의 열벡터들은 행렬 A의 열벡터들의 일차결합임을 알 수 있다.

1. $\mathbb{R}^n$ 의 모든 벡터들은 좌표벡터 $\mathbf{e}_1, \mathbf{e}_2, ..., \mathbf{e}_n$ 의 일차결합이다.

2. 만약 $\mathbf{x}_1, \mathbf{x}_2, ..., \mathbf{x}_k$ 이 모두 동차방정식(homogeneous equation) $A\mathbf{x} = \mathbf{b}$의 해이면, $\mathbf{x}_1, \mathbf{x}_2, ...,$ $\mathbf{x}_k$ 의 일차결합들도 모두 해이다.

3. 연립일차방정식 $A\mathbf{x} = \mathbf{b}$ 는 벡터 형태인 $x_1\mathbf{A}_1 + x_2\mathbf{A}_2 + \cdots + x_n\mathbf{A}_n = \mathbf{b}$ 로 나타낼 수 있으며, 좌변은 행렬 A의 열벡터들의 일차결합이다.

4. 연립일차방정식 $A\mathbf{x} = \mathbf{b}$의 해는, $\mathbf{b}$가 행렬 A의 열벡터들의 일차결합일 때에만 존재한다.

연습문제 2.2

연습문제 1–6에서, 벡터 $\mathbf{v}$ 가 벡터 $\mathbf{v}_1, \mathbf{v}_2$ 의 일차
결합인지 아닌지 판별하라.

1. $\mathbf{v} = \begin{bmatrix} -4 \\ 11 \end{bmatrix}$ $\quad \mathbf{v}_1 = \begin{bmatrix} 1 \\ 1 \end{bmatrix}$ $\quad \mathbf{v}_2 = \begin{bmatrix} -2 \\ 3 \end{bmatrix}$

2. $\mathbf{v} = \begin{bmatrix} 13 \\ -2 \end{bmatrix}$ $\quad \mathbf{v}_1 = \begin{bmatrix} -1 \\ 2 \end{bmatrix}$ $\quad \mathbf{v}_2 = \begin{bmatrix} 3 \\ 0 \end{bmatrix}$

3. $\mathbf{v} = \begin{bmatrix} 1 \\ 1 \end{bmatrix}$ $\quad \mathbf{v}_1 = \begin{bmatrix} -2 \\ 4 \end{bmatrix}$ $\quad \mathbf{v}_2 = \begin{bmatrix} 3 \\ -6 \end{bmatrix}$

4. $\mathbf{v} = \begin{bmatrix} 3 \\ 2 \end{bmatrix}$ $\quad \mathbf{v}_1 = \begin{bmatrix} 1 \\ -2 \end{bmatrix}$ $\quad \mathbf{v}_2 = \begin{bmatrix} \frac{1}{2} \\ -1 \end{bmatrix}$

5. $\mathbf{v} = \begin{bmatrix} -3 \\ 10 \\ 10 \end{bmatrix}$ $\quad \mathbf{v}_1 = \begin{bmatrix} -2 \\ 3 \\ 4 \end{bmatrix}$ $\quad \mathbf{v}_2 = \begin{bmatrix} 1 \\ 4 \\ 2 \end{bmatrix}$

6. $\mathbf{v} = \begin{bmatrix} -2 \\ 6 \\ 8 \end{bmatrix}$ $\quad \mathbf{v}_1 = \begin{bmatrix} 3 \\ 4 \\ -1 \end{bmatrix}$ $\quad \mathbf{v}_2 = \begin{bmatrix} 2 \\ 7 \\ 3 \end{bmatrix}$

연습문제 7–12에서, 벡터 $\mathbf{v}$ 가 벡터 $\mathbf{v}_1, \mathbf{v}_2, \mathbf{v}_3$ 의
일차결합인지 아닌지 판별하라.

7. $\mathbf{v} = \begin{bmatrix} 2 \\ 8 \\ 2 \end{bmatrix}$ $\quad \mathbf{v}_1 = \begin{bmatrix} 2 \\ -2 \\ 0 \end{bmatrix}$

$\mathbf{v}_2 = \begin{bmatrix} 3 \\ 0 \\ -3 \end{bmatrix}$ $\quad \mathbf{v}_3 = \begin{bmatrix} -2 \\ 0 \\ -1 \end{bmatrix}$

8. $\mathbf{v} = \begin{bmatrix} 5 \\ -4 \\ -7 \end{bmatrix}$ $\quad \mathbf{v}_1 = \begin{bmatrix} 1 \\ -1 \\ 0 \end{bmatrix}$

$\mathbf{v}_2 = \begin{bmatrix} -2 \\ -1 \\ -1 \end{bmatrix}$ $\quad \mathbf{v}_3 = \begin{bmatrix} 3 \\ -1 \\ -3 \end{bmatrix}$

9. $\mathbf{v} = \begin{bmatrix} -1 \\ 1 \\ 5 \end{bmatrix}$ $\quad \mathbf{v}_1 = \begin{bmatrix} 1 \\ 2 \\ -1 \end{bmatrix}$

$\mathbf{v}_2 = \begin{bmatrix} -1 \\ -1 \\ 3 \end{bmatrix}$ $\quad \mathbf{v}_3 = \begin{bmatrix} 0 \\ 1 \\ 2 \end{bmatrix}$

10. $\mathbf{v} = \begin{bmatrix} -3 \\ 5 \\ 5 \end{bmatrix}$ $\quad \mathbf{v}_1 = \begin{bmatrix} -3 \\ 2 \\ 1 \end{bmatrix}$

$\mathbf{v}_2 = \begin{bmatrix} 1 \\ 4 \\ 1 \end{bmatrix}$ $\quad \mathbf{v}_3 = \begin{bmatrix} -1 \\ 10 \\ 3 \end{bmatrix}$

11. $\mathbf{v} = \begin{bmatrix} 3 \\ -17 \\ 17 \\ 7 \end{bmatrix}$ $\quad \mathbf{v}_1 = \begin{bmatrix} 2 \\ -3 \\ 4 \\ 1 \end{bmatrix}$

$\mathbf{v}_2 = \begin{bmatrix} 1 \\ 6 \\ -1 \\ 2 \end{bmatrix}$ $\quad \mathbf{v}_3 = \begin{bmatrix} -1 \\ -1 \\ 2 \\ 3 \end{bmatrix}$

12. $\mathbf{v} = \begin{bmatrix} 6 \\ 3 \\ 3 \\ 7 \end{bmatrix}$ $\quad \mathbf{v}_1 = \begin{bmatrix} 2 \\ 3 \\ 4 \\ 5 \end{bmatrix}$

$\mathbf{v}_2 = \begin{bmatrix} 1 \\ -1 \\ 2 \\ 3 \end{bmatrix}$ $\quad \mathbf{v}_3 = \begin{bmatrix} 3 \\ 1 \\ -3 \\ 1 \end{bmatrix}$

연습문제 13–16에서, 벡터 $\mathbf{v}$ 가 주어진 벡터들의
일차결합이 될 수 있는 모든 조건을 찾아라.

13. $\mathbf{v} = \begin{bmatrix} 3 \\ 0 \end{bmatrix}$ $\quad \mathbf{v}_1 = \begin{bmatrix} 3 \\ 1 \end{bmatrix}$

$$\mathbf{v}_2 = \begin{bmatrix} 0 \\ -1 \end{bmatrix} \qquad \mathbf{v}_3 = \begin{bmatrix} -1 \\ 2 \end{bmatrix}$$

14. $\mathbf{v} = \begin{bmatrix} -1 \\ -1 \end{bmatrix} \qquad \mathbf{v}_1 = \begin{bmatrix} 1 \\ -1 \end{bmatrix}$

$$\mathbf{v}_2 = \begin{bmatrix} -2 \\ -1 \end{bmatrix} \qquad \mathbf{v}_3 = \begin{bmatrix} 3 \\ 0 \end{bmatrix}$$

15. $\mathbf{v} = \begin{bmatrix} 0 \\ -1 \\ -3 \end{bmatrix} \qquad \mathbf{v}_1 = \begin{bmatrix} 0 \\ 1 \\ 1 \end{bmatrix}$

$$\mathbf{v}_2 = \begin{bmatrix} -2 \\ -1 \\ 2 \end{bmatrix} \qquad \mathbf{v}_3 = \begin{bmatrix} -2 \\ -3 \\ -1 \end{bmatrix} \qquad \mathbf{v}_4 = \begin{bmatrix} 2 \\ -1 \\ -2 \end{bmatrix}$$

16. $\mathbf{v} = \begin{bmatrix} -3 \\ -3 \\ 1 \end{bmatrix} \qquad \mathbf{v}_1 = \begin{bmatrix} -1 \\ -1 \\ 2 \end{bmatrix}$

$$\mathbf{v}_2 = \begin{bmatrix} 0 \\ -1 \\ -1 \end{bmatrix} \qquad \mathbf{v}_3 = \begin{bmatrix} 0 \\ -1 \\ -2 \end{bmatrix} \qquad \mathbf{v}_4 = \begin{bmatrix} -3 \\ -1 \\ -2 \end{bmatrix}$$

연습문제 17-20에서, 행렬 M 이 행렬 M_1, M_2, M_3의 일차결합인지 아닌지 판별하라.

17. $M = \begin{bmatrix} -2 & 4 \\ 4 & 0 \end{bmatrix}$

$$M_1 = \begin{bmatrix} 1 & 2 \\ 1 & -1 \end{bmatrix} \quad M_2 = \begin{bmatrix} -2 & 3 \\ 1 & 4 \end{bmatrix}$$

$$M_3 = \begin{bmatrix} -1 & 3 \\ 2 & 1 \end{bmatrix}$$

18. $M = \begin{bmatrix} 2 & 3 \\ 1 & 2 \end{bmatrix}$

$$M_1 = \begin{bmatrix} 2 & 2 \\ 1 & 1 \end{bmatrix} \quad M_2 = \begin{bmatrix} -1 & 1 \\ 2 & 1 \end{bmatrix}$$

$$M_3 = \begin{bmatrix} 1 & 2 \\ 3 & 1 \end{bmatrix}$$

19. $M = \begin{bmatrix} 2 & 1 \\ -1 & 2 \end{bmatrix}$

$$M_1 = \begin{bmatrix} 2 & 2 \\ -1 & 3 \end{bmatrix} \quad M_2 = \begin{bmatrix} 3 & -1 \\ 2 & -2 \end{bmatrix}$$

$$M_3 = \begin{bmatrix} 3 & -1 \\ 2 & 2 \end{bmatrix}$$

20. $M = \begin{bmatrix} 2 & 1 \\ 3 & 4 \end{bmatrix}$

$$M_1 = \begin{bmatrix} 1 & 0 \\ 0 & -1 \end{bmatrix} \quad M_2 = \begin{bmatrix} 0 & 1 \\ 0 & 0 \end{bmatrix}$$

$$M_3 = \begin{bmatrix} 0 & 0 \\ 0 & 1 \end{bmatrix}$$

21. 행렬 A, 벡터 $\mathbf{x}$가 다음과 같을 때, 행렬-벡터 곱 $(A\mathbf{x})$를 A의 열벡터들의 일차결합으로 표현하라.

$$A = \begin{bmatrix} 1 & 3 \\ -2 & 1 \end{bmatrix} \qquad \mathbf{x} = \begin{bmatrix} 2 \\ -1 \end{bmatrix}$$

22. 행렬 A, 벡터 $\mathbf{x}$가 다음과 같을 때, 행렬-벡터 곱 $(A\mathbf{x})$를 A의 열벡터들의 일차결합으로 표현하라.

$$A = \begin{bmatrix} 1 & 2 & -1 \\ 2 & 3 & 4 \\ -3 & 2 & 1 \end{bmatrix} \qquad \mathbf{x} = \begin{bmatrix} -1 \\ -1 \\ 3 \end{bmatrix}.$$

23. 행렬 A, B가 다음과 같을 때, 두 행렬의 곱 AB를 행렬 A의 열벡터들의 일차결합으로 표현하라.

$$A = \begin{bmatrix} -1 & -2 \\ 3 & 4 \end{bmatrix} \qquad B = \begin{bmatrix} 3 & 2 \\ 2 & 5 \end{bmatrix}.$$

23. 행렬 A, B가 다음과 같을 때, 두 행렬의 곱 AB를 행렬 A의 열벡터들의 일차결합으로 표현하라.

$$A = \begin{bmatrix} -1 & -2 \\ 3 & 4 \end{bmatrix} \quad B = \begin{bmatrix} 3 & 2 \\ 2 & 5 \end{bmatrix}.$$

24. 행렬 A, B가 다음과 같을 때, 두 행렬의 곱 AB를 행렬 A의 열벡터들의 일차결합으로 표현하라.

$$A = \begin{bmatrix} 2 & 0 & -1 \\ 1 & -1 & 4 \\ -4 & 3 & 1 \end{bmatrix} \quad B = \begin{bmatrix} 3 & 2 & 1 \\ -2 & 1 & 0 \\ 2 & -1 & 1 \end{bmatrix}.$$

연습문제 25와 26에서, 다항식 $p(x)$ 를 다항식 $(1+x)$ 와 (x^2) 의 일차결합으로 표현하라.

25. $p(x) = 2x^2 - 3x - 1$

26. $p(x) = -x^2 + 3x + 3$

연습문제 27과 28에서, 다항식 $p(x)$ 를 다항식 $(1+x)$, $(-x)$, (x^2+1) , $(2x^3 - x + 1)$ 의 일차결합으로 표현하라.

27. $p(x) = x^3 - 2x + 1$

28. $p(x) = x^3$

29. 다음의 벡터들의 일차결합으로 표현할 수 있는 모든 3차원 벡터들은 무엇을 나타내는가?

$$\begin{bmatrix} 1 \\ 2 \\ -1 \end{bmatrix} \quad \begin{bmatrix} 3 \\ 7 \\ -2 \end{bmatrix} \quad \begin{bmatrix} 1 \\ 3 \\ 0 \end{bmatrix}$$

30. 다음의 행렬들의 일차결합으로 표현할 수 있는 모든 2×2 행렬들은 무엇을 나타내는가?

$$\begin{bmatrix} 1 & 0 \\ 0 & 0 \end{bmatrix} \quad \begin{bmatrix} 0 & 1 \\ 1 & 0 \end{bmatrix} \quad \begin{bmatrix} 0 & 0 \\ 0 & 1 \end{bmatrix}$$

31. $\mathbf{v} = \mathbf{v}_1 + \mathbf{v}_2 + \mathbf{v}_3 + \mathbf{v}_4$ 이고 $\mathbf{v}_4 = \mathbf{v}_1 - 2\mathbf{v}_2 + 3\mathbf{v}_3$ 일 때, 벡터 $\mathbf{v}$를 벡터 $\mathbf{v}_1$, $\mathbf{v}_2$, $\mathbf{v}_3$의 일차결합으로 표현하라.

32. $\mathbf{v} = \mathbf{v}_1 + \mathbf{v}_2 + \mathbf{v}_3 + \mathbf{v}_4$ 이고 $\mathbf{v}_2 = 2\mathbf{v}_1 - 4\mathbf{v}_3$ 일 때, 벡터 $\mathbf{v}$를 벡터 $\mathbf{v}_1$, $\mathbf{v}_2$, $\mathbf{v}_3$의 일차결합으로 표현하라.

33. 벡터 $\mathbf{v}$가 벡터 $\mathbf{v}_1$, $\mathbf{v}_2$, ..., $\mathbf{v}_n$의 일차결합이고 $c_1\mathbf{v}_1 + c_2\mathbf{v}_2 + \cdots + c_n\mathbf{v}_n = \mathbf{0}$ 일 때$(c_1 \neq 0)$, $\mathbf{v}$가 $\mathbf{v}_2, ..., \mathbf{v}_n$의 일차결합임을 증명하라.

34. 벡터 $\mathbf{v}$가 벡터 $\mathbf{v}_1$, $\mathbf{v}_2$, ..., $\mathbf{v}_n$의 일차결합이고, $\mathbf{w}_1$, $\mathbf{w}_2$, ..., $\mathbf{w}_m$은 또 다른 m개의 벡터들이다. 벡터 $\mathbf{v}$가 $\mathbf{v}_1$, $\mathbf{v}_2$, ..., $\mathbf{v}_n$, $\mathbf{w}_1$, $\mathbf{w}_2$, ..., $\mathbf{w}_m$의 일차결합임을 증명하라.

35. 집합 S_1이 n차원 벡터 $\mathbf{v}_1$, $\mathbf{v}_2$, ..., $\mathbf{v}_k$의 모든 일차결합으로 이루어진 집합이고, 집합 S_2가 벡터 $\mathbf{v}_1$, $\mathbf{v}_2$, ..., $\mathbf{v}_k$, $c\mathbf{v}_k$의 모든 일차결합으로 이루어진 집합일 때(c는 0이 아닌 스칼라), $S_1 = S_2$ 임을 증명하라.

36. 집합 S_1이 n차원 벡터 $\mathbf{v}_1$, $\mathbf{v}_2$, ..., $\mathbf{v}_k$의 모든 일차결합으로 이루어진 집합이고, 집합 S_2가 벡터 $\mathbf{v}_1$, $\mathbf{v}_2$, ..., $\mathbf{v}_k$, $\mathbf{v}_1 + \mathbf{v}_2$의 모든 일차결합으로 이루어진 집합일 때, $S_1 = S_2$ 임을 증명하라.

37. 식이 3개, 변수가 3개인 연립일차방정식 $A\mathbf{x} = \mathbf{b}$ 의 해가 존재하고, $\mathbf{A}_3 = c\mathbf{A}_1$을 만족하는 스칼라 c가 존재할 때, 이 연립방정식의 해는 무한히 많음을 증명하라.

38. 식이 3개, 변수가 3개인 연립일차방정식 $A\mathbf{x} = \mathbf{b}$의 해가 존재하고, $\mathbf{A}_3 = \mathbf{A}_1 + \mathbf{A}_2$일 때, 이 연립방정식의 해는 무한히 많음을 증명하라.

39. 미분방정식 $2y'' - 3y' + y = 0$ 의 해가 $y = f(x) = e^x$ 와 $y = g(x) = e^{-x}$ 임을 증명하라. 그리고 $f(x)$ 와 $g(x)$ 의 모든 일차결합도 이 미분방정식의 해임을 증명하라.

2.3 일차독립

n차원 벡터들의 집합 S가 주어졌을 때, 모든 n차원 벡터들을 S의 벡터들의 일차결합으로 표현하는 것이 항상 가능하지는 않음을 2.2절에서 살펴보았다. 한편, 모든 n차원 벡터들을 일차결합으로 표현할 수 있는 $\mathbb{R}^n$의 부분집합 S의 개수는 무한히 많다. 예를 들어, 좌표벡터들의 집합 $S = \{e_1, ..., e_n\}$의 일차결합으로 모든 n차원 벡터들을 표현할 수 있는데, S에 요소를 하나 추가한 집합 $T = \{e_1, ..., e_n, e_1 + e_2\}$도 모든 n차원 벡터들을 표현할 수 있다. 집합 S와 T는 둘 다 $\mathbb{R}^n$을 생성(generate)한다. 이 때, 모든 n차원 벡터들을 표현할 수 있는 최소의 집합을 도출하기 위해서는 일차독립이라는 개념이 필요하다.

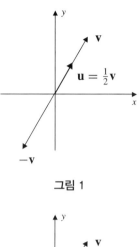

그림 1

설명을 위해 예를 들면, 그림 1처럼 2차원 벡터 u와 v가 같은 직선 위에 있을 때, $u = cv$를 만족하는 0이 아닌 스칼라 c가 존재한다. $u = cv$는 $u - cv = 0$라고 바꿔 쓸 수 있는데, 이 조건으로부터 벡터 u와 v는 일차종속이라고 말할 수 있다. 즉, 만약 스칼라 계수가 전부 0이 아니면서 영벡터를 두 벡터의 일차결합으로 표현할 수 있다면, 두 벡터는 일차종속인 것이다. 한편, 그림 2의 벡터들은 일차종속이 아니다. 2차원 벡터로 예를 들었지만, 일차독립과 일차종속의 개념은 n차원 벡터로 일반화될 수 있다.

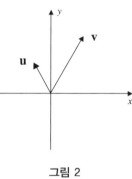

그림 2

정의 1 일차독립(linearly independent)과 일차종속(linearly dependent)

n차원 벡터들의 집합 $S = \{v_1, v_2, ..., v_m\}$에 대하여, 방정식 $c_1 v_1 + c_2 v_2 + \cdots + c_m v_m = 0$의 유일한 해가 자명한 해($c_1 = c_2 = \cdots = c_m = 0$) 뿐일 때, 집합 S는 일차독립이다. 만약 위의 방정식이 자명하지 않은 해를 가진다면 집합 S는 일차종속이다.

예를 들어, n차원 좌표벡터들의 집합 $S = \{e_1, ..., e_n\}$는 일차독립이다.

예제 1

다음의 벡터들이 일차독립인지 일차종속인지 판별하라.

$$\mathbf{v}_1 = \begin{bmatrix} 1 \\ 0 \\ 1 \\ 2 \end{bmatrix} \qquad \mathbf{v}_2 = \begin{bmatrix} 0 \\ 1 \\ 1 \\ 2 \end{bmatrix} \qquad \mathbf{v}_3 = \begin{bmatrix} 1 \\ 1 \\ 1 \\ 3 \end{bmatrix}$$

풀이 다음의 벡터 방정식의 해를 구해보자.

$$c_1 \begin{bmatrix} 1 \\ 0 \\ 1 \\ 2 \end{bmatrix} + c_2 \begin{bmatrix} 0 \\ 1 \\ 1 \\ 2 \end{bmatrix} + c_3 \begin{bmatrix} 1 \\ 1 \\ 1 \\ 3 \end{bmatrix} = \begin{bmatrix} 0 \\ 0 \\ 0 \\ 0 \end{bmatrix}$$

해를 구하기 위해서 다음의 연립일차방정식을 푼다.

$$\begin{cases} c_1 + \qquad\quad c_3 = 0 \\ \qquad\quad c_2 + c_3 = 0 \\ c_1 + c_2 + c_3 = 0 \\ 2c_1 + 2c_2 + 3c_3 = 0 \end{cases}$$

우선, 세 번째 식에서 첫 번째 식을 빼면 $c_2 = 0$ 이다. 다음에, $c_2 = 0$ 를 두 번째 식에 대입하면 $c_3 = 0$ 이고, c_2 와 c_3 를 네번째 식에 대입하면 $c_1 = 0$ 이다. 결국, 위의 연립방정식의 유일한 해는 자명한 해($c_1 = c_2 = c_3 = c_4 = 0$) 뿐이다. 따라서, 위의 벡터들은 일차독립이다. ■

예제 2

다음의 벡터들이 일차독립인지 일차종속인지 판별하라.

$$\mathbf{v}_1 = \begin{bmatrix} 1 \\ 0 \\ 2 \end{bmatrix} \qquad \mathbf{v}_2 = \begin{bmatrix} -1 \\ 1 \\ 2 \end{bmatrix} \qquad \mathbf{v}_3 = \begin{bmatrix} -2 \\ 3 \\ 1 \end{bmatrix} \qquad \mathbf{v}_4 = \begin{bmatrix} 2 \\ 1 \\ 1 \end{bmatrix}$$

풀이 예제 1과 같이 다음의 벡터 방정식의 해를 구해야 한다.

$$c_1 \begin{bmatrix} 1 \\ 0 \\ 2 \end{bmatrix} + c_2 \begin{bmatrix} -1 \\ 1 \\ 2 \end{bmatrix} + c_3 \begin{bmatrix} -2 \\ 3 \\ 1 \end{bmatrix} + c_4 \begin{bmatrix} 2 \\ 1 \\ 1 \end{bmatrix} = \begin{bmatrix} 0 \\ 0 \\ 0 \end{bmatrix}$$

해를 구하기 위해서 다음의 연립일차방정식을 풀면,

$$\begin{cases} c_1 - c_2 - 2c_3 + 2c_4 = 0 \\ \qquad\quad c_2 + 3c_3 + c_4 = 0 \\ 2c_1 + 2c_2 + c_3 + c_4 = 0 \end{cases}$$

해는 집합 $S = \{(-2t,\ 2t, -t,\ t) \mid t \in \mathbb{R}\}$ 이다. 해가 무한히 많으므로 집합 $\{\mathbf{v}_1, \mathbf{v}_2, \mathbf{v}_3, \mathbf{v}_4\}$ 는 일차종속이다. ∎

예제 2에서 집합 $\{\mathbf{v}_1, \mathbf{v}_2, \mathbf{v}_3, \mathbf{v}_4\}$ 는 일차종속임을 증명했다. 그런데, 주어진 벡터들을 자세히 살펴보면, $\mathbf{v}_4$가 $\mathbf{v}_1, \mathbf{v}_2, \mathbf{v}_3$의 일차결합, 즉, $\mathbf{v}_4 = 2\mathbf{v}_1 - 2\mathbf{v}_2 + \mathbf{v}_3$ 임을 알 수 있다. 정리 3으로 정리한 것처럼, 원소의 개수가 n보다 큰 n차원 벡터들의 집합은 모두 일차종속이라고 할 수 있다.

정리 3

n개의 m차원 벡터들의 집합을 $S = \{\mathbf{v}_1, \mathbf{v}_2, ..., \mathbf{v}_n\}$ 라 하자. 만약 $n > m$ 이면 집합 S는 일차종속이다.

증명 집합 S의 벡터들이 $m \times n$ 행렬 A의 열벡터들일 때($\mathbf{A}_i = \mathbf{v}_i$, $1 \le i \le n$), 식 $c_1\mathbf{v}_1 + c_2\mathbf{v}_2 + \cdots + c_n\mathbf{v}_n = \mathbf{0}$ 을 행렬 형태로 표현하면 다음과 같이 연립일차방정식이 된다.

$$A\mathbf{c} = \mathbf{0}, \qquad \mathbf{c} = \begin{bmatrix} c_1 \\ c_2 \\ \vdots \\ c_n \end{bmatrix}$$

$n > m$ 이면, A는 정사각행렬(square matrix)이 될 수 없고, 적어도 하나의 자유 변수(free variable)가 존재한다. 여러 개의 해가 존재하므로, 집합 $S = \{\mathbf{v}_1, ..., \mathbf{v}_n\}$ 는 일차종속이다.

정리 3에 의해서, 세 개 이상인 2차원 벡터들의 집합, 네 개 이상인 3차원 벡터들의 집합, 다섯 개 이상인 4차원 벡터들의 집합 등은 모두 일차종속이다. 그런데, 정리 3은 $n \le m$ 인 경우는 언급하지 않았다. $n \le m$ 인 경우에는 일차종속일 수도 있고 일차독립일 수도 있다.

일차독립과 일차종속의 개념은 벡터 뿐만 아니라 행렬, 함수, 다항식 등 다른 개체에 대해서도 일반화 시켜서 적용할 수 있다. 예제 3은 행렬에 대한 예이다.

예제 3

다음의 행렬들이 일차독립인지 일차종속인지 판별하라.

$$M_1 = \begin{bmatrix} 1 & 0 \\ 3 & 2 \end{bmatrix} \qquad M_2 = \begin{bmatrix} -1 & 2 \\ 3 & 2 \end{bmatrix} \qquad M_3 = \begin{bmatrix} 5 & -6 \\ -3 & -2 \end{bmatrix}$$

풀이 다음의 식을 전개하면,

$$c_1 \begin{bmatrix} 1 & 0 \\ 3 & 2 \end{bmatrix} + c_2 \begin{bmatrix} -1 & 2 \\ 3 & 2 \end{bmatrix} + c_3 \begin{bmatrix} 5 & -6 \\ -3 & -2 \end{bmatrix} = \begin{bmatrix} 0 & 0 \\ 0 & 0 \end{bmatrix}$$

다음과 같다.

$$\begin{bmatrix} c_1 - c_2 + 5c_3 & 2c_2 - 6c_3 \\ 3c_1 + 3c_2 - 3c_3 & 2c_1 + 2c_2 - 2c_3 \end{bmatrix} = \begin{bmatrix} 0 & 0 \\ 0 & 0 \end{bmatrix}$$

각 성분을 등식으로 놓으면 연립일차방정식이 도출된다.

$$\begin{cases} c_1 - c_2 + 5c_3 = 0 \\ 2c_2 - 6c_3 = 0 \\ 3c_1 + 3c_2 - 3c_3 = 0 \\ 2c_1 + 2c_2 - 2c_3 = 0 \end{cases}$$

위의 연립방정식을 풀기 위해, 다음과 같이 첨가행렬을 만든 다음, 이를 위삼각행렬로 변환한다.

$$\begin{bmatrix} 1 & -1 & 5 & | & 0 \\ 0 & 2 & -6 & | & 0 \\ 3 & 3 & -3 & | & 0 \\ 2 & 2 & -2 & | & 0 \end{bmatrix} \longrightarrow \begin{bmatrix} 1 & 0 & 2 & | & 0 \\ 0 & 1 & -3 & | & 0 \\ 0 & 0 & 0 & | & 0 \\ 0 & 0 & 0 & | & 0 \end{bmatrix}$$

따라서, 연립방정식의 해는 집합 $S = \{(-2t, 3t, t) \mid t \in \mathbb{R}\}$ 이다. 무한히 많은 해가 존재하므로 주어진 행렬들은 일차종속이다. ∎

어떤 벡터들의 집합이 일차독립인지 일차종속인지 판별하는 기준은 매우 유용하다. 다음의 몇 개의 정리들을 통해, 일차독립인지 일차종속인지 판별이 가능한 경우들을 살펴보자.

정리 4

벡터들의 집합 $S = \{\mathbf{v}_1, \mathbf{v}_2, \ldots, \mathbf{v}_n\}$ 가 영벡터를 포함하면, S는 일차종속이다.

증명 집합 S의 벡터 중, k번째 벡터가 영벡터라고 가정해 보자($\mathbf{v}_k = \mathbf{0}$). 그리고 계수들을 다음과 같이 설정하면,

$$c_1 = c_2 = \cdots = c_{k-1} = 0, \ c_k = 1, \ c_{k+1} = c_{k+2} = \cdots = c_n = 0$$

다음의 식이 성립한다.

$$0\mathbf{v}_1 + \cdots + 0\mathbf{v}_{k-1} + 1\mathbf{v}_k + 0\mathbf{v}_{k+1} + \cdots + 0\mathbf{v}_n = \mathbf{0}$$

위의 식으로부터(자명하지 않은 해가 존재하므로), 주어진 벡터들은 일차종속이다.

정리 5

영벡터가 아닌 벡터들의 집합에서, 적어도 하나의 벡터가 집합 내 다른 벡터들의 일차결합으로 표현될 때에만 일차종속이다.

증명 영벡터가 아닌 벡터들의 집합 $S = \{\mathbf{v}_1, \mathbf{v}_2, \ldots, \mathbf{v}_n\}$ 이 일차종속이라고 하면, 전부 0은 아니면서 식 $c_1\mathbf{v}_1 + c_2\mathbf{v}_2 + \cdots + c_n\mathbf{v}_n = \mathbf{0}$ 을 만족하는 스칼라 $c_1, c_2, \ldots, c_n$이 존재한다. 임의의 k에 대해 $c_k \neq 0$ 라고 가정하고 벡터 $\mathbf{v}_k$에 대해 식을 풀면, 다음과 같이 $\mathbf{v}_k$는 다른 벡터들의 일차결합이 된다.

$$\mathbf{v}_k = -\frac{c_1}{c_k}\mathbf{v}_1 - \cdots - \frac{c_{k-1}}{c_k}\mathbf{v}_{k-1} - \frac{c_{k+1}}{c_k}\mathbf{v}_{k+1} - \cdots - \frac{c_n}{c_k}\mathbf{v}_n$$

반대로, 벡터 $\mathbf{v}_k$가 다른 벡터들의 일차결합이라고 가정하면, $\mathbf{v}_k$를 다음과 같이 표현할 수 있다.

$$\mathbf{v}_k = c_1\mathbf{v}_1 + c_2\mathbf{v}_2 + \cdots + c_{k-1}\mathbf{v}_{k-1} + c_{k+1}\mathbf{v}_{k+1} + \cdots + c_n\mathbf{v}_n$$

$\mathbf{v}_k$를 우변으로 옮겨서 정리하면,

$$c_1\mathbf{v}_1 + c_2\mathbf{v}_2 + \cdots + c_{k-1}\mathbf{v}_{k-1} - \mathbf{v}_k + c_{k+1}\mathbf{v}_{k+1} + \cdots + c_n\mathbf{v}_n = \mathbf{0}$$

$\mathbf{v}_k$의 계수가 –1이므로, 위의 연립일차방정식은 자명하지 않은 해를 갖는다. 따라서, S는 일차종속이다.

예를 들어, 벡터들의 집합 S가 다음과 같다고 하자.

$$S = \left\{ \begin{bmatrix} 1 \\ 3 \\ 1 \end{bmatrix}, \begin{bmatrix} -1 \\ 2 \\ 1 \end{bmatrix}, \begin{bmatrix} 2 \\ 6 \\ 2 \end{bmatrix} \right\}$$

이때, 세 번째 벡터는 첫 번째 벡터의 스칼라 곱과 같기 때문에, 즉,

$$\begin{bmatrix} 2 \\ 6 \\ 2 \end{bmatrix} = 2\begin{bmatrix} 1 \\ 3 \\ 1 \end{bmatrix}$$

이므로, 정리 5에 의해 집합 S는 일차종속이다.

예제 4

다음의 벡터들이 일차종속임을 증명하라.

$$\mathbf{v}_1 = \begin{bmatrix} -1 \\ 0 \end{bmatrix} \qquad \mathbf{v}_2 = \begin{bmatrix} 0 \\ 1 \end{bmatrix} \qquad \mathbf{v}_3 = \begin{bmatrix} 1 \\ 0 \end{bmatrix}$$

그리고 주어진 벡터들이 전부 다 다른 벡터들의 일차결합으로 표현되지는 않는다는 것을 증명하라.

풀이 정리 3에 의하여, 세 개의 2차원 벡터는 모두 일차종속이다. 주어진 벡터들을 살펴보면, $\mathbf{v}_1$ 과 $\mathbf{v}_3$는 다음과 같이 다른 벡터들의 일차결합으로 표현된다.

$$\mathbf{v}_1 = 0\mathbf{v}_2 - \mathbf{v}_3 \qquad \mathbf{v}_3 = 0\mathbf{v}_2 - \mathbf{v}_1$$

그러나, $\mathbf{v}_2$는 $\mathbf{v}_1$과 $\mathbf{v}_3$의 일차결합으로 표현할 수 없다. $\mathbf{v}_2$에 대한 식 $a\mathbf{v}_1 + b\mathbf{v}_3 = \mathbf{v}_2$ 은 다음의 연립일차방정식으로 표현되며, 해는 존재하지 않는다.

$$\begin{cases} -a + b & = 0 \\ 0 & = 1 \end{cases}$$

그림 3을 보면, $\mathbf{v}_1$과 $\mathbf{v}_3$의 일차결합은 모두 x축과 평행한 벡터들이다. 그러므로, $\mathbf{v}_2$를 $\mathbf{v}_1$과 $\mathbf{v}_3$의 일차결합으로 표현할 수 없다.

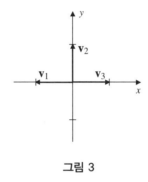

그림 3

정리 6

1. 만약 벡터들의 집합 S가 일차독립이면, S의 부분집합들도 모두 일차독립이다.

2. 만약 벡터들의 집합 T가 일차종속이고 벡터들의 집합 S가 T를 포함하면, S도 일차종속이다.

증명 1) 집합 T가 집합 S의 부분집합이라고 하자. S의 벡터들의 순서를 바꾸면 다음과 같이 쓸 수 있다.

$$T = \{\mathbf{v}_1, \ldots, \mathbf{v}_k\}, \ S = \{\mathbf{v}_1, \ldots, \mathbf{v}_k, \mathbf{v}_{k+1}, \ldots, \mathbf{v}_m\}$$

$c_1\mathbf{v}_1 + c_2\mathbf{v}_2 + \cdots + c_k\mathbf{v}_k = \mathbf{0}$ 이고, $c_{k+1} = c_{k+2} = \cdots = c_m = 0$ 라 하면, 다음의 식이 성립한다.

$$c_1\mathbf{v}_1 + c_2\mathbf{v}_2 + \cdots + c_k\mathbf{v}_k + 0\mathbf{v}_{k+1} + \cdots + 0\mathbf{v}_m = \mathbf{0}$$

S가 일차독립이므로 위의 식의 해는 $c_1 = c_2 = \cdots = c_k = 0$ 뿐이고, 따라서 T는 일차독립이다.

2) 집합 $T = \{\mathbf{v}_1, \ldots, \mathbf{v}_k\}$ 가 집합 S의 부분집합이고, S의 벡터들 중 T에 속하지 않은 벡터들을 $\mathbf{v}_{k+1}, \ldots, \mathbf{v}_m$ 라 하면, T가 일차종속이므로, 다음의 식을 만족하면서 전부 0은 아닌 스칼라들 $c_1, \cdots, c_k$ 가 존재한다.

$$c_1\mathbf{v}_1 + c_2\mathbf{v}_2 + \cdots + c_k\mathbf{v}_k = \mathbf{0}$$

그러면, 다음의 식의 해는 $c_1, \cdots, c_k, c_{k+1} = c_{k+2} = \cdots = c_m = 0$ 이 되고, 다음의 식이 성립한다.

$$c_1\mathbf{v}_1 + c_2\mathbf{v}_2 + \cdots + c_k\mathbf{v}_k + 0\mathbf{v}_{k+1} + \cdots + 0\mathbf{v}_m = \mathbf{0}$$

자명하지 않은 해를 가지므로(스칼라 계수들이 전부 0은 아니므로), 집합 S는 일차종속이다.

벡터들의 집합 $S = \{\mathbf{v}_1, \ldots, \mathbf{v}_n\}$ 와 S에 속하지 않는 임의의 벡터 $\mathbf{v}$가 주어졌을 때, $\mathbf{v}$는 S의 벡터들의 일차결합으로 표현될 수도 있고 표현되지 않을 수도 있다. 또한, 때때로 $\mathbf{v}$는 무한히 많은 방식으로, S의 벡터들의 일차결합으로 표현될 수도 있다. 그러나, 일차독립인 경우에는 이런 일이 일어나지 않는다는 것이 정리 7의 내용이다.

정리 7

벡터들의 집합 $S = \{\mathbf{v}_1, \mathbf{v}_2, \ldots, \mathbf{v}_n\}$ 가 일차독립이면 다음의 식을 만족하는 스칼라 $c_1, c_2, \ldots, c_n$ 는 유일하다.

$$\mathbf{v} = \sum_{k=1}^{n} c_k\mathbf{v}_k$$

증명 다음과 같이, 벡터 $\mathbf{v}$가 두 가지로 표현된다고 가정하자.

$$\mathbf{v} = \sum_{k=1}^{n} c_k\mathbf{v}_k \qquad \mathbf{v} = \sum_{k=1}^{n} d_k\mathbf{v}_k$$

두 표현의 차를 구하면,

$$\mathbf{0} = \mathbf{v} - \mathbf{v} = \sum_{k=1}^{n} c_k\mathbf{v}_k - \sum_{k=1}^{n} d_k\mathbf{v}_k = \sum_{k=1}^{n}(c_k - d_k)\mathbf{v}_k$$

S가 일차독립이므로, 위의 식을 만족하는 유일한 해는 자명한 해이다. 따라서,

$$c_1 - d_1 = 0, c_2 - d_2 = 0, \ldots, c_n - d_n = 0, \quad \text{또는} \quad c_1 = d_1, c_2 = d_2, \ldots, c_n = d_n$$

이다. 따라서, 두 표현은 동일하다.

일차 연립방정식(Linear systems)

2.2절의 끝 부분의 정리 2에서, 연립일차방정식 $A\mathbf{x} = \mathbf{b}$ 의 해는, 벡터 $\mathbf{b}$가 행렬 A의 열벡터들의 일차결합일 때에만 존재한다고 했었다. 정리 8은 이 해의 유일성에 대한 조건이다.

정리 8

식이 m개, 변수가 n개인 일차 연립방정식 $A\mathbf{x} = \mathbf{b}$ 의 해는, 행렬 A의 열벡터들이 일차독립일 때에만 유일하다.

증명 우선, 증명하고자 하는 명제의 조건이 필요조건(necessary condition)임을 증명하도록 하자. 연립방정식의 해가 다음과 같이 두 개라고 가정하자.

$$\mathbf{c} = \begin{bmatrix} c_1 \\ c_2 \\ \vdots \\ c_n \end{bmatrix} \quad \mathbf{d} = \begin{bmatrix} d_1 \\ d_2 \\ \vdots \\ d_n \end{bmatrix}$$

다음의 식이 성립한다.

$$c_1 \mathbf{A}_1 + c_2 \mathbf{A}_2 + \cdots + c_n \mathbf{A}_n = \mathbf{b} \qquad d_1 \mathbf{A}_1 + d_2 \mathbf{A}_2 + \cdots + d_n \mathbf{A}_n = \mathbf{b}$$

행렬 A의 열벡터들 $\mathbf{A}_1$, $\mathbf{A}_2$, $\cdots$, $\mathbf{A}_n$ 이 일차독립이므로 정리 7에 의해 $c_1 = d_1$, $c_2 = d_2$, ..., $c_n = d_n$ 이다. 따라서, $\mathbf{c} = \mathbf{d}$ 이고, 연립방정식의 해는 유일하다.

다음으로, 증명하고자 하는 명제가 충분조건(sufficient condition)임을 증명하기 위해 대우 명제를 증명하자. 벡터 $\mathbf{v}$가 연립방정식 $A\mathbf{x} = \mathbf{b}$ 의 해이고, 행렬 A의 열벡터들이 일차종속이라고 가정하자. 그러면, 다음 식을 만족하면서 전부 0은 아닌 스칼라 $c_1, c_2, ..., c_n$이 존재한다.

$$c_1 \mathbf{A}_1 + c_2 \mathbf{A}_2 + \cdots + c_n \mathbf{A}_n = \mathbf{0}$$

즉, $\mathbf{c} = \begin{bmatrix} c_1 \\ c_2 \\ \vdots \\ c_n \end{bmatrix}$ 이면 $A\mathbf{c} = \mathbf{0}$ 이다. 행렬의 연산 특성 중 분배 법칙에 따라, $A(\mathbf{v} + \mathbf{c}) = A\mathbf{v} + A\mathbf{c}$

$= \mathbf{b} + \mathbf{0} = \mathbf{b}$ 이 성립하므로, 벡터 $\mathbf{v} + \mathbf{c}$ 는 연립방정식의 또 다른 해가 된다. 따라서, 연립방정식의 해는 유일하지 않다. 이것으로 대우 명제가 증명되었고, 만약 연립방정식의 해가 유일하다면 행렬 A의 열벡터들은 일차독립임도 증명되었다.

정리 8은, 연립일차방정식은 해가 없거나, 유일하거나, 무한히 많다는, 1.5절의 정리 11을 증명하는 또 다른 방법을 제공한다.

일차독립과 행렬식(Determinants)

1장에서, 정사각행렬 A는 $\det(A) \neq 0$ 일 때에만 가역적(invertible)임을 살펴보았다(1.6절의 정리 16 참고). 이는 연립일차방정식 $A\mathbf{x} = \mathbf{b}$ 는 $\det(A) \neq 0$ 일 때에만 유일한 해를 가진다는 명제와 같은 것이다. 즉, 행렬 식은 벡터들의 집합이 일차독립인지 일차종속인지 판별하는 또 다른 방법을 제공한다. 행렬 A가 정사각행렬이라면, 정리 8에 의해, $\det(A) \neq 0$ 일 때에만 행렬 A의 열벡터들은 일차독립이다.

예제 5

벡터들의 집합 S가 다음과 같을 때, S가 일차독립인지 일차종속인지 판별하라.

$$S = \left\{ \begin{bmatrix} 1 \\ 0 \\ 3 \end{bmatrix}, \begin{bmatrix} 1 \\ 2 \\ 4 \end{bmatrix}, \begin{bmatrix} 1 \\ 4 \\ 5 \end{bmatrix} \right\}$$

풀이 S의 벡터들을 열벡터로 하는 행렬 A는 다음과 같다.

$$A = \begin{bmatrix} 1 & 1 & 1 \\ 0 & 2 & 4 \\ 3 & 4 & 5 \end{bmatrix}$$

첫 번째 열에 대해 행렬식을 구하면, 다음과 같다.

$$\det(A) = 1 \begin{vmatrix} 2 & 4 \\ 4 & 5 \end{vmatrix} - 0 \begin{vmatrix} 1 & 1 \\ 4 & 5 \end{vmatrix} + 3 \begin{vmatrix} 1 & 1 \\ 2 & 4 \end{vmatrix}$$
$$= -6 - 0 + 3(2) = 0$$

$\det(A) = 0$ 이므로, S는 일차종속이다.

마지막 정리는 지금까지 살펴본, 연립일차방정식의 해, 일차독립, 행렬의 가역성, 행렬식 사이의 관계를 종합한 것이다.

정리 9

A가 정사각행렬이라면, 다음의 명제들이 성립한다.
1. 행렬 A는 가역적이다.
2. 연립일차방정식 $A\mathbf{x} = \mathbf{b}$ 는 모든 벡터 $\mathbf{b}$에 대해 각각 유일한 해를 갖는다.
3. 연립일차방정식 $A\mathbf{x} = \mathbf{0}$ 는 자명한 해만 갖는다.
4. 행렬 A는 항등행렬(identity matrix)과 행−동치(row equivalent)이다.
5. 행렬 A의 행렬식은 0이 아니다.
6. 행렬 A의 열벡터들은 일차독립이다.

핵심 요약

m개의 n차원 벡터들의 집합 S에 대해 다음이 성립한다.

1. $m > n$ 이면, S는 일차종속이다.

2. 영벡터가 S에 속하면, S는 일차종속이다.

3. 벡터 $\mathbf{u}$와 $\mathbf{v}$가 S에 속하면, $\mathbf{u} = c\mathbf{v}$ 를 만족하는 스칼라 c가 존재하고 S는 일차종속이다.

4. S에 속하는 어떤 벡터가 S에 속하는 다른 벡터들의 일차결합으로 표현되면, S는 일차종속이다.

5. S가 일차독립이고 집합 T가 S의 부분집합이면, T는 일차독립이다.

6. 집합 T가 일차종속이고, T가 S의 부분집합이면, S는 일차종속이다.

7. 집합 $S = \{\mathbf{v}_1, \dots, \mathbf{v}_m\}$ 가 일차독립이면, $\mathbf{v} = c_1\mathbf{v}_1 + \cdots + c_m\mathbf{v}_m$ 를 만족하는 스칼라 c_1, c_2, …, c_m은 유일하다.

8. 연립일차방정식 $A\mathbf{x} = \mathbf{b}$ 는, 행렬 A의 열벡터들이 일차독립일 때에만 유일한 해를 갖는다.

9. A가 정사각행렬이면, 행렬 A의 열벡터들은 $\det(A) \neq 0$ 일 때에만 일차독립이다. .

연습문제 2.3

연습문제 1–10에서, 주어진 벡터들이 일차독립인지 일차종속인지 판별하라.

1. $\mathbf{v}_1 = \begin{bmatrix} -1 \\ 1 \end{bmatrix}$ $\mathbf{v}_2 = \begin{bmatrix} 2 \\ -3 \end{bmatrix}$

2. $\mathbf{v}_1 = \begin{bmatrix} 2 \\ -4 \end{bmatrix}$ $\mathbf{v}_2 = \begin{bmatrix} 1 \\ 2 \end{bmatrix}$

3. $\mathbf{v}_1 = \begin{bmatrix} 1 \\ -4 \end{bmatrix}$ $\mathbf{v}_2 = \begin{bmatrix} -2 \\ 8 \end{bmatrix}$

4. $\mathbf{v}_1 = \begin{bmatrix} 1 \\ 0 \end{bmatrix}$ $\mathbf{v}_2 = \begin{bmatrix} 0 \\ -1 \end{bmatrix}$ $\mathbf{v}_3 = \begin{bmatrix} 1 \\ -1 \end{bmatrix}$

5. $\mathbf{v}_1 = \begin{bmatrix} -1 \\ 2 \\ 1 \end{bmatrix}$ $\mathbf{v}_2 = \begin{bmatrix} -2 \\ 2 \\ 3 \end{bmatrix}$

6. $\mathbf{v}_1 = \begin{bmatrix} 4 \\ 2 \\ -6 \end{bmatrix}$ $\mathbf{v}_2 = \begin{bmatrix} -2 \\ -1 \\ 3 \end{bmatrix}$

7. $\mathbf{v}_1 = \begin{bmatrix} -4 \\ 4 \\ -1 \end{bmatrix}$ $\mathbf{v}_2 = \begin{bmatrix} -5 \\ 3 \\ 3 \end{bmatrix}$ $\mathbf{v}_3 = \begin{bmatrix} 3 \\ -5 \\ 5 \end{bmatrix}$

8. $\mathbf{v}_1 = \begin{bmatrix} 3 \\ -3 \\ -1 \end{bmatrix}$ $\mathbf{v}_2 = \begin{bmatrix} -1 \\ 2 \\ -2 \end{bmatrix}$ $\mathbf{v}_3 = \begin{bmatrix} -1 \\ 3 \\ 1 \end{bmatrix}$

9. $\mathbf{v}_1 = \begin{bmatrix} 3 \\ -1 \\ -1 \\ 2 \end{bmatrix}$ $\mathbf{v}_2 = \begin{bmatrix} 1 \\ 0 \\ 2 \\ 1 \end{bmatrix}$ $\mathbf{v}_3 = \begin{bmatrix} 3 \\ -1 \\ 0 \\ 1 \end{bmatrix}$

10. $\mathbf{v}_1 = \begin{bmatrix} -2 \\ -4 \\ 1 \\ 1 \end{bmatrix}$ $\mathbf{v}_2 = \begin{bmatrix} 3 \\ -4 \\ 0 \\ 4 \end{bmatrix}$ $\mathbf{v}_3 = \begin{bmatrix} -1 \\ -12 \\ 2 \\ 6 \end{bmatrix}$

연습문제 11–14에서, 주어진 행렬들이 일차독립인지 일차종속인지 판별하라.

11. $M_1 = \begin{bmatrix} 3 & 3 \\ 2 & 1 \end{bmatrix}$ $M_2 = \begin{bmatrix} 0 & 1 \\ 0 & 0 \end{bmatrix}$

$M_3 = \begin{bmatrix} 1 & -1 \\ -1 & -2 \end{bmatrix}$

12. $M_1 = \begin{bmatrix} -1 & 2 \\ 1 & 1 \end{bmatrix}$ $M_2 = \begin{bmatrix} 1 & 4 \\ 0 & 1 \end{bmatrix}$

$M_3 = \begin{bmatrix} 2 & 2 \\ -1 & 0 \end{bmatrix}$

13. $M_1 = \begin{bmatrix} 1 & -2 \\ -2 & -2 \end{bmatrix}$ $M_2 = \begin{bmatrix} 0 & -1 \\ 2 & 2 \end{bmatrix}$

$M_3 = \begin{bmatrix} -1 & 1 \\ -2 & 2 \end{bmatrix}$ $M_4 = \begin{bmatrix} 1 & 1 \\ -1 & -2 \end{bmatrix}$

14. $M_1 = \begin{bmatrix} 0 & -1 \\ -1 & 1 \end{bmatrix}$ $M_2 = \begin{bmatrix} -2 & -1 \\ 1 & -1 \end{bmatrix}$

$M_3 = \begin{bmatrix} 2 & 0 \\ -1 & 2 \end{bmatrix}$ $M_4 = \begin{bmatrix} -2 & 2 \\ 2 & -1 \end{bmatrix}$

연습문제 15–18에서, 연립일차방정식을 풀지 말고, 주어진 벡터들이 왜 일차종속인지 설명하라.

15. $\mathbf{v}_1 = \begin{bmatrix} -1 \\ 4 \end{bmatrix}$ $\mathbf{v}_2 = \begin{bmatrix} \frac{1}{2} \\ -2 \end{bmatrix}$

16. $\mathbf{v}_1 = \begin{bmatrix} 2 \\ -1 \end{bmatrix}$ $\mathbf{v}_2 = \begin{bmatrix} -1 \\ -2 \end{bmatrix}$ $\mathbf{v}_3 = \begin{bmatrix} 1 \\ 3 \end{bmatrix}$

17. $\mathbf{v}_1 = \begin{bmatrix} 1 \\ -6 \\ 2 \end{bmatrix}$ $\mathbf{v}_2 = \begin{bmatrix} 0 \\ 0 \\ 0 \end{bmatrix}$ $\mathbf{v}_3 = \begin{bmatrix} 4 \\ 7 \\ 1 \end{bmatrix}$

18. $\mathbf{v}_1 = \begin{bmatrix} 1 \\ 0 \\ -2 \end{bmatrix}$ $\mathbf{v}_2 = \begin{bmatrix} 1 \\ -2 \\ 1 \end{bmatrix}$ $\mathbf{v}_3 = \begin{bmatrix} 2 \\ -2 \\ -1 \end{bmatrix}$

연습문제 19와 20에서, 연립일차방정식을 풀지 말고, 행렬 A의 열벡터들이 왜 일차종속인지 설명하라.

19. a. $A = \begin{bmatrix} -1 & 2 & 5 \\ 3 & -6 & 3 \\ 2 & -4 & 3 \end{bmatrix}$

b. $A = \begin{bmatrix} 2 & 1 & 3 \\ 1 & 0 & 1 \\ -1 & 1 & 0 \end{bmatrix}$

20. a. $A = \begin{bmatrix} 4 & -1 & 2 & 6 \\ 5 & -2 & 0 & 2 \\ -2 & 4 & -3 & -2 \end{bmatrix}$

b. $A = \begin{bmatrix} -1 & 2 & 3 \\ 2 & 3 & 1 \\ -1 & -1 & 0 \\ 3 & 5 & 2 \end{bmatrix}$

21. 다음의 벡터들을 일차독립으로 만드는 a의 값을 구하라.

$$\begin{bmatrix} 1 \\ 2 \\ 1 \end{bmatrix} \quad \begin{bmatrix} -1 \\ 0 \\ 1 \end{bmatrix} \quad \begin{bmatrix} 2 \\ a \\ 4 \end{bmatrix}$$

22. 다음의 행렬들을 일차독립으로 만드는 a의 값을 구하라.

$$\begin{bmatrix} 1 & 2 \\ 0 & 1 \end{bmatrix} \quad \begin{bmatrix} 1 & 0 \\ 1 & 0 \end{bmatrix} \quad \begin{bmatrix} 1 & -4 \\ a & -2 \end{bmatrix}$$

23. 다음의 벡터들에 대하여

$$\mathbf{v}_1 = \begin{bmatrix} 1 \\ 1 \\ 1 \end{bmatrix} \quad \mathbf{v}_2 = \begin{bmatrix} 1 \\ 2 \\ 3 \end{bmatrix} \quad \mathbf{v}_3 = \begin{bmatrix} 1 \\ 1 \\ 2 \end{bmatrix}$$

a. 일차독립임을 증명하라.

b. 벡터 $\mathbf{v}$가 다음과 같을 때, $\mathbf{v} = c_1\mathbf{v}_1 + c_2\mathbf{v}_2 + c_3\mathbf{v}_3$을 만족하는 유일한 스칼라 c_1, c_2, c_3를 구하라.

$$\mathbf{v} = \begin{bmatrix} 2 \\ 1 \\ 3 \end{bmatrix}$$

24. 다음의 행렬에 대하여

$$M_1 = \begin{bmatrix} 1 & 0 \\ -1 & 0 \end{bmatrix} \quad M_2 = \begin{bmatrix} 1 & 1 \\ 1 & 0 \end{bmatrix} \quad M_3 = \begin{bmatrix} 0 & 1 \\ 1 & 1 \end{bmatrix}$$

  a. $\{M_1, M_2, M_3\}$ 가 일차독립임을 증명하라.

  b. 행렬 M이 다음과 같을 때, $M = c_1 M_1 + c_2 M_2 + c_3 M_3$ 를 만족하는 유일한 스칼라 c_1, c_2, c_3 를 구하라.

$$M = \begin{bmatrix} 3 & 5 \\ 4 & 3 \end{bmatrix}$$

  c. 행렬 M이 다음과 같을 때, M이 M_1, M_2, M_3의 일차결합으로 표현될 수 없음을 증명하라.

$$M = \begin{bmatrix} 0 & 3 \\ 3 & 1 \end{bmatrix}$$

연습문제 25와 26에서, 주어진 행렬 A 에 대하여, 연립일차방정식 $A\mathbf{x} = \mathbf{b}$ 가 유일한 해를 갖는지 판별하라.

25. $A = \begin{bmatrix} 1 & 2 & 0 \\ -1 & 0 & 3 \\ 2 & 1 & 2 \end{bmatrix}$

26. $A = \begin{bmatrix} 3 & 2 & 4 \\ 1 & -1 & 4 \\ 0 & 2 & -4 \end{bmatrix}$

연습문제 27–30에서 다항식의 집합이 일차독립인지 일차종속인지 판별하라. 다항식의 집합 $S = \{p_1(x), p_2(x), \cdots, p_n(x)\}$ 이 일차독립이면, 모든 x 에 대해 $c_1 p_1(x) + c_2 p_2(x) + \cdots + c_n p_n(x) = 0$ 을 만족하는 스칼라 $c_1, c_2, \cdots,$ $c_1, c_2, \cdots, c_n$ 은 $c_1 = c_2 = \cdots = c_n = 0$ 뿐이다.

27. $p_1(x) = 1$, $p_2(x) = -2 + 4x^2$, $p_3(x) = 2x$, $p_4(x) = -12x + 8x^3$

28. $p_1(x) = 1$, $p_2(x) = x$, $p_3(x) = 5 + 2x - x^2$

29. $p_1(x) = 2$, $p_2(x) = x$, $p_3(x) = x^2$, $p_4(x) = 3x - 1$

30. $p_1(x) = x^3 - 2x^2 + 1$, $p_2(x) = 5x$, $p_3(x) = x^2 - 4$, $p_4(x) = x^3 + 2x$

연습문제 31–34에서, 주어진 함수들의 집합이 [0, 1] 구간에서 일차독립임을 증명하라. 함수들의 집합 $S = \{f_1(x), f_2(x), \cdots, f_n(x)\}$ 이 구간 $[a, b]$ 에서 일차독립이면, 구간 $[a, b]$의 모든 x 에 대해 $c_1 f_1(x) + c_2 f_2(x) + \cdots + c_n f_n(x) = 0$ 을 만족하는 스칼라 $c_1, c_2, \cdots, c_n$ 은 $c_1 = c_2 = \cdots = c_n = 0$ 뿐이다.

31. $f_1(x) = \cos \pi x$, $f_2(x) = \sin \pi x$

32. $f_1(x) = e^x$, $f_2(x) = e^{-x}$, $f_3(x) = e^{2x}$

33. $f_1(x) = x$, $f_2(x) = x^2$, $f_3(x) = e^x$

34. $f_1(x) = x$, $f_2(x) = e^x$, $f_3(x) = \sin \pi x$

35. 두 n차원 벡터 $\mathbf{u}$와 $\mathbf{v}$는, 하나가 다른 하나의 스칼라 곱으로 표현될 때에만, 일차독립임을 증명하라.

36. 벡터들의 집합 $S = \{\mathbf{v}_1, \mathbf{v}_2, \mathbf{v}_3\}$ 이 일차독립이고, $\mathbf{w}_1 = \mathbf{v}_1 + \mathbf{v}_2 + \mathbf{v}_3$, $\mathbf{w}_2 = \mathbf{v}_2 + \mathbf{v}_3$, $\mathbf{w}_3 = \mathbf{v}_3$ 일 때, 벡터들의 집합 $T = \{\mathbf{w}_1, \mathbf{w}_2, \mathbf{w}_3\}$ 도 일차독립임을 증명하라.

37. 벡터들의 집합 $S = \{\mathbf{v}_1, \mathbf{v}_2, \mathbf{v}_3\}$ 이 일차독립이고, $\mathbf{w}_1 = \mathbf{v}_1 + \mathbf{v}_2$, $\mathbf{w}_2 = \mathbf{v}_2 - \mathbf{v}_3$, $\mathbf{w}_3 = \mathbf{v}_2 + \mathbf{v}_3$ 일 때, 벡터들의 집합 $T = \{\mathbf{w}_1, \mathbf{w}_2, \mathbf{w}_3\}$ 도 일차독립임을 증명하라.

38. 벡터들의 집합 $S = \{\mathbf{v}_1, \mathbf{v}_2, \mathbf{v}_3\}$ 이 일차독립이고, $\mathbf{w}_1 = \mathbf{v}_2$, $\mathbf{w}_2 = \mathbf{v}_1 + \mathbf{v}_3$, $\mathbf{w}_3 = \mathbf{v}_1 + \mathbf{v}_2 + \mathbf{v}_3$ 일 때, 벡터들의 집합 $T = \{\mathbf{w}_1, \mathbf{w}_2, \mathbf{w}_3\}$ 이 일차독립인지 일차종속인지 판별하라.

39. 벡터들의 집합 $S = \{\mathbf{v}_1, \mathbf{v}_2\}$ 이 일차독립이다. 만약 **v3**를 **v1**과 **v2**의 일차결합으로 표현할 수 없다면 $\{\mathbf{v}_1, \mathbf{v}_2, \mathbf{v}_3\}$ 는 일차독립임을 증명하라.

40. 벡터들의 집합 $S = \{\mathbf{v}_1, \mathbf{v}_2, \mathbf{v}_3\}$ 에서 $\mathbf{v}_3 = \mathbf{v}_1 + \mathbf{v}_2$ 이다.

a. 3가지 다른 방식으로 $\mathbf{v}_1$을 S의 벡터들의 일차결합으로 표현하라.

b. $\mathbf{v}_1 = c_1\mathbf{v}_1 + c_2\mathbf{v}_2 + c_3\mathbf{v}_3$ 을 만족하는 스칼라들 c_1, c_2, c_3를 구하라.

41. 만약 $m \times n$ 행렬의 열벡터들 $\mathbf{A}_1, ..., \mathbf{A}_n$이 일차독립이면 $\{x \in \mathbb{R}^n \mid A\mathbf{x} = \mathbf{0}\} = \{\mathbf{0}\}$ 임을 증명하라.

42. n차원 벡터 $\mathbf{v}_1, ..., \mathbf{v}_k$ 가 일차독립이고 A가 가역적인 $n \times n$ 행렬이라 하자. $\mathbf{w}_i = A\mathbf{v}_i$ 일 때($1 \le i \le k$), 벡터 $\mathbf{w}_1, ..., \mathbf{w}_k$ 가 일차독립임을 증명하라. 그리고 가역성(invertibility)의 필요성을 2×2 행렬을 사용하여 증명하라.

2장 복습문제

1. $ad - bc \ne 0$ 이면, 다음의 벡터들이 일차독립임으로 보여라. $ad - bc = 0$ 이면 두 벡터에 대해 무엇을 말할 수 있는가?

$$\begin{bmatrix} a \\ b \end{bmatrix} \quad \begin{bmatrix} c \\ d \end{bmatrix}$$

2. n차원 벡터들의 집합 $S = \{\mathbf{v}_1, \mathbf{v}_2, \mathbf{v}_3\}$ 가 일차독립일 때, 벡터들의 집합 $T = \{\mathbf{v}_1, \mathbf{v}_2, \mathbf{v}_1 + \mathbf{v}_2 + \mathbf{v}_3\}$ 도 일차독립임을 증명하라.

3. 다음의 벡터들을 일차독립으로 만드는 a의 값을 구하라($a \ne 0$).

$$\begin{bmatrix} a^2 \\ 0 \\ 1 \end{bmatrix} \quad \begin{bmatrix} 0 \\ a \\ 2 \end{bmatrix} \quad \begin{bmatrix} 1 \\ 0 \\ 1 \end{bmatrix}$$

4. 벡터들의 집합 S가 다음과 같을 때,

$$S = \left\{ \begin{bmatrix} 2s - t \\ s \\ t \\ s \end{bmatrix} \middle| s, t \in \mathbb{R} \right\}$$

a. S의 모든 벡터들을 일차결합으로 표현할 수 있는 두 4차원 벡터를 구하라.

b. (a)에서 구한 벡터들이 일차독립인가?

5. 다음의 두 벡터에 대하여,

$$\mathbf{v}_1 = \begin{bmatrix} 1 \\ 0 \\ 2 \end{bmatrix} \quad \mathbf{v}_2 = \begin{bmatrix} 1 \\ 1 \\ 1 \end{bmatrix}$$

a. $S = \{\mathbf{v}_1, \mathbf{v}_2\}$ 가 일차독립인가?

b. 벡터 $\mathbf{v}_1$, $\mathbf{v}_2$의 일차결합으로 표현할 수 없는 벡터 $\begin{bmatrix} a \\ b \\ c \end{bmatrix}$를 구하라.

c. 벡터 $\mathbf{v}_1$, $\mathbf{v}_2$의 일차결합으로 표현할 수 있

는 모든 벡터들을 표현하라.

d. $\mathbf{v}_3 = \begin{bmatrix} 1 \\ 0 \\ 0 \end{bmatrix}$ 이면, 벡터들의 집합 $T = \{\mathbf{v}_1,$

$\mathbf{v}_2, \mathbf{v}_3\}$ 이 일차독립인가? 일차종속인가?

e. 벡터 $\mathbf{v}_1, \mathbf{v}_2, \mathbf{v}_3$의 일차결합으로 표현할 수 있는 모든 벡터들을 표현하라.

6. 벡터 $\mathbf{v}_1, \mathbf{v}_2, \mathbf{v}_3, \mathbf{v}_4$이 다음과 같을 때,

$$\mathbf{v}_1 = \begin{bmatrix} 1 \\ -1 \\ 1 \end{bmatrix} \quad \mathbf{v}_2 = \begin{bmatrix} 2 \\ 1 \\ 1 \end{bmatrix}$$

$$\mathbf{v}_3 = \begin{bmatrix} 0 \\ 2 \\ 1 \end{bmatrix} \quad \mathbf{v}_4 = \begin{bmatrix} -2 \\ 2 \\ 1 \end{bmatrix}$$

a. 벡터들의 집합 $S = \{\mathbf{v}_1, \mathbf{v}_2, \mathbf{v}_3, \mathbf{v}_4\}$ 가 일차종속임을 증명하라.

b. 벡터들의 집합 $T = \{\mathbf{v}_1, \mathbf{v}_2, \mathbf{v}_3\}$ 가 일차독립임을 증명하라.

c. 벡터 $\mathbf{v}_4$를 벡터 $\mathbf{v}_1, \mathbf{v}_2, \mathbf{v}_3$의 일차결합으로 표현할 수 있음을 증명하라.

d. 집합 S의 벡터들의 모든 일차결합으로 구성되는 집합과 집합 T의 벡터들의 모든 일차결합으로 구성되는 집합을 어떻게 비교하나?

7. 연립일차방정식이 다음과 같을 때,

$$\begin{cases} x + y + 2z + w = 3 \\ -x + z + 2w = 1 \\ 2x + 2y + w = -2 \\ x + y + 2z + 3w = 5 \end{cases}$$

a. 연립일차방정식을 행렬 형태 $A\mathbf{x} = \mathbf{b}$로 표현하라.

b. 계수행렬 A의 행렬식 값을 구하라.

c. 행렬 A의 열벡터들은 일차독립인가?

d. 연립일차방정식을 풀지 말고, 연립방정식이 유일한 해를 가지는 지 판별하라.

e. 연립일차방정식을 풀어라.

8. 행렬 M_1, M_2, M_3가 다음과 같을 때,

$$M_1 = \begin{bmatrix} 1 & 0 \\ -1 & 1 \end{bmatrix} \quad M_2 = \begin{bmatrix} 1 & 1 \\ 2 & 1 \end{bmatrix}$$

$$M_3 = \begin{bmatrix} 0 & 1 \\ 1 & 0 \end{bmatrix}$$

a. 집합 $\{M_1, M_2, M_3\}$이 일차독립임을 증명하라.

b. 식 $\begin{bmatrix} 1 & -1 \\ 2 & 1 \end{bmatrix} = c_1 M_1 + c_2 M_2 + c_3 M_3$ 을 만족하는 유일한 스칼라 c_1, c_2, c_3를 구하라.

c. 행렬 $\begin{bmatrix} 1 & -1 \\ 1 & 2 \end{bmatrix}$를 행렬 M_1, M_2, M_3의 일차결합으로 표현하라.

d. M_1, M_2, M_3의 일차결합으로 표현되는 모든 행렬 $\begin{bmatrix} a & b \\ c & d \end{bmatrix}$을 표현하라.

9. 행렬 A가 다음과 같을 때,

$$A = \begin{bmatrix} 1 & 3 & 2 \\ 2 & -1 & 3 \\ 1 & 1 & -1 \end{bmatrix}$$

a. 연립일차방정식 $A\mathbf{x} = \mathbf{b}$ 를 벡터 형태로 표현하라.

b. $\det(A)$를 계산하라. 연립방정식의 해가 존재하는가?

c. 행렬 A의 열벡터들은 일차독립인가?

d. 연립방정식을 풀지 말고, 연립방정식이 유일한 해를 가지는지 판별하라. 결론에 대한 두 가지 이유를 말하라.

10. 두 n차원 벡터의 내적이 0일 때 두 벡터는 수직(perpendicular)이다. 벡터들의 집합 $S =$

$\{\mathbf{v}_1, \mathbf{v}_2, \ldots, \mathbf{v}_n\}$ 가 영벡터가 아닌 서로 수직인 벡터들의 집합일 때, 다음의 단계를 통해 S가 일차독립임을 보여라.

a. 임의의 벡터 $\mathbf{v}$에 대해, $\mathbf{v} \cdot \mathbf{v} \geq 0$ 임을 증명하라.

b. 영벡터가 아닌 임의의 벡터 $\mathbf{v}$에 대하여, $\mathbf{v} \cdot \mathbf{v} > 0$ 을 증명하라.

c. 모든 벡터 $\mathbf{u}$, $\mathbf{v}$, $\mathbf{w}$에 대하여, $\mathbf{u} \cdot (\mathbf{v} + \mathbf{w}) = \mathbf{u} \cdot \mathbf{v} + \mathbf{u} \cdot \mathbf{w}$ 임을 증명하라.

d. 식 $c_1 \mathbf{v}_1 + c_2 \mathbf{v}_2 + \cdots + c_n \mathbf{v}_n = \mathbf{0}$ 의 좌변에 $\mathbf{v}_i$의 내적을 사용하여 $c_i = 0$ ($1 \leq i \leq n$)임을 증명하라.

2장 시험문제

시험문제 1–33에서, 주어진 진술이 맞는지 틀린지 판별하라.

1. 모든 3차원 벡터들은 다음의 벡터들의 일차결합으로 표현될 수 있다.

$$\begin{bmatrix} 1 \\ 0 \\ 0 \end{bmatrix} \quad \begin{bmatrix} 0 \\ 1 \\ 0 \end{bmatrix} \quad \begin{bmatrix} 0 \\ 0 \\ 1 \end{bmatrix}$$

2. 모든 2×2 행렬들은 다음의 행렬들의 일차결합으로 표현될 수 있다.

$$\begin{bmatrix} 1 & 0 \\ 0 & 0 \end{bmatrix} \quad \begin{bmatrix} 0 & 1 \\ 0 & 0 \end{bmatrix} \quad \begin{bmatrix} 0 & 0 \\ 1 & 0 \end{bmatrix}$$

3. 모든 2×2 행렬들은 다음 행렬들의 일차결합으로 표현될 수 있다.

$$\begin{bmatrix} 1 & 0 \\ 0 & 0 \end{bmatrix} \quad \begin{bmatrix} 0 & 1 \\ 0 & 0 \end{bmatrix} \quad \begin{bmatrix} 0 & 0 \\ 1 & 0 \end{bmatrix} \quad \begin{bmatrix} 0 & 0 \\ 0 & 1 \end{bmatrix}$$

시험문제 4–8에서 벡터 $\mathbf{v}_1$, $\mathbf{v}_2$, $\mathbf{v}_3$ 는 다음과 같다.

$$\mathbf{v}_1 = \begin{bmatrix} 1 \\ 0 \\ 1 \end{bmatrix} \quad \mathbf{v}_2 = \begin{bmatrix} 2 \\ 1 \\ 0 \end{bmatrix} \quad \mathbf{v}_3 = \begin{bmatrix} 4 \\ 3 \\ -1 \end{bmatrix}$$

4. 집합 $S = \{\mathbf{v}_1, \mathbf{v}_2, \mathbf{v}_3\}$ 는 일차독립이다.

5. 식 $\mathbf{v}_3 = c_1 \mathbf{v}_1 + c_2 \mathbf{v}_2$ 을 만족하는 스칼라 c_1과 c_2가 존재한다.

6. 벡터 $\mathbf{v}_2$를 벡터 $\mathbf{v}_1$과 $\mathbf{v}_3$의 일차결합으로 표현할 수 있다.

7. 벡터 $\mathbf{v}_1$를 벡터 $\mathbf{v}_2$과 $\mathbf{v}_3$의 일차결합으로 표현할 수 있다.

8. 만약 $\mathbf{v}_1$, $\mathbf{v}_2$, $\mathbf{v}_3$가 3×3 행렬 A의 열벡터이면, 연립일차방정식 $A\mathbf{x} = \mathbf{b}$ 는 모든 3차원 벡터 $\mathbf{b}$에 대해 유일한 해를 갖는다.

9. 다항식 $p(x) = 3 + x$ 는 다항식 $q_1(x) = 1 + x$ 와 $q_2(x) = 1 - x - x^2$ 의 일차결합으로 표현할 수 있다.

10. 집합 $S = \left\{ \begin{bmatrix} 1 \\ -1 \\ 3 \end{bmatrix}, \begin{bmatrix} 1 \\ 0 \\ 1 \end{bmatrix}, \begin{bmatrix} 2 \\ -2 \\ 6 \end{bmatrix}, \begin{bmatrix} 0 \\ 1 \\ 0 \end{bmatrix} \right\}$ 은 일차독립이다.

시험문제 11–14에서 행렬 M_1, M_2, M_3, M_4 는 다음과 같다.

$$M_1 = \begin{bmatrix} 1 & -1 \\ 0 & 0 \end{bmatrix} \quad M_2 = \begin{bmatrix} 0 & 0 \\ 1 & 0 \end{bmatrix}$$

$$M_3 = \begin{bmatrix} 0 & 0 \\ 0 & 1 \end{bmatrix} \quad M_4 = \begin{bmatrix} 2 & -1 \\ 1 & 3 \end{bmatrix}$$

11. 집합 $S = \{M_1, M_2, M_3, M_4\}$ 는 일차독립이다.

12. 집합 $T = \{M_1, M_2, M_3\}$ 는 일차독립이다.

13. S의 행렬들의 모든 일차결합들의 집합은 T 의 행렬들의 모든 일차결합들의 집합과 같다.

14. T의 행렬들의 모든 일차결합들의 집합은 행렬 $\begin{bmatrix} x & -x \\ y & z \end{bmatrix}$ 의 형태를 갖는다.

15. 다음의 벡터들은 $s = 0$ 또는 $s = 1$ 일 때에만 일차독립이다.

$$\begin{bmatrix} s \\ 0 \\ 0 \end{bmatrix} \quad \begin{bmatrix} 1 \\ s \\ 1 \end{bmatrix} \quad \begin{bmatrix} 0 \\ 1 \\ s \end{bmatrix}$$

시험문제 16–19에서 벡터 $\mathbf{v}_1$, $\mathbf{v}_2$는 다음과 같다.

$$\mathbf{v}_1 = \begin{bmatrix} 1 \\ 1 \end{bmatrix} \quad \mathbf{v}_2 = \begin{bmatrix} 3 \\ -1 \end{bmatrix}$$

16. 집합 $S = \{\mathbf{v}_1, \mathbf{v}_2\}$ 는 일차독립이다.

17. 모든 2차원 벡터들은 $\mathbf{v}_1$, $\mathbf{v}_2$의 일차결합으로 표현된다.

18. A가 열벡터가 $\mathbf{v}_1$, $\mathbf{v}_2$인 2×2 행렬일 때, det $(A) = 0$ 이다.

19. A가 열벡터가 $\mathbf{v}_1$, $\mathbf{v}_2$인 2×2 행렬일 때, 2차원 벡터 b에 대해 $c_1 \mathbf{v}_1 + c_2 \mathbf{v}_2 = \mathbf{b}$ 이면, $\begin{bmatrix} c_1 \\ c_2 \end{bmatrix} = A^{-1} \mathbf{b}$ 이다.

20. 행렬 $\begin{bmatrix} \cos\theta & \sin\theta \\ -\sin\theta & \cos\theta \end{bmatrix}$ 의 열벡터들은 일차독립이다.

21. n차원 벡터 $\mathbf{v}_1$과 $\mathbf{v}_2$는 일차독립이고 $\mathbf{v}_3$는 $\mathbf{v}_1$의 스칼라 곱이 아닐 때, $\mathbf{v}_1$, $\mathbf{v}_2$, $\mathbf{v}_3$는 일차독립이다.

22. 집합 S가 영벡터가 아닌 일차종속인 n차원 벡터들의 집합이라면, S의 각 벡터는 다른 벡터들의 일차결합으로 표현될 수 있다.

23. 벡터 $\mathbf{v}_1$과 $\mathbf{v}_2$이 3차원 벡터이면, $\mathbf{v}_1, \mathbf{v}_2, \mathbf{v}_1 + \mathbf{v}_2$ 가 열벡터인 행렬 A의 행렬 식의 값은 0이 아니다.

24. 벡터 $\mathbf{v}_1$과 $\mathbf{v}_2$이 일차독립이면, $\{\mathbf{v}_1, \mathbf{v}_2, \mathbf{v}_1 + \mathbf{v}_2\}$ 도 일차독립이다.

25. 벡터들의 집합 S가 영벡터를 포함하면, S는 일차종속이다.

26. $n \times n$ 가역 행렬의 열벡터들은 일차종속이다.

27. $n \times n$ 행렬 A의 열벡터들이 일차독립일 때, A의 행벡터(row vector)들도 일차독립이다.

28. 정사각행렬이 아닌 행렬의 행벡터들이 일차독립이면, 열벡터들도 일차독립이다.

29. $\mathbf{v}_1, \mathbf{v}_2, \mathbf{v}_3, \mathbf{v}_4$가 4차원 벡터일 때, 집합 $\{\mathbf{v}_1, \mathbf{v}_2, \mathbf{v}_3\}$ 가 일차종속이면, $\{\mathbf{v}_1, \mathbf{v}_2, \mathbf{v}_3, \mathbf{v}_4\}$ 도 일차종속이다.

30. $\mathbf{v}_1, \mathbf{v}_2, \mathbf{v}_3, \mathbf{v}_4$가 4차원 벡터일 때, 집합 $\{\mathbf{v}_1, \mathbf{v}_2, \mathbf{v}_3\}$ 가 일차독립이면, $\{\mathbf{v}_1, \mathbf{v}_2, \mathbf{v}_3, \mathbf{v}_4\}$ 도 일차독립이다.

31. $\mathbf{v}_1, \mathbf{v}_2, \mathbf{v}_3, \mathbf{v}_4$가 4차원 벡터일 때, 집합 $\{\mathbf{v}_1, \mathbf{v}_2, \mathbf{v}_3, \mathbf{v}_4\}$ 가 일차독립이면, $\{\mathbf{v}_1, \mathbf{v}_2, \mathbf{v}_3\}$ 도 일차독립이다.

32. $\mathbf{v}_1, \mathbf{v}_2, \mathbf{v}_3, \mathbf{v}_4$가 4차원 벡터일 때, 집합 $\{\mathbf{v}_1, \mathbf{v}_2, \mathbf{v}_3, \mathbf{v}_4\}$ 가 일차종속이면, $\{\mathbf{v}_1, \mathbf{v}_2, \mathbf{v}_3\}$ 도 일차종속이다.

33. 4차원 벡터들의 집합 $S = \{\mathbf{v}_1, \mathbf{v}_2, \ldots, \mathbf{v}_5\}$ 는 일차종속이다.

3장
벡터공간

디지털 신호를 공간으로 전송할 때(종종 수백만 마일에 걸쳐서), 신호상의 에러는 발생할 수밖에 없다. 신뢰할 수 있는 정보는 필수적이므로, 여러 분야의 과학자들과 수학자들은 이러한 전송 품질을 향상시키는 여러 방법들을 개발하여 왔다. 한 가지 기본적인 방법은 메시지들을 반복하여 전송함으로써 정확하게 수신될 가능성을 높이는 것이다. 그러나 이 방법은 시간을 너무 많이 낭비하고, 전달하는 메시지의 수에 제한이 있게 된다. 1947년 Richard Hamming이 개발한 한 혁신적인 방법은 에러 탐지와 자동 정정의 수단을 전송에 끼워 넣는 것이었다. Hamming의 (7,4) 코드로 알려져 있는 이 코드

© Brand X Pictures/PunchStock/RF

설계에는 7개 성분을 갖는 이진벡터(1과 0의 값을 갖는 벡터)들이 사용된다. 이들 이진벡터 중 일부는 1과 0의 위치 구성에 따라 코드단어(code words)라 분류된다. 아래의 이진벡터 $\mathbf{b}$가 코드단어인지를 결정하려면, 행렬 곱셈을 사용한 테스트를 실시한다.

$$\mathbf{b} = \begin{bmatrix} b_1 \\ b_2 \\ \vdots \\ b_7 \end{bmatrix}$$

아래의 행렬 C를 체크행렬(check matrix)이라 부른다.

$$C = \begin{bmatrix} 1 & 1 & 1 & 0 & 1 & 0 & 0 \\ 0 & 1 & 1 & 1 & 0 & 1 & 0 \\ 1 & 0 & 1 & 1 & 0 & 0 & 1 \end{bmatrix}$$

테스트는 체크행렬 C와 $\mathbf{b}$를 곱한 결과에 modulo 2 연산을 적용하여, 짝수의 결과는 0으로 홀수의 결과는 1로 대응하여 준다. 이 행렬 곱을 하면 세 성분으로 이루어 진 징후벡터(syndrome vector)로 부르는 이진벡터가 아래와 같이 계산된다.

$$C\mathbf{b} = \mathbf{s}$$

징후벡터 $\mathbf{s}$가 $\mathbf{s} = \mathbf{0}$이 되면, 이진벡터 $\mathbf{b}$는 코드단어이다. 다시 말하면 $\mathbf{b}$가 동차연립방정식 $C\mathbf{b} \equiv \mathbf{0} \pmod{2}$의 해가 되면, $\mathbf{b}$는 코드단어이다. 예를 들면, 다음 벡터는

$$\mathbf{u} = \begin{bmatrix} 1 \\ 1 \\ 0 \\ 0 \\ 0 \\ 1 \\ 1 \end{bmatrix}$$

코드단어이다. 이것은

$$C\mathbf{u} = \begin{bmatrix} 1 & 1 & 1 & 0 & 1 & 0 & 0 \\ 0 & 1 & 1 & 1 & 0 & 1 & 0 \\ 1 & 0 & 1 & 1 & 0 & 0 & 1 \end{bmatrix} \begin{bmatrix} 1 \\ 1 \\ 0 \\ 0 \\ 0 \\ 1 \\ 1 \end{bmatrix} = \begin{bmatrix} 2 \\ 2 \\ 2 \end{bmatrix} \equiv \begin{bmatrix} 0 \\ 0 \\ 0 \end{bmatrix} \pmod{2}$$

이기 때문이다. 반면에 다음의 벡터

$$\mathbf{v} = \begin{bmatrix} 1 \\ 1 \\ 1 \\ 0 \\ 0 \\ 0 \\ 0 \end{bmatrix}$$ 는 코드단어가 아니다. 이것은 $C\mathbf{v} = \begin{bmatrix} 3 \\ 2 \\ 2 \end{bmatrix} \equiv \begin{bmatrix} 1 \\ 0 \\ 0 \end{bmatrix} \pmod{2}$

이기 때문이다.

이러한 독창적인 전략을 적용함으로써 적법한 코드단어를 전송 받은 사람은 이 벡터에 에러가 없는 것으로 안전하게 추정할 수 있다. 반면에 전송받은 벡터가 코드단어가 아닐 경우에는, 징후 벡터를 포함한 알고리즘을 적용하여 전송받은 벡터를 원래의 벡터로 복구할 수 있다. 앞의 예제에서는 벡터 **v**의 다섯 번째 숫자가 전송 중에 바뀐 것이다. 원래의 벡터는 아래와 같다.

$$\mathbf{v}^* = \begin{bmatrix} 1 \\ 1 \\ 1 \\ 0 \\ 1 \\ 0 \\ 0 \end{bmatrix}$$

임의의 두 코드단어를 합하면 역시 코드단어가 되기 때문에 Hamming의 (7,4) 코드는 일차코드(linear code)로 분류된다. 즉, **u**와 **v**가 코드단어이면, 합인 **u**+**v**도 코드단어이다. 이것은,

$$C(\mathbf{u} + \mathbf{v}) = C\mathbf{u} + C\mathbf{v} = \mathbf{0} + \mathbf{0} = \mathbf{0} \ (\text{mod } 2)$$

이기 때문이다. 또한, 모든 코드단어는 몇몇 핵심적인 코드단어의 일차결합으로 표현될 수 있는 성질도 존재한다.

본 장에서는 한 벡터 집합으로부터 만들어지는 모든 일차결합의 집합이 벡터공간(vector space)을 형성한다는 것을 보고자 한다. 서두에서 언급했던 코드단어들의 집합이 바로 한 예가 된다.

3.1 벡터공간의 정의

2장에서는, 실수의 덧셈과 곱셈 연산의 일반화로서 $\mathbb{R}^n$의 벡터에 대해 벡터 덧셈과 스칼라곱을 정의하였다. 2.1절의 정리 1에서 보았듯이, 실수의 합과 곱 연산과 같은 낯익은 대수적 성질들이 벡터의 집합에서도 만족되었다. 본 절에서는 이러한 성질들을 공리로 사용하여 벡터의 개념을 더욱 일반화한다. 특히, 다음 정의 1의 성질을 만족하는 어떠한 대상들도 벡터 덧셈과 스칼라곱이 정의되는 벡터로 간주한다. 이러한 방식의 새로운 벡터 개념에는 $\mathbb{R}^n$의 벡터뿐만 아니라 여러 새로운 내용들도 포함된다.

정의 1 벡터공간

집합 V는, 다음의 모든 공리를 만족시키는 두 연산, 즉 $\oplus$ 로 표현되는 덧셈과 $\odot$ 으로 표현되는 스칼라곱이 정의되면, 실수에 대한 벡터공간이라 부른다. 다음 공리는 V의 모든 벡터 $\mathbf{u}$, $\mathbf{v}$, $\mathbf{w}$와 $\mathbb{R}$ 의 모든 스칼라 c, d에 대해 성립한다.

1. 덧셈인 $\mathbf{u} \oplus \mathbf{v}$ 는 V에 속한다.　　　　　　　　　　　　덧셈에 닫혀있다.

2. $\mathbf{u} \oplus \mathbf{v} = \mathbf{v} \oplus \mathbf{u}$　　　　　　　　　　　　　　　　　덧셈은 교환적이다.

3. $(\mathbf{u} \oplus \mathbf{v}) \oplus \mathbf{w} = \mathbf{u} \oplus (\mathbf{v} \oplus \mathbf{w})$　　　　　　　　덧셈은 결합적이다.

4. 한 벡터 $\mathbf{0} \in V$ 이 존재해서 모든 벡터 $\mathbf{u} \in V$ 에 대해 다음이 성립한다.

　　$\mathbf{0} \oplus \mathbf{u} = \mathbf{u} \oplus \mathbf{0} = \mathbf{u}$　　　　　　　　　　　　　덧셈의 항등원.

5. 모든 벡터 $\mathbf{u} \in V$ 에 대해 $-\mathbf{u}$ 인 벡터가 존재해서 다음이 성립한다.

　　$\mathbf{u} \oplus (-\mathbf{u}) = -\mathbf{u} \oplus \mathbf{u} = \mathbf{0}$　　　　　　　　　　덧셈의 역원.

6. 스칼라곱 $c \odot \mathbf{u}$ 는 V에 속한다.　　　　　　　　　　스칼라곱에 닫혀 있다.

7. $c \odot (\mathbf{u} \oplus \mathbf{v}) = (c \odot \mathbf{u}) \oplus (c \odot \mathbf{v})$

8. $(c + d) \odot \mathbf{u} = (c \odot \mathbf{u}) \oplus (d \odot \mathbf{u})$

9. $c \odot (d \odot \mathbf{u}) = (cd) \odot \mathbf{u}$

10. $1 \odot \mathbf{u} = \mathbf{u}$

　본 절에서는(그리고 필요시마다) 벡터덧셈과 스칼라곱을 실수의 표준 덧셈, 곱 연산과 구별하기 위해 정의 1에서 표기한 기호 $\oplus$와 $\odot$을 사용한다. 또한, 일반 벡터공간에서 스칼라는 임의의 필드(field)에서 선택될 수 있다. 본 교재에서는 특별히 언급하지 않는 이상 스칼라는 실수 집합에서 선택한다.

예제 1

유클리드 벡터공간　덧셈과 스칼라곱의 표준 연산을 갖는 집합 $V = \mathbb{R}^n$ 은 벡터공간이다.

풀이　공리 2부터 5까지, 7부터 10까지는 2.1절의 정리 1에서 성립함을 보였다. 이 외의 공리 1과 6, 즉 유클리드 벡터공간 $\mathbb{R}^n$이 덧셈과 스칼라곱에 닫혀있다는 공리는 이들 연산이 정의된 방식에 의해 자명하게 성립한다. $\mathbb{R}^n$은 벡터공간의 일반 이론을 구축할 수 있는 전형적인 벡터공간이다.　　　　　　　　　　　　　　　　　　　　　　　　　　　　　　　　　　　　■

예제 2

행렬의 벡터공간　모든 $m \times n$ 행렬의 집합 $V = M_{m \times n}$ 은 성분별로 정의되는 $\oplus$, $\odot$ 와 함께 스칼라 필드 $\mathbb{R}$에 대한 벡터공간이다.

풀이　행렬의 덧셈은 성분별로 이루어지므로 두 $m \times n$ 행렬의 덧셈은 또 다른 하나의 $m \times n$ 행렬이 된다. 또한, $m \times n$ 행렬의 스칼라곱도 하나의 $m \times n$ 행렬이다. 그러므로 닫힘 공리 1과 6이 만족된다. 아울러 $1 \odot A = A$ 이다. 이외의 일곱 공리는 1.3절의 정리 4에 주어져 있다.　　　　　　　■

　좀 더 추상적인 대상을 다룰 때에는 덧셈과 스칼라곱의 연산을 비표준적인 방식으로 정의할 수도 있다. 그러나 그 결과가 항상 벡터공간이 되는 것은 아니다. 다음 몇 가지 예에서 보겠다.

예제 3

벡터공간 $V = \mathbb{R}$ 이라 하자. 덧셈과 스칼라곱을 다음과 같이 정의한다.

$$\mathbf{a} \oplus \mathbf{b} = 2a + 2b \qquad k \odot \mathbf{a} = ka$$

덧셈은 교환이 성립되나 결합적이지는 않다는 것을 보여라.

풀이 보통의 실수 덧셈은 교환적이므로 다음이 성립한다.

$$\begin{aligned} \mathbf{a} \oplus \mathbf{b} &= 2a + 2b \\ &= 2b + 2a \\ &= \mathbf{b} \oplus \mathbf{a} \end{aligned}$$

그러므로 $\oplus$ 연산은 교환적이다.

　덧셈 연산이 결합적인지를 결정하기 위해, 다음 두 수식을 계산하고 평가하자.

$$(\mathbf{a} \oplus \mathbf{b}) \oplus \mathbf{c} \qquad \mathbf{a} \oplus (\mathbf{b} \oplus \mathbf{c})$$

각각은 다음과 같이 계산된다.

$$\begin{aligned} (\mathbf{a} \oplus \mathbf{b}) \oplus \mathbf{c} &= (2a + 2b) \oplus c \\ &= 2(2a + 2b) + 2c \\ &= 4a + 4b + 2c \end{aligned} \qquad \begin{aligned} \mathbf{a} \oplus (\mathbf{b} \oplus \mathbf{c}) &= a \oplus (2b + 2c) \\ &= 2a + 2(2b + 2c) \\ &= 2a + 4b + 4c \end{aligned}$$

위의 두 결과는 모든 a, b, c 값 대해 서로 다르므로 결합 성질이 성립하지 않는다. 따라서, V는 벡터공간이 될 수 없다. ∎

예제 4

벡터공간 $V = \mathbb{R}$ 이라 하자. 덧셈과 스칼라곱을 다음과 같이 정의한다.

$$\mathbf{a} \oplus \mathbf{b} = a^b \qquad k \odot \mathbf{a} = ka$$

V는 벡터공간이 아님을 보여라.

풀이 이 경우에는

$$\mathbf{a} \oplus \mathbf{b} = a^b \qquad \mathbf{b} \oplus \mathbf{a} = b^a$$

이다. 임의의 a, b 값에 대해 $a^b \neq b^a$ 이므로, 덧셈의 교환 성질은 성립하지 않는다. 따라서 V는 벡터공간이 아니다. ∎

다음 예제 5에서는 비표준적인 덧셈과 스칼라곱이 정의되는 집합이 벡터공간도 될 수 있다는 것을 보인다.

예제 5

$V = \{(a,b) \mid a,b \in \mathbb{R}\}$, $\mathbf{v} = (v_1, v_2)$, $\mathbf{w} = (w_1, w_2)$ 라 하자.

$$(v_1, v_2) \oplus (w_1, w_2) = (v_1 + w_1 + 1, v_2 + w_2 + 1)$$
$$c \odot (v_1, v_2) = (cv_1 + c - 1, cv_2 + c - 1)$$

V는 벡터공간임을 보여라.

풀이 덧셈과 스칼라곱의 결과는 순서쌍으로 나타나므로 V는 덧셈과 스칼라곱에 닫혀있다. 실수의 덧셈 연산은 교환과 결합이 성립하므로 공리 2와 3은 여기서 정의된 $\oplus$ 연산에 대해 성립한다. 다음으로 덧셈의 항등원을 $\mathbf{w} \in V$ 이라 하면 모든 $\mathbf{v} \in V$ 에 대하여 다음이 성립한다.

$$\mathbf{v} \oplus \mathbf{w} = \mathbf{v} \quad \text{또는} \quad (v_1 + w_1 + 1, v_2 + w_2 + 1) = (v_1, v_2)$$

위 등식을 풀면

$$v_1 + w_1 + 1 = v_1 \qquad v_2 + w_2 + 1 = v_2,$$
$$w_1 = -1 \qquad\qquad w_2 = -1$$

따라서 덧셈 연산의 항등원이 존재한다. 즉, $\mathbf{0} = (-1, -1)$ 이 되며, 공리 4가 만족된다.

V의 각 원소 $\mathbf{v}$마다 덧셈 연산의 역원이 존재함을 보이기 위해 다음이 성립하는 한 벡터 $\mathbf{w}$를 찾아보자.

$$\mathbf{v} \oplus \mathbf{w} = \mathbf{0} = (-1, -1)$$

$\mathbf{v} \oplus \mathbf{w} = (v_1 + w_1 + 1, v_2 + w_2 + 1)$이므로, 위 등식을 풀면,

$$v_1 + w_1 + 1 = -1 \qquad v_2 + w_2 + 1 = -1,$$
$$w_1 = -v_1 - 2 \qquad\qquad w_2 = -v_2 - 2$$

그러므로 V의 임의의 한 원소 $\mathbf{v} = (v_1, v_2)$에 대해 역원은 $-\mathbf{v} = (-v_1 - 2, \ -v_2 - 2)$이다. 이외의 나머지 공리는 모두 실수의 비슷한 성질로부터 성립함을 보일 수 있다. ■

n 차 다항식(polynomial of degree n)은 다음과 같은 표현을 갖는다.

$$p(x) = a_0 + a_1 x + a_2 x^2 + \cdots + a_{n-1} x^{n-1} + a_n x^n$$

여기서 $a_0, \ldots, a_n$은 실수이고, $a_n \neq 0$이다. 영 다항식(zero polynomial)은, 임의의 양의 정수 n에 대해 $p(x) = 0x^n$으로 쓸 수 있으므로, 그 차수는 정의하지 않는다. 다항식은 가장 기본적인 함수

집합의 하나이며, 수학에서 많은 응용분야를 갖고 있다.

예제 6

다항식의 벡터공간 n은 고정된 양의 정수라 하자. $\mathcal{P}_n$은 n차 이하인 모든 다항식의 집합을 나타낸다. 덧셈은 항별 덧셈으로 정의한다. 즉,

$$p(x) = a_0 + a_1 x + a_2 x^2 + \cdots + a_{n-1} x^{n-1} + a_n x^n$$

이고,

$$q(x) = b_0 + b_1 x + b_2 x^2 + \cdots + b_{n-1} x^{n-1} + b_n x^n$$

이면,

$$p(x) \oplus q(x) = (a_0 + b_0) + (a_1 + b_1)x + (a_2 + b_2)x^2 + \cdots + (a_n + b_n)x^n$$

으로 정의한다.

c가 스칼라일 때 스칼라곱은 다음과 같이 정의한다.

$$c \odot p(x) = ca_0 + ca_1 x + ca_2 x^2 + \cdots + ca_{n-1} x^{n-1} + ca_n x^n$$

$V = \mathcal{P}_n \cup \{\mathbf{0}\}$은 실벡터공간임을 증명하라. 여기서 $\mathbf{0}$은 영다항식이다.

풀이 n차 이하 다항식의 덧셈은 또한 n차 이하의 다항식이 되고, n차 이하 다항식의 스칼라곱도 n차 이하의 다항식이므로 집합 V는 덧셈과 스칼라곱에 닫혀 있다. 영벡터는 바로 영다항식이다. 다항식 $p(x)$의 덧셈 역원은 다음과 같다.

$$-p(x) = -a_0 - a_1 x - a_2 x^2 - \cdots - a_{n-1} x^{n-1} - a_n x^n$$

이 외의 공리는 실수 성질에 의해 명백히 성립한다. 예를 들면 다음과 같다.

$$\begin{aligned} p(x) \oplus q(x) &= (a_0 + b_0) + (a_1 + b_1)x + (a_2 + b_2)x^2 + \cdots + (a_n + b_n)x^n \\ &= (b_0 + a_0) + (b_1 + a_1)x + (b_2 + a_2)x^2 + \cdots + (b_n + a_n)x^n \\ &= q(x) \oplus p(x) \end{aligned}$$

앞으로 $\mathcal{P}_n$은 영다항식과 함께 n차 이하의 다항식으로 구성되는 벡터공간을 의미하는 것으로 사용한다.

여기서 n차 이하의 다항식이라는 조건은 n차다항식으로 대체될 수 없다. n차다항식으로 이루어지는 집합은 덧셈에 닫혀있지 않다. 예로 두 다항식 $x^2 - 2x + 1$과 $-x^2 + 3x + 4$는 모두 이차다항식이지만 그 합인 $x + 5$는 일차다항식이 된다.

예제 7

실수값 함수의 벡터공간 구간 $[a, b]$ 를 공동 정의역으로 갖는 실수값 함수들의 집합을 V 라 하자. V 에 속하는 임의의 실수값 함수 f 와 g, 그리고 $c \in \mathbb{R}$ 에 대해 덧셈과 스칼라곱을 각각 다음과 같이 정의한다.

$$(f \oplus g)(x) = f(x) + g(x), \quad (c \odot f)(x) = cf(x)$$

여기서 x 는 구간 $[a, b]$ 에 속한다. V 는 실벡터 공간임을 증명하라.

풀이 정의역 $[a, b]$ 를 갖는 두 실수값 함수들의 합은 $[a, b]$ 상의 또 다른 실수값 함수가 되므로 집합 V 는 덧셈에 닫혀있다. 마찬가지로, 집합 V 는 스칼라곱에도 닫혀있다.

V 에서의 덧셈이 교환적임을 보이기 위해, f 와 g 를 V 의 두 함수라 하자. 그러면

$$(f \oplus g)(x) = f(x) + g(x) = g(x) + f(x) = (g \oplus f)(x)$$

또한 f, g, h 를 V 의 함수라 할 때 덧셈은 또한 결합적이다. 즉,

$$
\begin{aligned}
(f \oplus (g \oplus h))(x) &= f(x) + (g \oplus h)(x) \\
&= f(x) + g(x) + h(x) \\
&= (f \oplus g)(x) + h(x) \\
&= ((f \oplus g) \oplus h)(x)
\end{aligned}
$$

$\mathbf{0}$ 으로 표현되는 V 의 영 원소는 정의역 $[a, b]$ 의 모든 실수에 대해 0의 값을 갖는 함수이다. 그러면 $\mathbf{0}$ 은 덧셈의 항등원이 된다. 즉,

$$(f \oplus \mathbf{0})(x) = f(x) + \mathbf{0}(x) = f(x)$$

다음으로 c 와 d 는 실수이고, f 는 V 의 한 원소라 하자. 실수의 분배 성질에 의해 다음이 성립한다.

$$
\begin{aligned}
(c + d) \odot f(x) &= (c + d)f(x) = cf(x) + df(x) \\
&= (c \odot f)(x) \oplus (d \odot f)(x)
\end{aligned}
$$

즉, $(c + d) \odot f = (c \odot f) \oplus (d \odot f)$ 이므로 공리 8이 성립한다.

이외 다른 성질도 동일한 방법으로 성립함을 보일 수 있다. ▨ ∎

복소수 (complex numbers)의 집합을 $\mathbb{C}$ 라 표기하고, 다음과 같이 정의하자.

$$\mathbb{C} = \{a + bi \mid a, b \in \mathbb{R}\}$$

여기서, i 는 $i^2 = -1$ 이거나 $i = \sqrt{-1}$ 이다.

복소수는 실수를 대수적으로 확장한 개념이고, 복소수 집합은 실수 집합을 한 부분집합으로 포함한다. 모든 복소수 $z = a + bi$ 에서 실수 a 는 z 의 실수부 (real part), 실수 b 는 z 의 허수부

(imaginary part)이다.

아래와 같이 덧셈과 스칼라곱에 적절한 정의를 하면, 복소수의 집합 $\mathbb{C}$ 는 벡터공간이 된다.

예제 8

복소수의 벡터공간 $\mathbf{z} = a + bi$ 와 $\mathbf{w} = c + di$ 를 $\mathbb{C}$ 의 원소라 하고 α 를 실수라 하자. $\mathbb{C}$ 상에서 벡터덧셈을 다음과 같이 정의하고,

$$\mathbf{z} \oplus \mathbf{w} = (a + bi) + (c + di) = (a + c) + (b + d)i$$

스칼라곱을 다음과 같이 정의하자.

$$\alpha \odot \mathbf{z} = \alpha \odot (a + bi) = \alpha a + (\alpha b)i$$

$\mathbb{C}$ 는 벡터공간임을 보여라.

풀이 $\mathbb{C}$ 의 각 원소 $\mathbf{z} = a + bi$ 에 대해서, 성분이 $\mathbf{z}$ 의 실수부와 허수부인 $\mathbb{R}^2$ 의 벡터를 대응시킨다. 즉,

$$\mathbf{z} = a + bi \longleftrightarrow \begin{bmatrix} a \\ b \end{bmatrix}$$

그러면 $\mathbb{C}$ 상의 덧셈과 스칼라곱은 각각 $\mathbb{R}^2$ 상의 덧셈과 스칼라곱에 대응된다. 이 대응 방식에 의해 $\mathbb{C}$ 와 $\mathbb{R}^2$ 는 동일한 대수적 구조를 갖게 된다. $\mathbb{R}^2$ 은 벡터공간이므로, $\mathbb{C}$ 도 벡터공간이다. ■

예제 8에서 $\mathbb{C}$ 는 실수상의 벡터공간임을 보였다. 마찬가지로 $\mathbb{C}$ 가 복소 스칼라상의 벡터공간임을 보일 수 있다. 상세한 내용은 독자에게 맡긴다.

예제 9는 해석기하학에 관한 것이다.

예제 9

a, b, c 는 고정된 실수라 하자. 3차원 유클리드 공간에서 다음 식으로 주어진 평면 P 상에 놓여 있는 점들의 집합을 V 라 하자.

$$ax + by + cz = 0$$

덧셈과 스칼라곱을 V 상에서 좌표끼리의 연산으로 정의한다. V 는 벡터공간임을 보여라.

풀이 V 가 덧셈에 닫혀있음을 보이자. $\mathbf{u} = (u_1, u_2, u_3)$ 와 $\mathbf{v} = (v_1, v_2, v_3)$ 를 V 상의 두 점이라 하자. 그러면, 다음이 성립한다.

$$au_1 + bu_2 + cu_3 = 0 \qquad av_1 + bv_2 + cv_3 = 0$$

정의에 의하여,

$$\mathbf{u} \oplus \mathbf{v} = (u_1 + v_1, u_2 + v_2, u_3 + v_3)$$

그러면 $\mathbf{u} \oplus \mathbf{v}$ 는 아래와 같으므로 V상에 존재한다.

$$
\begin{aligned}
a(u_1 + v_1) + b(u_2 + v_2) + c(u_3 + v_3) &= au_1 + av_1 + bu_2 + bv_2 + cu_3 + cv_3 \\
&= (au_1 + bu_2 + cu_3) + (av_1 + bv_2 + cv_3) \\
&= 0
\end{aligned}
$$

마찬가지로, V는 스칼라곱에 대해 닫혀있다. 즉 임의의 스칼라 α 에 대해 다음 두 식이 성립하기 때문이다.

$$\alpha \odot \mathbf{u} = (\alpha u_1, \alpha u_2, \alpha u_3),$$
$$a(\alpha u_1) + b(\alpha u_2) + c(\alpha u_3) = \alpha(au_1 + bu_2 + cu_3) = \alpha(0) = 0$$

본 예제에서 영벡터는 $(0, 0, 0)$이고 또한 P상에 존재한다. V에 정의된 덧셈과 스칼라곱은 벡터공간 $\mathbb{R}^3$ 에 정의된 연산과 유사하므로, V의 원소들에 대해서도 나머지 공리들이 성립한다. ■

$\mathbb{R}^n$ 에서 익숙한 대수적 성질은 추상벡터공간에도 확장될 수 있음을 보이는 것으로 본 절을 마치겠다.

정리 1

벡터공간 V에서, 덧셈의 역원은 유일하다.

증명 $\mathbf{u}$를 V의 한 원소라 하자. $\mathbf{v}$와 $\mathbf{w}$도 V의 원소라 하고, 둘 다 $\mathbf{u}$의 역원이라 하자. 그러면 $\mathbf{v} = \mathbf{w}$임을 보이자.

$$\mathbf{u} \oplus \mathbf{v} = 0 \quad \mathbf{u} \oplus \mathbf{w} = 0$$

이므로, 공리 $4, 3, 2$에 의해 다음이 성립한다.

$$\mathbf{v} = \mathbf{v} \oplus \mathbf{0} = \mathbf{v} \oplus (\mathbf{u} \oplus \mathbf{w}) = (\mathbf{v} \oplus \mathbf{u}) \oplus \mathbf{w} = \mathbf{0} \oplus \mathbf{w} = \mathbf{w}$$

그러므로 정리 1이 성립한다.

정리 2

V는 벡터공간, $\mathbf{u}$는 V의 한 벡터, c는 실수라 하자.
1. $0 \odot \mathbf{u} = \mathbf{0}$
2. $c \odot \mathbf{0} = \mathbf{0}$
3. $(-1) \odot \mathbf{u} = -\mathbf{u}$
4. $c \odot \mathbf{u} = \mathbf{0}$ 이면, $c = 0$이거나 $\mathbf{u} = \mathbf{0}$이다.

증명 (1) 공리 8에 의해 다음이 성립한다.

$$0 \odot \mathbf{u} = (0+0) \odot \mathbf{u} = (0 \odot \mathbf{u}) \oplus (0 \odot \mathbf{u})$$

위 등식 양 변에 역원인 $-(0 \odot \mathbf{u})$ 을 더하면 정리 2의 1이 성립한다.

(2) 공리 4에 의해 $\mathbf{0} \oplus \mathbf{0} = \mathbf{0}$ 이다. 이것을 공리 7과 연결하면,

$$c \odot \mathbf{0} = c \odot (\mathbf{0} \oplus \mathbf{0}) = (c \odot \mathbf{0}) \oplus (c \odot \mathbf{0})$$

양 변에 역원인 $-(c \odot \mathbf{0})$ 을 더하면 정리 2의 2가 성립한다.

(3) 공리 10 및 8, 본 정리 2의 1에 의해

$$\begin{aligned} \mathbf{u} \oplus (-1) \odot \mathbf{u} &= (1 \odot \mathbf{u}) \oplus [(-1) \odot \mathbf{u}] \\ &= (1-1) \odot \mathbf{u} \\ &= 0 \odot \mathbf{u} \\ &= \mathbf{0} \end{aligned}$$

그러므로 $(-1) \odot \mathbf{u}$ 는 덧셈에서 $\mathbf{u}$의 역원이다. $-\mathbf{u}$ 는 정의에 의해 $\mathbf{u}$의 덧셈 역원이고, 정리 1에 의하면 덧셈 역원은 유일하므로 $(-1) \odot \mathbf{u} = -\mathbf{u}$ 가 성립한다.

(4) $c \odot \mathbf{u} = \mathbf{0}$ 이라 하자. $c=0$ 이라면 정리의 4가 성립한다. $c \neq 0$ 이라 하자. 다음 식에서,

$$c \odot \mathbf{u} = \mathbf{0}$$

양 변을 $\dfrac{1}{c}$ 로 곱하면, 아래의 식이 얻어지고,

$$\frac{1}{c} \odot (c \odot \mathbf{u}) = \mathbf{0}, \quad 1 \odot \mathbf{u} = \mathbf{0}$$

여기에 본 정리 2의 2를 적용하면, $\mathbf{u} = \mathbf{0}$ 이다.

핵심 요약

1. 덧셈과 스칼라곱이 정의된 집합 V가 벡터공간임을 결정하려면 열 가지 벡터공간의 공리가 만족됨을 보여야 한다.

2. 성분별로 표준연산을 하는 유클리드 공간 $\mathbb{R}^n$ 이나 행렬의 집합 $M_{m \times n}$ 은 각각 벡터공간이다. 항별로 연산을 하는 n차 이하의 다항식 집합도 벡터공간이다.

3. 모든 벡터공간에서 덧셈의 역원은 유일하다. 또한, 다음이 성립한다.

$$0 \odot \mathbf{u} = \mathbf{0} \qquad c \odot \mathbf{0} = \mathbf{0} \qquad (-1) \odot \mathbf{u} = -\mathbf{u}$$

아울러 $c \odot \mathbf{u} = \mathbf{0}$ 이면, 스칼라 c가 0이거나 벡터 $\mathbf{u}$가 영벡터이다.

연습문제 3.1

연습문제 1–4에서, $V = \mathbb{R}^3$라 하자. 각 문제에 주어진 $\oplus$ 와 $\odot$ 연산을 갖는 V는 벡터공간이 될 수 없음을 보여라.

1. $\begin{bmatrix} x_1 \\ y_1 \\ z_1 \end{bmatrix} \oplus \begin{bmatrix} x_2 \\ y_2 \\ z_2 \end{bmatrix} = \begin{bmatrix} x_1 - x_2 \\ y_1 - y_2 \\ z_1 - z_2 \end{bmatrix}$

$c \odot \begin{bmatrix} x_1 \\ y_1 \\ z_1 \end{bmatrix} = \begin{bmatrix} cx_1 \\ cy_1 \\ cz_1 \end{bmatrix}$

2. $\begin{bmatrix} x_1 \\ y_1 \\ z_1 \end{bmatrix} \oplus \begin{bmatrix} x_2 \\ y_2 \\ z_2 \end{bmatrix} = \begin{bmatrix} x_1 + x_2 - 1 \\ y_1 + y_2 - 1 \\ z_1 + z_2 - 1 \end{bmatrix}$

$c \odot \begin{bmatrix} x_1 \\ y_1 \\ z_1 \end{bmatrix} = \begin{bmatrix} cx_1 \\ cy_1 \\ cz_1 \end{bmatrix}$

3. $\begin{bmatrix} x_1 \\ y_1 \\ z_1 \end{bmatrix} \oplus \begin{bmatrix} x_2 \\ y_2 \\ z_2 \end{bmatrix} = \begin{bmatrix} 2x_1 + 2x_2 \\ 2y_1 + 2y_2 \\ 2z_1 + 2z_2 \end{bmatrix}$

$c \odot \begin{bmatrix} x_1 \\ y_1 \\ z_1 \end{bmatrix} = \begin{bmatrix} cx_1 \\ cy_1 \\ cz_1 \end{bmatrix}$

4. $\begin{bmatrix} x_1 \\ y_1 \\ z_1 \end{bmatrix} \oplus \begin{bmatrix} x_2 \\ y_2 \\ z_2 \end{bmatrix} = \begin{bmatrix} x_1 + x_2 \\ y_1 + y_2 \\ z_1 + z_2 \end{bmatrix}$

$c \odot \begin{bmatrix} x_1 \\ y_1 \\ z_1 \end{bmatrix} = \begin{bmatrix} c + x_1 \\ y_1 \\ z_1 \end{bmatrix}$

5. 성분별 표준연산을 갖는 $\mathbb{R}^2$ 공간은 벡터공간임을 보여주는 열 가지 벡터공간 공리를 적어라.

6. 성분별 표준연산을 갖는 $M_{2 \times 2}$ 공간은 벡터공간임을 보여주는 열 가지 벡터공간 공리를 적어라.

7. $V = \mathbb{R}^2$, 덧셈은 성분별 표준덧셈으로 정의하고, 스칼라곱은 다음과 같이 정의하자.

$$c \odot \begin{bmatrix} x \\ y \end{bmatrix} = \begin{bmatrix} x + c \\ y \end{bmatrix}$$

V는 벡터공간이 될 수 없음을 보여라.

8. $V = \left\{ \begin{bmatrix} a \\ b \\ 1 \end{bmatrix} \middle| a, b \in \mathbb{R} \right\}$ 이라 하자.

a. 성분별 표준연산을 갖는 V는 벡터공간이 될 수 없음을 보여라.

b. 덧셈과 스칼라곱이 처음 두 성분에 한해 적용되고 세 번째 성분은 항상 1이라 할 때, V는 벡터공간이 됨을 보여라.

9. $V = \mathbb{R}^2$이라 하고 다음과 같이 연산을 정의한다.

$$\begin{bmatrix} a \\ b \end{bmatrix} \oplus \begin{bmatrix} c \\ d \end{bmatrix} = \begin{bmatrix} a + 2c \\ b + 2d \end{bmatrix}$$

$$c \odot \begin{bmatrix} a \\ b \end{bmatrix} = \begin{bmatrix} ca \\ cb \end{bmatrix}$$

V는 벡터공간임을 보여라.

10. V는 다음과 같고, 덧셈과 스칼라곱은 벡터의 표준연산으로 정의하자.

$$V = \left\{ \begin{bmatrix} t \\ -3t \end{bmatrix} \middle| t \in \mathbb{R} \right\}$$

V가 벡터공간인지를 결정하라.

11. V는 다음과 같고, 덧셈과 스칼라곱은 벡터의

표준연산으로 정의하자.

$$V = \left\{ \begin{bmatrix} t+1 \\ 2t \end{bmatrix} \middle| t \in \mathbb{R} \right\}$$

V가 벡터공간인지를 결정하라.

12. V는 다음과 같고, 덧셈과 스칼라곱은 성분별 표준연산으로 정의하자.

$$V = \left\{ \begin{bmatrix} a & b \\ c & 0 \end{bmatrix} \middle| a, b, c \in \mathbb{R} \right\}$$

V가 벡터공간인지를 결정하라.

13. V는 다음과 같다.

$$V = \left\{ \begin{bmatrix} a & b \\ c & 1 \end{bmatrix} \middle| a, b, c \in \mathbb{R} \right\}$$

a. 덧셈과 스칼라곱이 성분별 표준연산이라 하면, V는 벡터공간이 될 수 없음을 보여라.

b. 덧셈과 스칼라곱을 다음과 같이 정의한다.

$$\begin{bmatrix} a & b \\ c & 1 \end{bmatrix} \oplus \begin{bmatrix} d & e \\ f & 1 \end{bmatrix} = \begin{bmatrix} a+d & b+e \\ c+f & 1 \end{bmatrix}$$

$$k \odot \begin{bmatrix} a & b \\ c & 1 \end{bmatrix} = \begin{bmatrix} ka & kb \\ kc & 1 \end{bmatrix}$$

V는 벡터공간임을 보여라.

연습문제 14–19에서, V는 벡터덧셈과 스칼라곱이 성분별 표준연산으로 정의되는 2×2 행렬의 집합이라 하자. V가 벡터공간인지를 결정하라. V가 벡터공간이 아닌 경우에는, 10개 공리중 적어도 하나의 공리가 성립하지 않음을 보여라.

14. V는 모든 반대칭행렬(skew-symmetric matrix)의 집합 즉, $A^t = -A$가 되는 모든 행렬의 집합이다.

15. V는 모든 상부삼각행렬(upper triangular

matrix)의 집합이다.

16. V는 모든 실대칭행렬(real symmetric matrix)의 집합 즉, $A^t = A$인 모든 행렬의 집합이다.

17. V는 모든 가역행렬의 집합이다.

18. V는 모든 멱등원(idempotent) 행렬의 집합이다.

19. B를 한 고정된 행렬이라 할 때, V는 $AB = 0$이 되는 모든 행렬의 집합이다.

20. V는 다음과 같고, 덧셈과 스칼라곱은 성분별 표준연산으로 정의하자.

$$V = \left\{ \begin{bmatrix} a & b \\ c & -a \end{bmatrix} \middle| a, b, c \in \mathbb{R} \right\}$$

V가 벡터공간인지를 결정하라.

21. V는 2×2 가역행렬의 집합을 표시한다. 다음을 정의하자.

$$A \oplus B = AB \qquad c \odot A = cA$$

a. 덧셈의 항등원과 덧셈의 역원을 구하라.

b. V는 벡터공간이 아님을 보여라.

22. V는 다음과 같다.

$$V = \left\{ \begin{bmatrix} t \\ 1+t \end{bmatrix} \middle| t \in \mathbb{R} \right\}$$

다음을 정의한다.

$$\begin{bmatrix} t_1 \\ 1+t_1 \end{bmatrix} \oplus \begin{bmatrix} t_2 \\ 1+t_2 \end{bmatrix}$$

$$= \begin{bmatrix} t_1+t_2 \\ 1+t_1+t_2 \end{bmatrix}$$

$$c \odot \begin{bmatrix} t \\ 1+t \end{bmatrix} = \begin{bmatrix} ct \\ 1+ct \end{bmatrix}$$

a. 덧셈의 항등원과 역원을 구하라.

b. V는 벡터공간임을 보여라.

c. 모든 $\mathbf{v}$에 대해 $0 \odot \mathbf{v} = \mathbf{0}$ 임을 보여라.

23. V는 다음과 같다.

$$V = \left\{ \begin{bmatrix} 1+\ t \\ 2-\ t \\ 3+2t \end{bmatrix} \ \middle|\ t \in \mathbb{R} \right\}$$

다음을 정의한다.

$$\begin{bmatrix} 1+\ t_1 \\ 2-\ t_1 \\ 3+2t_1 \end{bmatrix} \oplus \begin{bmatrix} 1+\ t_2 \\ 2-\ t_2 \\ 3+2t_2 \end{bmatrix}$$

$$= \begin{bmatrix} 1+\ (t_1+t_2) \\ 2-\ (t_1+t_2) \\ 3+(2t_1+2t_2) \end{bmatrix}$$

$$c \odot \begin{bmatrix} 1+\ t \\ 2-\ t \\ 3+2t \end{bmatrix} = \begin{bmatrix} 1+\ ct \\ 2-\ ct \\ 3+2ct \end{bmatrix}$$

a. 덧셈의 항등원과 역원을 구하라.

b. V는 벡터공간임을 보여라.

c. 모든 $\mathbf{v}$에 대해 $0 \odot \mathbf{v} = \mathbf{0}$ 임을 보여라.

24. 다음을 정의한다.

$$\mathbf{u} = \begin{bmatrix} 1 \\ 0 \\ 1 \end{bmatrix} \qquad \mathbf{v} = \begin{bmatrix} 2 \\ -1 \\ 1 \end{bmatrix}$$

$$S = \{a\mathbf{u} + b\mathbf{v} \mid a, b \in \mathbb{R}\}$$

성분별 표준연산을 갖는 S는 벡터공간임을 보여라.

25. $\mathbf{v}$는 $\mathbb{R}^n$상의 한 벡터라 하고, S는 다음과 같다.

$$S = \{\ \mathbf{v}\ \}$$

$\oplus$ 와 $\odot$ 을 다음과 같이 정의한다.

$$\mathbf{v} \oplus \mathbf{v} = \mathbf{v} \qquad c \odot \mathbf{v} = \mathbf{v}$$

S는 벡터공간임을 보여라.

26. S는 다음과 같다.

$$S = \left\{ \begin{bmatrix} x \\ y \\ z \end{bmatrix} \ \middle|\ 3x - 2y + z = 0 \right\}$$

성분별 표준연산을 갖는 S는 벡터공간임을 보여라.

27. S는 $\mathbb{R}^3$에서 $x + y - z = 0$과 $2x - 3y + 2z = 0$을 만족시키는 다음과 같은 모든 벡터의 집합이다.

$$\begin{bmatrix} x \\ y \\ z \end{bmatrix}$$

성분별로 표준연산을 갖는 S는 벡터공간임을 보여라.

28. V는 다음과 같고,

$$V = \left\{ \begin{bmatrix} \cos t \\ \sin t \end{bmatrix} \ \middle|\ t \in \mathbb{R} \right\}$$

아래와 같은 연산을 정의한다.

$$\begin{bmatrix} \cos t_1 \\ \sin t_1 \end{bmatrix} \oplus \begin{bmatrix} \cos t_2 \\ \sin t_2 \end{bmatrix}$$

$$= \begin{bmatrix} \cos(t_1+t_2) \\ \sin(t_1+t_2) \end{bmatrix}$$

$$c \odot \begin{bmatrix} \cos t \\ \sin t \end{bmatrix} = \begin{bmatrix} \cos ct \\ \sin ct \end{bmatrix}$$

a. 덧셈의 항등원과 덧셈의 역원을 구하라.

b. V는 벡터공간임을 보여라.

c. $\oplus$ 와 $\odot$ 가 성분별 표준연산으로 정의된다면, V는 벡터공간이 아님을 보여라.

29. V는 표준연산을 갖고 $f(0) = 1$을 만족하면서, $\mathbb{R}$에서 정의된 모든 실수값 함수의 집합이라 하자. V가 벡터공간이 되는 지를 결정

하라.

30. V는 $\mathbb{R}$에서 정의된 모든 실수값 함수의 집합이라 하자.

$f \oplus g$ 를 다음과 같이 정의한다.

$$(f \oplus g)(x) = f(x) + g(x)$$

$c \odot f$ 를 다음과 같이 정의한다.

$$(c \odot f)(x) = f(x + c)$$

V가 벡터공간인지를 결정하라.

31. $f(x) = x^3$ 은 $\mathbb{R}$에서 정의되고, V는 다음과 같다고 하자.

$$V = \{f(x+t) \mid t \in \mathbb{R}\}$$

아래와 같이 정의한다.

$$f(x+t_1) \oplus f(x+t_2) = f(x+t_1+t_2)$$
$$c \odot f(x+t) = f(x+ct)$$

a. 덧셈의 항등원과 덧셈의 역원을 결정하라.
b. V는 벡터공간임을 보여라.

3.2 부분공간

벡터공간에 대한 흥미로운 예로서 주어진 벡터공간의 부분집합을 들 수 있으며, 이는 그 자체로 하나의 벡터공간을 이룬다. 예를 들면, $\mathbb{R}^3$에서 아래와 같은 xy평면은 $\mathbb{R}^3$의 한 부분집합이다.

$$\left\{ \begin{bmatrix} x \\ y \\ 0 \end{bmatrix} \,\middle|\, x, y \in \mathbb{R} \right\}$$

이 xy평면은 $\mathbb{R}^3$에서 정의된 성분별 표준연산과 함께 하나의 벡터공간을 이룬다. 한 벡터공간의 부분공간(subspace)에 대한 또 다른 예는 3.1절의 예제 9에 주어져 있다. 한 벡터공간의 부분집합이 그 자체로서 벡터공간을 이루는지는 간단하게 결정할 수 있다. 이것은 벡터공간이 되는 많은 성질들이 모(parent) 공간으로부터 그대로 유전(inherited)되기 때문이다.

정의 1 부분공간

벡터공간 V의 부분공간 W는 V의 벡터덧셈과 스칼라곱의 연산을 그대로 유전받은 공집합이 아닌 부분집합으로서, 그 자체가 하나의 벡터공간을 이룬다.

한 부분집합 $W \subseteq V$가 부분공간이기 위한 첫 요건은 W가 V의 연산에 닫혀있어야 한다는 것이다. 예를 들면, V는 덧셈과 스칼라곱의 표준 정의를 갖는 벡터공간 $\mathbb{R}^2$라 하고, $W \subseteq \mathbb{R}^2$는 다음과 같이 정의되는 부분집합이라 하자.

$$W = \left\{ \begin{bmatrix} a \\ 0 \end{bmatrix} \middle| a \in \mathbb{R} \right\}$$

W에 있는 임의의 두 벡터를 합하면 W에 속하는 또 다른 벡터가 된다. 이것은,

$$\begin{bmatrix} a \\ 0 \end{bmatrix} \oplus \begin{bmatrix} b \\ 0 \end{bmatrix} = \begin{bmatrix} a+b \\ 0 \end{bmatrix}$$

이기 때문이다. 그러므로 W는 덧셈에 닫혀있다. 또한 부분집합 W는 임의의 실수 c에 대해 스칼라곱에 닫혀있다. 이것은 다음의 스칼라곱 결과가,

$$c \odot \begin{bmatrix} a \\ 0 \end{bmatrix} = \begin{bmatrix} ca \\ 0 \end{bmatrix}$$

W에 다시 속하기 때문이다.

반면에, 다음의 부분집합 W는

$$W = \left\{ \begin{bmatrix} a \\ 1 \end{bmatrix} \middle| a \in \mathbb{R} \right\}$$

덧셈에 닫혀있지 않다. 이것은 다음의 덧셈 결과가,

$$\begin{bmatrix} a \\ 1 \end{bmatrix} \oplus \begin{bmatrix} b \\ 1 \end{bmatrix} = \begin{bmatrix} a+b \\ 2 \end{bmatrix}$$

W에 속하지 않기 때문이다. 아래의 그림 1을 참조한다. 또한, 부분집합 W는 스칼라곱에 닫혀있지 않다. 이것은 다음의 스칼라곱 결과가,

$$c \odot \begin{bmatrix} a \\ 1 \end{bmatrix} = \begin{bmatrix} ca \\ c \end{bmatrix}$$

$c \neq 1$인 모든 실수 c에 대해 W에 속하지 않기 때문이다.

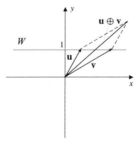

W는 V의 부분공간이 아니다.

그림 1

이제 공집합이 아닌 부분집합 W가 V의 두 연산에 닫혀있다고 가정해보자. W가 부분공간인지를 결정하려면 남은 여덟 개 벡터공간 공리들이 성립함을 보여야 한다. 다행히도 대부분의 공리 성질들이 벡터공간 V로부터 유전되므로, 이 작업을 간단하게 처리할 수 있다. 예를 들어 보자. 우선, W에서 교환성질이 성립함을 보이기 위해 **u**와 **v**는 W의 두 벡터라 하자. **u**와 **v**는 V에도 속하므로, 다음 교환성질이 성립하게 된다.

$$\mathbf{u} \oplus \mathbf{v} = \mathbf{v} \oplus \mathbf{u}$$

마찬가지로, 결합성질은 V로부터 유전되므로 W에 속하는 임의의 세 벡터에 대해서도 결합성질이 성립한다. W에 영벡터가 포함됨을 보이자. 우선 **w**는 W의 한 벡터라 하자. W는 스칼라곱에 닫혀있으므로, $0 \odot \mathbf{w} \in W$ 이다. 3.1절의 정리 2에 의해 $0 \odot \mathbf{w} = \mathbf{0}$ 이므로 $\mathbf{0} \in W$ 이다. 마찬가지로, 임의의 벡터 $\mathbf{w} \in W$ 에 대해

$$(-1) \odot \mathbf{w} = -\mathbf{w}$$

이므로, 역원도 W에 존재한다. 나머지 공리 7부터 10까지의 벡터공간의 성질은 V로부터 유전한다. 이상으로부터 W는 V의 부분공간이 된다. 역으로, W가 V의 부분공간이면, W는 덧셈과 스칼라곱에 닫혀 있을 수밖에 없다. 이상으로부터 다음 정리 3이 증명된다.

정리 3

W는 벡터공간 V의 공집합이 아닌 한 부분집합이라 하자. 그러면 W가 V의 부분공간이기 위한 필요충분조건은 W가 덧셈과 스칼라곱에 관하여 닫혀있는 것이다.

정리 3에 의하여, 위에 제시한 첫 번째 예제인

$$W = \left\{ \begin{bmatrix} a \\ 0 \end{bmatrix} \,\middle|\, a \in \mathbb{R} \right\}$$

는 $\mathbb{R}^2$의 부분공간이지만, 두 번째 예제인

$$W = \left\{ \begin{bmatrix} a \\ 1 \end{bmatrix} \,\middle|\, a \in \mathbb{R} \right\}$$

는 벡터공간이 될 수 없다.

임의의 벡터공간 V에 대해, 영벡터로만 이루어진 부분집합인 $W = \{\mathbf{0}\}$은 자명한 부분공간 (trivial subspace)이라 부르는 부분공간이다. 또한 어떠한 벡터공간 V도 자신의 부분집합이 되므로, 부분공간이 된다.

예제 1

다음과 같이 W는 표준 덧셈과 스칼라곱이 정의되는 벡터공간 $V = \mathbb{R}^2$의 한 부분집합이라 하자.

$$W = \left\{ \begin{bmatrix} a \\ a+1 \end{bmatrix} \,\middle|\, a \in \mathbb{R} \right\}$$

W가 벡터공간이 되는지를 결정하라.

풀이 정리 3에 의해, W가 덧셈과 스칼라곱에 관해 닫혀있는지를 체크한다. 다음과 같은 **u**와 **v**를 W에 속하는 두 벡터라고 하자.

$$\mathbf{u} = \begin{bmatrix} u \\ u+1 \end{bmatrix} \quad \mathbf{v} = \begin{bmatrix} v \\ v+1 \end{bmatrix}$$

두 벡터의 합은 다음과 같다.

$$\begin{aligned} \mathbf{u} \oplus \mathbf{v} &= \begin{bmatrix} u \\ u+1 \end{bmatrix} \oplus \begin{bmatrix} v \\ v+1 \end{bmatrix} \\ &= \begin{bmatrix} u+v \\ u+v+2 \end{bmatrix} \end{aligned}$$

합의 결과에서 두 번째 성분은 요구되는 형태가 아니므로 즉,

$$u+v+2 \neq u+v+1$$

이므로, $\mathbf{u} \oplus \mathbf{v}$는 W에 속하지 않는다. 따라서 W는 V의 부분공간이 될 수 없다. ■

때때로 벡터공간의 한 부분집합 W가 벡터공간이 될 수 없음을 쉽게 보일 수가 있다. 특히, $\mathbf{0} \notin W$ 이거나 덧셈의 역원이 W에 속하지 않으면 W는 벡터공간이 될 수 없다. 위 예제 1에서 W는 영벡터를 포함하지 않으므로 부분공간이 될 수 없다.

예제 2

정사각행렬의 대각합(trace)이란 대각선상에 있는 성분들의 합이다. $M_{2\times2}$는 표준 덧셈과 스칼라곱에 관해 표준연산을 갖는 2×2행렬의 벡터공간이라고 하고, W는 대각합이 0이 되는 모든 2×2 행렬의 부분집합이라고 하자. 즉,

$$W = \left\{ \begin{bmatrix} a & b \\ c & d \end{bmatrix} \,\middle|\, a+d = 0 \right\}$$

W는 $M_{2\times2}$의 부분공간임을 보여라.

풀이 $\mathbf{w}_1$과 $\mathbf{w}_2$는 다음과 같이 W의 두 행렬이라 하자.

$$\mathbf{w}_1 = \begin{bmatrix} a_1 & b_1 \\ c_1 & d_1 \end{bmatrix} \quad \mathbf{w}_2 = \begin{bmatrix} a_2 & b_2 \\ c_2 & d_2 \end{bmatrix}$$

여기서, $a_1 + d_1 = 0$, $a_2 + d_2 = 0$ 이다. 두 행렬의 합은

$$\mathbf{w}_1 \oplus \mathbf{w}_2 = \begin{bmatrix} a_1 & b_1 \\ c_1 & d_1 \end{bmatrix} \oplus \begin{bmatrix} a_2 & b_2 \\ c_2 & d_2 \end{bmatrix} = \begin{bmatrix} a_1 + a_2 & b_1 + b_2 \\ c_1 + c_2 & d_1 + d_2 \end{bmatrix}$$

$\mathbf{w}_1 \oplus \mathbf{w}_2$ 의 대각합은

$$(a_1 + a_2) + (d_1 + d_2) = (a_1 + d_1) + (a_2 + d_2) = 0$$

이므로 W는 덧셈에 닫혀있다. 또한 임의의 스칼라 c에 대해

$$c \odot \mathbf{w}_1 = c \odot \begin{bmatrix} a_1 & b_1 \\ c_1 & d_1 \end{bmatrix} = \begin{bmatrix} ca_1 & cb_1 \\ cc_1 & cd_1 \end{bmatrix}$$

위 행렬의 대각합은 $ca_1 + cd_1 = c(a_1 + d_1) = 0$이므로, W는 스칼라곱에 닫혀있다. 따라서 W는 $M_{2 \times 2}$ 의 부분공간이다. ■

예제 3

W는 모든 대칭행렬로 이루어진 $V = M_{n \times n}$의 부분집합이라 하자. V의 덧셈과 스칼라곱의 연산이 표준연산이라고 하면, W는 V의 부분공간임을 보여라.

풀이 1.3절로부터 $A^t = A$가 성립하면, 행렬 A는 대칭행렬임을 상기하자. A와 B는 W의 행렬이라 하고, c는 실수라 하자. 1.3절의 정리 6에 의해

$$(A \oplus B)^t = A^t \oplus B^t = A \oplus B \qquad (c \odot A)^t = c \odot A^t = c \odot A$$

그러므로 W는 덧셈과 스칼라곱에 닫혀 있으며, 따라서 정리 3에 의해 W는 부분공간이 된다. ■

예제 4

$V = M_{n \times n}$는 표준연산을 갖고, W는 모든 멱등원 행렬로 구성된 V의 부분집합이라 하자. W가 부분공간인지를 결정하라.

풀이 $A^2 = A$일 경우 행렬 A는 멱등원 행렬임을 상기하자.(1.3절의 연습문제 42 참조) A를 W의 한 원소라 하면, $A^2 = A$이다. 그러면,

$$(c \odot A)^2 = (cA)^2 = c^2 A^2 = c^2 A = c^2 \odot A$$

여기서 $(c \odot A)^2 = c \odot A$이기 위한 필요충분조건은 $c^2 = c$ 이다.

그러나 이 조건은 모든 c에 대해 성립하지 않으므로, W는 스칼라곱에 관해 닫혀있지 않고, 따라서 부분공간이 될 수 없다.　　　　　　　　　　　　　　　　　　　　　　 ∎

부분공간임을 판별하는 두 가지 종결 기준을 다음 정리 4에서와 같이 한 가지 기준으로 결합할 수 있다.

정리 4

벡터공간 V의 공집합이 아닌 한 부분집합 W가 V의 부분공간이 될 수 있는 필요충분조건은 W의 두 벡터 $\mathbf{u}$, $\mathbf{v}$, 임의의 스칼라 c에 대해, 벡터 $\mathbf{u} \oplus (c \odot \mathbf{v})$ 가 W에 속하는 것이다.

증명　W는 V의 공집합이 아닌 부분집합이라 하고, 모든 벡터 $\mathbf{u}$, $\mathbf{v}$, 모든 스칼라 c에 대해 $\mathbf{u} \oplus (c \odot \mathbf{v})$ 가 W에 속한다고 가정하자. 그러면, 정리 3에 의해 W가 덧셈과 스칼라곱에 관해 닫혀있음을 보이면 부분공간이 됨을 보이는데 충분하다. $\mathbf{u}$, $\mathbf{v}$가 W에 속하면, $\mathbf{u} \oplus (1 \odot \mathbf{v})$ 도 W에 속하고 $\mathbf{u} \oplus (1 \odot \mathbf{v}) = \mathbf{u} \oplus \mathbf{v}$이므로 $\mathbf{u} \oplus \mathbf{v}$도 W에 속한다. 따라서 W는 벡터덧셈에 관해 닫혀있다. 다음으로 W는 공집합이 아니므로 $\mathbf{u}$를 W의 한 벡터라 하자. 그러면 $\mathbf{0} = \mathbf{u} \oplus [(-1) \odot \mathbf{u}]$ 으로 표현되므로 영벡터도 W에 존재한다. 이제 c를 임의의 스칼라라 하면 $c \odot \mathbf{u} = \mathbf{0} \oplus (c \odot \mathbf{u})$로 표현되므로 $c \odot \mathbf{u}$ 도 W에 속한다. 따라서 W는 스칼라곱에 관해 닫혀 있다.

역으로, W는 부분공간, $\mathbf{u}$와 $\mathbf{v}$는 W의 벡터, c는 스칼라라 가정하면, W는 덧셈과 스칼라곱에 관해 닫혀있으므로, $\mathbf{u} \oplus (c \odot \mathbf{v})$ 는 W에 속함을 알 수 있다.

예제 5

W는 $\mathbb{R}^3$의 부분집합이라 하고, 다음과 같이 정의한다.

$$W = \left\{ \begin{bmatrix} 3t \\ 0 \\ -2t \end{bmatrix} \middle| \; t \in \mathbb{R} \right\}$$

정리 4를 사용하여 W는 부분공간임을 보여라.

풀이　$\mathbf{u}, \mathbf{v}$는 W의 벡터이고, c는 실수라 하자. 그러면, 다음과 같은 실수 p와 q가 존재한다.

$$\mathbf{u} \oplus (c \odot \mathbf{v}) = \begin{bmatrix} 3p \\ 0 \\ -2p \end{bmatrix} \oplus \left(c \odot \begin{bmatrix} 3q \\ 0 \\ -2q \end{bmatrix} \right)$$

$$= \begin{bmatrix} 3(p+cq) \\ 0 \\ -2(p+cq) \end{bmatrix}$$

위 벡터는 W에 속하므로, 정리 4에 의해 W는 부분공간이다.

다른 풀이로서, W는 아래와 같이 쓸 수 있고,

$$W = \left\{ t \begin{bmatrix} 3 \\ 0 \\ -2 \end{bmatrix} \middle| \; t \in \mathbb{R} \right\}$$

이것은 $\mathbb{R}^3$의 원점을 통과하는 직선을 나타내고 있다. ■

이제는 여러 부분공간들이 결합될 때, 그 결과에 대해 고려해 보자. W_1과 W_2가 벡터공간 V의 부분공간이라 하자. 그러면 교집합 $W_1 \cap W_2$는 또한 V의 벡터공간이 된다. 이것을 보이기 위해, $\mathbf{u}$와 $\mathbf{v}$는 $W_1 \cap W_2$의 원소라 하고 c는 스칼라라 하자. W_1과 W_2는 모두 부분공간이므로, 정리 4에 의해 $\mathbf{u} \oplus (c \odot \mathbf{v})$는 W_1에도 속하고 W_2에도 속한다. 즉, $W_1 \cap W_2$는 다시 정리 4에 의해 부분공간이 된다.

다음 정리 5는 두 개 이상의 여러 부분공간에 대해서도 확장 적용할 수 있음을 보여준다.

정리 5

한 벡터공간에 대한 여러 부분공간의 교집합은 그 벡터공간의 한 부분공간이 된다.

다음 예제 6에서는 두 부분공간의 합집합이 반드시 부분공간이 되지는 않음을 보여준다.

예제 6

W_1과 W_2는 표준연산을 갖는 $\mathbb{R}^2$의 부분공간이고, 다음과 같이 주어진다고 하자.

$$W_1 = \left\{ \begin{bmatrix} x \\ 0 \end{bmatrix} \middle| \; x \in \mathbb{R} \right\} \qquad W_2 = \left\{ \begin{bmatrix} 0 \\ y \end{bmatrix} \middle| \; y \in \mathbb{R} \right\}$$

$W_1 \cup W_2$는 부분공간이 아님을 보여라.

풀이 부분공간 W_1과 W_2는 각각 x축과 y축 상에 있는 모든 벡터들로 구성된다. 이들의 합집합은 x축이나 y축에 존재하는 모든 벡터들의 모임이며 다음과 같이 주어진다.

$$W_1 \cup W_2 = \left\{ \begin{bmatrix} x \\ y \end{bmatrix} \middle| \; x = 0 \;\; \text{또는} \;\; y = 0 \right\}$$

이 집합은 덧셈에 관해 닫혀있지 않다. 즉, 다음 두 벡터의 합은,

$$\begin{bmatrix} 1 \\ 0 \end{bmatrix} \oplus \begin{bmatrix} 0 \\ 1 \end{bmatrix} = \begin{bmatrix} 1 \\ 1 \end{bmatrix}$$

그림 2에서 보듯이 $W_1 \cup W_2$에 속하지 않기 때문이다.

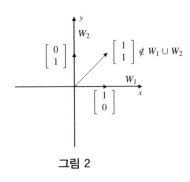

그림 2

벡터집합의 생성공간

벡터공간의 부분공간들은 그 공간에 속한 여러 벡터들의 일차결합을 모음으로써 구축될 수 있다. 이들 부분공간들은 벡터공간의 특정 성질을 분석하기 위해 사용된다. 추상벡터공간에서의 일차결합도 2장의 $\mathbb{R}^n$상에서 정의된 바와 똑같이 정의된다.

정의 2 일차결합

일차결합 $S = \{\mathbf{v}_1, \mathbf{v}_2, \ldots, \mathbf{v}_k\}$는 벡터공간 V에 속한 벡터들의 집합이고, $c_1, c_2, \ldots, c_k$는 스칼라라 하자. S에 속한 벡터들의 일차결합은 다음과 같은 형태로 표현된다.

$$(c_1 \odot \mathbf{v}_1) \oplus (c_2 \odot \mathbf{v}_2) \oplus \cdots \oplus (c_k \odot \mathbf{v}_k)$$

앞으로 벡터덧셈과 스칼라곱의 연산이 명확할 때에는, $\oplus$와 $\odot$ 기호의 사용을 생략하기로 한다. 예를 들면, 정의 2에서 주어진 일차결합은 아래와 같은 표현으로 나타낸다.

$$c_1\mathbf{v}_1 + c_2\mathbf{v}_2 + \cdots + c_k\mathbf{v}_k = \sum_{i=1}^{k} c_i\mathbf{v}_i$$

특별히 언급하지 않는 이상, 벡터공간 $\mathbb{R}^n$, $M_{m \times n}$, $\mathcal{P}_n$과 이들의 부분공간에서의 연산은 표준연산을 의미한다. 그렇지만 일차결합이 정의된 표현을 해석할 때는, 벡터공간에서의 연산과 실수들의 덧셈 및 곱이 구분되도록 유의할 필요가 있다.

정의 3 벡터집합의 생성공간

V는 벡터공간, $S = \{\mathbf{v}_1, \mathbf{v}_2, \ldots, \mathbf{v}_n\}$는 V의 (유한)집합이라 하자. S의 생성공간(span)을 $\mathbf{span}(S)$로 표현하면 다음과 같다.

$$\mathbf{span}(S) = \{c_1\mathbf{v}_1 + c_2\mathbf{v}_2 + \cdots + c_n\mathbf{v}_n \,|\, c_1, c_2, \ldots, c_n \in \mathbb{R}\}$$

| 명제 1 |

$S = \{\mathbf{v}_1, \mathbf{v}_2, \ldots, \mathbf{v}_n\}$를 벡터공간 V의 벡터집합이라 하면, $\mathbf{span}(S)$는 부분공간이다.

증명 $\mathbf{u}$와 $\mathbf{w}$를 $\mathbf{span}(S)$에 속하는 벡터라 하고, c를 스칼라라 하자. 그러면, 다음이 성립하는 스칼라들 $c_1, \ldots, c_n$과 $d_1, \ldots, d_n$이 존재한다.

$$\mathbf{u} + c\mathbf{w} = (c_1\mathbf{v}_1 + \cdots + c_n\mathbf{v}_n) + c(d_1\mathbf{v}_1 + \cdots + d_n\mathbf{v}_n)$$
$$= (c_1 + cd_1)\mathbf{v}_1 + \cdots + (c_n + cd_n)\mathbf{v}_n$$

그러므로 $\mathbf{u} + c\mathbf{w}$ 는 $\mathbf{span}(S)$에 속하고, 따라서 생성공간은 부분공간이 된다.

예제 7

S는 벡터공간 $\mathbb{R}^3$에서 다음과 같이 정의되는 부분집합이라 하자.

$$S = \left\{ \begin{bmatrix} 2 \\ -1 \\ 0 \end{bmatrix}, \begin{bmatrix} 1 \\ 3 \\ -2 \end{bmatrix}, \begin{bmatrix} 1 \\ 1 \\ 4 \end{bmatrix} \right\}$$

다음 벡터 $\mathbf{v}$는 $\mathbf{span}(S)$에 속함을 보여라.

$$\mathbf{v} = \begin{bmatrix} -4 \\ 4 \\ -6 \end{bmatrix}$$

풀이 $\mathbf{v}$가 S로부터 생성된 공간에 속하는지를 결정하기 위하여 다음의 방정식을 고려한다.

$$c_1 \begin{bmatrix} 2 \\ -1 \\ 0 \end{bmatrix} + c_2 \begin{bmatrix} 1 \\ 3 \\ -2 \end{bmatrix} + c_3 \begin{bmatrix} 1 \\ 1 \\ 4 \end{bmatrix} = \begin{bmatrix} -4 \\ 4 \\ -6 \end{bmatrix}$$

위 연립일차방정식을 풀면 다음과 같다.

$$c_1 = -2 \qquad c_2 = 1 \qquad c_3 = -1$$

따라서 $\mathbf{v}$는 S에 있는 벡터들의 일차결합으로 표현되므로 $\mathbf{span}(S)$상에 존재한다. ▪

$\mathbb{R}^n$에서 영이 아닌 한 벡터의 생성공간은 그림 3과 같이 원점을 통과하는 직선이며, 일차독립인 두 벡터의 생성공간은 그림 3과 같이 원점을 통과하는 평면이다.

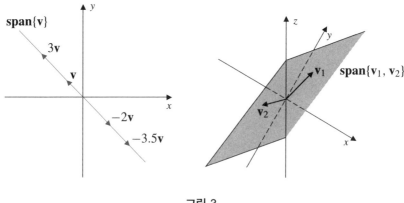

그림 3

$\mathbb{R}^2$와 $\mathbb{R}^3$의 원점을 통과하는 모든 직선과 $\mathbb{R}^3$의 원점을 통과하는 모든 평면은 벡터들의 생성공간으로 쓸 수 있으므로 이들 집합은 부분공간이다.

예제 8

S는 다음과 같다.

$$S = \left\{ \begin{bmatrix} 1 & 0 \\ 0 & 0 \end{bmatrix}, \begin{bmatrix} 0 & 1 \\ 1 & 0 \end{bmatrix}, \begin{bmatrix} 0 & 0 \\ 0 & 1 \end{bmatrix} \right\}$$

S의 생성공간은 모든 대칭행렬의 모임으로 $M_{2 \times 2}$의 부분공간이 됨을 보여라.

풀이 우선 2×2행렬은 다음 조건이 만족되면 대칭행렬이라 한다.

$$\begin{bmatrix} a & b \\ b & c \end{bmatrix}$$

span(S)에 속하는 행렬은 다음 형태를 따르므로,

$$a \begin{bmatrix} 1 & 0 \\ 0 & 0 \end{bmatrix} + b \begin{bmatrix} 0 & 1 \\ 1 & 0 \end{bmatrix} + c \begin{bmatrix} 0 & 0 \\ 0 & 1 \end{bmatrix} = \begin{bmatrix} a & b \\ b & c \end{bmatrix}$$

span(S)는 모든 2×2 대칭행렬의 모임이다. ■

예제 9

다음을 보여라.

$$\mathbf{span}\left\{ \begin{bmatrix} 1 \\ 1 \\ 1 \end{bmatrix}, \begin{bmatrix} 1 \\ 0 \\ 2 \end{bmatrix}, \begin{bmatrix} 1 \\ 1 \\ 0 \end{bmatrix} \right\} = \mathbb{R}^3$$

풀이 **v**는 아래와 같은 $\mathbb{R}^3$의 임의의 원소라 하자.

$$\mathbf{v} = \begin{bmatrix} a \\ b \\ c \end{bmatrix}$$

벡터 **v**는 다음 식을 만족시키는 스칼라 c_1, c_2, c_3 가 존재하면 **span**(S)에 속한다.

$$c_1 \begin{bmatrix} 1 \\ 1 \\ 1 \end{bmatrix} + c_2 \begin{bmatrix} 1 \\ 0 \\ 2 \end{bmatrix} + c_3 \begin{bmatrix} 1 \\ 1 \\ 0 \end{bmatrix} = \begin{bmatrix} a \\ b \\ c \end{bmatrix}$$

위 연립일차방정식은 아래의 행렬형태로 표현된다.

$$\left[\begin{array}{ccc|c} 1 & 1 & 1 & a \\ 1 & 0 & 1 & b \\ 1 & 2 & 0 & c \end{array}\right]$$

행 축약을 하면 다음과 같다.

$$\left[\begin{array}{ccc|c} 1 & 0 & 0 & -2a+2b+c \\ 0 & 1 & 0 & a-b \\ 0 & 0 & 1 & 2a-b-c \end{array}\right]$$

위 마지막 첨가행렬로부터 원래의 연립방정식은 해를 갖으며, 해는 모든 a, b, c에 대해 $c_1 = -2a +2b+c$, $c_2 = a-b$, $c_3 = 2a-b-c$ 이다. 즉 $\mathbb{R}^3$의 모든 벡터는 주어진 세 벡터의 일차결합으로 쓸 수 있다. 따라서 세 벡터의 생성공간은 전체 $\mathbb{R}^3$가 된다. ▪ ■

예제 10

다음을 보여라.

$$\mathbf{span} \left\{ \begin{bmatrix} -1 \\ 2 \\ 1 \end{bmatrix}, \begin{bmatrix} 4 \\ 1 \\ -3 \end{bmatrix}, \begin{bmatrix} -6 \\ 3 \\ 5 \end{bmatrix} \right\} \neq \mathbb{R}^3$$

풀이 예제 9와 같은 방식으로 이 문제를 해결하자. 그러나 본 예제의 경우 해당하는 연립방정식이 항상 해를 갖는 것은 아니다. 다음 좌측의 첨가행렬을 우측과 같이 변형시켜 알아보자.

$$\left[\begin{array}{ccc|c} -1 & 4 & -6 & a \\ 2 & 1 & 3 & b \\ 1 & -3 & 5 & c \end{array}\right] \qquad \left[\begin{array}{ccc|c} -1 & 4 & -6 & a \\ 0 & 9 & -9 & b+2a \\ 0 & 0 & 0 & c+\frac{7}{9}a-\frac{1}{9}b \end{array}\right]$$

우측 첨가행렬로부터 원래의 연립방정식은 $7a - b + 9c = 0$ 일 때만 해를 갖는다. 이 식은 3차원 공간속의 한 평면을 나타내므로, 문제의 생성공간은 모든 $\mathbb{R}^3$가 되지 않는다. 그림 4를 참조한다.

$b = s$, $c = t$ 라 할 때 $a = \frac{1}{7}s - \frac{9}{7}t$ 이므로, 방정식 $7a - b + 9c = 0$ 의 해를 매개변수 형태로 표현하면 다음과 같다.

$$\mathbf{span}\left\{ \begin{bmatrix} -1 \\ 2 \\ 1 \end{bmatrix}, \begin{bmatrix} 4 \\ 1 \\ -3 \end{bmatrix}, \begin{bmatrix} -6 \\ 3 \\ 5 \end{bmatrix} \right\} = \left\{ s\begin{bmatrix} \frac{1}{7} \\ 1 \\ 0 \end{bmatrix} + t\begin{bmatrix} -\frac{9}{7} \\ 0 \\ 1 \end{bmatrix} \;\middle|\; s, t \in \mathbb{R} \right\}$$

이 방법에 의해서 생성공간은 일차독립인 두 벡터의 모든 일차결합으로 이루어지는 부분공간이 되고, 이는 바로 평면이 된다는 기하학적 해석을 내릴 수 있다.

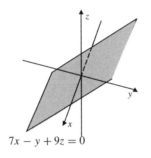

$7x - y + 9z = 0$

그림 4

앞의 예제 9와 10을 통하여, 선형대수의 핵심 개념이며 다음 3.3절의 주제가 되는 기저(basis)라는 개념의 토대를 마련하였다. 특히 예제 9에서는 다음 벡터들의 집합이 $\mathbb{R}^3$공간을 생성함을 보았다.

$$S = \{ \mathbf{v}_1, \mathbf{v}_2, \mathbf{v}_3 \} = \left\{ \begin{bmatrix} 1 \\ 1 \\ 1 \end{bmatrix}, \begin{bmatrix} 1 \\ 0 \\ 2 \end{bmatrix}, \begin{bmatrix} 1 \\ 1 \\ 0 \end{bmatrix} \right\}$$

위 벡터들은 또한 일차독립이다. 이것은 S의 벡터들로 열벡터를 구성한 다음 행렬 A가,

$$A = \begin{bmatrix} 1 & 1 & 1 \\ 1 & 0 & 1 \\ 1 & 2 & 0 \end{bmatrix}$$

예제 9에서 보았듯이 3×3 단위행렬과 행 동치가 되는 것으로써 알 수 있다. [S가 일차독립임을 보이는 다른 방법으로는 $\det(A) = 1 \neq 0$임을 보인다.] 결국 2.3절의 정리 7에 의해, $\mathbb{R}^3$의 모든 벡터들은 S의 벡터들을 사용하여 유일한 표현의 일차결합으로 쓸 수 있다.

반면에 예제 10에서와 같이, 다음 벡터들의 생성공간은,

$$S' = \{ \mathbf{v}_1', \ \mathbf{v}_2', \ \mathbf{v}_3' \} = \left\{ \begin{bmatrix} -1 \\ 2 \\ 1 \end{bmatrix}, \begin{bmatrix} 4 \\ 1 \\ -3 \end{bmatrix}, \begin{bmatrix} -6 \\ 3 \\ 5 \end{bmatrix} \right\}$$

원점을 지나는 평면이다. 그러므로 $\mathbb{R}^3$ 상의 모든 벡터들이 S' 벡터의 일차결합으로 쓸 수 있는 것은 아니다. 우리가 예견할 수 있듯이 이 벡터들은 다음과 같으므로 일차종속이다.

$$\det \left(\begin{bmatrix} -1 & 4 & -6 \\ 2 & 1 & 3 \\ 1 & -3 & 5 \end{bmatrix} \right) = 0$$

즉, $\mathbf{v}_3' = 2\mathbf{v}_1' - \mathbf{v}_2'$ 이다. 벡터 $\mathbf{v}_1'$, $\mathbf{v}_2'$ 는 그림 4에서 보았듯이 평면을 생성하는 일차독립인 벡터이며, $\mathbb{R}^3$ 를 생성하지는 못한다.

이 개념을 좀 더 자세히 언급하면, $\mathbb{R}^3$ 을 생성하는 벡터의 집합은 무수히 많다. 한 예로 다음 집합은 $\mathbb{R}^3$ 를 생성한다.

$$B = \{ \mathbf{e}_1, \ \mathbf{e}_2, \ \mathbf{e}_3, \ \mathbf{v} \} = \left\{ \begin{bmatrix} 1 \\ 0 \\ 0 \end{bmatrix}, \begin{bmatrix} 0 \\ 1 \\ 0 \end{bmatrix}, \begin{bmatrix} 0 \\ 0 \\ 1 \end{bmatrix}, \begin{bmatrix} 1 \\ 2 \\ 3 \end{bmatrix} \right\}$$

그러나 2.3절의 정리 3에 의해 반드시 일차종속일 수밖에 없다. 벡터의 수를 줄인다는 측면에서 가장 바람직한 경우는 예제 9에서 보았듯이 세 개의 일차독립인 벡터가 $\mathbb{R}^3$ 를 생성하는 것이다. 다음 3.3절에서는 S 가 $\mathbb{R}^3$ 의 기저가 되고, 아울러 $\mathbb{R}^3$ 의 모든 기저들은 세 개의 일차독립인 벡터로 구성됨을 볼 것이다.

예제 11

다음 행렬의 집합은 $M_{2 \times 2}$ 을 생성하지 못함을 보여라.

$$S = \left\{ \begin{bmatrix} -1 & 0 \\ 2 & 1 \end{bmatrix}, \begin{bmatrix} 1 & 1 \\ 1 & 0 \end{bmatrix} \right\}$$

아울러 **span**(S)는 무엇인지 설명하여라.

풀이 아래의 식은

$$c_1 \begin{bmatrix} -1 & 0 \\ 2 & 1 \end{bmatrix} + c_2 \begin{bmatrix} 1 & 1 \\ 1 & 0 \end{bmatrix} = \begin{bmatrix} a & b \\ c & d \end{bmatrix}$$

다음 연립일차방정식과 같다.

$$\begin{cases} -c_1 + c_2 = a \\ \quad\quad c_2 = b \\ 2c_1 + c_2 = c \\ \quad c_1 \quad\quad = d \end{cases}$$

위 방정식으로부터

$$c_1 = d, \quad c_2 = b$$

이므로, a와 b는 다음과 같다.

$$a = b - d, \quad c = b + 2d$$

따라서,

$$\mathbf{span}(S) = \left\{ \begin{bmatrix} b-d & b \\ b+2d & d \end{bmatrix} \; \middle| \; b, d \in \mathbb{R} \right\}$$

예제 12

다음 다항식 집합의 생성공간은 벡터공간 $\mathcal{P}_2$임을 보여라.

$$S = \{x^2 + 2x + 1, \, x^2 + 2, \, x\}$$

풀이 $\mathcal{P}_2$에 속하는 임의의 벡터는 $ax^2 + bx + c$ 의 형태로 쓸 수 있다. $\mathbf{span}(S) = \mathcal{P}_2$인지를 결정하기 위하여 다음의 방정식을 고려하자.

$$c_1(x^2 + 2x + 1) + c_2(x^2 + 2) + c_3 x = ax^2 + bx + c$$

위 식을 정리하면 다음과 같다.

$$(c_1 + c_2)x^2 + (2c_1 + c_3)x + (c_1 + 2c_2) = ax^2 + bx + c$$

두 다항식에서 각 차수별 계수가 같으면 동일한 식이므로, 위 등식 양 변의 차수별 계수를 같게 놓은 연립일차방정식을 행렬형태로 보이면 다음과 같다.

$$\left[\begin{array}{ccc|c} 1 & 1 & 0 & a \\ 2 & 0 & 1 & b \\ 1 & 2 & 0 & c \end{array} \right]$$

위 행렬을 축약하면,

$$\begin{bmatrix} 1 & 0 & 0 & \bigm| & 2a-c \\ 0 & 1 & 0 & \bigm| & -a+c \\ 0 & 0 & 1 & \bigm| & -4a+b+2c \end{bmatrix}$$

그러므로 위 연립일차방정식은 모든 a, b, c에 대해 유일한 해 $c_1 = 2a-c$, $c_2 = -a+c$, $c_3 = -4a$ $+b+2c$ 를 갖는다. 따라서 **span**$(S) = \mathcal{P}_2$가 성립한다. ∎

행렬의 영공간 및 열공간

모든 행렬 A에 관련된 특수한 부분공간으로서 영공간(null space)과 열공간(column space)이 있다.

정의 4　영공간과 열공간

A를 $m \times n$ 행렬이라 하자.
1. A의 영공간은, $N(A)$라 표기하고, $\mathbb{R}^n$상에서 $A\mathbf{x} = \mathbf{0}$을 만족하는 모든 벡터들의 집합이다.
2. A의 열공간은, **col**(A)라 표기하고, A의 열벡터들로 만들어지는 모든 일차결합의 집합이다.

　여기서, 유의할 점은 $N(A)$는 $\mathbb{R}^n$의 부분집합이고, **col**(A)는 $\mathbb{R}^m$의 부분집합이라는 것이다. 더구나 **col**(A)는 명제 1에 의해 $\mathbb{R}^m$의 부분공간이 된다. 이 용어들을 사용하여 2.2절의 정리 2를 다음과 같이 표현할 수 있다.

정리 6

A를 $m \times n$ 행렬이라 하자. 일차연립방정식 $A\mathbf{x} = \mathbf{b}$가 해를 갖기 위한 필요충분조건은 $\mathbf{b}$가 A의 열공간에 속해야 한다는 것이다.

예제 13

A와 $\mathbf{b}$는 다음과 같다.

$$A = \begin{bmatrix} 1 & -1 & -2 \\ -1 & 2 & 3 \\ 2 & -2 & -2 \end{bmatrix} \quad \mathbf{b} = \begin{bmatrix} 3 \\ 1 \\ -2 \end{bmatrix}$$

a. $\mathbf{b}$가 **col**(A)에 속하는 지를 판명하라.
b. $N(A)$는 무엇인가?

풀이　a. 정리 6에 의해 벡터 $\mathbf{b}$가 **col**(A)에 속하기 위한 필요충분조건은 $A\mathbf{x} = \mathbf{b}$인 $\mathbf{x}$가 존재하는 것이다. 대응되는 첨가행렬은 다음의 좌측에 있는 행렬과 같고, 이 행렬은 우측 행렬로 변환가능하다.

$$\begin{bmatrix} 1 & -1 & -2 & 3 \\ -1 & 2 & 3 & 1 \\ 2 & -2 & -2 & -2 \end{bmatrix} \qquad \begin{bmatrix} 1 & 0 & 0 & 3 \\ 0 & 1 & 0 & 8 \\ 0 & 0 & 1 & -4 \end{bmatrix}$$

그러므로 연립일차방정식 $A\mathbf{x} = \mathbf{b}$는 해를 갖으며, 벡터 $\mathbf{b}$는 $\text{col}(A)$에 속한다. 구체적으로 표현하면 다음과 같다.

$$\begin{bmatrix} 3 \\ 1 \\ -2 \end{bmatrix} = 3 \begin{bmatrix} 1 \\ -1 \\ 2 \end{bmatrix} + 8 \begin{bmatrix} -1 \\ 2 \\ -2 \end{bmatrix} - 4 \begin{bmatrix} -2 \\ 3 \\ -2 \end{bmatrix}$$

b. A의 영공간을 구하려면 동차연립방정식 $A\mathbf{x} = \mathbf{0}$을 풀어야 한다. 이 동차연립방정식의 첨가행렬은 위 해답 (a)에서 $\mathbf{b}$ 대신 $\mathbf{0}$을 대체하면 나머지는 동일하다. 따라서 유일한 해는 자명해 뿐이므로 $N(A) = \{\mathbf{0}\}$이다. ■

다음 정리 7에서는 한 행렬의 영공간도 부분공간임을 보인다.

정리 7

A를 $m \times n$ 행렬이라 하자. A의 영공간은 $\mathbb{R}^n$의 부분공간이다.

증명 $A\mathbf{0} = \mathbf{0}$ 이므로 벡터 $\mathbf{0}$은 $N(A)$에 존재하고, 따라서 A의 영공간은 공집합이 아니다. 벡터 $\mathbf{u}$와 $\mathbf{v}$를 $N(A)$의 벡터라 하고, c를 스칼라라 하자. 그러면

$$\begin{aligned} A(\mathbf{u} + c\mathbf{v}) &= A\mathbf{u} + A(c\mathbf{v}) \\ &= A\mathbf{u} + cA(\mathbf{v}) \\ &= \mathbf{0} + c\mathbf{0} = \mathbf{0} \end{aligned}$$

그러므로 $\mathbf{u} + c\mathbf{v}$ 는 $N(A)$에 속한다. 정리 4에 의해 $N(A)$는 부분공간이다.

핵심 요약

V는 벡터공간, W는 V의 공집합이 아닌 한 부분집합이라 하자.

1. W가 V의 부분공간임을 증명하려면, W에 속하는 임의의 $\mathbf{u}$와 $\mathbf{v}$, 스칼라 c에 대해 $\mathbf{u} \oplus c \odot \mathbf{v}$ 가 W에 속함을 보인다.

2. V에 속한 벡터 집합을 사용하여 생성한 공간은 부분공간을 이룬다.

3. $\mathbb{R}^2$나 $\mathbb{R}^3$에서 비영인 한 벡터의 생성공간은 원점을 지나는 직선이 된다. $\mathbb{R}^3$에서 일차독립인 두 벡터의 생성공간은 원점을 지나는 평면이 된다. 이들 집합은 모두 부분공간이다.

4. 부분공간들의 교집합은 또 하나의 부분공간을 이룬다. 두 부분공간의 합집합은 부분공간이 아닐 수도 있다.

5. A가 $m \times n$ 행렬이라 할 때 A의 영공간은 $\mathbb{R}^n$의 부분공간이고, A의 열공간은 $\mathbb{R}^m$의 부분공간이다.

6. 연립일차방정식 $A\mathbf{x} = \mathbf{b}$의 해가 존재하기 위한 필요충분조건은 $\mathbf{b}$가 A의 열공간에 속하는 것이다.

연습문제 3.2

연습문제 1–6에 대해 $\mathbb{R}^2$의 부분집합 S가 부분공간인지를 판별하라. S가 부분공간이 아니면, 벡터합 $\mathbf{u} + \mathbf{v}$ 가 S에 속하지 않는 $\mathbf{u}$ 와 $\mathbf{v}$ 를 구하라. 또는 $c\mathbf{v}$ 가 S에 속하지 않는 벡터 $\mathbf{u}$ 와 스칼라 c 를 구하라.

1. $S = \left\{ \begin{bmatrix} 0 \\ y \end{bmatrix} \ \middle|\ y \in \mathbb{R} \right\}$

2. $S = \left\{ \begin{bmatrix} x \\ y \end{bmatrix} \ \middle|\ xy \geq 0 \right\}$

3. $S = \left\{ \begin{bmatrix} x \\ y \end{bmatrix} \ \middle|\ xy \leq 0 \right\}$

4. $S = \left\{ \begin{bmatrix} x \\ y \end{bmatrix} \ \middle|\ x^2 + y^2 \leq 1 \right\}$

5. $S = \left\{ \begin{bmatrix} x \\ 2x - 1 \end{bmatrix} \ \middle|\ x \in \mathbb{R} \right\}$

6. $S = \left\{ \begin{bmatrix} x \\ 3x \end{bmatrix} \ \middle|\ x \in \mathbb{R} \right\}$

연습문제 7–10에서 $\mathbb{R}^3$의 부분집합 S가 부분공간인지를 결정하라.

7. $S = \left\{ \begin{bmatrix} x_1 \\ x_2 \\ x_3 \end{bmatrix} \ \middle|\ x_1 + x_3 = -2 \right\}$

8. $S = \left\{ \begin{bmatrix} x_1 \\ x_2 \\ x_3 \end{bmatrix} \ \middle|\ x_1 x_2 x_3 = 0 \right\}$

9. $S = \left\{ \begin{bmatrix} s - 2t \\ s \\ t + s \end{bmatrix} \ \middle|\ s, t \in \mathbb{R} \right\}$

10. $S = \left\{ \begin{bmatrix} x_1 \\ 2 \\ x_3 \end{bmatrix} \ \middle|\ x_1, x_3 > 0 \right\}$

연습문제 11–18에서 $M_{2 \times 2}$ 의 부분집합 S가 부분공간인지를 결정하라.

11. S는 모든 대칭행렬의 집합이다.

12. S는 모든 멱등원 행렬의 집합이다.

13. S는 모든 가역행렬의 집합이다.

14. S는 모든 반대칭행렬의 집합이다.

15. S는 모든 상부삼각행렬의 집합이다.

16. S는 모든 대각행렬의 집합이다.

17. S는 $a_{22} = 0$ 모든 행렬의 집합이다.

18. S는 $a_{11} + a_{22} = 0$ 인 모든 행렬의 집합이다.

연습문제 19–24에서 $\mathcal{P}_5$ 의 부분집합 S가 부분공간인지를 결정하라.

19. S는 모든 3차다항식의 집합이다.

20. S는 짝수 차수를 갖는 모든 다항식의 집합이다.

21. S는 $p(0) = 0$인 모든 다항식의 집합이다.

22. S는 $p(x) = ax^2$의 형태를 갖는 모든 다항식의 집합이다.

23. S는 $p(x) = ax^2 + 1$의 형태를 갖는 모든 다항식의 집합이다.

24. S는 4차 이하의 모든 다항식의 집합이다.

연습문제 25, 26에서 벡터 $\mathbf{v}$가 아래 집합 S의 생성공간에 속하는 지를 결정하라.

$$S = \left\{ \begin{bmatrix} 1 \\ 1 \\ 0 \end{bmatrix}, \begin{bmatrix} -1 \\ -1 \\ 1 \end{bmatrix}, \begin{bmatrix} -1 \\ 2 \\ 0 \end{bmatrix} \right\}$$

25. $\mathbf{v} = \begin{bmatrix} 1 \\ -1 \\ 1 \end{bmatrix}$

26. $\mathbf{v} = \begin{bmatrix} -2 \\ 7 \\ -3 \end{bmatrix}$

연습문제 27, 28에서 행렬 M이 아래 집합 S의 생성공간에 속하는 지를 결정하라.

$$S = \left\{ \begin{bmatrix} 1 & 1 \\ 0 & -1 \end{bmatrix}, \begin{bmatrix} 0 & 1 \\ 2 & 1 \end{bmatrix}, \begin{bmatrix} 1 & -1 \\ -4 & -3 \end{bmatrix} \right\}$$

27. $M = \begin{bmatrix} -2 & 1 \\ 6 & 5 \end{bmatrix}$

28. $M = \begin{bmatrix} 1 & 1 \\ 2 & -3 \end{bmatrix}$

연습문제 29–30에서 다항식 $p(x)$가 아래 집합 S의 생성공간에 속하는 지를 결정하라.

$$S = \{1 + x, x^2 - 2, 3x\}$$

29. $p(x) = 2x^2 - 6x - 11$

30. $p(x) = 3x^2 - x - 4$

연습문제 31–36에서 S의 생성공간이 무엇인지를 구체적으로 설명하라.

31. $S = \left\{ \begin{bmatrix} 2 \\ -1 \\ -2 \end{bmatrix}, \begin{bmatrix} 1 \\ 3 \\ -1 \end{bmatrix} \right\}$

32. $S = \left\{ \begin{bmatrix} 1 \\ 1 \\ 2 \end{bmatrix}, \begin{bmatrix} 2 \\ 3 \\ 1 \end{bmatrix}, \begin{bmatrix} 1 \\ 2 \\ -1 \end{bmatrix} \right\}$

33. $\left\{ \begin{bmatrix} 1 & 2 \\ 1 & 0 \end{bmatrix}, \begin{bmatrix} 0 & -1 \\ 0 & 1 \end{bmatrix} \right\}$

34. $S = \left\{ \begin{bmatrix} 1 & 0 \\ 1 & 0 \end{bmatrix}, \begin{bmatrix} 1 & 1 \\ -1 & -1 \end{bmatrix}, \begin{bmatrix} 0 & -1 \\ 1 & 1 \end{bmatrix} \right\}$

35. $S = \left\{ x, (x+1)^2, x^2 + 3x + 1 \right\}$

36. $S = \left\{ x^2 - 4, 2 - x, x^2 + x + 2 \right\}$

연습문제 37–40에서 $\mathbb{R}^3$의 부분집합 S가 주어져 있을 때,

a. $\mathbf{span}(S)$를 구하라.

b. S는 일차독립인가?

37. $S = \left\{ \begin{bmatrix} 2 \\ 1 \\ -1 \end{bmatrix}, \begin{bmatrix} 3 \\ 0 \\ -2 \end{bmatrix} \right\}$

38. $S = \left\{ \begin{bmatrix} 1 \\ 1 \\ 2 \end{bmatrix}, \begin{bmatrix} 0 \\ -1 \\ 1 \end{bmatrix}, \begin{bmatrix} 2 \\ 5 \\ 1 \end{bmatrix} \right\}$

39. $S = \left\{ \begin{bmatrix} 3 \\ 3 \\ 2 \end{bmatrix}, \begin{bmatrix} 0 \\ 1 \\ 0 \end{bmatrix}, \begin{bmatrix} 1 \\ -1 \\ -1 \end{bmatrix} \right\}$

40. $S = \left\{ \begin{bmatrix} 1 \\ 2 \\ 1 \end{bmatrix}, \begin{bmatrix} -1 \\ 0 \\ 3 \end{bmatrix}, \begin{bmatrix} 0 \\ 1 \\ 1 \end{bmatrix}, \begin{bmatrix} 2 \\ 1 \\ 1 \end{bmatrix} \right\}$

41. 다음과 같이 S가 주어져 있다.

$$S = \left\{ \begin{bmatrix} 1 \\ 2 \\ 2 \end{bmatrix}, \begin{bmatrix} -1 \\ 3 \\ -1 \end{bmatrix}, \begin{bmatrix} 1 \\ 2 \\ -1 \end{bmatrix}, \begin{bmatrix} 0 \\ 6 \\ 1 \end{bmatrix}, \begin{bmatrix} -3 \\ 4 \\ 5 \end{bmatrix} \right\}$$

a. $\mathbf{span}(S)$를 구하라.

b. S는 일차독립인가?

c. T는 다음과 같다.

$$T = \left\{ \begin{bmatrix} 1 \\ 2 \\ 2 \end{bmatrix}, \begin{bmatrix} -1 \\ 3 \\ -1 \end{bmatrix}, \begin{bmatrix} 1 \\ 2 \\ -1 \end{bmatrix}, \begin{bmatrix} -3 \\ 4 \\ 5 \end{bmatrix} \right\}$$

$\mathbf{span}(T) = \mathbb{R}^3$인가? T는 일차독립인가?

d. H는 다음과 같다.

$$H = \left\{ \begin{bmatrix} 1 \\ 2 \\ 2 \end{bmatrix}, \begin{bmatrix} -1 \\ 3 \\ -1 \end{bmatrix}, \begin{bmatrix} 1 \\ 2 \\ -1 \end{bmatrix} \right\}$$

$\mathbf{span}(H) = \mathbb{R}^3$인가? H는 일차독립인가?

42. S는 다음과 같다.

$$S = \left\{ \begin{bmatrix} 2 & -3 \\ 0 & 0 \end{bmatrix}, \begin{bmatrix} 1 & 1 \\ 1 & 0 \end{bmatrix}, \begin{bmatrix} -3 & 1 \\ 1 & 0 \end{bmatrix} \right\}$$

a. $\mathbf{span}(S)$를 구하라.

b. S는 일차독립인가?

c. T는 다음과 같다.

$$T = \left\{ \begin{bmatrix} 2 & -3 \\ 0 & 0 \end{bmatrix}, \begin{bmatrix} 1 & 1 \\ 1 & 0 \end{bmatrix}, \begin{bmatrix} -3 & 1 \\ 1 & 0 \end{bmatrix}, \begin{bmatrix} 0 & 0 \\ 0 & 1 \end{bmatrix} \right\}$$

$\mathbf{span}(T) = M_{2 \times 2}$ 인가? T는 일차독립인가?

43. S는 다음과 같다.

$$S = \left\{ 1, x - 3, x^2 + 2x, 2x^2 + 3x + 5 \right\}$$

a. $\mathbf{span}(S)$를 구하라.

b. S는 일차독립인가?

c. $2x^2 + 3x + 5$ 는 S의 처음 세 다항식의 일차결합임을 보여라.

d. T는 다음과 같다.

$$T = \left\{ 1, x - 3, x^2 + 2x, x^3 \right\}$$

T는 일차독립인가? $\mathbf{span}(T) = \mathcal{P}_3$ 인가?

44. S는 다음과 같다.

$$S = \left\{ \begin{bmatrix} 2s - t \\ s \\ t \\ -s \end{bmatrix} \,\middle|\, s, t \in \mathbb{R} \right\}$$

a. S는 $\mathbb{R}^4$의 부분공간임을 보여라.

b. S를 생성하는 두 벡터를 구하라.

c. 위 (b)에서 구한 두 벡터는 일차독립인가?

d. $S = \mathbb{R}^4$인가?

45. S는 다음과 같다.

$$S = \left\{ \begin{bmatrix} -s \\ s - 5t \\ 2s + 3t \end{bmatrix} \,\middle|\, s, t \in \mathbb{R} \right\}$$

a. S는 $\mathbb{R}^3$ 의 부분공간임을 보여라.

b. S를 생성하는 벡터 집합을 구하라.

c. 위 (b)에서 구한 두 벡터는 일차독립인가?

d. $S = \mathbb{R}^3$가 성립하는가?

46. S는 다음과 같다.

$$S = \mathbf{span} \left\{ \begin{bmatrix} 1 & 0 \\ 0 & 1 \end{bmatrix}, \begin{bmatrix} 1 & 0 \\ 1 & 0 \end{bmatrix}, \begin{bmatrix} 0 & 1 \\ 1 & 1 \end{bmatrix} \right\}$$

a. 부분공간 S는 어떤 공간인가?

b. $S = M_{2 \times 2}$ 인가?

c. S를 생성한 세 행렬은 일차독립인가?

47. A는 2×3 행렬이라 하고 S는 다음과 같다고 하자.

$$S = \left\{ \mathbf{x} \in \mathbb{R}^3 \ \middle| \ A\mathbf{x} = \begin{bmatrix} 1 \\ 2 \end{bmatrix} \right\}$$

S는 부분공간인가? 설명하라.

48. A는 $m \times n$ 행렬이고, S는 다음과 같다.

$$S = \left\{ \mathbf{x} \in \mathbb{R}^n \ \middle| \ A\mathbf{x} = 0 \right\}$$

S는 부분공간인가? 설명하라.

49. A는 고정된 $n \times n$ 행렬이고, S는 다음과 같다고 하자.

$$S = \left\{ B \in M_{n \times n} \ \middle| \ AB = BA \right\}$$

S는 부분공간인가? 설명하라.

50. S와 T는 벡터공간 V의 부분공간이라 하자. 다음을 정의한다.

$$S + T = \{ \mathbf{u} + \mathbf{v} \mid \mathbf{u} \in S, \mathbf{v} \in T \}$$

$S + T$는 V의 부분공간임을 보여라.

51. $S = \mathbf{span}(\{\mathbf{u}_1, \mathbf{u}_2, \dots \mathbf{u}_m\})$과 $T = \mathbf{span}(\{\mathbf{v}_1, \mathbf{v}_2, \dots \mathbf{v}_n\})$는 벡터공간 V의 부분공간이라 하자. 다음이 성립함을 보여라.(연습문제 50 참조)

$$S + T = \mathbf{span}(\{\mathbf{u}_1, \dots \mathbf{u}_m, \mathbf{v}_1, \dots \mathbf{v}_n\})$$

52. S와 T는 다음과 같다.

$$S = \left\{ \begin{bmatrix} x & -x \\ y & z \end{bmatrix} \ \middle| \ x, y, z \in \mathbb{R} \right\}$$

$$T = \left\{ \begin{bmatrix} a & b \\ -a & c \end{bmatrix} \ \middle| \ a, b, c \in \mathbb{R} \right\}$$

a. S와 T는 부분공간임을 보여라.

b. $S + T$에 속하는 모든 행렬은 어떤 행렬인가?(연습문제 50, 51을 참조한다.)

3.3 기저와 차원

2.3절에서는 일차독립의 개념을 도입하고, $\mathbb{R}^n$을 생성하는데 사용되는 최소집합과의 연관성에 대해 설명하였다. 본 절에서는 이 연관성을 더 탐구하고 생성집합이 최소집합인지를 결정하는 방법에 대해 설명하겠다. 이를 위해서는 추상 벡터공간의 기저에 대한 개념이 필요하다. 먼저 첫 단계로, 3.1절에서 언급했던 추상 벡터공간의 일차독립 개념을 일반화한다.

정의 1 일차독립 및 일차종속

벡터공간 V의 벡터집합 $S = \{\mathbf{v}_1, \mathbf{v}_2, \dots, \mathbf{v}_m\}$는, 다음 방정식이 단 하나의 자명해 $c_1 = c_2 = \dots = c_m = 0$을 가질 경우, 일차독립 (linearly independent)이라 한다.

$$c_1 \mathbf{v}_1 + c_2 \mathbf{v}_2 + \cdots + c_m \mathbf{v}_m = \mathbf{0}$$

위 방정식에 자명해가 아닌 다른 해가 존재하는 경우 벡터집합 S는 일차종속 (linearly dependent)이라 한다.

예제 1

$\mathbf{v}_1, \mathbf{v}_2, \mathbf{v}_3$는 다음과 같고, $W = \mathbf{span}\{\mathbf{v}_1, \mathbf{v}_2, \mathbf{v}_3\}$ 라 하자.

$$\mathbf{v}_1 = \begin{bmatrix} 1 \\ 0 \\ -1 \end{bmatrix} \quad \mathbf{v}_2 = \begin{bmatrix} 0 \\ 2 \\ 2 \end{bmatrix} \quad \mathbf{v}_3 = \begin{bmatrix} -3 \\ 4 \\ 7 \end{bmatrix}$$

a. $\mathbf{v}_3$는 $\mathbf{v}_1$과 $\mathbf{v}_2$의 일차결합임을 보여라.

b. $\mathbf{span}\{\mathbf{v}_1, \mathbf{v}_2\} = W$ 임을 보여라.

c. $\mathbf{v}_1$과 $\mathbf{v}_2$는 일차독립임을 보여라.

풀이 **a.** 다음 벡터 방정식을 풀기 위해,

$$c_1 \begin{bmatrix} 1 \\ 0 \\ -1 \end{bmatrix} + c_2 \begin{bmatrix} 0 \\ 2 \\ 2 \end{bmatrix} = \begin{bmatrix} -3 \\ 4 \\ 7 \end{bmatrix}$$

연립일차방정식에 대응하는 첨가행렬을 행축약하면 다음과 같다.

$$\begin{bmatrix} 1 & 0 & -3 \\ 0 & 2 & 4 \\ -1 & 2 & 7 \end{bmatrix} \longrightarrow \begin{bmatrix} 1 & 0 & -3 \\ 0 & 1 & 2 \\ 0 & 0 & 0 \end{bmatrix}$$

위 벡터 방정식의 해는 $c_1 = -3$, $c_2 = 2$이다. 그러므로 $\mathbf{v}_3$는 다음과 같이 표현된다.

$$\mathbf{v}_3 = -3\mathbf{v}_1 + 2\mathbf{v}_2$$

벡터 $\mathbf{v}_3$는 그림 1과 같이 $\mathbf{v}_1$과 $\mathbf{v}_2$에 의해 생성되는 평면상에 놓여 있다.

b. 위 문제 (a)로부터 $W = \{c_1\mathbf{v}_1 + c_2\mathbf{v}_2 + c_3\mathbf{v}_3 \,|\, c_1, c_2, c_3 \in \mathbb{R}\}$의 원소는 다음의 형태로 쓸 수 있다.

그림 1

$$c_1\mathbf{v}_1 + c_2\mathbf{v}_2 + c_3\mathbf{v}_3 = c_1\mathbf{v}_1 + c_2\mathbf{v}_2 + c_3(-3\mathbf{v}_1 + 2\mathbf{v}_2)$$
$$= (c_1 - 3c_3)\mathbf{v}_1 + (c_2 + 2c_3)\mathbf{v}_2$$

그러므로 W의 모든 벡터들은 $\mathbf{v}_1$과 $\mathbf{v}_2$의 일차결합으로 나타낼 수 있다. 결과적으로 벡터 $\mathbf{v}_3$는 W를 생성하는데 필요하지 않다. 즉, $\mathbf{span}\{v_1, v_2\} = W$ 이다.

c. $\mathbf{v}_1$과 $\mathbf{v}_2$의 어느 벡터도 다른 벡터의 스칼라 배가 아니므로 $\mathbf{v}_1$과 $\mathbf{v}_2$는 일차독립이다. ■

위 예제 1에서는 W를 생성하지만 일차종속이 되는 벡터들의 집합을, 같은 W를 생성하는 일차독립인 벡터집합으로 줄일 수 있었다. 이것은 예제의 풀이에서 보았듯이 $\mathbf{v}_3$는 $\mathbf{v}_1$과 $\mathbf{v}_2$의 일차결

합이고 따라서 생성공간에 영향을 미치지 않으므로, $\mathbf{v}_3$를 벡터집합에서 삭제하면 되었다. 다음 정리 8은 이러한 과정의 일반적인 절차를 보여준다.

정리 8

$\mathbf{v}_1, \ldots, \mathbf{v}_n$은 벡터공간 V의 벡터들이고, $W = \mathbf{span}\{\mathbf{v}_1, \ldots, \mathbf{v}_n\}$이라 하자. $\mathbf{v}_n$을 $\mathbf{v}_1, \ldots, \mathbf{v}_{n-1}$의 일차결합으로 표현할 수 있다면, 다음이 성립한다.

$$W = \mathbf{span}\{\mathbf{v}_1, \ldots, \mathbf{v}_{n-1}\}$$

증명 $\mathbf{v}$가 $\mathbf{span}\{\mathbf{v}_1, \ldots, \mathbf{v}_{n-1}\}$에 속하면, $\mathbf{v} = c_1\mathbf{v}_1 + \cdots + c_{n-1}\mathbf{v}_{n-1}$이 성립하는 스칼라 $c_1, c_2, \ldots, c_{n-1}$이 존재한다. 그러면 $\mathbf{v} = c_1\mathbf{v}_1 + \cdots + c_{n-1}\mathbf{v}_{n-1} + 0\mathbf{v}_n$이고, 따라서 $\mathbf{v}$는 또한 $\mathbf{span}\{\mathbf{v}_1, \ldots, \mathbf{v}_n\}$에 존재한다. 그러므로, 다음이 성립한다.

$$\mathbf{span}\{\mathbf{v}_1, \ldots, \mathbf{v}_{n-1}\} \subseteq \mathbf{span}\{\mathbf{v}_1, \ldots, \mathbf{v}_n\}$$

역으로 $\mathbf{v}$가 $\mathbf{span}\{\mathbf{v}_1, \ldots, \mathbf{v}_n\}$에 존재하면, $\mathbf{v} = c_1\mathbf{v}_1 + \cdots + c_n\mathbf{v}_n$이 성립하는 스칼라 $c_1, \ldots, c_n$이 존재한다. 또한 $\mathbf{v}_n$은 $\mathbf{v}_1, \ldots, \mathbf{v}_{n-1}$의 일차결합이므로, $\mathbf{v}_n = d_1\mathbf{v}_1 + \cdots + d_{n-1}\mathbf{v}_{n-1}$이 되는 스칼라 $d_1, \ldots, d_{n-1}$이 존재한다. 그러면,

$$\begin{aligned}
\mathbf{v} &= c_1\mathbf{v}_1 + \cdots + c_{n-1}\mathbf{v}_{n-1} + c_n\mathbf{v}_n \\
&= c_1\mathbf{v}_1 + \cdots + c_{n-1}\mathbf{v}_{n-1} + c_n(d_1\mathbf{v}_1 + \cdots + d_{n-1}\mathbf{v}_{n-1}) \\
&= (c_1 + c_nd_1)\mathbf{v}_1 + \cdots + (c_{n-1} + c_nd_{n-1})\mathbf{v}_{n-1}
\end{aligned}$$

이다. 즉, $\mathbf{v} \in \mathbf{span}\{\mathbf{v}_1, \ldots, \mathbf{v}_{n-1}\}$이고 $\mathbf{span}\{\mathbf{v}_1, \ldots, \mathbf{v}_n\} \subseteq \mathbf{span}\{\mathbf{v}_1, \ldots, \mathbf{v}_{n-1}\}$이 성립한다. 이상으로부터, $W = \mathbf{span}\{\mathbf{v}_1, \ldots, \mathbf{v}_n\} = \mathbf{span}\{\mathbf{v}_1, \ldots, \mathbf{v}_{n-1}\}$이 성립한다.

예제 2

다음 두 행렬의 열공간을 비교하라.

$$A = \begin{bmatrix} 1 & 0 & -1 & 1 \\ 2 & 0 & 1 & 7 \\ 1 & 1 & 2 & 7 \\ 3 & 4 & 1 & 5 \end{bmatrix} \qquad B = \begin{bmatrix} 1 & 0 & -1 & 1 & 2 \\ 2 & 0 & 1 & 7 & -1 \\ 1 & 1 & 2 & 7 & 1 \\ 3 & 4 & 1 & 5 & -2 \end{bmatrix}$$

풀이 2장에서 제시했던 방법을 적용하여 행렬 A의 열벡터들은 일차독립임을 보일 수 있다. 반면에 행렬 B의 열벡터들은 $\mathbb{R}^4$상에서 다섯 개의 벡터들로 구성되어 있으므로, 2.3절의 정리 3에 의해 일차종속임을 알 수 있다. 더구나 B의 처음 네 개의 벡터들은 A의 일차독립인 열벡터와 같으므로, 2.3절의 정리 5에 의해 B의 마지막 열벡터는 처음 네 벡터의 일차결합일 수밖에 없다. 최종

적으로 정리 8에 의해 $\mathbf{col}(A) = \mathbf{col}(B)$ 가 성립한다. ■

정리 8의 결과로서 $V = \mathbf{span}\{\mathbf{v}_1, ..., \mathbf{v}_n\}$인 벡터집합 $\{\mathbf{v}_1, ..., \mathbf{v}_n\}$은 이 벡터들이 일차독립일 때 생성벡터의 측면에서 그 개수가 최소인 최소집합이 된다. 또한 2장에서 $\mathbb{R}^3$에 속하는 한 벡터가 일차독립인 다른 벡터들의 일차결합으로 쓰여 질 때는 그 표현이 유일하다는 것을 보았다. 추상 벡터공간에 대해서도 같은 결과가 성립한다.

정리 9

$B = \{\mathbf{v}_1, \mathbf{v}_2, ..., \mathbf{v}_m\}$ 가 벡터공간 V에서 일차독립인 벡터들의 집합이라면, $\mathbf{span}(B)$의 모든 벡터들은 B의 벡터들을 사용하여 유일한 표현의 일차결합으로 쓸 수 있다.

위의 개념들을 바탕으로 벡터공간의 기저가 의미하는 바를 정의한다.

정의 2 벡터공간의 기저

벡터공간 V의 부분집합 B는 다음 조건을 만족하면 기저가 된다.
1. B는 V에 속하는 일차독립인 벡터들의 집합이다.
2. $\mathbf{span}(B) = V$

예를 들면, 다음 좌표 벡터의 집합은

$$S = \{\mathbf{e}_1, ..., \mathbf{e}_n\}$$

$\mathbb{R}^n$을 생성하고 일차독립이므로 $\mathbb{R}^n$의 기저이다. 위의 특별한 기저를 $\mathbb{R}^n$의 표준기저(standard basis)라 부른다. 다음 예제 3에서는 $\mathbb{R}^3$의 표준기저가 아닌 다른 기저를 제시한다.

예제 3

다음 집합 B는 $\mathbb{R}^3$의 기저임을 보여라.

$$B = \left\{ \begin{bmatrix} 1 \\ 1 \\ 0 \end{bmatrix}, \begin{bmatrix} 1 \\ 1 \\ 1 \end{bmatrix}, \begin{bmatrix} 0 \\ 1 \\ -1 \end{bmatrix} \right\}$$

풀이 먼저 B가 $\mathbb{R}^3$을 생성함을 보이려면, 아래의 방정식이 모든 실수 a, b, c에 대해 해가 있음을 보이면 된다.

$$c_1 \begin{bmatrix} 1 \\ 1 \\ 0 \end{bmatrix} + c_2 \begin{bmatrix} 1 \\ 1 \\ 1 \end{bmatrix} + c_3 \begin{bmatrix} 0 \\ 1 \\ -1 \end{bmatrix} = \begin{bmatrix} a \\ b \\ c \end{bmatrix}$$

위 연립일차방정식에 대응되는 아래 좌측의 첨가행렬을 행 변환하면, 우측의 행렬을 얻는다.

$$\begin{bmatrix} 1 & 1 & 0 & | & a \\ 1 & 1 & 1 & | & b \\ 0 & 1 & -1 & | & c \end{bmatrix} \qquad \begin{bmatrix} 1 & 0 & 0 & | & 2a-b-c \\ 0 & 1 & 0 & | & -a+b+c \\ 0 & 0 & 1 & | & -a+b \end{bmatrix}$$

그러므로, $c_1 = 2a-b-c$, $c_2 - a + b + c$, $c_3 - a + b$ 이다.

예를 들어 $\mathbf{v} = \begin{bmatrix} 1 \\ 2 \\ 3 \end{bmatrix}$ 이면,

$$c_1 = 2(1) - 2 - 3 = -3$$
$$c_2 = -1 + 2 + 3 = 4$$
$$c_3 = -1 + 2 = 1$$

이므로, $\mathbf{v}$는 다음과 같은 일차결합으로 표현된다.

$$-3 \begin{bmatrix} 1 \\ 1 \\ 0 \end{bmatrix} + 4 \begin{bmatrix} 1 \\ 1 \\ 1 \end{bmatrix} + \begin{bmatrix} 0 \\ 1 \\ -1 \end{bmatrix} = \begin{bmatrix} 1 \\ 2 \\ 3 \end{bmatrix}$$

위 연립일차방정식은 모든 실수 a, b, c에 대해 해가 존재하므로 $\mathbf{span}(B) = \mathbb{R}^3$이다.

다음으로 B가 일차독립임을 보이려면, B의 벡터들을 열벡터로 하는 행렬의 행렬식을 계산한다. 즉, 아래와 같이 행렬식 값이 0이 아니므로,

$$\begin{vmatrix} 1 & 1 & 0 \\ 1 & 1 & 1 \\ 0 & 1 & -1 \end{vmatrix} = 1$$

2.3절의 정리 9에 의해 집합 B는 일차독립이다. 따라서 B는 $\mathbb{R}^3$의 기저이다. B가 일차독립임을 보이는 다른 방법으로써, 다음의 행렬 A는 위의 행 변환으로부터 단위행렬 I와 행 동치임에 주목하자.

$$A = \begin{bmatrix} 1 & 1 & 0 \\ 1 & 1 & 1 \\ 0 & 1 & -1 \end{bmatrix}$$

그러므로 다시 2.3절의 정리 9에 의하여 집합 B는 일차독립이다. ∎

위 예제 3을 통해 이미 보았듯이, 한 벡터공간의 기저는 유일하지 않다. 예를 들면, $\mathbb{R}^3$의 표준기저는 $B = \{\mathbf{e}_1, \mathbf{e}_2, \mathbf{e}_3\}$이다. $\mathbb{R}^3$의 다른 기저로는 $B' = \{2\mathbf{e}_1, \mathbf{e}_2, \mathbf{e}_3\}$을 들 수 있으며, 이것은 표준기저의 첫 벡터를 단순히 두 배한 것이다.

다음 정리 10은 위 개념을 일반화한 것이며, 벡터공간의 주어진 한 기저에 스칼라곱을 함으로써 무한히 많은 기저들이 유도될 수 있다는 것을 보여주고 있다.

정리 10

$B = \{\mathbf{v}_1, \ldots, \mathbf{v}_n\}$ 는 벡터공간 V의 한 기저이고, c는 비영인 스칼라라 하자. 그러면, $B_c = \{c\mathbf{v}_1, \mathbf{v}_2, \ldots, \mathbf{v}_n\}$ 는 기저가 된다.

증명 $\mathbf{v}$를 벡터공간 V의 한 원소라 하면, B는 V의 기저이므로 $\mathbf{v} = c_1\mathbf{v}_1 + c_2\mathbf{v}_2 + \cdots + c_n\mathbf{v}_n$ 가 되는 스칼라 $c_1, \ldots, c_n$ 이 존재한다. $c \neq 0$이므로 이 식은 다음과 같이 쓸 수 있다.

$$\mathbf{v} = \frac{c_1}{c}(c\mathbf{v}_1) + c_2\mathbf{v}_2 + \cdots + c_n\mathbf{v}_n$$

그러므로 $\mathbf{v}$는 B_c에 속하는 벡터들의 일차결합이다. 따라서 $\mathbf{span}(B_c) = V$이다. B_c가 일차독립인 것을 보이기 위해 다음 방정식을 고려하자.

$$c_1(c\mathbf{v}_1) + c_2\mathbf{v}_2 + \cdots + c_n\mathbf{v}_n = \mathbf{0}$$

벡터공간의 공리 9에 의해 아래와 같이 쓸 수 있다.

$$(c_1 c)(\mathbf{v}_1) + c_2\mathbf{v}_2 + \cdots + c_n\mathbf{v}_n = \mathbf{0}$$

여기서 B는 일차독립이므로, 위 식의 유일한 해는 다음의 자명해 뿐이다.

$$c_1 c = 0 \qquad c_2 = 0 \qquad \ldots \qquad c_n = 0$$

$c \neq 0$이므로 $c_1 = 0$이다. 그러므로 B_c는 일차독립이고 따라서 기저가 된다.

예제 3

W는 대각합이 0인 $M_{2 \times 2}$의 부분공간이라 하고, S는 다음과 같다.

$$S = \left\{ \begin{bmatrix} 1 & 0 \\ 0 & -1 \end{bmatrix}, \begin{bmatrix} 0 & 1 \\ 0 & 0 \end{bmatrix}, \begin{bmatrix} 0 & 0 \\ 1 & 0 \end{bmatrix} \right\}$$

S는 W의 기저임을 보여라.

풀이 3.2절의 예제 2에서 W는 $M_{2 \times 2}$의 부분공간임을 보였다. $\mathbf{span}(S) = W$임을 보이기 전에 먼저 다음 사실을 상기하자. 다음 행렬 A에서,

$$A = \begin{bmatrix} a & b \\ c & d \end{bmatrix}$$

대각합이 0이기 위한 필요충분조건은 $a + d = 0$ 이므로 A는 다음의 형태를 갖는다.

$$A = \begin{bmatrix} a & b \\ c & -a \end{bmatrix}$$

A 형태의 모든 행렬은 S의 원소를 사용하여 다음과 같이 표현되므로

$$\begin{bmatrix} a & b \\ c & -a \end{bmatrix} = a \begin{bmatrix} 1 & 0 \\ 0 & -1 \end{bmatrix} + b \begin{bmatrix} 0 & 1 \\ 0 & 0 \end{bmatrix} + c \begin{bmatrix} 0 & 0 \\ 1 & 0 \end{bmatrix}$$

span$(S) = W$가 성립한다. 또한 S는 일차독립이다. 이것은 다음의 연립일차방정식이

$$c_1 \begin{bmatrix} 1 & 0 \\ 0 & -1 \end{bmatrix} + c_2 \begin{bmatrix} 0 & 1 \\ 0 & 0 \end{bmatrix} + c_3 \begin{bmatrix} 0 & 0 \\ 1 & 0 \end{bmatrix} = \begin{bmatrix} 0 & 0 \\ 0 & 0 \end{bmatrix}$$

아래 식과 같고,

$$\begin{bmatrix} c_1 & c_2 \\ c_3 & -c_1 \end{bmatrix} = \begin{bmatrix} 0 & 0 \\ 0 & 0 \end{bmatrix}$$

위 연립일차방정식은 유일한 자명해 $c_1 = c_2 = c_3 = 0$만을 갖기 때문이다. 따라서 S는 W의 기저이다. ■

$\mathbb{R}^n$의 경우와 마찬가지로, $M_{m \times n}$ 공간에서도 표준기저가 되는 행렬의 집합이 있다. 행렬 $\mathbf{e}_{ij}$를 ij 위치에만 1이 있고 이 외의 위치에는 모두 0이 있는 행렬이라 하자. 집합 $S = \{\mathbf{e}_{ij} \mid 1 \le i \le m, 1 \le j \le n\}$은 $M_{m \times n}$의 표준기저(standard basis)라 한다. 예를 들면, $M_{2 \times 2}$의 표준기저는 다음과 같다.

$$S = \left\{ \begin{bmatrix} 1 & 0 \\ 0 & 0 \end{bmatrix}, \begin{bmatrix} 0 & 1 \\ 0 & 0 \end{bmatrix}, \begin{bmatrix} 0 & 0 \\ 1 & 0 \end{bmatrix}, \begin{bmatrix} 0 & 0 \\ 0 & 1 \end{bmatrix} \right\}$$

예제 5

다음 집합 B는 $M_{2 \times 2}$의 기저인지를 결정하라.

$$B = \left\{ \begin{bmatrix} 1 & 3 \\ 2 & 1 \end{bmatrix}, \begin{bmatrix} -1 & 2 \\ 1 & 0 \end{bmatrix}, \begin{bmatrix} 0 & 1 \\ 0 & -4 \end{bmatrix} \right\}$$

풀이 다음 행렬 A는 $M_{2 \times 2}$의 임의의 행렬이라 하자.

$$A = \begin{bmatrix} a & b \\ c & d \end{bmatrix}$$

A가 B의 생성공간에 속하는 지를 보기 위해 다음의 식을 고려하자.

$$c_1 \begin{bmatrix} 1 & 3 \\ 2 & 1 \end{bmatrix} + c_2 \begin{bmatrix} -1 & 2 \\ 1 & 0 \end{bmatrix} + c_3 \begin{bmatrix} 0 & 1 \\ 0 & -4 \end{bmatrix} = \begin{bmatrix} a & b \\ c & d \end{bmatrix}$$

위 식에 해당하는 첨가행렬은 다음과 같다.

$$\begin{bmatrix} 1 & -1 & 0 & a \\ 3 & 2 & 1 & b \\ 2 & 1 & 0 & c \\ 1 & 0 & -4 & d \end{bmatrix}$$

행 변환을 하면 다음을 얻는다.

$$\begin{bmatrix} 1 & -1 & 0 & a \\ 0 & 5 & 1 & -3a+b \\ 0 & 0 & -3 & -a-3b+5c \\ 0 & 0 & 0 & a+4b-7c+d \end{bmatrix}$$

위 일차연립방정식은 $a+4b-7c+d = 0$ 일 때만 해를 갖는다. 그러므로 B는 $M_{2 \times 2}$ 를 생성하지 못하며, 따라서 기저가 될 수 없다. ■

예제 5에서 집합 B는 일차독립이지만, 3개의 행렬로는 모든 2×2행렬을 생성할 수 없다는 것에 유의하자. 앞으로 $M_{2 \times 2}$ 를 생성하기 위한 행렬의 최소개수는 4개임을 보이겠다.

우리가 이미 보았던 다른 벡터공간으로는 n차 이하의 다항식으로 이루어진 벡터공간 P_n이 있다. P_n에 대한 표준기저는 다음 집합 B와 같다.

$$B = \{1, x, x^2, \ldots, x^n\}$$

$p(x) = a_0 + a_1 x + a_2 x^2 + \cdots + a_n x^n$가 P_n의 임의 다항식이면, $p(x)$ 는 B의 벡터들을 사용해서 일차결합으로 표현할 수 있으므로 $\mathbf{span}(B) = P_n$이다. B가 일차독립인 것을 보이기 위해, 모든 실수 x에 대해 다음의 식을 고려하자.

$$c_0 + c_1 x + c_2 x^2 + \cdots + c_n x^n = 0$$

위 식을 다음과 같이 쓸 수 있다.

$$c_0 + c_1 x + c_2 x^2 + \cdots + c_n x^n = 0 + 0x + 0x^2 + \cdots + 0x^n$$

위 식에서 양변의 두 다항식은 같은 차수의 계수가 같아야 동일한 식이 되므로 $c_1 = c_2 = c_3 = \cdots = c_n = 0$ 이 성립한다.

$\mathcal{P}_2$의 다른 기저를 예제 6에 제시한다.

예제 6

$B = \{x + 1, \; x - 1, \; x^2\}$ 는 $\mathcal{P}_2$의 기저임을 보여라.

풀이 $ax^2 + bx + c$ 를 $\mathcal{P}_2$의 임의의 다항식이라 하자. $\mathcal{P}_2$가 B의 생성공간임을 증명하려면, 모든 a, b, c에 대해 다음 식이 성립하는 스칼라 c_1, c_2, c_3가 구해져야 한다.

$$c_1(x + 1) + c_2(x - 1) + c_3 x^2 = ax^2 + bx + c$$

좌변을 차수별로 정리하면 아래와 같고,

$$c_3 x^2 + (c_1 + c_2)x + (c_1 - c_2) = ax^2 + bx + c$$

위 식으로부터 $c_3 = a$, $c_1 + c_2 = b$, $c_1 - c_2 = c$이다. 이 연립일차방정식은 다음과 같은 유일한 해를 갖는다.

$$c_1 = \tfrac{1}{2}(b + c) \qquad c_2 = \tfrac{1}{2}(b - c) \qquad c_3 = a$$

그러므로 **span**$(B) = \mathcal{P}_2$이다. 다음으로, 일차독립임을 보이기 위해 아래 식을 고려하자.

$$c_1(x + 1) + c_2(x - 1) + c_3 x^2 = 0 + 0x + 0x^2$$

위 식의 해는 $c_1 = c_2 = c_3 = 0$ 이다. 그러므로 집합 B는 일차독립이다. 이상으로부터 B는 $\mathcal{P}_2$의 기저가 된다. ■

위 예제 6에서 집합 B가 $\mathcal{P}_2$의 기저임을 보이는 다른 방법으로는 표준기저의 다항식을 B에 속하는 다항식의 일차결합으로 쓸 수 있음을 보이는 것이다. 즉, 다음과 같이 쓸 수 있으며,

$$1 = \tfrac{1}{2}(x + 1) - \tfrac{1}{2}(x - 1) \qquad x = \tfrac{1}{2}(x + 1) + \tfrac{1}{2}(x - 1)$$

x^2은 이미 B에 존재한다.

차원

$\mathbb{R}^n$공간에서 m개 벡터들의 집합은 $m > n$이면 일차종속일 수밖에 없다는 것을 2.3절의 정리 3에서 이미 보았다. 그러므로 $\mathbb{R}^n$의 기저들은 최대한 n개의 벡터들을 포함한다. 또한 m개의 일차독립인 벡터들의 집합은 $m < n$이면 $\mathbb{R}^n$을 생성할 수 없음을 보일 수 있다. 예를 들면 $\mathbb{R}^3$상의 일차

독립인 두 벡터는 평면만을 생성할 뿐이다. 즉, $\mathbb{R}^n$의 어떠한 기저도 정확히 n개의 벡터들을 포함하고 있다. $\mathbb{R}^n$의 숫자 n은 불변량으로서 $\mathbb{R}^n$의 차원(dimension)이라 부른다. 다음 정리 11은 추상 벡터공간에 대해서도 위 내용이 성립함을 보이고 있다.

정리 11

벡터공간 V의 한 기저가 n개의 벡터들로 구성되면, 모든 기저는 n개의 벡터들로 구성된다.

증명 $B = \{\mathbf{v}_1, \mathbf{v}_2, \ldots, \mathbf{v}_n\}$는 V의 기저라 하고, $T = \{\mathbf{u}_1, \mathbf{u}_2, \ldots, \mathbf{u}_m\}$은 $m > n$인 V의 부분집합이라 하자. 그러면 T는 일차종속임을 보이자. 먼저 B는 기저이므로 T의 모든 벡터들은 B 벡터들의 일차결합으로 쓸 수 있다는 점에 주목하자. 즉,

$$\mathbf{u}_1 = \lambda_{11}\mathbf{v}_1 + \lambda_{12}\mathbf{v}_2 + \cdots + \lambda_{1n}\mathbf{v}_n$$
$$\mathbf{u}_2 = \lambda_{21}\mathbf{v}_1 + \lambda_{22}\mathbf{v}_2 + \cdots + \lambda_{2n}\mathbf{v}_n$$
$$\vdots$$
$$\mathbf{u}_m = \lambda_{m1}\mathbf{v}_1 + \lambda_{m2}\mathbf{v}_2 + \cdots + \lambda_{mn}\mathbf{v}_n$$

다음의 식을 고려하자.

$$c_1\mathbf{u}_1 + c_2\mathbf{u}_2 + \cdots + c_m\mathbf{u}_m = \mathbf{0}$$

이 식에 위 식을 대입하여 B의 기저벡터로 정리하면 다음과 같다.

$$(c_1\lambda_{11} + c_2\lambda_{21} + \cdots + c_m\lambda_{m1})\mathbf{v}_1$$
$$+ (c_1\lambda_{12} + c_2\lambda_{22} + \cdots + c_m\lambda_{m2})\mathbf{v}_2$$
$$\vdots$$
$$+ (c_1\lambda_{1n} + c_2\lambda_{2n} + \cdots + c_m\lambda_{mn})\mathbf{v}_n = \mathbf{0}$$

B는 기저이므로 일차독립이다. 즉,

$$c_1\lambda_{11} + c_2\lambda_{21} + \cdots + c_m\lambda_{m1} = 0$$
$$c_1\lambda_{12} + c_2\lambda_{22} + \cdots + c_m\lambda_{m2} = 0$$
$$\vdots$$
$$c_1\lambda_{1n} + c_2\lambda_{2n} + \cdots + c_m\lambda_{mn} = 0$$

위 연립일차방정식은 m개의 변수 $c_1, \ldots, c_m$을 갖는 n개의 식으로 구성되어 있다. 여기서 $m > n$이므로 2.3절의 정리 3에 의해 이 연립일차방정식은 0이 아닌 비자명해를 갖는다. 따라서 T는 일차종속이다.

이제 $T = \{\mathbf{u}_1, \mathbf{u}_2, \ldots, \mathbf{u}_m\}$가 벡터공간 V의 또 다른 기저라고 가정해 보자. 바로 앞에서 입증한 결과에 의해 $m \leq n$이 성립되어야만 한다. 그러나 동일한 논리에 의해 기저 B에 속하는 벡터들의 개수는 T에 속하는 벡터들의 개수를 초과할 수 없다. 즉, $n \leq m$이다. 따라서 결론적으로 $n = m$이 되어야 한다.

이제는 추상 벡터공간의 차원에 대해 정의를 제시한다.

정의 3 벡터공간의 차원

벡터공간 V의 차원이란, $\dim(V)$로 표기하고, V의 기저를 구성하는 벡터들의 수를 의미한다.

예를 들면, $\mathbb{R}^n$, $M_{2 \times 2}$, $M_{m \times n}$, $\mathcal{P}_n$의 표준기저들은 각각 다음과 같기 때문에,

$$\{\mathbf{e}_1, \mathbf{e}_2, \ldots, \mathbf{e}_n\}$$
$$\{\mathbf{e}_{11}, \mathbf{e}_{12}, \mathbf{e}_{21}, \mathbf{e}_{22}\}$$
$$\{\mathbf{e}_{ij} \mid 1 \le i \le m, i \le j \le n\}$$
$$\{1, x, x^2, \ldots, x^n\}$$

해당 차원은 다음과 같다.

$$\dim(\mathbb{R}^n) = n \qquad \dim(M_{2 \times 2}) = 4 \qquad \dim(M_{m \times n}) = mn \qquad \dim(\mathcal{P}_n) = n + 1$$

벡터공간 V의 기저가 유한한 개수의 벡터로 구성되면, 벡터공간 V를 유한차원(finite dimension)이라 부른다. 그러한 기저가 존재하지 않으면, 무한차원(infinite dimension)이라 부른다. 벡터공간 $V = \{\mathbf{0}\}$은 기저가 존재하지 않지만 $\dim(V) = 0$인 유한차원으로 간주한다. 무한차원의 벡터공간은 과학과 수학의 여러 영역에서 자연스럽게 발생하고 있으나, 본 교재에서는 유한차원의 벡터공간에 중점을 둔다.

차원이 n인 벡터공간에서 n개 벡터로 이루어진 집합이 기저인지를 결정하는 데는, 이 집합이 벡터공간을 생성하거나 또는 이 집합이 일차독립임을 보이는 것으로 충분하다.

정리 12

V는 $\dim(V) = n$인 벡터공간이라 하자.

1. $S = \{\mathbf{v}_1, \mathbf{v}_2, \ldots, \mathbf{v}_n\}$이 일차독립이면, $\mathbf{span}(S) = V$이고 S는 기저이다.

2. $S = \{\mathbf{v}_1, \mathbf{v}_2, \ldots, \mathbf{v}_n\}$이 $\mathbf{span}(S) = V$이면, S는 일차독립이고 기저이다.

증명 (1) S는 일차독립이고, $\mathbf{v}$는 벡터공간 V의 임의의 벡터라 가정하자. 만일 $\mathbf{v}$가 S에 속하면, $\mathbf{v}$는 $\mathbf{span}(S)$에 속한다. 이제 $\mathbf{v}$가 S에 속하지 않는다고 가정한다. 정리 11의 증명에서와 같이 집합 $\{\mathbf{v}, \mathbf{v}_1, \mathbf{v}_2, \ldots, \mathbf{v}_n\}$은 일차종속이다. 그러므로 모두 0인 것은 아닌 스칼라 $c_1, \ldots, c_n, c_{n+1}$이 존재하여 다음 식을 만족시킨다.

$$c_1 \mathbf{v}_1 + c_2 \mathbf{v}_2 + \cdots + c_n \mathbf{v}_n + c_{n+1} \mathbf{v} = \mathbf{0}$$

여기서 $c_{n+1} \ne 0$이다. 이것은 c_{n+1}이 0이라면 S는 바로 가정한 내용과는 상반되게 일차종속이 되기 때문이다. 위 식을 $\mathbf{v}$에 대해 풀면,

$$\mathbf{v} = -\frac{c_1}{c_{n+1}}\mathbf{v}_1 - \frac{c_2}{c_{n+1}}\mathbf{v}_2 - \cdots - \frac{c_n}{c_{n+1}}\mathbf{v}_n$$

$\mathbf{v}$는 임의로 선택한 벡터이므로 V의 모든 벡터들은 $\mathbf{span}(V)$에 있으며 따라서 $V = \mathbf{span}(S)$이다. (2) (모순법에 의한 증명) S가 일차종속이라 가정하자. 그러면 2.3절의 정리 5에 의해 S의 한 벡터는 나머지 벡터들의 일차결합으로 쓸 수 있다. 따라서 이 한 벡터를 S로부터 삭제해도 생성공간은 변화가 없다. 이러한 과정을 반복 적용하면 일차독립인 생성집합에 도달할 수 있으나 이 때 집합의 원소수는 n보다 적게 된다. 그러나 이것은 V의 차원이 n이라는 사실에 모순된다.

예제 7

다음 집합 B가 $\mathbb{R}^3$의 기저인지를 결정하라.

$$B = \left\{ \begin{bmatrix} 1 \\ 0 \\ 1 \end{bmatrix}, \begin{bmatrix} 1 \\ 1 \\ 0 \end{bmatrix}, \begin{bmatrix} 0 \\ 0 \\ 1 \end{bmatrix} \right\}$$

풀이 $\dim(\mathbb{R}^3)=3$이므로 집합 B는 일차독립이면 기저가 된다. 다음 행렬 A는

$$A = \begin{bmatrix} 1 & 1 & 0 \\ 0 & 1 & 0 \\ 1 & 0 & 1 \end{bmatrix}$$

B의 벡터들을 열벡터로 하는 행렬이다. A의 행렬식을 구하면 1이므로 2.3절의 정리 9에 의해 집합 B는 일차독립이고, 따라서 정리 12에 의해 기저가 된다. 다른 풀이로는 B가 $\mathbb{R}^3$을 생성함을 보여도 된다. ■ ■

기저 찾기

3.2절에서 벡터집합 $S = \{\mathbf{v}_1, \ldots, \mathbf{v}_m\}$의 생성공간은 부분공간임을 보았다. 그러면 S는 이 생성된 부분공간(또는 벡터공간)의 기저가 되는가? 정리 12로부터 이 질문은 S가 일차독립인지를 결정하는 문제와 같다. 벡터 $\mathbf{v}_1, \ldots, \mathbf{v}_m$이 $\mathbb{R}^n$에 속할 때 위 예제 7에서와 같이 $\mathbf{v}_i$를 i 번째 열벡터로 하는 행렬 A를 만든다. 1.2절의 정리 2에 의해 A를 변형하여 행 사다리꼴행렬 B를 얻으면, $A\mathbf{x} = \mathbf{0}$의 필요충분조건은 $B\mathbf{x} = \mathbf{0}$이다. 이제 A의 열벡터가 일차종속이면, $c_1\mathbf{v}_1 + \cdots + c_m\mathbf{v}_m = \mathbf{0}$을 만족하면서 모두 0은 아닌 스칼라 $c_1, \ldots, c_m$이 존재한다. 이 식은, $\mathbf{c}$가 다음과 같을 때,

$$\mathbf{c} = \begin{bmatrix} c_1 \\ c_2 \\ \vdots \\ c_m \end{bmatrix}$$

행렬로 표현하면 $Ac = \mathbf{0} = Bc$이다. 그러므로 A와 B의 열벡터들은 동시에 일차독립이거나 일차종속이 된다. 행렬 B에서 피보트(pivot)들과 연결된 열벡터들은 일차독립이다. 이 열벡터들은 이전에 나온 벡터들의 일차결합으로 표현될 수 없기 때문이다. 그러므로 이들 열벡터와 대응되는 A의 열벡터들도 또한 일차독립이다. 정리 12에 의해 이 A의 열벡터들은 $\mathbf{col}(A)$의 기저를 형성한다. $\mathbf{col}(A)$의 기저를 형성하는 벡터들을 고를 때는, B의 피보트 열벡터에 대응하는 A의 열벡터들을 선택해야 하며, 절대 B의 피보트 열벡터를 선택해서는 안된다. 예를 들면 다음 행렬 A의 행기약사다리꼴행렬은 B이다.

$$A = \begin{bmatrix} 1 & 0 & 1 \\ 0 & 0 & 0 \\ 0 & 1 & 1 \end{bmatrix} \qquad B = \begin{bmatrix} 1 & 0 & 1 \\ 0 & 1 & 1 \\ 0 & 0 & 0 \end{bmatrix}$$

그러나 A와 B의 열공간은 서로 다르다. $\mathbf{col}(A)$는 xz 평면이고, $\mathbf{col}(B)$는 xy 평면이 된다. 즉,

$$\mathbf{col}(A) = \mathbf{span}\{\mathbf{v}_1, \mathbf{v}_2\} = \mathbf{span}\left\{ \begin{bmatrix} 1 \\ 0 \\ 0 \end{bmatrix}, \begin{bmatrix} 0 \\ 0 \\ 1 \end{bmatrix} \right\}$$

$$\mathbf{col}(B) = \mathbf{span}\{\mathbf{w}_1, \mathbf{w}_2\} = \mathbf{span}\left\{ \begin{bmatrix} 1 \\ 0 \\ 0 \end{bmatrix}, \begin{bmatrix} 0 \\ 1 \\ 0 \end{bmatrix} \right\}$$

그림 2를 참조한다.

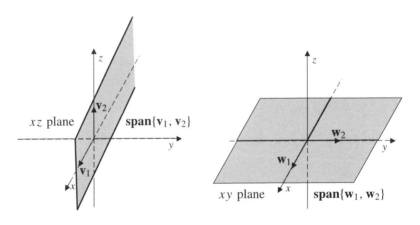

그림 2

이상과 같은 내용은 다음의 구체적인 예를 고려해 보면 더욱 명확해 진다.

$$S = \{ \mathbf{v}_1, \mathbf{v}_2, \mathbf{v}_3, \mathbf{v}_4, \mathbf{v}_5 \} = \left\{ \begin{bmatrix} 1 \\ 1 \\ 0 \end{bmatrix}, \begin{bmatrix} 1 \\ 0 \\ 1 \end{bmatrix}, \begin{bmatrix} 2 \\ 1 \\ 2 \end{bmatrix}, \begin{bmatrix} 2 \\ 1 \\ 1 \end{bmatrix}, \begin{bmatrix} 3 \\ 1 \\ 3 \end{bmatrix} \right\}$$

먼저 다음 방정식을 고려하자.

$$c_1 \begin{bmatrix} 1 \\ 1 \\ 0 \end{bmatrix} + c_2 \begin{bmatrix} 1 \\ 0 \\ 1 \end{bmatrix} + c_3 \begin{bmatrix} 2 \\ 1 \\ 2 \end{bmatrix} + c_4 \begin{bmatrix} 2 \\ 1 \\ 1 \end{bmatrix} + c_5 \begin{bmatrix} 3 \\ 1 \\ 3 \end{bmatrix} = \begin{bmatrix} 0 \\ 0 \\ 0 \end{bmatrix}$$

위 식들을 풀기 위해 아래와 같이 좌측의 대응되는 첨가행렬을 우측의 기약 사다리꼴 행렬로 변환한다.

$$\begin{bmatrix} 1 & 1 & 2 & 2 & 3 & | & 0 \\ 1 & 0 & 1 & 1 & 1 & | & 0 \\ 0 & 1 & 2 & 1 & 3 & | & 0 \end{bmatrix} \qquad \begin{bmatrix} 1 & 0 & 0 & 1 & 0 & | & 0 \\ 0 & 1 & 0 & 1 & 1 & | & 0 \\ 0 & 0 & 1 & 0 & 1 & | & 0 \end{bmatrix}$$

일반해에서, 변수 c_1, c_2, c_3는 기약 사다리꼴 행렬의 처음 세 열에 대응하는 종속변수이며, 반면에 c_4와 c_5는 자유변수이다. 따라서 해는 다음과 같이 주어진다.

$$S = \{ \left(-s, -s-t, -t, s, t \right) \mid s, t \in \mathbb{R} \}$$

이제 **span**(S)의 기저를 찾기 위해, 이 해 값을 원래 벡터방정식에 대입하면 다음과 같다.

$$-s \begin{bmatrix} 1 \\ 1 \\ 0 \end{bmatrix} + (-s-t) \begin{bmatrix} 1 \\ 0 \\ 1 \end{bmatrix} + (-t) \begin{bmatrix} 2 \\ 1 \\ 2 \end{bmatrix} + s \begin{bmatrix} 2 \\ 1 \\ 1 \end{bmatrix} + t \begin{bmatrix} 3 \\ 1 \\ 3 \end{bmatrix} = \begin{bmatrix} 0 \\ 0 \\ 0 \end{bmatrix}$$

여기서 우리는 자유변수에 대응되는 각 벡터들은 종속변수들에 대응되는 벡터들의 일차결합으로 표현됨을 주장한다. 이 주장을 입증하기 위해 $s = 1$, $t = 0$으로 설정하자. 그러면 위 방정식은 다음과 같다.

$$-\begin{bmatrix} 1 \\ 1 \\ 0 \end{bmatrix} - \begin{bmatrix} 1 \\ 0 \\ 1 \end{bmatrix} + \begin{bmatrix} 2 \\ 1 \\ 1 \end{bmatrix} = \begin{bmatrix} 0 \\ 0 \\ 0 \end{bmatrix}$$

즉,

$$-\mathbf{v}_1 - \mathbf{v}_2 + \mathbf{v}_4 = \mathbf{0}$$

그러므로 $\mathbf{v}_4$는 $\mathbf{v}_1$과 $\mathbf{v}_2$의 일차결합이다. 또 $\mathbf{v}_5$가 $\mathbf{v}_1$, $\mathbf{v}_2$, $\mathbf{v}_3$의 일차결합임을 보려면, $s = 0$, $t = 0$을 대입한다.

정리 8의 측면에서 보면 결국 집합 S에서 $\mathbf{v}_4$와 $\mathbf{v}_5$를 삭제하고 집합 $S' = \{\mathbf{v}_1, \mathbf{v}_2, \mathbf{v}_3\}$ 을 얻은 것이다. S'의 벡터들은 일차독립이다. 이것은 기약 사다리꼴 행렬에서 처음 1인 행들에 대응하는 벡터들이기 때문이다. 즉, 다음 방정식은 자명해만을 가질 뿐이다.

$$c_1 \begin{bmatrix} 1 \\ 1 \\ 0 \end{bmatrix} + c_2 \begin{bmatrix} 1 \\ 0 \\ 1 \end{bmatrix} + c_3 \begin{bmatrix} 2 \\ 1 \\ 2 \end{bmatrix} = \begin{bmatrix} 0 \\ 0 \\ 0 \end{bmatrix}$$

벡터집합이 생성하는 공간의 기저를 찾는 과정을 요약하면 다음과 같다.

집합 $S = \{\mathbf{v}_1, \mathbf{v}_2, \mathbf{v}_3, \dots, \mathbf{v}_n\}$이 주어 졌을 때 $\mathbf{span}(S)$의 기저를 찾는다:

1. 열벡터가 $\mathbf{v}_1, \mathbf{v}_2, \dots, \mathbf{v}_n$인 행렬 A를 작성한다.
2. A를 행 사다리꼴행렬로 변환시킨다.
3. 변환된 행렬에서 처음 1을 갖는 피보트 열들에 대응한 S의 열벡터들이 $\mathbf{span}(S)$의 기저를 형성한다.

다음 예제 8에서는 생성집합으로부터 기저 찾는 방법을 보이기 위해 위에서 요약한 과정을 적용해 본다.

예제 8

집합 S를 다음과 같다고 하자.

$$S = \left\{ \begin{bmatrix} 1 \\ 0 \\ 1 \end{bmatrix}, \begin{bmatrix} 0 \\ 1 \\ 1 \end{bmatrix}, \begin{bmatrix} 1 \\ 1 \\ 2 \end{bmatrix}, \begin{bmatrix} 1 \\ 2 \\ 1 \end{bmatrix}, \begin{bmatrix} -1 \\ 1 \\ -2 \end{bmatrix} \right\}$$

S의 생성공간에 대한 기저를 찾아라.

풀이 S의 벡터들을 열벡터로 하는 다음의 좌측 행렬을 작성한 후, 우측의 행렬과 같은 기약행 사다리꼴 행렬로 변환한다.

$$\begin{bmatrix} 1 & 0 & 1 & 1 & -1 \\ 0 & 1 & 1 & 2 & 1 \\ 1 & 1 & 2 & 1 & -2 \end{bmatrix} \qquad \begin{bmatrix} 1 & 0 & 1 & 0 & -2 \\ 0 & 1 & 1 & 0 & -1 \\ 0 & 0 & 0 & 1 & 1 \end{bmatrix}$$

사다리꼴 행렬에서 처음 1을 갖는 피보트 열들은 1, 2, 4 열이다. 그러므로 $\mathbf{span}(S)$의 기저 B는 $\{\mathbf{v}_1, \mathbf{v}_2, \mathbf{v}_4\}$이다. 즉,

$$B = \left\{ \begin{bmatrix} 1 \\ 0 \\ 1 \end{bmatrix}, \begin{bmatrix} 0 \\ 1 \\ 1 \end{bmatrix}, \begin{bmatrix} 1 \\ 2 \\ 1 \end{bmatrix} \right\}$$

벡터공간에서 기저가 아닌 벡터집합은 다음의 정리 13을 적용하여 기저가 되게끔 확장할 수 있다.

정리 13

$S = \{\mathbf{v}_1, \mathbf{v}_2, \ldots, \mathbf{v}_n\}$는 벡터공간 V의 일차독립인 부분집합이라 하자. V의 한 벡터 $\mathbf{v}$가 $\mathbf{span}(S)$에 속하지 않는다고 하면, $T = \{\mathbf{v}, \mathbf{v}_1, \mathbf{v}_2, \ldots, \mathbf{v}_n\}$은 일차독립이다.

증명 T가 일차독립임을 보이기 위해 다음 식을 고려하자.

$$c_1\mathbf{v}_1 + c_2\mathbf{v}_2 + \cdots + c_n\mathbf{v}_n + c_{n+1}\mathbf{v} = \mathbf{0}$$

여기서 $c_{n+1} \neq 0$이면, $\mathbf{v}$는 S의 벡터들로 표현할 수 있으나, 이는 $\mathbf{v}$가 S의 생성공간에 속하지 않는다는 가정에 모순된다. 따라서 $c_{n+1} = 0$이고, 처음의 식은 다음과 같다.

$$c_1\mathbf{v}_1 + c_2\mathbf{v}_2 + \cdots + c_n\mathbf{v}_n = \mathbf{0}$$

여기서 S는 일차독립이므로

$$c_1 = 0 \qquad c_2 = 0 \qquad \ldots \qquad c_n = 0$$

따라서 T는 일차독립이다.

$\mathbb{R}^n$의 벡터집합을 기저로 확장하는 다른 방법으로는 벡터집합에 좌표벡터를 추가한 후, 이 추가된 벡터집합을 기저로 정돈하는 것이다. 이 방법은 다음 예제 9에서 보인다.

예제 9

$\mathbb{R}^4$에서 다음의 두 벡터를 포함하는 기저를 구하라.

$$\mathbf{v}_1 = \begin{bmatrix} 1 \\ 0 \\ 1 \\ 0 \end{bmatrix} \qquad \mathbf{v}_2 = \begin{bmatrix} -1 \\ 1 \\ -1 \\ 0 \end{bmatrix}$$

풀이 집합 $\{\mathbf{v}_1, \mathbf{v}_2\}$는 일차독립이다. 그러나 $\dim(\mathbb{R}^4) = 4$이므로 $\mathbb{R}^4$를 생성할 수는 없다. 기저를 찾기 위해 집합 $S = \{\mathbf{v}_1, \mathbf{v}_2, \mathbf{e}_1, \mathbf{e}_2, \mathbf{e}_3, \mathbf{e}_4\}$를 고려하자. $\mathbf{span}\{\mathbf{e}_1, \mathbf{e}_2, \mathbf{e}_3, \mathbf{e}_4\} = \mathbb{R}^4$이므로, $\mathbf{span}(S)$

$= \mathbb{R}^4$이다. 예제 8과 같이 다음의 행렬을

$$\begin{bmatrix} 1 & -1 & 1 & 0 & 0 & 0 \\ 0 & 1 & 0 & 1 & 0 & 0 \\ 1 & -1 & 0 & 0 & 1 & 0 \\ 0 & 0 & 0 & 0 & 0 & 1 \end{bmatrix}$$

행기약 사다리꼴 행렬로 변환시킨다.

$$\begin{bmatrix} 1 & 0 & 0 & 1 & 1 & 0 \\ 0 & 1 & 0 & 1 & 0 & 0 \\ 0 & 0 & 1 & 0 & -1 & 0 \\ 0 & 0 & 0 & 0 & 0 & 1 \end{bmatrix}$$

여기서 피보트 열은 $1, 2, 3, 6$이므로 기저는 집합 $\{\mathbf{v}_1, \mathbf{v}_2, \mathbf{e}_1, \mathbf{e}_4\}$로 구해진다.

따름정리 1

$S = \{\mathbf{v}_1, \mathbf{v}_2, \dots, \mathbf{v}_r\}$는 $r < n$인 n차원 벡터공간 V에서 일차독립인 벡터들의 집합이라 하자. 그러면 S는 V의 기저가 될 때까지 확장될 수 있다. 즉, $\{\mathbf{v}_{r+1}, \mathbf{v}_{r+2}, \dots, \mathbf{v}_n\}$과 같은 벡터가 존재해서 $\{\mathbf{v}_1, \mathbf{v}_2, \dots, \mathbf{v}_r, \mathbf{v}_{r+1}, \dots, \mathbf{v}_n\}$이 V의 기저가 된다.

핵심 요약

V는 $\dim(V) = n$인 벡터공간이라 하자.

1. V를 생성하는 유한한 벡터집합이 존재한다. 이 벡터집합은 일차독립일 수도 있고, 일차종속일 수도 있다. 기저는 V를 생성하는 일차독립인 벡터집합이다.
2. 모든 영이 아닌 벡터공간은 무한히 많은 기저를 갖는다.
3. V의 모든 기저는 n개의 원소를 갖는다.
4. $\mathbb{R}^n$의 표준기저는 n개의 좌표벡터 $\mathbf{e}_1, \mathbf{e}_2, \dots, \mathbf{e}_n$이다.
5. $M_{2 \times 2}$의 표준기저는 다음의 네 행렬이다.

$$\begin{bmatrix} 1 & 0 \\ 0 & 0 \end{bmatrix} \quad \begin{bmatrix} 0 & 1 \\ 0 & 0 \end{bmatrix} \quad \begin{bmatrix} 0 & 0 \\ 1 & 0 \end{bmatrix} \quad \begin{bmatrix} 0 & 0 \\ 0 & 1 \end{bmatrix}$$

6. $\mathcal{P}_n$의 표준기저는 $\{1, x, x^2, \dots, x^n\}$이다.
7. $\mathbf{v}_n$이 벡터 $\mathbf{v}_1, \mathbf{v}_2, \dots, \mathbf{v}_{n-1}$의 일차결합이면, 다음과 같다.

$$\text{span}\{\mathbf{v}_1, \mathbf{v}_2, \dots, \mathbf{v}_{n-1}\} = \text{span}\{\mathbf{v}_1, \mathbf{v}_2, \dots, \mathbf{v}_{n-1}, v_n\}$$

8. $\dim(\mathbb{R}^n) = n$, $\dim(M_{m \times n}) = mn$, $\dim(\mathcal{P}_n) = n+1$

9. n개 벡터의 집합 B가 일차독립이면, B는 V의 기저이다.

10. n개 벡터의 집합 B가 V를 생성하면, B는 V의 기저이다.

11. V의 모든 일차독립인 부분집합은 V의 기저에 이르기까지 확장될 수 있다.

12. S가 $\mathbb{R}^n$의 벡터집합일 때, S의 벡터들로 생성되는 공간 **span**(S)의 기저를 항상 찾을 수 있다.

연습문제 3.3

연습문제 1–6에서, 집합 S는 벡터공간 V의 기저가 될 수 없는 이유를 설명하라.

1. $S = \left\{ \begin{bmatrix} 2 \\ 1 \\ 3 \end{bmatrix}, \begin{bmatrix} 0 \\ -1 \\ 1 \end{bmatrix} \right\}$ $V = \mathbb{R}^3$

2. $S = \left\{ \begin{bmatrix} 2 \\ 1 \end{bmatrix}, \begin{bmatrix} 1 \\ 0 \end{bmatrix}, \begin{bmatrix} 8 \\ -3 \end{bmatrix} \right\}$ $V = \mathbb{R}^2$

3. $S = \left\{ \begin{bmatrix} 1 \\ 0 \\ 1 \end{bmatrix}, \begin{bmatrix} -1 \\ 1 \\ 0 \end{bmatrix}, \begin{bmatrix} 0 \\ 1 \\ 1 \end{bmatrix} \right\}$ $V = \mathbb{R}^3$

4. $S = \{2, x, x^3 + 2x^2 - 1\}$ $V = \mathcal{P}_3$

5. $S = \{x, x^2, x^2 + 2x, x^3 - x + 1\}$ $V = \mathcal{P}_3$

6. $S = \left\{ \begin{bmatrix} 1 & 0 \\ 0 & 1 \end{bmatrix}, \begin{bmatrix} 0 & 1 \\ 0 & 0 \end{bmatrix}, \begin{bmatrix} 0 & 0 \\ 1 & 0 \end{bmatrix}, \begin{bmatrix} 2 & -3 \\ 1 & 2 \end{bmatrix} \right\}$ $V = M_{2 \times 2}$

연습문제 7–12에서 S는 벡터공간 V의 기저임을 보여라.

7. $S = \left\{ \begin{bmatrix} 1 \\ 1 \end{bmatrix}, \begin{bmatrix} -1 \\ 2 \end{bmatrix} \right\}$ $V = \mathbb{R}^2$

8. $S = \left\{ \begin{bmatrix} -1 \\ 3 \end{bmatrix}, \begin{bmatrix} 1 \\ -1 \end{bmatrix} \right\}$ $V = \mathbb{R}^2$

9. $S = \left\{ \begin{bmatrix} 1 \\ -1 \\ 1 \end{bmatrix}, \begin{bmatrix} 0 \\ -2 \\ -3 \end{bmatrix}, \begin{bmatrix} 0 \\ 2 \\ -2 \end{bmatrix} \right\}$ $V = \mathbb{R}^3$

10. $S = \left\{ \begin{bmatrix} -1 \\ -1 \\ 0 \end{bmatrix}, \begin{bmatrix} 2 \\ -1 \\ 3 \end{bmatrix}, \begin{bmatrix} 1 \\ 1 \\ 2 \end{bmatrix} \right\}$ $V = \mathbb{R}^3$

11. $S = \left\{ \begin{bmatrix} 1 & 0 \\ 1 & 0 \end{bmatrix}, \begin{bmatrix} 1 & 1 \\ -1 & 0 \end{bmatrix}, \begin{bmatrix} 0 & 1 \\ -1 & 2 \end{bmatrix}, \begin{bmatrix} 1 & 0 \\ 0 & 1 \end{bmatrix} \right\}$ $V = M_{2 \times 2}$

12. $S = \{x^2 + 1, x + 2, -x^2 + x\}$ $V = \mathcal{P}_2$

연습문제 13–18에서 S가 벡터공간 V의 기저가 되는지를 결정하라.

13. $S = \left\{ \begin{bmatrix} -1 \\ 2 \\ 1 \end{bmatrix}, \begin{bmatrix} 1 \\ 0 \\ 1 \end{bmatrix}, \begin{bmatrix} 1 \\ 1 \\ 1 \end{bmatrix} \right\}$ $V = \mathbb{R}^3$

14. $S = \left\{ \begin{bmatrix} 2 \\ -2 \\ 1 \end{bmatrix}, \begin{bmatrix} 5 \\ 1 \\ 2 \end{bmatrix}, \begin{bmatrix} 3 \\ 1 \\ 1 \end{bmatrix} \right\}$ $V = \mathbb{R}^3$

15. $S = \left\{ \begin{bmatrix} 1 \\ 1 \\ -1 \\ 1 \end{bmatrix}, \begin{bmatrix} 2 \\ 1 \\ 3 \\ 1 \end{bmatrix}, \begin{bmatrix} 2 \\ 4 \\ 2 \\ 5 \end{bmatrix}, \begin{bmatrix} -1 \\ 2 \\ 0 \\ 3 \end{bmatrix} \right\}$

$V = \mathbb{R}^4$

16. $S = \left\{ \begin{bmatrix} -1 \\ 1 \\ 0 \\ 1 \end{bmatrix}, \begin{bmatrix} 2 \\ 1 \\ -1 \\ 2 \end{bmatrix}, \begin{bmatrix} 1 \\ 3 \\ 1 \\ -1 \end{bmatrix}, \begin{bmatrix} 2 \\ 1 \\ 1 \\ 2 \end{bmatrix} \right\}$

$V = \mathbb{R}^4$

17. $S = \{1, 2x^2 + x + 2, -x^2 + x\}$ $V = \mathcal{P}_2$

18. $S = \left\{ \begin{bmatrix} 1 & 0 \\ 0 & 0 \end{bmatrix}, \begin{bmatrix} 1 & 1 \\ 0 & 0 \end{bmatrix}, \right.$

$\left. \begin{bmatrix} -2 & 1 \\ 1 & 1 \end{bmatrix}, \begin{bmatrix} 0 & 0 \\ 0 & 2 \end{bmatrix} \right\}$

$V = M_{2 \times 2}$

연습문제 19–24에서, 벡터공간 V의 부분공간인 S의 기저를 찾아라.

19. $S = \left\{ \begin{bmatrix} s + 2t \\ -s + t \\ t \end{bmatrix} \middle| s, t \in \mathbb{R} \right\}$ $V = \mathbb{R}^3$

20. $S = \left\{ \begin{bmatrix} a & a+d \\ a+d & d \end{bmatrix} \middle| a, d \in \mathbb{R} \right\}$ $V = M_{2 \times 2}$

21. S는 모든 2×2 대칭행렬로 구성되는 $V = M_{2 \times 2}$의 부분공간이다.

22. S는 모든 2×2 반대칭행렬로 구성되는 $V = M_{2 \times 2}$의 부분공간이다.

23. $S = \{p(x) \mid p(0) = 0\}$ $V = \mathcal{P}_2$

24. $S = \{p(x) \mid p(0) = 0, \ p(1) = 0\}$ $V = \mathcal{P}_3$

연습문제 25–30에서, $\mathbb{R}^3$의 부분공간인 **span**(S)의 기저를 찾아라.

25. $S = \left\{ \begin{bmatrix} 2 \\ 2 \\ -1 \end{bmatrix}, \begin{bmatrix} 2 \\ 0 \\ -2 \end{bmatrix}, \begin{bmatrix} 1 \\ 2 \\ 1 \end{bmatrix} \right\}$

26. $S = \left\{ \begin{bmatrix} -2 \\ 1 \\ 3 \end{bmatrix}, \begin{bmatrix} 4 \\ -1 \\ 2 \end{bmatrix}, \begin{bmatrix} 2 \\ 0 \\ 5 \end{bmatrix} \right\}$

27. $S = \left\{ \begin{bmatrix} 2 \\ -3 \\ 0 \end{bmatrix}, \begin{bmatrix} 0 \\ 2 \\ 2 \end{bmatrix}, \begin{bmatrix} -1 \\ -1 \\ 0 \end{bmatrix}, \begin{bmatrix} 2 \\ 3 \\ -1 \end{bmatrix} \right\}$

28. $S = \left\{ \begin{bmatrix} -2 \\ 0 \\ 2 \end{bmatrix}, \begin{bmatrix} 1 \\ 0 \\ -3 \end{bmatrix}, \begin{bmatrix} -3 \\ -3 \\ -2 \end{bmatrix}, \begin{bmatrix} 1 \\ 2 \\ -2 \end{bmatrix} \right\}$

29. $S = \left\{ \begin{bmatrix} 2 \\ -3 \\ 0 \end{bmatrix}, \begin{bmatrix} 0 \\ 2 \\ 2 \end{bmatrix}, \begin{bmatrix} 2 \\ -1 \\ 2 \end{bmatrix}, \begin{bmatrix} 4 \\ 0 \\ 4 \end{bmatrix} \right\}$

30. $S = \left\{ \begin{bmatrix} 2 \\ 2 \\ 0 \end{bmatrix}, \begin{bmatrix} 1 \\ -1 \\ 0 \end{bmatrix}, \begin{bmatrix} 0 \\ 2 \\ 2 \end{bmatrix}, \begin{bmatrix} 2 \\ 3 \\ 1 \end{bmatrix} \right\}$

연습문제 31–36에서, 주어진 벡터들을 포함하는 벡터공간 V의 기저를 찾아라.

31. $S = \left\{ \begin{bmatrix} 2 \\ -1 \\ 3 \end{bmatrix}, \begin{bmatrix} 1 \\ 0 \\ 2 \end{bmatrix} \right\}$ $V = \mathbb{R}^3$

32. $S = \left\{ \begin{bmatrix} -1 \\ 1 \\ 3 \end{bmatrix}, \begin{bmatrix} 1 \\ 1 \\ 1 \end{bmatrix} \right\}$ $V = \mathbb{R}^3$

33. $S = \left\{ \begin{bmatrix} 1 \\ -1 \\ 2 \\ 4 \end{bmatrix}, \begin{bmatrix} 3 \\ 1 \\ 1 \\ 2 \end{bmatrix} \right\}$ $V = \mathbb{R}^4$

34. $S = \left\{ \begin{bmatrix} -1 \\ 1 \\ 1 \\ -1 \end{bmatrix}, \begin{bmatrix} 1 \\ -3 \\ -1 \\ 2 \end{bmatrix}, \begin{bmatrix} 1 \\ -2 \\ -1 \\ 3 \end{bmatrix} \right\}$ $V = \mathbb{R}^4$

35. $S = \left\{ \begin{bmatrix} -1 \\ 1 \\ 3 \end{bmatrix}, \begin{bmatrix} 1 \\ 1 \\ 1 \end{bmatrix} \right\}$ $V = \mathbb{R}^3$

36. $S = \left\{ \begin{bmatrix} 2 \\ 2 \\ -1 \end{bmatrix}, \begin{bmatrix} -1 \\ -1 \\ 3 \end{bmatrix} \right\}$ $V = \mathbb{R}^3$

37. 모든 대각행렬로 구성된 $M_{n \times n}$의 부분공간에 대한 기저를 찾아라.

38. $S = \{\mathbf{v}_1, \mathbf{v}_2, \ldots, \mathbf{v}_n\}$이 벡터공간 V의 기저이고 c가 비영인 스칼라라면, $S' = \{c\mathbf{v}_1, c\mathbf{v}_2, \ldots, c\mathbf{v}_n\}$도 V의 기저가 됨을 보여라.

39. $S = \{\mathbf{v}_1, \mathbf{v}_2, \ldots, \mathbf{v}_n\}$이 $\mathbb{R}^n$의 기저이고 A가 $n \times n$ 가역행렬이면, $S' = \{A\mathbf{v}_1, A\mathbf{v}_2, \ldots, A\mathbf{v}_n\}$도 V의 기저가 됨을 보여라.

40. A가 다음과 같을 때 부분공간 $S = \{\mathbf{x} \in \mathbb{R}^4 \mid A\mathbf{x} = \mathbf{0}\}$ 의 기저를 찾아라.

$$A = \begin{bmatrix} 3 & 3 & 1 & 3 \\ -1 & 0 & -1 & -1 \\ 2 & 0 & 2 & 1 \end{bmatrix}$$

41. 벡터공간 V는 $\dim(V) = n$ 이다. H가 V의 부분공간이고 $\dim(H) = n$이면, $H = V$임을 보여라.

42. S와 T는 $\mathcal{P}_3$의 부분공간으로 다음과 같이 정의된다.

$$S = \{p(x) \mid p(0) = 0\}$$
$$T = \{q(x) \mid q(1) = 0\}$$

$\dim(S)$, $\dim(T)$, $\dim(S \cap T)$를 구하라.

43. W가 다음과 같을 때 $\dim(W)$를 구하라.

$$W = \left\{ \begin{bmatrix} 2s+t+3r \\ 3s-t+2r \\ s+t+2r \end{bmatrix} \middle| \; s, t, r \in \mathbb{R} \right\}$$

44. S와 T는 다음과 같이 정의되는 $\mathbb{R}^4$ 의 부분공간이라 하자.

$$S = \left\{ \begin{bmatrix} s \\ t \\ 0 \\ 0 \end{bmatrix} \middle| \; s, t \in \mathbb{R} \right\}$$

$$T = \left\{ \begin{bmatrix} 0 \\ s \\ t \\ 0 \end{bmatrix} \middle| \; s, t \in \mathbb{R} \right\}$$

$\dim(S)$, $\dim(T)$, $\dim(S \cap T)$를 구하라.

3.4 좌표와 기저 변환

앞장에서 유클리드 공간을 접했을 때 우리는 직각좌표를, (또는 xy 좌표), 사용하여 평면상에 있는 한 점의 위치를 지정하였다. 달리 말하면 이 좌표는 그 한 점을 가리키는 표준 위치의 벡터를 표현한다. 우리는 이미 일차결합의 개념을 알고 있으므로, 이들 xy 좌표들이 해당 벡터를 표준 기저벡터 $\mathbf{e}_1$, $\mathbf{e}_2$의 일차결합으로 표현하는데 사용된 스칼라 값이라는 것을 이해할 수 있다. 예를 들면, xy좌표 $(2, 3)$인 벡터 $\mathbf{v} = \begin{bmatrix} 2 \\ 3 \end{bmatrix}$은 그림 1(a)에서 보듯이 다음과 같이 쓸 수 있다.

$$\mathbf{v} = 2\mathbf{e}_1 + 3\mathbf{e}_2$$

위 점(또는 벡터)은 또한 상대적으로 다른 한 쌍의 일차독립인 벡터, 즉 $x'y'$ 좌표계를 기준으로 지정될 수 있다. 예를 들면,

$$\begin{bmatrix} 2 \\ 3 \end{bmatrix} = \tfrac{5}{2}\begin{bmatrix} 1 \\ 1 \end{bmatrix} + \tfrac{1}{2}\begin{bmatrix} -1 \\ 1 \end{bmatrix}$$

이므로, $\mathbf{v}$의 $x'y'$ 좌표는 $\left(\tfrac{5}{2}, \tfrac{1}{2} \right)$로 주어진다. 그림 1(b)를 참조한다.

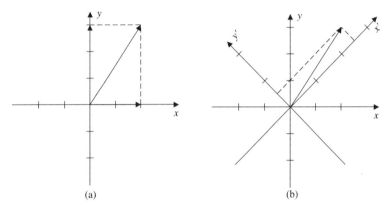

(a)   (b)

그림 1

본 절에서는 이 개념을 추상 벡터공간에 일반화한다. V는 기저 $B = \{\mathbf{v}_1, \mathbf{v}_2, \ldots, \mathbf{v}_n\}$를 갖는 벡터공간이라 하자. 2.3절의 정리 7로부터 V의 모든 벡터 $\mathbf{v}$는 B에 속하는 벡터들을 사용하여 단 하나의 일차결합으로 쓸 수 있다. 즉, 다음과 같이 쓸 수 있는 유일한 스칼라 $c_1, c_2, \ldots, c_n$이 존재한다.

$$\mathbf{v} = c_1\mathbf{v}_1 + c_2\mathbf{v}_2 + \cdots + c_n\mathbf{v}_n$$

위에서 스칼라의 목록 $\{c_1, c_2, \ldots, c_n\}$을 벡터 $\mathbf{v}$의 좌표(coordinates)로 연결하고 싶은 마음이 든다. 그러나 B에 있는 기저벡터의 순서를 바꾸면 스칼라의 순서도 바뀌게 된다. 예를 들면,

$$B = \left\{ \begin{bmatrix} 1 \\ 0 \end{bmatrix}, \begin{bmatrix} 0 \\ 1 \end{bmatrix} \right\} \quad B' = \left\{ \begin{bmatrix} 0 \\ 1 \end{bmatrix}, \begin{bmatrix} 1 \\ 0 \end{bmatrix} \right\}$$

모두 $\mathbb{R}^2$에 대한 기저이다. 그러면 벡터 $\begin{bmatrix} 1 \\ 2 \end{bmatrix}$는 B에 대해서는 스칼라 배열이 $\{1, 2\}$이지만, B'에 대해서는 $\{2, 1\}$이다. 이러한 애매함을 없애기 위해 순서기저(ordered basis)의 개념을 도입한다.

정의 1 순서기저

벡터공간 V의 순서기저는 V를 생성하는 일차독립인 벡터들의 한 고정된 수열이다.

정의 2 좌표

$B = \{\mathbf{v}_1, \mathbf{v}_2, \ldots, \mathbf{v}_n\}$을 벡터공간 V의 순서기저라 하자. 벡터 $\mathbf{v}$는 V의 한 벡터이고 $c_1, c_2, \ldots, c_n$는 다음과 같이 쓸 수 있는 유일한 스칼라라 하자.

$$\mathbf{v} = c_1 \mathbf{v}_1 + c_2 \mathbf{v}_2 + \cdots + c_n \mathbf{v}_n$$

그러면, $c_1, c_2, \ldots, c_n$은 B에 대한 $\mathbf{v}$의 좌표(coordinates of relative to B)라고 부른다. 이 경우 다음과 같이 표기하고,

$$[\mathbf{v}]_B = \begin{bmatrix} c_1 \\ c_2 \\ \vdots \\ c_n \end{bmatrix}$$

벡터 $[\mathbf{v}]_B$를 B에 대한 $\mathbf{v}$의 좌표벡터(coordinate vector of v relative to B)라 말한다.

$\mathbb{R}^n$에서 표준기저 $B = \{\mathbf{e}_1, \mathbf{e}_2, \ldots, \mathbf{e}_n\}$에 대한 한 벡터의 좌표는 단순히 그 벡터의 성분이다. 마찬가지로 $\mathcal{P}_n$에서 표준기저 $\{1, x, x^2, \ldots, x^n\}$에 대한 다항식 $p(x) = a_0 + a_1 x + a_2 x^2 + \cdots + a_n x^n$ 의 좌표는 다항식의 계수가 된다.

예제 1

$V = \mathbb{R}^2$라 하고 B는 다음의 순서기저라 하자.

$$B = \left\{ \begin{bmatrix} 1 \\ 1 \end{bmatrix}, \begin{bmatrix} -1 \\ 1 \end{bmatrix} \right\}$$

B에 대하여 벡터 $\mathbf{v} = \begin{bmatrix} 1 \\ 5 \end{bmatrix}$의 좌표를 구하라.

풀이 좌표 c_1, c_2는 $\mathbf{v}$를 B의 두 벡터를 사용한 일차결합으로 표현하여 구한다. 즉, 다음 식의 해를 구한다.

$$c_1 \begin{bmatrix} 1 \\ 1 \end{bmatrix} + c_2 \begin{bmatrix} -1 \\ 1 \end{bmatrix} = \begin{bmatrix} 1 \\ 5 \end{bmatrix}$$

이 경우 $c_1 = 3$, $c_2 = 2$이다. 그러므로 B에 대한 $\mathbf{v} = \begin{bmatrix} 1 \\ 5 \end{bmatrix}$의 좌표벡터는 아래와 같다.

$$[\mathbf{v}]_B = \begin{bmatrix} 3 \\ 2 \end{bmatrix}$$

예제 2

$V = \mathcal{P}_2$라 하고 B는 다음의 순서기저라 하자.

$$B = \left\{ 1, x-1, (x-1)^2 \right\}$$

B에 대하여 $p(x) = 2x^2 - 2x + 1$의 좌표를 찾아라.

풀이　다음이 성립하는 c_1, c_2, c_3를 찾는다.

$$c_1(1) + c_2(x-1) + c_3(x-1)^2 = 2x^2 - 2x + 1$$

좌변을 전개하고 정리하면 다음과 같다.

$$c_3 x^2 + (c_2 - 2c_3)x + (c_1 - c_2 + c_3) = 2x^2 - 2x + 1$$

차수별로 계수가 같아야 하므로 다음 연립일차방정식이 얻어진다.

$$\begin{cases} c_1 - c_2 + c_3 = 1 \\ \quad\ c_2 - 2c_3 = -2 \\ \qquad\quad c_3 = 2 \end{cases}$$

이 계의 유일한 해는 $c_1 = 1$, $c_2 = 2$, $c_3 = 2$이므로 $[\mathbf{v}]_B$는 다음과 같다.

$$[\mathbf{v}]_B = \begin{bmatrix} 1 \\ 2 \\ 2 \end{bmatrix}$$

예제 3

W는 벡터공간 $M_{2 \times 2}$에서 모든 대칭행렬의 부분공간이라 하고, B는 다음과 같다.

$$B = \left\{ \begin{bmatrix} 1 & 0 \\ 0 & 0 \end{bmatrix}, \begin{bmatrix} 0 & 1 \\ 1 & 0 \end{bmatrix}, \begin{bmatrix} 0 & 0 \\ 0 & 1 \end{bmatrix} \right\}$$

B는 W의 기저임을 보이고 또한 B에 대한 다음 벡터 $\mathbf{v}$의 좌표를 찾아라.

$$\mathbf{v} = \begin{bmatrix} 2 & 3 \\ 3 & 5 \end{bmatrix}$$

풀이 3.2절의 예제 8에서 B가 W를 생성함을 보았다. 또한 B에 있는 행렬들은 일차독립이므로 W의 기저가 된다. $\mathbf{v}$는 다음과 같이 쓸 수 있다.

$$2\begin{bmatrix} 1 & 0 \\ 0 & 0 \end{bmatrix} + 3\begin{bmatrix} 0 & 1 \\ 1 & 0 \end{bmatrix} + 5\begin{bmatrix} 0 & 0 \\ 0 & 1 \end{bmatrix} = \begin{bmatrix} 2 & 3 \\ 3 & 5 \end{bmatrix}$$

그러므로, 순서기저 B에 대한 $\mathbf{v}$의 좌표벡터는 다음과 같이 구해진다.

$$[\mathbf{v}]_B = \begin{bmatrix} 2 \\ 3 \\ 5 \end{bmatrix}$$

기저변환

응용수학의 많은 문제들은 해당 벡터공간의 기저를 다른 기저로 변환함으로써 좀 더 쉽게 풀 수 있다. 이러한 과정을 간단히 설명하기 위해, $\dim(V)=2$인 벡터공간을 고려하고 한 기저에 대한 V의 좌표를 다른 기저에 대한 좌표로 변환하는 방법을 보이자.

V는 차원이 2인 벡터공간, B와 B'은 각각 V의 두 순서기저라 하자.

$$B = \{\mathbf{v}_1, \mathbf{v}_2\} \qquad B' = \{\mathbf{v}_1', \mathbf{v}_2'\}$$

이제 $\mathbf{v}$는 벡터공간 V의 한 벡터라 하고, B에 대한 좌표는 다음과 같이 주어진다고 하자.

$$[\mathbf{v}]_B = \begin{bmatrix} x_1 \\ x_2 \end{bmatrix} \qquad \mathbf{v} = x_1\mathbf{v}_1 + x_2\mathbf{v}_2$$

B'에 대한 $\mathbf{v}$의 좌표를 정하기 위해 먼저 $\mathbf{v}_1$, $\mathbf{v}_2$를 $\mathbf{v}_1'$, $\mathbf{v}_2'$로 표현한다. B'은 기저이므로 다음과 같은 스칼라 a_1, a_2, b_1, b_2가 존재한다.

$$\mathbf{v}_1 = a_1\mathbf{v}_1' + a_2\mathbf{v}_2'$$
$$\mathbf{v}_2 = b_1\mathbf{v}_1' + b_2\mathbf{v}_2'$$

그러면 $\mathbf{v}$는 아래와 같이 다시 쓸 수 있다.

$$\mathbf{v} = x_1(a_1\mathbf{v}_1' + a_2\mathbf{v}_2') + x_2(b_1\mathbf{v}_1' + b_2\mathbf{v}_2')$$

$\mathbf{v}_1'$과 $\mathbf{v}_2'$의 계수를 정리하면,

$$\mathbf{v} = (x_1a_1 + x_2b_1)\mathbf{v}_1' + (x_1a_2 + x_2b_2)\mathbf{v}_2'$$

그러므로 B'에 대한 $\mathbf{v}$의 좌표는 다음과 같이 주어진다.

$$[\mathbf{v}]_{B'} = \begin{bmatrix} x_1 a_1 + x_2 b_1 \\ x_1 a_2 + x_2 b_2 \end{bmatrix}$$

위 식의 우변벡터를 행렬곱셈으로 다시 표현하면 다음과 같다.

$$[\mathbf{v}]_{B'} = \begin{bmatrix} a_1 & b_1 \\ a_2 & b_2 \end{bmatrix} \begin{bmatrix} x_1 \\ x_2 \end{bmatrix} = \begin{bmatrix} a_1 & b_1 \\ a_2 & b_2 \end{bmatrix} [\mathbf{v}]_B$$

여기서, 행렬의 열벡터들은 좌표벡터 $[\mathbf{v}_1]_{B'}$ 과 $[\mathbf{v}_2]_{B'}$ 임에 유의한다. 다음 행렬을 B에서 B'로의 추이행렬(transition matrix)이라 부르고 $[I]_B^{B'}$ 으로 표기한다.

$$\begin{bmatrix} a_1 & b_1 \\ a_2 & b_2 \end{bmatrix}$$

즉, 다음과 같이 표현된다.

$$[\mathbf{v}]_{B'} = [I]_B^{B'} [\mathbf{v}]_B$$

예제 4

$V = \mathbb{R}^2$ 라 하고 B와 B'은 다음과 같다.

$$B = \left\{ \begin{bmatrix} 1 \\ 1 \end{bmatrix}, \begin{bmatrix} 1 \\ -1 \end{bmatrix} \right\} \qquad B' = \left\{ \begin{bmatrix} 2 \\ -1 \end{bmatrix}, \begin{bmatrix} -1 \\ 1 \end{bmatrix} \right\}$$

a. B에서 B'로의 추이행렬을 구하라.

b. $[\mathbf{v}]_B = \begin{bmatrix} 3 \\ -2 \end{bmatrix}$ 라 할 때, $[\mathbf{v}]_{B'}$ 을 구하라.

풀이 **a.** B에 속하는 벡터를 $\mathbf{v}_1$과 $\mathbf{v}_2$, B'에 속하는 벡터를 $\mathbf{v}_1'$ 과 $\mathbf{v}_2'$ 로 표기하면 추이행렬의 열벡터는 $[\mathbf{v}_1]_{B'}$ 와 $[\mathbf{v}_2]_{B'}$ 이다. 이들 좌표벡터는 다음 식에서 찾아진다.

$$c_1 \begin{bmatrix} 2 \\ -1 \end{bmatrix} + c_2 \begin{bmatrix} -1 \\ 1 \end{bmatrix} = \begin{bmatrix} 1 \\ 1 \end{bmatrix} \qquad d_1 \begin{bmatrix} 2 \\ -1 \end{bmatrix} + d_2 \begin{bmatrix} -1 \\ 1 \end{bmatrix} = \begin{bmatrix} 1 \\ -1 \end{bmatrix}$$

이 식을 풀면 $c_1 = 2$, $c_2 = 3$, $d_1 = 0$, $d_2 = -1$이므로

$$[\mathbf{v}_1]_{B'} = \begin{bmatrix} 2 \\ 3 \end{bmatrix} \qquad [\mathbf{v}_2]_{B'} = \begin{bmatrix} 0 \\ -1 \end{bmatrix}$$

이다. 따라서 추이행렬은 다음과 같다.

$$[I]_B^{B'} = \begin{bmatrix} 2 & 0 \\ 3 & -1 \end{bmatrix}$$

b. $[\mathbf{v}]_{B'} = [I]_B^{B'}[\mathbf{v}]_B$ 이므로,

$$[\mathbf{v}]_{B'} = \begin{bmatrix} 2 & 0 \\ 3 & -1 \end{bmatrix}\begin{bmatrix} 3 \\ -2 \end{bmatrix} = \begin{bmatrix} 6 \\ 11 \end{bmatrix}$$

동일한 벡터이지만, 서로 다른 기저 B와 B'을 사용했을 때는, 좌표 $[\mathbf{v}]_B$와 $[\mathbf{v}]_{B'}$로부터 다음과 같이 얻어진다.

$$3\begin{bmatrix} 1 \\ 1 \end{bmatrix} - 2\begin{bmatrix} 1 \\ -1 \end{bmatrix} = \begin{bmatrix} 1 \\ 5 \end{bmatrix} = 6\begin{bmatrix} 2 \\ -1 \end{bmatrix} + 11\begin{bmatrix} -1 \\ 1 \end{bmatrix} \qquad \blacksquare$$

2차원 벡터공간에서 두 기저간의 추이행렬을 구하는 과정은 $\mathbb{R}^n$이나 유한 차원의 다른 벡터공간에도 일반화할 수 있다. 정리 14에 그 결과를 보인다.

정리 14

V는 차원이 n인 벡터공간이고, 다음의 두 순서기저를 갖는다고 하자.

$$B = \{\mathbf{v}_1, \mathbf{v}_2, \ldots, \mathbf{v}_n\} \quad B' = \{\mathbf{v}_1', \mathbf{v}_2', \ldots, \mathbf{v}_n'\}$$

B에서 B'으로의 추이행렬은 다음과 같이 주어진다.

$$[I]_B^{B'} = \left[\left[\mathbf{v}_1 \right]_{B'} \left[\mathbf{v}_2 \right]_{B'} \cdots \left[\mathbf{v}_n \right]_{B'} \right]$$

또한 좌표의 변환은 다음과 같이 계산한다.

$$[\mathbf{v}]_{B'} = [I]_B^{B'}[\mathbf{v}]_B$$

다음 예제 5에서는 정리 14의 결과를 적용하여 $\mathcal{P}_2$의 한 기저를 다른 기저로 변환한다.

예제 5

$V = \mathcal{P}_2$이고 다음의 두 기저를 갖는다고 하자.

$$B = \{1, x, x^2\} \qquad B' = \{1, x+1, x^2+x+1\}$$

a. 추이행렬 $[I]_B^{B'}$ 를 찾아라.

b. $p(x) = 3 - x + 2x^2$일 때 $[p(x)]_{B'}$를 구하라.

풀이 **a.** 추이행렬의 첫 열벡터를 얻기 위해서 다음 식을 만족시키는 스칼라 a_1, a_2, a_3를 구한다.

$$a_1(1) + a_2(x+1) + a_3(x^2 + x + 1) = 1$$

위 식의 해는 간단하게 $a_1 = 1$, $a_2 = 0$, $a_3 = 0$이다. 그러므로,

$$[1]_{B'} = \begin{bmatrix} 1 \\ 0 \\ 0 \end{bmatrix}$$

추이행렬의 두 번째, 세 번째 열벡터도 간단하게 다음 두 식의 해를 구함으로써 얻을 수 있다.

$$b_1(1) + b_2(x+1) + b_3(x^2 + x + 1) = x$$
$$c_1(1) + c_2(x+1) + c_3(x^2 + x + 1) = x^2$$

해는 $b_1 = -1$, $b_2 = 1$, $b_3 = 0$, $c_1 = 0$, $c_2 = -1$, $c_3 = 1$이다. 그러므로 추이행렬은 다음과 같다.

$$[I]_B^{B'} = \begin{bmatrix} 1 & -1 & 0 \\ 0 & 1 & -1 \\ 0 & 0 & 1 \end{bmatrix}$$

b. 기저 B는 $\mathcal{P}_2$의 표준기저이므로, B에 대한 $p(x) = 3 - x + 2x^2$의 좌표벡터는 다음과 같이 주어진다.

$$[p(x)]_B = \begin{bmatrix} 3 \\ -1 \\ 2 \end{bmatrix}$$

그러므로, $[p(x)]_{B'}$ 는 다음과 같다.

$$[p(x)]_{B'} = \begin{bmatrix} 1 & -1 & 0 \\ 0 & 1 & -1 \\ 0 & 0 & 1 \end{bmatrix} \begin{bmatrix} 3 \\ -1 \\ 2 \end{bmatrix} = \begin{bmatrix} 4 \\ -3 \\ 2 \end{bmatrix}$$

여기서 $3 - x + 2x^2 = 4(1) - 3(x+1) + 2(x^2 + x + 1)$임에 주목하자.　■

예제 6

$B = \{\mathbf{e}_1, \mathbf{e}_2\}$는 $\mathbb{R}^2$의 표준 순서기저, B'은 다음과 같이 주어지는 순서기저라 하자.

$$B' = \{\mathbf{v}'_1, \mathbf{v}'_2\} = \left\{ \begin{bmatrix} -1 \\ 1 \end{bmatrix}, \begin{bmatrix} 1 \\ 1 \end{bmatrix} \right\}$$

벡터 $\mathbf{v} = \begin{bmatrix} 3 \\ 4 \end{bmatrix}$ 라 하자.

a. B에서 B'으로의 추이행렬을 구하라.

b. $[\mathbf{v}]_{B'}$ 을 구하라.

c. 벡터 $\mathbf{v}$를 $\mathbf{e}_1$과 $\mathbf{e}_2$의 일차결합으로 쓰시오. 또한 $\mathbf{v}'_1$ 과 $\mathbf{v}'_2$ 의 일차결합으로 쓰시오.

d. 위 (c)의 결과를 그림으로 도시하라.

풀이 **a.** B에서 B'으로의 추이행렬은 다음 두 식의 해를 구함으로써 계산된다.

$$c_1 \begin{bmatrix} -1 \\ 1 \end{bmatrix} + c_2 \begin{bmatrix} 1 \\ 1 \end{bmatrix} = \begin{bmatrix} 1 \\ 0 \end{bmatrix} \qquad d_1 \begin{bmatrix} -1 \\ 1 \end{bmatrix} + d_2 \begin{bmatrix} 1 \\ 1 \end{bmatrix} = \begin{bmatrix} 0 \\ 1 \end{bmatrix}$$

즉, 다음 연립일차방정식의 해를 구한다.

$$\begin{cases} -c_1 + c_2 = 1 \\ c_1 + c_2 = 0 \end{cases} \qquad \begin{cases} -d_1 + d_2 = 0 \\ d_1 + d_2 = 1 \end{cases}$$

유일한 해는 $c_1 = -\frac{1}{2}$, $c_2 = \frac{1}{2}$, $d_1 = \frac{1}{2}$, $d_2 = \frac{1}{2}$ 이다. 따라서 추이행렬은 다음과 같다.

$$[I]_B^{B'} = \begin{bmatrix} -\frac{1}{2} & \frac{1}{2} \\ \frac{1}{2} & \frac{1}{2} \end{bmatrix}$$

b. B는 표준기저이므로, B에 대한 $\mathbf{v}$의 좌표는 $[\mathbf{v}]_B = \begin{bmatrix} 3 \\ 4 \end{bmatrix}$ 이다. 정리 14에 의해 B'에 대한 $\mathbf{v}$의 좌표는 다음과 같다.

$$[\mathbf{v}]_{B'} = \begin{bmatrix} -\frac{1}{2} & \frac{1}{2} \\ \frac{1}{2} & \frac{1}{2} \end{bmatrix} \begin{bmatrix} 3 \\ 4 \end{bmatrix} = \begin{bmatrix} \frac{1}{2} \\ \frac{7}{2} \end{bmatrix}$$

c. 두 기저에 대한 $\mathbf{v}$의 좌표를 사용하면, 다음과 같다.

$$3 \begin{bmatrix} 1 \\ 0 \end{bmatrix} + 4 \begin{bmatrix} 0 \\ 1 \end{bmatrix} = \mathbf{v} = \frac{1}{2} \mathbf{v}'_1 + \frac{7}{2} \mathbf{v}'_2$$

d. 다음 그림 2는 벡터 $\mathbf{v}$의 끝점 $(3, 4)$의 위치를 $\mathbf{e}_1\mathbf{e}_2$축과 $\mathbf{v}'_1\mathbf{v}'_2$ 축 상에서 보여준다.

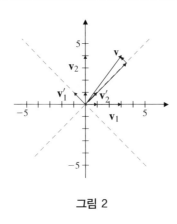

그림 2

추이행렬의 역행렬

4장에서 유용하게 쓰일 사실은 유한 차원의 벡터공간에서 두 기저간의 추이행렬 $[I]_B^{B'}$ 는 가역이라는 점이다. 더구나 B'에서 B로의 추이행렬은 $[I]_B^{B'}$ 의 역행렬이다. 이것을 보기 위해, V는 차원이 n인 벡터공간이고 다음의 두 순서기저를 갖는다고 가정하자.

$$B = \{\mathbf{v}_1, \mathbf{v}_2, \ldots, \mathbf{v}_n\} \qquad B' = \{\mathbf{v}_1', \mathbf{v}_2', \ldots, \mathbf{v}_n'\}$$

$[I]_B^{B'}$ 이 가역이라는 것을 보이기 위해, $\mathbf{x} \in \mathbb{R}^n$ 은 다음을 만족하는 벡터라 하자.

$$[I]_B^{B'} \mathbf{x} = \mathbf{0}$$

위 식에서 좌변은 $x_1[\mathbf{v}_1]_{B'} + \cdots + x_n[\mathbf{v}_n]_{B'}$으로 풀어 쓸 수 있다. B는 기저이므로 $1 \leq i \leq n$ 인 $\mathbf{v}_i$는 일차독립이다. 그러므로 벡터 $[\mathbf{v}_1]_{B'}, \cdots, [\mathbf{v}_n]_{B'}$도 일차독립이다. 따라서 $x_1 = x_2 = \cdots = x_n = 0$이다. 동차방정식 $[I]_B^{B'} \mathbf{x} = \mathbf{0}$의 유일한 해가 자명해 뿐이므로 1.6절의 정리 17에 의해 행렬 $[I]_B^{B'}$ 은 가역이다. 또한 정리 14에 의해,

$$[\mathbf{v}]_{B'} = [I]_B^{B'}[\mathbf{v}]_B \text{ 이므로, } ([I]_B^{B'})^{-1}[\mathbf{v}]_{B'} = [\mathbf{v}]_B \text{ 이고,}$$

따라서 다음이 성립한다.

$$[I]_{B'}^B = ([I]_B^{B'})^{-1}$$

지금까지 본 관찰을 다음 정리 15에 요약한다.

정리 15

V는 n차원의 벡터공간이고 다음의 두 순서기저를 갖는다고 하자.

$$B = \{\mathbf{v}_1, \mathbf{v}_2, \ldots, \mathbf{v}_n\} \qquad B' = \{\mathbf{v}_1', \mathbf{v}_2', \ldots, \mathbf{v}_n'\}$$

20. $\begin{cases} x - 2y + z = -1 \\ 2x - 3y + 6z = 8 \\ -2x + 4y - z = 4 \end{cases}$

21. $\begin{cases} x - 2y + 3z + w = 5 \\ x - y + 5z + 3w = 6 \\ 2x - 4y + 7z + 3w = 14 \\ -x + y - 5z - 2w = -8 \end{cases}$

22. $\begin{cases} x + 2y + 2z - w = 5 \\ y + z - w = -2 \\ -x - 2y - z + 4w = 1 \\ 2x + 2y + 2z + 2w = 1 \end{cases}$

연습문제 23과 24에 주어진 행렬 A의 PLU 분해를 구하라.

23. $A = \begin{bmatrix} 0 & 1 & -1 \\ 2 & -1 & 0 \\ 1 & -3 & 2 \end{bmatrix}$

24. $A = \begin{bmatrix} 0 & 0 & 1 \\ 2 & 1 & 1 \\ 1 & 0 & -3 \end{bmatrix}$

LU 분해를 사용하여 연습문제 25–28에 주어진 행렬 A의 역행렬을 구하라.

25. $A = \begin{bmatrix} 1 & 4 \\ -3 & -11 \end{bmatrix}$

26. $A = \begin{bmatrix} 1 & 7 \\ 2 & 20 \end{bmatrix}$

27. $A = \begin{bmatrix} 2 & 1 & -1 \\ 2 & 2 & -2 \\ 2 & 2 & 1 \end{bmatrix}$

28. $A = \begin{bmatrix} -3 & 2 & 1 \\ 3 & -1 & 1 \\ -3 & 1 & 0 \end{bmatrix}$

29. 행렬 $A = \begin{bmatrix} 0 & 1 \\ 1 & 0 \end{bmatrix}$은 LU 분해를 갖지 않음을 직접 보여라.

30. A, B, C를 $m \times n$ 행렬이라 하자. A는 B와 행 동치이고, B는 C와 행 동치이면, A는 C와 행 동치임을 보여라.

31. A와 B가 $n \times n$ 가역행렬이면 A와 B는 행 동치임을 보여라.

32. $n \times n$ 행렬 A가 LU 분해를 가질 때 즉, $A = LU$일 때, 다음 물음에 답하여라.
  a. L의 대각성분은 무엇인가?
  b. L과 U의 성분으로 $\det(A)$를 표시하여라.
  c. 단지 연산만 사용하여 A가 U로 행 변환될 수 있다는 것을 보여라.

1.8 ## 연립일차방정식의 응용

이 장을 처음 시작할 때, 광합성 과정을 연립일차방정식과 연결지어 설명함으로써 연립일차방정식을 소개하였다. 이 절에서는 여러가지 다양한 문제를 모델화 하기 위하여 연립일차방정식을 이용할 수 있는지를 보이고, 연립일차방정식의 응용의 범위를 확대하고자 한다.

안정된 화학방정식

이 장의 서론으로부터 "화학방정식이 안정되었다는 것은 이 방정식의 양쪽의 각 원소의 원자가 같은 개수를 가질 때를 뜻한다"는 것임을 상기하자.

화학방정식을 안정시키는데 필요한 분자의 개수를 찾는 것은 연립일차방정식의 해를 구하는 것과 같다.

예제 1

프로판은 요리와 난방에 사용하는 보통 가스이다. 프로판의 각 분자는 세 개의 탄소 원자와 여덟 개의 수소 원자로 이루어져 있으며, C_3H_8로 표시한다. 프로판이 연소될 때, 산소 O_2와 결합하여 이산화탄소 CO_2와 물 H_2O 형태로 된다. 이 과정을 설명하는 화학방정식

$$C_3H_8 + O_2 \longrightarrow CO_2 + H_2O$$

를 안정화 시키고, 이 과정을 묘사하여라.

풀이   방정식

$$x_1 C_3H_8 + x_2 O_2 \longrightarrow x_3 CO_2 + x_4 H_2O$$

를 안정시키는 범자연수 x_1, x_2, x_3, x_4를 찾고자 한다. 이 방정식 양변의 탄소, 수소 그리고 산소 원자의 개수를 방정식으로 나타내면 연립일차방정식

$$\begin{cases} 3x_1 & - x_3 & = 0 \\ 8x_1 & & - 2x_4 = 0 \\ & 2x_2 - 2x_3 & - x_4 = 0 \end{cases}$$

과 같이 된다. 이 연립일차방정식을 풀면 그 해집합은

$$S = \left\{ \left(\frac{1}{4}t, \ \frac{5}{4}t, \ \frac{3}{4}t, \ t \right) \ \middle| \ t \in \mathbb{R} \right\}$$

이다. 화학방정식을 안정시키는 범자연수가 필요하므로, $t = 0, 4, 8, \cdots$으로 두면 특수해가 구해진다. 예를 들어, $t = 8$이면 $x_1 = 2$, $x_2 = 10$, $x_3 = 6$, $x_4 = 8$이다. 그리고 이에 대응되는 안정된 화학방정식은

$$2C_3H_8 + 10O_2 \longrightarrow 6CO_2 + 8H_2O$$

이다.

네트워크 흐름

도심지의 교통 흐름을 연구하기 위하여 도시계획가들은 유향그래프(directed graph 또는 digraph) 라 부르는 수학적 모형을 사용한다. 그러한 모형에서 가장자리와 점은 각각 차도와 교차점을 표시한다. 화살표는 교통 방향을 표시한다. 교통 네트워크가 균형을 이루기 위하여 각 교차점의 진입량과 출차량이 같다고 가정하고, 이 네크워크에 진입하는 전체 양과 나가는 전체 양 역시 동일

하다고 가정한다.

예제 2

매시간마다 주어진 부분적인 교통 흐름의 정보는, 그림 1에서와 같이 다섯 개의 길로 된 네트워크로 이루어져 있다. 이 네트워크에 대한 흐름 형태를 완성하여라.

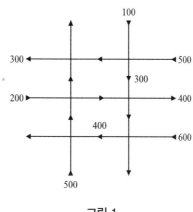

그림 1

풀이 교통 모델을 완성하기 위하여, 그림 2에서와 같이 여덟 개의 알려지지 않은 흐름에 대한 값을 찾는 것이 필요하다.

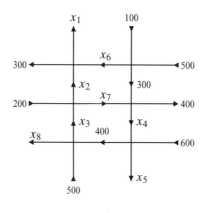

그림 2

교차점에 관한 가정으로부터 일차방정식

$$
\begin{cases}
x_2 + x_6 & = & 30 + x_1 \\
100 + 500 & = & x_6 + 300 \\
200 + x_3 & = & x_2 + x_7 \\
300 + x_7 & = & 400 + x_4 \\
400 + 500 & = & x_3 + x_8 \\
x_4 + 600 & = & 400 + x_5
\end{cases}
$$

를 구할 수 있다. 더욱이 네트워크에 진입하는 전체 양과 나가는 전체 양의 균형화로부터 방정식

$$500 + 600 + 500 + 200 + 100 = 400 + x_5 + x_8 + 300 + x_1$$

이 얻어진다. 따라서 연립일차방정식

$$\begin{cases} -x_1 + x_2 & + x_6 & = 300 \\ & x_6 & = 300 \\ x_2 - x_3 & + x_7 & = 200 \\ -x_4 & + x_7 & = 100 \\ x_3 & + x_8 & = 900 \\ -x_4 + x_5 & & = 200 \\ x_1 & + x_5 & + x_8 = 1200 \end{cases}$$

을 구할 수 있다. 이 연립일차방정식의 해는

$$x_1 = 1100 - s - t \quad x_2 = 1100 - s - t \quad x_3 = 900 - t \quad x_4 = -100 + s$$
$$x_5 = 100 + s \quad x_6 = 300 \quad x_7 = s \quad x_8 = t$$

이다. 여기서 x_7과 x_8은 자유변수이다. 하지만 특수해를 구하기 위하여 이 연립일차방정식에서 각 변수 x_i 가 양수가 되도록 s와 t의 값을 택해야 한다. 그렇지 않으면 자동차는 역방향으로 가게 될 것이다. 예를 들어, $s = 400$이고 $t = 300$이면 예상 가능한 해를 구할 수 있다.

영양학

건강 식단을 설계하는 것은 적절한 양을 고려하여 어떤 영양학적인 요구를 만족시키는 여러 식품 그룹들로 부터 식품들을 선택하는 것이다.

예제 3

표 1은 네 가지 다른 식품 1그램(g) 각각에 포함된 비타민 A와 비타민 C 그리고 칼슘의 양(단위는 밀리그램(mg))을 나타낸다. 예를 들어 1그램의 식품 1에는 비타민 A가 10mg, 비타민 C가 50mg, 그리고 칼슘 60mg이 함유되어 있다. 영양학자는 200mg의 비타민 A, 250mg의 비타민 C, 300mg의 칼슘을 공급할 수 있는 한 끼분의 식사를 준비한다고 가정하자. 각 식품을 얼마만큼씩 사용하여야 하는가?

표 1

	식품 1	식품 2	식품 3	식품 4
비타민 A	10	30	20	10
비타민 C	50	30	25	10
칼 슘	60	20	40	25

그러면 B에서 B'으로의 추이행렬 $[I]_B^{B'}$ 는 가역이고 다음과 같다.

$$[I]_{B'}^{B} = ([I]_B^{B'})^{-1}$$

핵심 요약

V는 $\dim(V)=n$인 벡터공간이라 하자.

1. $\mathbb{R}^n$에서는 표준기저에 대한 벡터의 좌표가 벡터의 성분으로 표현된다.

2. V에 두 순서기저가 주어졌을 때, 한 기저에 대한 벡터의 좌표를 다른 기저에 대한 좌표로 변환하는 데 추이행렬을 사용할 수 있다.

3. B와 B'이 V의 두 순서기저라 하면, B에서 B'으로의 추이행렬은 $[I]_B^{B'}$이며, 이 추이행렬의 열벡터는 기저 B를 구성하는 벡터가 기저 B'에 관해 표현된 좌표이다. 또한 다음이 성립한다.

$$[\mathbf{v}]_{B'} = [I]_B^{B'}[\mathbf{v}]_B$$

4. B와 B'이 V의 두 순서기저라 하면, B에서 B'으로의 추이행렬은 가역이며, 역행렬은 B'에서 B로의 추이행렬이다. 즉, 다음과 같다.

$$([I]_B^{B'})^{-1} = [I]_{B'}^{B}$$

연습문제 3.4

연습문제 1–8에서, 순서기저 B에 대하여 벡터 $\mathbf{v}$의 좌표를 찾아라.

1. $B = \left\{ \begin{bmatrix} 3 \\ 1 \end{bmatrix}, \begin{bmatrix} -2 \\ 2 \end{bmatrix} \right\}$ $\mathbf{v} = \begin{bmatrix} 8 \\ 0 \end{bmatrix}$

2. $B = \left\{ \begin{bmatrix} -2 \\ 4 \end{bmatrix}, \begin{bmatrix} -1 \\ 1 \end{bmatrix} \right\}$ $\mathbf{v} = \begin{bmatrix} -2 \\ 1 \end{bmatrix}$

3. $B = \left\{ \begin{bmatrix} 1 \\ -1 \\ 2 \end{bmatrix}, \begin{bmatrix} 3 \\ -1 \\ 1 \end{bmatrix}, \begin{bmatrix} 1 \\ 0 \\ 2 \end{bmatrix} \right\}$ $\mathbf{v} = \begin{bmatrix} 2 \\ -1 \\ 9 \end{bmatrix}$

4. $B = \left\{ \begin{bmatrix} 2 \\ 2 \\ 1 \end{bmatrix}, \begin{bmatrix} 1 \\ 0 \\ 2 \end{bmatrix}, \begin{bmatrix} 0 \\ 0 \\ 1 \end{bmatrix} \right\}$ $\mathbf{v} = \begin{bmatrix} 0 \\ 1 \\ \frac{1}{2} \end{bmatrix}$

5. $B = \{1, \ x-1, \ x^2\}$ $\mathbf{v} = p(x) = -2x^2 + 2x + 3$

6. $B = \{x^2 + 2x + 2, \ 2x + 3, \ -x^2 + x + 1\}$

   $\mathbf{v} = p(x) = -3x^2 + 6x + 8$

7. $B = \left\{ \begin{bmatrix} 1 & -1 \\ 0 & 0 \end{bmatrix}, \begin{bmatrix} 0 & 1 \\ 1 & 0 \end{bmatrix}, \right.$

   $\left. \begin{bmatrix} 1 & 0 \\ 0 & -1 \end{bmatrix}, \begin{bmatrix} 1 & 0 \\ -1 & 0 \end{bmatrix} \right\}$

   $\mathbf{v} = \begin{bmatrix} 1 & 3 \\ -2 & 2 \end{bmatrix}$

8. $B = \left\{ \begin{bmatrix} 1 & -1 \\ 0 & 1 \end{bmatrix}, \begin{bmatrix} 0 & 1 \\ 0 & 2 \end{bmatrix}, \right.$

$$\left\{ \begin{bmatrix} 1 & -1 \\ 1 & 0 \end{bmatrix}, \begin{bmatrix} 1 & 1 \\ 0 & 3 \end{bmatrix} \right\}$$

$$\mathbf{v} = \begin{bmatrix} 2 & -2 \\ 1 & 3 \end{bmatrix}$$

연습문제 9–12에서, 두 순서기저 B_1과 B_2에 대하여 벡터 $\mathbf{v}$의 좌표를 찾아라.

9. $B_1 = \left\{ \begin{bmatrix} -3 \\ 1 \end{bmatrix}, \begin{bmatrix} 2 \\ 2 \end{bmatrix} \right\}$

$B_2 = \left\{ \begin{bmatrix} 2 \\ 1 \end{bmatrix}, \begin{bmatrix} 0 \\ 1 \end{bmatrix} \right\}$ $\mathbf{v} = \begin{bmatrix} 1 \\ 0 \end{bmatrix}$

10. $B_1 = \left\{ \begin{bmatrix} -2 \\ 1 \\ 0 \end{bmatrix}, \begin{bmatrix} 1 \\ 0 \\ 2 \end{bmatrix}, \begin{bmatrix} -1 \\ 1 \\ 0 \end{bmatrix} \right\}$

$B_2 = \left\{ \begin{bmatrix} 1 \\ 0 \\ 1 \end{bmatrix}, \begin{bmatrix} 0 \\ 1 \\ 2 \end{bmatrix}, \begin{bmatrix} -1 \\ -1 \\ 0 \end{bmatrix} \right\}$

$\mathbf{v} = \begin{bmatrix} -2 \\ 2 \\ 2 \end{bmatrix}$

11. $B_1 = \{x^2 - x + 1,\ x^2 + x + 1,\ 2x^2\}$

$B_2 = \{2x^2 + 1,\ -x^2 + x + 2,\ x + 3\}$

$\mathbf{v} = p(x) = x^2 + x + 3$

12. $B_1 = \left\{ \begin{bmatrix} 1 & 0 \\ 0 & 2 \end{bmatrix}, \begin{bmatrix} 1 & -1 \\ 1 & 0 \end{bmatrix}, \right.$

$\left. \begin{bmatrix} 0 & 1 \\ 1 & 0 \end{bmatrix}, \begin{bmatrix} 2 & 0 \\ -1 & 1 \end{bmatrix} \right\}$

$B_2 = \left\{ \begin{bmatrix} 3 & -1 \\ 0 & 1 \end{bmatrix}, \begin{bmatrix} -1 & 0 \\ 1 & 1 \end{bmatrix}, \right.$

$\left. \begin{bmatrix} 0 & 0 \\ 1 & 0 \end{bmatrix}, \begin{bmatrix} 0 & -1 \\ 1 & 1 \end{bmatrix} \right\}$

$\mathbf{v} = \begin{bmatrix} 0 & 0 \\ 3 & 1 \end{bmatrix}$

연습문제 13–18에서, 두 순서기저 B_1과 B_2간의 추이행렬을 찾아라. 다음으로 $[\mathbf{v}]_{B_1}$이 주어졌을 때 $[\mathbf{v}]_{B_2}$를 구하라.

13. $B_1 = \left\{ \begin{bmatrix} 1 \\ 1 \end{bmatrix}, \begin{bmatrix} -1 \\ 1 \end{bmatrix} \right\}$

$B_2 = \left\{ \begin{bmatrix} 1 \\ 0 \end{bmatrix}, \begin{bmatrix} 0 \\ 1 \end{bmatrix} \right\}$ $[\mathbf{v}]_{B_1} = \begin{bmatrix} 2 \\ 3 \end{bmatrix}$

14. $B_1 = \left\{ \begin{bmatrix} -2 \\ 1 \end{bmatrix}, \begin{bmatrix} 1 \\ 2 \end{bmatrix} \right\}$

$B_2 = \left\{ \begin{bmatrix} 1 \\ 3 \end{bmatrix}, \begin{bmatrix} 2 \\ 0 \end{bmatrix} \right\}$ $[\mathbf{v}]_{B_1} = \begin{bmatrix} 1 \\ -1 \end{bmatrix}$

15. $B_1 = \left\{ \begin{bmatrix} 1 \\ 2 \\ 1 \end{bmatrix}, \begin{bmatrix} 0 \\ 1 \\ 1 \end{bmatrix}, \begin{bmatrix} 0 \\ 1 \\ 0 \end{bmatrix} \right\}$

$B_2 = \left\{ \begin{bmatrix} 0 \\ 1 \\ 0 \end{bmatrix}, \begin{bmatrix} -1 \\ 1 \\ -1 \end{bmatrix}, \begin{bmatrix} 2 \\ 1 \\ -1 \end{bmatrix} \right\}$

$[\mathbf{v}]_{B_1} = \begin{bmatrix} -1 \\ 0 \\ 2 \end{bmatrix}$

16. $B_1 = \left\{ \begin{bmatrix} -2 \\ 1 \\ 0 \end{bmatrix}, \begin{bmatrix} 1 \\ 0 \\ 2 \end{bmatrix}, \begin{bmatrix} -1 \\ 1 \\ 0 \end{bmatrix} \right\}$

$B_2 = \left\{ \begin{bmatrix} 1 \\ 0 \\ 1 \end{bmatrix}, \begin{bmatrix} 0 \\ 1 \\ 2 \end{bmatrix}, \begin{bmatrix} -1 \\ -1 \\ 0 \end{bmatrix} \right\}$

$[\mathbf{v}]_{B_1} = \begin{bmatrix} 2 \\ 1 \\ 1 \end{bmatrix}$

17. $B_1 = \{1, x, x^2\}$ $B_2 = \{x^2, 1, x\}$,

$[\mathbf{v}]_{B_1} = \begin{bmatrix} 2 \\ 3 \\ 5 \end{bmatrix}$

18. $B_1 = \{x^2 - 1, 2x^2 + x + 1, -x + 1\}$
$B_2 = \{(x-1)^2, x+2, (x+1)^2\}$

$$[\mathbf{v}]_{B_1} = \begin{bmatrix} 1 \\ 1 \\ 2 \end{bmatrix}$$

19. $B = \{\mathbf{v}_1, \mathbf{v}_2, \mathbf{v}_3\}$는 $\mathbb{R}^3$의 순서기저이고, 다음 세 벡터로 구성된다.

$$\mathbf{v}_1 = \begin{bmatrix} -1 \\ 1 \\ 1 \end{bmatrix} \quad \mathbf{v}_2 = \begin{bmatrix} 1 \\ 0 \\ 1 \end{bmatrix} \quad \mathbf{v}_3 = \begin{bmatrix} -1 \\ 1 \\ 0 \end{bmatrix}$$

순서기저 B에 대한 다음 벡터 $\mathbf{v}$의 좌표를 찾아라.

$$\mathbf{v} = \begin{bmatrix} a \\ b \\ c \end{bmatrix}$$

20. $B = \{\mathbf{v}_1, \mathbf{v}_2, \mathbf{v}_3, \mathbf{v}_4\}$은 $\mathbb{R}^4$의 순서기저이고, 다음 네 벡터로 구성된다.

$$\mathbf{v}_1 = \begin{bmatrix} 1 \\ 0 \\ 1 \\ 0 \end{bmatrix} \quad \mathbf{v}_2 = \begin{bmatrix} 0 \\ -1 \\ 1 \\ -1 \end{bmatrix}$$

$$\mathbf{v}_3 = \begin{bmatrix} 0 \\ -1 \\ -1 \\ 0 \end{bmatrix} \quad \mathbf{v}_4 = \begin{bmatrix} -1 \\ 0 \\ 0 \\ -1 \end{bmatrix}$$

순서기저 B에 대한 다음 벡터 $\mathbf{v}$의 좌표를 찾아라.

$$\mathbf{v} = \begin{bmatrix} a \\ b \\ c \\ d \end{bmatrix}$$

21. 아래와 같이 B_1은 $\mathbb{R}^3$의 표준 순서기저이고,

B_2는 다른 순서기저라 하자.

$$B_1 = \left\{ \begin{bmatrix} 1 \\ 0 \\ 0 \end{bmatrix}, \begin{bmatrix} 0 \\ 1 \\ 0 \end{bmatrix}, \begin{bmatrix} 0 \\ 0 \\ 1 \end{bmatrix} \right\}$$

$$B_2 = \left\{ \begin{bmatrix} 0 \\ 1 \\ 0 \end{bmatrix}, \begin{bmatrix} 1 \\ 0 \\ 0 \end{bmatrix}, \begin{bmatrix} 0 \\ 0 \\ 1 \end{bmatrix} \right\}$$

a. 순서기저 B_1에서 순서기저 B_2로의 추이행렬을 찾아라.

b. 순서기저 B_2에 대하여 다음 벡터의 좌표를 찾아라.

$$\mathbf{v} = \begin{bmatrix} 1 \\ 2 \\ 3 \end{bmatrix}$$

22. B_1과 B_2는 $\mathbb{R}^2$의 두 순서기저라 하자.

$$B_1 = \left\{ \begin{bmatrix} 2 \\ 2 \end{bmatrix}, \begin{bmatrix} 1 \\ -2 \end{bmatrix} \right\} \quad B_2 = \left\{ \begin{bmatrix} -1 \\ 2 \end{bmatrix}, \begin{bmatrix} 3 \\ 0 \end{bmatrix} \right\}$$

a. $[I]_{B_1}^{B_2}$를 찾아라.

b. $[I]_{B_2}^{B_1}$를 찾아라.

c. $\left([I]_{B_1}^{B_2}\right)^{-1} = [I]_{B_2}^{B_1}$임을 보여라.

23. S는 $\mathbb{R}^2$의 표준 순서기저이고, B는 또 다른 순서기저라 하자.

$$S = \left\{ \begin{bmatrix} 1 \\ 0 \end{bmatrix}, \begin{bmatrix} 0 \\ 1 \end{bmatrix} \right\} \quad B = \left\{ \begin{bmatrix} 1 \\ 0 \end{bmatrix}, \begin{bmatrix} -\frac{1}{2} \\ \frac{1}{2} \end{bmatrix} \right\}$$

a. $[I]_S^B$를 찾아라.

b. B에 대하여 다음 벡터들의 좌표를 찾아라.

$$\begin{bmatrix} 1 \\ 2 \end{bmatrix} \begin{bmatrix} 1 \\ 4 \end{bmatrix} \begin{bmatrix} 4 \\ 2 \end{bmatrix} \begin{bmatrix} 4 \\ 4 \end{bmatrix}$$

c. 평면상에서 네 꼭지점 (1, 2), (1, 4), (4, 1), (4, 4)을 갖는 직사각형을 도시하라.

d. 위 (b)에서 구한 네 좌표가 꼭지점이 되는 다각형을 도시하라.

24. θ는 고정된 실수이다. $\mathbb{R}^2$ 상의 표준 순서기저 S에서 다른 순서기저 B로의 변환을 나타내는 추이행렬은 다음과 같이 정의된다.

$$\left[I \right]_S^B = \begin{bmatrix} \cos\theta & -\sin\theta \\ \sin\theta & \cos\theta \end{bmatrix}$$

a. $[\mathbf{v}]_S = \begin{bmatrix} x \\ y \end{bmatrix}$ 일 때, $[\mathbf{v}]_B$를 찾아라.

b. 평면에서 다음의 네 꼭지점을 갖는 직사각형을 도시하라.

$$\begin{bmatrix} 0 \\ 0 \end{bmatrix} \begin{bmatrix} 0 \\ 1 \end{bmatrix} \begin{bmatrix} 1 \\ 0 \end{bmatrix} \begin{bmatrix} 1 \\ 1 \end{bmatrix}$$

c. $\theta = \frac{\pi}{2}$ 라 하자. 순서기저 B에 대하여 위 문제 (b)에서 주어진 벡터들의 좌표를 꼭지점으로 하는 직사각형을 도시하라.

25. $B_1 = \{\mathbf{u}_1, \mathbf{u}_2, \mathbf{u}_3\}$과 $B_2 = \{\mathbf{v}_1, \mathbf{v}_2, \mathbf{v}_3\}$는 벡터공간 V의 순서기저로서 $\mathbf{u}_1 = -\mathbf{v}_1 + 2\mathbf{v}_2$, $\mathbf{u}_2 = -\mathbf{v}_1 + 2\mathbf{v}_2 - \mathbf{v}_3$, $\mathbf{u}_3 = -\mathbf{v}_2 + \mathbf{v}_3$이다.

a. 추이행렬 $\left[I \right]_{B_1}^{B_2}$ 을 구하라.

b. $[2\mathbf{u}_1 - 3\mathbf{u}_2 + \mathbf{u}_3]_{B_2}$ 을 구하라.

3.5 응용 : 미분방정식

미분방정식은 사실상 모든 과학과 기술 분야에서 자연스럽게 발생하고 있다. 미분방정식은 성장, 운동, 진동, 힘에 관련된 문제나 변수 크기의 변화율을 포함하는 문제들을 풀기 위해 과학자나 공학자에 의해 광범위하게 사용되어 왔다. 수학자들이 그동안 미분방정식의 해결방법을 개발하기 위해 상당한 노력을 기울여 왔다는 것은 놀랄만한 일은 아니다. 앞으로 보겠지만 선형대수는 이러한 노력에 매우 유용하게 사용된다. 또한 선형대수는 미분방정식과 해들의 이론적 토대에 대한 깊은 이해를 가능하게 해준다. 본 절과 5.3절에서는 선형대수와 미분방정식간의 연관에 대해 간단히 소개를 한다.

우선 첫 단계로서, y는 하나의 변수 x의 함수라 하자. n이 고정된 양의 정수라 할 때 x, y, y', $y'', \dots, y^{(n)}$를 포함하는 방정식을 n 계 상미분방정식(ordinary differential equation of order n)이라 부른다. 앞으로 우리가 다루는 미분방정식에는 편도함수가 포함되지 않으므로 수식어 상(ordinary)을 생략하기로 한다. 또한 토의의 범위를 좁혀 특정 형태의 미분방정식만을 고려하기로 한다.

지수모형

미분방정식에서 가장 간단한 형태중의 하나는 다음과 같이 주어지는 일계 미분방정식이다.

$$y' = ky$$

여기서 k는 실수이다. 위 미분방정식은 지수적으로 성장하거나 쇠퇴를 보이는 양의 변화를 모형화하는 데 사용되고 있으며, 임의의 시간 t일 때의 양의 변화율은 시간 t일 때의 양의 크기에 직접 비례한다는 가정에 기반하고 있다. 미분방정식의 해(solution)는 미분방정식을 만족시키는 함수 $y = f(t)$, 즉 앞의 미분방정식에서 y 대신 대입했을 때 등식을 만족시키는 함수이다. 이 식을 풀기 위해 다음과 같이 쓰자.

$$\frac{y'}{y} = k$$

위 식에서 독립변수에 대해 양변을 적분하면 다음과 같다.

$$\ln y = \int \frac{y'}{y}\, dt = \int k\, dt = kt + A$$

y에 대해 풀면 다음과 같다.

$$y = e^{\ln y} = e^{kt+A} = e^A e^{kt} = Ce^{kt}$$

여기서 C는 임의의 상수이다.

예를 들어 미분방정식 $y' = 3y$를 고려해 보자. 그러면 $y(t) = Ce^{3t}$ 형태의 함수는 모두 해가 된다. 여기서 매개변수 C는 임의의 수이므로, 이 해는 미분방정식을 만족시키는 함수 군을 형성한다. 이러한 이유로 $y(t) = Ce^{3t}$는 $y' = 3y$의 일반해(general solution)라 부른다.

경우에 따라서는 물리적 제약으로 인해 해에 어떤 조건이 부과되므로, 이를 만족시키는 특수해(particular solution)를 찾아야 할 때도 있다. 위 예에서 $t = 0$일 때 $y = 2$여야 한다면 $2 = Ce^{3(0)}$ 즉, $C = 2$이다. 이것을 초기조건(initial condition)이라 부른다. 초기조건이 있는 미분방정식 문제를 초기값 문제(initial-value problem)라 부른다. 위 초기값 문제의 해는 다음과 같다.

$$y(t) = 2e^{3t}$$

선형대수의 측면에서 보면, 미분방정식 $y' = ky$의 일반해는 $\mathbb{R}$ 상에서 벡터 e^{kt}가 생성하는 공간 즉, 실직선상의 미분가능함수가 이루는 벡터공간의 일차원 부분공간으로 생각할 수 있다.

상수계수를 갖는 이계 미분방정식

바로 앞에서 언급한 일계 미분방정식을 이계로 확장한 다음 형태의 미분방정식을 고려한다.

$$y'' + ay' + by = 0$$

지수모형에서 찾은 해와 같은 형태의 해가 위 이계 미분방정식에도 존재하는 지를 검토하기 위해 $y = e^{rx}$를 시도해 본다. 여기서 r은 실수이다. 우선 일차도함수와 이차도함수를 계산하면 $y' = re^{rx}$, $y'' = r^2 e^{rx}$이므로, $y = e^{rx}$가 이계 미분방정식의 해가 되는 필요충분조건은 다음과 같다.

$$r^2 e^{rx} + are^{rx} + be^{rx} = 0$$

다시 정리하면 다음과 같다.

$$e^{rx}(r^2 + ar + b) = 0$$

모든 r 과 x 에 대해 $e^{rx} > 0$ 이므로, e^{rx} 이 $y'' + ay' + by = 0$의 해가 되는 필요충분조건은

$$r^2 + ar + b = 0$$

이다. 이 식을 보조방정식(auxiliary equation)이라 부른다. 이 식은 이차방정식이므로 근 r_1 과 r_2 는 아래의 세 가지 경우로 발생한다. 이에 따라 미분방정식의 해도 세 가지 형태로 발생한다. 보조방정식은 두 개의 서로 다른 실근, 한 개의 실근, 두 개의 서로 다른 복소근을 갖는다. 순서대로 각 경우를 고려해 보자.

경우 1 근 r_1과 r_2는 실수이고 서로 다르다.
이 경우 다음의 두 해가 존재한다.

$$y_1(x) = e^{r_1 x} \qquad\qquad y_2(x) = e^{r_2 x}$$

예제 1

이계 미분방정식 $y'' - 3y' + 2y = 0$의 서로 다른 두 해를 찾아라.
풀이 $y = e^{rx}$라 하자. 보조방정식 $r^2 - 3r + 2 = (r-1)(r-2) = 0$ 은 서로 다른 두 실근 $r_1 = 1$과 $r_2 = 2$ 을 가지므로 미분방정식의 서로 다른 두 해는 다음과 같다.

$$y_1(x) = e^x \qquad\qquad y_2(x) = e^{2x}$$

경우 2 한 개의 중근 r을 갖는다.
이 경우 보조방정식은 단지 한 개의 근을 갖지만, 미분방정식은 다음의 같이 두 개의 서로 다른 해를 갖는다.

$$y_1(x) = e^{rx} \qquad\qquad y_2(x) = xe^{rx}$$

예제 2

미분방정식 $y'' - 2y' + y = 0$의 서로 다른 두 해를 찾아라.
풀이 $y = e^{rx}$라 하자. 보조방정식 $r^2 - 2r + 1 = (r-1)^2 = 0$은 중근 $r = 1$을 가지므로 미분방정식의 서로 다른 두 해는 다음과 같다.

$$y_1(x) = e^x \qquad\qquad y_2(x) = xe^x$$

경우 3 서로 다른 (켤레) 복소수 $r_1 = \alpha + \beta i$과 $r_2 = \alpha - \beta i$를 갖는다.

이 경우 미분방정식의 해는 다음과 같다.

$$y_1(x) = e^{\alpha x} \cos \beta x \qquad\qquad y_2(x) = e^{\alpha x} \sin \beta x$$

예제 3

미분방정식 $y'' - 2y' + 5y = 0$의 서로 다른 두 해를 찾아라.

풀이 $y = e^{rx}$라 하자. $y'' - 2y' + 5y = 0$에 대응되는 보조방정식은 $r^2 - 2r + 5 = 0$ 이다. 근의 공식을 적용하면 두 복소근은 $r_1 = 1 + 2i$과 $r_2 = 1 - 2i$이다. 미분방정식의 두 해는 다음과 같다.

$$y_1(x) = e^x \cos 2x \qquad\qquad y_2(x) = e^x \sin 2x$$

■

다음에는 이계 미분방정식의 해에 대한 존재성과 유일성에 관한 정리 16을 제시한다. 증명은 상미분방정식에 관한 다른 교재에서 쉽게 찾아 볼 수 있다.

정리 16

함수 $p(x)$, $q(x)$, $f(x)$는 구간 I에서 연속함수라 하자. x_0가 구간 I에 속할 때, 다음의 초기값 문제 는

$$y'' + p(x)y' + q(x)y = f(x) \qquad y(x_0) = y_0 \qquad y'(x_0) = y_0'$$

구간 I에서 유일한 해를 갖는다.

기본 해집합

위 세 경우 각각에 대한 해들은 이미 구해보았으므로, 이제는 이러한 형태의 미분방정식에 대해서 다른 해들이 존재하는지, 존재한다면 어떻게 표현되는지 라는 질문에 대해 고려해 보자. 본 절의 나머지 부분을 전부 할애하고 있는, 위 질문에 대한 간단한(그러나 정교한) 답은 선형대수를 적용하여 찾을 수 있다. 각 경우 함수 $y_1(x)$와 $y_2(x)$는 미분방정식 $y'' + ay' + by = 0$의 해들이 구성하는 벡터공간에 대해 기저가 됨을 볼 것이다. 즉, 미분방정식의 모든 해 $y(x)$는 $y_1(x)$와 $y_2(x)$의 일차결합의 형태인 $y(x) = c_1 y_1(x) + c_2 y_2(x)$으로 쓸 수 있다.

이를 위하여, 양의 정수 $n \geq 0$에 대해, 벡터공간 $V = C^{(n)}(I)$는 실구간 I에서 n번 미분가능한 모든 함수들의 벡터공간이라 하자. $n = 0$이면 $C^{(0)}(I)$는 I에서 모든 연속함수의 집합을 나타낸다. 먼저 이계 미분방정식 $y'' + ay' + by = 0$의 해집합은 $V = C^{(2)}(I)$의 부분공간임을 보인다.

정리 17 중첩의 원리

$y_1(x)$와 $y_2(x)$를 $C^{(2)}(I)$에 속하는 함수라고 하자. $y_1(x)$와 $y_2(x)$가 미분방정식 $y'' + ay' + by = 0$의 해이고 c를 임의의 스칼라라 하면, $y_1(x) + cy_2(x)$도 미분방정식의 해이다.

증명 $y_1(x)$와 $y_2(x)$는 모두 해이므로, 다음이 성립한다.

$$y_1''(x) + ay_1'(x) + by_1(x) = 0 \qquad y_2''(x) + ay_2'(x) + by_2(x) = 0$$

이제 $y(x) = y_1(x) + cy_2(x)$가 미분방정식의 해가 됨을 보이기 위해, 다음 도함수를 구한다.

$$y'(x) = y_1'(x) + cy_2'(x) \qquad y''(x) = y_1''(x) + cy_2''(x)$$

미분방정식에 y, y', y''를 대입하여 항별로 정리하면 아래와 같으므로 정리가 성립한다.

$$\begin{aligned} y_1''(x) + cy_2''(x) &+ a[y_1'(x) + cy_2'(x)] + b[y_1(x) + cy_2(x)] \\ &= y_1''(x) + cy_2''(x) + ay_1'(x) + acy_2'(x) + by_1(x) + bcy_2(x) \\ &= [y_1''(x) + ay_1'(x) + by_1(x)] + c[y_2''(x) + ay_2'(x) + by_2(x)] \\ &= 0 + 0 = 0 \end{aligned}$$

S는 미분방정식 $y'' + ay' + by = 0$의 해집합이라 하자. 위에서 제시한 중첩의 원리와 3.2절의 정리 4에 의해 S는 $C^{(2)}(I)$의 부분공간을 형성한다.

S의 대수적 구조를 분석하기 위해, 2.3절의 연습문제 31로부터 다음 사실을 상기하자. 즉, 함수의 집합 $U = \{f_1(x), f_2(x), \ldots, f_n(x)\}$가 구간 I에서 일차독립이기 위한 필요충분조건은, 모든 $x \in I$에 대해

$$c_1 f_1(x) + c_2 f_2(x) + \cdots + c_n f_n(x) = 0$$

이면, $c_1 = c_2 = \cdots = c_n = 0$이 되는 것이다. 다음 정리 18은 한 구간에서 두 함수가 일차독립인지를 결정하는 유용한 테스트 방법을 제공한다.

정리 18 론스키 행렬식

$f(x)$와 $g(x)$를 구간 I에서 미분가능한 함수라 하자. 구간 I에서 함수 $W[f, g]$를 다음과 같이 정의한다.

$$W[f, g](x) = \begin{vmatrix} f(x) & g(x) \\ f'(x) & g'(x) \end{vmatrix} = f(x)g'(x) - f'(x)g(x)$$

$W[f, g](x_0)$가 I에 속하는 어떤 x_0의 값에 대해 영이 아니면, $f(x)$와 $g(x)$는 일차독립이다.

증명 다음 식을 고려하자.

$$c_1 f(x) + c_2 g(x) = 0$$

양변을 미분하면, 다음과 같다.

$$c_1 f'(x) + c_2 g'(x) = 0$$

앞의 두 식을 묶으면, 이들 방정식은 두 변수 c_1과 c_2로 표현된 연립일차방정식을 형성한다. 대응되는 계수행렬의 행렬식은 바로 $W[f, g](x)$ 이다. 그러므로 $W[f, g](x)$ 이 어떤 $x_0 \in I$ 에 대해 비영의 값을 가지면 1.6절의 정리 17에 의해 $c_1 = c_2 = 0$이다. 따라서, $f(x)$ 와 $g(x)$ 는 일차독립이다.

정리 18의 함수 $W[f, g]$ 는 f와 g의 론스키 행렬식(Wronskian)이라 부른다. 론스키 행렬식과 정리 18의 결과는 n차까지 연속 도함수를 갖는 함수들의 임의 유한집합에로 확장할 수 있다.

y_1과 y_2가 미분방정식 $y'' + ay' + by = 0$의 해이면, 론스키 행렬식에 대한 아벨의 공식(Abel's formula)에 의해 다음의 결과를 얻는다.

정리 19

$y_1(x)$과 $y_2(x)$를 미분방정식 $y'' + ay' + by = 0$의 해라 하자. 함수 y_1과 y_2가 일차독립일 필요충분조건은 I에 속하는 모든 x에 대해 $W[y_1, y_2](x) \neq 0$인 것이다.

현 시점에서 우리는 미분방정식 $y'' + ay' + by = 0$의 일차독립인 두 해가 해의 부분공간을 생성한다는 것에 대해 보일 준비가 되었다.

정리 20 기본 해집합

구간 I에서 $y_1(x)$와 $y_2(x)$는 다음 미분방정식의 일차독립인 두 해라고 하자.

$$y'' + ay' + by = 0$$

그러면 모든 해는 $y_1(x)$와 $y_2(x)$의 일차결합으로 쓸 수 있다.

증명 $y(x)$는 구간 I 에 속하는 한 x_0에 대해 아래와 같은 초기값 문제의 특수해라 하자.

$$y'' + ay' + by = 0 \qquad y(x_0) = y_0 \qquad y'(x_0) = y_0'$$

여기서 우리는 다음을 만족하는 실수 c_1과 c_2가 존재한다고 주장한다.

$$y(x) = c_1 y_1(x) + c_2 y_2(x)$$

위 식의 양변을 미분하면 다음과 같다.

$$y'(x) = c_1 y_1'(x) + c_2 y_2'(x)$$

이제 x_0를 위 두 식에 대입하고 초기 조건을 사용하면, 아래와 같이 두 변수 c_1과 c_2로 표현되는 두 식의 연립방정식을 얻는다.

$$\begin{cases} c_1 y_1(x_0) + c_2 y_2(x_0) = y_0 \\ c_1 y_1'(x_0) + c_2 y_2'(x_0) = y_0' \end{cases}$$

위 식에서 계수행렬의 행렬식은 바로 론스키 행렬식 $W[y_1, y_2](x_0)$임을 주목하자. $y_1(x)$와 $y_2(x)$는 일차독립이므로 정리 19에 의해 계수행렬의 행렬식은 영이 아니다. 그러므로 1.6절의 정리 17에 의해 연립일차방정식에 해를 제공하는 유일한 값 c_1과 c_2가 존재한다. 함수 g를 다음과 같이 정의하자.

$$g(x) = c_1 y_1(x) + c_2 y_2(x)$$

그러면 $g(x)$도 또한 위 초기값 문제의 해가 된다. 정리 16에서 보인 해의 유일성에 의해 본 증명에서 주장한 바대로 다음이 성립한다.

$$y(x) = g(x) = c_1 y_1(x) + c_2 y_2(x)$$

정리 20의 일차독립인 해 $y_1(x)$와 $y_2(x)$를 기본 해집합(fundamental set of solutions)이라 부른다. 기본 해집합 $\{y_1(x), y_2(x)\}$는 미분방정식 $y'' + ay' + by = 0$의 해가 형성하는 부분공간 S에 대해 기저가 된다. 기저에는 두 원소가 있으므로 $\dim(S) = 2$이다.

이제는 $y'' + ay' + by = 0$의 해가 발생하는 구체적인 경우들에 대해 다시 살펴보자. 먼저 경우 1에서는 다음의 두 해를 구했다.

$$y_1(x) = e^{r_1 x} \qquad y_2(x) = e^{r_2 x}$$

여기서, $r_1 \neq r_2$이다. 이들 함수가 기본 해집합을 형성함을 보기 위해 론스키 행렬식을 계산하면, 다음과 같다.

$$\begin{aligned} W[y_1, y_2](x) &= \begin{vmatrix} e^{r_1 x} & e^{r_2 x} \\ r_1 e^{r_1 x} & r_2 e^{r_2 x} \end{vmatrix} \\ &= r_2(e^{r_1 x} e^{r_2 x}) - r_1(e^{r_1 x} e^{r_2 x}) \\ &= r_2 e^{(r_1 + r_2)x} - r_1 e^{(r_1 + r_2)x} \\ &= e^{(r_1 + r_2)x}(r_2 - r_1) \end{aligned}$$

위 식에서 지수함수는 항상 영보다 크고, r_1과 r_2는 서로 다른 수이므로, 론스키 행렬식은 모든 x에 대해 비영이다. 그러므로 이들 함수는 일차독립이다. 따라서 $\{e^{r_1 x}, e^{r_2 x}\}$은 기본 해집합이고,

이 유형의 미분방정식에 대한 모든 해 $y(x)$는 다음의 형태를 갖는다.

$$y(x) = c_1 e^{r_1 x} + c_2 e^{r_2 x}$$

여기서, c_1과 c_2는 스칼라이다.

경우 2에서는 론스키 행렬식이 다음과 같다.

$$W[e^{rx}, xe^{rx}] = e^{2rx}$$

e^{2rx}는 영이 아니므로 $\{e^{rx}, xe^{rx}\}$은 이 유형의 문제에 대한 기본 해집합이 된다.

경우 3에서 론스키 행렬식은 다음과 같다.

$$W[e^{\alpha x} \cos \beta x, e^{\alpha x} \sin \beta x] = \beta e^{2\alpha x}$$

그러므로 $\{e^{\alpha x} \cos \beta x, e^{\alpha x} \sin \beta x\}$은 β가 영이 아닌 한 기본 해집합이 된다. β가 영이라면 미분방정식은 $y'' + ay' = 0$과 같고 따라서 경우 1과 같게 된다.

상수계수를 갖는 이계 미분방정식은 물리적 분야에 많이 응용되고 있다. 두 가지 중요한 영역으로는 기계 및 전기적 진동분야가 있다. 기계공학에서의 기본적 문제는 스프링에 달려있는 물체의 진동운동이다. 물체의 운동은 다음 초기값 문제의 해에 의해 설명된다.

$$my'' + cy' + ky = f(x) \qquad y(0) = A \qquad y'(0) = B$$

여기서 m은 스프링에 부착된 물체의 질량, c는 제동계수(damping coefficient), k는 스프링의 강도, $f(x)$는 외부에서 미치는 힘을 의미한다. 시스템에 작용하는 외부의 힘이 없다면 $f(x) = 0$이다.

예제 4

스프링에 부착된 물체의 질량은 $m = 1$, 스프링 상수는 $k = 4$라 하자. 외부에서 작용하는 힘이 없다고 할 때 스프링에 부착된 물체의 위치를 표현하는 다음 세 초기값 문제의 해를 구하라. 초기조건은 $y(0) = 2$, $y'(0) = 0$이고 진동의 감폭계수 c는 각각 2, 4, 5이다.

풀이 물체의 위치를 표현하는 미분방정식은 다음과 같이 주어진다.

$$y'' + cy' + 4y = 0$$

$c = 2$일 때, $y'' + 2y' + 4y = 0$에 대한 보조방정식은 아래와 같다.

$$r^2 + 2r + 4 = 0$$

위 식의 근은 복소수 $r_1 = -1 + \sqrt{3}i$ 과 $r_2 = -1 - \sqrt{3}i$ 이므로 미분방정식의 일반해는 아래와 같다.

$$y(x) = e^{-x}\left[c_1 \cos(\sqrt{3}x) + c_2 \sin(\sqrt{3}x) \right]$$

초기조건으로부터 해는 다음과 같이 정해진다.

$$y(x) = 2e^{-x} \left[\cos(\sqrt{3}x) + \frac{\sqrt{3}}{3}\sin(\sqrt{3}x) \right]$$

$c = 4$일 때, $y'' + 4y' + 4y = 0$에 대한 보조방정식은 아래와 같다.

$$r^2 + 4r + 4 = (r+2)^2 = 0$$

위 식은 하나의 중근을 가지므로, 미분방정식의 일반해는 아래와 같이 구해진다.

$$y(x) = c_1 e^{-2x} + c_2 x e^{-2x}$$

초기조건으로부터 해는 다음과 같이 정해진다.

$$y(x) = 2e^{-2x}(2x+1)$$

$c = 5$일 때, $y'' + 5y' + 4y = 0$에 대한 보조방정식은 아래와 같다.

$$r^2 + 5r + 4 = (r+1)(r+4) = 0$$

위 식은 서로 다른 두 실근을 가지므로, 미분방정식의 일반해는 아래와 같다.

$$y(x) = c_1 e^{-x} + c_2 e^{-4x}$$

초기조건으로부터 해는 다음과 같이 정해진다.

$$y(x) = \tfrac{2}{3}(4e^{-x} - e^{-4x})$$

위에서 구한 해들의 그래프를 아래 그림 1에 도시한다.

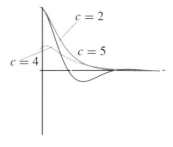

그림 1

연습문제 3.5

연습문제 1–4에서, 미분방정식의 일반해를 구하라.

a. 동차 미분방정식의 서로 다른 두 해를 찾아라.

b. 위 문제 (a)의 두 해가 일차독립임을 보여라.

c. 일반해를 쓰시오.

1. $y'' - 5y' + 6y = 0$

2. $y'' + 3y' + 2y = 0$

3. $y'' + 4y' + 4y = 0$

4. $y'' - 4y' + 5y = 0$

연습문제 5–6에서, 초기값 문제의 해를 찾아라.

5. $y'' - 2y' + y = 0$ $y(0) = 1$ $y'(0) = 3$

6. $y'' - 3y' + 2y = 0$ $y(1) = 0$ $y'(1) = 1$

7. 다음과 같이 주어진 비동차 미분방정식을 고려하자.

$$y'' - 4y' + 3y = g(x)$$
$$g(x) = 3x^2 + x + 2$$

a. 앞의 식에서 $g(x) = 0$인 동차 미분방정식의 일반해를 구하라. 이 해를 보충해(complementary solution)라 부르고, $y_c(x)$로 표기한다.

b. 문제의 비동차 미분방정식에 대해 아래 형태를 갖는 특수해 $y_p(x)$가 존재한다고 가정한다.

$$y_p(x) = ax^2 + bx + c$$

$y_p(x)$를 미분방정식에 대입하여 계수 a, b, c에 대한 조건을 찾아라.

c. $y(x) = y_c(x) + y_p(x)$는 미분방정식의 해가 됨을 증명하라.

8. 다음의 비동차 미분방정식을 고려하자.

$$y'' + 4y' + 3y = g(x)$$
$$g(x) = 3\sin 2x$$

a. 앞의 식에서 $g(x) = 0$인 동차 미분방정식의 일반해를 구하라.

b. 문제의 비동차 미분방정식에 다음 형태를 갖는 특수해 $y_p(x)$가 존재한다고 가정한다.

$$y_p(x) = A\cos 2x + B\sin 2x$$

$y_p(x)$를 미분방정식에 대입하여 계수 A, B에 대한 조건을 찾아라.

c. $y(x) = y_c(x) + y_p(x)$는 미분방정식의 해가 됨을 증명하라.

9. w는 스프링에 부착된 물체의 무게, g는 중력 가속도인 32 ft/s², k는 스프링 상수, d는 무게에 의해 늘어난 스프링의 길이(ft)라 하자. 물체의 무게는 $m = \frac{w}{g}$이고, $k = \frac{w}{d}$이다. 2-lb의 무게를 달면 스프링은 6-in 늘어난다고 하자. 물체를 3-in 당긴 후 놓았을 때 물체의 운동방정식을 찾아라. 이 시스템은 진동이 감폭하지 않는 문제임에 유의한다 ; 즉, 진동의 감폭계수는 0이다.

10. 스프링 상수가 4 lb/ft인 스프링에 8-lb의 물체가 부착되어 있다. 시스템의 진동을 감폭하는 힘은 속도의 두 배라고 가정한다. 물체를 1-ft 아래로 당긴 후 위로 움직이는 속도를 2 ft/s로 주었을 때 물체의 운동방정식을 찾아라.

3장 복습문제

1. 다음의 네 벡터가 $\mathbb{R}^4$ 의 기저가 되는 k의 값을 결정하라.

$$\begin{bmatrix} 1 \\ -2 \\ 0 \\ 2 \end{bmatrix} \quad \begin{bmatrix} 0 \\ 1 \\ -1 \\ 3 \end{bmatrix} \quad \begin{bmatrix} 0 \\ 0 \\ 1 \\ 4 \end{bmatrix} \quad \begin{bmatrix} 2 \\ 3 \\ 4 \\ k \end{bmatrix}$$

2. 다음의 세 벡터에서 a, b, c, d, e, f 가 어떤 값을 가지면 $\mathbb{R}^3$ 의 기저가 되겠는가?

$$\begin{bmatrix} a \\ 0 \\ 0 \end{bmatrix} \quad \begin{bmatrix} b \\ c \\ 0 \end{bmatrix} \quad \begin{bmatrix} d \\ e \\ f \end{bmatrix}$$

3. S는 다음과 같다고 하자.

$$S = \left\{ \begin{bmatrix} a-b & a \\ b+c & a-c \end{bmatrix} \,\middle|\, a, b, c \in \mathbb{R} \right\}$$

a. S는 $M_{2 \times 2}$의 부분공간임을 보여라.

b. 행렬 $\begin{bmatrix} 5 & 3 \\ -2 & 3 \end{bmatrix}$는 S에 속하는가?

c. S의 한 기저 B를 찾아라.

d. S에 속하지 않는 2×2 행렬을 제시하라.

4. $S = \{p(x) = a + bx + cx^2 \mid a + b + c = 0\}$이라 하자.

a. S는 $\mathcal{P}_2$의 부분공간임을 보여라.

b. S의 기저를 찾아라. S의 차원은 얼마인가?

5. $S = \{\mathbf{v}_1, \mathbf{v}_2, \mathbf{v}_3\}$는 벡터공간 V의 기저라 하자.

a. 집합 $T = \{\mathbf{v}_1, \mathbf{v}_1 + \mathbf{v}_2, \mathbf{v}_1 + \mathbf{v}_2 + \mathbf{v}_3\}$가 V의 기저인지를 결정하라.

b. 집합 $W = \{-\mathbf{v}_2 + \mathbf{v}_3, 3\mathbf{v}_1 + 2\mathbf{v}_2 + \mathbf{v}_3, \mathbf{v}_1 - \mathbf{v}_2 + 2\mathbf{v}_3\}$가 V의 기저인지를 결정하라.

6. $S = \{\mathbf{v}_1, \mathbf{v}_2, \mathbf{v}_3\}$이고 $\mathbf{v}_1, \mathbf{v}_2, \mathbf{v}_3$는 아래와 같다.

$$\mathbf{v}_1 = \begin{bmatrix} 1 \\ -3 \\ 1 \\ 1 \end{bmatrix} \quad \mathbf{v}_2 = \begin{bmatrix} 2 \\ -1 \\ 1 \\ 1 \end{bmatrix} \quad \mathbf{v}_3 = \begin{bmatrix} 4 \\ -7 \\ 3 \\ 3 \end{bmatrix}$$

a. 집합 S가 $\mathbb{R}^4$의 기저가 될 수 없는 이유를 설명하라.

b. $\mathbf{v}_3$는 $\mathbf{v}_1$과 $\mathbf{v}_2$의 일차결합임을 보여라.

c. 집합 S가 생성하는 공간의 차원은 얼마인가?

d. $\mathbb{R}^4$에서 벡터 $\mathbf{v}_1$과 $\mathbf{v}_2$를 포함하는 기저 B를 찾아라.

e. 다음의 집합 T는 $\mathbb{R}^4$의 기저임을 보여라.

$$T = \left\{ \begin{bmatrix} 1 \\ 2 \\ -1 \\ 1 \end{bmatrix}, \begin{bmatrix} 1 \\ 0 \\ 1 \\ 0 \end{bmatrix}, \begin{bmatrix} 1 \\ 0 \\ 1 \\ -1 \end{bmatrix}, \begin{bmatrix} 1 \\ 2 \\ 1 \\ -1 \end{bmatrix} \right\}$$

f. 순서기저 B에서 순서기저 T로의 추이행렬을 구하라.

g. 앞의 문제 (f)에서 찾은 추이행렬을 사용하여 순서기저 T에서 순서기저 B로의 추이행렬을 구하라.

h. $[\mathbf{v}]_B$가 다음과 같을 때 순서기저 T에 대하여 $\mathbf{v}$의 좌표를 찾아라.

$$[\mathbf{v}]_B = \begin{bmatrix} 1 \\ 3 \\ -2 \\ 5 \end{bmatrix}$$

i. $[\mathbf{v}]_T$가 다음과 같을 때 순서기저 B에 대하여 $\mathbf{v}$의 좌표를 찾아라.

$$[\mathbf{v}]_T = \begin{bmatrix} -2 \\ 13 \\ -5 \\ -1 \end{bmatrix}$$

7. $\mathbf{span}\{\mathbf{v}_1, \ldots, \mathbf{v}_n\} = V$ 이고, 다음 식에서 $c_1 \neq 0$ 이라 할 때,

$$c_1\mathbf{v}_1 + c_2\mathbf{v}_2 + \cdots + c_n\mathbf{v}_n = \mathbf{0}$$

$\mathbf{span}\{\mathbf{v}_2, \ldots, \mathbf{v}_n\} = V$임을 보여라.

8. $V = M_{2\times 2}$ 이라 하자.

a. V의 기저를 제시하고, 차원을 구하라. S는 아래의 형태를 갖는 모든 행렬의 집합이고,

$$\begin{bmatrix} a & b \\ c & a \end{bmatrix}$$

T는 아래의 형태를 갖는 모든 행렬의 집합이라 하자.

$$\begin{bmatrix} x & y \\ y & z \end{bmatrix}$$

b. S와 T는 벡터공간 V의 부분공간임을 보여라.

c. S와 T의 기저를 제시하고, 차원을 구하라.

d. $S \cap T$에 속하는 행렬의 형태를 제시하라. $S \cap T$의 기저를 제시하고, 차원을 구하라.

9. $\mathbf{u}$와 $\mathbf{v}$가 다음과 같다고 하자.

$$\mathbf{u} = \begin{bmatrix} u_1 \\ u_2 \end{bmatrix} \qquad \mathbf{v} = \begin{bmatrix} v_1 \\ v_2 \end{bmatrix}$$

$$\mathbf{u} \cdot \mathbf{v} = 0 \qquad \sqrt{u_1^2 + u_2^2} = 1 = \sqrt{v_1^2 + v_2^2}$$

a. $B = \{\mathbf{u}, \mathbf{v}\}$는 $\mathbb{R}^2$의 기저임을 보여라.

b. 순서기저 B에 대하여 벡터 $\mathbf{w} = \begin{bmatrix} x \\ y \end{bmatrix}$의 좌표를 찾아라.

10. c는 고정된 스칼라라 하고, 다음을 가정한다.

$$p_1(x) = 1 \qquad p_2(x) = x + c$$
$$p_3(x) = (x + c)^2$$

a. $B = \{p_1(x), p_2(x), p_3(x)\}$는 $\mathcal{P}_2$의 기저임을 보여라.

b. 순서기저 B에 대하여 $f(x) = a_0 + a_1 x + a_2 x^2$의 좌표를 찾아라.

3장 시험문제

시험문제 1–35에서 언급한 내용이 맞는지 또는 틀리는지를 결정하라.

1. $V = \mathbb{R}$이고, 덧셈과 스칼라곱이 다음과 같이 정의되면,

$$x \oplus y = x + 2y \qquad c \odot x = x + c$$

V는 벡터공간이다.

2. 다음 집합 S는 $\mathbb{R}^3$의 기저이다.

$$S = \left\{ \begin{bmatrix} 1 \\ 3 \\ 1 \end{bmatrix}, \begin{bmatrix} 2 \\ 1 \\ -1 \end{bmatrix}, \begin{bmatrix} 0 \\ 4 \\ 3 \end{bmatrix} \right\}$$

3. $\mathbb{R}^3$상의 직선은 차원이 1인 부분공간이다.

4. 다음 집합 S는 $M_{2\times 2}$의 기저이다.

$$S = \left\{ \begin{bmatrix} 2 & 1 \\ 0 & 1 \end{bmatrix}, \begin{bmatrix} 3 & 0 \\ 2 & 1 \end{bmatrix}, \begin{bmatrix} 1 & 0 \\ 2 & 0 \end{bmatrix} \right\}$$

5. 다음 집합

$$\left\{ \begin{bmatrix} 1 \\ 2 \\ 3 \end{bmatrix}, \begin{bmatrix} 0 \\ 1 \\ 2 \end{bmatrix}, \begin{bmatrix} -2 \\ 0 \\ 1 \end{bmatrix} \right\}$$

이 $\mathbb{R}^3$의 기저이기 위한 필요충분조건은 다음과 같다.

$$\det \begin{bmatrix} 1 & 0 & -2 \\ 2 & 1 & 0 \\ 3 & 2 & 1 \end{bmatrix} \neq 0$$

6. 다음 집합 S는 $\mathbb{R}^2$의 부분공간이다.

$$S = \left\{ \begin{bmatrix} x \\ y \end{bmatrix} \;\middle|\; y \leq 0 \right\}$$

7. 다음 집합 S는 $M_{2 \times 2}$의 부분공간이다.

$$S = \left\{ A \in M_{2 \times 2} \mid \det(A) = 0 \right\}$$

8. 다음 집합은 $\mathcal{P}_3$의 기저이다.

$$\{ 2, \; 1 + x, \; 2 - 3x^2, \; x^2 - x + 1 \}$$

9. 다음 집합은 $\mathcal{P}_3$의 기저이다.

$$\{ x^3 - 2x^2 + 1, \; x^2 - 4, \; x^3 + 2x, \; 5x \}$$

10. $\mathbb{R}^3$에서 다음 부분공간의 차원은 2이다.

$$S = \left\{ \begin{bmatrix} s + 2t \\ t - s \\ s \end{bmatrix} \;\middle|\; s, t \in \mathbb{R} \right\}$$

11. S와 T가 다음과 같다면,

$$S = \left\{ \begin{bmatrix} 1 \\ 4 \end{bmatrix}, \begin{bmatrix} 2 \\ 1 \end{bmatrix} \right\}$$

$$T = \left\{ \begin{bmatrix} 1 \\ 4 \end{bmatrix}, \begin{bmatrix} 2 \\ 1 \end{bmatrix}, \begin{bmatrix} 3 \\ 5 \end{bmatrix} \right\}$$

$\mathrm{span}(S) = \mathrm{span}(T)$ 이다.

12. 다음 집합은 $\mathbb{R}^3$에서 차원이 1인 부분공간이다.

$$S = \left\{ \begin{bmatrix} 2a \\ a \\ 0 \end{bmatrix} \;\middle|\; a \in \mathbb{R} \right\}$$

13. $S = \{\mathbf{v}_1, \mathbf{v}_2, \mathbf{v}_3\}$이고 $T = \{\mathbf{v}_1, \mathbf{v}_2, \mathbf{v}_3, \mathbf{v}_1 + \mathbf{v}_2\}$이면 $\mathrm{span}(S) = \mathrm{span}(T)$ 이다.

14. $S = \{\mathbf{v}_1, \mathbf{v}_2, \mathbf{v}_3\}$이고 $T = \{\mathbf{v}_1, \mathbf{v}_2, \mathbf{v}_3, \mathbf{v}_1 + \mathbf{v}_2\}$이면, S는 기저이고, T는 기저가 아니다.

15. $\{\mathbf{v}_1, \mathbf{v}_2, \mathbf{v}_3\}$이 벡터공간 V의 기저이고, $\mathbf{w}_1 = \mathbf{v}_1 + 2\mathbf{v}_2 + \mathbf{v}_3$, $\mathbf{w}_2 = \mathbf{v}_1 + \mathbf{v}_2 + \mathbf{v}_3$, $\mathbf{w}_3 = \mathbf{v}_1 - \mathbf{v}_2 - \mathbf{v}_3$이면, $W = \{\mathbf{w}_1, \mathbf{w}_2, \mathbf{w}_3\}$도 V의 기저이다.

16. V가 차원이 n인 벡터공간이고, S가 V를 생성하는 벡터집합이라 하면, S에 있는 벡터의 개수는 n이하이다.

17. V가 차원이 n인 벡터공간이면, $n - 1$개의 어떠한 벡터들의 집합도 일차종속이다.

18. S와 T가 벡터공간 V의 부분공간이라 하면, $S \cup T$도 부분공간이 된다.

19. $S = \{\mathbf{v}_1, \ldots, \mathbf{v}_n\}$이 $\mathbb{R}^n$에서 일차독립인 벡터들의 집합이라면, S는 기저이다.

20. A는 3×3 행렬이고 다음의 모든 벡터 $\mathbf{b}$에 대해

$$\mathbf{b} = \begin{bmatrix} a \\ b \\ c \end{bmatrix}$$

연립일차방정식 $A\mathbf{x} = \mathbf{b}$가 해를 갖는다면, A의 열벡터들은 $\mathbb{R}^3$를 생성한다.

21. $n \times n$ 행렬이 가역이면, 열벡터들은 $\mathbb{R}^n$의 기저를 형성한다.

22. 벡터공간이 기저 S와 T를 갖고, S의 원소수

가 n이면, T의 원소수도 n이다.

23. 벡터공간 V에서,

$$\text{span}\{\mathbf{v}_1, \mathbf{v}_2, \ldots, \mathbf{v}_n\} = V$$

이고, $\mathbf{w}_1, \mathbf{w}_2, \ldots, \mathbf{w}_m$이 V의 원소들이면, 다음 이 성립한다.

$$\text{span}\{\mathbf{v}_1, \mathbf{v}_2, \ldots, \mathbf{v}_n, \mathbf{w}_1, \mathbf{w}_2, \ldots, \mathbf{w}_m\} = V$$

24. V는 차원 n인 벡터공간이고, H는 차원 n인 부분공간이면, $H = V$이다.

25. B_1과 B_2가 벡터공간 V의 기저들이면, B_1에서 B_2로의 추이행렬은 B_2에서 B_1로의 추이행렬 의 역행렬이 된다.

시험문제 26–29에서, 다음 $\mathbb{R}^2$의 기저들을 사용 하라.

$$B_1 = \left\{ \begin{bmatrix} 1 \\ -1 \end{bmatrix}, \begin{bmatrix} 0 \\ 2 \end{bmatrix} \right\} \quad B_2 = \left\{ \begin{bmatrix} 1 \\ 1 \end{bmatrix}, \begin{bmatrix} 3 \\ -1 \end{bmatrix} \right\}$$

26. 기저 B_1에 대하여 벡터 $\begin{bmatrix} 1 \\ 0 \end{bmatrix}$의 좌표는 $\begin{bmatrix} 1 \\ 1 \end{bmatrix}$

이다.

27. 기저 B_2에 대하여 벡터 $\begin{bmatrix} 1 \\ 0 \end{bmatrix}$의 좌표는 $\frac{1}{4}\begin{bmatrix} 1 \\ 1 \end{bmatrix}$

이다.

28. B_1에서 B_2로의 추이행렬은 다음과 같다.

$$[I]_{B_1}^{B_2} = \frac{1}{2}\begin{bmatrix} -1 & 3 \\ 1 & -1 \end{bmatrix}$$

29. B_2에서 B_1로의 추이행렬은 다음과 같다.

$$[I]_{B_2}^{B_1} = \begin{bmatrix} 1 & 3 \\ 1 & 1 \end{bmatrix}$$

시험문제 30–35에서, $\mathcal{P}_3$의 다음 기저들을 사용 하라.

$$B_1 = \{1, x, x^2, x^3\} \quad B_2 = \{x, x^2, 1, x^3\}$$

30. $[x^3 + 2x^2 - x]_{B_1} = \begin{bmatrix} 1 \\ 2 \\ -1 \end{bmatrix}$

31. $[x^3 + 2x^2 - x]_{B_1} = \begin{bmatrix} 0 \\ -1 \\ 2 \\ 1 \end{bmatrix}$

32. $[x^3 + 2x^2 - x]_{B_2} = \begin{bmatrix} 0 \\ -1 \\ 2 \\ 1 \end{bmatrix}$

33. $[x^3 + 2x^2 - x]_{B_2} = \begin{bmatrix} -1 \\ 2 \\ 0 \\ 1 \end{bmatrix}$

34. $[(1 + x)^2 - 3(x^2 + x - 1) + x^3)]_{B_2} = \begin{bmatrix} 4 \\ -1 \\ -2 \\ 1 \end{bmatrix}$

35. B_1에서 B_2로의 추이행렬은 다음과 같다.

$$[I]_{B_1}^{B_2} = \begin{bmatrix} 0 & 1 & 0 & 0 \\ 0 & 0 & 1 & 0 \\ 1 & 0 & 0 & 0 \\ 0 & 0 & 0 & 1 \end{bmatrix}$$

4장

선형변환

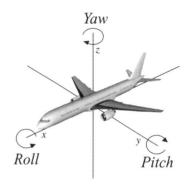

비행기 설계에 있어서 중요한 것은 날개 위로의 공기의 흐름이다. 비행기의 설계에서 고려해야 하는, 비행기에 미치는 4가지 힘은 양력(lift), 중력(gravity), 추력(thrust) 그리고 항력(drag)이다. 양력과 항력은 비행기가 공기 중에 움직일 때 생성되는 공기 역학적인 힘이다. 비행기가 이륙할 동안은 엔진의 추력은 항력을 극복하여야 한다. 비행기가 날아오르려면 날개 위로의 공기의 흐름에 의해 발생하는 양력은 중력을 극복해야 한다. 항공기술자들에 의해 개발된 수학적 모델은 운항중인 비행기의 행동을 시뮬레이션 한다. 이런 모델들은 수백만 개의 방정식과 변수들의 선형 시스템을 사용한다. 1장에서 보았듯이, 선형대수학은 이런 방정식들을 푸는 체계적인 방법을 제공한다. 비행기 설계에서의 선형대수학의 또 다른 응용은 공간을 통과하는 비행기의 움직임을 모델링하는 것이다. 그들의 설계의 실행 가능성을 점검하기 위해, 항공기술자들은 비행중인 항공기의 시뮬레이션을 가시화하기 위해 컴퓨터 그래픽스(computer graphics)를 사용한다. 비행기의 위치에 영향을 미치는 3 개의 제어 파라미터는 피치(pitch), 롤(roll) 그리고 요(yaw)이다. 피치는 지표면에 대한 비행기의 앞과 뒤의 기울어짐을 측정하며, 롤은 좌우로의 기울기를 측정한다. 이들은 함께 비행기의 자세를 나타낸다. 위의 그림을 사용하면 피치는 y축을 중심으로 한 회전이며, 롤은 x축을 중심으로 한 회전이다. 요는 z축 중심의 회전을 측정하며, 피치와 결합하여 기수의 방향(heading)을 나타낸다. 시뮬레이션 동안, 미리 정의된 평형의 중심점에 대한 좌표들에게 변환(transformation)을 적용함으로써 비행기의 자세와 기수 방향을 변화시킬 수 있다. 이 장에서는 변환이 행렬의 곱으로 표현될 수 있음을 알아본다. 구체적으로 만일 피치, 롤, 요의 각도가 각기 θ, φ, ψ로 주어진다면, 이런 변환들의 행렬 표현은 다음과 같이 주어진다.

$$\begin{bmatrix} \cos\theta & 0 & -\sin\theta \\ 0 & 1 & 0 \\ \sin\theta & 0 & \cos\theta \end{bmatrix} \quad \begin{bmatrix} 1 & 0 & 0 \\ 0 & \cos\varphi & -\sin\varphi \\ 0 & \sin\varphi & \cos\varphi \end{bmatrix} \quad \begin{bmatrix} \cos\psi & \sin\psi & 0 \\ -\sin\psi & \cos\psi & 0 \\ 0 & 0 & 1 \end{bmatrix}$$

이런 종류의 변환은 벡터공간 사이의 선형사상(linear map)으로서, 이 경우 $\mathbb{R}^3$로부터 $\mathbb{R}^3$로의 사상이다. 컴퓨터 그래픽스의 생성과 조작은 선형사상을 필요로 하는 많은 응용 예들 중의 하나로서 이 장에서 소개될 것이다.

넓은 응용분야로 인하여 벡터공간상의 선형변환(linear transformation)은 일반적으로 많은 사람들이 흥미를 가진 것으로 이 장의 주제이다. 벡터공간들 사이의 함수로서, 일차결합(linear combination)의 덧셈 구조를 보존하므로 선형변환은 특별하다. 즉, 선형변환하의 일차결합의 상(image)은 치역에서도 역시 일차결합이다. 이 장에서 우리는 선형변환과 행렬 사이의 관련성을 탐구하여, 유한차원의 벡터공간들 간의 모든 선형변환은 행렬의 곱으로 표시될 수 있음을 보일 것이다.

4.1 선형변환

수학에서 각 질의는 궁극적으로 어떤 집합 및 그 집합에서의 함수의 서술로 귀결된다. 어떤 사람들은 그 집합의 원소들을 명사(noun)로, 그 원소들에게 적용되는 함수를 동사(verb)로 은유적으로 부르기도 한다. 선형대수학에 있어서, 그 집합은 3장에서 다룬 벡터공간이며, 벡터공간상에서의 선형변환이 바로 그 함수이다.

만일 V와 W가 벡터공간이라면, V로부터 W로의 사상(mapping) T는, V의 각 벡터 $\mathbf{v}$에게 W의 유일한 벡터 $\mathbf{w}$를 할당하는 함수이다. 이 경우 T는 V를 W로 사상한다고 하고 $T : V \longrightarrow W$ 라고 표기한다. V내의 각각의 $\mathbf{v}$에 대해, W 내의 벡터 $\mathbf{w} = T(\mathbf{v})$ 는 T하에서의 $\mathbf{v}$의 상(image)이다.

예제 1

사상 $T : \mathbb{R}^2 \longrightarrow \mathbb{R}^2$를 다음과 같이 정의하자.

$$T\left(\begin{bmatrix} x \\ y \end{bmatrix}\right) = \begin{bmatrix} x+y \\ x-y \end{bmatrix}$$

a. 위 사상 T하에서의 좌표 벡터 $\mathbf{e}_1$ 과 $\mathbf{e}_2$ 의 상을 구하라.
b. 영 벡터로 사상되는 $\mathbb{R}^2$의 모든 벡터에 대해 설명하라.

c. V내의 모든 벡터 **u**와 **v** 및 $\mathbb{R}$내의 모든 스칼라 c에 대하여, 사상 T는 다음을 만족함을 보여라.

$$T(\mathbf{u} + \mathbf{v}) = T(\mathbf{u}) + T(\mathbf{v}) \quad \text{(벡터공간의 합의 보존)}$$
$$T(c\mathbf{v}) = cT(\mathbf{v}) \qquad\qquad \text{(스칼라 곱의 보존)}$$

풀이 **a.** $\mathbf{e}_1 = \begin{bmatrix} 1 \\ 0 \end{bmatrix}$ $\mathbf{e}_2 = \begin{bmatrix} 0 \\ 1 \end{bmatrix}$ 이므로

$$T(\mathbf{e}_1) = \begin{bmatrix} 1+0 \\ 1-0 \end{bmatrix} = \begin{bmatrix} 1 \\ 1 \end{bmatrix} \text{ 및 } T(\mathbf{e}_2) = \begin{bmatrix} 1 \\ -1 \end{bmatrix} \text{이다.}$$

b. 이 질문에 답하기 위해서는 다음을 풀어야 한다.

$$T\left(\begin{bmatrix} x \\ y \end{bmatrix} \right) = \begin{bmatrix} x+y \\ x-y \end{bmatrix} = \begin{bmatrix} 0 \\ 0 \end{bmatrix}$$

이것은 선형계 $\begin{cases} x+y=0 \\ x-y=0 \end{cases}$ 과 동일하며, 유일한 해는 $x=y=0$이다.

따라서 T에 의해 $\begin{bmatrix} 0 \\ 0 \end{bmatrix}$으로 사상되는 유일한 벡터는 영벡터 $\begin{bmatrix} 0 \\ 0 \end{bmatrix}$ 뿐이다.

c. 사상 T가 벡터공간 합을 보존함을 보이기 위해, $\mathbf{u} = \begin{bmatrix} u_1 \\ u_2 \end{bmatrix}$ 및 $\mathbf{v} = \begin{bmatrix} v_1 \\ v_2 \end{bmatrix}$라 하자.

그러면

$$\begin{aligned}
T(\mathbf{u} + \mathbf{v}) &= T\left(\begin{bmatrix} u_1 \\ u_2 \end{bmatrix} + \begin{bmatrix} v_1 \\ v_2 \end{bmatrix} \right) \\
&= T\left(\begin{bmatrix} u_1 + v_1 \\ u_2 + v_2 \end{bmatrix} \right) \\
&= \begin{bmatrix} (u_1 + v_1) + (u_2 + v_2) \\ (u_1 + v_1) - (u_2 + v_2) \end{bmatrix} \\
&= \begin{bmatrix} u_1 + u_2 \\ u_1 - u_2 \end{bmatrix} + \begin{bmatrix} v_1 + v_2 \\ v_1 - v_2 \end{bmatrix} \\
&= T\left(\begin{bmatrix} u_1 \\ u_2 \end{bmatrix} \right) + T\left(\begin{bmatrix} v_1 \\ v_2 \end{bmatrix} \right) \\
&= T(\mathbf{u}) + T(\mathbf{v})
\end{aligned}$$

또한 다음을 얻는다.

$$T(c\mathbf{u}) = T\left(\begin{bmatrix} cu_1 \\ cu_2 \end{bmatrix}\right)$$

$$= \begin{bmatrix} cu_1 + cu_2 \\ cu_1 - cu_2 \end{bmatrix} = c\begin{bmatrix} u_1 + u_2 \\ u_1 - u_2 \end{bmatrix}$$

$$= cT(\mathbf{u}) \qquad\qquad ■$$

예제 1에서 보인 두 가지 성질, 즉 다음을 만족하는 벡터공간 V와 W 사이의 사상 T는 V로부터 W로의 선형변환(linear transformation)이라고 불린다.

$$T(\mathbf{u} + \mathbf{v}) = T(\mathbf{u}) + T(\mathbf{v}) \qquad T(c\mathbf{u}) = cT(\mathbf{u})$$

각 방정식 좌변의 덧셈과 스칼라 곱 연산은 벡터공간 V에서의 연산이며, 우변의 연산은 벡터공간 W에서의 연산임에 주목하라.

정의 1은 T가 선형변환이 되기 위한 이 두 요구조건을 하나의 문장으로 나타낸 것이다.

정의 1 선형변환

V와 W를 벡터공간이라고 하자. 사상 $T: V \longrightarrow W$ 가 선형변환일 필요충분조건은, V의 모든 벡터 $\mathbf{u}$와 $\mathbf{v}$ 및 $\mathbb{R}$ 내의 스칼라 c에 대하여 다음이 만족한다는 것이다.

$$T(c\mathbf{u} + \mathbf{v}) = cT(\mathbf{u}) + T(\mathbf{v})$$

$V = W$ 의 경우, T는 선형연산자(linear operator)라고 불린다.

예제 1에서 정의된 사상 T는 $\mathbb{R}^2$ 에서의 선형연산자이다. 예제 2에서는 선형변환을 정의하기 위해 행렬이 어떻게 사용되는지를 보인다.

예제 2

A를 $m \times n$ 행렬이라고 하자. 사상 $T: \mathbb{R}^n \longrightarrow \mathbb{R}^m$ 을 다음과 같이 정의한다.

$$T(\mathbf{x}) = A\mathbf{x}$$

a. T는 선형변환임을 보여라.

b. A는 다음과 같은 2×3 행렬이라고 하자.

$$A = \begin{bmatrix} 1 & 2 & -1 \\ -1 & 3 & 2 \end{bmatrix}$$

이 경우, $T(\mathbf{x}) = A\mathbf{x}$ 인 사상 $T: \mathbb{R}^3 \longrightarrow \mathbb{R}^2$ 하에서의 다음 두 벡터의 상을 구하라.

$$\begin{bmatrix} 1 \\ 1 \\ 1 \end{bmatrix} \quad \begin{bmatrix} 7 \\ -1 \\ 5 \end{bmatrix}$$

풀이 **a.** 1.3절의 정리 5에 의해, $\mathbb{R}^n$ 의 모든 벡터 **u**와 **v**, 그리고 $\mathbb{R}$ 내의 모든 스칼라 c에 대해,

$$A(c\mathbf{u} + \mathbf{v}) = cA\mathbf{u} + A\mathbf{v}$$

따라서

$$T(c\mathbf{u} + \mathbf{v}) = cT(\mathbf{u}) + T(\mathbf{v})$$

b. T는 행렬의 곱으로 정의되므로 다음을 얻는다.

$$T\left(\begin{bmatrix} 1 \\ 1 \\ 1 \end{bmatrix}\right) = \begin{bmatrix} 1 & 2 & -1 \\ -1 & 3 & 2 \end{bmatrix}\begin{bmatrix} 1 \\ 1 \\ 1 \end{bmatrix} = \begin{bmatrix} 2 \\ 4 \end{bmatrix}$$

$$T\left(\begin{bmatrix} 7 \\ -1 \\ 5 \end{bmatrix}\right) = \begin{bmatrix} 1 & 2 & -1 \\ -1 & 3 & 2 \end{bmatrix}\begin{bmatrix} 7 \\ -1 \\ 5 \end{bmatrix} = \begin{bmatrix} 0 \\ 0 \end{bmatrix}$$

　나중에 이 장의 4.4절에서, 유한차원의 벡터공간들 사이의 모든 선형변환은 행렬로 표시될 수 있음을 보일 것이다. 예제 1과 2에서는 선형변환의 몇몇 대수적 성질에 대하여 알아보았다. 예제 3에서는 기하학적인 관점에서 선형변환의 작용을 고려하기로 한다.

예제 3

선형변환 $T: \mathbb{R}^3 \longrightarrow \mathbb{R}^2$ 를 다음과 같이 정의한다.

$$T\left(\begin{bmatrix} x \\ y \\ z \end{bmatrix}\right) = \begin{bmatrix} x \\ y \end{bmatrix}$$

a. $\mathbb{R}^3$ 의 벡터에 대한 T의 작용에 대해 말하고, 다음 방정식의 기하학적 의미를 설명하라.

$$T\left(\begin{bmatrix} 1 \\ 0 \\ 1 \end{bmatrix} + \begin{bmatrix} 0 \\ 1 \\ 1 \end{bmatrix}\right) = T\left(\begin{bmatrix} 1 \\ 0 \\ 1 \end{bmatrix}\right) + T\left(\begin{bmatrix} 0 \\ 1 \\ 1 \end{bmatrix}\right)$$

b. 다음 집합의 상을 구하라.

$$S_1 = \left\{ t \begin{bmatrix} 1 \\ 2 \\ 1 \end{bmatrix} \,\middle|\, t \in \mathbb{R} \right\}$$

c. 다음 집합의 상을 구하라.

$$S_2 = \left\{ \begin{bmatrix} x \\ y \\ 3 \end{bmatrix} \,\middle|\, x, y \in \mathbb{R} \right\}$$

d. 다음 집합을 설명하고, 그 집합의 상을 구하라.

$$S_3 = \left\{ \begin{bmatrix} x \\ 0 \\ z \end{bmatrix} \,\middle|\, x, z \in \mathbb{R} \right\}$$

풀이 **a.** 선형변환 T는 $\mathbb{R}^3$의 벡터를 xy 평면 위의 상으로의 투영(projection) 혹은 그림자를 준다. 다음의 벡터를 정의하자.

$$\mathbf{v}_1 = \begin{bmatrix} 1 \\ 0 \\ 1 \end{bmatrix} \qquad \mathbf{v}_2 = \begin{bmatrix} 0 \\ 1 \\ 1 \end{bmatrix} \qquad \mathbf{v}_3 = \mathbf{v}_1 + \mathbf{v}_2 = \begin{bmatrix} 1 \\ 1 \\ 2 \end{bmatrix}$$

이 벡터들의 상은 그림 1에 주어져 있다. 이 그림에서 $T(\mathbf{v}_3) = \begin{bmatrix} 1 \\ 1 \end{bmatrix}$ 은 예측된 대로 두 벡터의

합 $T(\mathbf{v}_1) + T(\mathbf{v}_2) = \begin{bmatrix} 1 \\ 0 \end{bmatrix} + \begin{bmatrix} 0 \\ 1 \end{bmatrix}$ 과 같음을 알 수 있다.

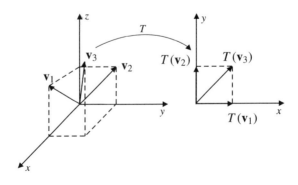

그림 1

b. 집합 S_1은 방향 벡터 $\begin{bmatrix} 1 \\ 2 \\ 1 \end{bmatrix}$ 을 가진 3차원 공간에서의 직선이다. T의 정의에 의해,

$$T(S_1) = \left\{ t \begin{bmatrix} 1 \\ 2 \end{bmatrix} \;\middle|\; t \in \mathbb{R} \right\}$$

이것은 기울기 2를 가진 원점을 통과하는 $\mathbb{R}^2$ 상의 직선이다.

c. 집합 S_2는 xy 평면에 평행하나 3만큼 위에 있는 3차원 공간에서의 평면이다. 이 경우

$$T(S_2) = \left\{ \begin{bmatrix} x \\ y \end{bmatrix} \;\middle|\; x, y \in \mathbb{R} \right\}$$

따라서 S_2의 상은 전체 xy 평면인데, 이는 T를 투영이라는 관점에서 예측된 결과와 일치한다.

d. 집합 S_3는 xz 평면이다. 따라서

$$T(S_3) = \left\{ \begin{bmatrix} x \\ 0 \end{bmatrix} \;\middle|\; x \in \mathbb{R} \right\}$$

이것은 바로 x축이다. 또한 이것은 T의 설명에 의해 예측된 결과와 같다. ■

예제 4에서는 다항식의 벡터공간들 사이의 선형변환을 정의하기 위해 함수의 도함수(derivative)를 사용한다.

예제 4

$p'(x)$ 를 $p(x)$ 의 도함수라고 할 때, 사상 $T : \mathcal{P}_3 \longrightarrow \mathcal{P}_2$ 를 다음과 같이 정의한다.

$$T(p(x)) = p'(x)$$

a. T는 선형변환임을 보여라.

b. 다항식 $p(x) = 3x^3 + 2x^2 - x + 2$의 상을 구하라.

c. $\mathcal{P}_2$의 영벡터로 사상될 $\mathcal{P}_3$의 다항식에 대해 설명하라.

풀이 우선, 만일 $p(x)$가 $\mathcal{P}_3$ 내의 원소라면, $p(x)$는 다음과 같은 형태이므로

$$p(x) = ax^3 + bx^2 + cx + d$$

따라서

$$T(p(x)) = p'(x) = 3ax^2 + 2bx + c$$

$p'(x)$ 는 $\mathcal{P}_2$의 원소이므로 T는 $\mathcal{P}_3$로부터 $\mathcal{P}_2$로의 사상이다.

a. T가 선형임을 보이기 위해, $p(x)$와 $q(x)$는 차수 3 또는 그 이하의 다항식이라고 하고, k를 어떤 스칼라라고 하자. 미적분학에서 어떤 합의 도함수는 그 도함수의 합과 동일하며, 어떤 함수에

스칼라를 곱한 것의 도함수는 그 함수의 도함수에 그 스칼라를 곱한 것과 동일함을 상기하자. 따라서

$$T(kp(x) + q(x)) = \frac{d}{dx}(kp(x) + q(x))$$
$$= \frac{d}{dx}(kp(x)) + \frac{d}{dx}(q(x))$$
$$= kp'(x) + q'(x)$$
$$= kT(p(x)) + T(q(x))$$

그러므로 사상 T는 선형변환이다.

b. 다항식 $p(x) = 3x^3 + 2x^2 - x + 2$의 상은

$$T(p(x)) = \frac{d}{dx}(3x^3 + 2x^2 - x + 2) = 9x^2 + 4x - 1$$

c. 도함수가 0인 $\mathcal{P}_3$내의 유일한 함수는 상수 다항식 $p(x) = c(c$는 실수$)$ 뿐이다. ■

| **명제 1** |

V와 W를 벡터공간이라 하고, $T : V \longrightarrow W$를 어떤 선형변환이라고 하자. 그러면 $T(\mathbf{0}) = \mathbf{0}$이다.

증명 $T(\mathbf{0}) = T(\mathbf{0} + \mathbf{0})$이며 T는 선형변환이므로, $T(\mathbf{0}) = T(\mathbf{0} + \mathbf{0}) = T(\mathbf{0}) + T(\mathbf{0})$이다. 마지막 식의 양변에서 $T(\mathbf{0})$를 빼면 $T(\mathbf{0}) = \mathbf{0}$를 얻는다.

예제 5

사상 $T : \mathbb{R}^2 \longrightarrow \mathbb{R}^2$를 다음과 같이 정의한다.

$$T\left(\begin{bmatrix} x \\ y \end{bmatrix}\right) = \left(\begin{bmatrix} e^x \\ e^y \end{bmatrix}\right)$$

T가 선형변환인지 아닌지를 판단하여라.

풀이 $T(\mathbf{0}) = T\left(\begin{bmatrix} 0 \\ 0 \end{bmatrix}\right) = \begin{bmatrix} e^0 \\ e^0 \end{bmatrix} = \begin{bmatrix} 1 \\ 1 \end{bmatrix}$ 이므로, 명제 1의 대우(contrapositive)에 의해, T는 선형변환이 아님을 알 수 있다. ■

예제 6

사상 $T : M_{m \times n} \longrightarrow M_{n \times m}$ 을 다음과 같이 정의한다.

$$T(A) = A^t$$

이 사상은 선형변환임을 보여라.

풀이　1.3절의 정리 6에 의해,

$$T(A+B) = (A+B)^t = A^t + B^t = T(A) + T(B)$$

또한 같은 정리에 의해

$$T(cA) = (cA)^t = cA^t = cT(A)$$

따라서 T는 선형변환이다.　　　　　　　　　　　　　　　　　　　　　■

예제 7

좌표　V는 $\dim(V) = n$인 벡터공간이며, $B = \{\mathbf{v}_1, \mathbf{v}_2, \ldots, \mathbf{v}_n\}$를 V의 순서 기저(ordered basis)라 하자. $T:V \longrightarrow \mathbb{R}^n$는 V 내의 벡터 $\mathbf{v}$를 B에 대한 $\mathbb{R}^n$의 좌표 벡터로 대응하는 사상이라고 하자. 즉

$$T(\mathbf{v}) = [\mathbf{v}]_B$$

이런 사상이 잘 정의된다는 사실, 즉 B에 대한 좌표 벡터 $\mathbf{v}$가 유일함은 3.4절에서 이미 보았다. 이 사상 T는 역시 선형변환임을 보여라.

풀이　$\mathbf{u}$와 $\mathbf{v}$를 V의 벡터, k를 스칼라라고 하자. B는 기저이므로, 다음을 만족하는 스칼라의 집합들 $c_1, \ldots, c_n$과 $d_1, \ldots, d_n$이 유일하게 존재한다.

$$\mathbf{u} = c_1\mathbf{v}_1 + \cdots + c_n\mathbf{v}_n \qquad \mathbf{v} = d_1\mathbf{v}_1 + \cdots + d_n\mathbf{v}_n$$

T를 벡터 $k\mathbf{u} + \mathbf{v}$에 적용하면

$$
\begin{aligned}
T(k\mathbf{u} + \mathbf{v}) &= T((kc_1 + d_1)\mathbf{v}_1 + \cdots + (kc_n + d_n)\mathbf{v}_n) \\
&= \begin{bmatrix} kc_1 + d_1 \\ kc_2 + d_2 \\ \vdots \\ kc_n + d_n \end{bmatrix} = k\begin{bmatrix} c_1 \\ c_2 \\ \vdots \\ c_n \end{bmatrix} + \begin{bmatrix} d_1 \\ d_2 \\ \vdots \\ d_n \end{bmatrix} \\
&= kT(\mathbf{u}) + T(\mathbf{v})
\end{aligned}
$$

이로서 사상 T는 선형변환임을 보였다.　　　　　　　　　　　　　　　■

이전에 언급하였듯이, 만일 $T:V \longrightarrow W$가 선형변환이면 V는 W로 사상되더라도 그 구조가 보존된다. 구체적으로 말하면, 선형사상 하에서 벡터들의 일차결합의 상은, 같은 계수를 가진 상 벡터(image vector)를 일차결합한 것과 동일하다. 이를 보기 위해 V와 W를 벡터공간, $T:V \longrightarrow W$를 어떤 선형변환이라고 하자. 그러면 정의 1을 연속적으로 적용하면

$$T(c_1\mathbf{v}_1 + c_2\mathbf{v}_2 + \cdots + c_n\mathbf{v}_n) = T(c_1\mathbf{v}_1) + \cdots + T(c_n\mathbf{v}_n)$$
$$= c_1T(\mathbf{v}_1) + c_2T(\mathbf{v}_2) + \cdots + c_nT(\mathbf{v}_n)$$

벡터공간 V와 W 사이의 선형변환 T가 일차결합을 보존한다는 사실은, V의 기저 벡터에 대한 T의 작용을 알 경우 T를 계산할 때 유용하다. 이는 예제 8에서 예시하였다.

예제 8

$T: \mathbb{R}^3 \rightarrow \mathbb{R}^2$ 를 선형변환, B를 $\mathbb{R}^3$의 표준기저라 하자. 만일

$$T(\mathbf{e}_1) = \begin{bmatrix} 1 \\ 1 \end{bmatrix} \qquad T(\mathbf{e}_2) = \begin{bmatrix} -1 \\ 2 \end{bmatrix} \qquad T(\mathbf{e}_3) = \begin{bmatrix} 0 \\ 1 \end{bmatrix}$$

이고 $\mathbf{v}$가 다음과 같을 때 $T(\mathbf{v})$를 구하라.

$$\mathbf{v} = \begin{bmatrix} 1 \\ 3 \\ 2 \end{bmatrix}$$

풀이   벡터 $\mathbf{v}$의 상을 구하기 위해, 우선 $\mathbf{v}$를 기저 벡터의 일차결합으로 나타낸다. 이 경우, $\mathbf{v} = \mathbf{e}_1 + 3\mathbf{e}_2 + 2\mathbf{e}_3$ 이다.

이 일차결합에 T를 적용하고 T가 선형이라는 성질을 이용하면,

$$T(\mathbf{v}) = T(\mathbf{e}_1 + 3\mathbf{e}_2 + 2\mathbf{e}_3)$$
$$= T(\mathbf{e}_1) + 3T(\mathbf{e}_2) + 2T(\mathbf{e}_3)$$
$$= \begin{bmatrix} 1 \\ 1 \end{bmatrix} + 3\begin{bmatrix} -1 \\ 2 \end{bmatrix} + 2\begin{bmatrix} 0 \\ 1 \end{bmatrix}$$
$$= \begin{bmatrix} -2 \\ 9 \end{bmatrix}$$

이다.　　　　　　　　　　　　　　　　　　　　　　　　　　　■

예제 9

$T: \mathbb{R}^3 \longrightarrow \mathbb{R}^3$ 를 선형연산자, B를 다음과 같이 주어진 $\mathbb{R}^3$의 기저라 하자.

$$B = \left\{ \begin{bmatrix} 1 \\ 1 \\ 1 \end{bmatrix}, \begin{bmatrix} 1 \\ 2 \\ 3 \end{bmatrix}, \begin{bmatrix} 1 \\ 1 \\ 2 \end{bmatrix} \right\}$$

만일 T가 다음을 만족한다면

$$T\left(\begin{bmatrix} 1 \\ 1 \\ 1 \end{bmatrix}\right) = \begin{bmatrix} 1 \\ 1 \\ 1 \end{bmatrix} \qquad T\left(\begin{bmatrix} 1 \\ 2 \\ 3 \end{bmatrix}\right) = \begin{bmatrix} -1 \\ -2 \\ -3 \end{bmatrix} \qquad T\left(\begin{bmatrix} 1 \\ 1 \\ 2 \end{bmatrix}\right) = \begin{bmatrix} 2 \\ 2 \\ 4 \end{bmatrix}$$

$T\left(\begin{bmatrix} 2 \\ 3 \\ 6 \end{bmatrix}\right)$ 를 구하라.

풀이 B는 $\mathbb{R}^3$의 기저이므로, 다음을 만족하는 (유일한) 스칼라 c_1, c_2, c_3가 존재한다.

$$c_1 \begin{bmatrix} 1 \\ 1 \\ 1 \end{bmatrix} + c_2 \begin{bmatrix} 1 \\ 2 \\ 3 \end{bmatrix} + c_3 \begin{bmatrix} 1 \\ 1 \\ 2 \end{bmatrix} = \begin{bmatrix} 2 \\ 3 \\ 6 \end{bmatrix}$$

이 방정식을 풀면 $c_1 = -1$, $c_2 = 1$, $c_3 = 2$를 얻는다. 따라서

$$T\left(\begin{bmatrix} 2 \\ 3 \\ 6 \end{bmatrix}\right) = T\left(-1\begin{bmatrix} 1 \\ 1 \\ 1 \end{bmatrix} + \begin{bmatrix} 1 \\ 2 \\ 3 \end{bmatrix} + 2\begin{bmatrix} 1 \\ 1 \\ 2 \end{bmatrix}\right)$$

T는 선형이므로 다음을 얻는다.

$$\begin{aligned}
T\left(\begin{bmatrix} 2 \\ 3 \\ 6 \end{bmatrix}\right) &= (-1)T\left(\begin{bmatrix} 1 \\ 1 \\ 1 \end{bmatrix}\right) + T\left(\begin{bmatrix} 1 \\ 2 \\ 3 \end{bmatrix}\right) + 2T\left(\begin{bmatrix} 1 \\ 1 \\ 2 \end{bmatrix}\right) \\
&= -\begin{bmatrix} 1 \\ 1 \\ 1 \end{bmatrix} + \begin{bmatrix} -1 \\ -2 \\ -3 \end{bmatrix} + 2\begin{bmatrix} 2 \\ 2 \\ 4 \end{bmatrix} \\
&= \begin{bmatrix} 2 \\ 1 \\ 4 \end{bmatrix}
\end{aligned}$$

선형변환을 가진 연산자들

새로운 선형변환을 생성하기 위해, 선형변환은 보통의 덧셈과 스칼라 곱을 사용하여 결합될 수 있다. 예를 들어, $S,\ T : \mathbb{R}^2 \longrightarrow \mathbb{R}^2$가 다음과 같이 정의된다고 하자.

$$S\left(\begin{bmatrix} x \\ y \end{bmatrix}\right) = \begin{bmatrix} x+y \\ -x \end{bmatrix} \qquad T\left(\begin{bmatrix} x \\ y \end{bmatrix}\right) = \begin{bmatrix} 2x - y \\ x + 3y \end{bmatrix}$$

그러면 다음과 같이 정의한다.

$$(S+T)(\mathbf{v}) = S(\mathbf{v}) + T(\mathbf{v}) \qquad (cS)(\mathbf{v}) = c(S(\mathbf{v}))$$

이 정의를 예시하기 위해, $\mathbf{v} = \begin{bmatrix} 2 \\ -1 \end{bmatrix}$이라 하자. 그러면

$$(S+T)(\mathbf{v}) = S(\mathbf{v}) + T(\mathbf{v}) = \begin{bmatrix} 2+(-1) \\ -2 \end{bmatrix} + \begin{bmatrix} 2(2)-(-1) \\ 2+3(-1) \end{bmatrix} = \begin{bmatrix} 6 \\ -3 \end{bmatrix}$$

스칼라 곱의 경우, $c=3$이라 하자. 그러면

$$(3T)(\mathbf{v}) = 3T(\mathbf{v}) = 3\begin{bmatrix} 5 \\ -1 \end{bmatrix} = \begin{bmatrix} 15 \\ -3 \end{bmatrix}$$

정리 1에서 선형변환에의 이런 연산들은 또 다른 선형변환을 생성함을 보인다.

정리 1

V와 W를 벡터공간, $S, T{:}V \longrightarrow W$를 선형변환이라고 하자.
다음과 같이 정의된 함수 $S+T$는 V로부터 W로의 선형변환이다.

$$(S+T)(\mathbf{v}) = S(\mathbf{v}) + T(\mathbf{v})$$

만일 c가 임의의 스칼라이면, 다음과 같이 정의된 함수 cS는 V로부터 W로의 선형변환이다.

$$(cS)(\mathbf{v}) = cS(\mathbf{v})$$

증명 $\mathbf{u}, \mathbf{v} \in V$이며 d를 임의의 스칼라라고 하자. 그러면

$$\begin{aligned}
(S+T)(d\mathbf{u}+\mathbf{v}) &= S(d\mathbf{u}+\mathbf{v}) + T(d\mathbf{u}+\mathbf{v}) \\
&= S(d\mathbf{u}) + S(\mathbf{v}) + T(d\mathbf{u}) + T(\mathbf{v}) \\
&= dS(\mathbf{u}) + S(\mathbf{v}) + dT(\mathbf{u}) + T(\mathbf{v}) \\
&= d(S(\mathbf{u})+T(\mathbf{u})) + S(\mathbf{v})+T(\mathbf{v}) \\
&= d(S+T)(\mathbf{u}) + (S+T)(\mathbf{v})
\end{aligned}$$

따라서 $S+T$는 선형변환이다. 또한

$$\begin{aligned}
(cS)(d\mathbf{u}+\mathbf{v}) &= c(S(d\mathbf{u}+\mathbf{v})) \\
&= c(S(d\mathbf{u})+S(\mathbf{v})) \\
&= c(dS(\mathbf{u})+S(\mathbf{v})) \\
&= (cd)S(\mathbf{u}) + cS(\mathbf{v}) \\
&= d(cS)(\mathbf{u}) + (cS)(\mathbf{v})
\end{aligned}$$

따라서 cS도 선형변환이다.

앞에서 정의된 두 선형변환의 합과 스칼라 곱을 사용하면, 주어진 두 벡터공간 사이의 모든 선형변환들의 집합 그 자체는 £(U, V)로 표현되는 벡터공간이다. 이것의 증명은 이 절의 끝의 연습문제 45로 남겨둔다.

예제 2에서 본 바와 같이, 각각의 $m \times n$ 행렬 A는 $\mathbb{R}^n$으로부터 $\mathbb{R}^m$으로의 선형사상(linear map)을 정의한다. 또한 만일 B가 $n \times p$ 행렬이라면, B는 $\mathbb{R}^p$로부터 $\mathbb{R}^n$으로의 선형사상을 정의한다. 그러면 행렬의 곱 AB는 크기가 $m \times p$인데, 이는 $\mathbb{R}^p$로부터 $\mathbb{R}^m$으로의 선형사상을 정의한다. 앞으로 (4.4절에서) 보겠지만, 이 사상은 A와 B에 의해 정의된 사상들의 합성에 해당된다. 이런 대응의 희망이 1.3절에서 주어진 행렬 곱의 정의의 동기이다.

정리 2

U, V, W를 벡터공간이라 하자. 만일 $T : V \longrightarrow U$와 $S : U \rightarrow W$가 선형변환이면, 다음에 의해 정의되는 합성 사상 $S \circ T : V \longrightarrow W$는 선형변환이다(그림 2를 보라).

$$(S \circ T)(\mathbf{v}) = S(T(\mathbf{v}))$$

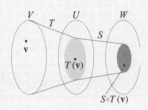

그림 2

증명 $S \circ T$가 선형변환임을 보이기 위해, $\mathbf{v}_1$과 $\mathbf{v}_2$를 V의 두 벡터라 하고, c를 스칼라라고 하자. $S \circ T$를 $c\mathbf{v}_1 + \mathbf{v}_2$에 적용하면

$$
\begin{aligned}
(S \circ T)(c\mathbf{v}_1 + \mathbf{v}_2) &= S(T(c\mathbf{v}_1 + \mathbf{v}_2)) \\
&= S(cT(\mathbf{v}_1) + T(\mathbf{v}_2)) \\
&= S(cT(\mathbf{v}_1)) + S(T(\mathbf{v}_2)) \\
&= cS(T(\mathbf{v}_1)) + S(T(\mathbf{v}_2)) \\
&= c(S \circ T)(\mathbf{v}_1) + (S \circ T)(\mathbf{v}_2)
\end{aligned}
$$

이는 $S \circ T$가 선형변환임을 보인다.

벡터공간 V에서의 모든 선형연산자들(£(V, V)로 표시)의 경우, 덧셈 연산과 스칼라 곱의 연산은 £(V, V)를 벡터공간으로 만든다. 추가적으로 만일 £(V, V)에서의 곱을 $ST(\mathbf{v}) = (S \circ T)(\mathbf{v})$로 정의하면, 그 곱은 £(V, V)를 선형대수(linear algebra)로 만드는 데 필요한 성질을 만족시킨다.

핵심 요약

V, W, Z를 벡터공간, S와 T를 V로부터 W로의 함수라고 하자.

1. 모든 $\mathbf{u}, \mathbf{v} \in V$ 와 스칼라 c에 대해, 다음을 만족하면 함수 T는 선형변환이다.

$$T(c\mathbf{u} + \mathbf{v}) = cT(\mathbf{u}) + T(\mathbf{v})$$

2. A가 $m \times n$ 행렬이며 T는 $T(\mathbf{x}) = A\mathbf{x}$로 정의된다면, T는 $\mathbb{R}^n$으로부터 $\mathbb{R}^m$으로의 선형변환이다.

3. T가 선형변환이면, V 내의 영벡터는 W 내의 영벡터로 사상된다. 즉 $T(\mathbf{0}) = \mathbf{0}$이다.

4. $B = \{\mathbf{v}_1, \mathbf{v}_2, \ldots, \mathbf{v}_n\}$가 V와 $W = \mathbb{R}^n$의 순서 기저이면, 좌표 사상 $T(\mathbf{v}) = [\mathbf{v}]_B$는 선형변환이다.

5. $\{\mathbf{v}_1, \mathbf{v}_2, \ldots, \mathbf{v}_n\}$이 V의 벡터들의 집합이며 T가 선형변환이라면, 모든 스칼라 $c_1, \ldots, c_n$에 대해

$$T(c_1\mathbf{v}_1 + c_2\mathbf{v}_2 + \cdots + c_n\mathbf{v}_n) = c_1T(\mathbf{v}_1) + c_2T(\mathbf{v}_2) + \cdots + c_nT(\mathbf{v}_n)$$

이다.

6. S와 T가 선형변환이며 c가 스칼라이면, $S + T$와 cT는 선형변환이다.

7. $T : V \longrightarrow W$가 선형변환이며 $L : W \longrightarrow Z$ 도 또한 선형변환이면, $L \circ T : V \longrightarrow Z$ 도 역시 선형변환이다.

연습문제 4.1

연습문제 1-6에서는, 주어진 함수 $T : \mathbb{R}^2 \longrightarrow \mathbb{R}^2$가 선형변환인지를 판단하라.

1. $T\left(\begin{bmatrix} x \\ y \end{bmatrix}\right) = \begin{bmatrix} y \\ x \end{bmatrix}$

2. $T\left(\begin{bmatrix} x \\ y \end{bmatrix}\right) = \begin{bmatrix} x + y \\ x - y + 2 \end{bmatrix}$

3. $T\left(\begin{bmatrix} x \\ y \end{bmatrix}\right) = \begin{bmatrix} x \\ y^2 \end{bmatrix}$

4. $T\left(\begin{bmatrix} x \\ y \end{bmatrix}\right) = \begin{bmatrix} 2x - y \\ x + 3y \end{bmatrix}$

5. $T\left(\begin{bmatrix} x \\ y \end{bmatrix}\right) = \begin{bmatrix} x \\ 0 \end{bmatrix}$

6. $T\left(\begin{bmatrix} x \\ y \end{bmatrix}\right) = \begin{bmatrix} \frac{x+y}{2} \\ \frac{x+y}{2} \end{bmatrix}$

연습문제 7-16에서는, 주어진 함수가 벡터공간 사이의 선형변환인지를 판단하라.

7. $T : \mathbb{R} \longrightarrow \mathbb{R}$, $T(x) = x^2$

8. $T : \mathbb{R} \longrightarrow \mathbb{R}$, $T(x) = -2x$

9. $T : \mathbb{R}^2 \longrightarrow \mathbb{R}$, $T\left(\begin{bmatrix} x \\ y \end{bmatrix}\right) = x^2 + y^2$

10. $T : \mathbb{R}^3 \longrightarrow \mathbb{R}^2$,

$$T\left(\begin{bmatrix} x \\ y \\ z \end{bmatrix}\right) = \begin{bmatrix} x \\ y \end{bmatrix}$$

11. $T: \mathbb{R}^3 \longrightarrow \mathbb{R}^3$,

$$T\left(\begin{bmatrix} x \\ y \\ z \end{bmatrix}\right) = \begin{bmatrix} x + y - z \\ 2xy \\ x + z + 1 \end{bmatrix}$$

12. $T: \mathbb{R}^3 \longrightarrow \mathbb{R}^3$,

$$T\left(\begin{bmatrix} x \\ y \\ z \end{bmatrix}\right) = \begin{bmatrix} \cos x \\ \sin y \\ \sin x + \sin z \end{bmatrix}$$

13. $T: \mathcal{P}_3 \longrightarrow \mathcal{P}_3$,

$$T(p(x)) = 2p''(x) - 3p'(x) + p(x)$$

14. $T: \mathcal{P}n \longrightarrow \mathcal{P}n$,

$$T(p(x)) = p(x) + x$$

15. $T: M_{2\times2} \longrightarrow \mathbb{R}$, $T(A) = \det(A)$

16. $T: M_{2\times2} \longrightarrow M_{2\times2}$, $T(A) = A + A^t$

연습문제 17–20에서는, 두 벡터공간 사이의 함수 $T: V \to W$와 V의 두 벡터 **u**와 **v**가 주어진다.

  a. $T(\mathbf{u})$와 $T(\mathbf{v})$를 구하라.
  b. $T(\mathbf{u} + \mathbf{v}) = T(\mathbf{u}) + T(\mathbf{v})$가 성립하는가?
  c. T는 선형변환인가?

17. $T: \mathbb{R}^2 \longrightarrow \mathbb{R}^2$ 및 **u**와 **v**가 다음과 같이 정의될 경우

$$T\left(\begin{bmatrix} x \\ y \end{bmatrix}\right) = \begin{bmatrix} -x \\ y \end{bmatrix} \quad \mathbf{u} = \begin{bmatrix} -2 \\ 3 \end{bmatrix} \quad \mathbf{v} = \begin{bmatrix} 2 \\ -2 \end{bmatrix}$$

18. $T: \mathcal{P}_2 \longrightarrow \mathcal{P}_2$ 및 **u**와 **v**가 다음과 같이 정의될 경우

$$T(p(x)) = p''(x) - 2p'(x) + p(x)$$
$$\mathbf{u} = x^2 - 3x + 1 \qquad \mathbf{v} = -x - 1$$

19. $T: \mathcal{P}_3 \longrightarrow \mathbb{R}^2$ 및 **u**와 **v**가 다음과 같이 정의될 경우

$$T(ax^3 + bx^2 + cx + d) = \begin{bmatrix} -a - b + 1 \\ c + d \end{bmatrix}$$
$$\mathbf{u} = -x^3 + 2x^2 - x + 1 \qquad \mathbf{v} = x^2 - 1$$

20. $T: \mathbb{R}^3 \longrightarrow \mathbb{R}^2$ 및 **u**와 **v**가 다음과 같이 정의될 경우

$$T\left(\begin{bmatrix} x \\ y \\ z \end{bmatrix}\right) = \begin{bmatrix} x^2 - 1 \\ y + z \end{bmatrix} \quad \mathbf{u} = \begin{bmatrix} 1 \\ 2 \\ 3 \end{bmatrix} \quad \mathbf{v} = \begin{bmatrix} -\frac{1}{2} \\ -1 \\ 1 \end{bmatrix}$$

21. $T: \mathbb{R}^2 \longrightarrow \mathbb{R}^2$가 선형연산자이며

$$T\left(\begin{bmatrix} 1 \\ 0 \end{bmatrix}\right) = \begin{bmatrix} 2 \\ 3 \end{bmatrix}$$
$$T\left(\begin{bmatrix} 0 \\ 1 \end{bmatrix}\right) = \begin{bmatrix} -1 \\ 4 \end{bmatrix}$$

일 경우, $T\left(\begin{bmatrix} 1 \\ -3 \end{bmatrix}\right)$을 구하라.

22. $T: \mathbb{R}^3 \longrightarrow \mathbb{R}^3$가 선형연산자이며

$$T\left(\begin{bmatrix} 1 \\ 0 \\ 0 \end{bmatrix}\right) = \begin{bmatrix} 1 \\ -1 \\ 0 \end{bmatrix} \quad T\left(\begin{bmatrix} 0 \\ 1 \\ 0 \end{bmatrix}\right) = \begin{bmatrix} 2 \\ 0 \\ 1 \end{bmatrix}$$
$$T\left(\begin{bmatrix} 0 \\ 0 \\ 1 \end{bmatrix}\right) = \begin{bmatrix} 1 \\ -1 \\ 1 \end{bmatrix}$$

일 경우, $T\left(\begin{bmatrix} 1 \\ 7 \\ 5 \end{bmatrix}\right)$을 구하라.

23. $T: \mathcal{P}_2 \longrightarrow \mathcal{P}_2$가 선형연산자이며

$$T(1) = 1 + x \qquad T(x) = 2 + x^2$$

$$T(x^2) = x - 3x^2$$

일 경우, $T(-3 + x - x^2)$ 을 구하라.

24. $T: M_{2 \times 2} \longrightarrow M_{2 \times 2}$ 가 선형연산자이며

$$T(\mathbf{e}_{11}) = \begin{bmatrix} 0 & 1 \\ 0 & 0 \end{bmatrix} \qquad T(\mathbf{e}_{12}) = \begin{bmatrix} 1 & 0 \\ 0 & -1 \end{bmatrix}$$

$$T(\mathbf{e}_{21}) = \begin{bmatrix} 1 & 1 \\ 0 & 0 \end{bmatrix} \qquad T(\mathbf{e}_{22}) = \begin{bmatrix} 0 & 0 \\ 2 & 0 \end{bmatrix}$$

일 경우, $T\left(\begin{bmatrix} 2 & 1 \\ -1 & 3 \end{bmatrix} \right)$ 을 구하라.

25. $T: \mathbb{R}^2 \longrightarrow \mathbb{R}^2$ 가 선형연산자이며 다음과 같다고 하자.

$$T\left(\begin{bmatrix} 1 \\ 1 \end{bmatrix} \right) = \begin{bmatrix} 2 \\ -1 \end{bmatrix}$$

$$T\left(\begin{bmatrix} -1 \\ 0 \end{bmatrix} \right) = \begin{bmatrix} 2 \\ -1 \end{bmatrix}$$

그러면 $T\left(\begin{bmatrix} 3 \\ 7 \end{bmatrix} \right)$ 를 계산하는 것이 가능한가? 만일 가능하다면 그것을 계산하고, 그렇지 않다면 왜 불가능한지 이유를 설명하라.

26. 행렬 A가 다음과 같을 때, 선형연산자 $T: \mathbb{R}^3 \longrightarrow \mathbb{R}^3$ 를 $T(\mathbf{u}) = A\mathbf{u}$로 정의하자.

$$A = \begin{bmatrix} 1 & 2 & 3 \\ 2 & 1 & 3 \\ 1 & 3 & 2 \end{bmatrix}$$

a. $T(\mathbf{e}_1)$, $T(\mathbf{e}_2)$, $T(\mathbf{e}_3)$를 구하라.

b. $T(3\mathbf{e}_1 - 4\mathbf{e}_2 + 6\mathbf{e}_3)$를 구하라.

27. $T: \mathcal{P}_2 \longrightarrow \mathcal{P}_2$는 다음을 만족하는 선형연산자라고 하자.

$$T(x^2) = 2x - 1 \qquad T(-3x) = x^2 - 1$$

$$T(-x^2 + 3x) = 2x^2 - 2x + 1$$

a. $T(2x^2 - 3x + 2)$를 계산하는 것은 가능한가? 만일 그렇다면 그 값을 찾고, 그렇지 않다면 왜 불가능한지 이유를 설명하라.

b. $T(3x^2 - 4x)$를 계산하는 것은 가능한가? 만일 그렇다면 그 값을 찾고, 그렇지 않다면 왜 불가능한지 이유를 설명하라.

28. $T: \mathbb{R}^3 \longrightarrow \mathbb{R}^3$는 다음을 만족하는 선형연산자라고 하자.

$$T\left(\begin{bmatrix} 1 \\ 0 \\ 0 \end{bmatrix} \right) = \begin{bmatrix} -1 \\ 2 \\ 3 \end{bmatrix}$$

$$T\left(\begin{bmatrix} 1 \\ 1 \\ 0 \end{bmatrix} \right) = \begin{bmatrix} 2 \\ -2 \\ 1 \end{bmatrix}$$

$$T\left(\begin{bmatrix} 1 \\ 3 \\ 0 \end{bmatrix} \right) = \begin{bmatrix} 8 \\ -10 \\ -3 \end{bmatrix}$$

a. 다음을 계산하라.

$$T\left(\begin{bmatrix} 2 \\ -5 \\ 0 \end{bmatrix} \right)$$

b. $\mathbb{R}^3$ 의 모든 벡터들 $\mathbf{v}$에 대해 $T(\mathbf{v})$를 구하는 것이 가능한지 그 이유를 설명하라.

29. 선형연산자 $T: \mathbb{R}^2 \longrightarrow \mathbb{R}^2$ 를 다음과 같이 정의하자.

$$T\left(\begin{bmatrix} x \\ y \end{bmatrix} \right) = \begin{bmatrix} -x \\ -y \end{bmatrix}$$

a. $T(\mathbf{v}) = A\mathbf{v}$를 만족하는 행렬 A를 구하라.

b. $T(\mathbf{e}_1)$과 $T(\mathbf{e}_2)$를 구하라.

30. 선형변환 $T: \mathbb{R}^2 \longrightarrow \mathbb{R}^3$ 를 다음과 같이 정의하자.

$$T\left(\begin{bmatrix} x \\ y \end{bmatrix}\right) = \begin{bmatrix} x - 2y \\ 3x + y \\ 2y \end{bmatrix}$$

a. $T(\mathbf{v}) = A\mathbf{v}$를 만족하는 행렬 A를 구하라.

b. $T(\mathbf{e}_1)$과 $T(\mathbf{e}_2)$를 구하라.

31. $T: \mathbb{R}^3 \longrightarrow \mathbb{R}^2$를 다음과 같이 정의하자.

$$T\left(\begin{bmatrix} x \\ y \\ z \end{bmatrix}\right) = \begin{bmatrix} x + y \\ x - y \end{bmatrix}$$

$\mathbf{0}$으로 사상되는 모든 벡터들을 구하라.

32. $T: \mathbb{R}^3 \longrightarrow \mathbb{R}^2$를 다음과 같이 정의하자.

$$T\left(\begin{bmatrix} x \\ y \\ z \end{bmatrix}\right) = \begin{bmatrix} x + 2y + z \\ -x + 5y + z \end{bmatrix}$$

$\mathbf{0}$으로 사상되는 모든 벡터들을 구하라.

33. $T: \mathbb{R}^3 \longrightarrow \mathbb{R}^3$를 다음과 같이 정의하자.

$$T\left(\begin{bmatrix} x \\ y \\ z \end{bmatrix}\right) = \begin{bmatrix} x - y + 2z \\ 2x + 3y - z \\ -x + 2y - 2z \end{bmatrix}$$

a. 영벡터로 사상되는 $\mathbb{R}^3$의 모든 벡터들을 구하라.

b. $\mathbf{w} = \begin{bmatrix} 7 \\ -6 \\ -9 \end{bmatrix}$ 라 하자. $T(\mathbf{v}) = \mathbf{w}$를 만족하는 $\mathbb{R}^3$의 벡터 $\mathbf{v}$가 존재하는지를 확인하라.

34. $T: \mathcal{P}_2 \longrightarrow \mathcal{P}_2$를 다음과 같이 정의하자.

$$T(p(x)) = p'(x) - p(0)$$

a. $\mathbf{0}$으로 사상되는 모든 벡터들을 구하라.

b. $T(p(x)) = T(q(x)) = 6x - 3$를 만족하는 두 다항식 $p(x)$와 $q(x)$를 구하라.

c. T는 선형연산자인가?

35. $T_1 : V \longrightarrow \mathbb{R}$ 과 $T_2 : V \longrightarrow \mathbb{R}$ 을 선형변환이라고 하자. $T : V \longrightarrow \mathbb{R}^2$ 를 다음과 같이 정의하자.

$$T(\mathbf{v}) = \begin{bmatrix} T_1(\mathbf{v}) \\ T_2(\mathbf{v}) \end{bmatrix}$$

T는 선형변환임을 보여라.

36. $T: M_{n \times n} \longrightarrow \mathbb{R}$ 을 $T(A) = \mathbf{tr}(A)$로 정의하자. T는 선형변환임을 보여라.

37. B는 어떤 고정된 $n \times n$ 행렬이라고 하자. $T: M_{n \times n} \longrightarrow M_{n \times n}$ 를 $T(A) = AB - BA$로 정의하자. T는 선형연산자임을 보여라.

38. $T: \mathbb{R} \longrightarrow \mathbb{R}$ 을 $T(x) = mx + b$로 정의하자. 언제 T는 선형연산자가 되는가?

39. $C^{(0)}[0, 1]$의 각 함수 f에 대해, $T: C^{(0)}[0, 1] \to \mathbb{R}$를 다음과 같이 정의하자.

$$T(f) = \int_0^1 f(x)\, dx$$

a. T는 선형연산자임을 보여라.

b. $T(2x^2 - x + 3)$을 구하라.

40. $T: V \longrightarrow W$ 는 선형변환이며 $T(\mathbf{u}) = \mathbf{w}$라 하자. $T(\mathbf{v}) = \mathbf{0}$라 할 경우, $T(\mathbf{u} + \mathbf{v})$를 구하라.

41. $T: \mathbb{R}^n \longrightarrow \mathbb{R}^m$ 은 선형변환이며, $\{\mathbf{v}, \ \mathbf{w}\}$는 $\mathbb{R}^n$의 일차독립인 부분집합이라고 하자. 만일 $\{T(\mathbf{v}), T(\mathbf{w})\}$가 일차종속이면, $T(\mathbf{u}) = \mathbf{0}$는 자명하지 않은 해를 가짐을 보여라.

42. $T: V \longrightarrow V$ 는 선형연산자이며 $\{\mathbf{v}_1, ..., \mathbf{v}_n\}$은 일차종속이라고 하자. 그러면 $\{T(\mathbf{v}_1), \ ...,$

$T(\mathbf{v}_n)\}$도 일차종속임을 보여라.

43. $S = \{\mathbf{v}_1, \mathbf{v}_2, \mathbf{v}_3\}$는 $\mathbb{R}^3$의 일차독립인 부분집합이라고 하자. $\{T(\mathbf{v}_1), T(\mathbf{v}_2), T(\mathbf{v}_3)\}$가 일차종속이 되는 선형연산자 $T: \mathbb{R}^3 \to \mathbb{R}^3$를 구하라.

44. $T_1: V \longrightarrow V$ 와 $T_2: V \longrightarrow V$ 는 선형연산자이며 $\{\mathbf{v}_1, \ldots, \mathbf{v}_n\}$을 V의 기저라고 하자. 만일

모든 $i = 1, 2, \ldots, n$에 대해 $T_1(\mathbf{v}_i) = T_2(\mathbf{v}_i)$가 성립한다면, V의 모든 벡터 $\mathbf{v}$에 대해 $T_1(\mathbf{v}) = T_2(\mathbf{v})$가 성립함을 보여라.

45. $\mathcal{L}(U, V)$는 벡터공간임을 증명하라.

4.2 영공간(null space)과 치역

3.2절에서, $m \times n$ 행렬의 영공간은 $A\mathbf{x} = \mathbf{0}$를 만족하는 모든 벡터들로 구성된, $\mathbb{R}^n$의 부분공간으로 정의하였다. 또한 A의 열공간(column space)은, A의 열벡터들의 모든 일차결합으로 이루어진, $\mathbb{R}^m$의 부분공간으로 정의하였다. 이 절에서는 이 아이디어를 선형변환으로 확장하기로 한다.

정의 1 영공간과 치역

V와 W를 벡터공간들이라고 하자. 선형변환 $T: V \longrightarrow W$에 대해 $N(T)$로 표시되는 T의 영공간 (null space)과 $R(T)$로 표시되는 T의 치역 (range)은 각기 다음과 같이 정의된다.

$$N(T) = \{\mathbf{v} \in V \mid T(\mathbf{v}) = \mathbf{0}\}$$
$$R(T) = \{T(\mathbf{v}) \mid \mathbf{v} \in V\}$$

따라서 그림 1에서 보인 것같이, 선형변환의 영공간은 영벡터로 사상되는 V의 모든 벡터들의 집합이며, 치역은 사상에 의한 모든 상들의 집합이다.

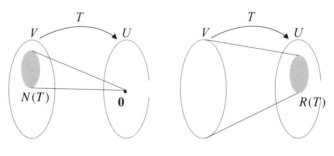

그림 1

정리 3에서는 선형변환의 영공간과 치역은 모두 부분공간임을 보인다.

정리 3

V와 W를 벡터공간, $T:V \longrightarrow W$를 선형변환이라고 하자.

1. T의 영공간은 V의 부분공간이다.

2. T의 치역은 W의 부분공간이다.

증명 (1) $\mathbf{v}_1$과 $\mathbf{v}_2$가 $N(T)$의 원소로서 $T(\mathbf{v}_1) = \mathbf{0}$ 및 $T(\mathbf{v}_2) = \mathbf{0}$을 만족한다고 하자. 만일 c가 스칼라이면, T가 선형임을 이용하여 다음을 얻는다.

$$T(c\mathbf{v}_1 + \mathbf{v}_2) = cT(\mathbf{v}_1) + T(\mathbf{v}_2) = c\mathbf{0} + \mathbf{0} = \mathbf{0}$$

따라서 $c\mathbf{v}_1 + \mathbf{v}_2$는 $N(T)$의 원소이며, 3.2절의 정리 4에 의해, $N(T)$는 V의 부분공간이다.

(2) $\mathbf{w}_1$과 $\mathbf{w}_2$가 $R(T)$의 원소라고 하자. 그러면 $T(\mathbf{v}_1) = \mathbf{w}_1$ 및 $T(\mathbf{v}_2) = \mathbf{w}_2$를 만족하는 V의 원소인 벡터 $\mathbf{v}_1$과 $\mathbf{v}_2$가 존재한다. 그러면 임의의 스칼라 c에 대해

$$T(c\mathbf{v}_1 + \mathbf{v}_2) = cT(\mathbf{v}_1) + T(\mathbf{v}_2) = c\mathbf{w}_1 + \mathbf{w}_2$$

이다. 그러므로 $c\mathbf{w}_1 + \mathbf{w}_2$는 $R(T)$의 원소이며, 따라서 $R(T)$는 W의 부분공간이다.

예제 1

선형변환 $T : \mathbb{R}^4 \longrightarrow \mathbb{R}^3$를 다음과 같이 정의하자.

$$T\left(\begin{bmatrix} a \\ b \\ c \\ d \end{bmatrix}\right) = \left(\begin{bmatrix} a+b \\ b-c \\ a+d \end{bmatrix}\right)$$

a. T의 영공간의 기저와 차원을 구하라.

b. T의 치역에 대해 설명하라.

c. T의 치역의 기저와 차원을 구하라.

풀이 **a.** T의 영공간은, 상 벡터(image vector)의 각 성분을 모두 0으로 놓음으로써 구할 수 있다. 따라서 다음의 선형계를 얻는다.

$$\begin{cases} a+b & = 0 \\ \quad b-c & = 0 \\ a \quad\quad +d & = 0 \end{cases}$$

이 선형계는 다음과 같이 무수히 많은 해를 가진다.

$$S = \left\{ \begin{bmatrix} -t \\ t \\ t \\ t \end{bmatrix} \middle| \; t \in \mathbb{R} \right\}$$

따라서

$$N(T) = \mathbf{span} \left\{ \begin{bmatrix} -1 \\ 1 \\ 1 \\ 1 \end{bmatrix} \right\}$$

$N(T)$의 기저는 다음 하나의 벡터로 구성된다.

$$\begin{bmatrix} -1 \\ 1 \\ 1 \\ 1 \end{bmatrix}$$

결과적으로 $\dim(N(T)) = 1$이다.

b. 치역 내의 임의의 벡터는 어떤 실수 a, b, c 및 d에 대해 다음과 같이 쓸 수 있음에 유의하라.

$$a \begin{bmatrix} 1 \\ 0 \\ 1 \end{bmatrix} + b \begin{bmatrix} 1 \\ 1 \\ 0 \end{bmatrix} + c \begin{bmatrix} 0 \\ -1 \\ 0 \end{bmatrix} + d \begin{bmatrix} 0 \\ 0 \\ 1 \end{bmatrix}$$

따라서

$$R(T) = \mathbf{span} \left\{ \begin{bmatrix} 1 \\ 0 \\ 1 \end{bmatrix}, \begin{bmatrix} 1 \\ 1 \\ 0 \end{bmatrix}, \begin{bmatrix} 0 \\ -1 \\ 0 \end{bmatrix}, \begin{bmatrix} 0 \\ 0 \\ 1 \end{bmatrix} \right\}$$

c. 치역은 $\mathbb{R}^3$의 부분공간이므로, 치역의 차원은 3보다 작거나 같다. 결과적으로 (b)에서 치역을 생성하는 것으로 밝혀진 4 개의 벡터는 일차종속이며 기저를 형성하지 않는다. $R(T)$의 기저를 찾기 위해, 3.3절에서 주어진 소거 과정을 사용하여 다음 좌측의 행렬을 소거하여 우측의 것으로 변환할 수 있다.

$$\begin{bmatrix} 1 & 1 & 0 & 0 \\ 0 & 1 & -1 & 0 \\ 1 & 0 & 0 & 1 \end{bmatrix} \qquad \begin{bmatrix} 1 & 0 & 0 & 1 \\ 0 & 1 & 0 & -1 \\ 0 & 0 & 1 & -1 \end{bmatrix}$$

한편 소거된 행렬은 처음의 3 개 열에 피보트를 가지므로, T의 치역의 기저는

$$B = \left\{ \begin{bmatrix} 1 \\ 0 \\ 1 \end{bmatrix}, \begin{bmatrix} 1 \\ 1 \\ 0 \end{bmatrix}, \begin{bmatrix} 0 \\ -1 \\ 0 \end{bmatrix} \right\}$$

따라서 $\dim(R(T)) = 3$이다. B는 역시 $\mathbb{R}^3$를 생성하므로 $R(T) = \mathbb{R}^3$임을 인지하라. ■

예제 2

선형변환 $T: \mathcal{P}_4 \longrightarrow \mathcal{P}_3$를 다음과 같이 정의하자.

$$T(p(x)) = p'(x)$$

T의 영공간과 치역을 구하라.

풀이 상수 다항식의 미분은 0임을 상기하라. 그런데 이는 미분이 0이 되는 유일한 다항식들이므로, $N(T)$는 $\mathcal{P}_4$내의 상수 다항식들의 집합임을 알 수 있다. 이제 T의 치역은 $\mathcal{P}_3$ 전체임을 보인다. 이를 증명하기 위해, $q(x) = ax^3 + bx^2 + cx + d$를 $\mathcal{P}_3$의 임의의 원소라고 하자. 도함수가 $q(x)$인 다항식 $p(x)$는 역도함수를 사용하여 구할 수 있다. 즉, $p(x)$는 다음과 같이 $q(x)$를 적분하여 구한다.

$$p(x) = \int q(x)\, dx = \int (ax^3 + bx^2 + cx + d)\, dx = \frac{a}{4}x^4 + \frac{b}{3}x^3 + \frac{c}{2}x^2 + dx + e$$

그런데 이 $p(x)$는 $\mathcal{P}_4$의 원소로서 $p'(x) = q(x)$를 만족한다. 이 사실은 $\mathcal{P}_3$ 내의 각 다항식 $q(x)$에 대해, $T(p(x)) = q(x)$를 만족하는 $\mathcal{P}_4$ 내의 다항식 $p(x)$가 존재함을 말하며, 따라서 T의 치역은 $\mathcal{P}_3$ 전체임을 의미한다. ■

4.1절에서 만일 V의 기저 속의 각 벡터 $\mathbf{v}_i$에 대해 그것의 상 $T(\mathbf{v}_i)$를 안다면, 임의의 벡터 $\mathbf{v} \in V$의 상은 계산될 수 있음을 보았다. 이로부터 정리 4가 유도된다.

정리 4

V와 W는 유한차원 벡터공간이며, $B = \{\mathbf{v}_1, \mathbf{v}_2, \ldots, \mathbf{v}_n\}$을 V의 기저라고 하자. 만일 $T: V \to W$가 선형변환이라면

$$R(T) = \mathbf{span}\{T(\mathbf{v}_1), T(\mathbf{v}_2), \ldots, T(\mathbf{v}_n)\}$$

증명 위 두 집합이 같음을 보이기 위해, 각각은 서로 상대 집합의 부분집합임을 보일 것이다. 우선, 만일 $\mathbf{w}$가 $R(T)$의 원소이면 $T(\mathbf{v}) = \mathbf{w}$를 만족하는 벡터 $\mathbf{v}$가 V 내에 존재한다. 이제 B는 V의 기저이므로 다음을 만족하는 스칼라 $c_1, \ldots, c_n$이 존재하며

$$\mathbf{v} = c_1\mathbf{v}_1 + c_2\mathbf{v}_2 + \cdots + c_n\mathbf{v}_n$$

따라서

$$T(\mathbf{v}) = T(c_1\mathbf{v}_1 + c_2\mathbf{v}_2 + \cdots + c_n\mathbf{v}_n)$$

T의 선형성에 의해

$$\mathbf{w} = T(\mathbf{v}) = c_1T(\mathbf{v}_1) + c_2T(\mathbf{v}_2) + \cdots + c_nT(\mathbf{v}_n)$$

$\mathbf{w}$는 $T(\mathbf{v}_1)$, $T(\mathbf{v}_2)$, ..., $T(\mathbf{v}_n)$의 일차결합이므로 $\mathbf{w} \in \mathbf{span}\{T(\mathbf{v}_1), T(\mathbf{v}_2), ..., T(\mathbf{v}_n)\}$이다. 그런데 이 사실은 $R(T)$ 내의 모든 $\mathbf{w}$에 대해서도 성립하므로

$$R(T) \subset \mathbf{span}\{T(\mathbf{v}_1), T(\mathbf{v}_2), ..., T(\mathbf{v}_n)\}$$

이다. 반대로 $\mathbf{w} \in \mathbf{span}\{T(\mathbf{v}_1), T(\mathbf{v}_2), ..., T(\mathbf{v}_n)\}$이라 하자. 그러면 다음을 만족하는 스칼라 c_1, ..., c_n이 존재한다.

$$\begin{aligned}\mathbf{w} &= c_1T(\mathbf{v}_1) + c_2T(\mathbf{v}_2) + \cdots + c_nT(\mathbf{v}_n) \\ &= T(c_1\mathbf{v}_1 + c_2\mathbf{v}_2 + \cdots + c_n\mathbf{v}_n)\end{aligned}$$

따라서 V의 원소인 $\mathbf{w}$는, $c_1\mathbf{v}_1 + c_2\mathbf{v}_2 + \cdots + c_n\mathbf{v}_n$의 T 하에서의 상이다. 따라서 $\mathbf{span}\{T(\mathbf{v}_1), T(\mathbf{v}_2), ..., T(\mathbf{v}_n)\} \subset R(T)$가 성립한다.

예제 3

$T : \mathbb{R}^3 \longrightarrow \mathbb{R}^3$를 선형연산자, $B = \{\mathbf{v}_1, \mathbf{v}_2, \mathbf{v}_3\}$를 $\mathbb{R}^3$의 기저라고 하자. 또한 다음을 가정하자.

$$T(\mathbf{v}_1) = \begin{bmatrix} 1 \\ 1 \\ 0 \end{bmatrix} \qquad T(\mathbf{v}_2) = \begin{bmatrix} 1 \\ 0 \\ -1 \end{bmatrix} \qquad T(\mathbf{v}_3) = \begin{bmatrix} 2 \\ 1 \\ -1 \end{bmatrix}$$

a. $\begin{bmatrix} 1 \\ 2 \\ 1 \end{bmatrix}$ 은 $R(T)$의 원소인가?

b. $R(T)$의 기저를 찾아라.

c. 영공간 $N(T)$를 찾아라.

풀이 **a.** 정리 4로부터 다음 조건을 만족하는 스칼라 c_1, c_2, c_3가 존재하면 벡터 $\mathbf{w} = \begin{bmatrix} 1 \\ 2 \\ 1 \end{bmatrix}$ 는

$R(T)$의 원소이다.

$$c_1 T(\mathbf{v}_1) + c_2 T(\mathbf{v}_2) + c_3 T(\mathbf{v}_3) = \begin{bmatrix} 1 \\ 2 \\ 1 \end{bmatrix}$$

즉

$$c_1 \begin{bmatrix} 1 \\ 1 \\ 0 \end{bmatrix} + c_2 \begin{bmatrix} 1 \\ 0 \\ -1 \end{bmatrix} + c_2 \begin{bmatrix} 2 \\ 1 \\ -1 \end{bmatrix} = \begin{bmatrix} 1 \\ 2 \\ 1 \end{bmatrix}$$

이 선형계의 해집합은 $S = \{(2 - t, -1 - t, t) \mid t \in \mathbb{R}\}$로 주어진다. 특히 만일 $t = 0$이면, 해는 $c_1 = 2, c_2 = -1, c_3 = 0$이다. 따라서 $\mathbf{w} \in R(T)$이다.

b. $R(T)$의 기저를 찾기 위해 행렬 $\begin{bmatrix} 1 & 1 & 2 \\ 1 & 0 & 1 \\ 0 & -1 & -1 \end{bmatrix}$을 행 소거하여 $\begin{bmatrix} 1 & 0 & 1 \\ 0 & 1 & 1 \\ 0 & 0 & 0 \end{bmatrix}$을 얻는다. 선행하

는 1들은 1열과 2열에 존재하므로 $R(T)$의 기저는 다음과 같이 주어진다.

$$R(T) = \mathbf{span} \left\{ \begin{bmatrix} 1 \\ 1 \\ 0 \end{bmatrix}, \begin{bmatrix} 1 \\ 0 \\ -1 \end{bmatrix} \right\}$$

치역은 일차독립인 두 개의 벡터에 의해 생성되므로, 그림 2에 보인 것과 같이 $R(T)$는 $\mathbb{R}^3$ 내의 평면임을 인지하라.

c. B는 $\mathbb{R}^3$의 기저이므로, 영공간은 다음을 만족하는 모든 벡터 $c_1 \mathbf{v}_1 + c_2 \mathbf{v}_2 + c_3 \mathbf{v}_3$들의 집합이다.

$$c_1 T(\mathbf{v}_1) + c_2 T(\mathbf{v}_2) + c_3 T(\mathbf{v}_3) = \begin{bmatrix} 0 \\ 0 \\ 0 \end{bmatrix}$$

(b)에서 소거된 행렬 $\begin{bmatrix} 1 & 0 & 1 \\ 0 & 1 & 1 \\ 0 & 0 & 0 \end{bmatrix}$을 사용하면, 영공간은 $c_1 = -c_3, c_2 = -c_3$(단, c_3는 임의의 실

수)를 만족하는 모든 벡터들로 구성된다. 즉

$$N(T) = \mathbf{span}\{-\mathbf{v}_1 - \mathbf{v}_2 + \mathbf{v}_3\}$$

이며, 이는 $\mathbb{R}^3$ 내의 직선이다. 그림 2를 보라.

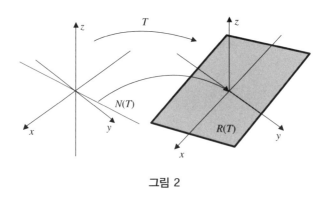

그림 2

예제 3에서 다음이 성립함에 주목하라.

$$\dim(\mathbb{R}^3) = \dim(R(T)) + \dim(N(T))$$

정리 5에서는 유한차원의 벡터공간들 사이의 모든 선형변환에 대한 기본적인 결과를 확립한다.

정리 5

V와 W를 유한차원 벡터공간이라 하자. 만일 $T : V \longrightarrow W$가 선형변환이라면

$$\dim(V) = \dim(R(T)) + \dim(N(T))$$

증명 $\dim(V) = n$이라 가정하자. 위 결과를 확립하기 위해, 세 가지 경우를 다룬다.

첫째, $(N(T)) = \dim(V) = n$이라 가정하자. 이 경우 V 내의 각 벡터들의 상은 (W 내의) 영벡터이며, 따라서 $R(T) = \{\mathbf{0}\}$이다. 단지 영벡터만을 포함한 벡터공간의 차원은 0이므로 이와 같은 결과를 얻는다.

둘째, $1 \leq r = \dim(N(T)) < n$라 가정하자. 그리고 $\{\mathbf{v}_1, \mathbf{v}_2, \ldots, \mathbf{v}_r\}$을 $N(T)$의 기저라고 하자. 3.3절의 따름정리 1에 의해, $\{\mathbf{v}_1, \mathbf{v}_2, \ldots, \mathbf{v}_r, \mathbf{v}_{r+1}, \ldots, \mathbf{v}_n\}$이 V의 기저가 되는 $n - r$ 개의 벡터 $\{\mathbf{v}_{r+1}, \mathbf{v}_{r+2}, \ldots, \mathbf{v}_n\}$이 존재한다. 이제 $S = \{T(\mathbf{v}_{r+1}), T(\mathbf{v}_{r+2}), \ldots, T(\mathbf{v}_n)\}$는 $R(T)$의 기저임을 보이고자 한다. 정리 4에 의해

$$R(T) = \mathbf{span}\{T(\mathbf{v}_1), T(\mathbf{v}_2), \ldots, T(\mathbf{v}_r), T(\mathbf{v}_{r+1}), \ldots, T(\mathbf{v}_n)\}$$

이다. 그런데 $T(\mathbf{v}_1) = T(\mathbf{v}_2) = \cdots = T(\mathbf{v}_r) = \mathbf{0}$이므로, $R(T)$의 각 벡터는 $T(\mathbf{v}_{r+1}), \ldots, T(\mathbf{v}_n)$의 일차결합이며 따라서 $R(T) = \mathbf{span}(S)$이다. S가 일차독립임을 보이기 위해, 다음 방정식을 고려하자.

$$c_{r+1}T(\mathbf{v}_{r+1}) + c_{r+2}T(\mathbf{v}_{r+2}) + \cdots + c_nT(\mathbf{v}_n) = \mathbf{0}$$

$c_{r+1} = c_{r+2} = \cdots = c_n = 0$임을 보여야 한다. T는 선형이므로 위 방정식은 다음과 같이 쓸 수 있다.

$$T(c_{r+1}\mathbf{v}_{r+1} + c_{r+2}\mathbf{v}_{r+2} + \cdots + c_n\mathbf{v}_n) = \mathbf{0}$$

이 마지막 방정식으로부터 $c_{r+1}\mathbf{v}_{r+1} + c_{r+2}\mathbf{v}_{r+2} + \cdots + c_n\mathbf{v}_n$은 $N(T)$의 원소임을 알 수 있다. 그러나 $\{\mathbf{v}_1, \mathbf{v}_2, \dots, \mathbf{v}_r\}$는 $N(T)$의 기저이므로, 다음을 만족하는 스칼라들 $c_1, c_2, \dots, c_r$이 존재한다.

$$c_{r+1}\mathbf{v}_{r+1} + c_{r+2}\mathbf{v}_{r+2} + \cdots + c_n\mathbf{v}_n = c_1\mathbf{v}_1 + c_2\mathbf{v}_2 + \cdots + c_r\mathbf{v}_r$$

즉

$$-c_1\mathbf{v}_1 - c_2\mathbf{v}_2 - \cdots - c_r\mathbf{v}_r + c_{r+1}\mathbf{v}_{r+1} + c_{r+2}\mathbf{v}_{r+2} + \cdots + c_n\mathbf{v}_n = \mathbf{0}$$

이다. 이제 $\{\mathbf{v}_1, \mathbf{v}_2, \dots, \mathbf{v}_r, \mathbf{v}_{r+1}, \dots, \mathbf{v}_n\}$은 V의 기저이며 따라서 일차독립이므로, 마지막 방정식의 계수들은 모두 0, 즉 $c_1 = c_2 = \cdots = c_r = c_{r+1} = \cdots = c_n = 0$이어야 한다. 특히 $c_{r+1} = c_{r+2} = \cdots = c_n = 0$이다. 따라서 $n-r$개의 벡터들 $T(\mathbf{v}_{r+1}), \dots, T(\mathbf{v}_n)$은 $R(T)$의 기저이다. 결과적으로

$$n = \dim(V) = (n-r) + r = \dim(R(T)) + \dim(N(T))$$

이다.

셋째, $N(T) = \{\mathbf{0}\}$ 따라서 $\dim(N(T)) = 0$이라 가정하자. 만일 $\{\mathbf{v}_1, \dots, \mathbf{v}_n\}$이 V의 기저라면, 정리 4에 의해

$$R(T) = \mathbf{span}\{T(\mathbf{v}_1), \dots, T(\mathbf{v}_n)\}$$

이다. 위와 유사한 이유로 $\{T(\mathbf{v}_1), \dots, T(\mathbf{v}_n)\}$은 일차독립이다. 따라서 $\dim(R(T)) = n = \dim(V)$이며, 이 경우에도 같은 결과가 성립한다.

예제 4

선형변환 $T: \mathcal{P}_4 \longrightarrow \mathcal{P}_2$ 를 다음과 같이 정의하자.

$$T(p(x)) = p''(x)$$

T의 치역의 차원을 계산하고, 치역을 설명하라.

풀이 $B = \{1, x, x^2, x^3, x^4\}$를 $\mathcal{P}_4$의 표준기저라 하자. $p(x)$가 $N(T)$의 원소일 필요충분조건은 차수가 0 또는 1이므로, 영공간은 차수가 1 또는 그 이하의 다항식으로 구성된 $\mathcal{P}_4$의 부분공간이다. 따라서 $\{1, x\}$는 $N(T)$의 기저이며 $\dim(N(T)) = 2$이다. 한편 $\dim(\mathcal{P}_4) = 5$이므로, 정리 5에 의해

$$2 + \dim(R(T)) = 5 \quad \text{따라서} \quad \dim(R(T)) = 3$$

이다. 그러면 정리 5의 증명에서처럼 다음을 얻는데

$$\{ T(x^2), T(x^3), T(x^4) \} = \{ 2, 6x, 12x^2 \}$$

이는 $R(T)$의 기저이다. $R(T)$는 단지 $\mathcal{P}_4$의 부분공간 $\mathcal{P}_2$임을 인지하라. ■

행렬

3.2절에서는 **col**(A)로 표기되는 행렬 A의 열공간을 그것의 열벡터들이 생성하는 공간으로 정의하였다. 또한 $m \times n$ 행렬 A의 영공간은 $A\mathbf{x} = \mathbf{0}$를 만족하는 $\mathbb{R}^n$의 모든 벡터들 $\mathbf{x}$의 집합으로 정의하였다. 더 나아가 이제 이런 개념들을 선형변환이라는 맥락에서 검토할 것이다. 특히 A를 $m \times n$ 행렬이라 하고, $T : \mathbb{R}^n \longrightarrow \mathbb{R}^m$을 다음과 같이 정의된 선형변환이라고 하자.

$$T(\mathbf{v}) = A\mathbf{v}$$

이 마지막 방정식은 벡터 형태로 다음과 같이 쓸 수 있다.

$$T(\mathbf{v}) = v_1\mathbf{A}_1 + v_2\mathbf{A}_2 + \cdots + v_n\mathbf{A}_n$$

여기서 $\mathbf{A}_i$는 A의 열벡터들이며, $v_i(1 \leq i \leq n)$는 $\mathbf{v}$의 성분들이다. 따라서 T의 치역은 $\mathbb{R}^m$의 부분공간으로 A의 열공간과 같다. 즉

$$R(T) = \mathbf{col}(A)$$

이다. A의 열공간의 차원은 A의 열 랭크(column rank)라고 불린다. 또한

$$N(T) = \{\mathbf{v} \in \mathbb{R}^n \mid A\mathbf{v} = \mathbf{0}\} = N(A)$$

이며, $N(A)$의 차원은 A의 영공간의 차원(nullity)이라 불린다. 정리 5를 적용하면 다음을 얻는다.

$$\mathbf{column\ rank}(A) + \mathbf{nullity}(A) = n$$

행렬 A와 연관된 또 다른 $\mathbb{R}^n$의 부분공간으로 **row**(A)라고 표시되는 A의 행공간(row space)이 있는데, 이는 A의 행벡터들이 생성하는 부분공간이다. 전치 연산은 A의 행벡터를 A^t의 열벡터로 사상시키므로, A의 행공간은 A^t의 열공간과 동일하다. 즉

$$\mathbf{row}(A) = \mathbf{col}(A^t)$$

이다.

3.3절에서 주어진 기저를 찾는 알고리즘을 사용하여, **col**(A)의 기저는 행 소거에 의해 구할 수 있다. 특히, A의 행기약형(row-reduced form) 속의 선행하는 1을 가진 열들은, **col**(A)의 기저를 위해 필요한 A의 열벡터들에 대응된다. 따라서 A의 열 랭크(column rank)는 A의 행기약형 속의 선행하는 1의 개수와 같다. 반면에 A의 행 소거는 다른 행들의 일차결합인 행벡터를 제거하므로, A의 기약형의 0이 아닌 행벡터들은 **row**(A)의 기저를 형성한다. 따라서 행 랭크는 A의 기약형 속의 선행하는 1의 개수와 같다. 이제 정리 6을 확립하였다.

정리 6

행렬 A의 행 랭크와 열 랭크는 같다.

이제 행렬 A의 랭크(rank)를 $\dim(\mathbf{row}(A))$ 또는 $\dim(\mathbf{col}(A))$로 정의할 수 있다. 또한 정리 5에 의해,

$$\mathbf{rank}(A) + \mathbf{nullity}(A) = n$$

선형계

행렬 A의 영공간의 차원(nullity)이 알려지면, 위 식은 종종 선형계 $A\mathbf{x} = \mathbf{b}$가 해를 갖는가 (consistent)를 판단하는 데 사용된다. 예를 들어, 어떤 선형계가 각기 22개의 변수를 가진 20개의 방정식으로 구성된다고 하자. 더구나 그 20×22 크기의 계수 행렬의 영공간의 기저는 두 개의 벡터로 구성된다고 하자. 즉, 동차 선형계(homogeneous linear system) $A\mathbf{x} = \mathbf{0}$의 모든 해는 일차독립인 $\mathbb{R}^{22}$의 두 벡터의 일차결합이라 하자. 그러면 $\mathbf{nullity}(A) = 2$이며 따라서

$$\dim(\mathbf{col}(A)) = \mathbf{rank}(A) = 22 - \mathbf{nullity}(A) = 20$$

이다. 그러나 $\mathbb{R}^{20}$의 부분공간 중, 차원이 20인 것은 유일하게 $\mathbb{R}^{20}$ 자신뿐이다. 따라서 $\mathbf{col}(A) = \mathbb{R}^{20}$이며, 결과적으로 $\mathbb{R}^{20}$의 각 벡터 $\mathbf{b}$는 A의 열들의 일차결합이다. 즉 선형계 $A\mathbf{x} = \mathbf{b}$는 $\mathbb{R}^{20}$의 각 벡터 $\mathbf{b}$에 대해 해를 가진다. 일반적으로, 만일 A가 $m \times n$ 행렬이며 $\mathbf{nullity}(A) = r$, 그리고 $\dim(\mathbf{col}) = n - r = m$이면 선형계 $A\mathbf{x} = \mathbf{b}$는 $\mathbb{R}^m$의 각 벡터 $\mathbf{b}$에 대해 항상 해를 갖는다.

이제 선형계 $A\mathbf{x} = \mathbf{b}$의 해와 계수 행렬 A의 성질을 연관 짓는 2.3절의 정리 9에, 서로 동치인 명제의 목록을 몇 개 더 추가하기로 한다.

정리 7

A를 $n \times n$ 행렬이라고 하자. 그러면 다음 문장들은 모두 동치이다.
1. 행렬 A는 가역이다.
2. 선형계 $A\mathbf{x} = \mathbf{b}$는 각 벡터 $\mathbf{b}$에 대해 유일한 해를 가진다.
3. 동차 선형계 $A\mathbf{x} = \mathbf{0}$는 단지 특이해만을 가진다.
4. 행렬 A는 단위행렬과 행동치(row-equivalent)이다.
5. 행렬 A의 행렬식은 0이 아니다.
6. A의 열벡터들은 일차독립이다.
7. A의 열벡터들은 $\mathbb{R}^n$을 생성한다.
8. A의 열벡터들은 $\mathbb{R}^n$의 기저이다.
9. $\mathbf{rank}(A) = n$
10. $R(A) = \mathbf{col}(A) = \mathbb{R}^n$
11. $N(A) = \{\mathbf{0}\}$
12. $\mathbf{row}(A) = \mathbb{R}^n$
13. A의 기약행 사다리꼴(reduced row-echelon form)의 피보트 열의 수는 n이다.

핵심 요약

V와 W는 벡터공간, T를 V로부터 W로의 선형변환이라고 하자.

1. 영공간 $N(T)$는 V의 부분공간이며, 치역 $R(T)$는 W의 부분공간이다.

2. 만일 $B = \{\mathbf{v}_1, ..., \mathbf{v}_n\}$이 V의 기저이면

$$R(T) = \mathbf{span}\{T(\mathbf{v}_1), ..., T(\mathbf{v}_n)\}.$$

3. 만일 V와 W가 유한차원 벡터공간이라면

$$\dim(V) = \dim(R(T)) + \dim(N(T))$$

4. 만일 A가 $m \times n$ 행렬이면

$$\mathbf{rank}(A) + \mathbf{nullity}(A) = n$$

5. 만일 A가 $m \times n$ 행렬이면, A의 랭크는 A의 기약행 사다리꼴의 선행 1의 개수이다.

6. 2.3절의 정리 9에 추가하여, 만일 A가 $n \times n$ 가역 행렬이면 $\mathbf{rank}(A) = n$, $R(A) = \mathbf{col}(A) = \mathbb{R}^n$, $N(A) = \{\mathbf{0}\}$이며, A의 기약행 사다리꼴의 선행 1의 개수는 n이다.

연습문제 4.2

연습문제 1–4에서는, 선형연산자 $T: \mathbb{R}^2 \longrightarrow \mathbb{R}^2$를 다음과 같이 정의한다.

$$T\left(\begin{bmatrix} x \\ y \end{bmatrix}\right) = \begin{bmatrix} x - 2y \\ -2x + 4y \end{bmatrix}$$

벡터 $\mathbf{v}$는 $N(T)$의 원소인지를 판단하라.

1. $\mathbf{v} = \begin{bmatrix} 0 \\ 0 \end{bmatrix}$

2. $\mathbf{v} = \begin{bmatrix} 2 \\ 1 \end{bmatrix}$

3. $\mathbf{v} = \begin{bmatrix} 1 \\ 3 \end{bmatrix}$

4. $\mathbf{v} = \begin{bmatrix} \frac{1}{2} \\ \frac{1}{4} \end{bmatrix}$

연습문제 5–8에서는, 선형연산자 $T: \mathcal{P}_3 \longrightarrow \mathcal{P}_3$를 다음과 같이 정의한다.

$$T(p(x)) = xp''(x)$$

다항식 $p(x)$는 $N(T)$의 원소인지를 판단하라.

5. $p(x) = x^2 - 3x + 1$

6. $p(x) = 5x + 2$

7. $p(x) = 1 - x^2$

8. $p(x) = 3$

연습문제 9–12에서는, 선형연산자 $T: \mathbb{R}^3 \longrightarrow \mathbb{R}^3$를 다음과 같이 정의한다.

$$T\left(\begin{bmatrix} x \\ y \\ z \end{bmatrix}\right) = \begin{bmatrix} x + 2z \\ 2x + y + 3z \\ x - y + 3z \end{bmatrix}$$

벡터 **v** 는 $R(T)$ 의 원소인지를 판단하라.

9. $\mathbf{v} = \begin{bmatrix} 1 \\ 3 \\ 0 \end{bmatrix}$

10. $\mathbf{v} = \begin{bmatrix} 2 \\ 3 \\ 4 \end{bmatrix}$

11. $\mathbf{v} = \begin{bmatrix} -1 \\ 1 \\ -2 \end{bmatrix}$

12. $\mathbf{v} = \begin{bmatrix} -2 \\ -5 \\ -1 \end{bmatrix}$

연습문제 13–16에서는, 선형변환 $T: M_{2\times2} \longrightarrow M_{3\times2}$ 를 다음과 같이 정의한다.

$$T \begin{bmatrix} a & b \\ c & d \end{bmatrix} = \begin{bmatrix} a+c & b+d \\ -a+2c & -b+2d \\ 2a & 2b \end{bmatrix}$$

행렬 A 가 $R(T)$ 의 원소인지를 판단하라.

13. $A = \begin{bmatrix} -1 & -1 \\ -5 & -2 \\ 0 & 0 \end{bmatrix}$

14. $A = \begin{bmatrix} 1 & 2 \\ 3 & -3 \\ -2 & 2 \end{bmatrix}$

15. $A = \begin{bmatrix} 1 & 0 \\ 2 & 1 \\ 4 & 0 \end{bmatrix}$

16. $A = \begin{bmatrix} 4 & 1 \\ -1 & 5 \\ 6 & -2 \end{bmatrix}$

연습문제 17–24에서는, 선형변환 T 의 영공간의 기저를 구하라.

17. $T: \mathbb{R}^2 \longrightarrow \mathbb{R}^2$,

$$T \left(\begin{bmatrix} x \\ y \end{bmatrix} \right) = \begin{bmatrix} 3x+y \\ y \end{bmatrix}$$

18. $T: \mathbb{R}^2 \longrightarrow \mathbb{R}^2$,

$$T \left(\begin{bmatrix} x \\ y \end{bmatrix} \right) = \begin{bmatrix} -x+y \\ x-y \end{bmatrix}$$

19. $T: \mathbb{R}^3 \longrightarrow \mathbb{R}^3$,

$$T \left(\begin{bmatrix} x \\ y \\ z \end{bmatrix} \right) = \begin{bmatrix} x+2z \\ 2x+y+3z \\ x-y+3z \end{bmatrix}$$

20. $T: \mathbb{R}^3 \longrightarrow \mathbb{R}^3$,

$$T \left(\begin{bmatrix} x \\ y \\ z \end{bmatrix} \right) = \begin{bmatrix} -2x+2y+2z \\ 3x+5y+z \\ 2y+z \end{bmatrix}$$

21. $T: \mathbb{R}^3 \longrightarrow \mathbb{R}^3$,

$$T \left(\begin{bmatrix} x \\ y \\ z \end{bmatrix} \right) = \begin{bmatrix} x-2y-z \\ -x+2y+z \\ 2x-4y-2z \end{bmatrix}$$

22. $T: \mathbb{R}^4 \longrightarrow \mathbb{R}^3$,

$$T \left(\begin{bmatrix} x \\ y \\ z \\ w \end{bmatrix} \right) = \begin{bmatrix} x+y-z+w \\ 2x+y+4z+w \\ 3x+y+9z \end{bmatrix}$$

23. $T: \mathcal{P}_2 \longrightarrow \mathbb{R}$,

$$T(p(x)) = p(0)$$

24. $T: \mathcal{P}_2 \longrightarrow \mathcal{P}_2$,

$$T(p(x)) = p''(x)$$

연습문제 25–30에서는, 선형변환 T의 치역의 기저를 구하라.

25. $T : \mathbb{R}^3 \longrightarrow \mathbb{R}^3$,

$$T(\mathbf{v}) = \begin{bmatrix} 1 & 1 & 2 \\ 0 & 1 & -1 \\ 2 & 0 & 1 \end{bmatrix} \mathbf{v}$$

26. $T : \mathbb{R}^5 \longrightarrow \mathbb{R}^3$,

$$T(\mathbf{v}) = \begin{bmatrix} 1 & -2 & -3 & 1 & 5 \\ 3 & -1 & 1 & 0 & 4 \\ 1 & 1 & 3 & 1 & 2 \end{bmatrix} \mathbf{v}$$

27. $T : \mathbb{R}^3 \longrightarrow \mathbb{R}^3$,

$$T\left(\begin{bmatrix} x \\ y \\ z \end{bmatrix} \right) = \begin{bmatrix} x \\ y \\ 0 \end{bmatrix}$$

28. $T : \mathbb{R}^3 \longrightarrow \mathbb{R}^3$,

$$T\left(\begin{bmatrix} x \\ y \\ z \end{bmatrix} \right) = \begin{bmatrix} x - y + 3z \\ x + y + z \\ -x + 3y - 5z \end{bmatrix}$$

29. $T: \mathcal{P}_3 \longrightarrow \mathcal{P}_3$,

$$T(p(x)) = p''(x) + p'(x) + p(0)$$

30. $T: \mathcal{P}_2 \longrightarrow \mathcal{P}_2$,

$$T(ax^2 + bx + c) = (a+b)x^2 + cx + (a+b)$$

31. $T : \mathbb{R}^3 \longrightarrow \mathbb{R}^3$를 선형연산자, $B = \{\mathbf{v}_1, \mathbf{v}_2, \mathbf{v}_3\}$를 $\mathbb{R}^3$의 기저라고 하자. 또한 다음을 가정하자.

$$T(\mathbf{v}_1) = \begin{bmatrix} -2 \\ 1 \\ 1 \end{bmatrix} \quad T(\mathbf{v}_2) = \begin{bmatrix} 0 \\ 1 \\ -1 \end{bmatrix}$$

$$T(\mathbf{v}_3) = \begin{bmatrix} -2 \\ 2 \\ 0 \end{bmatrix}$$

a. 벡터 $\mathbf{w} = \begin{bmatrix} -6 \\ 5 \\ 0 \end{bmatrix}$ 가 T의 치역에 존재하는 지를 판단하라.

b. $R(T)$의 기저를 구하라.

c. $(N(T))$를 구하라.

32. $T : \mathbb{R}^3 \longrightarrow \mathbb{R}^3$를 선형연산자, $B = \{\mathbf{v}_1, \mathbf{v}_2, \mathbf{v}_3\}$를 $\mathbb{R}^3$의 기저라고 하자. 또한 다음을 가정하자.

$$T(\mathbf{v}_1) = \begin{bmatrix} -1 \\ 2 \\ 1 \end{bmatrix} \quad T(\mathbf{v}_2) = \begin{bmatrix} 0 \\ 5 \\ 0 \end{bmatrix} \quad T(\mathbf{v}_3) = \begin{bmatrix} -1 \\ -1 \\ 2 \end{bmatrix}$$

a. $\mathbf{w} = \begin{bmatrix} -2 \\ 1 \\ 2 \end{bmatrix}$ 가 T의 치역에 존재하는지를 판단하라.

b. $R(T)$의 기저를 구하라.

c. $(N(T))$를 구하라.

33. $T: \mathcal{P}_2 \longrightarrow \mathcal{P}_2$는 다음과 같이 정의된다고 하자.

$$T(ax^2 + bx + c) = ax^2 + (a - 2b)x + b$$

a. $p(x) = 2x^2 - 4x + 6$은 T의 치역 내에 존재하는지 판단하라.

b. $R(T)$의 기저를 구하라.

34. $T: \mathcal{P}_2 \longrightarrow \mathcal{P}_2$는 다음과 같이 정의된다고 하자.

$$T(ax^2 + bx + c) = cx^2 + bx - b$$

a. $p(x) = x^2 - x - 2$는 T의 치역 내에 존재하는지 판단하라.

b. $R(T)$의 기저를 구하라.

35. $R(T) = \mathbb{R}^2$인 선형변환 $T : \mathbb{R}^3 \longrightarrow \mathbb{R}^2$를 찾아라.

36. $R(T) = N(T)$인 선형연산자 $T : \mathbb{R}^2 \longrightarrow \mathbb{R}^2$을 찾아라.

37. 선형연산자 $T : \mathcal{P}_n \longrightarrow \mathcal{P}_n$을 다음과 같이 정의하자.

$$T(p(x)) = p'(x)$$

a. T의 치역을 설명하라.
b. $\dim(R(T))$를 구하라.
c. $\dim(R(T))$를 구하라.

38. 선형연산자 $T : \mathcal{P}_n \longrightarrow \mathcal{P}_n$을 다음과 같이 정의한다.

$$T(p(x)) = \frac{d^k}{dx^k}(p(x)),\ 1 \le k \le n$$

$\dim(N(T)) = k$임을 보여라.

39. $T : \mathbb{R}^4 \longrightarrow \mathbb{R}^6$는 어떤 선형변환이라고 하자.
a. 만일 $\dim(N(T)) = 2$일 경우, $\dim(R(T))$를 구하라.
b. 만일 $\dim(R(T)) = 3$일 경우, $\dim(N(T))$를 구하라.

40. 만일 $T : V \longrightarrow V$가 $R(T) = N(T)$를 만족하는 선형연산자라면, $\dim(V)$는 짝수임을 보여라.

41. $A = \begin{bmatrix} 1 & 0 \\ 0 & -1 \end{bmatrix}$라 하고, $T : M_{2 \times 2} \longrightarrow M_{2 \times 2}$를

$$T(B) = AB - BA$$와 같이 정의하자.

T의 영공간의 기저를 구하라.

42. $T : M_{n \times n} \longrightarrow M_{n \times n}$를 $T(A) = A^t$로 정의하자. $R(T) = M_{n \times n}$임을 보여라.

43. $T : M_{n \times n} \longrightarrow M_{n \times n}$을 $T(A) = A + A^t$라고 정의하자.
a. $R(T)$를 구하라.
b. $N(T)$를 구하라.

44. $T : M_{n \times n} \longrightarrow M_{n \times n}$을 $T(A) = A - A^t$로 정의하자.
a. $R(T)$를 구하라.
b. $N(T)$를 구하라.

45. A를 고정된 $n \times n$ 행렬, 그리고 $T : M_{n \times n} \longrightarrow M_{n \times n}$을 $T(B) = AB$라 정의하자. 언제 $R(T) = M_{n \times n}$이 되는가?

46. A를 고정된 $n \times n$ 대각 행렬, $T : \mathbb{R}^n \longrightarrow \mathbb{R}^n$을 $T(\mathbf{v}) = A\mathbf{v}$로 정의하자.
a. $(R(T))$는 A의 대각선상의 0이 아닌 원소의 개수임을 보여라.
b. $(N(T))$를 구하라. 이는 행렬 A의 대각 항과 어떻게 연관되는가?

4.3 동형사상

지금까지 우리가 다룬 벡터공간의 상당 수는 대수학적인 관점에서 동등하다. 이 절에서는 두 벡터공간 사이의 대응관계를 확립하는 데 있어서, 선형변환의 특별한 종류인 동형사상(isomorphism)이 어떻게 사용될 수 있는지를 보인다. 이 논의의 핵심은 1-1(one-to-one)과 전사(onto) 사상이다. 더욱 자세한 설명은 부록 A의 A.2절을 보라.

정의 1 1-1과 전사

V와 W를 두 벡터공간, $T:V \longrightarrow W$ 를 어떤 사상이라고 하자.

1. 만일 $\mathbf{u} \neq \mathbf{v}$일 경우 $T(\mathbf{u}) \neq T(\mathbf{v})$이면, 사상 T는 1-1(혹은 단사)이라고 불린다.
   즉, V의 각기 다른 원소는 W내에 각기 다른 상을 가져야 한다.
2. 만일 $T(V) = W$이면, 사상 T는 전사(onto 혹은 surjective)라고 불린다. 즉 T의 치역은 W이다.

만일 어떤 사상이 단사이며 동시에 전사이면 전단사(bijective)라고 불린다.

어떤 사상이 1-1임을 보이려면 대우 명제로부터 동등한 유용한 표현을 얻을 수 있다. 다시 말하면, 만일 $T(\mathbf{u}) = T(\mathbf{v})$가 $\mathbf{u} = \mathbf{v}$를 의미한다면 T는 1-1이다. 어떤 사상이 전사임을 보이기 위해서는, 만일 $\mathbf{w}$가 W의 어떤 원소이면 $T(\mathbf{v}) = \mathbf{w}$가 성립되는 어떤 원소 $\mathbf{v} \in W$가 존재함을 보여야 한다.

예제 1

$T:\mathbb{R}^2 \longrightarrow \mathbb{R}^2$ 를 다음의 행렬 A에 의해 $T(\mathbf{v}) = A\mathbf{v}$로 정의되는 사상이라고 하자.

$$A = \begin{bmatrix} 1 & 1 \\ -1 & 0 \end{bmatrix}$$

T는 1-1이며 전사임을 보여라.

풀이 우선 T가 1-1임을 보이기 위해, $\mathbf{u}$와 $\mathbf{v}$가 다음과 같다고 하자.

$$\mathbf{u} = \begin{bmatrix} u_1 \\ u_2 \end{bmatrix}, \qquad \mathbf{v} = \begin{bmatrix} v_1 \\ v_2 \end{bmatrix}$$

그러면

$$T(\mathbf{u}) = \begin{bmatrix} 1 & 1 \\ -1 & 0 \end{bmatrix} \begin{bmatrix} u_1 \\ u_2 \end{bmatrix} = \begin{bmatrix} u_1 + u_2 \\ -u_1 \end{bmatrix}$$

$$T(\mathbf{v}) = \begin{bmatrix} 1 & 1 \\ -1 & 0 \end{bmatrix} \begin{bmatrix} v_1 \\ v_2 \end{bmatrix} = \begin{bmatrix} v_1 + v_2 \\ -v_1 \end{bmatrix}$$

이제 만일 $T(\mathbf{u}) = T(\mathbf{v})$이면

$$\begin{bmatrix} u_1 + u_2 \\ -u_1 \end{bmatrix} = \begin{bmatrix} v_1 + v_2 \\ -v_1 \end{bmatrix}$$

둘째 성분을 계산하면 $u_1 = v_1$을 얻고, 이를 사용하여 첫째 성분을 계산하면 $u_2 = v_2$를 얻는다. 따라서 $\mathbf{u} = \mathbf{v}$이며, 그 사상은 1-1임이 증명된다.

다음, T가 전사임을 보이기 위해, $\mathbf{w} = \begin{bmatrix} a \\ b \end{bmatrix}$를 $\mathbb{R}^2$의 임의 벡터라고 하자. 다음을 만족하는 $\mathbb{R}^2$의 벡터 $\mathbf{v} = \begin{bmatrix} v_1 \\ v_2 \end{bmatrix}$가 존재함을 보여야 한다.

$$T(\mathbf{v}) = \begin{bmatrix} 1 & 1 \\ -1 & 0 \end{bmatrix} \begin{bmatrix} v_1 \\ v_2 \end{bmatrix} = \begin{bmatrix} a \\ b \end{bmatrix}$$

A의 역행렬을 이 방정식의 양변에 곱하면 다음을 얻는다.

$$\begin{bmatrix} v_1 \\ v_2 \end{bmatrix} = \begin{bmatrix} 0 & -1 \\ 1 & 1 \end{bmatrix} \begin{bmatrix} a \\ b \end{bmatrix} \quad \text{즉} \quad \begin{bmatrix} v_1 \\ v_2 \end{bmatrix} = \begin{bmatrix} -b \\ a+b \end{bmatrix}$$

따라서 T는 전사이다. 예를 들어, $\mathbf{w} = \begin{bmatrix} 1 \\ 2 \end{bmatrix}$라 하자. 그러면 원상을 구하는 위 식을 사용하면, $\mathbf{v} = \begin{bmatrix} -2 \\ 1+2 \end{bmatrix} = \begin{bmatrix} -2 \\ 3 \end{bmatrix}$를 얻는다. 이는 다음에 의해 확인된다.

$$T(\mathbf{v}) = \begin{bmatrix} 1 & 1 \\ -1 & 0 \end{bmatrix} \begin{bmatrix} -2 \\ 3 \end{bmatrix} = \begin{bmatrix} 1 \\ 2 \end{bmatrix}$$

다른 풀이로는, A의 열벡터는 일차독립이므로 $\mathbb{R}^2$의 기저라는 사실을 인지하는 것이다. T의 치역은 A의 열 공간이므로 따라서 $\mathbb{R}^2$ 전체이다. ∎

정리 8은 어떤 선형변환이 1-1인지의 여부를 판단하는 유용한 방법을 제공한다.

정리 8

선형변환 $T : V \longrightarrow W$가 1-1일 필요충분조건은 T의 영공간이 단지 V의 영벡터만으로 구성된다는 것이다.

증명 우선 T가 1-1이라 가정하고 $N(T) = \{\mathbf{0}\}$임을 보인다. 이를 증명하기 위해, $\mathbf{v}$를 T의 영공간의 임의의 벡터, 즉 $T(\mathbf{v}) = \mathbf{0}$라고 하자. 또한 4.1절의 명제 1에 의해 $T(\mathbf{0}) = \mathbf{0}$이다. T는 1-1이므로 $\mathbf{v} = \mathbf{0}$이며, 단지 영벡터만이 영벡터로 사상된다.

역으로 $N(T) = \{\mathbf{0}\}$ 및 $T(\mathbf{u}) = T(\mathbf{v})$라 하자. $T(\mathbf{v})$를 이 식의 양변으로부터 빼고 T가 선형이라는 사실을 이용하면

$$T(\mathbf{u}) - T(\mathbf{v}) = 0 \quad \text{따라서} \quad T(\mathbf{u} - \mathbf{v}) = 0$$

이다. 그러므로 $\mathbf{u} - \mathbf{v} \in N(T)$이다. 영공간은 단지 영벡터로만 구성되므로 $\mathbf{u} - \mathbf{v} = \mathbf{0}$ 즉 $\mathbf{u} = \mathbf{v}$이다.

예제 2

선형연산자 $T: \mathbb{R}^2 \longrightarrow \mathbb{R}^2$ 를 다음과 같이 정의하자.

$$T\left(\begin{bmatrix} x \\ y \end{bmatrix}\right) = \begin{bmatrix} 2x - 3y \\ 5x + 2y \end{bmatrix}$$

정리 8을 사용하여 T는 1-1임을 보여라.

풀이 벡터 $\begin{bmatrix} x \\ y \end{bmatrix}$ 가 T의 영공간에 존재할 필요충분조건은

$$\begin{cases} 2x - 3y = 0 \\ 5x + 2y = 0 \end{cases}$$

그런데 이 선형계는 유일한 해 $x = y = 0$를 갖는다. 따라서 $N(T) = \{0\}$이며, 따라서 정리 8에 의해 T는 1-1이다. ■

예제 2의 사상은 다음의 행렬을 사용하여 $T(\mathbf{x}) = A\mathbf{x}$가 되도록 달리 정의될 수 있다.

$$A = \begin{bmatrix} 2 & -3 \\ 5 & 2 \end{bmatrix}$$

$\det(A) \neq 0$이므로 A는 가역이다. 이 사실은 그 사상이 전사임을 보여준다. 실로, 만일 $\mathbf{b}$가 $\mathbb{R}^2$의 임의의 벡터라면 $\mathbf{x} = A^{-1}\mathbf{b}$는 그 정의역 내의, $\mathbf{b}$의 원상이다. 따라서 T는 전사이다.

4.2절의 정리 4에서, 만일 $T: V \longrightarrow W$ 는 벡터공간 사이의 선형변환이며 $B = \{\mathbf{v}_1, ..., \mathbf{v}_n\}$가 V의 기저이면 $\{T(\mathbf{v}_1), ..., T(\mathbf{v}_n)\}$임을 보였다. 더구나 만일 그 변환이 1-1이면, 정리 9처럼 생성 벡터 (spanning vectors)들은 또한 치역의 기저가 된다.

정리 9

$T: V \longrightarrow W$ 는 선형변환이며 $B = \{\mathbf{v}_1, ..., \mathbf{v}_n\}$은 V의 기저라고 하자. 만일 T가 1-1이면, $\{T(\mathbf{v}_1), ..., T(\mathbf{v}_n)\}$는 $R(T)$의 기저이다.

증명 4.2절의 정리 4에 의해, **span**$\{T(\mathbf{v}_1), ..., T(\mathbf{v}_n)\} = R(T)$이므로, 따라서 $\{T(\mathbf{v}_1), ..., T(\mathbf{v}_n)\}$이 일차독립이라는 사실만 보이면 된다. 이를 위해 다음 방정식을 고려하자.

$$c_1 T(\mathbf{v}_1) + c_2 T(\mathbf{v}_2) + \cdots + c_n T(\mathbf{v}_n) = \mathbf{0}$$

이는 다음 식과 동등하다.

$$T(c_1 \mathbf{v}_1 + c_2 \mathbf{v}_2 + \cdots + c_n \mathbf{v}_n) = \mathbf{0}$$

T는 1-1이므로, 영공간은 단지 V의 영벡터로만 구성된다. 따라서

$$c_1\mathbf{v}_1 + c_2\mathbf{v}_2 + \cdots + c_n\mathbf{v}_n = \mathbf{0}$$

이다. 마지막으로, B는 V의 기저이므로 B는 일차독립이다. 따라서

$$c_1 = c_2 = \cdots = c_n = 0$$

이다. 그러므로 $\{T(\mathbf{v}_1), \ldots, T(\mathbf{v}_n)\}$은 일차독립이다.

정리 9에서, 만일 T가 전사이기도 하면 $\{T(\mathbf{v}_1), \ldots, T(\mathbf{v}_n)\}$은 W의 기저가 됨을 알 수 있다. 이제 벡터공간에서의 동형사상을 정의할 준비가 되었다.

정의 2 동형사상

V와 W를 벡터공간이라 하자. 1-1이며 동시에 전사인 선형변환 $T : V \longrightarrow W$는 동형사상(isomorphism)이라 불린다. 이 경우 두 벡터공간 V와 W는 동형(isomorphic)이라고 한다.

명제 2는 예제 2의 뒤에서 언급한 것을 바탕으로 동형사상인 행렬로 정의되는 선형변환의 유용한 성격을 묘사하는 것이다.

| 명제 2 |

A는 $n \times n$ 행렬, $T : \mathbb{R}^n \longrightarrow \mathbb{R}^n$은 $T(\mathbf{x}) = A\mathbf{x}$로 정의된 사상이라 하자. 그러면 T가 동형사상일 필요충분조건은 A가 가역이라는 것이다.

증명 A는 가역이며 $\mathbf{b}$는 $\mathbb{R}^n$의 임의의 벡터라고 하자. 그러면 $\mathbf{x} = A^{-1}\mathbf{b}$는 $\mathbf{b}$의 원상이다. 따라서 사상 T는 전사이다. T가 1-1임을 보이기 위해서, 1.5절의 정리 10에 의해 방정식 $A\mathbf{x} = \mathbf{0}$는 유일한 해 $\mathbf{x} = A^{-1}\mathbf{0} = \mathbf{0}$만을 가짐을 인지하라. 그러면 정리 8에 의해, 사상 T는 1-1이며, 따라서 $\mathbb{R}^n$으로부터 $\mathbb{R}^n$으로의 동형사상이다.

역으로, T가 어떤 동형사상이라고 하자. 그러면 $T : \mathbb{R}^n \longrightarrow \mathbb{R}^n$은 전사이며, A의 열 공간은 $\mathbb{R}^n$이다. 따라서 4.2절의 정리 7에 의해 행렬 A는 가역이다.

정리 10은 유한차원 벡터공간의 연구에 아주 중요하며 이 절의 주요 결과이다.

정리 10

만일 V가 $\dim(V) = n$인 벡터공간이면, V와 $\mathbb{R}^n$은 동형이다.

증명 $B = \{\mathbf{v}_1, \ldots, \mathbf{v}_n\}$는 V의 순서 기저라고 하자. 또한 $T : V \longrightarrow \mathbb{R}^n$은 4.1절의 예제 7에서 처음 소개된, $T(\mathbf{v}) = [\mathbf{v}]_B$에 의해 정의되는 좌표 변환이라 하자. T는 동형사상임을 보이고자 한다. 첫째, T가 1-1임을 보이기 위해, $T(\mathbf{v}) = \mathbf{0}$을 가정하자. B는 기저이므로 다음을 만족하는 유일한 스칼라

들 $c_1, \dots, c_n$이 존재한다.

$$\mathbf{v} = c_1\mathbf{v}_1 + \cdots + c_n\mathbf{v}_n$$

따라서

$$T(\mathbf{v}) = [\mathbf{v}]_B = \begin{bmatrix} c_1 \\ c_2 \\ \vdots \\ c_n \end{bmatrix} = \begin{bmatrix} 0 \\ 0 \\ 0 \\ 0 \end{bmatrix}$$

이다. 그러므로 $c_1 = c_2 = \cdots = c_n = 0$며 $\mathbf{v} = \mathbf{0}$이다. 따라서 $N(T) = \{\mathbf{0}\}$이며, 정리 8에 의해 T는 1-1이다.

이제 T가 전사임을 보이기 위해, $\mathbf{w}$는 다음과 같이 $\mathbb{R}^n$의 어떤 벡터라고 하자.

$$\mathbf{w} = \begin{bmatrix} k_1 \\ k_2 \\ \vdots \\ k_n \end{bmatrix}$$

V내의 벡터 $\mathbf{v}$를 $\mathbf{v} = k_1\mathbf{v}_1 + \cdots + k_n\mathbf{v}_n$로 정의하자. 그러면 $T(\mathbf{v}) = \mathbf{w}$이며 따라서 T는 전사이다. 그러므로 선형변환 T는 동형사상이며, V와 $\mathbb{R}^n$은 서로 동형인 벡터공간이다.

지금까지 우리의 경험으로 $\dim(\mathcal{P}_2) = 3$이며, 만일 $S_{2\times2}$가 2×2 대칭행렬의 벡터공간이면 $\dim(S_{2\times2}) = 3$임을 보았다. 결과적으로 정리 10에 의해, 벡터공간 $\mathcal{P}_2$와 $S_{2\times2}$는 모두 $\mathbb{R}^3$와 동형이며, 이때의 동형사상은 두 표준기저 사이의 좌표 사상이다. 이제 사실상 모든 n차원 벡터공간들은 서로 동형임을 보인다. 이를 위해서는 선형변환의 역이라는 개념이 우선 필요하다.

정의 3 선형변환의 역

V와 W는 벡터공간이며, $T : V \longrightarrow W$는 1-1인 선형변환이라 하자. "$T^{-1}(\mathbf{w}) = \mathbf{v}$일 필요충분조건은 $T(\mathbf{v}) = \mathbf{w}$이다"로 정의되는 사상 $T^{-1} : R(T) \longrightarrow V$는 T의 역(inverse)이라 불린다.

만일 T가 전사이면, T^{-1}는 W 전체에서 정의된다.

A.2절의 정리 4에 의해, 만일 T가 1-1이면 역 사상(inverse map)은 잘 정의된다. 실로, $\mathbf{u}$와 $\mathbf{v}$는 $T^{-1}(\mathbf{w}) = \mathbf{u}$ 및 $T^{-1}(\mathbf{w}) = \mathbf{v}$를 만족하는 V의 벡터들이라 하자. T를 적용하면, $T(T^{-1}(\mathbf{w})) = T(\mathbf{u})$ 및 $T(T^{-1}(\mathbf{w})) = T(\mathbf{v})$이므로 $T(\mathbf{u}) = T(\mathbf{v})$이다. 그런데 T는 1-1이므로 $\mathbf{u} = \mathbf{v}$를 얻는다.

1-1인 선형변환의 역 사상은 다음에서 볼 수 있듯이 그 또한 선형변환이다.

| 명제 3 |

V와 W는 벡터공간이며, $T : V \longrightarrow W$ 는 1-1인 선형변환이라 하자. 그러면 사상 $T^{-1} : R(T) \longrightarrow V$ 도 역시 선형변환이다.

증명 $\mathbf{w}_1$과 $\mathbf{w}_2$를 $R(T)$의 벡터들이라 하고, c를 어떤 스칼라라고 하자. 또한 $\mathbf{v}_1$과 $\mathbf{v}_2$는 $T^{-1}(\mathbf{w}_1) = \mathbf{v}_1$와 $T^{-1}(\mathbf{w}_2) = \mathbf{v}_2$의 관계를 만족하는 V의 벡터들이라 하자. T는 선형이므로

$$T(c\mathbf{v}_1 + \mathbf{v}_2) = cT(\mathbf{v}_1) + T(\mathbf{v}_2)$$
$$= c\mathbf{w}_1 + \mathbf{w}_2$$

이다. 따라서

$$T^{-1}(c\mathbf{w}_1 + \mathbf{w}_2) = c\mathbf{v}_1 + \mathbf{v}_2$$
$$= cT^{-1}(\mathbf{w}_1) + T^{-1}(\mathbf{w}_2)$$

결과적으로 T^{-1}는 선형변환이다.

명제 4는, 행렬의 곱으로 정의되는 어떤 동형사상의 역 변환은 그 행렬의 역을 사용하여 나타낼 수 있음을 보인다. 그것의 증명은 연습문제로 남겨둔다.

| 명제 4 |

A는 $n \times n$의 가역 행렬이며 $T : \mathbb{R}^n \longrightarrow \mathbb{R}^n$은 $T(\mathbf{x}) = A\mathbf{x}$로 정의되는 선형변환이라 하자. 그러면 $T^{-1}(\mathbf{x}) = A^{-1}\mathbf{x}$이다.

예제 3

$T : \mathbb{R}^2 \longrightarrow \mathbb{R}^2$ 는 예제 1에서 정의된 사상이며, A가 다음과 같이 주어질 때 $T(\mathbf{v}) = A\mathbf{v}$라 하자.

$$A = \begin{bmatrix} 1 & 1 \\ -1 & 0 \end{bmatrix}$$

A^{-1}가 다음과 같을 때, 역 사상 $T^{-1} : \mathbb{R}^2 \longrightarrow \mathbb{R}^2$ 은 $T^{-1}(\mathbf{w}) = A^{-1}\mathbf{w}$로 주어짐을 증명하라.

$$A^{-1} = \begin{bmatrix} 0 & -1 \\ 1 & 1 \end{bmatrix}$$

풀이 $\mathbf{v} = \begin{bmatrix} v_1 \\ v_2 \end{bmatrix}$를 $\mathbb{R}^2$의 어떤 벡터라고 하자. 그러면

$$\mathbf{w} = T(\mathbf{v}) = \begin{bmatrix} v_1 + v_2 \\ -v_1 \end{bmatrix}$$

A^{-1}를 $\mathbf{w}$에 적용하면

$$\begin{bmatrix} 0 & -1 \\ 1 & 1 \end{bmatrix} \begin{bmatrix} v_1 + v_2 \\ -v_1 \end{bmatrix} = \begin{bmatrix} v_1 \\ v_2 \end{bmatrix} = T^{-1}(\mathbf{w})$$

■ ■

정리 11

만일 V와 W가 모두 n차원의 벡터공간이라고 하면, V와 W는 동형이다.

증명 정리 10에 의해, 그림 1과 같은 동형사상 $T_1 : V \longrightarrow \mathbb{R}^n$ 과 $T_2 : W \longrightarrow \mathbb{R}^n$ 이 존재한다. $\phi = T_2^{-1} \circ T_1 : V \longrightarrow W$ 라 하자. ϕ가 선형임을 보이기 위해, 우선 명제 3에 의해 T_2^{-1}은 선형임에 주목하자. 그 다음, 4.1절의 정리 2에 의해, 합성 $T_2^{-1} \circ T_1$은 선형이다. 최종적으로, A.2절의 정리 4에 의해, 사상 ϕ는 1-1이며 전사이고, 따라서 벡터공간의 동형사상이다.

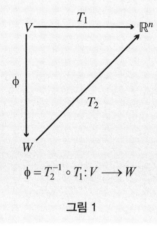

$$\phi = T_2^{-1} \circ T_1 : V \longrightarrow W$$

그림 1

예제 4

$\mathcal{P}_2$로부터 2×2 대칭 행렬의 벡터공간 $S_{2 \times 2}$로의 명시적인 동형사상을 구하라.

풀이 정리 11의 증명에서 주어진 방법을 사용하기 위해, 우선 B_1과 B_2가 각기 $\mathcal{P}_2$와 $S_{2 \times 2}$의 순서 기저라 하자.

$$B_1 = \{1, x, x^2\} \qquad B_2 = \left\{ \begin{bmatrix} 0 & 0 \\ 0 & 1 \end{bmatrix}, \begin{bmatrix} 0 & 1 \\ 1 & 0 \end{bmatrix}, \begin{bmatrix} 1 & 0 \\ 0 & 0 \end{bmatrix} \right\}$$

T_1과 T_2는 각기 $\mathcal{P}_2$와 $S_{2 \times 2}$로부터 $\mathbb{R}^3$로의 좌표 사상이라 하자. 그러면

$$T_1(ax^2 + bx + c) = \begin{bmatrix} c \\ b \\ a \end{bmatrix} \qquad T_2\left(\begin{bmatrix} a & b \\ b & c \end{bmatrix} \right) = \begin{bmatrix} c \\ b \\ a \end{bmatrix}$$

이다.

$T_2^{-1}: \mathbb{R}^3 \longrightarrow S_{2\times2}$ 는 벡터 $\begin{bmatrix} c \\ b \\ a \end{bmatrix}$ 를 대칭행렬 $\begin{bmatrix} a & b \\ b & c \end{bmatrix}$ 로 사상함에 주목하라. 따라서 원하는

동형사상은 $(T_2^{-1} \circ T_1): \mathcal{P}_2 \longrightarrow S_{2\times2}$ 로 주어지며

$$(T_2^{-1} \circ T_1)(ax^2 + bx + c) = \begin{bmatrix} a & b \\ b & c \end{bmatrix}$$

이다. 예를 들어,

$$(T_2^{-1} \circ T_1)(x^2 - x + 2) = T_2^{-1}(T_1(x^2 - x + 2)) = T_2^{-1}\left(\begin{bmatrix} 2 \\ -1 \\ 1 \end{bmatrix}\right) = \begin{bmatrix} 1 & -1 \\ -1 & 2 \end{bmatrix}$$

핵심 요약

V와 W를 벡터공간, T를 V로부터 W로의 선형변환이라고 하자.

1. 사상 T가 1-1일 필요충분조건은 T의 영공간이 단지 영벡터로만 구성된다는 사실이다.
2. 만일 $\{\mathbf{v}_1, \ldots, \mathbf{v}_n\}$이 V의 기저이며 T가 1-1이면 $S = \{T(\mathbf{v}_1), \ldots, T(\mathbf{v}_n)\}$은 T의 치역의 기저이다. 추가적으로 만일 T가 전사이기도 하면, S는 W의 기저이다.
3. 차원이 n인 모든 벡터공간은 유클리드 공간 $\mathbb{R}^n$과 동형이다.
4. 만일 T가 1-1이면, T^{-1}도 선형변환이다.
5. 만일 V와 W의 차원이 모두 n이면, 그 둘은 동형이다.
6. A는 $n\times n$ 행렬이며 $T(\mathbf{x}) = A\mathbf{x}$라 하자. 그러면 사상 T가 동형사상일 필요충분조건은 A가 가역이라는 것이다.
7. 만일 A가 가역 행렬이며 $T(\mathbf{x}) = A\mathbf{x}$라면, $T^{-1}(\mathbf{x}) = A^{-1}\mathbf{x}$이다.

연습문제 4.3

연습문제 1–6에서는, 선형변환이 1–1인지의 여부를 판단하라.

1. $T: \mathbb{R}^2 \longrightarrow \mathbb{R}^2$,

$$T\left(\begin{bmatrix} x \\ y \end{bmatrix}\right) = \begin{bmatrix} 4x - y \\ x \end{bmatrix}$$

2. $T: \mathbb{R}^2 \longrightarrow \mathbb{R}^2$,

$$T\left(\begin{bmatrix} x \\ y \end{bmatrix}\right) = \begin{bmatrix} \frac{1}{2}x + \frac{1}{2}y \\ \frac{1}{2}x + \frac{1}{2}y \end{bmatrix}$$

3. $T: \mathbb{R}^3 \longrightarrow \mathbb{R}^3$,

$$T\left(\begin{bmatrix} x \\ y \\ z \end{bmatrix}\right) = \begin{bmatrix} x + y - z \\ y \\ y - z \end{bmatrix}$$

4. $T: \mathbb{R}^3 \longrightarrow \mathbb{R}^3$,

$$T\left(\begin{bmatrix} x \\ y \\ z \end{bmatrix}\right) = \begin{bmatrix} \frac{2}{3}x - \frac{2}{3}y - \frac{2}{3}z \\ -\frac{2}{3}x - \frac{1}{3}y - \frac{1}{3}z \\ -\frac{2}{3}x - \frac{4}{3}y - \frac{1}{3}z \end{bmatrix}$$

5. $T: \mathcal{P}_2 \longrightarrow \mathcal{P}_2$,

$$T(p(x)) = p'(x) - p(x)$$

6. $T: \mathcal{P}_2 \longrightarrow \mathcal{P}_3$,

$$T(p(x)) = xp(x)$$

연습문제 7–10에서는, 선형변환이 전사인지의 여부를 판단하라.

7. $T: \mathbb{R}^2 \longrightarrow \mathbb{R}^2$,

$$T\left(\begin{bmatrix} x \\ y \end{bmatrix}\right) = \begin{bmatrix} 3x - y \\ x + y \end{bmatrix}$$

8. $T: \mathbb{R}^2 \longrightarrow \mathbb{R}^2$,

$$T\left(\begin{bmatrix} x \\ y \end{bmatrix}\right) = \begin{bmatrix} -2x + y \\ x - \frac{1}{2}y \end{bmatrix}$$

9. $T: \mathbb{R}^3 \longrightarrow \mathbb{R}^3$,

$$T\left(\begin{bmatrix} x \\ y \\ z \end{bmatrix}\right) = \begin{bmatrix} x - y + 2z \\ y - z \\ 2z \end{bmatrix}$$

10. $T: \mathbb{R}^3 \longrightarrow \mathbb{R}^3$,

$$T\left(\begin{bmatrix} x \\ y \\ z \end{bmatrix}\right) = \begin{bmatrix} 2x + 3y - z \\ -x + y + 3z \\ x + 4y + 2z \end{bmatrix}$$

연습문제 11–14에서는, $T: \mathbb{R}^2 \longrightarrow \mathbb{R}^2$ 는 선형연산자이다. 집합 $\{T(\mathbf{e}_1), T(\mathbf{e}_2)\}$ 는 $\mathbb{R}^2$ 의 기저인지의 여부를 판단하라.

11. $T: \mathbb{R}^2 \longrightarrow \mathbb{R}^2$,

$$T\left(\begin{bmatrix} x \\ y \end{bmatrix}\right) = \begin{bmatrix} -x - 2y \\ 3x \end{bmatrix}$$

12. $T: \mathbb{R}^2 \longrightarrow \mathbb{R}^2$,

$$T\left(\begin{bmatrix} x \\ y \end{bmatrix}\right) = \begin{bmatrix} x \\ -3x \end{bmatrix}$$

13. $T: \mathbb{R}^2 \longrightarrow \mathbb{R}^2$,

$$T\left(\begin{bmatrix} x \\ y \end{bmatrix}\right) = \begin{bmatrix} 3x - y \\ -3x - y \end{bmatrix}$$

14. $T: \mathbb{R}^2 \longrightarrow \mathbb{R}^2$,

$$T\left(\begin{bmatrix} x \\ y \end{bmatrix}\right) = \begin{bmatrix} \frac{1}{10}x + \frac{1}{5}y \\ \frac{1}{5}x + \frac{2}{5}y \end{bmatrix}$$

연습문제 15–18에서는, $T: \mathbb{R}^3 \longrightarrow \mathbb{R}^3$ 는 선형연산자이다. 집합 $\{T(\mathbf{e}_1), T(\mathbf{e}_2), T(\mathbf{e}_3)\}$ 는 $\mathbb{R}^3$ 의 기저인지의 여부를 판단하라.

15. $T: \mathbb{R}^3 \longrightarrow \mathbb{R}^3$,

$$T\left(\begin{bmatrix} x \\ y \\ z \end{bmatrix}\right) = \begin{bmatrix} -x - y + 2z \\ y - z \\ 5z \end{bmatrix}$$

16. $T: \mathbb{R}^3 \longrightarrow \mathbb{R}^3$,

$$T\left(\begin{bmatrix} x \\ y \\ z \end{bmatrix}\right) = \begin{bmatrix} 2x + 3y - z \\ 2x + 6y + 3z \\ 4x + 9y + 2z \end{bmatrix}$$

17. $T: \mathbb{R}^3 \longrightarrow \mathbb{R}^3$,

$$T\left(\begin{bmatrix} x \\ y \\ z \end{bmatrix}\right) = \begin{bmatrix} 4x - 2y + z \\ 2x + z \\ 2x - y + \frac{3}{2}z \end{bmatrix}$$

18. $T: \mathbb{R}^3 \longrightarrow \mathbb{R}^3$,

$$T\left(\begin{bmatrix} x \\ y \\ z \end{bmatrix}\right) = \begin{bmatrix} x - y + 2z \\ -x + 2y - z \\ -y + 5z \end{bmatrix}$$

연습문제 19와 20에서는, $T: \mathcal{P}_2 \longrightarrow \mathcal{P}_2$는 선형연산자이다. 집합 $\{T(1), T(x), T(x^2)\}$ 은 $\mathcal{P}_2$의 기저인지의 여부를 판단하라.

19. $T(ax^2 + bx + c) = (a + b + c)x^2 + (a + b)x + a$

20. $T(p(x)) = xp'(x)$

연습문제 21–24에서는, $T: V \longrightarrow V$ 는 $T(\mathbf{v}) = A\mathbf{v}$ 로 정의되는 선형연산자이다.

   a. T는 동형사상임을 보여라.

   b. A^{-1}을 구하라.

   c. 모든 $\mathbf{w} \in V$에 대해 $T^{-1}(\mathbf{w}) = A^{-1}\mathbf{w}$임을 직접 보여라.

21. $T\left(\begin{bmatrix} x \\ y \end{bmatrix}\right) = \begin{bmatrix} 1 & 0 \\ -2 & -3 \end{bmatrix}\begin{bmatrix} x \\ y \end{bmatrix}$

22. $T\left(\begin{bmatrix} x \\ y \end{bmatrix}\right) = \begin{bmatrix} -2 & 3 \\ -1 & -1 \end{bmatrix}\begin{bmatrix} x \\ y \end{bmatrix}$

23. $T\left(\begin{bmatrix} x \\ y \\ z \end{bmatrix}\right) = \begin{bmatrix} -2 & 0 & 1 \\ 1 & -1 & -1 \\ 0 & 1 & 0 \end{bmatrix}\begin{bmatrix} x \\ y \\ z \end{bmatrix}$

24. $T\left(\begin{bmatrix} x \\ y \\ z \end{bmatrix}\right) = \begin{bmatrix} 2 & -1 & 1 \\ -1 & 1 & -1 \\ 0 & 1 & 0 \end{bmatrix}\begin{bmatrix} x \\ y \\ z \end{bmatrix}$

연습문제 25–28에서는, 행렬 사상 $T: V \longrightarrow V$ 가 동형사상인지의 여부를 판단하라.

25. $T\left(\begin{bmatrix} x \\ y \end{bmatrix}\right) = \begin{bmatrix} -3 & 1 \\ 1 & -3 \end{bmatrix}\begin{bmatrix} x \\ y \end{bmatrix}$

26. $T\left(\begin{bmatrix} x \\ y \end{bmatrix}\right) = \begin{bmatrix} -3 & 1 \\ -3 & 1 \end{bmatrix}\begin{bmatrix} x \\ y \end{bmatrix}$

27. $T\left(\begin{bmatrix} x \\ y \\ z \end{bmatrix}\right) = \begin{bmatrix} 0 & -1 & -1 \\ 2 & 0 & 2 \\ 1 & 1 & -3 \end{bmatrix}\begin{bmatrix} x \\ y \\ z \end{bmatrix}$

28. $T\left(\begin{bmatrix} x \\ y \\ z \end{bmatrix}\right) = \begin{bmatrix} 1 & 3 & 0 \\ -1 & -2 & -3 \\ 0 & -1 & 3 \end{bmatrix}\begin{bmatrix} x \\ y \\ z \end{bmatrix}$

29. $T(A) = A^t$ 로 정의되는 $T: M_{n \times n} \longrightarrow M_{n \times n}$ 은 동형사상임을 보여라.

30. 다음과 같이 정의되는 $T: \mathcal{P}_3 \longrightarrow \mathcal{P}_3$는 동형사상임을 보여라.

$$T(p(x)) = p'''(x) + p''(x) + p'(x) + p(x)$$

31. A는 $n \times n$ 의 가역 행렬이라 하자. 다음과 같이 정의되는 $T: M_{n \times n} \longrightarrow M_{n \times n}$ 은 동형사상임을 보여라.

$$T(B) = ABA^{-1}$$

32. $M_{2 \times 2}$ 로부터 $\mathbb{R}^4$ 로의 동형사상을 구하라.

33. $\mathbb{R}^4$ 로부터 $\mathcal{P}_3$로의 동형사상을 구하라.

34. $M_{2 \times 2}$ 로부터 $\mathcal{P}_3$로의 동형사상을 구하라.

35. V가 다음과 같을 때, V로부터 $\mathbb{R}^2$ 로의 동형사상을 구하라.

$$V = \left\{ \begin{bmatrix} x \\ y \\ z \end{bmatrix} \,\middle|\, x + 2y - z = 0 \right\}$$

36. V가 다음과 같을 때, $\mathcal{P}_2$로부터 V로의 동형사상을 구하라.

$$V = \left\{ \begin{bmatrix} a & b \\ c & -a \end{bmatrix} \,\middle|\, a, b, c \in \mathbb{R} \right\}$$

37. $T: \mathbb{R}^3 \longrightarrow \mathbb{R}^3$가 어떤 동형사상이라고 하자. T는 원점을 통과하는 직선을 원점을 통과하는 다른 직선으로, 그리고 원점을 통과하는 평면을 원점을 통과하는 다른 평면으로 사상함을 보여라.

4.4 선형변환의 행렬 표현

우리의 선형대수학 공부에서 행렬은 중요한 역할을 해왔다. 이 절에서는 행렬과 선형변환 사이의 연관관계를 확립하고자 한다. 이 아이디어를 보이기 위해, 임의의 $m \times n$ 행렬 A가 주어지면 다음과 같이 선형변환 $T : \mathbb{R}^n \longrightarrow \mathbb{R}^m$을 정의할 수 있음을 4.1절에서 보였음을 상기하자.

$$T(\mathbf{v}) = A\mathbf{v}$$

4.1절의 예제 8에서, $\mathbb{R}^3$의 좌표 벡터들 $\mathbf{e}_1$, $\mathbf{e}_2$, $\mathbf{e}_3$의 상에 의해 선형변환 $T : \mathbb{R}^3 \longrightarrow \mathbb{R}^2$가 어떻게 완전히 정해지는지를 보았다. 핵심은, 임의의 벡터 $\mathbf{v} = \begin{bmatrix} v_1 \\ v_2 \\ v_3 \end{bmatrix}$가 다음과 같이 표현될 수 있으며

$$\mathbf{v} = v_1\mathbf{e}_1 + v_2\mathbf{e}_2 + v_3\mathbf{e}_3$$

따라서 다음과 같이 쓸 수 있음을 인지하는 것이다.

$$T(\mathbf{v}) = v_1 T(\mathbf{e}_1) + v_2 T(\mathbf{e}_2) + v_3 T(\mathbf{e}_3)$$

그 예에서, T는 다음과 같이 정의되었다.

$$T(\mathbf{e}_1) = \begin{bmatrix} 1 \\ 1 \end{bmatrix} \qquad T(\mathbf{e}_2) = \begin{bmatrix} -1 \\ 2 \end{bmatrix} \qquad T(\mathbf{e}_3) = \begin{bmatrix} 0 \\ 1 \end{bmatrix}$$

이제 A는 열벡터가 각기 $T(\mathbf{e}_1)$, $T(\mathbf{e}_2)$, $T(\mathbf{e}_3)$인 2×3 행렬이라 하자. 그러면

$$T(\mathbf{v}) = \begin{bmatrix} 1 & -1 & 0 \\ 1 & 2 & 1 \end{bmatrix} \mathbf{v} = A\mathbf{v}$$

이다. 즉, 선형변환 T는 행렬의 곱으로 주어진다. 일반적으로, 만일 $T : \mathbb{R}^n \longrightarrow \mathbb{R}^m$이 선형변환이면 다음과 같이 쓸 수 있다.

$$T(\mathbf{v}) = A\mathbf{v}$$

여기서 A는, j번째($j = 1, 2, \ldots, n$) 열벡터가 $T(\mathbf{e}_j)$인 $m \times n$ 행렬이다. 행렬 A는, $\mathbb{R}^n$과 $\mathbb{R}^m$의 표준기저에 대한 T의 행렬 표현(matrix representation of T relative to the standard bases)이라고 불린다.

이 절에서는, 유한차원의 벡터공간 사이의 모든 선형변환은 행렬의 곱으로 표현될 수 있음을 보일 것이다. 구체적으로, V와 W는 각기 고정된 순서의 기저들 B와 B'을 가진 유한차원의 벡터공간이라 하자. 만일 $T : V \longrightarrow W$가 선형변환이라면 다음을 만족하는 행렬 A가 존재한다.

$$[T(\mathbf{v})]_{B'} = A[\mathbf{v}]_B$$

$V = \mathbb{R}^n$, $W = \mathbb{R}^m$ 이며 B와 B'이 각기 표준기저일 경우, 위에서 보았듯이 마지막 방정식은 다음과 동등하다.

$$T(\mathbf{v}) = A\mathbf{v}$$

이제 더 자세히 보도록 하자.

V와 W는 각기 순서 기저 $B = \{\mathbf{v}_1, \mathbf{v}_2, \ldots, \mathbf{v}_n\}$와 $B' = \{\mathbf{w}_1, \mathbf{w}_2, \ldots, \mathbf{w}_m\}$을 가진 벡터공간이며, $T : V \longrightarrow W$ 를 선형변환이라 하자. 한편 $\mathbf{v}$는 V내의 임의의 벡터이며, 다음의 $[\mathbf{v}]_B$는 기저 B에 대한 $\mathbf{v}$의 좌표 벡터라고 하자.

$$[\mathbf{v}]_B = \begin{bmatrix} c_1 \\ c_2 \\ \vdots \\ c_n \end{bmatrix}$$

따라서

$$\mathbf{v} = c_1\mathbf{v}_1 + c_2\mathbf{v}_2 + \cdots + c_n\mathbf{v}_n$$

이 마지막 방정식의 양변에 T를 적용하면

$$\begin{aligned} T(\mathbf{v}) &= T(c_1\mathbf{v}_1 + c_2\mathbf{v}_2 + \cdots + c_n\mathbf{v}_n) \\ &= c_1 T(\mathbf{v}_1) + c_2 T(\mathbf{v}_2) + \cdots + c_n T(\mathbf{v}_n) \end{aligned}$$

각각의 $i = 1, 2, \ldots, n$에 대해, 벡터 $T(\mathbf{v}_i)$는 W내에 있음에 유의하라. 따라서 다음을 만족하는 유일한 스칼라들 $a_{ij}, 1 \leq i \leq m, 1 \leq j \leq n$가 존재한다.

$$\begin{aligned} T(\mathbf{v}_1) &= a_{11}\mathbf{w}_1 + a_{21}\mathbf{w}_2 + \cdots + a_{m1}\mathbf{w}_m \\ T(\mathbf{v}_2) &= a_{12}\mathbf{w}_1 + a_{22}\mathbf{w}_2 + \cdots + a_{m2}\mathbf{w}_m \\ &\vdots \\ T(\mathbf{v}_n) &= a_{1n}\mathbf{w}_1 + a_{2n}\mathbf{w}_2 + \cdots + a_{mn}\mathbf{w}_m \end{aligned}$$

따라서 순서 기저 B'에 대한 좌표 벡터들은 다음과 같이 주어진다.

$$[T(\mathbf{v}_i)]_{B'} = \begin{bmatrix} a_{1i} \\ a_{2i} \\ \vdots \\ a_{mi} \end{bmatrix} \qquad i = 1, 2, \ldots, n$$

4.1절의 예제 7에서, 좌표 사상은 선형변환을 정의함을 상기하자. 따라서 B'에 대한 $T(\mathbf{v})$의 좌표

벡터는 다음과 같은 벡터 형태로 쓸 수 있다.

$$[T(\mathbf{v})]_{B'} = c_1 \begin{bmatrix} a_{11} \\ a_{21} \\ \vdots \\ a_{m1} \end{bmatrix} + c_2 \begin{bmatrix} a_{12} \\ a_{22} \\ \vdots \\ a_{m2} \end{bmatrix} + \cdots + c_n \begin{bmatrix} a_{1n} \\ a_{2n} \\ \vdots \\ a_{mn} \end{bmatrix}$$

혹은 행렬 형태로는

$$[T(\mathbf{v})]_{B'} = \begin{bmatrix} a_{11} & a_{12} & \cdots & a_{1n} \\ a_{21} & a_{22} & \cdots & a_{2n} \\ \vdots & \vdots & \vdots & \vdots \\ a_{m1} & a_{m2} & \cdots & a_{mn} \end{bmatrix} \begin{bmatrix} c_1 \\ c_2 \\ \vdots \\ c_n \end{bmatrix}$$

이다. 마지막 방정식 우변의 행렬은 $[T]_B^{B'}$ 로 표시되는데, 여기서

$$[T]_B^{B'} = \begin{bmatrix} \begin{bmatrix} T(\mathbf{v}_1) \end{bmatrix}_{B'} & \begin{bmatrix} T(\mathbf{v}_2) \end{bmatrix}_{B'} & \cdots & \begin{bmatrix} T(\mathbf{v}_n) \end{bmatrix}_{B'} \end{bmatrix}$$

$[T]_B^{B'}$ 은 B와 B'에 대한 T의 행렬이라 부른다. $T : V \longrightarrow V$ 는 선형연산자이며 B는 V의 고정된 순서 기저일 경우, 사상 T의 행렬 표현은 $[T]_B$로 표기한다.

이상의 논의는 정리 12에 요약되어 있다.

정리 12

V와 W는 각기 순서 기저 $B = \{\mathbf{v}_1, \mathbf{v}_2, \dots \mathbf{v}_n\}$ 및 $B' = \{\mathbf{w}_1, \mathbf{w}_2, \dots \mathbf{w}_m\}$을 가진 유한차원의 벡터공간 이라 하고, $T : V \longrightarrow W$ 는 어떤 선형변환이라고 하자. 그러면 행렬 $[T]_B^{B'}$ 은 기저 B 및 B'에 대한 T의 행렬 표현이다. 더구나 B'에 대한 $T(\mathbf{v})$의 좌표는 다음과 같이 주어진다.

$$[T(\mathbf{v})]_{B'} = [T]_B^{B'} [\mathbf{v}]_B$$

정리 12에서 벡터공간 V와 W는 동일하고, B와 B'은 V의 서로 다른 두 개의 순서 기저이며, $T : V \longrightarrow V$ 는 항등 연산자(identity operator), 즉 모든 $\mathbf{v} \in V$ 에 대해 $T(\mathbf{v}) = \mathbf{v}$라 하자. 그러면 $[T]_B^{B'}$ 은 3.4절에서 소개된 기저 변환 행렬 $[I]_B^{B'}$ 이다.

예제 1

선형연산자 $T : \mathbb{R}^3 \longrightarrow \mathbb{R}^3$를 다음과 같이 정의한다.

$$T\left(\begin{bmatrix} x \\ y \\ z \end{bmatrix}\right) = \begin{bmatrix} x \\ -y \\ z \end{bmatrix}$$

a. $\mathbb{R}^3$ 의 표준기저에 대한 T의 행렬을 구하라.

b. (a)의 결과를 이용하여 $T\left(\begin{bmatrix} 1 \\ 1 \\ 2 \end{bmatrix}\right)$ 를 구하라.

풀이 **a.** $B = \{\mathbf{e}_1, \mathbf{e}_2, \mathbf{e}_3\}$를 $\mathbb{R}^3$의 표준기저라 하자. 그러면

$$[T(\mathbf{e}_1)]_B = \begin{bmatrix} 1 \\ 0 \\ 0 \end{bmatrix} \qquad [T(\mathbf{e}_2)]_B = \begin{bmatrix} 0 \\ -1 \\ 0 \end{bmatrix} \qquad [T(\mathbf{e}_3)]_B = \begin{bmatrix} 0 \\ 0 \\ 1 \end{bmatrix}$$

이다. 따라서

$$[T]_B = \begin{bmatrix} 1 & 0 & 0 \\ 0 & -1 & 0 \\ 0 & 0 & 1 \end{bmatrix}$$

이다.

b. B는 $\mathbb{R}^3$의 표준기저이므로, 임의의 벡터의 좌표는 그것의 성분으로 주어진다. 이 경우

$\mathbf{v} = \begin{bmatrix} 1 \\ 1 \\ 2 \end{bmatrix}$ 이면 $[\mathbf{v}]_B = \begin{bmatrix} 1 \\ 1 \\ 2 \end{bmatrix}$ 이다.

따라서 정리 12에 의해,

$$T(\mathbf{v}) = [T(\mathbf{v})]_B = \begin{bmatrix} 1 & 0 & 0 \\ 0 & -1 & 0 \\ 0 & 0 & 1 \end{bmatrix} \begin{bmatrix} 1 \\ 1 \\ 2 \end{bmatrix} = \begin{bmatrix} 1 \\ -1 \\ 2 \end{bmatrix}$$

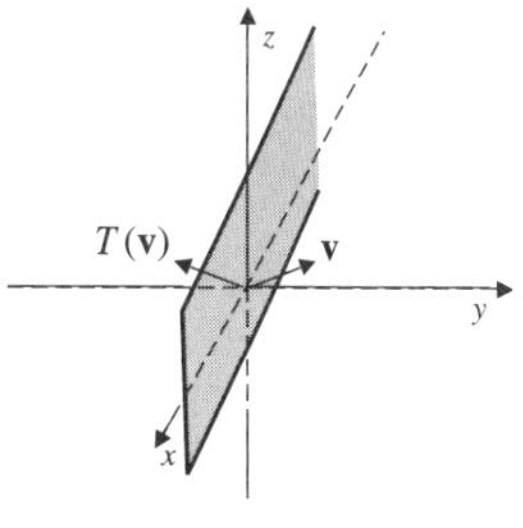

그림 1

T의 효과는, 그림 1에서 보인 것과 같이 xz 평면에 대한 반사이다. ▨ ■

다음은 순서 기저 B와 B'에 대한, 선형변환 $T:V \longrightarrow W$ 의 행렬 표현을 찾는 과정을 요약한 것이다.

1. 주어진 기저 $B = \{\mathbf{v}_1, \mathbf{v}_2, \ldots, \mathbf{v}_n\}$에 대해, $T(\mathbf{v}_1)$, $T(\mathbf{v}_2)$, $\ldots$, $T(\mathbf{v}_n)$을 구한다.

2. W의 기저 $B' = \{\mathbf{w}_1, \mathbf{w}_2, \ldots, \mathbf{w}_m\}$에 대한 $T(\mathbf{v}_1)$, $T(\mathbf{v}_2)$, $\ldots$, $T(\mathbf{v}_n)$의 좌표를 구한다. 즉 $[T(\mathbf{v}_1)]_{B'}$, $[T(\mathbf{v}_2)]_{B'}$, $\ldots$, $[T(\mathbf{v}_n)]_{B'}$을 구한다.

3. i번째 열벡터가 $[T(\mathbf{v}_i)]_{B'}$과 같은 $m \times n$ 행렬 $[T]_B^{B'}$ 을 정의한다.

4. $[\mathbf{v}]_B$를 계산한다.

5. 다음과 같이 B'에 대한 $T(\mathbf{v})$의 좌표를 계산한다.

$$[T(\mathbf{v})]_{B'} = [T]_B^{B'}[\mathbf{v}]_B = \begin{bmatrix} c_1 \\ c_2 \\ \vdots \\ c_m \end{bmatrix}$$

6. 그러면 $T(\mathbf{v}) = c_1\mathbf{w}_1 + c_2\mathbf{w}_2 + \cdots + c_m\mathbf{w}_m$이다.

예제 2

$T: \mathbb{R}^2 \longrightarrow \mathbb{R}^3$ 는 다음과 같이 정의된 선형연산자이며

$$T(\mathbf{v}) = T\left(\begin{bmatrix} x_1 \\ x_2 \end{bmatrix} \right) = \begin{bmatrix} x_2 \\ x_1 + x_2 \\ x_1 - x_2 \end{bmatrix}$$

B와 B'은 각기 $\mathbb{R}^2$와 $\mathbb{R}^3$의 순서 기저라 하자.

$$B = \left\{ \begin{bmatrix} 1 \\ 2 \end{bmatrix}, \begin{bmatrix} 3 \\ 1 \end{bmatrix} \right\} \quad B' = \left\{ \begin{bmatrix} 1 \\ 0 \\ 0 \end{bmatrix}, \begin{bmatrix} 1 \\ 1 \\ 0 \end{bmatrix}, \begin{bmatrix} 1 \\ 1 \\ 1 \end{bmatrix} \right\}$$

a. 행렬 $[T]_B^{B'}$ 을 구하라.

b. $\mathbf{v} = \begin{bmatrix} -3 \\ -2 \end{bmatrix}$ 라 하자. $T(\mathbf{v})$를 직접 구하고, 또한 (a)에서 구한 행렬을 사용해서도 구해보라.

풀이 **a.** 우선 B의 기저 벡터들에게 T를 적용하면 다음을 얻는다.

$$T\left(\begin{bmatrix} 1 \\ 2 \end{bmatrix} \right) = \begin{bmatrix} 2 \\ 3 \\ -1 \end{bmatrix} \quad T\left(\begin{bmatrix} 3 \\ 1 \end{bmatrix} \right) = \begin{bmatrix} 1 \\ 4 \\ 2 \end{bmatrix}$$

그리고 기저 B'에 대한 이들 벡터들 각각의 좌표를 구한다. 즉 다음을 만족하는 스칼라들을 구한다.

$$a_1 \begin{bmatrix} 1 \\ 0 \\ 0 \end{bmatrix} + a_2 \begin{bmatrix} 1 \\ 1 \\ 0 \end{bmatrix} + a_3 \begin{bmatrix} 1 \\ 1 \\ 1 \end{bmatrix} = \begin{bmatrix} 2 \\ 3 \\ -1 \end{bmatrix}$$

$$b_1 \begin{bmatrix} 1 \\ 0 \\ 0 \end{bmatrix} + b_2 \begin{bmatrix} 1 \\ 1 \\ 0 \end{bmatrix} + b_3 \begin{bmatrix} 1 \\ 1 \\ 1 \end{bmatrix} = \begin{bmatrix} 1 \\ 4 \\ 2 \end{bmatrix}$$

첫 번째 선형계의 해는

$$a_1 = -1 \qquad a_2 = 4 \qquad a_3 = -1$$

그리고 두 번째 선형계의 해는

$$b_1 = -3 \qquad b_2 = 2 \qquad b_3 = 2$$

이다. 따라서

$$[T]_B^{B'} = \begin{bmatrix} -1 & -3 \\ 4 & 2 \\ -1 & 2 \end{bmatrix}$$

b. T의 정의를 직접 사용하면

$$T\left(\begin{bmatrix} -3 \\ -2 \end{bmatrix} \right) = \begin{bmatrix} -2 \\ -3-2 \\ -3+2 \end{bmatrix} = \begin{bmatrix} -2 \\ -5 \\ -1 \end{bmatrix}$$

이제 (a)에서 구한 행렬을 사용하려면, B에 대한 $\mathbf{v}$의 좌표를 구해야 한다. 다음 방정식을 풀면

$$a_1 \begin{bmatrix} 1 \\ 2 \end{bmatrix} + a_2 \begin{bmatrix} 3 \\ 1 \end{bmatrix} = \begin{bmatrix} -3 \\ -2 \end{bmatrix}$$

해는

$$a_1 = -\frac{3}{5} \qquad a_2 = -\frac{4}{5}$$

이다. 따라서 B에 대한 $\begin{bmatrix} -3 \\ -2 \end{bmatrix}$의 좌표 벡터는 다음과 같다.

$$\begin{bmatrix} -3 \\ -2 \end{bmatrix}_B = \begin{bmatrix} -\frac{3}{5} \\ -\frac{4}{5} \end{bmatrix}$$

행렬의 곱을 사용하여 T를 계산하면

$$[T(\mathbf{v})]_{B'} = \begin{bmatrix} -1 & -3 \\ 4 & 2 \\ -1 & 2 \end{bmatrix} \begin{bmatrix} -\frac{3}{5} \\ -\frac{4}{5} \end{bmatrix} = \begin{bmatrix} 3 \\ -4 \\ -1 \end{bmatrix}$$

그러므로

$$T(\mathbf{v}) = 3\begin{bmatrix} 1 \\ 0 \\ 0 \end{bmatrix} - 4\begin{bmatrix} 1 \\ 1 \\ 0 \end{bmatrix} - \begin{bmatrix} 1 \\ 1 \\ 1 \end{bmatrix} = \begin{bmatrix} -2 \\ -5 \\ -1 \end{bmatrix}$$

이것은 직접 계산한 것과 일치한다. ■

예제 3

선형변환 $T: P_2 \longrightarrow P_3$ 를 다음과 같이 정의하자.

$$T(f(x)) = x^2 f''(x) - 2f'(x) + xf(x)$$

P_2 와 P_3 의 표준기저에 대한 T의 행렬 표현을 구하라.

풀이 P_2 의 표준기저는 $B = \{1, x, x^2\}$ 이므로 우선 다음을 얻는다.

$$T(1) = x \qquad T(x) = x^2 - 2 \qquad T(x^2) = x^2(2) - 2(2x) + x(x^2) = x^3 + 2x^2 - 4x$$

P_3 의 표준기저는 $B' = \{1, x, x^2, x^3\}$ 이므로, B'에 대한 좌표는

$$[T(1)]_{B'} = \begin{bmatrix} 0 \\ 1 \\ 0 \\ 0 \end{bmatrix} \qquad [T(x)]_{B'} = \begin{bmatrix} -2 \\ 0 \\ 1 \\ 0 \end{bmatrix} \qquad [T(x^2)]_{B'} = \begin{bmatrix} 0 \\ -4 \\ 2 \\ 1 \end{bmatrix}$$

따라서 변환 행렬은

$$[T]_B^{B'} = \begin{bmatrix} 0 & -2 & 0 \\ 1 & 0 & -4 \\ 0 & 1 & 2 \\ 0 & 0 & 1 \end{bmatrix}$$

일례로, $f(x) = x^2 - 3x + 1$ 라 하자. $f'(x) = 2x - 3$ 및 $f''(x) = 2$ 이므로

$$T(f(x)) = x^2(2) - 2(2x - 3) + x(x^2 - 3x + 1)$$
$$= x^3 - x^2 - 3x + 6$$

동일한 상을 구하기 위해 T의 행렬 표현을 사용하면 다음과 같음을 알 수 있고,

$$[f(x)]_B = \begin{bmatrix} 1 \\ -3 \\ 1 \end{bmatrix}$$

따라서 사상 T하에서의 B'에 대한 $f(x)$의 상의 좌표는

$$[T(f(x))]_{B'} = [T]_B^{B'} [f(x)]_B = \begin{bmatrix} 0 & -2 & 0 \\ 1 & 0 & -4 \\ 0 & 1 & 2 \\ 0 & 0 & 1 \end{bmatrix} \begin{bmatrix} 1 \\ -3 \\ 1 \end{bmatrix} = \begin{bmatrix} 6 \\ -3 \\ -1 \\ 1 \end{bmatrix}$$

상 $T(f(x))$는, $[T(f(x))]_{B'}$의 성분을 계수로 가진 B'의 단항식들의 1차 결합이다. 즉

$$T(f(x)) = 6(1) - 3(x) - x^2 + x^3 = x^3 - x^2 - 3x + 6$$

이는 앞에서 직접 계산한 결과와 일치한다. ■

4.1절에서는, 선형사상의 덧셈, 스칼라 곱 및 합성에 대해 다루었다. 이들의 결합에 대한 행렬 표현은 정리 13과 14에서 설명된 방법으로 주어진다. 증명은 생략하기로 한다.

정리 13

V와 W는 각기 순서 기저 B 및 B'을 가진 유한차원 벡터공간이라 하자. 만일 S와 T가 V로부터 W로의 선형변환이라면

1. $[S+T]_B^{B'} = [S]_B^{B'} + [T]_B^{B'}$

2. 임의의 스칼라 k에 대해 $[kT]_B^{B'} = k[T]_B^{B'}$

S와 T가 유한차원 벡터공간 V에서의 선형연산자이며 B는 V의 고정된 순서 기저인 특별한 경우처럼, 표기법은 다음과 같다.

$$[S + T]_B = [S]_B + [T]_B , \quad [kT]_B = k[T]_B$$

예제 4

S와 T는 다음을 만족하는 $\mathbb{R}^2$에서의 선형연산자라 하자.

$$S\left(\begin{bmatrix} x \\ y \end{bmatrix} \right) = \begin{bmatrix} x + 2y \\ -y \end{bmatrix} \qquad T\left(\begin{bmatrix} x \\ y \end{bmatrix} \right) = \begin{bmatrix} -x + y \\ 3x \end{bmatrix}$$

B가 $\mathbb{R}^2$의 표준기저일 경우, $[S + T]_B$와 $[3S]_B$를 구하라.

풀이 선형연산자 S와 T의 행렬 표현은 각기 다음과 같다.

$$[S]_B = \left[\; \left[\begin{array}{c} \\ S(\mathbf{e}_1) \\ \\ \end{array}\right]_B \left[\begin{array}{c} \\ S(\mathbf{e}_2) \\ \\ \end{array}\right]_B \;\right] = \left[\begin{array}{cc} 1 & 2 \\ 0 & -1 \end{array}\right]$$

$$[T]_B = \left[\; \left[\begin{array}{c} \\ T(\mathbf{e}_1) \\ \\ \end{array}\right]_B \left[\begin{array}{c} \\ T(\mathbf{e}_2) \\ \\ \end{array}\right]_B \;\right] = \left[\begin{array}{cc} -1 & 1 \\ 3 & 0 \end{array}\right]$$

그러면 정리 13에 의해

$$[S+T]_B = \left[\begin{array}{cc} 1 & 2 \\ 0 & -1 \end{array}\right] + \left[\begin{array}{cc} -1 & 1 \\ 3 & 0 \end{array}\right] = \left[\begin{array}{cc} 0 & 3 \\ 3 & -1 \end{array}\right]$$

$$[3S]_B = 3\left[\begin{array}{cc} 1 & 2 \\ 0 & -1 \end{array}\right] = \left[\begin{array}{cc} 3 & 6 \\ 0 & -3 \end{array}\right]$$

이다. ■

4.1절에서 언급하였듯이, 합성을 표현하는 행렬은, 정리 14에서 주어지듯이 각각의 사상을 표현하는 행렬의 곱과 같다.

정리 14

U, V 및 W는 각기 순서 기저 B, B′ 및 B″을 가진 유한차원 벡터공간이라 하자. 만일 T: U → V 와 S:V → W가 선형변환이라면

$$[S \circ T]_B^{B''} = [S]_{B'}^{B''} [T]_B^{B'}$$

또한, 만일 S와 T가 유한차원 벡터공간 V에서의 선형연산자이며 B가 V의 고정된 순서 기저라고 하면

$$[S \circ T]_B = [S]_B [T]_B$$

정리 14를 거듭 적용하면 다음 결과를 얻는다.

따름정리 1

V는 순서 기저 B를 가진 유한차원 벡터공간이라 하자. 만일 T가 V에서의 선형연산자이면

$$[T^n]_B = \left([T]_B\right)^n$$

예제 5

$D: \mathcal{P}_3 \longrightarrow \mathcal{P}_3$는 다음과 같이 정의된 선형연산자라 하자.

$$D(p(x)) = p'(x)$$

a. 표준기저 $B = \{1, x, x^2, x^3\}$에 대한 D의 행렬을 구하라. 그 행렬을 사용하여 $p(x) = 1 - x + 2x^3$의 미분을 구하라.

b. $\mathcal{P}_3$의 다항식의 2차 미분을 계산하는 데 필요한 행렬을 구하라. 그 행렬을 사용하여 $p(x) = 1 - x + 2x^3$의 2차 미분을 구하라.

풀이 a. 정리 12에 의해,

$$[D]_B = \left[\left[D(1) \right]_B \left[D(x) \right]_B \left[D(x^2) \right]_B \left[D(x^3) \right]_B \right]$$

$$= \begin{bmatrix} 0 & 1 & 0 & 0 \\ 0 & 0 & 2 & 0 \\ 0 & 0 & 0 & 3 \\ 0 & 0 & 0 & 0 \end{bmatrix}$$

이다.

B에 대한 $p(x) = 1 - x + 2x^3$의 좌표 벡터는

$$[p(x)]_B = \begin{bmatrix} 1 \\ -1 \\ 0 \\ 2 \end{bmatrix}$$

따라서

$$[D(p(x))]_B = \begin{bmatrix} 0 & 1 & 0 & 0 \\ 0 & 0 & 2 & 0 \\ 0 & 0 & 0 & 3 \\ 0 & 0 & 0 & 0 \end{bmatrix} \begin{bmatrix} 1 \\ -1 \\ 0 \\ 2 \end{bmatrix} = \begin{bmatrix} -1 \\ 0 \\ 6 \\ 0 \end{bmatrix}$$

이다.

그러므로 예상한 바와 같이, $D(p(x)) = -1 + 6x^2$이다.

b. 따름정리 1에 의해, 필요한 행렬은

$$[D^2]_B = \left([D]_B\right)^2 = \begin{bmatrix} 0 & 0 & 2 & 0 \\ 0 & 0 & 0 & 6 \\ 0 & 0 & 0 & 0 \\ 0 & 0 & 0 & 0 \end{bmatrix}$$

만일 $p(x) = 1 - x + 2x^3$이면

$$[D^2(p(x))]_B = \begin{bmatrix} 0 & 0 & 2 & 0 \\ 0 & 0 & 0 & 6 \\ 0 & 0 & 0 & 0 \\ 0 & 0 & 0 & 0 \end{bmatrix} \begin{bmatrix} 1 \\ -1 \\ 0 \\ 2 \end{bmatrix} = \begin{bmatrix} 0 \\ 12 \\ 0 \\ 0 \end{bmatrix}$$

따라서 $p''(x) = 12x$이다. ■

이 절의 최종 결과는, 가역 선형연산자의 역 사상(inverse map)의 행렬 표현을 어떻게 구하는가를 설명한다.

따름정리 2

T는 유한차원 벡터공간 V상의 가역 선형연산자이며, B는 T의 순서 기저라고 하자. 그러면

$$[T^{-1}]_B = \left([T]_B\right)^{-1}$$

증명 $T^{-1} \circ T$는 항등사상(identity map)이므로, 정리 14에 의해

$$[I]_B = [T^{-1} \circ T]_B = [T^{-1}]_B [T]_B$$

$[I]_B$ 는 단위행렬이므로, $[T^{-1}]_B = \left([T]_B\right)^{-1}$이다.

핵심 요약

V와 W를 벡터공간, $B = \{\mathbf{v}_1, \ldots, \mathbf{v}_n\}$와 $B' = \{\mathbf{w}_1, \ldots, \mathbf{w}_m\}$은 각기 V와 W의 순서 기저, 그리고 T는 V로부터 W로의 선형변환이라고 하자.

1. B와 B'에 대한 T의 행렬은 다음과 같이 주어진다.

$$[T]_B^{B'} = \left[[T(\mathbf{v}_1)]_{B'} [T(\mathbf{v}_2)]_{B'} \cdots [T(\mathbf{v}_n)]_{B'}\right]$$

2. 만일 $\mathbf{v}$가 V상의 어떤 벡터라고 하면, 기저 B'에 대한 $T(\mathbf{v})$의 좌표는 다음과 같이 계산된다.

$$[T(\mathbf{v})]_{B'} = [T]_B^{B'} [\mathbf{v}]_B$$

3. $T(\mathbf{v})$를 구하기 위해서는, B'의 각 기저벡터를 $[T(\mathbf{v})]_{B'}$의 대응되는 성분으로 곱한다. 즉, 만일 $[T(\mathbf{v})]_{B'} = [\,b_1'\ \ b_2'\ \ \dots\ \ b_m'\,]^t$이면

$$T(\mathbf{v}) = b_1'\mathbf{w}_1 + b_2'\mathbf{w}_2 + \dots + b_m'\mathbf{w}_m$$

이다.

4. 만일 S는 V로부터 W로의 또 다른 선형변환이라면, B와 B'에 대한 $S + T$의 행렬 표현은 S와 T의 행렬 표현의 합이다. 즉 $[S+T]_B^{B'} = [S]_B^{B'} + [T]_B^{B'}$이다.

5. 만일 c가 스칼라이면, B와 B'에 대한 cT의 행렬 표현을 구하려면 T의 행렬 표현을 c로 곱하면 된다. 즉 $[cT]_B^{B'} = c[T]_B^{B'}$이다.

6. 만일 S가 W로부터 Z로의 선형변환이며 B''은 Z의 순서 기저이면, $[S \circ T]_B^{B''} = [S]_{B'}^{B''}[T]_B^{B'}$이다.

7. $[T^n]_B = \big([T]_B\big)^n$

8. 만일 T가 가역이면, $[T^{-1}]_B = ([T]_B)^{-1}$이다.

연습문제 4.4

연습문제 1–4에서, $T : \mathbb{R}^n \longrightarrow \mathbb{R}^n$은 선형연산자이다.

a. $\mathbb{R}^n$의 표준 기저에 대한 T의 행렬 표현을 구하라.

b. 직접 계산하는 방법과 행렬 표현을 이용하는 두 가지 방법으로 $T(\mathbf{v})$를 구하라.

1. $T : \mathbb{R}^2 \longrightarrow \mathbb{R}^2$,

$$T\left(\begin{bmatrix} x \\ y \end{bmatrix}\right) = \begin{bmatrix} 5x - y \\ -x + y \end{bmatrix} \quad \mathbf{v} = \begin{bmatrix} 2 \\ 1 \end{bmatrix}$$

2. $T : \mathbb{R}^2 \longrightarrow \mathbb{R}^2$,

$$T\left(\begin{bmatrix} x \\ y \end{bmatrix}\right) = \begin{bmatrix} -x \\ y \end{bmatrix}$$
$$\mathbf{v} = \begin{bmatrix} -1 \\ 3 \end{bmatrix}$$

3. $T : \mathbb{R}^3 \longrightarrow \mathbb{R}^3$,

$$T\left(\begin{bmatrix} x \\ y \\ z \end{bmatrix}\right) = \begin{bmatrix} -x + y + 2z \\ 3y + z \\ x - z \end{bmatrix}$$
$$\mathbf{v} = \begin{bmatrix} 1 \\ -2 \\ 3 \end{bmatrix}$$

4. $T : \mathbb{R}^3 \longrightarrow \mathbb{R}^3$,

$$T\left(\begin{bmatrix} x \\ y \\ z \end{bmatrix}\right) = \begin{bmatrix} x \\ y \\ -z \end{bmatrix}$$
$$\mathbf{v} = \begin{bmatrix} 2 \\ -5 \\ 1 \end{bmatrix}$$

연습문제 5–12에서, $T:V \longrightarrow V$ 는 V의 순서 기저로 B와 B'을 가지는 선형연산자이다.

a. 순서 기저 B와 B'에 대한 T의 행렬 표현을 구하라.

b. 직접 계산하는 방법과 행렬 표현을 이용하는 두 가지 방법으로 $T(\mathbf{v})$를 구하라.

5. $T:\mathbb{R}^2 \longrightarrow \mathbb{R}^2$,

$$T\left(\begin{bmatrix} x \\ y \end{bmatrix}\right) = \begin{bmatrix} -x+2y \\ 3x \end{bmatrix}$$

$$B = \left\{ \begin{bmatrix} 1 \\ -1 \end{bmatrix}, \begin{bmatrix} 2 \\ 0 \end{bmatrix} \right\}$$

$$B' = \left\{ \begin{bmatrix} 1 \\ 0 \end{bmatrix}, \begin{bmatrix} 0 \\ 1 \end{bmatrix} \right\}$$

$$\mathbf{v} = \begin{bmatrix} -1 \\ -2 \end{bmatrix}$$

6. $T:\mathbb{R}^3 \longrightarrow \mathbb{R}^3$,

$$T\left(\begin{bmatrix} x \\ y \\ z \end{bmatrix}\right) = \begin{bmatrix} 2x-z \\ -x+y+z \\ 2z \end{bmatrix}$$

$$B = \left\{ \begin{bmatrix} -1 \\ 0 \\ 1 \end{bmatrix}, \begin{bmatrix} 1 \\ 2 \\ 0 \end{bmatrix}, \begin{bmatrix} 1 \\ 2 \\ 1 \end{bmatrix} \right\}$$

$$B' = \left\{ \begin{bmatrix} 1 \\ 0 \\ 0 \end{bmatrix}, \begin{bmatrix} 0 \\ 1 \\ 0 \end{bmatrix}, \begin{bmatrix} 0 \\ 0 \\ 1 \end{bmatrix} \right\}$$

$$\mathbf{v} = \begin{bmatrix} 1 \\ -1 \\ 1 \end{bmatrix}$$

7. $T:\mathbb{R}^2 \longrightarrow \mathbb{R}^2$,

$$T\left(\begin{bmatrix} x \\ y \end{bmatrix}\right) = \begin{bmatrix} 2x \\ x+y \end{bmatrix}$$

$$B = \left\{ \begin{bmatrix} -1 \\ -2 \end{bmatrix}, \begin{bmatrix} 1 \\ 1 \end{bmatrix} \right\}$$

$$B' = \left\{ \begin{bmatrix} 3 \\ -2 \end{bmatrix}, \begin{bmatrix} 0 \\ -2 \end{bmatrix} \right\}$$

$$\mathbf{v} = \begin{bmatrix} -1 \\ -3 \end{bmatrix}$$

8. $T:\mathbb{R}^3 \longrightarrow \mathbb{R}^3$,

$$T\left(\begin{bmatrix} x \\ y \\ z \end{bmatrix}\right) = \begin{bmatrix} x+z \\ 2y-x \\ y+z \end{bmatrix}$$

$$B = \left\{ \begin{bmatrix} -1 \\ 1 \\ 1 \end{bmatrix}, \begin{bmatrix} -1 \\ -1 \\ 1 \end{bmatrix}, \begin{bmatrix} 0 \\ 1 \\ 1 \end{bmatrix} \right\}$$

$$B' = \left\{ \begin{bmatrix} 0 \\ 0 \\ 1 \end{bmatrix}, \begin{bmatrix} 1 \\ 0 \\ -1 \end{bmatrix}, \begin{bmatrix} -1 \\ -1 \\ 0 \end{bmatrix} \right\}$$

$$\mathbf{v} = \begin{bmatrix} -2 \\ 1 \\ 3 \end{bmatrix}$$

9. $T:\mathcal{P}_2 \longrightarrow \mathcal{P}_2$,

$$T(ax^2+bx+c) = ax^2+bx+c$$

$$B = \{1, 1-x, (1-x)^2\}$$

$$B' = \{1, x, x^2\}$$

$$\mathbf{v} = x^2-3x+3$$

10. $T:\mathcal{P}_2 \longrightarrow \mathcal{P}_2$,

$$T(p(x)) = p'(x)+p(x)$$

$$B = \{1-x-x^2, 1, 1+x^2\}$$

$$B' = \{-1+x, -1+x+x^2, x\}$$

$$\mathbf{v} = 1-x$$

11. $H = \begin{bmatrix} 1 & 0 \\ 0 & -1 \end{bmatrix}$ 라 하고 T는 대각합(trace)이

0인 모든 2×2 행렬상에서 다음과 같이 정의된 선형연산자라 하자.

$$T(A) = AH - HA$$

$$B = \left\{ \begin{bmatrix} 1 & 0 \\ 0 & -1 \end{bmatrix}, \begin{bmatrix} 0 & 1 \\ 0 & 0 \end{bmatrix}, \begin{bmatrix} 0 & 0 \\ 1 & 0 \end{bmatrix} \right\}$$

$$B' = B$$

$$\mathbf{v} = \begin{bmatrix} 2 & 1 \\ 3 & -2 \end{bmatrix}$$

12. $T: M_{2\times 2} \longrightarrow M_{2\times 2}$,

$$T(A) = 2A^t + A$$

B와 B'은 $M_{2\times 2}$의 표준 기저

$$\mathbf{v} = \begin{bmatrix} 1 & 3 \\ -1 & 2 \end{bmatrix}$$

13. $T: \mathbb{R}^2 \longrightarrow \mathbb{R}^2$ 는 다음과 같이 정의되는 선형연산자라 하자.

$$T\left(\begin{bmatrix} x \\ y \end{bmatrix} \right) = \begin{bmatrix} x + 2y \\ x - y \end{bmatrix}$$

B는 $\mathbb{R}^2$의 표준 순서 기저이며, B'은 다음과 같이 정의된 $\mathbb{R}^2$의 순서 기저라 하자.

$$B' = \left\{ \begin{bmatrix} 1 \\ 2 \end{bmatrix}, \begin{bmatrix} 4 \\ -1 \end{bmatrix} \right\}$$

a. $[T]_B$ 를 구하라.

b. $[T]_{B'}$ 을 구하라.

c. $[T]_B^{B'}$ 을 구하라.

d. $[T]_{B'}^{B}$ 를 구하라.

e. B의 벡터들의 순서를 바꿈으로써 얻어지는 순서 기저를 C라 하자. $[T]_C^{B'}$ 을 구하라.

f. B'의 벡터들의 순서를 바꿈으로써 얻어지

는 순서 기저를 C'이라 하자. $[T]_{C'}^{B'}$ 을 구하라.

14. $T: \mathbb{R}^2 \longrightarrow \mathbb{R}^3$ 는 다음과 같이 정의된 선형변환이라 하자.

$$T\left(\begin{bmatrix} x \\ y \end{bmatrix} \right) = \begin{bmatrix} x - y \\ x \\ x + 2y \end{bmatrix}$$

B와 B'은 $\mathbb{R}^2$의 순서 기저, B''은 $\mathbb{R}^3$의 순서 기저로서 다음과 같이 정의된다고 하자.

$$B = \left\{ \begin{bmatrix} 1 \\ 1 \end{bmatrix}, \begin{bmatrix} 1 \\ 3 \end{bmatrix} \right\}$$

$$B' = \left\{ \begin{bmatrix} 1 \\ 0 \end{bmatrix}, \begin{bmatrix} 0 \\ 1 \end{bmatrix} \right\}$$

$$B'' = \left\{ \begin{bmatrix} 1 \\ 1 \\ 0 \end{bmatrix}, \begin{bmatrix} 0 \\ 1 \\ 1 \end{bmatrix}, \begin{bmatrix} 1 \\ 1 \\ 2 \end{bmatrix} \right\}$$

a. $[T]_B^{B''}$ 을 구하라.

b. $[T]_{B'}^{B''}$ 을 구하라.

c. B의 벡터들의 순서를 바꿈으로써 얻어지는 순서 기저를 C라 하자. $[T]_C^{B''}$ 을 구하라.

d. B'의 벡터들의 순서를 바꿈으로써 얻어지는 순서 기저를 C'이라 하자. $[T]_{C'}^{B''}$ 을 구하라.

e. B''의 첫 번째 벡터와 세 번째 벡터의 순서를 바꿈으로써 얻어지는 순서 기저를 C''이라 하자. $[T]_B^{C''}$ 을 구하라.

15. $T: \mathcal{P}_1 \longrightarrow \mathcal{P}_2$은 다음과 같이 정의된 선형변환이라 하자.

$$T(a + bx) = ax + \frac{b}{2}x^2$$

B와 B'은 각기 $\mathcal{P}_1$과 $\mathcal{P}_2$의 표준 순서 기저라

하자.

a. $[T]_B^{B'}$ 을 구하라.

b. B의 벡터들의 순서를 바꿈으로써 얻어지는 순서 기저를 C라 하자. $[T]_C^{B'}$ 을 구하라.

c. B'의 첫 번째 벡터와 두 번째 벡터의 순서를 바꿈으로써 얻어지는 순서 기저를 C'이라 하자. $[T]_C^{C'}$ 을 구하라.

d. $S: \mathcal{P}_2 \longrightarrow \mathcal{P}_1$을 다음과 같이 정의한다.

$$S(a + bx + cx^2) = b + 2cx$$

$[S]_{B'}^B$ 를 구하라.

e. $[S]_{B'}^B [T]_B^{B'} = I$이나 $[T]_B^{B'} [S]_{B'}^B \neq I$임을 증명하라.

f. 다음 식을 함수 T와 S의 관점에서 해석하라.

$$[S]_{B'}^B [T]_B^{B'} = I$$

16. 선형연산자 $T: M_{2\times2} \longrightarrow M_{2\times2}$를 다음과 같이 정의한다.

$$T\left(\begin{bmatrix} a & b \\ c & d \end{bmatrix} \right) = \begin{bmatrix} 2a & c-b \\ -d & d-a \end{bmatrix}$$

B는 $M_{2\times2}$의 표준 순서 기저이며, B'은 다음과 같은 순서 기저라 하자.

$$B' = \left\{ \begin{bmatrix} 1 & 0 \\ 0 & 1 \end{bmatrix}, \begin{bmatrix} 0 & 1 \\ 1 & 0 \end{bmatrix}, \begin{bmatrix} -1 & 1 \\ -1 & 1 \end{bmatrix}, \begin{bmatrix} -1 & -1 \\ 1 & 1 \end{bmatrix} \right\}$$

a. $[T]_B^{B'}$ 을 구하라.

b. $[T]_{B'}^B$ 를 구하라.

c. $[T]_{B'}$ 을 구하라.

d. $[I]_B^{B'}$ 과 $[I]_{B'}^B$ 를 구하라.

e. 다음을 증명하라.

$$[T]_B^{B'} = [T]_{B'} [I]_B^{B'}$$
$$[T]_{B'}^B = [I]_{B'}^B [T]_{B'}$$

17. 선형연산자 $T: \mathbb{R}^2 \longrightarrow \mathbb{R}^2$ 를 다음과 같이 정의한다.

$$T\left(\begin{bmatrix} x \\ y \end{bmatrix} \right) = \begin{bmatrix} x \\ -y \end{bmatrix}$$

$\mathbb{R}^2$의 표준 기저에 대한 T의 행렬을 구하라. 또한 $\mathbb{R}^2$의 벡터에 대한 T의 영향을 기하학적으로 설명하라.

18. 선형연산자 $T: \mathbb{R}^2 \longrightarrow \mathbb{R}^2$ 를 다음과 같이 정의한다.

$$T\left(\begin{bmatrix} x \\ y \end{bmatrix} \right) = \begin{bmatrix} \cos\theta & -\sin\theta \\ \sin\theta & \cos\theta \end{bmatrix} \begin{bmatrix} x \\ y \end{bmatrix}$$

$\mathbb{R}^2$의 벡터에 대한 T의 영향을 기하학적으로 설명하라.

19. c는 고정된 스칼라이며, $T: \mathbb{R}^n \longrightarrow \mathbb{R}^n$은 다음과 같이 정의한다.

$$T\left(\begin{bmatrix} x_1 \\ x_2 \\ \vdots \\ x_n \end{bmatrix} \right) = c \begin{bmatrix} x_1 \\ x_2 \\ \vdots \\ x_n \end{bmatrix}$$

$\mathbb{R}^n$의 표준 기저에 대한 T의 행렬을 구하라.

20. $T: M_{2\times2} \longrightarrow M_{2\times2}$ 를 다음과 같이 정의한다.

$$T(A) = A - A^t$$

$M_{2\times2}$의 표준 기저에 대한 T의 행렬을 구하라.

21. $T: M_{2\times2} \longrightarrow \mathbb{R}$ 을 다음과 같이 정의한다.

$$T(A) = \mathbf{tr}(A)$$

B는 $M_{2\times2}$ 의 표준 기저이며 $B' = \{1\}$인 경우, 행렬 $[T]_B^{B'}$ 을 구하라.

연습문제 22–25에서, S, $T: \mathbb{R}^2 \longrightarrow \mathbb{R}^2$ 는 다음과 같이 정의된다고 하자.

$$T\left(\begin{bmatrix} x \\ y \end{bmatrix}\right) = \begin{bmatrix} 2x + y \\ -x + 3y \end{bmatrix}$$

$$S\left(\begin{bmatrix} x \\ y \end{bmatrix}\right) = \begin{bmatrix} x \\ x + y \end{bmatrix}$$

a. 다음 각각의 선형연산자에 대해, 표준 기저에 대한 행렬 표현을 구하라.

b. 직접 계산하는 방법과 (a)에서 얻어진 행렬을 이용하는 두 가지 방법으로 $\mathbf{v} = \begin{bmatrix} -2 \\ 3 \end{bmatrix}$ 의 상을 계산하라.

22. $-3S$

23. $2T + S$

24. $T \circ S$

25. $S \circ T$

연습문제 26–29에서, $T: \mathbb{R}^3 \longrightarrow \mathbb{R}^3$ 는 다음과 같이 정의된다고 하자.

$$T\left(\begin{bmatrix} x \\ y \\ z \end{bmatrix}\right) = \begin{bmatrix} x - y - z \\ 2y + 2z \\ -x + y + z \end{bmatrix}$$

$$S\left(\begin{bmatrix} x \\ y \\ z \end{bmatrix}\right) = \begin{bmatrix} 3x - z \\ x \\ z \end{bmatrix}$$

a. 다음 각각의 선형연산자에 대해, 표준 기저에 대한 행렬 표현을 구하라.

b. 직접 계산하는 방법과 (a)에서 얻어진 행렬을 이용하는 두 가지 방법으로 $\mathbf{v} = \begin{bmatrix} -1 \\ 1 \\ 3 \end{bmatrix}$ 의 상을 계산하라.

26. $2T$

27. $-3T + 2S$

28. $T \circ S$

29. $S \circ T$

30. B는 다음과 같이 정의된 $\mathbb{R}^2$ 의 기저라 하자.

$$B = \left\{ \begin{bmatrix} 1 \\ 1 \end{bmatrix}, \begin{bmatrix} 1 \\ 3 \end{bmatrix} \right\}$$

만일 $T: \mathbb{R}^2 \longrightarrow \mathbb{R}^2$ 가 다음과 같이 정의된 선형연산자라 할 경우

$$T\left(\begin{bmatrix} x \\ y \end{bmatrix}\right) = \begin{bmatrix} 9x - 5y \\ 15x - 11y \end{bmatrix}$$

기저 B에 대한 $T^k, k \geq 1$의 행렬을 구하라.

31. $T: \mathcal{P}_4 \longrightarrow \mathcal{P}_4$을 다음과 같이 정의하자.

$$T(p(x)) = p'''(x)$$

$\mathcal{P}_4$의 표준 기저에 대한 T의 행렬을 구하라. 그리고 그 행렬을 이용하여 $p(x) = -2x^4 - 2x^3 + x^2 - 2x - 3$의 3차 미분을 구하라.

32. $T: \mathcal{P}_2 \longrightarrow \mathcal{P}_2$는 다음과 같이 정의된다고 하자.

$$T(p(x)) = p(x) + xp'(x)$$

B가 $\mathcal{P}_2$의 기저라 할 때 행렬 $[T]_B$를 구하라.

33. $S: \mathcal{P}_2 \longrightarrow \mathcal{P}_3$와 $D: \mathcal{P}_3 \longrightarrow \mathcal{P}_2$는 다음과 같이 정의된다고 하자.

$$S(p(x)) = xp(x)$$
$$D(p(x)) = p'(x)$$

$B = \{1, x, x^2\}$ 및 $B' = \{1, x, x^2, x^3\}$라 할 때, 행렬 $[S]_B^{B'}$와 $[D]_{B'}^B$를 구하라. 연습문제 32의 연산자 T는 $T = D \circ S$를 만족함을 유의하라. $[T]_B = [D]_{B'}^B [S]_B^{B'}$가 성립함을 보임으로써 정리 14를 증명하라.

34. a. $\mathbb{R}^2$의 기저를 다음과 같이 정의하자.

$$B = \left\{ \begin{bmatrix} 1 \\ 1 \end{bmatrix}, \begin{bmatrix} 0 \\ 1 \end{bmatrix} \right\}$$

$T: \mathbb{R}^2 \longrightarrow \mathbb{R}^2$ 벡터 $\begin{bmatrix} 1 \\ 1 \end{bmatrix}$에 수직인 직선에 대해 벡터 $\mathbf{v}$를 반사하는 선형연산자일 경우 $[T]_B$를 구하라.

b. $B = \{\mathbf{v}_1, \mathbf{v}_2\}$를 $\mathbb{R}^2$의 기저라 하자. $T: \mathbb{R}^2 \longrightarrow \mathbb{R}^2$가 벡터 $\mathbf{v}_1$에 수직인 직선에 대해 벡터 $\mathbf{v}$를 반사하는 선형연산자일 경우 $[T]_B$를 구하라.

35. A는 고정된 2×2 행렬이며 $T: M_{2 \times 2} \to M_{2 \times 2}$를 다음과 같이 정의하자.

$$T(B) = AB - BA$$

$M_{2 \times 2}$의 표준 기저에 대한 T의 행렬을 구하라.

36. $B = \{\mathbf{v}_1, \mathbf{v}_2, \mathbf{v}_3\}$와 $B' = \{\mathbf{v}_2, \mathbf{v}_1, \mathbf{v}_3\}$은 벡터공간 V의 순서 기저라 하자. 만일 $T: V \longrightarrow V$가 $T(\mathbf{v}) = \mathbf{v}$로 정의될 경우, $[T]_B^{B'}$을 구하라. $[\mathbf{v}]_B$와 $[\mathbf{v}]_{B'}$ 사이의 관계를 설명하고, 또한 단위행렬 I와 $[T]_B^{B'}$ 사이의 관계도 설명하라.

37. V를 어떤 벡터 공간이라 하고 $B = \{\mathbf{v}_1, \mathbf{v}_2, \dots, \mathbf{v}_n\}$를 V의 순서 기저라고 하자. $\mathbf{v}_0 = \mathbf{0}$로 정의하고, $T: V \longrightarrow V$를 다음과 같이 정의하자.

$$T(\mathbf{v}_i) = \mathbf{v}_i + \mathbf{v}_{i-1} \qquad i = 1, \dots, n.$$

이 경우 $[T]_B$를 구하라.

4.5 닮음

만일 $T: V \longrightarrow V$가 벡터공간 V에서의 선형 연산자이며 B가 V의 순서 기저이면, T는 B에 대한 행렬 표현을 갖는다는 사실을 방금 4.4절에서 보았다. T를 표현하는 그 특정 행렬은 개개의 기저에 의해 정해진다. 따라서 어떤 선형연산자와 연관된 행렬은 유일하지 않다. 그러나 예제 1에서 보듯이, V에 미치는 연산자 T의 영향은 특정한 행렬 표현과 무관하게 항상 같다.

예제 1

$T: \mathbb{R}^2 \longrightarrow \mathbb{R}^2$는 다음과 같이 정의된 선형연산자라고 하자.

$$T\left(\begin{bmatrix} x \\ y \end{bmatrix} \right) = \begin{bmatrix} x + y \\ -2x + 4y \end{bmatrix}$$

또한 $B_1 = \{\mathbf{e}_1, \mathbf{e}_2\}$은 $\mathbb{R}^2$의 표준 기저이며 $B_2 = \left\{ \begin{bmatrix} 1 \\ 1 \end{bmatrix}, \begin{bmatrix} 1 \\ 2 \end{bmatrix} \right\}$는 $\mathbb{R}^2$의 두 번째 기저라 하자. 벡

터 $\mathbf{v} = \begin{bmatrix} 2 \\ 3 \end{bmatrix}$ 에 대한 연산자 T의 영향은, T의 행렬 표현과 무관하게 항상 같음을 증명하라.

풀이 B_1과 B_2에 대한 T의 행렬 표현은 각기 다음과 같다.

$$[T]_{B_1} = \begin{bmatrix} 1 & 1 \\ -2 & 4 \end{bmatrix} \qquad [T]_{B_2} = \begin{bmatrix} 2 & 0 \\ 0 & 3 \end{bmatrix}$$

그런데

$$[\mathbf{v}]_{B_1} = \begin{bmatrix} 2 \\ 3 \end{bmatrix} \qquad [\mathbf{v}]_{B_2} = \begin{bmatrix} 1 \\ 1 \end{bmatrix}$$

B_1과 B_2에 대한 연산자 T의 행렬 표현을 적용하면

$$[T(\mathbf{v})]_{B_1} = [T]_{B_1}[\mathbf{v}]_{B_1} = \begin{bmatrix} 1 & 1 \\ -2 & 4 \end{bmatrix}\begin{bmatrix} 2 \\ 3 \end{bmatrix} = \begin{bmatrix} 5 \\ 8 \end{bmatrix}$$

$$[T(\mathbf{v})]_{B_2} = [T]_{B_2}[\mathbf{v}]_{B_2} = \begin{bmatrix} 2 & 0 \\ 0 & 3 \end{bmatrix}\begin{bmatrix} 1 \\ 1 \end{bmatrix} = \begin{bmatrix} 2 \\ 3 \end{bmatrix}$$

그 결과가 같음은 다음의 사실로 알 수 있다.

$$T(\mathbf{v}) = 5\begin{bmatrix} 1 \\ 0 \end{bmatrix} + 8\begin{bmatrix} 0 \\ 1 \end{bmatrix} = \begin{bmatrix} 5 \\ 8 \end{bmatrix} \qquad T(\mathbf{v}) = 2\begin{bmatrix} 1 \\ 1 \end{bmatrix} + 3\begin{bmatrix} 1 \\ 2 \end{bmatrix} = \begin{bmatrix} 5 \\ 8 \end{bmatrix}$$

정리 15는 두 개의 다른 기저에 대한 선형 연산자의 표현 행렬들간의 관계를 보여준다.

정리 15

V는 유한 차원 벡터공간, B_1과 B_2는 V의 두 순서 기저, 그리고 $T:V \longrightarrow V$ 는 선형연산자라 하자. 한편 $P = [I]_{B_2}^{B_1}$은 B_2로부터 B_1으로의 추이행렬(transition matrix)이라 하자. 그러면

$$[T]_{B_2} = P^{-1}[T]_{B_1}P$$

증명 $\mathbf{v}$를 V의 임의의 벡터라고 하자. 4.4절의 정리 12에 의해

$$[T(\mathbf{v})]_{B_2} = [T]_{B_2}[\mathbf{v}]_{B_2}$$

혹은 다른 방법으로, $[T(\mathbf{v})]_{B_2}$를 다음과 같이 계산할 수 있다: 우선, P는 B_2로부터 B_1으로의 추이행렬이므로,

$$[\mathbf{v}]_{B_1} = P[\mathbf{v}]_{B_2}$$

따라서 B_1에 대한 $T(\mathbf{v})$의 좌표는 다음과 같이 주어진다.

$$[T(\mathbf{v})]_{B_1} = [T]_{B_1}[\mathbf{v}]_{B_1} = [T]_{B_1}P[\mathbf{v}]_{B_2}$$

이제, B_2에 대한 $T(\mathbf{v})$의 좌표를 구하기 위해, B_1으로부터 B_2로의 추이행렬인 P^{-1}을 양변의 왼편에 곱하면

$$[T(\mathbf{v})]_{B_2} = P^{-1}[T]_{B_1}P[\mathbf{v}]_{B_2}$$

이다.

$[T(\mathbf{v})]_{B_2}$의 두 가지 표현 모두 V의 임의의 벡터 $\mathbf{v}$에 대해 성립하므로

$$[T]_{B_2} = P^{-1}[T]_{B_1}P$$

그림 1을 보라.

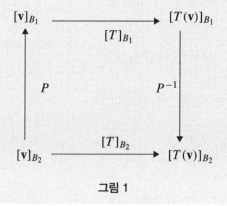

그림 1

예제 2

T, B_1, B_2는 각기 예제 1의 선형연산자 및 두 기저라 하자. 그러면

$$[T]_{B_1} = \begin{bmatrix} 1 & 1 \\ -2 & 4 \end{bmatrix}$$

정리 15를 사용하여 다음을 증명하라.

$$[T]_{B_2} = \begin{bmatrix} 2 & 0 \\ 0 & 3 \end{bmatrix}$$

풀이 B_1은 $\mathbb{R}^2$의 표준 기저이므로, 3.4절의 정리 14에 의해 B_2로부터 B_1으로의 추이행렬은

$$P = [I]_{B_2}^{B_1} = \begin{bmatrix} \begin{bmatrix} 1 \\ 1 \end{bmatrix}_{B_1} & \begin{bmatrix} 1 \\ 2 \end{bmatrix}_{B_1} \end{bmatrix} = \begin{bmatrix} 1 & 1 \\ 1 & 2 \end{bmatrix}$$

이다. 따라서

$$P^{-1} = \begin{bmatrix} 2 & -1 \\ -1 & 1 \end{bmatrix}$$

그러면

$$P^{-1}[T]_{B_1}P = \begin{bmatrix} 2 & -1 \\ -1 & 1 \end{bmatrix}\begin{bmatrix} 1 & 1 \\ -2 & 4 \end{bmatrix}\begin{bmatrix} 1 & 1 \\ 1 & 2 \end{bmatrix} = \begin{bmatrix} 2 & 0 \\ 0 & 3 \end{bmatrix} = [T]_{B_2}$$

예제 3

$T: \mathbb{R}^2 \longrightarrow \mathbb{R}^2$ 는 선형연산자이며, B_1과 B_2는 $\mathbb{R}^2$의 순서 기저로서 다음과 같이 정의된다고 하자.

$$T\left(\begin{bmatrix} x \\ y \end{bmatrix}\right) = \begin{bmatrix} -x+2y \\ 3x+y \end{bmatrix} \qquad B_1 = \left\{\begin{bmatrix} 2 \\ -1 \end{bmatrix}, \begin{bmatrix} 1 \\ 0 \end{bmatrix}\right\} \qquad B_2 = \left\{\begin{bmatrix} 1 \\ -1 \end{bmatrix}, \begin{bmatrix} 0 \\ 1 \end{bmatrix}\right\}$$

B_1에 대한 T의 행렬을 구한 후, 정리 15를 사용하여 B_2에 대한 T의 행렬을 구하라.

풀이 $T\left(\begin{bmatrix} 2 \\ -1 \end{bmatrix}\right) = \begin{bmatrix} -4 \\ 5 \end{bmatrix}$ 및 $T\left(\begin{bmatrix} 1 \\ 0 \end{bmatrix}\right) = \begin{bmatrix} -1 \\ 3 \end{bmatrix}$ 이므로

$$[T]_{B_1} = \left[\begin{bmatrix} -4 \\ 5 \end{bmatrix}_{B_1} \begin{bmatrix} -1 \\ 3 \end{bmatrix}_{B_1}\right] = \begin{bmatrix} -5 & -3 \\ 6 & 5 \end{bmatrix}$$

이다.

B_2로부터 B_1으로의 추이행렬은

$$P = [I]_{B_2}^{B_1} = \left[\begin{bmatrix} 1 \\ -1 \end{bmatrix}_{B_1} \begin{bmatrix} 0 \\ 1 \end{bmatrix}_{B_1}\right] = \begin{bmatrix} 1 & -1 \\ -1 & 2 \end{bmatrix}$$

따라서 정리 15에 의해,

$$[T]_{B_2} = P^{-1}[T]_{B_1}P = \begin{bmatrix} 2 & 1 \\ 1 & 1 \end{bmatrix}\begin{bmatrix} -5 & -3 \\ 6 & 5 \end{bmatrix}\begin{bmatrix} 1 & -1 \\ -1 & 2 \end{bmatrix}$$
$$= \begin{bmatrix} -3 & 2 \\ -1 & 3 \end{bmatrix}$$

일반적으로, 만일 정방행렬 A와 B가 같은 선형연산자의 행렬 표현들이라면, 이 두 행렬은 닮았다(similar)고 한다. 정리 15를 사용하면, 어떤 연산자에 대한 참조가 없이도 두 정방행렬의 닮

음을 정의할 수 있다.

정의 1 닮은 행렬

A와 B는 $n \times n$ 행렬이라 하자. 만일 $B = P^{-1}AP$를 만족하는 가역 행렬 P가 존재하면 A는 B와 닮았다(similar)고 말한다.

닮음의 개념은 행렬들간의 어떤 관계(relation)를 확립한다. 이 관계는 대칭적(symmetric)이다: 즉, 만일 행렬 A가 행렬 B와 닮았다면, B는 역시 A와 닮았다. 이를 보기 위해, A는 B와 닮았다고 가정하자. 즉 다음을 만족하는 가역 행렬 P가 존재한다고 하자.

$$B = P^{-1}AP$$

이제 $Q = P^{-1}$라 하자. 그러면 B는 다음과 같이 나타낼 수 있다.

$$B = QAQ^{-1}$$

따라서 $A = Q^{-1}BQ$이며, B는 A와 닮았다고 할 수 있다. 이런 이유로, 만일 A가 B와 닮았거나 혹은 B가 A와 닮았다면 A와 B는 서로 닮았다고 말한다. 게다가, P를 단위행렬로 택하면 그 어떤 행렬이라도 자신과 닮았으므로 그 관계는 반사적(reflexive)이다. 또한 그 관계는 추이적(transitive)이다. 즉 만일 A가 B와 닮고 B가 C와 닮았다면, A는 C와 닮았다는 사실이다. 연습문제 17을 보라. 이런 3가지 성질을 모두 만족하는 관계는 동치관계(equivalence relation)라 불린다.

핵심 요약

V는 유한 차원 벡터공간, B_1과 B_2는 V의 두 순서 기저, 그리고 T는 V상의 선형연산자라 하자.

1. 행렬 표현 $[T]_{B_1}$과 $[T]_{B_2}$는 서로 닮았다. 즉 $[T]_{B_2} = P^{-1}[T]_{B_1}P$를 만족하는 가역 행렬 P가 존재한다. 더구나, 그 행렬 P는 B_2로부터 B_1으로의 추이행렬이다.

2. 모든 행렬은 자신과 닮았다. 만일 A가 B와 닮았다면, B는 A와 닮았다. 만일 A가 B와 닮고 B가 C와 닮았다면, A는 C와 닮았다.

연습문제 4.5

연습문제 1과 2에서, $[T]_{B_1}$은 기저 B_1에 대한 어떤 선형연산자의 행렬 표현이며, $[T]_{B_2}$는 기저 B_2에 대한 같은 연산자의 행렬 표현이다. 벡터 $\mathbf{v}$에 대한 그 연산자의 영향은 $[T]_{B_1}$을 사용하든 $[T]_{B_2}$를 사용하든 상관없이 동일함을 보여라.

1. $[T]_{B_1} = \begin{bmatrix} 1 & 2 \\ -1 & 3 \end{bmatrix}$, $[T]_{B_2} = \begin{bmatrix} 2 & 1 \\ -1 & 2 \end{bmatrix}$,

$$B_1 = \left\{ \begin{bmatrix} 1 \\ 0 \end{bmatrix}, \begin{bmatrix} 0 \\ 1 \end{bmatrix} \right\}$$

$$B_2 = \left\{ \begin{bmatrix} 1 \\ 1 \end{bmatrix}, \begin{bmatrix} -1 \\ 0 \end{bmatrix} \right\}$$

$$\mathbf{v} = \begin{bmatrix} 4 \\ -1 \end{bmatrix}$$

2. $[T]_{B_1} = \begin{bmatrix} 0 & 1 \\ 2 & -1 \end{bmatrix}$, $[T]_{B_2} = \begin{bmatrix} -2 & 0 \\ 4 & 1 \end{bmatrix}$,

$$B_1 = \left\{ \begin{bmatrix} 1 \\ 0 \end{bmatrix}, \begin{bmatrix} 0 \\ 1 \end{bmatrix} \right\}$$

$$B_2 = \left\{ \begin{bmatrix} 1 \\ 2 \end{bmatrix}, \begin{bmatrix} 1 \\ 1 \end{bmatrix} \right\}$$

$$\mathbf{v} = \begin{bmatrix} 5 \\ 2 \end{bmatrix}$$

연습문제 3–6에서는, 선형연산자 T와 기저 B_1 및 B_2가 주어진다.

a. $[T]_{B_1}$과 $[T]_{B_2}$를 구하라.

b. 기저 B_1과 B_2에 대한 선형연산자 T의 행렬 표현을 사용할 경우, $\mathbf{v}$에 대한 선형연산자 T의 영향은 동일함을 증명하라.

3. $T\left(\begin{bmatrix} x \\ y \end{bmatrix} \right) = \begin{bmatrix} x + y \\ x + y \end{bmatrix}$,

$$B_1 = \{ \mathbf{e}_1, \mathbf{e}_2 \}$$

$$B_2 = \left\{ \begin{bmatrix} 1 \\ 1 \end{bmatrix}, \begin{bmatrix} -1 \\ 1 \end{bmatrix} \right\}$$

$$\mathbf{v} = \begin{bmatrix} 3 \\ -2 \end{bmatrix}$$

4. $T\left(\begin{bmatrix} x \\ y \end{bmatrix} \right) = \begin{bmatrix} -x \\ y \end{bmatrix}$

$$B_1 = \{ \mathbf{e}_1, \mathbf{e}_2 \}$$

$$B_2 = \left\{ \begin{bmatrix} 2 \\ -1 \end{bmatrix}, \begin{bmatrix} -1 \\ 2 \end{bmatrix} \right\}$$

$$\mathbf{v} = \begin{bmatrix} 2 \\ -2 \end{bmatrix}$$

5. $T\left(\begin{bmatrix} x \\ y \\ z \end{bmatrix} \right) = \begin{bmatrix} x \\ 0 \\ z \end{bmatrix}$

$$B_1 = \{ \mathbf{e}_1, \mathbf{e}_2, \mathbf{e}_3 \}$$

$$B_2 = \left\{ \begin{bmatrix} 1 \\ 0 \\ 1 \end{bmatrix}, \begin{bmatrix} -1 \\ 1 \\ 0 \end{bmatrix}, \begin{bmatrix} 0 \\ 0 \\ 1 \end{bmatrix} \right\}$$

$$\mathbf{v} = \begin{bmatrix} 1 \\ 2 \\ -1 \end{bmatrix}$$

6. $T\left(\begin{bmatrix} x \\ y \\ z \end{bmatrix} \right) = \begin{bmatrix} x + y \\ x - y + z \\ y - z \end{bmatrix}$

$$B_1 = \{ \mathbf{e}_1, \mathbf{e}_2, \mathbf{e}_3 \}$$

$$B_2 = \left\{ \begin{bmatrix} -1 \\ 1 \\ 0 \end{bmatrix}, \begin{bmatrix} 0 \\ 0 \\ 1 \end{bmatrix}, \begin{bmatrix} 1 \\ 0 \\ 1 \end{bmatrix} \right\}$$

$$\mathbf{v} = \begin{bmatrix} 2 \\ -1 \\ -1 \end{bmatrix}$$

연습문제 7–10에서, $[T]_{B_1}$과 $[T]_{B_2}$는 각기 기저 B_1과 B_2에 대한 어떤 선형연산자의 행렬 표현이다. 추이행렬 $P = [I]_{B_2}^{B_1}$를 구하고, 그 행렬들이 닮았음을 정리 15를 사용하여 직접 보여라.

7. $[T]_{B_1} = \begin{bmatrix} 1 & 1 \\ 3 & 2 \end{bmatrix}$ $[T]_{B_2} = \begin{bmatrix} \frac{9}{2} & -\frac{1}{2} \\ \frac{23}{2} & -\frac{3}{2} \end{bmatrix}$

$$B_1 = \{ \mathbf{e}_1, \mathbf{e}_2 \}$$

$$B_2 = \left\{ \begin{bmatrix} 3 \\ -1 \end{bmatrix}, \begin{bmatrix} -1 \\ 1 \end{bmatrix} \right\}$$

8. $[T]_{B_1} = \begin{bmatrix} 0 & 2 \\ 2 & -3 \end{bmatrix}$ $[T]_{B_2} = \begin{bmatrix} -4 & 1 \\ 0 & 1 \end{bmatrix}$

$$B_1 = \{\mathbf{e}_1, \mathbf{e}_2\}$$
$$B_2 = \left\{ \begin{bmatrix} -1 \\ 2 \end{bmatrix}, \begin{bmatrix} 1 \\ 0 \end{bmatrix} \right\}$$

9. $[T]_{B_1} = \begin{bmatrix} 1 & 0 \\ 0 & -1 \end{bmatrix}$ $[T]_{B_2} = \begin{bmatrix} 0 & 3 \\ \frac{1}{3} & 0 \end{bmatrix}$

$$B_1 = \left\{ \begin{bmatrix} 1 \\ 1 \end{bmatrix}, \begin{bmatrix} 2 \\ -1 \end{bmatrix} \right\}$$
$$B_2 = \left\{ \begin{bmatrix} 1 \\ 0 \end{bmatrix}, \begin{bmatrix} -1 \\ 2 \end{bmatrix} \right\}$$

10. $[T]_{B_1} = \begin{bmatrix} -1 & 0 \\ 0 & 1 \end{bmatrix}$ $[T]_{B_2} = \begin{bmatrix} -2 & -1 \\ 3 & 2 \end{bmatrix}$

$$B_1 = \left\{ \begin{bmatrix} 1 \\ -1 \end{bmatrix}, \begin{bmatrix} 1 \\ 1 \end{bmatrix} \right\}$$
$$B_2 = \left\{ \begin{bmatrix} -1 \\ 2 \end{bmatrix}, \begin{bmatrix} 0 \\ 1 \end{bmatrix} \right\}$$

연습문제 11–14에서는, B_1에 대한 선형연산자 T의 행렬 표현을 구하라. 그리고 정리 15를 사용하여 $[T]_{B_2}$를 구하라.

11. $T\left(\begin{bmatrix} x \\ y \end{bmatrix} \right) = \begin{bmatrix} 2x \\ 3y \end{bmatrix}$

$$B_1 = \{\mathbf{e}_1, \mathbf{e}_2\}$$
$$B_2 = \left\{ \begin{bmatrix} 2 \\ 3 \end{bmatrix}, \begin{bmatrix} 1 \\ 2 \end{bmatrix} \right\}$$

12. $T\left(\begin{bmatrix} x \\ y \end{bmatrix} \right) = \begin{bmatrix} x - y \\ x + 2y \end{bmatrix}$

$$B_1 = \{\mathbf{e}_1, \mathbf{e}_2\}$$
$$B_2 = \left\{ \begin{bmatrix} 3 \\ 5 \end{bmatrix}, \begin{bmatrix} 1 \\ 2 \end{bmatrix} \right\}$$

13. $T\left(\begin{bmatrix} x \\ y \end{bmatrix} \right) = \begin{bmatrix} y \\ -x \end{bmatrix}$

$$B_1 = \left\{ \begin{bmatrix} 1 \\ -1 \end{bmatrix}, \begin{bmatrix} 1 \\ 0 \end{bmatrix} \right\}$$
$$B_2 = \left\{ \begin{bmatrix} 1 \\ 1 \end{bmatrix}, \begin{bmatrix} 0 \\ 1 \end{bmatrix} \right\}$$

14. $T\left(\begin{bmatrix} x \\ y \end{bmatrix} \right) = \begin{bmatrix} -2x + y \\ 2y \end{bmatrix}$

$$B_1 = \left\{ \begin{bmatrix} 2 \\ 0 \end{bmatrix}, \begin{bmatrix} -1 \\ 1 \end{bmatrix} \right\}$$
$$B_2 = \left\{ \begin{bmatrix} 2 \\ 2 \end{bmatrix}, \begin{bmatrix} 0 \\ -1 \end{bmatrix} \right\}$$

15. $T: \mathcal{P}_2 \longrightarrow \mathcal{P}_2$ 는 $T(p(x)) = p'(x)$로 정의되는 선형연산자라 하자. 기저 $B_1 = \{1, x, x^2\}$에 대한 행렬 표현 $[T]_{B_1}$과 기저 $B_2 = \{1, 2x, x^2 - 2\}$에 대한 행렬 표현 $[T]_{B_2}$를 각기 구하라. 추이행렬 $P = [I]_{B_2}^{B_1}$를 구하고, 정리 15를 사용하여 행렬 $[T]_{B_1}$과 $[T]_{B_2}$는 서로 닮았음을 직접 보여라.

16. $T: \mathcal{P}_2 \longrightarrow \mathcal{P}_2$ 는 $T(p(x)) = xp'(x) + p''(x)$로 정의되는 선형연산자라 하자. 기저 $B_1 = \{1, x, x^2\}$에 대한 행렬 표현 $[T]_{B_1}$과 기저 $B_2 = \{1, x, 1 + x^2\}$에 대한 행렬 표현 $[T]_{B_2}$를 각기 구하라. 추이행렬 $P = [I]_{B_2}^{B_1}$를 구하고, 정리 15를 사용하여 행렬 $[T]_{B_1}$과 $[T]_{B_2}$는 서로 닮았음을 직접 보여라.

17. 만일 A와 B가 닮은 행렬이며 또한 B와 C가

닮은 행렬이면, A와 C는 닮은 행렬임을 증명
하라.

18. 만일 A와 B가 닮은 행렬이면 $\det(A) = \det(B)$임을 보여라.

19. 만일 A와 B가 닮은 행렬이면 $\mathbf{tr}(A) = \mathbf{tr}(B)$임을 보여라.

20. 만일 A와 B가 닮은 행렬이면 A^t와 B^t는 닮은 행렬임을 보여라.

21. 만일 A와 B가 닮은 행렬이면, 모든 양의 정수 n에 대해 A^n과 B^n은 닮은 행렬임을 보여라.

22. 만일 A와 B가 닮은 행렬이며 λ가 임의의 스칼라이면, $\det(A - \lambda I) = \det(B - \lambda I)$임을 보여라.

4.6 응용: 컴퓨터 그래픽스

점점 더욱 강력한 컴퓨터의 급격한 개발은 디지털 미디어의 폭발적인 성장을 가져왔다. 컴퓨터에 의해 생성되는 시각적인 콘텐츠는 도처에 산재하여 광고와 오락으로부터 과학과 의학에 이르기까지 거의 모든 분야에서 발견된다. 컴퓨터 그래픽스(computer graphics)라고 알려진 컴퓨터학의 분야는 디지털 이미지의 생성과 조작을 다룬다. 컴퓨터 그래픽스는 2차원의 공간 내에서 2차원 혹은 3차원 물체의 표현에 기반한다. 컴퓨터 스크린에 표시되는 이미지들은 픽셀(pixel, picture elements의 약어)이라 불리는 데이터 항목을 사용하여 메모리에 저장된다. 단 하나의 그림이라도 조합되어 이미지를 결정하는 수백만 개의 픽셀로 구성될 수도 있다. 각 픽셀은, 그림 1에서 보인 것처럼, 컴퓨터 스크린 상의 상응하는 점을 어떻게 나타낼 것인가에 대한 정보를 가지고 있다. 만일 어떤 이미지가 곡선이나 직선을 포함한다면, 그 물체를 묘사하는 픽셀들은 수학적인 식으로 연결될 수 있다. 그림 1에서 보인 안장 모양의 그림은 그 한 예이다.

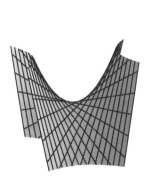

그림 1

$\mathbb{R}^2$ 에서의 그래픽스 연산

이미지들을 다루기 위해, 컴퓨터 프로그래머들은 선형변환을 사용한다. 이 절에서 다루는 대부분의 예들은 $\mathbb{R}^2$ 의 선형연산자를 사용한다. 여기서 우리의 공부에 특별히 유용한 선형변환의 성질들 중의 하나는, 선형변환은 직선을 직선으로 사상한다는 것으로, 따라서 다각형을 다각형으로 사상한다는 것이다(4장의 복습 문제 10번을 보라). 따라서 어떤 다각형의 선형 변환의 결과를 가시화하려면, 그것의 꼭지점들만을 변환하면 된다. 그 이미지의 꼭지점들을 연결하면 변환된 다각형을 얻을 수 있다.

크기변환과 층밀림변환

수평적인 수축 혹은 팽창(확대)을 가져오는 물체에 대한 변환은 수평 크기변환(horizontal scaling)이라고 불린다. 예를 들어, T는 그림 2에서 보인, 꼭지점이 각기 $(1, 1)$, $(2, 1)$, $\left(\frac{3}{2}, 3\right)$ 인 삼각형이라하자. T를 3배의 비율로 수평적 크기변환을 수행한다고 하자. 변환된 삼각형 T'은 각 꼭지점의 x 좌표에 3을 곱함으로써 얻는다. 새로운 꼭지점들을 직선으로 이음으로써 그림 3에서 보인 결과를 얻는다.

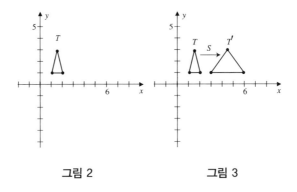

그림 2   그림 3

이를 수행하는 선형연산자 $S: \mathbb{R}^2 \longrightarrow \mathbb{R}^2$ 는 다음과 같이 주어진다.

$$S\left(\begin{bmatrix} x \\ y \end{bmatrix}\right) = \begin{bmatrix} 3x \\ y \end{bmatrix}$$

S의 행렬 표현을 구하기 위해, $B = \{\mathbf{e}_1, \mathbf{e}_2\}$를 $\mathbb{R}^2$ 의 표준 기저라 하자. 그러면 4.4절의 정리 12에의해,

$$[S]_B = \begin{bmatrix} [S(\mathbf{e}_1)][S(\mathbf{e}_2)] \end{bmatrix} = \begin{bmatrix} 3 & 0 \\ 0 & 1 \end{bmatrix}$$

이다.

$\mathbf{v}_i$와 $\mathbf{v}'_i$ $(i = 1, 2, 3)$을 각기 T와 T'의 꼭지점들(벡터 형태로 나타낸)이라 하자. T의 꼭지점들의 좌표는 B에 대하여 주어지므로, T'의 꼭지점들은 행렬의 곱으로 구할 수 있다. 구체적으로,

$$\mathbf{v}_1' = \begin{bmatrix} 3 & 0 \\ 0 & 1 \end{bmatrix} \begin{bmatrix} 1 \\ 1 \end{bmatrix} = \begin{bmatrix} 3 \\ 1 \end{bmatrix} \qquad \mathbf{v}_2' = \begin{bmatrix} 3 & 0 \\ 0 & 1 \end{bmatrix} \begin{bmatrix} 2 \\ 1 \end{bmatrix} = \begin{bmatrix} 6 \\ 1 \end{bmatrix}$$

$$\mathbf{v}_3' = \begin{bmatrix} 3 & 0 \\ 0 & 1 \end{bmatrix} \begin{bmatrix} \frac{3}{2} \\ 3 \end{bmatrix} = \begin{bmatrix} \frac{9}{2} \\ 3 \end{bmatrix}$$

그 결과는 그림 3에서 보였듯이, 변환된 삼각형 T'과 일치한다.

일반적으로, k배 비율의 수평적 크기변환은 다음과 같이 정의되는 선형 변환 S_h로 정의된다.

$$S_h\left(\begin{bmatrix} x \\ y \end{bmatrix} \right) = \begin{bmatrix} kx \\ y \end{bmatrix}$$

$\mathbb{R}^2$의 표준 기저에 대한 S_h의 행렬 표현은 다음과 같이 주어진다.

$$[S_h]_B = \begin{bmatrix} k & 0 \\ 0 & 1 \end{bmatrix}$$

같은 방법으로, 수직 크기변환(vertical scaling)은 다음의 선형연산자로 주어진다.

$$S_v\left(\begin{bmatrix} x \\ y \end{bmatrix} \right) = \begin{bmatrix} x \\ ky \end{bmatrix}$$

$\mathbb{R}^2$의 표준 기저에 대한 S_v의 행렬 표현은 다음과 같이 주어진다.

$$[S_v]_B = \begin{bmatrix} 1 & 0 \\ 0 & k \end{bmatrix}$$

만일 두 성분 모두 같은 숫자 k로 곱해지면, 그 결과는 고른 크기변환(uniform scaling)이라 불린다. 위의 모든 경우에서, 만일 $k > 1$이면 변환은 팽창(dilation)이라 불리며, 만일 $0 < k < 1$이면 그 연산자는 수축(contraction)이라 불린다.

예제 1

그림 4처럼, T는 다음의 벡터들로 주어지는 꼭지점을 가진 삼각형이라 하자.

$$\mathbf{v}_1 = \begin{bmatrix} 0 \\ 1 \end{bmatrix} \qquad \mathbf{v}_2 = \begin{bmatrix} 2 \\ 1 \end{bmatrix} \qquad \mathbf{v}_3 = \begin{bmatrix} 1 \\ 3 \end{bmatrix}$$

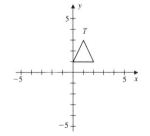

a. 삼각형을 수평으로 2의 비율로 팽창하라.

b. 삼각형을 수직으로 3의 비율로 수축하라.

그림 4

c. 삼각형을 수평으로 2의 비율로 팽창하고, 수직으로 3의 비율로 수축하라,

풀이 **a.** 삼각형을 수평으로 2의 비율로 팽창하려면 각 꼭지점에 행렬 $\begin{bmatrix} 2 & 0 \\ 0 & 1 \end{bmatrix}$ 을 곱하여 다음을 얻는다.

$$\mathbf{v}_1' = \begin{bmatrix} 0 \\ 1 \end{bmatrix} \qquad \mathbf{v}_2' = \begin{bmatrix} 4 \\ 1 \end{bmatrix} \qquad \mathbf{v}_3' = \begin{bmatrix} 2 \\ 3 \end{bmatrix}$$

새로운 꼭지점들을 직선 선분으로 연결하면 그림 5(a)의 삼각형 T'을 얻는다.

b. 삼각형을 수직으로 3의 비율로 수축하려면 각 꼭지점에 행렬 $\begin{bmatrix} 1 & 0 \\ 0 & \frac{1}{3} \end{bmatrix}$ 을 곱하여 다음을 얻는다.

$$\mathbf{v}_1'' = \begin{bmatrix} 0 \\ \frac{1}{3} \end{bmatrix} \qquad \mathbf{v}_2'' = \begin{bmatrix} 2 \\ \frac{1}{3} \end{bmatrix} \qquad \mathbf{v}_3'' = \begin{bmatrix} 1 \\ 1 \end{bmatrix}$$

수축된 삼각형 T''은 그림 5(b)에 주어져 있다.

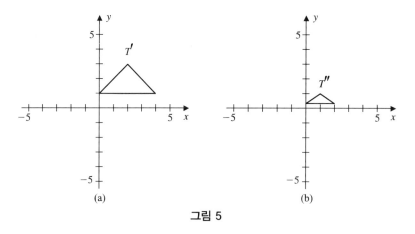

그림 5

c. 이 연산자는 (a)와 (b)의 선형 연산자의 합성이다. 4.4절의 정리 14에 의해, 이 연산자의 $\mathbb{R}^2$의 표준 기저에 대한 행렬은 다음의 곱으로 주어진다.

$$\begin{bmatrix} 1 & 0 \\ 0 & \frac{1}{3} \end{bmatrix} \begin{bmatrix} 2 & 0 \\ 0 & 1 \end{bmatrix} = \begin{bmatrix} 2 & 0 \\ 0 & \frac{1}{3} \end{bmatrix}$$

이 행렬을 원래의 삼각형의 꼭지점에 적용하면 다음을 얻으며 그림 6과 같다.

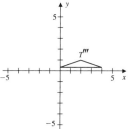

$$\mathbf{v}_1''' = \begin{bmatrix} 0 \\ \frac{1}{3} \end{bmatrix} \qquad \mathbf{v}_2''' = \begin{bmatrix} 4 \\ \frac{1}{3} \end{bmatrix} \qquad \mathbf{v}_3''' = \begin{bmatrix} 2 \\ 1 \end{bmatrix}$$

그림 6

층밀림변환(shearing)이라는 또 다른 변환은 기울어지는 시각적 효과를 생성한다. 수평 층밀림변환(horizontal shear)을 생성하는 데 사용되는 선형연산자 $S: \mathbb{R}^2 \longrightarrow \mathbb{R}^2$ 는 다음과 같은 형태를 가진다.

$$S\left(\begin{bmatrix} x \\ y \end{bmatrix}\right) = \begin{bmatrix} x + ky \\ y \end{bmatrix}$$

여기서 k는 어떤 실수이다. 표준 기저 B에 대하여, S의 행렬 표현은 다음과 같다.

$$[S]_B = \begin{bmatrix} 1 & k \\ 0 & 1 \end{bmatrix}$$

일례로, T는 그림 7(a)에서 주어진 삼각형으로, 꼭지점이 $\mathbf{v}_1 = \begin{bmatrix} 0 \\ 0 \end{bmatrix}$, $\mathbf{v}_2 = \begin{bmatrix} 2 \\ 0 \end{bmatrix}$, $\mathbf{v}_3 = \begin{bmatrix} 1 \\ 1 \end{bmatrix}$ 이며 $k = 2$라 하자. T의 각 꼭지점에 행렬 $[S]_B = \begin{bmatrix} 1 & 2 \\ 0 & 1 \end{bmatrix}$ 을 적용하면 다음을 얻는다.

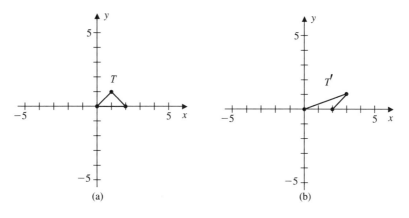

그림 7

$$\mathbf{v}_1' = \begin{bmatrix} 0 \\ 0 \end{bmatrix}, \quad \mathbf{v}_2' = \begin{bmatrix} 2 \\ 0 \end{bmatrix}, \quad \mathbf{v}_3' = \begin{bmatrix} 3 \\ 1 \end{bmatrix}$$

그 결과의 삼각형 T'은 그림 7(b)에 주어져있다.

수직 층밀림변환(vertical shear)은 유사하게 다음과 같이 정의된다.

$$S\left(\begin{bmatrix} x \\ y \end{bmatrix}\right) = \begin{bmatrix} x \\ y + kx \end{bmatrix}$$

이 경우 표준 기저 B에 대한 S의 행렬은 다음과 같이 주어진다.

$$[S]_B = \begin{bmatrix} 1 & 0 \\ k & 1 \end{bmatrix}$$

예제 2

그림 2의 삼각형에 $k=2$의 수직 층밀림변환을 적용하라.

풀이 $\mathbb{R}^2$의 표준 기저에 대한 이 연산자의 행렬은

$$\begin{bmatrix} 1 & 0 \\ 2 & 1 \end{bmatrix}$$

이다.

이 행렬을 다음의 꼭지점들에 적용하면

$$\mathbf{v}_1 = \begin{bmatrix} 1 \\ 1 \end{bmatrix} \qquad \mathbf{v}_2 = \begin{bmatrix} 2 \\ 1 \end{bmatrix} \qquad \mathbf{v}_3 = \begin{bmatrix} \frac{3}{2} \\ 3 \end{bmatrix}$$

다음을 얻는다.

$$\mathbf{v}_1' = \begin{bmatrix} 1 \\ 3 \end{bmatrix} \qquad \mathbf{v}_2' = \begin{bmatrix} 2 \\ 5 \end{bmatrix} \qquad \mathbf{v}_3' = \begin{bmatrix} \frac{3}{2} \\ 6 \end{bmatrix}$$

원래의 삼각형 및 층밀림 변환된 삼각형은 그림 8에 주어져 있다. ■

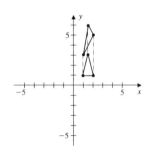

그림 8

반사

어떤 직선에 대한 기하학적 물체의 **반사**(reflection)는 그 직선을 가로질러 물체의 거울의 상을 생성한다. x축에 대한 벡터의 반사를 수행하는 선형연산자는 다음과 같이 주어진다.

$$R_x\left(\begin{bmatrix} x \\ y \end{bmatrix}\right) = \begin{bmatrix} x \\ -y \end{bmatrix}$$

y축에 대한 반사는 다음과 같이 주어지며,

$$R_y\left(\begin{bmatrix} x \\ y \end{bmatrix}\right) = \begin{bmatrix} -x \\ y \end{bmatrix}$$

직선 $y=x$에 대한 반사는 다음과 같이 주어진다.

$$R_{y=x}\left(\begin{bmatrix} x \\ y \end{bmatrix}\right) = \begin{bmatrix} y \\ x \end{bmatrix}$$

표준 기저 B에 대한, 이들 각각의 행렬 표현은 다음과 같다.

$$[R_x]_B = \begin{bmatrix} 1 & 0 \\ 0 & -1 \end{bmatrix} \qquad [R_y]_B = \begin{bmatrix} -1 & 0 \\ 0 & 1 \end{bmatrix} \qquad [R_{y=x}]_B = \begin{bmatrix} 0 & 1 \\ 1 & 0 \end{bmatrix}$$

예제 3

그림 4의 삼각형 T에 대해 다음의 반사를 수행하라.

a. x축에 대한 반사

b. y축에 대한 반사

c. 직선 $y = x$에 대한 반사

풀이 a. 그림 4의 삼각형의 꼭지점들은 다음과 같다.

$$\mathbf{v}_1 = \begin{bmatrix} 0 \\ 1 \end{bmatrix} \qquad \mathbf{v}_2 = \begin{bmatrix} 2 \\ 1 \end{bmatrix} \qquad \mathbf{v}_3 = \begin{bmatrix} 1 \\ 3 \end{bmatrix}$$

행렬 $[R_x]_B$를 원래 삼각형의 꼭지점들에 적용하면

$$\mathbf{v}_1' = \begin{bmatrix} 0 \\ -1 \end{bmatrix} \qquad \mathbf{v}_2' = \begin{bmatrix} 2 \\ -1 \end{bmatrix} \qquad \mathbf{v}_3' = \begin{bmatrix} 1 \\ -3 \end{bmatrix}$$

삼각형의 상은 그림 9(a)에 주어져 있다.

b. 행렬 $[R_y]_B$를 원래 삼각형의 꼭지점들에 적용하면

$$\mathbf{v}_1' = \begin{bmatrix} 0 \\ 1 \end{bmatrix} \qquad \mathbf{v}_2' = \begin{bmatrix} -2 \\ 1 \end{bmatrix} \qquad \mathbf{v}_3' = \begin{bmatrix} -1 \\ 3 \end{bmatrix}$$

이 반사에 의한 삼각형의 상은 그림 9(b)에 주어져 있다.

c. 행렬 $[R_{x=y}]_B$를 원래 삼각형의 꼭지점들에 적용하면

$$\mathbf{v}_1' = \begin{bmatrix} 1 \\ 0 \end{bmatrix} \qquad \mathbf{v}_2' = \begin{bmatrix} 1 \\ 2 \end{bmatrix} \qquad \mathbf{v}_3' = \begin{bmatrix} 3 \\ 1 \end{bmatrix}$$

그 삼각형의 상은 그림 9(c)에 주어져 있다.

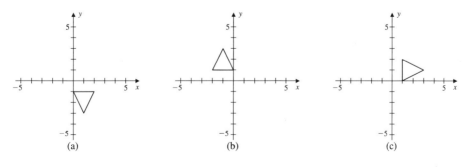

그림 9

그래픽스 연산을 되돌리기

크기변환, 충밀림변환, 반사 연산은 모두 가역적이다. 따라서 이들 연산 각각의 행렬 표현 역시 가역이다. 4.4절의 따름정리 2에 의해, 이들 중 어느 한 연산을 되돌리려면 변환된 이미지에 역행렬을 적용하면 된다.

예제 4

S는 직선 $y=x$에 대해 반사를 수행한 후, 2의 비율로 수평으로 확대하는 선형연산자라 하자.

a. 표준 기저 B에 대한 S의 행렬 표현을 구하라.

b. 표준 기저 B에 대한 역연산자의 행렬 표현을 구하라.

풀이 **a.** 이런 연산에 대해 위에서 주어진 행렬을 사용하고, 4.4절의 정리 14에 의해, $\mathbb{R}^2$의 표준 기저에 대한 변환 행렬은 다음과 같이 행렬의 곱으로 주어진다.

$$[S]_B = \begin{bmatrix} 2 & 0 \\ 0 & 1 \end{bmatrix} \begin{bmatrix} 0 & 1 \\ 1 & 0 \end{bmatrix} = \begin{bmatrix} 0 & 2 \\ 1 & 0 \end{bmatrix}$$

b. 4.4절의 따름정리 2에 의해, (a)의 연산을 되돌리는 행렬은 다음과 같이 주어진다.

$$[S^{-1}]_B = \left([S]_B \right)^{-1} = -\frac{1}{2}\begin{bmatrix} 0 & -2 \\ -1 & 0 \end{bmatrix} = \begin{bmatrix} 0 & 1 \\ \frac{1}{2} & 0 \end{bmatrix} \qquad \blacksquare$$

예제 4(a)에서 보았듯이, 만일 어떤 그래픽스 연산 S가 선형 연산자들 S_1, S_2, …, S_n의 열로 주어진다면

$$S = S_n \circ S_{n-1} \circ \cdots \circ S_1$$

그러면 기저 B에 대한 행렬 표현은 다음과 같은 행렬의 곱으로 주어진다.

$$[S]_B = [S_n]_B[S_{n-1}]_B \cdots [S_1]_B$$

또한 그 역과정은 다음과 같이 주어진다.

$$[S]_B^{-1} = [S_1]_B^{-1}[S_2]_B^{-1} \cdots [S_n]_B^{-1}$$

따라서 행렬 $[S_1]_B^{-1}$, $[S_2]_B^{-1}$,…,$[S_n]_B^{-1}$를 연속적으로 적용하면 한 번에 변환 하나씩을 되돌릴 수 있다.

평행이동

평면상의 어느 점의 평행이동은, 수평이나 수직 혹은 두 방향 모두로 그 점을 이동시킨다. 예를 들어, 점 $(1, 3)$을 우측으로 3, 위로 2 만큼 평행이동하려면, x 좌표와 y 좌표에 각기 3과 2를 더하여 $(4, 5)$를 얻는다.

이제 $\mathbf{v} = \begin{bmatrix} v_1 \\ v_2 \end{bmatrix}$를 $\mathbb{R}^2$상의 임의의 벡터, $\mathbf{b} = \begin{bmatrix} b_1 \\ b_2 \end{bmatrix}$를 어떤 고정된 벡터라고 하자. 다음과 같은 형태의 연산 $S: \mathbb{R}^2 \longrightarrow \mathbb{R}^2$는 벡터 $\mathbf{b}$만큼의 평행이동(translation)이라고 불린다.

$$S(\mathbf{v}) = \mathbf{v} + \mathbf{b} = \begin{bmatrix} v_1 + b_1 \\ v_2 + b_2 \end{bmatrix}$$

이 변환이 선형 연산자일 필요충분조건은 $\mathbf{b} = \mathbf{0}$이다. 결과적으로, 만일 $\mathbf{b} \neq \mathbf{0}$이면 변환 S는 2×2 행렬을 사용하여 나타낼 수 없다. 그러나 동차좌표를 사용하면, $\mathbb{R}^2$의 어떤 벡터의 평행이동은 3×3 행렬로 표현될 수 있다. $\mathbb{R}^2$의 어느 벡터의 동차좌표(homogeneous coordinates)는 값이 1인 3번째 성분을 추가함으로써 얻어진다. 따라서 벡터 $\mathbf{v} = \begin{bmatrix} x \\ y \end{bmatrix}$의 동차좌표는 $\mathbf{w} = \begin{bmatrix} x \\ y \\ 1 \end{bmatrix}$로 주어진다.

이제 $\mathbf{w}$를 벡터 $\mathbf{b} = \begin{bmatrix} b_1 \\ b_2 \end{bmatrix}$만큼 평행이동하기 위해, 다음과 같이 A를 정의하자.

$$A = \begin{bmatrix} 1 & 0 & b_1 \\ 0 & 1 & b_2 \\ 0 & 0 & 1 \end{bmatrix}$$

그러면

$$A\mathbf{w} = \begin{bmatrix} 1 & 0 & b_1 \\ 0 & 1 & b_2 \\ 0 & 0 & 1 \end{bmatrix} \begin{bmatrix} x \\ y \\ 1 \end{bmatrix} = \begin{bmatrix} x + b_1 \\ y + b_2 \\ 1 \end{bmatrix}$$

풀이

다시 $\mathbb{R}^2$로 되돌리기 위해, $A\mathbf{w}$의 첫 두 성분을 선택하여 다음과 같이 원하는 결과를 얻는다.

$$S(\mathbf{v}) = \begin{bmatrix} x + b_1 \\ y + b_2 \end{bmatrix}$$

그 예를 보이기 위해, $\mathbf{b} = \begin{bmatrix} 1 \\ -2 \end{bmatrix}$라 하자. 동차좌표를 사용하면, 그 변환을 수행할 3×3 행렬은

$$A = \begin{bmatrix} 1 & 0 & 1 \\ 0 & 1 & -2 \\ 0 & 0 & 1 \end{bmatrix}$$

이제 $\mathbf{v} = \begin{bmatrix} 3 \\ 2 \end{bmatrix}$ 라 하자. 그러면

$$\begin{bmatrix} 1 & 0 & 1 \\ 0 & 1 & -2 \\ 0 & 0 & 1 \end{bmatrix} \begin{bmatrix} 3 \\ 2 \\ 1 \end{bmatrix} = \begin{bmatrix} 4 \\ 0 \\ 1 \end{bmatrix}$$

벡터 $S(\mathbf{v}) = \begin{bmatrix} 4 \\ 0 \end{bmatrix}$ 은 $\mathbf{v}$를 벡터 $\mathbf{b}$만큼 평행이동한 것이다.

앞의 예에서, 평행이동은 $\mathbf{v}$에 벡터 $\mathbf{b}$를 단순히 더함으로써 더 적은 연산에 의해 수행될 수 있다. 행렬 표현을 사용함으로써 얻는 이득은, 평행이동을 다른 종류의 변환과 결합하는 경우를 보면 이해할 수 있을 것이다. 이를 위해, 이전의 모든 선형 연산자들은 모두 3×3 행렬로 표현될 수 있음에 유의하라. 예를 들어, (동차좌표계의) 어느 점을 x축에 대해 반사하는 3×3 행렬은 다음과 같다.

$$\begin{bmatrix} 1 & 0 & 0 \\ 0 & -1 & 0 \\ 0 & 0 & 1 \end{bmatrix}$$

그림 4의 삼각형을 벡터 $\mathbf{b} = \begin{bmatrix} -5 \\ 3 \end{bmatrix}$ 만큼 평행이동 한 후, 1.5의 비율로 수평 크기변환하고, 그 후 x축에 대한 반사를 수행한 결과의 상을 구하라.

이들 연산의 합성을 나타내는 행렬은 다음의 곱으로 주어진다.

$$\begin{bmatrix} 1 & 0 & 0 \\ 0 & -1 & 0 \\ 0 & 0 & 1 \end{bmatrix} \begin{bmatrix} 1.5 & 0 & 0 \\ 0 & 1 & 0 \\ 0 & 0 & 1 \end{bmatrix} \begin{bmatrix} 1 & 0 & -5 \\ 0 & 1 & 3 \\ 0 & 0 & 1 \end{bmatrix} = \begin{bmatrix} 1.5 & 0 & -7.5 \\ 0 & -1 & -3 \\ 0 & 0 & 1 \end{bmatrix}$$

원래의 삼각형의 꼭지점들은 동차좌표로 다음과 같이 주어진다.

$$\mathbf{v}_1 = \begin{bmatrix} 0 \\ 1 \\ 1 \end{bmatrix} \qquad \mathbf{v}_2 = \begin{bmatrix} 2 \\ 1 \\ 1 \end{bmatrix} \qquad \mathbf{v}_3 = \begin{bmatrix} 1 \\ 3 \\ 1 \end{bmatrix}$$

이들 벡터 각각에 위 행렬을 적용하면

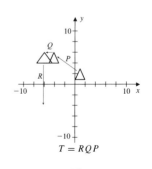

$T = RQP$

그림 10

$$\mathbf{v}_1' = \begin{bmatrix} -7.5 \\ -4 \\ 1 \end{bmatrix} \qquad \mathbf{v}_2' = \begin{bmatrix} -4.5 \\ -4 \\ 1 \end{bmatrix} \qquad \mathbf{v}_3' = \begin{bmatrix} -6 \\ -6 \\ 1 \end{bmatrix}$$

중간 단계들과 함께 최종 결과의 삼각형은 그림 10에 주어져 있다. ■

예제 6

그림 11(a)의 삼각형을 그림 11(b)의 삼각형으로 변환하는 3×3 행렬을 구하라.

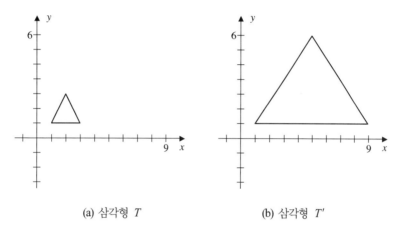

(a) 삼각형 T (b) 삼각형 T'

그림 11

풀이 삼각형 T를 왼쪽 꼭지점 $(1, 1)$은 움직이지 않고 3의 비율로 수평 크기변환을 수행하고 2의 비율로 수직으로 크기변환하면 삼각형 T'이 얻어진다. 그 크기변환만으로는 꼭지점 $(1, 1)$을 $(3, 2)$로 이동시킬 것이다. 이런 문제를 수정하는 한 방법은 우선 그 삼각형의 왼쪽 꼭지점이 원점에 위치하도록 평행이동하고 크기변환을 수행한 후, 다시 거꾸로 평행이동하는 것이다. 이런 모든 연산을 수행하는 행렬은 이들 각각의 변환 행렬들의 곱이다. 그 행렬은 다음과 같이 주어진다.

$$\begin{bmatrix} 1 & 0 & 1 \\ 0 & 1 & 1 \\ 0 & 0 & 1 \end{bmatrix} \begin{bmatrix} 1 & 0 & 0 \\ 0 & 2 & 0 \\ 0 & 0 & 1 \end{bmatrix} \begin{bmatrix} 3 & 0 & 0 \\ 0 & 1 & 0 \\ 0 & 0 & 1 \end{bmatrix} \begin{bmatrix} 1 & 0 & -1 \\ 0 & 1 & -1 \\ 0 & 0 & 1 \end{bmatrix} = \begin{bmatrix} 3 & 0 & -2 \\ 0 & 2 & -1 \\ 0 & 0 & 1 \end{bmatrix}$$

다음의 관계를 인지하라.

$$\begin{bmatrix} 1 & 0 & 1 \\ 0 & 1 & 1 \\ 0 & 0 & 1 \end{bmatrix} = \begin{bmatrix} 1 & 0 & -1 \\ 0 & 1 & -1 \\ 0 & 0 & 1 \end{bmatrix}^{-1}$$

즉, $\begin{bmatrix} 1 \\ 1 \end{bmatrix}$ 만큼의 평행이동을 나타내는 행렬 표현은 $\begin{bmatrix} -1 \\ -1 \end{bmatrix}$ 만큼의 평행이동을 나타내는 행렬 표현의 역이다.

■

회전

또 다른 일반적인 그래픽스 연산은 각도 θ만큼의 회전(rotation)이다. 그림 12를 보라. 어떤 점이 어떻게 회전하는지를 묘사하기 위해, (x, y)는 $\mathbb{R}^2$의 어느 점의 좌표이며 θ는 어떤 실수라고 하자. 삼각법에서, 어떤 점 (x, y)를 원점을 중심으로 θ 라디안만큼 회전하여 얻어진 새로운 좌표 (x', y')는 다음과 같이 주어진다.

$$x' = x\cos\theta - y\sin\theta$$
$$y' = x\sin\theta + y\cos\theta$$

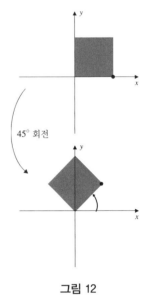

45° 회전

만일 θ > 0이면, **v**는 원점을 중심으로 반시계 방향으로 회전된다. 만일 θ < 0이면 회전 방향은 시계 방향이다. 이 식들은 다음에 의해 주어지는 선형연산자 $S_\theta : \mathbb{R}^2 \longrightarrow \mathbb{R}^2$를 정의한다.

$$S_\theta\left(\begin{bmatrix} x \\ y \end{bmatrix}\right) = \begin{bmatrix} x\cos\theta - y\sin\theta \\ x\sin\theta + y\cos\theta \end{bmatrix}$$

그림 12

$\mathbb{R}^2$의 표준기저 $B = \{\mathbf{e}_1, \mathbf{e}_2\}$에 대한 S_θ의 행렬은 다음과 같이 주어진다.

$$[S_\theta]_B = \begin{bmatrix} \cos\theta & -\sin\theta \\ \sin\theta & \cos\theta \end{bmatrix}$$

동차좌표를 사용할 경우에는, 다음의 행렬을 적용한다.

$$\begin{bmatrix} \cos\theta & -\sin\theta & 0 \\ \sin\theta & \cos\theta & 0 \\ 0 & 0 & 1 \end{bmatrix}$$

예제 7

그림 4의 삼각형을, 벡터 $\mathbf{b} = \begin{bmatrix} 1 \\ -1 \end{bmatrix}$ 만큼 평행이동한 후, 반시계 방향으로 30° 혹은 $\pi/6$ 라디안만큼 회전하여 얻어지는 상을 구하라.

풀이 합성 연산의 행렬은 다음과 같이 주어진다.

$$\begin{bmatrix} \cos\frac{\pi}{6} & -\sin\frac{\pi}{6} & 0 \\ \sin\frac{\pi}{6} & \cos\frac{\pi}{6} & 0 \\ 0 & 0 & 1 \end{bmatrix} \begin{bmatrix} 1 & 0 & 1 \\ 0 & 1 & -1 \\ 0 & 0 & 1 \end{bmatrix} = \begin{bmatrix} \frac{\sqrt{3}}{2} & -\frac{1}{2} & 0 \\ \frac{1}{2} & \frac{\sqrt{3}}{2} & 0 \\ 0 & 0 & 1 \end{bmatrix} \begin{bmatrix} 1 & 0 & 1 \\ 0 & 1 & -1 \\ 0 & 0 & 1 \end{bmatrix}$$

$$= \begin{bmatrix} \frac{\sqrt{3}}{2} & -\frac{1}{2} & \frac{\sqrt{3}}{2}+\frac{1}{2} \\ \frac{1}{2} & \frac{\sqrt{3}}{2} & \frac{1}{2}-\frac{\sqrt{3}}{2} \\ 0 & 0 & 1 \end{bmatrix}$$

그 삼각형의 꼭지점들은 동차좌표로 다음과 같이 주어진다.

$$\mathbf{v}_1 = \begin{bmatrix} 0 \\ 1 \\ 1 \end{bmatrix}, \qquad \mathbf{v}_2 = \begin{bmatrix} 2 \\ 1 \\ 1 \end{bmatrix}, \qquad \mathbf{v}_3 = \begin{bmatrix} 1 \\ 3 \\ 1 \end{bmatrix}$$

이들 벡터 각각에 위의 행렬을 적용하면 다음을 얻으며

$$\mathbf{v}_1' = \begin{bmatrix} \frac{\sqrt{3}}{2} \\ \frac{1}{2} \\ 1 \end{bmatrix}, \qquad \mathbf{v}_2' = \begin{bmatrix} \frac{3\sqrt{3}}{2} \\ \frac{3}{2} \\ 1 \end{bmatrix}, \qquad \mathbf{v}_3' = \begin{bmatrix} \sqrt{3}-1 \\ \sqrt{3}+1 \\ 1 \end{bmatrix}$$

그 결과의 삼각형은 그림 13에 주어져 있다.

그림 13

투영

평평한 컴퓨터 스크린 상에 3차원 물체의 그림을 렌더링하는 것은, 3차원 공간의 점을 2차원으로 투영하는 것이 필요하다. 여기서는 $\mathbb{R}^3$의 점을 $\mathbb{R}^2$의 점으로 투영하며 물체의 자연적인 외양을 보존하는 많은 방법들 중 한 가지에 대해서만 다룬다.

평행 투영(parallel projection)은 태양과 같이 먼 광원에 의해 평면에 던져지는 그림자를 흉내낸다. 3차원 공간의 물체를 가로지르는 빛살과 2차원 공간으로의 투영이 그림 14에 주어져 있다. 그림 14에서 좌표축의 방향은 xy 평면이 컴퓨터 스크린을 나타내도록 설정된 것과 같다.

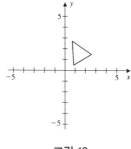

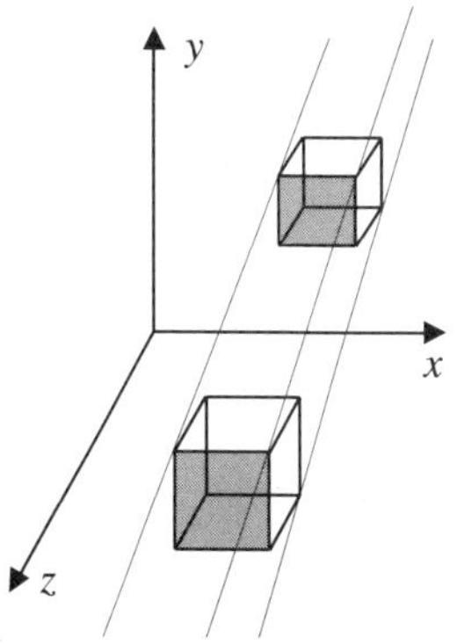

그림 14

투영된 점의 xy 좌표를 구하는 방법을 보이기 위해서, 다음의 벡터 $\mathbf{v}_d$는 빛살의 방향을 나타낸다고 하자.

$$\mathbf{v}_d = \begin{bmatrix} x_d \\ y_d \\ z_d \end{bmatrix}$$

만일 (x_0, y_0, z_0)가 $\mathbb{R}^3$의 어느 점이라면, 그 점을 지나고 방향이 $\mathbf{v}_d$인 직선의 매개 방정식은 모든 $t \in \mathbb{R}$에 대해 다음과 같이 주어진다.

$$\begin{cases} x(t) &= x_0 + tx_d \\ y(t) &= y_0 + ty_d \\ z(t) &= z_0 + tz_d \end{cases}$$

(x_0, y_0, z_0)을 xy 평면에 투영한 점의 좌표는 $z(t) = 0$로 놓음으로써 구해진다. t에 대해 풀면

$$t = -\frac{z_0}{z_d}$$

이제 첫 두 방정식에 이 t값을 대입하면 다음과 같이 투영된 점의 좌표를 얻는다.

$$x_p = x_0 - \frac{z_0}{z_d}x_d \qquad y_p = y_0 - \frac{z_0}{z_d}y_d \qquad z_p = 0$$

그 빛살이 z축 및 xz 평면과 이루는 각도는 $\mathbf{v}_d$의 성분을 사용하여 구할 수 있다. 이 경우, ψ가 $\mathbf{v}_d$와 xz평면 사이의 각도, ϕ가 $\mathbf{v}_d$와 z축 사이의 각도라고 하면

$$\tan\psi = \frac{y_d}{x_d} \qquad \tan\varphi = \frac{\sqrt{x_d^2 + y_d^2}}{z_d}$$

한편, 만일 각도 ψ와 ϕ가 주어지면, 이 방정식들은 투영 벡터 $\mathbf{v}_d$의 성분을 구하는 데 사용될 수 있다.

예제 8

$\psi = 30°$ 및 $\phi = 26.6°$라 하자.

a. 방향 벡터 $\mathbf{v}_d$를 구하고, 그림 15에서 주어진 정육면체의 $\mathbb{R}^2$로의 투영을 구하라. 정육면체의 꼭지점들의 좌표는 각기 $(0, 0, 1)$, $(1, 0, 1)$, $(1, 0, 0)$, $(0, 0, 0)$, $(0, 1, 1)$, $(1, 1, 1)$, $(1, 1, 0)$ 및 $(0, 1, 0)$이다.

b. 정육면체의 (투영된) 꼭지점들을 $30°$ 만큼 회전하는 3×3 행렬을 구하라. 또한 그 정육면체를 벡터 $\begin{bmatrix} 2 \\ 1 \end{bmatrix}$ 만큼 평행이동하는 3×3 행렬도 구하라.

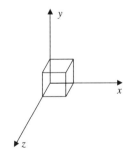

그림 15

풀이 a. 임의로 $z_d = -1$로 놓을 수 있다. 그러면

$$\tan\psi = \tan 30° \approx 0.577 = \frac{y_d}{x_d} \qquad (\tan\phi)^2 = (\tan 26.6°)^2 \approx (0.5)^2 = x_d^2 + y_d^2$$

따라서

$$y_d = 0.577 x_d \qquad x_d^2 + y_d^2 = \frac{1}{4}$$

마지막 두 방정식을 풀면, $x_d \approx 0.433$ 및 $y_d \approx 0.25$를 얻고, 따라서 방향 벡터는

$$\mathbf{v}_d = \begin{bmatrix} 0.433 \\ 0.25 \\ -1 \end{bmatrix}$$

위에서 주어진 투영된 점을 구하는 공식을 사용하면, 그 정육면체의 각 꼭지점을 $\mathbb{R}^2$로 투영할 수 있다. 그 상들을 선분으로 연결하면 그림 16을 얻는다. 투영된 점들은 표 1에 주어져 있다.

표 1

꼭지점	투영된 점
$(0, 0, 1)$	$(0.433, 0.25)$
$(1, 0, 1)$	$(1.433, 0.25)$
$(1, 0, 0)$	$(1, 0)$
$(0, 0, 0)$	$(0, 0)$
$(0, 1, 1)$	$(0.433, 1.25)$
$(1, 1, 1)$	$(1.433, 1.25)$
$(1, 1, 0)$	$(1, 1)$
$(0, 1, 0)$	$(0, 1)$

b. 동차좌표를 사용하여, 정육면체를 반시계 방향으로 30° 만큼 회전하는 행렬과, 벡터 $\begin{bmatrix} 2 \\ 1 \end{bmatrix}$ 만큼 평행이동하는 행렬을 구하면 각기 다음과 같다.

$$\begin{bmatrix} \cos(\frac{\pi}{6}) & -\sin(\frac{\pi}{6}) & 0 \\ \sin(\frac{\pi}{6}) & \cos(\frac{\pi}{6}) & 0 \\ 0 & 0 & 1 \end{bmatrix} \qquad \begin{bmatrix} 1 & 0 & 2 \\ 0 & 1 & 1 \\ 0 & 0 & 1 \end{bmatrix}$$

원래의 정육면체를 회전시키고, 다시 그 결과를 평행이동한 것은 그림 17 및 18과 같다.

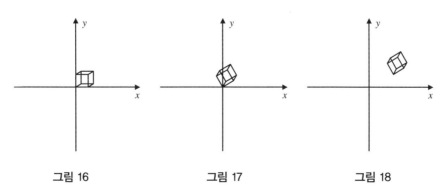

그림 16   **그림 17**   **그림 18**

연습문제 4.6

1. 꼭지점이 (0, 0), (1, 1) 및 (2, 0)인 삼각형을 다음 그림에서 주어진 삼각형으로 변환하는 선형변환 $T:\mathbb{R}^2 \longrightarrow \mathbb{R}^2$ 의 표준 기저에 대한 행렬 표현을 구하라.

a.

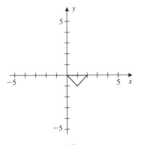

b.

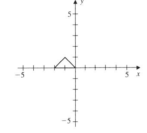

c.

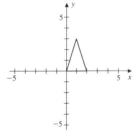

2. 꼭지점이 (0, 0), (1, 0), (1, 1) 및 (0, 1)인 정사각형을 다음 그림에서 주어진 다각형으로 변환하는 선형변환 $T:\mathbb{R}^2 \longrightarrow \mathbb{R}^2$ 의 표준 기저에 대한 행렬 표현을 구하라.

a.

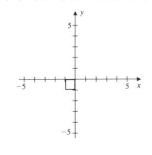

b.

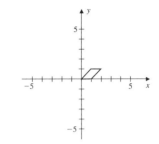

c.

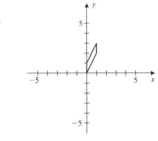

3. $T:\mathbb{R}^2 \longrightarrow \mathbb{R}^2$ 는 수평으로 3의 비율로 확장하고, 수직으로 2의 비율로 축소한 후, x축에 대해 반사를 수행하는 변환이라고 하자.

a. 표준 기저에 대한 T의 행렬을 구하라.

b. 꼭지점이 (1, 0), (3, 0) 및 (2, 2)인 삼각형에 그 변환을 적용하고, 그 결과를 그림으로 그려라.

c. T의 역할을 되돌리는 행렬을 표준 기저에 대해 구하라.

4. $T:\mathbb{R}^2 \longrightarrow \mathbb{R}^2$ 는 y축에 대한 반사를 수행한 후, 수평 층밀림 변환을 3의 비율로 수행하는 변환이라 하자.

a. 표준 기저에 대한 T의 행렬을 구하라.

b. 꼭지점이 (1, 0), (2, 0), (2, 3) 및 (1, 3)인 직사각형에 그 변환을 적용하고, 그 결과를 그림으로 그려라.

c. T의 역할을 되돌리는 행렬을 표준 기저에 대해 구하라.

5. $T:\mathbb{R}^2 \longrightarrow \mathbb{R}^2$ 는 45° 회전한 후, 원점에 대한 반사를 수행하는 변환이라 하자.

a. 표준 기저에 대한 T의 행렬을 구하라.

b. 꼭지점이 $(0, 0)$, $(1, 0)$, $(1, 1)$ 및 $(0, 1)$인 정사각형에 그 변환을 적용하고, 그 결과를 그림으로 그려라.

c. T의 역할을 되돌리는 행렬을 표준 기저에 대해 구하라.

6. $T: \mathbb{R}^2 \longrightarrow \mathbb{R}^2$는 직선 $y = x$에 대한 반사를 수행한 후, $90°$ 회전하는 변환이라 하자.

a. 표준 기저에 대한 T의 행렬을 구하라.

b. 꼭지점이 $(0, 0)$, $(2, 0)$ 및 $(1, 3)$인 삼각형에 그 변환을 적용하고, 그 결과를 그림으로 그려라.

c. T의 역할을 되돌리는 행렬을 표준 기저에 대해 구하라.

d. 이 변환을 다른 방식으로 설명하라. 그리고 그 답을 확인하라.

7. $T: \mathbb{R}^2 \longrightarrow \mathbb{R}^2$는 벡터 $\begin{bmatrix} 1 \\ 1 \end{bmatrix}$만큼의 평행이동을 수행한 후, $30°$ 회전하는 (비선형) 변환이라 하자.

a. 동차좌표를 사용하여, 위의 평행이동과 회전을 수행하는 행렬을 구하라.

b. 꼭지점이 $(0, 0)$, $(2, 0)$, $(3, 1)$ 및 $(1, 1)$인 평행사변형에 위 변환을 적용하고, 그 결과를 그림으로 그려라.

c. T의 역할을 되돌리는 행렬을 구하라.

8. $T: \mathbb{R}^2 \longrightarrow \mathbb{R}^2$는 벡터 $\begin{bmatrix} -4 \\ 2 \end{bmatrix}$만큼의 평행이동을 수행한 후, y축에 대한 반사를 수행하는 (비선형) 변환이라 하자.

a. 동차좌표를 사용하여, 위의 평행이동과 반사를 수행하는 3×3 행렬을 구하라.

b. 꼭지점이 $(0, 0)$, $(3, 0)$, $(2, 1)$ 및 $(1, 1)$인 사다리꼴에 위 변환을 적용하고, 그 결과를 그림으로 그려라.

c. T의 역할을 되돌리는 행렬을 구하라.

9. $B = \left\{ \begin{bmatrix} 1 \\ 1 \end{bmatrix}, \begin{bmatrix} -1 \\ 1 \end{bmatrix} \right\}$는 $\mathbb{R}^2$의 기저이며, A는 xy 좌표계에서 꼭지점이 $(0, 0)$, $(2, 2)$ 및 $(0, 2)$인 삼각형이라 하자.

a. B에 대한 A의 꼭지점들의 좌표를 구하라.

b. T는 직선 $y = x$에 대한 반사를 수행하는 변환이라 하자. S가 $\mathbb{R}^2$의 표준기저일 경우, $[T]_B^S$를 구하라.

c. (b)에서 구한 행렬을 (a)에서 구한 좌표에 적용하라. 그리고 그 결과를 그림으로 그려라.

d. 원래의 좌표에 $\begin{bmatrix} 0 & 1 \\ 1 & 0 \end{bmatrix}$을 적용하여도 같은 결과가 얻어짐을 보여라.

10. $B = \left\{ \begin{bmatrix} 1 \\ 0 \end{bmatrix}, \begin{bmatrix} 1 \\ 1 \end{bmatrix} \right\}$는 $\mathbb{R}^2$의 기저이며, A는 xy좌표계에서 꼭지점이 $(0, 0)$, $(1, 1)$, $(1, 0)$ 및 $(2, 1)$인 평행사변형이라 하자.

a. B에 대한 A의 꼭지점의 좌표를 구하라.

b. 수평 좌표축에 대한 반사를 수행하는 변환 T의, B에 대한 행렬 표현을 구하라.

c. (b)에서 구한 행렬을 (a)에서 구한 좌표에 적용하라. 그 결과의 벡터를 표준 기저에 대해 나타내고, 그 결과를 그림으로 그려라.

d. 그 평행사변형에 동일한 연산을 수행하는 변환의, 표준 기저에 대한 행렬 표현을 구하라. 이 행렬을 원래의 좌표에 적용하고, 그 결과가 (c)의 결과와 같음을 보여라.

4장 복습문제

1. $T: \mathbb{R}^2 \longrightarrow \mathbb{R}^4$를 어떤 선형변환이라 하자.

a. 다음은 $\mathbb{R}^2$의 기저임을 보여라.

$$S = \left\{ \begin{bmatrix} 1 \\ 1 \end{bmatrix}, \begin{bmatrix} 3 \\ -1 \end{bmatrix} \right\}$$

b. 만일 T가 다음과 같이 정의된다면

$$T\begin{bmatrix} 1 \\ 1 \end{bmatrix} = \begin{bmatrix} 1 \\ 2 \\ 0 \\ 2 \end{bmatrix} \qquad T\begin{bmatrix} 3 \\ -1 \end{bmatrix} = \begin{bmatrix} 3 \\ 2 \\ 4 \\ -2 \end{bmatrix}$$

모든 $\begin{bmatrix} x \\ y \end{bmatrix} \in \mathbb{R}^2$에 대하여 $T\begin{bmatrix} x \\ y \end{bmatrix}$를 구하라.

(힌트: S에 대한 $\begin{bmatrix} x \\ y \end{bmatrix}$의 좌표를 구하라.)

c. $N(T)$의 모든 벡터에 대해 서술하라.

d. 그 선형사상 T는 1-1인가? 이유를 설명하라.

e. $R(T)$의 기저를 구하라.

f. T는 전사인가? 두 가지 이유를 제시하라.

g. 다음 두 벡터를 포함한 $\mathbb{R}^4$의 기저를 구하라.

$$\begin{bmatrix} 1 \\ 0 \\ 1 \\ 1 \end{bmatrix} \qquad \begin{bmatrix} -1 \\ 1 \\ 0 \\ 1 \end{bmatrix}$$

h. $\mathbb{R}^2$의 기저 $B = \left\{ \begin{bmatrix} 1 \\ 2 \end{bmatrix}, \begin{bmatrix} 1 \\ -1 \end{bmatrix} \right\}$와 (g)에서 구한 $\mathbb{R}^4$의 기저(이를 C라 하자)를 사용하여, 기저 B와 기저 C에 대한 T의 행렬 표현을 구하라.

i. (h)에서 구한 행렬 A를 임의의 벡터 $\begin{bmatrix} x \\ y \end{bmatrix}$

에 적용하라.

2. 선형변환 $S, T: \mathcal{P}_3 \longrightarrow \mathcal{P}_4$와 $H: \mathcal{P}_4 \longrightarrow \mathcal{P}_4$를 다음과 같이 정의하자.

$$S(p(x)) = p'(0)$$
$$T(p(x)) = (x+1)p(x)$$
$$H(p(x)) = p'(x) + p(0)$$

a. $H \circ T$와 $S \circ (H \circ T)$를 계산하라.

b. $\mathcal{P}_3$와 $\mathcal{P}_4$의 표준 기저에 대한 S, T 및 H의 행렬을 구하라.

c. T는 1-1임을 보여라.

d. $R(T)$를 구하라.

3. $S, T: \mathbb{R}^2 \longrightarrow \mathbb{R}^2$는 각기 선형변환으로, S는 모든 벡터를 x축에 대해 반사하고 T는 y축에 대해 반사한다고 하자.

a. S와 T를 정의하라. 그리고 그 사상들이 선형변환임을 보여라.

b. $\mathbb{R}^2$의 표준기저에 대한 S와 T의 행렬을 구하라.

c. 선형변환 $T \circ S$와 $S \circ T$의 행렬을 구하라. $T \circ S$와 $S \circ T$의 효과를 기하학적으로 설명하라.

4. a. $T: M_{2 \times 2} \longrightarrow M_{2 \times 2}$는 다음과 같이 정의된다고 하자.

$$T(A) = \begin{bmatrix} 1 & 3 \\ -1 & 1 \end{bmatrix} A$$

T는 선형변환인가? T는 1-1인가? T는 동형사상인가?

b. $T: M_{2 \times 2} \longrightarrow M_{2 \times 2}$는 다음과 같이 정의된다고 하자.

$$T(A) = \begin{bmatrix} 1 & 0 \\ 1 & 0 \end{bmatrix} A$$

T는 선형변환인가? T는 1-1인가? $R(T)$는 $\mathbb{R}^2$와 동형임을 보여라.

5. $\mathbb{R}^2$의 벡터 $\mathbf{v}_1$과 $\mathbf{v}_2$는 일차 독립이며 $T: \mathbb{R}^2 \longrightarrow \mathbb{R}^2$는 다음을 만족하는 선형연산자라고 하자.

$$T(\mathbf{v}_1) = \mathbf{v}_2 \qquad T(\mathbf{v}_2) = \mathbf{v}_1$$

그리고 $B = \{\mathbf{v}_1, \mathbf{v}_2\}$, $B' = \{\mathbf{v}_2, \mathbf{v}_1\}$이라 하자.

a. $[T]_B$를 구하라.

b. $[T]_B^{B'}$을 구하라.

6. $T: \mathbb{R}^2 \longrightarrow \mathbb{R}^2$는 어떤 벡터를 직선 **span** $\left\{ \begin{bmatrix} 1 \\ -1 \end{bmatrix} \right\}$ 을 가로질러 투영하는 선형연산자이며, $S: \mathbb{R}^2 \longrightarrow \mathbb{R}^2$은 어떤 벡터를 직선 **span** $\left\{ \begin{bmatrix} 1 \\ 0 \end{bmatrix} \right\}$ 에 대해 반사하는 선형연산자라고 하자. B는 $\mathbb{R}^2$의 표준 기저라고 하자.

a. $[T]_B$와 $[S]_B$를 구하라.

b. $T\left(\begin{bmatrix} -2 \\ 1 \end{bmatrix} \right)$ 와 $S\left(\begin{bmatrix} 2 \\ 3 \end{bmatrix} \right)$을 구하라.

c. 어떤 벡터를 부분공간 **span** $\left\{ \begin{bmatrix} 1 \\ -1 \end{bmatrix} \right\}$ 및 **span** $\left\{ \begin{bmatrix} 1 \\ 0 \end{bmatrix} \right\}$ 에 대한 반사를 수행하는 선형연산자 $H: \mathbb{R}^2 \longrightarrow \mathbb{R}^2$ 의 행렬 표현을 각기 구하라.

d. $H\left(\begin{bmatrix} -2 \\ -1 \end{bmatrix} \right)$ 을 구하라.

e. $N(T)$와 $N(S)$를 구하라.

f. $T(\mathbf{v}) = \mathbf{v}$를 만족하는 모든 벡터를 구하고, 또한 $S(\mathbf{v}) = \mathbf{v}$를 만족하는 모든 벡터를 구하라.

7. $T: \mathbb{R}^3 \longrightarrow \mathbb{R}^3$는 어떤 벡터를 평면 **span** $\left\{ \begin{bmatrix} 1 \\ 0 \\ 0 \end{bmatrix}, \begin{bmatrix} 0 \\ 1 \\ 1 \end{bmatrix} \right\}$ 에 대한 반사를 수행하는 선형연산자라 하자. 어떤 벡터 $\mathbf{u}$를 다른 벡터 $\mathbf{v}$상에 투영하는 연산자는 $\text{proj}_{\mathbf{v}}\, \mathbf{u} = \dfrac{\mathbf{u} \cdot \mathbf{v}}{\mathbf{v} \cdot \mathbf{v}} \mathbf{v}$ 이며, 벡터 $\mathbf{v}$를 연직 벡터가 $\mathbf{n}$인 평면에 대한 반사를 수행하는 연산자는 $\mathbf{v} - 2\,\text{proj}_{\mathbf{n}}\, \mathbf{v}$ 이다.

B는 $\mathbb{R}^3$의 표준 기저라고 하자.

a. $[T]_B$를 구하라.

b. $T\left(\begin{bmatrix} -1 \\ 2 \\ 1 \end{bmatrix} \right)$ 를 구하라.

c. $N(T)$를 구하라.

d. $R(T)$를 구하라.

e. B에 대한 $T^n\ (n \geq 2)$의 행렬을 구하라.

8. 변환 $T: \mathcal{P}_2 \longrightarrow \mathbb{R}$ 을 다음과 같이 정의하자.

$$T(p(x)) = \int_0^1 p(x)\, dx$$

a. T는 선형변환임을 보여라.

b. $T(-x^2 - 3x + 2)$를 계산하라.

c. $N(T)$에 대해 설명하라. T는 1-1인가?

d. $N(T)$의 기저를 구하라.

e. T는 전사임을 보여라.

f. B는 $\mathcal{P}_2$의 표준기저이며, $B' = \{1\}$은 $\mathbb{R}$ 의 기저라 하자. $[T]_B^{B'}$을 구하라.

g. (f)에서 구한 행렬을 사용하여 $T(-x^2 - 3x + 2)$을 계산하라.

h. 선형연산자 $T: C^{(1)}[0, 1] \longrightarrow C^{(1)}[0, 1]$와 $S: C^{(1)}[0, 1] \longrightarrow C^{(1)}[0, 1]$를 다음과 같이

정의하자.

$$T(f) = \frac{d}{dx} f(x)$$

$$S(f) = F, \quad \text{단} \quad F(x) = \int_0^x f(t)\, dt$$

$T(xe^x)$와 $S(xe^x)$를 구하라. 그리고 $S \circ T$ 와 $T \circ S$ 에 대해 설명하라.

9. I는 항등사상이며, $T : V \longrightarrow V$ 가 $T^2 - T + I = \mathbf{0}$를 만족하는 선형연산자라고 하자. T^{-1} 가 존재하며 $I - T$ 와 동등함을 보여라.

10. $T : \mathbb{R}^2 \longrightarrow \mathbb{R}^2$ 를 어떤 선형연산자라 하자.

   a. $\mathbb{R}^2$의 두 벡터 $\mathbf{u}$와 $\mathbf{v}$ 사이의 선분은 다음 식으로 표현될 수 있음을 보여라.

   $$t\mathbf{u} + (1-t)\mathbf{v} \quad \text{단} \quad 0 \le t \le 1$$

   b. 사상 T하에서의 어떤 선분의 상은 또 다른 선분임을 보여라.

   c. $\mathbb{R}^2$의 어떤 집합에 대해, 만일 그 집합 내의 모든 벡터 쌍에 대해 그 두 벡터를 연결하는 선분 역시 그 집합에 속하면, 그 집합은 볼록(convex)하다고 한다. 다음 그림을 보라.

볼록집합   볼록하지 않은 집합

   $T : \mathbb{R}^2 \longrightarrow \mathbb{R}^2$ 는 동형사상이며, S는 $\mathbb{R}^2$의 어떤 볼록집합이라고 하자. 그러면 $T(S)$는 볼록집합임을 보여라.

   d. $T : \mathbb{R}^2 \longrightarrow \mathbb{R}^2$ 를 다음과 같이 정의한다.

   $$T\left(\begin{bmatrix} x \\ y \end{bmatrix} \right) = \begin{bmatrix} 2x \\ y \end{bmatrix}$$

   T는 동형사상임을 보여라. 한편 S를 다음과 같이 정의하자.

   $$S = \left\{ \begin{bmatrix} x \\ y \end{bmatrix} \ \middle| \ x^2 + y^2 = 1 \right\}$$

   변환 T하에서의 집합 S의 상에 대해 설명하라.

4장 시험문제

시험문제 1~40에서는, 각 문장이 옳은지 그른지 판단하라.

1. 다음과 같이 정의된 변환 $T : \mathbb{R}^2 \longrightarrow \mathbb{R}^2$ 는 선형변환이다.

$$T\left(\begin{bmatrix} x \\ y \end{bmatrix} \right) = \begin{bmatrix} 2x - 3y \\ x + y + 2 \end{bmatrix}$$

2. $T(x) = 2x - 1$로 정의된 변환 $T : \mathbb{R} \longrightarrow \mathbb{R}$은 선형변환이다.

3. 만일 $b = 0$이면, $T(x) = mx + b$로 정의된 변환 $T : \mathbb{R} \longrightarrow \mathbb{R}$은 선형변환이다.

4. 만일 A가 $m \times n$ 행렬이면, $T(\mathbf{v}) = A\mathbf{v}$로 정의되는 T는 $\mathbb{R}^n$ 으로부터 $\mathbb{R}^m$으로의 선형변환이다.

5. A는 $M_{n \times n}$ 의 어떤 고정된 행렬이라 하자. 변환 $T : M_{n \times n} \longrightarrow M_{n \times n}$ 을 다음과 같이 정의하자.

$$T(B) = (B + A)^2 - (B + 2A)(B - 3A)$$

만일 $A^2 = \mathbf{0}$이면, T는 선형변환이다.

6. $\mathbf{u} = \begin{bmatrix} 1 \\ 0 \end{bmatrix}$, $\mathbf{v} = \begin{bmatrix} 0 \\ 1 \end{bmatrix}$라 하자. 만일 $T: \mathbb{R}^2 \longrightarrow \mathbb{R}^2$ 가 선형연산자이며 $T(\mathbf{u} + \mathbf{v}) = \mathbf{v}$ 및 $T(2\mathbf{u} - \mathbf{v}) = \mathbf{u} + \mathbf{v}$ 이면 $T(\mathbf{u}) = \begin{bmatrix} \frac{2}{3} \\ \frac{1}{3} \end{bmatrix}$이다.

7. 만일 $T: \mathbb{R}^2 \longrightarrow \mathbb{R}^2$ 가 다음과 같이 정의되면

$$T\left(\begin{bmatrix} x \\ y \end{bmatrix} \right) = \begin{bmatrix} 2 & -4 \\ 1 & -2 \end{bmatrix} \begin{bmatrix} x \\ y \end{bmatrix}$$

T는 동형사상이다.

8. 만일 $T: V \longrightarrow W$ 가 선형변환이며 $\{\mathbf{v}_1, \ldots, \mathbf{v}_n\}$는 V의 1차독립 집합이라 하자. 그러면 $\{T(\mathbf{v}_1), \ldots, T(\mathbf{v}_n)\}$는 W의 1차독립인 부분집합이다.

9. 벡터공간 P_8 과 $M_{3\times3}$은 동형이다.

10. 만일 선형 사상 $T: P_4 \longrightarrow P_3$ 가 $T(p(x)) = p'(x)$로 정의된다면, T는 1-1 사상이다.

11. 만일 A가 $n \times n$ 가역행렬이면, $\mathbb{R}^n$ 으로부터 $\mathbb{R}^n$ 으로의 사상으로서, A의 영공간은 단지 영벡터로만 구성된다.

12. 다음과 같이 정의되는 선형연산자 $T: \mathbb{R}^2 \longrightarrow \mathbb{R}^2$는 1-1이다.

$$T\left(\begin{bmatrix} x \\ y \end{bmatrix} \right) = \begin{bmatrix} x - y \\ 0 \end{bmatrix}$$

13. 만일 $T: \mathbb{R}^2 \longrightarrow \mathbb{R}^2$ 가 각 벡터를 원점에 대해 대칭으로 사상하는 변환이라면, $\mathbb{R}^2$의 표준기저에 대한 T의 행렬은 $\begin{bmatrix} -1 & 0 \\ 0 & -1 \end{bmatrix}$이다.

14. 선형변환은 벡터 합 및 스칼라 곱을 보존한다.

15. 유한차원 벡터공간들 사이의 각각의 선형변환은 행렬의 곱으로 정의될 수 있다.

16. 변환 $T: V \longrightarrow W$ 가 선형변환일 필요충분조건은, V의 모든 벡터 $\mathbf{v}_1$과 $\mathbf{v}_2$ 그리고 스칼라 c_1과 c_2에 대해 다음이 성립한다는 것이다.

$$T(c_1\mathbf{v}_1 + c_2\mathbf{v}_2) = c_1 T(\mathbf{v}_1) + c_2 T(\mathbf{v}_2)$$

17. 만일 $f: \mathbb{R} \longrightarrow \mathbb{R}$이 선형연산자이며 $\phi: \mathbb{R}^2 \longrightarrow \mathbb{R}^2$가 다음과 같이 정의된다면

$$\phi(x, y) = (x, y - f(x))$$

사상 ϕ 는 동형사상이다.

18. U, V, W는 유한차원 벡터공간이라 하자. 만일 U가 V와 동형이고 또한 V가 W와 동형이면, U는 W와 동형이다.

19. 만일 $T: V \longrightarrow V$ 가 어떤 선형연산자이며 $\mathbf{u} \in N(T)$이면, 모든 $\mathbf{v} \in V$ 및 스칼라 c에 대해 다음이 성립한다.

$$T(c\mathbf{u} + \mathbf{v}) = T(\mathbf{v})$$

20. 만일 $P: \mathbb{R}^3 \longrightarrow \mathbb{R}^3$ 가 다음과 같이 정의된 투영이라고 하자.

$$P\left(\begin{bmatrix} x \\ y \\ z \end{bmatrix} \right) = \begin{bmatrix} x \\ y \\ 0 \end{bmatrix}$$

그러면 $P^2 = P$이다.

21. 만일 $T: V \longrightarrow W$ 가 벡터공간 사이의 선형변환으로, T는 V의 각 기저 원소를 W의 같은 원소로 사상한다고 하자. 그러면 J는 항등사상이다.

22. 만일 $T: \mathbb{R}^4 \longrightarrow \mathbb{R}^5$이며 $\dim(N(T)) = 2$이면,

$\dim(R(T)) = 3$이다.

23. 만일 $T : \mathbb{R}^4 \longrightarrow \mathbb{R}^5$이며 $\dim(R(T)) = 2$이면, $\dim(N(T)) = 2$이다.

24. 만일 $T : \mathbb{R}^3 \longrightarrow \mathbb{R}^3$가 다음과 같이 정의된다면,

$$T\left(\begin{bmatrix} x \\ y \\ z \end{bmatrix}\right) = \begin{bmatrix} 2x - y + z \\ x \\ y - x \end{bmatrix}$$

$\mathbb{R}^3$의 표준기저에 대한 T^{-1}의 행렬은 다음과 같다.

$$\begin{bmatrix} 0 & 1 & 0 \\ 0 & 0 & 1 \\ -1 & -2 & 1 \end{bmatrix}$$

25. 만일 $T : \mathbb{R}^2 \longrightarrow \mathbb{R}^2$가 다음과 같이 정의되며

$$T\left(\begin{bmatrix} x \\ y \end{bmatrix}\right) = \begin{bmatrix} 2x + 3y \\ -x + y \end{bmatrix}$$

$B = \{\mathbf{e}_1, \mathbf{e}_2\}$ 및 $B' = \{\mathbf{e}_2, \mathbf{e}_1\}$이라면

$$[T]_B^{B'} = \begin{bmatrix} -1 & 1 \\ 2 & 3 \end{bmatrix}$$

26. 벡터 공간들 사이에는 $T(\mathbf{0}) \neq \mathbf{0}$를 만족하는 선형변환이 존재한다.

27. 다음과 같이 정의된 선형변환 $T : \mathbb{R}^3 \longrightarrow \mathbb{R}^3$는, $\mathbb{R}^3$의 각 벡터를 xy 평면 위로 투영한다.

$$T\left(\begin{bmatrix} x \\ y \\ z \end{bmatrix}\right) = \begin{bmatrix} x \\ 0 \\ y \end{bmatrix}$$

28. 다음과 같이 정의된 선형연산자 $T : \mathbb{R}^2 \longrightarrow$

$\mathbb{R}^2$는, $\mathbb{R}^2$의 각 벡터를 직선 $y = x$에 대해 반사한다.

$$T\left(\begin{bmatrix} x \\ y \end{bmatrix}\right) = \begin{bmatrix} 0 & 1 \\ 1 & 0 \end{bmatrix} \begin{bmatrix} x \\ y \end{bmatrix}$$

29. $T : V \longrightarrow W$는 선형변환이며 $B = \{\mathbf{v}_1, ..., \mathbf{v}_n\}$를 V의 기저라 하자. 만일 T가 전사이면 $\{T(\mathbf{v}_1), ..., T(\mathbf{v}_n)\}$은 W의 기저이다.

30. 벡터공간 $\mathcal{P}_2$는 $\mathbb{R}^5$의 부분공간인 다음의 W와 동형이다.

$$W = \left\{ \begin{bmatrix} a \\ b \\ 0 \\ c \\ 0 \end{bmatrix} \,\middle|\, a, b, c \in \mathbb{R} \right\}$$

31. 만일 $T : V \longrightarrow V$가 항등변환이면, V의 임의의 두 기저 쌍 B와 B'에 대한 T의 행렬은 단위행렬이다.

32. 만일 $T : \mathbb{R}^3 \longrightarrow \mathbb{R}^3$가 다음과 같이 정의되면 $\dim(N(T)) = 1$이다.

$$T\left(\begin{bmatrix} x \\ y \\ z \end{bmatrix}\right) = \begin{bmatrix} x + y + z \\ y - x \\ y \end{bmatrix}$$

33. 만일 $T : \mathcal{P}_2 \longrightarrow \mathcal{P}_2$가 $T(ax^2 + bx + c) = 2ax + b$로 정의되면 $N(T)$의 기저는 $\{-3\}$이다.

34. 만일 $T : M_{2 \times 2} \longrightarrow M_{2 \times 2}$가 $T(A) = A^2 - A$로 정의되면 $N(T) = \{\mathbf{0}\}$이다.

35. 만일 $T : \mathcal{P}_3 \longrightarrow \mathcal{P}_3$가 $T(p(x)) = p''(x) - xp'(x)$로 정의되면 T는 전사이다.

36. 만일 $T : \mathcal{P}_3 \longrightarrow \mathcal{P}_3$가 $T(p(x)) = p''(x) - xp'(x)$로 정의되면 $q(x) = x^2$은 $R(T)$의 원소이다.

37. 다음과 같이 정의되는 선형연산자 $T : \mathbb{R}^3$ $\longrightarrow \mathbb{R}^3$ 는 동형사상이다.

$$T\left(\begin{bmatrix} x \\ y \\ z \end{bmatrix}\right) = \begin{bmatrix} 3 & -3 & 0 \\ 1 & 2 & 1 \\ 3 & -1 & 1 \end{bmatrix} \begin{bmatrix} x \\ y \\ z \end{bmatrix}$$

38. 만일 A가 $m \times n$ 행렬이며 $T : \mathbb{R}^n \longrightarrow \mathbb{R}^m$ 이 $T(\mathbf{v}) = A\mathbf{v}$로 정의되면, T의 치역은 A의 열 벡터들의 모든 일차결합 집합이다.

39. 만일 A가 $m \times n \ (m > n)$ 행렬이며 $T : \mathbb{R}^n$ $\longrightarrow \mathbb{R}^m$ 이 $T(\mathbf{v}) = A\mathbf{v}$로 정의되면, T는 1-1 이 될 수 없다.

40. 만일 A가 $m \times n \ (m > n)$ 행렬이며 $T : \mathbb{R}^n$ $\longrightarrow \mathbb{R}^m$ 이 $T(\mathbf{v}) = A\mathbf{v}$로 정의되면, T는 전사 가 될 수 없다.

5장
고유값과 고유벡터

이 장의 개요

마르코프 연쇄(Markov chain)는, 주어진 시각 t에, 유한한 개수의 상태(state) 중 하나를 취하는 확률과정(random process)을 기술할 때 사용되는 수학적 모델이다. 마르코프 연쇄의 확률과정은, 시각 t와 $t + 1$ 사이에, p_{ij}의 확률로, 상태 j에서 상태 i로 이동한다. 그리고, 마르코프 연쇄에서 다음 상태는 오직 현재 상태에 의해서만 결정된다. 즉, 과거 상태에 영향을 받지 않는 성질(memoryless property)을 가지고 있다. 마르코프 연쇄의 예로서, 주변에 주거지역 N, S, E, W가 있는 도시 C를 생각해 보자. 주민들은 어떤 고정된 확률로, 한 지역에서 다른 지역으로 이사하거나 현재 거주하고 있는 지역에 머무른다. 여기서 상태는 주어진 시각에 한 주민의 거주지역이다. 그림 1은 이 예에 대한 상태도표(state diagram)를 그린 것이다. 이 때, 한 지역에서 다른 지역으로 이동할 확률을 추이행렬(transition matrix) $A = (p_{ij})$로 나타내었다. 예를 들어, 추이행렬의 성분 중 $p_{34} = 0.2$는 한 주민이 지역 E에서 지역 S로 이사할 확률이 0.2임을 의미한다. 한 주민은 다섯 지역 중 한 군데에 거주한다고 가정하기 때문에 다섯 지역 중 하나에 거주할 확률은 1이다. 그래서, 행렬 A의 각 열(column)의 합은 1이다. 이와 같이, 성분들이 0과 1 사이의 값을 갖고 각 열의 합이 1인 정사각행렬(square matrix)을 확률행렬(stochastic matrix)이라고 부른다.

주민들의 초기 분포를 나타내는 벡터 $\mathbf{v}$를 초기확률벡터

U.S. Geological Survery/DAL

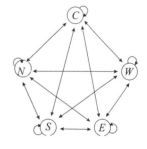

그림 1

$$\begin{array}{c} \\ C \\ N \\ S \\ E \\ W \end{array} \begin{array}{ccccc} C & N & S & E & W \\ \left[\begin{array}{ccccc} 0.3 & 0.2 & 0.4 & 0.1 & 0.1 \\ 0.2 & 0.4 & 0.1 & 0.2 & 0.1 \\ 0.1 & 0.2 & 0.2 & 0.2 & 0.1 \\ 0.2 & 0.1 & 0.2 & 0.3 & 0.2 \\ 0.2 & 0.1 & 0.1 & 0.2 & 0.5 \end{array} \right] \end{array}$$

(initial probability vector)라고 한다. 그러면, 초기의 다음 시각에서의 주민들의 분포는 $A\mathbf{v}$이 되고, 그 다음 시각에서의 주민들의 분포는 $A(A\mathbf{v}) = A^2\mathbf{v}$가 된다. 예를 들어, 10번 시간이 흐른 후에 주민들의 분포는 다음과 같다(소수점 이하 두 번째 자리에서 반올림하였음).

$$A^{10}\mathbf{v} = \begin{bmatrix} 0.21 \\ 0.20 \\ 0.16 \\ 0.20 \\ 0.23 \end{bmatrix}$$

여기서 벡터 $A^n\mathbf{v}$의 성분들의 합은 언제나 1임에 유의하라. 어떤 초기 분포로부터 시작한 마르코프 연쇄의 장기적인 추이, 즉, n이 무한대로 증가할 때 $A^n\mathbf{v}$는, 어떤 제한적인 값을 갖는, 다섯 개 지역에 대한 미래 인구 분포가 된다. 다시 말해서, n이 무한대로 증가할 때 $A^n\mathbf{v}$는 어떤 벡터 $\mathbf{s}$에 접근하게 되는데, 이 벡터 $\mathbf{s}$를 안정상태벡터(steady-state vector)라고 부른다. 만약 마르코프 연쇄의 추이행렬이 확률행렬이면, 임의의 초기확률벡터 $\mathbf{v}$에 대해, $A\mathbf{s} = \mathbf{s}$를 만족하는 안정상태벡터 $\mathbf{s}$가 단 하나만 존재한다. 안정상태벡터를 구하는 것은 $\lambda = 1$인 행렬방정식

$$A\mathbf{x} = \lambda\mathbf{x}$$

를 푸는 것과 같다.

일반적으로, $A\mathbf{v} = \lambda\mathbf{v}$ 를 만족하는 스칼라(scalar) λ와 벡터 $\mathbf{v}(\mathbf{v} \neq \mathbf{0})$가 존재할 때, λ를 행렬 A의 고유값(eigenvalue)이라고 부르고, $\mathbf{v}$를 고유값 λ에 대한 행렬 A의 고유벡터(eigenvector)라고 부른다. 앞의 마르코프 연쇄의 예에서, 안정상태벡터는 추이행렬 A에 대한 고유값이 1일 때($\lambda = 1$) 고유벡터에 해당한다. 지난 10년간 컴퓨터의 성능은 놀랍게 발전하여, 수십억 행과 열을 갖는 행렬의 고유값을 컴퓨터로 계산할 수 있게 되었다. 예를들어, 구글의 웹페이지 순위 알고리즘은 기본적으로 마르코프 연쇄이다. 이때, 추이행렬은 인터넷 상의 각 사이트들의 상대적 중요성을 나타내는 수치들로 구성된다. 이 알고리즘은 구글의 창업자인 래리 페이지(Larry Page)와 세르게이 브린(Sergey Brin)에 의해 개발되었다.

임의의 $n \times n$ 행렬 A에 대해, $A\mathbf{v} = \lambda\mathbf{v}$ 를 만족하는 스칼라-벡터 쌍 λ와 $\mathbf{v}$는 적어도 하나 존재한다(λ는 복소수일 수 있다). 많은 실제 문제들이 이러한 스칼라-벡터 쌍을 찾는 문제들이다.

5.1 고유값(eigenvalue)과 고유벡터(eigenvector)

고유값 문제(eigenvalue problem)는 선형대수학에서 가장 중요한 문제들 중 하나이며, 다음과 같이 표현할 수 있다: A가 $n \times n$ 행렬일 때, A와 $\mathbf{v}$의 곱이 $\mathbf{v}$와 스칼라의 곱이 되는 벡터 $\mathbf{v}(\mathbf{v} \neq$

0)가 존재하는가?

정의 1 고유값과 고유벡터

A가 $n \times n$ 행렬일 때, 다음의 방정식을 만족하는 벡터 $\mathbf{v}$가 존재하면, λ를 행렬 A의 고유값이라고 한다.

$$A\mathbf{v} = \lambda\mathbf{v} , \mathbf{v} \neq \mathbf{0}$$

그리고 위의 방정식을 만족하는 모든 벡터 $\mathbf{v}$를 고유값 λ에 대한 행렬 A의 고유벡터라고 한다.

영벡터는 모든 λ에 대하여 고유값 방정식 $A\mathbf{v} = \lambda\mathbf{v}$ 을 만족시키는 자명한 해이기 때문에, 고유벡터로 간주하지 않는다. 예를 들어, 행렬 $A = \begin{bmatrix} 1 & 2 \\ 0 & -1 \end{bmatrix}$에 대해 $\begin{bmatrix} 1 & 2 \\ 0 & -1 \end{bmatrix} \begin{bmatrix} 1 \\ 0 \end{bmatrix} = \begin{bmatrix} 1 \\ 0 \end{bmatrix}$이므로, 벡터 $\mathbf{v}_1 = \begin{bmatrix} 1 \\ 0 \end{bmatrix}$는 고유값 $\lambda_1 = 1$ 에 대한 행렬 A의 고유벡터이다. 또한, $\begin{bmatrix} 1 & 2 \\ 0 & -1 \end{bmatrix} \begin{bmatrix} 1 \\ -1 \end{bmatrix} = \begin{bmatrix} 1 \\ -1 \end{bmatrix} = -1 \begin{bmatrix} 1 \\ -1 \end{bmatrix}$ 도 성립하므로, 벡터 $\mathbf{v}_2 = \begin{bmatrix} 1 \\ -1 \end{bmatrix}$는 고유값 $\lambda_2 = -1$ 에 대한 행렬 A의 고유벡터이다.

예제 1에서, 2×2 행렬에 대한 고유값과 고유벡터를 어떻게 구하는지 살펴보자.

예제 1

a. 행렬 $A = \begin{bmatrix} 0 & 1 \\ 1 & 0 \end{bmatrix}$의 고유값을 구하라.

b. a에서 구한 각 고유값에 대하여 고유벡터를 구하라.

풀이 a. 다음의 식을 만족하는 영벡터가 아닌 벡터 $\mathbf{v} = \begin{bmatrix} x \\ y \end{bmatrix}$가 존재하면 λ는 고유값이다.

$$\begin{bmatrix} 0 & 1 \\ 1 & 0 \end{bmatrix} \begin{bmatrix} x \\ y \end{bmatrix} = \lambda \begin{bmatrix} x \\ y \end{bmatrix} \text{ 즉, } \begin{bmatrix} y \\ x \end{bmatrix} = \begin{bmatrix} \lambda x \\ \lambda y \end{bmatrix}$$

위의 행렬방정식은 다음의 연립방정식과 같다.

$$\begin{cases} -\lambda x + y = 0 \\ x - \lambda y = 0 \end{cases}$$

1.6절의 정리 17에 의해, 위의 연립방정식은 다음의 식이 성립할 때에만 자명하지 않은 해를 갖는다.

$$\begin{vmatrix} -\lambda & 1 \\ 1 & -\lambda \end{vmatrix} = 0$$

따라서, $\lambda^2 - 1 = 0$ 이고, 고유값은 $\lambda_1 = 1$ 과 $\lambda_2 = -1$ 이다.

b. $\lambda_1 = 1$에 대한 고유벡터를 $\mathbf{v}_1 = \begin{bmatrix} x \\ y \end{bmatrix}$ 라 하면,

$$\begin{bmatrix} 0 & 1 \\ 1 & 0 \end{bmatrix} \begin{bmatrix} x \\ y \end{bmatrix} = \begin{bmatrix} x \\ y \end{bmatrix}$$

위의 식은 다음의 연립방정식과 같다.

$$\begin{cases} -x + y = 0 \\ x - y = 0 \end{cases}$$

위의 연립방정식의 해는 $S = \left\{ \begin{bmatrix} t \\ t \end{bmatrix} \middle| \ t \in \mathbb{R} \right\}$ 이다. 따라서, $\mathbf{v}_1 = \begin{bmatrix} t \\ t \end{bmatrix} (t \neq 0)$의 형태를 갖는 모

든 벡터들은 $\lambda_1 = 1$에 대한 고유벡터이다. 동일한 방법으로 풀면, $\mathbf{v}_2 = \begin{bmatrix} t \\ -t \end{bmatrix} ()$의 형태를 갖는

모든 벡터들은 $\lambda_2 = -1$에 대한 고유벡터이다. 벡터 $\mathbf{v}_1$, $\mathbf{v}_2$가 영벡터가 되지 않도록 t의 값을 선택

하면, 특정 값을 갖는 고유벡터를 구할 수 있다. 예를 들어, $t = 1$이면, $\lambda_1 = 1$에 대한 고유벡터는

$\mathbf{v}_1 = \begin{bmatrix} 1 \\ 1 \end{bmatrix}$ 이고, $\lambda_2 = -1$에 대한 고유벡터는 $\mathbf{v}_2 = \begin{bmatrix} 1 \\ -1 \end{bmatrix}$ 이다. ∎

고유값과 고유벡터의 기하학적인 해석

방금 살펴본 방법을 사용하여, 행렬 $A = \begin{bmatrix} 1 & -1 \\ 2 & 4 \end{bmatrix}$의 고유값과 고유벡터를 구하면, 고유값은

$\lambda_1 = 2$, $\lambda_2 = 3$ 이고, 이에 해당하는 고유벡터는 $\mathbf{v}_1 = \begin{bmatrix} 1 \\ -1 \end{bmatrix}$, $\mathbf{v}_2 = \begin{bmatrix} 1 \\ -2 \end{bmatrix}$ 이다. 이때, 다음의 식

이 성립한다.

$$A\mathbf{v}_1 = \begin{bmatrix} 1 & -1 \\ 2 & 4 \end{bmatrix} \begin{bmatrix} 1 \\ -1 \end{bmatrix} = \begin{bmatrix} 1 \\ -2 \end{bmatrix} = 2\mathbf{v}_1, \quad A\mathbf{v}_2 = \begin{bmatrix} 1 & -1 \\ 2 & 4 \end{bmatrix} \begin{bmatrix} 1 \\ -2 \end{bmatrix} = \begin{bmatrix} 3 \\ -6 \end{bmatrix} = 3\mathbf{v}_2$$

A가 고유벡터의 방향은 유지하면서 크기만 변경(scaling)시킨다는 것을 보여주기 위해, 그림 2에

벡터 $\mathbf{v}_1$, $\mathbf{v}_2$, $A\mathbf{v}_1$, $A\mathbf{v}_2$를 그렸다. 이러한 효과는 임의의 벡터에 대해 성립하는 것은 아니다. 예를

들어, $\mathbf{v} = \begin{bmatrix} 1 \\ 1 \end{bmatrix}$이면, $A\mathbf{v} = \begin{bmatrix} 1 & -1 \\ 2 & 4 \end{bmatrix} \begin{bmatrix} 1 \\ 1 \end{bmatrix} = \begin{bmatrix} 0 \\ 6 \end{bmatrix}$이다.

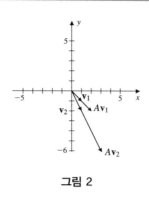

그림 2

고유공간 (Eigenspace)

　예제 1에서처럼 일반적으로 하나의 고유값에 대해 무한히 많은 고유벡터들이 존재한다. 이를 증명하기 위해, 고유값 λ에 대한 행렬 A의 고유벡터를 $\mathbf{v}$라 하자. 만약 c가 0이 아닌 임의의 실수라면, 다음 식이 성립한다.

$$A(c\mathbf{v}) = cA(\mathbf{v}) = c(\lambda\mathbf{v}) = \lambda(c\mathbf{v})$$

　따라서, 벡터 $c\mathbf{v}$도 고유값 λ에 대한 고유벡터임을 알 수 있다. 하나의 고유값에 대한 모든 고유벡터들은 평행하거나 방향이 반대임에 유의하라. 예제 1에서 사용한 방법을 확장하여, 고유값과 고유벡터를 구하는 일반적인 방법을 살펴보자. A가 $n \times n$ 행렬일 때, 방정식 $A\mathbf{v} = \lambda\mathbf{v}$($\lambda$는 스칼라)는 오직 다음의 식이 성립할 때에만 성립한다.

$$A\mathbf{v} - \lambda\mathbf{v} = (A - \lambda I)\mathbf{v} = A\mathbf{v} - \lambda I\mathbf{v} = 0$$

　1.6절의 정리 17에 의해, 위의 방정식은 오직 $\det(A - \lambda I) = 0$ 일 때에만 자명하지 않은 해를 갖는다. 이 결과를 정리 1로 요약하였다.

정리 1

A가 행렬이고 λ가 스칼라일 때, 오직 $\det(A - \lambda I) = 0$ 일 때에만, λ는 A의 고유값이다.

　λ에 대한 방정식 $\det(A - \lambda I) = 0$ 를 행렬 A의 특성방정식(characteristic equation)이라고 부르고, λ에 대한 식 $\det(A - \lambda I)$ 를 행렬 A의 특성다항식(characteristic polynomial)이라고 부른다. A가 $n \times n$ 행렬이고 λ가 행렬 A의 고유값일 때, 다음의 집합을 λ에 대한 행렬 A의 고유공간(eigenspace)이라고 부른다.

$$V_\lambda = \{\mathbf{v} \in \mathbb{R}^n \mid A\mathbf{v} = \lambda\mathbf{v}\}$$

이때, V_λ는 λ에 대한 고유벡터들의 집합과 영벡터의 합집합임에 유의하라.

　V_λ가 스칼라 곱 연산에 대해 닫혀있음은 앞에서 이미 보였다. 그러므로, V_λ가 $\mathbb{R}^n$의 부분공간

(subspace)임을 보이기 위해서는, V_λ가 덧셈에 대해서도 닫혀있음을 보여야 한다. 이를 보이기 위해, 벡터 **u**와 **v**가 V_λ에 속한다고 하자. 즉, 어떤 고유값 λ에 대해, $A\mathbf{u} = \lambda\mathbf{u}$ 이고, $A\mathbf{v} = \lambda\mathbf{v}$ 이다. 그러면, 다음의 식이 성립한다.

$$A(\mathbf{u} + \mathbf{v}) = A\mathbf{u} + A\mathbf{v} = \lambda\mathbf{u} + \lambda\mathbf{v} = \lambda(\mathbf{u} + \mathbf{v})$$

다르게 표현하면, 다음과 같다.

$$V_\lambda = \left\{\ \mathbf{v} \in \mathbb{R}^n \,|\, A\mathbf{v} = \lambda\mathbf{v}\ \right\} = \left\{\ \mathbf{v} \in \mathbb{R}^n \,|\, (A - \lambda I)\mathbf{v} = 0\ \right\} = N(A - \lambda I)$$

V_λ가 행렬 $A - \lambda I$ 의 영공간(null space)이므로, 4.2절의 정리 3에 의해, V_λ는 $\mathbb{R}^n$ 의 부분공간이다.

예제 2

행렬 $A = \begin{bmatrix} 2 & -12 \\ 1 & -5 \end{bmatrix}$ 의 고유값과 고유벡터를 구하라. 각 고유값에 대한 고유공간을 기술하라.

풀이   정리 1에 의해, 다음의 특성방정식을 풀어서 고유값을 구한다.

$$\begin{aligned} \det(A - \lambda I) &= \begin{vmatrix} 2 - \lambda & -12 \\ 1 & -5 - \lambda \end{vmatrix} \\ &= (\,2 - \lambda\,)(\,-5 - \lambda\,) - (\,1\,)(\,-12\,) \\ &= \lambda^2 + 3\lambda + 2 \\ &= (\,\lambda + 1\,)(\,\lambda + 2\,) = 0 \end{aligned}$$

따라서, 고유값은 $\lambda_1 = -1$과 $\lambda_2 = -2$ 이다. 고유벡터를 구하기 위해서는 행렬 $A - \lambda_1 I$ 와 행렬 $A - \lambda_2 I$ 의 영공간에 속하는 영벡터가 아닌 모든 벡터들을 구해야 한다. $\lambda_1 = -1$을 대입하여 행렬 $A - \lambda_1 I$ 를 구하면 다음과 같다.

$$A - \lambda_1 I = A + I = \begin{bmatrix} 2 & -12 \\ 1 & -5 \end{bmatrix} + \begin{bmatrix} 1 & 0 \\ 0 & 1 \end{bmatrix} = \begin{bmatrix} 3 & -12 \\ 1 & -4 \end{bmatrix}$$

$A + I$ 의 영공간은 첨가행렬(augmented matrix)을 만들고, 이를 위삼각행렬로 변환하여 구할 수 있다.

$$\left[\begin{array}{cc|c} 3 & -12 & 0 \\ 1 & -4 & 0 \end{array}\right] \rightarrow \left[\begin{array}{cc|c} 1 & -4 & 0 \\ 0 & 0 & 0 \end{array}\right]$$

위의 연립일차방정식의 해는 $S = \left\{\ \begin{bmatrix} 4t \\ t \end{bmatrix}\ \middle|\ t \in \mathbb{R}\ \right\}$이다. $t = 1$을 선택하면, 고유벡터는 $\mathbf{v}_1 = \begin{bmatrix} 4 \\ 1 \end{bmatrix}$

이다. 따라서, $\lambda_1 = -1$에 대한 고유공간은 $V_{\lambda_1} = \left\{ t \begin{bmatrix} 4 \\ 1 \end{bmatrix} \,\middle|\, t \in \mathbb{R} \right\}$ 이다.

다음으로 $\lambda_2 = -2$을 대입하여 행렬 $A - \lambda_2 I$ 를 구하면 다음과 같다.

$$A - \lambda_2 I = \begin{bmatrix} 4 & -12 \\ 1 & -3 \end{bmatrix}$$

λ_1에 대해 적용했던 방법을 동일하게 적용하면, $\lambda_2 = -2$에 대한 고유벡터는 $\mathbf{v}_2 = \begin{bmatrix} 3 \\ 1 \end{bmatrix}$이고, 고

유공간은 $V_{\lambda_2} = \left\{ t \begin{bmatrix} 3 \\ 1 \end{bmatrix} \,\middle|\, t \in \mathbb{R} \right\}$ 이다.

이때 고유공간 V_{λ_1} 와 V_{λ_2} 는 각각 고유벡터 $\begin{bmatrix} 4 \\ 1 \end{bmatrix}$와 $\begin{bmatrix} 3 \\ 1 \end{bmatrix}$의 방향을 갖는 직선이며, 행렬 A를

곱하여 생성한 고유공간의 상(image)들도 동일한 직선이 된다. 왜냐하면, 방향벡터 $A \begin{bmatrix} 4 \\ 1 \end{bmatrix}$,

$A \begin{bmatrix} 3 \\ 1 \end{bmatrix}$ 는 각각 벡터 $\begin{bmatrix} 4 \\ 1 \end{bmatrix}$, $\begin{bmatrix} 3 \\ 1 \end{bmatrix}$와 스칼라의 곱이기 때문이다. ■

예제 3을 통해, 하나의 고유값에 대한 고유공간이 어떻게 1보다 큰 차원을 갖는지 살펴보자.

예제 3

다음의 행렬 A의 고유값을 구하고 각 고유값에 대한 고유공간의 기저(basis)를 구하라.

$$A = \begin{bmatrix} 1 & 0 & 0 & 0 \\ 0 & 1 & 5 & -10 \\ 1 & 0 & 2 & 0 \\ 1 & 0 & 0 & 3 \end{bmatrix}$$

풀이 행렬 A의 특성방정식은 다음과 같다.

$$\det(A - \lambda I) = \begin{vmatrix} 1-\lambda & 0 & 0 & 0 \\ 0 & 1-\lambda & 5 & -10 \\ 1 & 0 & 2-\lambda & 0 \\ 1 & 0 & 0 & 3-\lambda \end{vmatrix} = (\lambda-1)^2(\lambda-2)(\lambda-3) = 0$$

이때, 고유값은 $\lambda_1 = 1$, $\lambda_2 = 2$, $\lambda_3 = 3$이다. 특성방정식에서 인수 $(\lambda-1)$ 의 차수가 2이므로, 고유값 $\lambda_1 = 1$은 대수적 중복도(algebraic multiplicity)가 2라고 말한다. $\lambda_1 = 1$에 대한 고유공간을

구하기 위해 다음과 같이 행렬 $A - \lambda_1 I$ 를 위삼각행렬로 변환한다.

$$A - (1)I = \begin{bmatrix} 0 & 0 & 0 & 0 \\ 0 & 0 & 5 & -10 \\ 1 & 0 & 1 & 0 \\ 1 & 0 & 0 & 2 \end{bmatrix} \longrightarrow \begin{bmatrix} 1 & 0 & 0 & 2 \\ 0 & 0 & 1 & -2 \\ 0 & 0 & 0 & 0 \\ 0 & 0 & 0 & 0 \end{bmatrix}$$

변환한 행렬의 해를 구하면, $\lambda_1 = 1$에 대한 고유공간은 다음과 같다.

$$V_1 = \left\{ s\begin{bmatrix} 0 \\ 1 \\ 0 \\ 0 \end{bmatrix} + t\begin{bmatrix} -2 \\ 0 \\ 2 \\ 1 \end{bmatrix} \,\middle|\, s, t \in \mathbb{R} \right\}$$

이 때, 두 벡터 $\begin{bmatrix} 0 \\ 1 \\ 0 \\ 0 \end{bmatrix}$ 와 $\begin{bmatrix} -2 \\ 0 \\ 2 \\ 1 \end{bmatrix}$ 은 일차독립(linearly independent)이므로 고유공간 V_{λ_1}의 기저를

이룬다. 그리고 $\dim(V_{\lambda_1}) = 2$ 이므로 λ_1의 기하학적 중복도는 2이다. V_{λ_1}을 다르게 표현하면 다음과 같다.

$$V_{\lambda_1} = \mathbf{span}\left\{ \begin{bmatrix} 0 \\ 1 \\ 0 \\ 0 \end{bmatrix}, \begin{bmatrix} -2 \\ 0 \\ 2 \\ 1 \end{bmatrix} \right\}$$

동일한 방법으로 $\lambda_2 = 2$, $\lambda_3 = 3$에 대한 고유공간을 구하면 다음과 같다.

$$V_{\lambda_2} = \mathbf{span}\left\{ \begin{bmatrix} 0 \\ 5 \\ 1 \\ 0 \end{bmatrix} \right\} \qquad V_{\lambda_3} = \mathbf{span}\left\{ \begin{bmatrix} 0 \\ -5 \\ 0 \\ 1 \end{bmatrix} \right\}$$

■

예제 3에서 각 고유값의 대수적 중복도와 기하학적 중복도는 동일한 값을 갖는데, 일반적인 경우는 아니다. 예를 들어, 행렬

$$A = \begin{bmatrix} 1 & 1 \\ 0 & 1 \end{bmatrix}$$

의 특성방정식은 $(\lambda - 1)^2 = 0$이고, 고유값 $\lambda = 1$의 대수적 중복도는 2이다. 그러나, 고유값 $\lambda = 1$

에 대한 고유공간은

$$V_\lambda = \left\{ \begin{bmatrix} t \\ 0 \end{bmatrix} \,\middle|\, t \in \mathbb{R} \right\}$$

이므로 기하학적 중복도는 1이다.

영벡터는 고유벡터가 될 수 없지만 0은 고유값이 될 수 있다. 또한, 이 절을 시작할 때 언급한 것처럼 고유값은 복소수가 될 수도 있다. 예제 4에서 이러한 사례들을 다루었다.

예제 4

다음의 행렬 A의 고유값을 구하라.

$$A = \begin{bmatrix} 0 & 0 & 0 \\ 0 & 0 & -1 \\ 0 & 1 & 0 \end{bmatrix}$$

풀이 특성방정식을 풀면 다음과 같다.

$$\det\left(A - \lambda I \right) = \begin{vmatrix} -\lambda & 0 & 0 \\ 0 & -\lambda & -1 \\ 0 & 1 & -\lambda \end{vmatrix} = -\lambda^3 - \lambda = -\lambda\left(\lambda^2 + 1 \right) = 0$$

따라서, 고유값은 $\lambda_1 = 0$, $\lambda_2 = i$, $\lambda_3 = -i$ 이다. 각 고유값에 대한 고유벡터들은 $\begin{bmatrix} 1 \\ 0 \\ 0 \end{bmatrix}$, $\begin{bmatrix} 0 \\ 1 \\ -i \end{bmatrix}$,

$\begin{bmatrix} 0 \\ 1 \\ i \end{bmatrix}$ 이다.

■

다음 절에서 유용하게 사용될, 정사각 삼각꼴행렬(square triangular matrix)의 고유값에 대해 살펴보자. 예를 들어,

$$A = \begin{bmatrix} 2 & 4 \\ 0 & -3 \end{bmatrix}$$

이면, $\det(A - \lambda I) = 0$일 때, $(2 - \lambda)(-3 - \lambda) = 0$이다. 이때, A의 고유값이 A의 대각성분과 일치함을 알 수 있다. 일반적으로 다음의 명제가 성립한다.

| 명제 1 |

$n \times n$ 삼각꼴행렬의 고유값들은 대각성분 값들과 같다.

증명 A가 $n \times n$ 삼각꼴행렬일 때, 1.6절의 정리 13에 의해, 특성방정식은 다음과 같다.

$$\det\left(A - \lambda I \right) = \left(a_{11} - \lambda \right)\left(a_{22} - \lambda \right) \cdots \left(a_{nn} - \lambda \right)$$

따라서, $\det(A - \lambda I) = 0$일 때, $\lambda_1 = a_{11}$, $\lambda_2 = a_{22}$, ..., $\lambda_n = a_{nn}$이다.

선형연산자(Linear Operator)의 고유값과 고유벡터

고유값과 고유벡터의 정의는 선형연산자에 대해 확장될 수 있다.

정의 2 선형연산자의 고유값과 고유벡터

V가 벡터공간이고, $T : V \longrightarrow V$ 가 선형연산자일 때, 다음의 식을 만족하는 벡터 $\mathbf{v}$가 존재하면, 스칼라 λ는 T의 고유값이다.

$$T(\mathbf{v}) = \lambda \mathbf{v}, \ \mathbf{v} \neq \mathbf{0}$$

그리고, 위의 식을 만족하는 모든 벡터 $\mathbf{v}$는 고유값 λ에 대한 T의 고유벡터이다.

예를 들어, 선형연산자 $T : P_2 \to P_2$ 가 다음과 같으면,

$$T(ax^2 + bx + c) = (-a + b + c)x^2 + (-b - 2c)x - 2b - c$$

다음의 식이 성립한다.

$$T(-x^2 + x + 1) = 3x^2 - 3x - 3 = -3(-x^2 + x + 1)$$

따라서, $p(x) = -x^2 + x + 1$ 은 고유값 $\lambda = -3$에 대한 T의 고유벡터이다.

예제 5는 미분방정식(ordinary differential equation)에 관한 것이다.

예제 5

미분방정식 $f'(x) = kf(x)$ 을 선형연산자에 대한 고유값 문제로 풀어라.

풀이 변수가 하나인 모든 실수 함수들과 그 함수들에 대한 모든 차수의 도함수(derivative)들의 집합을 D라고 하자. 이러한 함수들의 예로는 다항식, 삼각함수 $\sin(x)$와 $\cos(x)$, 지수함수 e^x 등이 있다. 선형연산자 $T : D \longrightarrow D$ 를 다음과 같이 정의하자.

$$T(f(x)) = f'(x)$$

만약 $T(f(x)) = \lambda f(x)$ 를 만족하는 $f(x)$ $(f(x) \neq 0)$ 가 존재하면, λ는 T의 고유값이다. 즉, $f(x)$ 는 다음의 미분방정식을 만족한다.

$$f'(x) = \lambda f(x)$$

위의 미분방정식의 해는 고유값 λ에 대한 선형연산자 T의 고유벡터가 되며, 이를 고유함수 (eigenfunction)라고 부른다. 위의 미분방정식의 일반적인 해는 $f(x) = ke^{\lambda x}$이다(k는 임의의 상수). 이런 종류의 함수들은 다양한 실제 문제에서 지수적인 증감에 대한 모델로 사용된다. ■

핵심 요약

A가 $n \times n$ 행렬일 때,

1. 오직 $\det(A - \lambda I) = 0$일 때에만 λ는 A의 고유값이다.
2. $\det(A - \lambda I)$는 n차 다항식이다.
3. λ가 A의 고유값이고, c가 0이 아닌 스칼라이면, $c\lambda$는 A의 또 다른 고유값이다.
4. λ가 A의 고유값이면, 고유공간 $V_\lambda = \{\mathbf{v} \in \mathbb{R}^n \mid A\mathbf{v} = \lambda\mathbf{v}\}$ 은 $\mathbb{R}^n$ 의 부분공간이다.
5. λ에 대한 고유공간은 행렬 $A - \lambda I$ 의 영공간이다.
6. 정사각 삼각꼴행렬의 고유값들은 대각성분들과 같다.

연습문제 5.1

연습문제 1번–6번에서, 주어진 행렬 A와 고유벡터 $\mathbf{v}$에 대하여, $A\mathbf{v} = \lambda\mathbf{v}$ 를 풀어서 고유값을 구하라.

1. $A = \begin{bmatrix} 3 & 0 \\ 1 & 3 \end{bmatrix}$ $\mathbf{v} = \begin{bmatrix} 0 \\ 1 \end{bmatrix}$

2. $A = \begin{bmatrix} -1 & 1 \\ 0 & -2 \end{bmatrix}$ $\mathbf{v} = \begin{bmatrix} -1 \\ 1 \end{bmatrix}$

3. $A = \begin{bmatrix} -3 & 2 & 3 \\ -1 & -2 & 1 \\ -3 & 2 & 3 \end{bmatrix}$ $\mathbf{v} = \begin{bmatrix} 1 \\ 0 \\ 1 \end{bmatrix}$

4. $A = \begin{bmatrix} 1 & 0 & 1 \\ 3 & 2 & 0 \\ 3 & 0 & -1 \end{bmatrix}$ $\mathbf{v} = \begin{bmatrix} -\frac{4}{3} \\ 1 \\ 4 \end{bmatrix}$

5. $A = \begin{bmatrix} 1 & 0 & 1 & 1 \\ 0 & 1 & 0 & 0 \\ 1 & 1 & 0 & 0 \\ 0 & 1 & 0 & 1 \end{bmatrix}$ $\mathbf{v} = \begin{bmatrix} -1 \\ 0 \\ -1 \\ 1 \end{bmatrix}$

6. $A = \begin{bmatrix} 1 & 1 & 1 & 0 \\ -1 & -1 & 0 & -1 \\ -1 & 1 & 0 & 1 \\ 0 & -1 & -1 & 0 \end{bmatrix}$ $\mathbf{v} = \begin{bmatrix} 0 \\ 1 \\ -1 \\ 0 \end{bmatrix}$

연습문제 7번–16번에서, 주어진 행렬 A에 대해,

a. A의 특성방정식을 구하라.
b. A의 고유값들을 구하라.
c. 각 고유값에 대한 고유벡터들을 구하라.
d. $A\mathbf{v}_i = \lambda_i \mathbf{v}_i$를 풀어서 (c)의 답을 검증하라.

7. $A = \begin{bmatrix} -2 & 2 \\ 3 & -3 \end{bmatrix}$

8. $A = \begin{bmatrix} -2 & -1 \\ -1 & -2 \end{bmatrix}$

9. $A = \begin{bmatrix} 1 & -2 \\ 0 & 1 \end{bmatrix}$

10. $A = \begin{bmatrix} 0 & 2 \\ -1 & -3 \end{bmatrix}$

11. $A = \begin{bmatrix} -1 & 0 & 1 \\ 0 & 1 & 0 \\ 0 & 2 & -1 \end{bmatrix}$

12. $A = \begin{bmatrix} 0 & 2 & 0 \\ 0 & -1 & 1 \\ 0 & 0 & 1 \end{bmatrix}$

13. $A = \begin{bmatrix} 2 & 1 & 2 \\ 0 & 2 & -1 \\ 0 & 1 & 0 \end{bmatrix}$

14. $A = \begin{bmatrix} 1 & 1 & 1 \\ 0 & 1 & 0 \\ 0 & 0 & 1 \end{bmatrix}$

15. $A = \begin{bmatrix} -1 & 0 & 0 & 0 \\ 0 & 2 & 0 & 0 \\ 0 & 0 & -2 & 0 \\ 0 & 0 & 0 & 4 \end{bmatrix}$

16. $A = \begin{bmatrix} 3 & 2 & 3 & -1 \\ 0 & 1 & 2 & 1 \\ 0 & 0 & 2 & 0 \\ 0 & 0 & 0 & -1 \end{bmatrix}$

17. 2×2 행렬 A의 특성방정식이 $\lambda^2 + b\lambda + c$ 일 때, $b = -\mathbf{tr}(A)$이고 $c = \det(A)$임을 증명하라.

18. A가 가역행렬일 때, 만약 λ가 A의 고유값이면, $1/\lambda$는 A^{-1}의 고유값임을 증명하라.

19. A가 $n \times n$ 행렬일 때, 오직 A가 가역적이지 않을 때에만 $\lambda = 0$이 A의 고유값임을 증명하라.

20. V가 n차 벡터공간이고, $T : V \longrightarrow V$ 가 선형연산자일 때, 만약 λ가 T의 고유값이고 기하학적 중복도가 n이면, 영벡터가 아닌 V의 벡터들은 모두 고유벡터임을 증명하라.

21. A가 멱등원(idempotent) 행렬일 때, 만약 λ가 A의 고유값이면, $\lambda = 0$ 또는 $\lambda = 1$임을 증명하라.

22. 행렬 A와 행렬 A^t가 동일한 고유값을 가짐을 증명하라. A와 A^t가 서로 다른 고유벡터를 갖는 예를 제시하라.

23. 만약 $A^n = 0$을 만족하는 양의 정수 n이 존재하면, 행렬 A의 유일한 고유값은 $\lambda = 0$임을 증명하라.

24. $A = \begin{bmatrix} 1 & 0 \\ 0 & -1 \end{bmatrix}$ 이고, 연산자 $T : M_{2 \times 2} \longrightarrow M_{2 \times 2}$ 가 $T(B) = AB - BA$ 로 정의될 때,

   a. $e = \begin{bmatrix} 0 & 1 \\ 0 & 0 \end{bmatrix}$ 가 $\lambda = 2$ 에 대한 고유벡터임을 증명하라.

   b. $f = \begin{bmatrix} 0 & 0 \\ 1 & 0 \end{bmatrix}$ 가 $\lambda = -2$ 에 대한 고유벡터임을 증명하라

25. A, B가 $n \times n$ 행렬이고 A가 가역적일 때, AB와 BA가 같은 고유값을 가짐을 증명하라.

26. $AB - BA = I$ 를 만족하는 행렬 A, B가 존재하지 않음을 증명하라.

27. 정사각 삼각꼴행렬의 고유값들은 그 행렬의 대각성분들임을 증명하라.

28. λ가 행렬 A의 고유값일 때, 모든 자연수 n에 대하여 λ^n은 A^n의 고유값임을 수학적 귀납법

을 사용하여 증명하라. 그리고 각 고유벡터 사이에는 어떤 관계가 있는가?

29. $C = B^{-1}AB$일 때, 만약 $\mathbf{v}$가 고유값 λ에 대한 행렬 C의 고유벡터라면 $B\mathbf{v}$는 λ에 대한 행렬 A의 고유벡터임을 증명하라.

30. A가 $n \times n$ 행렬이고 $\mathbf{v}_1, \ldots, \mathbf{v}_m$이 A의 고유벡터들이라고 하자. $S = \mathbf{span}\{\mathbf{v}_1, \ldots, \mathbf{v}_m\}$일 때, 만약 $\mathbf{v} \in S$ 이면, $A\mathbf{v} \in S$임을 증명하라.

31. $T: \mathbb{R}^2 \longrightarrow \mathbb{R}^2$ 가 x축에 대한 벡터를 상(image)을 취하는 선형연산자일 때, T의 고유값과 고유벡터를 구하라.

32. $T: \mathbb{R}^2 \longrightarrow \mathbb{R}^2$ 가 $T\begin{bmatrix} x \\ y \end{bmatrix} = \begin{bmatrix} y \\ x \end{bmatrix}$ 일 때, T의 고유값은 $\lambda = \pm 1$ 뿐임을 증명하라. 그리고 고유벡터를 구하라.

33. $T: \mathbb{R}^2 \longrightarrow \mathbb{R}^2$ 를 다음과 같이 정의하면,

$$T\begin{bmatrix} x \\ y \end{bmatrix} = \begin{bmatrix} \cos\theta & -\sin\theta \\ \sin\theta & \cos\theta \end{bmatrix} \begin{bmatrix} x \\ y \end{bmatrix}$$

T는 벡터를 반시계 방향으로 θ만큼 회전시킨다. T에 대하여 다음이 맞는 지 설명하라. $\theta \neq 0, \pi$일 때 T는 실수 고유값을 갖지 않고, $\theta = 0$일 때 $\lambda = 1$이 고유값이고, $\theta = \pi$일 때 $\lambda = -1$이 고유값이다.

34. 두 개의 도함수를 갖는 모든 실수 함수의 함수 공간을 D라고 하고, 선형연산자 T가 다음과 같을 때,

$$T(f) = f'' - 2f' - 3f$$

a. 모든 k에 대해서 함수 $f(x) = e^{kx}$ 가 T에 대한 고유함수임을 증명하라.

b. 각 함수 $f(x) = e^{kx}$에 대해 고유값을 구하라.

c. $f''(x) - 2f'(x) - 3f(x) = 0$ 을 만족하는 0이 아닌 함수 $f(x)$ 두 개를 찾아라.

35. 선형연산자 $T: \mathcal{P}_2 \longrightarrow \mathcal{P}_2$ 이 다음과 같고,

$$T(ax^2 + bx + c) = (a - b)x^2 + cx$$

$\mathcal{P}_2$에 대한 2개의 순서기저(ordered basis)가 $B = \{x - 1, x + 1, x^2\}, B' = \{x + 1, 1, x^2\}$일 때,

a. 기저 B를 사용하여 T에 대한 행렬을 표현하라.

b. 기저 B'을 사용하여 T에 대한 행렬을 표현하라.

c. **a**, **b**에서 구한 행렬들의 고유값은 동일함을 증명하라.

5.2 대각화 (Diagonalization)

선형대수학을 적용할 때, 주어진 행렬을 특별한 성질을 갖는 다른 행렬들의 곱으로 표현하는 경우가 많다. 예를 들어, 1.7절에서, 여러 개의 입력벡터를 갖는 연립방정식을 풀 때, 함수의 LU 분해가 효과적인 알고리즘을 만드는데 어떻게 사용되는지 살펴보았다. 이 절에서는 행렬 A가 다음과 같은 형태로 분해될 수 있는 지 살펴보자.

$$A = PDP^{-1}$$

여기서 P는 가역행렬(invertible matrix)이고 D는 대각행렬(diagonal matrix)이다. 이제 살펴볼 내

용은 4.5절에서 살펴본 행렬들의 유사성의 개념에 기초하고 있다. 즉, A, B가 $n \times n$ 행렬이고 $B = P^{-1}AP$를 만족하는 가역행렬 P가 존재하면 A는 B와 유사하다. 특히 B가 대각행렬인 경우에 행렬 A는 대각화 가능하다(diagonalizable)라고 말한다. 즉 D가 대각행렬이고, 어떤 가역행렬 P에 대해 다음의 식 중 하나가 성립하면, A는 대각화 가능하다.

$$D = P^{-1}AP \quad \text{또는} \quad A = PDP^{-1}$$

행렬 A를 대각화 하였을 때 장점 중 하나는 A의 거듭제곱(power) 계산이 용이하다는 것이다. 이 것은 연립 미분방정식을 풀 때에도 도움이 된다. 예를 들어, 행렬 A가 대각화 가능하면, $A = PDP^{-1}$이고, A^2를 계산하면,

$$A^2 = (PDP^{-1})(PDP^{-1}) = PD(P^{-1}P)DP^{-1} = PD^2P^{-1}$$

위의 계산을 반복 적용하면(5.1절의 연습문제 27 참조), 임의의 양수 k에 대해 다음의 식이 성립한다.

$$A^k = PD^kP^{-1}$$

D는 대각행렬이므로, D^k의 대각성분은 D의 대각성분을 k번 거듭제곱한 것과 같다.

곧 살펴보겠지만, 행렬 A의 대각화 가능 여부는 일차독립인 고유벡터의 수에 의해 결정된다. 이때, 어떤 행렬이 대각화 가능한 것과 가역적인 것 사이에는 연관성이 없다. 그리고, 정사각행렬은 0이 아닌 고유값을 가질 때에만 가역적이다(5.1절의 연습문제 19번 참조).

예제 1

행렬 A, P가 다음과 같을 때, A가 P에 의해 대각화 가능함을 증명하라.

$$A = \begin{bmatrix} 1 & 2 & 0 \\ 2 & 1 & 0 \\ 0 & 0 & -3 \end{bmatrix} \quad P = \begin{bmatrix} 1 & 1 & 0 \\ -1 & 1 & 0 \\ 0 & 0 & 1 \end{bmatrix}$$

풀이 P^{-1}과 $P^{-1}AP$를 계산하면 다음과 같다.

$$P^{-1} = \begin{bmatrix} \frac{1}{2} & -\frac{1}{2} & 0 \\ \frac{1}{2} & \frac{1}{2} & 0 \\ 0 & 0 & 1 \end{bmatrix} \quad P^{-1}AP = \begin{bmatrix} -1 & 0 & 0 \\ 0 & 3 & 0 \\ 0 & 0 & -3 \end{bmatrix}$$

$P^{-1}AP$가 대각행렬이므로, A는 대각화 가능하다. ■

예제 1에서 행렬 $P^{-1}AP$의 대각성분들은 행렬 A의 고유값들이다. 그리고 P의 열벡터들은 각고유값에 대한 고유벡터들이다. 예를 들어, A와 P의 첫 번째 열벡터를 곱하면 다음과 같다.

$$A \begin{bmatrix} 1 \\ -1 \\ 0 \end{bmatrix} = \begin{bmatrix} 1 & 2 & 0 \\ 2 & 1 & 0 \\ 0 & 0 & -3 \end{bmatrix} \begin{bmatrix} 1 \\ -1 \\ 0 \end{bmatrix} = -1 \begin{bmatrix} 1 \\ -1 \\ 0 \end{bmatrix}$$

마찬가지로, $P^{-1}AP$의 두 번째, 세 번째 대각성분도 A의 고유값들이고, P의 두 번째, 세 번째 열벡터가 각각에 대한 고유벡터이다. 정리 2는 이 결과를 $n \times n$ 행렬로 확장시킨 것이다.

정리 2

$n \times n$ 행렬 A는, 일차독립인 n 개의 고유벡터를 가질 때에만, 대각화 가능하다. 또한, 대각행렬 $D = P^{-1}AP$의 대각성분들은 A의 고유값들이고, P의 열벡터들은 이에 대한 고유벡터들이다.

증명 먼저, A가 n 개의 일차독립인 고유벡터 $\mathbf{v}_1, \mathbf{v}_2, ..., \mathbf{v}_n$을 갖고, 이에 대응하는 고유값들이 $\lambda_1, \lambda_2, ..., \lambda_n$이라고 가정하자. 이때, 고유값들이 모두 서로 다른 값이 아닐 수 있다는 점에 유의하라. 행렬 P를 i번째 열벡터가 $\mathbf{v}_i$인 $n \times n$ 행렬로 정의하면, P의 열벡터들이 일차독립이기 때문에, 2.3절의 정리 9에 의해, P는 가역적이다. A의 고유벡터들이 다음과 같다고 하면,

$$\mathbf{v}_1 = \begin{bmatrix} p_{11} \\ p_{21} \\ \vdots \\ p_{n1} \end{bmatrix} \quad \mathbf{v}_2 = \begin{bmatrix} p_{12} \\ p_{22} \\ \vdots \\ p_{n2} \end{bmatrix} \quad ... \quad \mathbf{v}_n = \begin{bmatrix} p_{1n} \\ p_{2n} \\ \vdots \\ p_{nn} \end{bmatrix}$$

AP의 i번째 열벡터는 $A\mathbf{P}_i = A\mathbf{v}_i = \lambda_i \mathbf{v}_i$ 이므로,

$$AP = \begin{bmatrix} \lambda_1 p_{11} & \lambda_2 p_{12} & \cdots & \lambda_n p_{1n} \\ \lambda_1 p_{21} & \lambda_2 p_{22} & \cdots & \lambda_n p_{2n} \\ \vdots & \vdots & \ddots & \vdots \\ \lambda_1 p_{n1} & \lambda_2 p_{n2} & \cdots & \lambda_n p_{nn} \end{bmatrix}$$
$$= \begin{bmatrix} p_{11} & p_{12} & \cdots & p_{1n} \\ p_{21} & p_{22} & \cdots & p_{2n} \\ \vdots & \vdots & \ddots & \vdots \\ p_{n1} & p_{n2} & \cdots & p_{nn} \end{bmatrix} \begin{bmatrix} \lambda_1 & 0 & \cdots & 0 \\ 0 & \lambda_2 & \cdots & 0 \\ \vdots & \vdots & \ddots & \vdots \\ 0 & 0 & \cdots & \lambda_n \end{bmatrix}$$
$$= PD$$

이다. 여기서 D는 대각행렬이고 대각성분은 A의 고유값들이다. $AP = PD$이므로 양변의 좌측에 P^{-1}을 곱하면, $P^{-1}AP = D$가 된다. 그러므로, A는 대각행렬과 유사하고 따라서 대각화 가능하다.

　반대로, A가 대각화 가능하다고 가정하자. 그러면, $D = P^{-1}AP$를 만족하는 대각행렬 D와 가역행렬 P가 존재한다. P의 열벡터를 $\mathbf{v}_1, \mathbf{v}_2, ..., \mathbf{v}_n$이라고 하고, D의 대각성분들을 $\lambda_1, \lambda_2, ..., \lambda_n$이라고 하자. 각 $i = 1, ..., n$에 대하여, $AP = PD$이므로, $A\mathbf{v}_i = \lambda_i \mathbf{v}_i$ 이다. 따라서, $\mathbf{v}_1, \mathbf{v}_2, ..., \mathbf{v}_n$은 A의 고유벡터이다. P가 가역행렬이므로, 2.3절의 정리 9에 의해, 벡터 $\mathbf{v}_1, \mathbf{v}_2, ..., \mathbf{v}_n$은 일차독립이다.

예제 2

정리 2를 사용하여, 다음의 행렬 A를 대각화하라.

$$A = \begin{bmatrix} 1 & 0 & 0 \\ 6 & -2 & 0 \\ 7 & -4 & 2 \end{bmatrix}$$

풀이 A가 삼각꼴행렬이므로, 5.1절의 명제 1에 의해, A의 고유값들은 대각성분과 같다. 즉, $\lambda_1 = 1$, $\lambda_2 = -2$, $\lambda_3 = 2$이다. 이에 대한 고유벡터들은 일차독립이고 다음과 같다.

$$\mathbf{v}_1 = \begin{bmatrix} 1 \\ 2 \\ 1 \end{bmatrix} \qquad \mathbf{v}_2 = \begin{bmatrix} 0 \\ 1 \\ 1 \end{bmatrix} \qquad \mathbf{v}_3 = \begin{bmatrix} 0 \\ 0 \\ 1 \end{bmatrix}$$

정리 2에 의하면, $D = P^{-1}AP$이고, 이때 D와 P는 다음과 같다.

$$D = \begin{bmatrix} 1 & 0 & 0 \\ 0 & -2 & 0 \\ 0 & 0 & 2 \end{bmatrix} \qquad P = \begin{bmatrix} 1 & 0 & 0 \\ 2 & 1 & 0 \\ 1 & 1 & 1 \end{bmatrix}$$

$D = P^{-1}AP$가 성립함을 증명해야 하는데, P^{-1}를 계산하지 말고 $PD = AP$임을 증명하자.

$$
\begin{aligned}
PD &= \begin{bmatrix} 1 & 0 & 0 \\ 2 & 1 & 0 \\ 1 & 1 & 1 \end{bmatrix} \begin{bmatrix} 1 & 0 & 0 \\ 0 & -2 & 0 \\ 0 & 0 & 2 \end{bmatrix} = \begin{bmatrix} 1 & 0 & 0 \\ 2 & -2 & 0 \\ 1 & -2 & 2 \end{bmatrix} \\
&= \begin{bmatrix} 1 & 0 & 0 \\ 6 & -2 & 0 \\ 7 & -4 & 2 \end{bmatrix} \begin{bmatrix} 1 & 0 & 0 \\ 2 & 1 & 0 \\ 1 & 1 & 1 \end{bmatrix} \\
&= AP
\end{aligned}
$$

예제 3

행렬 A, B가 다음과 같을 때, A는 대각화 가능하지만, B는 대각화 가능하지 않음을 보여라.

$$A = \begin{bmatrix} 0 & 1 & 1 \\ 1 & 0 & 1 \\ 1 & 1 & 0 \end{bmatrix}, \qquad B = \begin{bmatrix} -1 & 1 & 0 \\ 0 & -1 & 1 \\ 0 & 0 & 2 \end{bmatrix}$$

풀이 다음의 특성방정식을 풀어서 A의 고유값을 구한다.

$$\det(A - \lambda I) = \det \begin{bmatrix} -\lambda & 1 & 1 \\ 1 & -\lambda & 1 \\ 1 & 1 & -\lambda \end{bmatrix}$$

$$= -(\lambda + 1)^2 (\lambda - 2) = 0$$

A의 고유값은 대수적 중복도가 2인 $\lambda_1 = -1$과 대수적 중복도가 1인 $\lambda_2 = 2$이다. 고유벡터를 찾기 위해 행렬 $A - \lambda I$의 영공간을 구하자. $\lambda_1 = -1$에 대해서, 다음과 같이 행렬 를 위삼각행렬로 변환한다.

$$\begin{bmatrix} 1 & 1 & 1 \\ 1 & 1 & 1 \\ 1 & 1 & 1 \end{bmatrix} \rightarrow \begin{bmatrix} 1 & 1 & 1 \\ 0 & 0 & 0 \\ 0 & 0 & 0 \end{bmatrix}$$

따라서, 행렬 $A - I$의 영공간은 다음과 같다.

$$N(A + I) = \mathbf{span} \left\{ \begin{bmatrix} -1 \\ 1 \\ 0 \end{bmatrix}, \begin{bmatrix} -1 \\ 0 \\ 1 \end{bmatrix} \right\}$$

마찬가지로, $\lambda_2 = 2$에 대해서 행렬 $A - 2I$의 영공간을 구하면 다음과 같다.

$$N(A - 2I) = \mathbf{span} \left\{ \begin{bmatrix} 1 \\ 1 \\ 1 \end{bmatrix} \right\}$$

세 개 벡터 $\begin{bmatrix} -1 \\ 1 \\ 0 \end{bmatrix}, \begin{bmatrix} -1 \\ 0 \\ 1 \end{bmatrix}, \begin{bmatrix} 1 \\ 1 \\ 1 \end{bmatrix}$ 가 일차독립이므로, 정리 2에 의해 행렬 A는 대각화 가능하다.

행렬 B는 A와 동일한 특성방정식을 가지므로 고유값은 동일하다. 그러나, B의 경우에는 고유벡터가 두 개뿐이고, 영공간은 다음과 같다.

$$N(B + I) = \mathbf{span} \left\{ \begin{bmatrix} 1 \\ 0 \\ 0 \end{bmatrix} \right\} \qquad N(B - 2I) = \mathbf{span} \left\{ \begin{bmatrix} 1 \\ 3 \\ 9 \end{bmatrix} \right\}$$

B가 세 개의 일차독립인 고유벡터를 갖지 않으므로 정리 2에 의해 B는 대각화 가능하지 않다. ▪▪

$n \times n$ 행렬 A를 대각화 하는 행렬 P는 유일하지 않다. P의 열의 순서를 뒤바꾸어 놓아도, 역시 A를 대각화 한다. 예를 들어, 예제 3의 행렬 A는 다음의 행렬 P에 의해 대각화 된다.

$$P = \begin{bmatrix} -1 & -1 & 1 \\ 1 & 0 & 1 \\ 0 & 1 & 1 \end{bmatrix} \quad P^{-1}AP = \begin{bmatrix} -1 & 0 & 0 \\ 0 & -1 & 0 \\ 0 & 0 & 2 \end{bmatrix}$$

P에서 제 2열과 제 3열을 뒤바꾼 행렬을 Q라고 하면, Q 역시 A를 대각화 한다.

$$Q^{-1}AQ = \begin{bmatrix} -1 & 0 & 0 \\ 0 & 2 & 0 \\ 0 & 0 & -1 \end{bmatrix}$$

이 경우, 대각행렬의 두 번째와 세 번째 대각성분도 뒤바뀌었음에 유의하라.

정리 3은 대각화 가능한 행렬에 대한 충분조건을 제시한다.

정리 3

$n \times n$ 행렬 A에 대해, $\lambda_1, \lambda_2, ..., \lambda_n$이 서로 다른 고유값들이고, $\mathbf{v}_1, \mathbf{v}_2, ..., \mathbf{v}_n$이 이에 대응하는 고유벡터들일 때, 집합 $\{\mathbf{v}_1, \mathbf{v}_2, ..., \mathbf{v}_n\}$은 일차독립이다.

증명 모순을 보임으로써 증명해보자. A의 고유벡터들이 일차종속이라고 가정하자. 그러면, 2.3절의 정리 5에 의해, 적어도 하나의 고유벡터는 다른 고유벡터들의 일차결합으로 나타낼 수 있다. n개의 고유벡터들을 재정렬하여, $\mathbf{v}_1, \mathbf{v}_2, ..., \mathbf{v}_m$은($m < n$) 일차독립이고 $\mathbf{v}_1, \mathbf{v}_2, ..., \mathbf{v}_{m+1}$은 일차종속이 되게끔 하자. 그러면, $\mathbf{v}_{m+1}$은 m개의 고유벡터들의 선형결합으로 표현된다. 즉, 다음의 식을 만족하는 모두 0은 아닌 스칼라 $c_1, ..., c_m$이 존재한다.

$$\mathbf{v}_{m+1} = c_1\mathbf{v}_1 + \cdots + c_m\mathbf{v}_m$$

위의 식은 모순을 발생시킨다. 양변에 A를 곱하면,

$$Av_{m+1} = A(c_1\mathbf{v}_1 + \cdots + c_m\mathbf{v}_m)$$
$$= c_1A(\mathbf{v}_1) + \cdots + c_mA(\mathbf{v}_m)$$

이고, $\mathbf{v}_i$가 λ_i에 대한 고유벡터이므로, $A\mathbf{v}_i = \lambda_i\mathbf{v}_i$이다. 이를 위의 식에 대입하면 다음과 같다.

$$\lambda_{m+1}\mathbf{v}_{m+1} = c_1\lambda_1\mathbf{v}_1 + \cdots + c_m\lambda_m\mathbf{v}_m$$

이번에는 식 $\mathbf{v}_{m+1} = c_1\mathbf{v}_1 + \cdots + c_m\mathbf{v}_m$의 양변에 λ_{m+1}을 곱해보자. 그러면 다음의 식을 얻는다.

$$\lambda_{m+1}\mathbf{v}_{m+1} = c_1\lambda_{m+1}\mathbf{v}_1 + \cdots + c_m\lambda_{m+1}\mathbf{v}_m$$

앞의 두 식을 $\lambda_{m+1}\mathbf{v}_{m+1}$에 대해 서로 같다고 놓으면 다음과 같다.

$$c_1\lambda_1\mathbf{v}_1 + \cdots + c_m\lambda_m\mathbf{v}_m = c_1\lambda_{m+1}\mathbf{v}_1 + \cdots + c_m\lambda_{m+1}\mathbf{v}_m$$

위의 식을 정리하면 다음과 같다.

$$c_1(\lambda_1 - \lambda_{m+1})\mathbf{v}_1 + \cdots + c_m(\lambda_m - \lambda_{m+1})\mathbf{v}_m = \mathbf{0}$$

$\mathbf{v}_1$, $\mathbf{v}_2$, ..., $\mathbf{v}_m$이 일차독립이므로 위의 식을 만족하는 해는 오직 자명한 해 뿐이다. 따라서, 다음의 식들이 성립한다.

$$c_1(\lambda_1 - \lambda_{m+1}) = 0, \quad c_2(\lambda_2 - \lambda_{m+1}) = 0, \quad \ldots, \quad c_m(\lambda_m - \lambda_{m+1}) = 0$$

모든 고유값들은 서로 다른 값을 가지므로,

$$\lambda_1 - \lambda_{m+1} \neq 0 \quad \lambda_2 - \lambda_{m+1} \neq 0 \quad \ldots \quad \lambda_m - \lambda_{m+1} \neq 0$$
$$c_1 = 0, \quad c_2 = 0, \quad \ldots, \quad c_m = 0$$

이다. 이 결론은 $\mathbf{v}_{m+1}$이 0이 아닌 $\mathbf{v}_1$, $\mathbf{v}_2$, ..., $\mathbf{v}_m$의 선형결합이라는 가정과 모순이다.

| 명제 1 |

$n \times n$ 행렬 A가 n 개의 서로 다른 고유값을 가질 때, A는 대각화 가능하다.

예제 4

모든 2×2 실수 대칭행렬들은 대각화 가능함을 보여라.

풀이 행렬 A가 대칭이면, $A = A^t$이다. 따라서 모든 2×2 대칭행렬은 다음의 형태를 갖는다.

$$A = \begin{bmatrix} a & b \\ b & d \end{bmatrix}$$

1.3절의 예제 5를 참조하라. 특성방정식을 풀어서 고유값들을 구해보자.

$$\det(A - \lambda I) = \begin{vmatrix} a-\lambda & b \\ b & d-\lambda \end{vmatrix} = \lambda^2 - (a+d)\lambda + ad - b^2 = 0$$

근의 공식을 사용하면, 고유값들은 다음과 같다.

$$\lambda = \frac{a+d \pm \sqrt{(a-d)^2 + 4b^2}}{2}$$

이때, 판별식 $(a-d)^2 + 4b^2 \geq 0$이므로, 특성방정식은 한 개 또는 두 개의 해를 갖는다. 만약 $(a-d)^2 + 4b^2 = 0$이면, $(a-d)^2 = 0$이고, $4b^2 = 0$이므로, $a = d$ 이고 $b = 0$이다. 따라서, A는 대각행렬이다. 만약 $(a-d)^2 + 4b^2 > 0$이면, A는 2개의 서로 다른 고유값들을 갖는다. 명제 1에 의해 A는 대각화 가능하다. ■

정리 2에 의해, 만약 행렬 A가 대각화 가능하면, A는 A와 동일한 고유값을 갖는 대각행렬과 유사하다. 정리 4에서, 이러한 관계가 임의의 유사한 두 행렬 사이에서도 성립함을 살펴보자.

정리 4

A, B가 유사한 $n \times n$ 행렬이면, A와 B는 동일한 고유값을 갖는다.

증명 A, B가 유사한 행렬이므로, $B = P^{-1}AP$를 만족하는 가역행렬 P가 존재한다.

$$
\begin{aligned}
\det(B - \lambda I) &= \det(P^{-1}AP - \lambda I) \\
&= \det(P^{-1}(AP - P(\lambda I))) \\
&= \det(P^{-1}(AP - \lambda IP)) \\
&= \det(P^{-1}(A - \lambda I)P)
\end{aligned}
$$

1.6절의 정리 15와 명제 1을 적용하면,

$$
\begin{aligned}
\det(B - \lambda I) &= \det(P^{-1})\det(A - \lambda I)\det(P) \\
&= \det(P^{-1})\det(P)\det(A - \lambda I) \\
&= \det(A - \lambda I)
\end{aligned}
$$

A, B는 특성방정식이 동일하기 때문에 고유값도 동일하다.

예제 5

행렬 A, P가 다음과 같을 때, 행렬 A와 행렬 $B = P^{-1}AP$의 고유값들이 동일함을 증명하라.

$$
A = \begin{bmatrix} 1 & 2 \\ 0 & 3 \end{bmatrix} \quad P = \begin{bmatrix} 1 & 1 \\ 1 & 2 \end{bmatrix}
$$

풀이 행렬 A의 특성방정식은 다음과 같다.

$$
\det(A - \lambda I) = (1 - \lambda)(3 - \lambda) = 0
$$

따라서, 행렬 A의 고유값은 $\lambda_1 = 1$과 $\lambda_2 = 3$이다.

$$
B = P^{-1}AP = \begin{bmatrix} 2 & -1 \\ -1 & 1 \end{bmatrix} \begin{bmatrix} 1 & 2 \\ 0 & 3 \end{bmatrix} \begin{bmatrix} 1 & 1 \\ 1 & 2 \end{bmatrix} = \begin{bmatrix} 3 & 4 \\ 0 & 1 \end{bmatrix}
$$

이므로, 행렬 B의 특성방정식은 다음과 같다.

$$
\det(B - \lambda I) = (1 - \lambda)(3 - \lambda) = 0
$$

따라서, 행렬 B의 고유값은 $\lambda_1 = 1$과 $\lambda_2 = 3$이다.

4.5절에서 차원이 유한한 벡터공간에서 정의된 선형연산자는 행렬을 구성하는데 사용한 기저에 따라 행렬표현이 달라짐을 살펴보았다. 그러나, 모든 경우에, 벡터에 대한 선형연산자의 효과는 달라지지 않으며, 행렬표현이 달라도 고유값은 동일하다.

| 명제 2 |

V가 차원이 유한한 벡터공간이고, $T:V \longrightarrow V$ 가 선형연산자이고, B_1과 B_2가 V의 순서기저 (ordered basis)들일 때, $[T]_{B_1}$ 과 $[T]_{B_2}$ 는 동일한 고유값을 갖는다.

증명 P가 B_2에서 B_1으로의 추이행렬이라고 하자. 4.5절의 정리 15에 의해, P는 가역적이고 $[T]_{B_2} = P^{-1}[T]_{B_1} P$ 이다. 그러므로, 정리 4에 의해, $[T]_{B_1}$ 과 $[T]_{B_2}$ 는 동일한 고유값을 갖는다.

예제 3에서 두 행렬 A와 B의 특성방정식은 $-(\lambda+1)^2(\lambda-2)$ 이었다. 행렬 A의 $\lambda_1 = -1$ 과 $\lambda_2 = 2$ 에 대한 고유공간은 다음과 같다.

$$V_{\lambda_1} = \mathbf{span}\left\{ \begin{bmatrix} -1 \\ 1 \\ 0 \end{bmatrix}, \begin{bmatrix} -1 \\ 0 \\ 1 \end{bmatrix} \right\} \qquad V_{\lambda_2} = \mathbf{span}\left\{ \begin{bmatrix} 1 \\ 1 \\ 1 \end{bmatrix} \right\}$$

한편, 행렬 B의 고유공간은 다음과 같다.

$$V_{\lambda_1} = \mathbf{span}\left\{ \begin{bmatrix} 1 \\ 0 \\ 0 \end{bmatrix} \right\} \qquad V_{\lambda_2} = \mathbf{span}\left\{ \begin{bmatrix} 1 \\ 3 \\ 9 \end{bmatrix} \right\}$$

행렬 A에 대해서는 $\dim(V_{\lambda_1}) = 2$ 이고, $\dim(V_{\lambda_2}) = 1$ 인데, 이는 특성방정식의 대수적 중복도 값과 일치한다. 그런데, 행렬 B에 대해서는 대수적 중복도 2와 $\dim(V_{\lambda_1}) = 1$ 이 일치하지 않는다. 또한 A에 대해서는 $\dim(V_{\lambda_1}) + \dim(V_{\lambda_2}) = 3 = n$ 이다. 증명하지는 않았지만 이러한 상황에서의 일반적인 결과를 정리 5에 요약하였다.

정리 5

A가 $n \times n$ 행렬이고, 특성방정식이 $c(x-\lambda_1)^{d_1}(x-\lambda_2)^{d_2} \cdots (x-\lambda_k)^{d_k}$ 일 때, 다음 식이 성립할 때에만 행렬 A는 대각화 가능하다.

$$d_1 + d_2 + \cdots + d_k = \dim(V_{\lambda_1}) + \dim(V_{\lambda_2}) + \cdots + \dim(V_{\lambda_k}) = n$$

정리 5를 요약하면, $n \times n$ 행렬 A는, 오직 각 고유값의 대수적 중복도가 해당하는 고유공간의 차원과 같을 때에만, 대각화 가능하다. 이때, 고유공간의 차원은 기하학적 중복도와 같고, 기하학적 중복도를 모두 합하면 n이 된다.

대각화 가능한 선형연산자들

4.4절의 정리 12에서, 차원이 유한한 벡터공간에서 정의된 모든 선형연산자는 행렬로 표현할수 있다고 하였다. 연산자를 나타내는 행렬은 사용된 순서기저에 따라 달라진다. 명제 2로부터, 주어진 선형연산자에 대한 모든 행렬표현은 유사하다는 것을 알고 있다. 이로부터 다음의 정의가 가능하다.

정의 1 대각화 가능한 선형연산자

V가 차원이 유한한 벡터공간이고, $T:V \longrightarrow V$가 선형연산자일 때, 만약 기저 B에 의한 T의 행렬표현이 대각행렬이면, T는 대각화 가능하다라고 부른다.

V가 차원이 유한한 벡터공간이고, $T:V \longrightarrow V$가 선형연산자이고, $B = \{\mathbf{v}_1, \mathbf{v}_2, ..., \mathbf{v}_n\}$가 n개의 고유벡터들로 구성된 V에 대한 기저일 때,

$$[T]_B = \left[\left[T(\mathbf{v}_1) \right]_B \left[T(\mathbf{v}_2) \right]_B \cdots \left[T(\mathbf{v}_n) \right]_B \right]$$

모든 $i = 1, ..., n$에 대해 벡터 $\mathbf{v}_i$가 고유벡터이므로, $T(\mathbf{v}_i) = \lambda_i \mathbf{v}_i$이고, 이때, λ_i는 고유값이다. 각 i에 대해 기저벡터 $\mathbf{v}_i$가 $\mathbf{v}_1, ..., \mathbf{v}_n$의 일차결합으로 유일하게 표현되기 때문에,

$$\mathbf{v}_i = 0\mathbf{v}_1 + \cdots + 0\mathbf{v}_{i-1} + \mathbf{v}_i + 0\mathbf{v}_{i+1} + \cdots + 0\mathbf{v}_n$$

그러면, B에 대한 $T(\mathbf{v}_i)$의 좌표벡터는 다음과 같다.

$$[T(\mathbf{v}_i)]_B = \begin{bmatrix} 0 \\ \vdots \\ 0 \\ \lambda_i \\ 0 \\ \vdots \\ 0 \end{bmatrix}$$

따라서, $[T]_B$는 대각행렬이다. 즉, T의 고유벡터로 구성된 V에 대한 기저가 존재하면 T는 대각화 가능하다고 할 수 있다. 예를 들어, 선형연산자 $T:\mathbb{R}^2 \longrightarrow \mathbb{R}^2$가 다음과 같을 때,

$$T\left(\begin{bmatrix} x \\ y \end{bmatrix} \right) = \begin{bmatrix} 2x \\ x + y \end{bmatrix}$$

고유값 $\lambda_1 = 2$와 $\lambda_2 = 1$에 대한 T의 고유벡터들은 다음과 같다.

$$\mathbf{v}_1 = \begin{bmatrix} 1 \\ 1 \end{bmatrix}, \qquad \mathbf{v}_2 = \begin{bmatrix} 0 \\ 1 \end{bmatrix}$$

$B = \{\mathbf{v}_1, \mathbf{v}_2\}$라 하면,

$$[T]_B = \begin{bmatrix} [T(\mathbf{v}_1)]_B & [T(\mathbf{v}_2)]_B \end{bmatrix} = \begin{bmatrix} 2 & 0 \\ 0 & 1 \end{bmatrix}$$

는 대각행렬이다.

　　실제로는, T의 고유값과 고유벡터를 구하는 것이 항상 쉽지만은 않다. 그러나, 만약 B가 임의의 V의 기저이고 대각화 행렬 P에 의해 $[T]_B$가 대각화 가능하면, T는 대각화 가능하다. 즉, B'이 P의 열벡터들로 이루어진 기저이면, $[T]_{B'} = P^{-1}[T]_B P$는 대각행렬이다. 예제 6은 이 과정에 대한 예이다.

예제 6

선형연산자 $T : \mathbb{R}^3 \longrightarrow \mathbb{R}^3$이 다음과 같이 정의될 때, T가 대각화 가능함을 보여라.

$$T\left(\begin{bmatrix} x_1 \\ x_2 \\ x_3 \end{bmatrix}\right) = \begin{bmatrix} 3x_1 - x_2 + 2x_3 \\ 2x_1 + 2x_3 \\ x_1 + 3x_2 \end{bmatrix}$$

풀이　$B = \{\mathbf{e}_1, \mathbf{e}_2, \mathbf{e}_3\}$가 표준기저(standard basis)라 하자. B로 T의 행렬을 나타내면 다음과 같다.

$$[T]_B = \begin{bmatrix} 3 & -1 & 2 \\ 2 & 0 & 2 \\ 1 & 3 & 0 \end{bmatrix}$$

$[T]_B$의 고유값들은 $\lambda_1 = -2$, $\lambda_2 = 4$, $\lambda_2 = 1$이고, 각각에 대한 고유벡터들은 다음과 같다.

$$\mathbf{v}_1 = \begin{bmatrix} 1 \\ 1 \\ -2 \end{bmatrix} \qquad \mathbf{v}_2 = \begin{bmatrix} 1 \\ 1 \\ 1 \end{bmatrix} \qquad \mathbf{v}_3 = \begin{bmatrix} -5 \\ 4 \\ 7 \end{bmatrix}$$

이제, $B' = \{\mathbf{v}_1, \mathbf{v}_2, \mathbf{v}_3\}$이고 $P = \begin{bmatrix} 1 & 1 & -5 \\ 1 & 1 & 4 \\ -2 & 1 & 7 \end{bmatrix}$이면, $[T]_{B'}$는 다음과 같다.

$$[T]_{B'} = \frac{1}{9} \begin{bmatrix} -1 & 4 & -3 \\ 5 & 1 & 3 \\ -1 & 1 & 0 \end{bmatrix} \begin{bmatrix} 3 & -1 & 2 \\ 2 & 0 & 2 \\ 1 & 3 & 0 \end{bmatrix} \begin{bmatrix} 1 & 1 & -5 \\ 1 & 1 & 4 \\ -2 & 1 & 7 \end{bmatrix} = \begin{bmatrix} -2 & 0 & 0 \\ 0 & 4 & 0 \\ 0 & 0 & 1 \end{bmatrix}$$

핵심 요약

A가 $n \times n$ 행렬일 때,

1. A가 대각화 가능하면, $A = PDP^{-1}$ 또는 $D = P^{-1}AP$이다. 행렬 D는 대각성분들이 A의 고유값들인 대각행렬이고, 행렬 P는 열벡터들이 각 고유값에 대한 고유벡터들인 가역행렬이다.

2. A가 대각화 가능하면, 대각화 행렬 P는 유일하지 않다. 만약 P의 열의 순서를 뒤바꾸면 D의 대각성분들도 동일한 방식으로 순서가 뒤바뀐다.

3. A가 n개의 일차독립인 고유벡터들을 가질 때에만 A는 대각화 가능하다.

4. A가 n개의 서로 다른 고유값들을 가지면, A는 대각화 가능하다.

5. 모든 2×2 실수 대칭 행렬은 대각화 가능하고 실수 고유값을 갖는다.

6. 유사 행렬들은 동일한 고유값을 갖는다.

7. A가 대각화 가능하면, 각 고유값의 대수적 중복도는 그 고유값에 대한 고유공간의 차원(즉, 기하학적 중복도)과 같은 값을 갖는다. 이때, 기하학적 중복도의 합은 n이다.

8. $T: V \longrightarrow V$가 차원이 유한한 벡터공간 V에서 정의된 선형연산자일 때, 만약 V가 T의 고유벡터들로 구성된 순서기저 B를 갖는다면, $[T]_B$는 대각행렬이다.

9. $T: V \longrightarrow V$가 선형연산자이고, B_1, B_2가 V의 순서기저일 때, $[T]_{B_1}$과 $[T]_{B_2}$는 동일한 고유값을 갖는다.

연습문제 5.2

연습문제 1번–4번에서, 행렬 P를 사용하여, 행렬 A가 대각화 가능함을 보여라.

1. $A = \begin{bmatrix} 1 & 0 \\ -2 & -3 \end{bmatrix}$ $P = \begin{bmatrix} -2 & 0 \\ 1 & 1 \end{bmatrix}$

2. $A = \begin{bmatrix} -1 & 1 \\ -3 & -5 \end{bmatrix}$ $P = \begin{bmatrix} 1 & -1 \\ -3 & 1 \end{bmatrix}$

3. $A = \begin{bmatrix} 1 & 0 & 0 \\ 2 & -2 & 0 \\ 0 & 2 & 0 \end{bmatrix}$ $P = \begin{bmatrix} 0 & 0 & \frac{3}{2} \\ 0 & -1 & 1 \\ 1 & 1 & 2 \end{bmatrix}$

4. $A = \begin{bmatrix} -1 & 2 & 2 \\ 0 & 2 & 0 \\ 2 & -1 & 2 \end{bmatrix}$ $P = \begin{bmatrix} 1 & -2 & -2 \\ 0 & -4 & 0 \\ 2 & 1 & 1 \end{bmatrix}$

연습문제 5번–18번에서 행렬 A의 고유값들과 고유벡터들을 구하고, A가 대각화 가능한지 판단하라.

5. $A = \begin{bmatrix} -1 & 1 \\ 0 & -2 \end{bmatrix}$

6. $A = \begin{bmatrix} -2 & -3 \\ -2 & -2 \end{bmatrix}$

7. $A = \begin{bmatrix} -1 & -1 \\ 0 & -1 \end{bmatrix}$

8. $A = \begin{bmatrix} -3 & -2 \\ 2 & 1 \end{bmatrix}$

9. $A = \begin{bmatrix} 0 & 1 \\ 0 & 1 \end{bmatrix}$

10. $A = \begin{bmatrix} 2 & 2 \\ -2 & -2 \end{bmatrix}$

11. $A = \begin{bmatrix} 2 & 2 & 0 \\ 2 & 2 & 2 \\ 0 & 0 & 3 \end{bmatrix}$

12. $A = \begin{bmatrix} -1 & 3 & 2 \\ -1 & 2 & 3 \\ -1 & 2 & 3 \end{bmatrix}$

13. $A = \begin{bmatrix} 2 & 1 & 1 \\ 2 & -1 & -1 \\ -1 & 1 & 2 \end{bmatrix}$

14. $A = \begin{bmatrix} -1 & 0 & 0 \\ -1 & 2 & -1 \\ 0 & -1 & 2 \end{bmatrix}$

15. $A = \begin{bmatrix} 1 & 0 & 0 \\ -1 & 0 & 0 \\ -1 & 0 & 0 \end{bmatrix}$

16. $A = \begin{bmatrix} 0 & 1 & 0 \\ 1 & 0 & -1 \\ 0 & -1 & 0 \end{bmatrix}$

17. $A = \begin{bmatrix} 0 & 0 & 0 & 0 \\ 1 & 0 & 1 & 0 \\ 0 & 1 & 0 & 1 \\ 1 & 1 & 1 & 1 \end{bmatrix}$

18. $A = \begin{bmatrix} 1 & 0 & 0 & 1 \\ 0 & 0 & 1 & 1 \\ 1 & 0 & 0 & 1 \\ 0 & 1 & 0 & 1 \end{bmatrix}$

연습문제 19번–26번에서, 행렬 A를 대각화하라.

19. $A = \begin{bmatrix} 2 & 0 \\ -1 & -1 \end{bmatrix}$

20. $A = \begin{bmatrix} -2 & 1 \\ 1 & 2 \end{bmatrix}$

21. $A = \begin{bmatrix} 1 & 0 & 0 \\ 0 & -2 & 1 \\ 1 & -2 & 1 \end{bmatrix}$

22. $A = \begin{bmatrix} 0 & -1 & 2 \\ 0 & 2 & 2 \\ 0 & 0 & 1 \end{bmatrix}$

23. $A = \begin{bmatrix} -1 & 0 & 0 \\ -1 & 1 & 0 \\ 0 & 0 & 1 \end{bmatrix}$

24. $A = \begin{bmatrix} 1 & 0 & 0 \\ 0 & 0 & 0 \\ 0 & -1 & 1 \end{bmatrix}$

25. $A = \begin{bmatrix} 1 & 0 & 1 & 0 \\ 0 & 1 & 0 & 0 \\ 1 & 0 & 1 & 1 \\ 0 & 0 & 0 & 1 \end{bmatrix}$

26. $A = \begin{bmatrix} 1 & 0 & 1 & 1 \\ 0 & 1 & 0 & 0 \\ 1 & 1 & 1 & 1 \\ 1 & 1 & 1 & 1 \end{bmatrix}$

27. 행렬 A가 대각화 가능하고 $D = P^{-1}AP$일 때, 임의의 양의 정수 k에 대하여 $A^k = PD^kP^{-1}$임을 증명하라.

28. 행렬 A가 다음과 같을 때, $A = PDP^{-1}$ 형태로 인수분해하고(D는 대각행렬), A^6을 구하라(연습문제 27번 참조).

$$A = \begin{bmatrix} 2 & 1 \\ 2 & 1 \end{bmatrix}$$

29. 행렬 A가 다음과 같을 때, $A = PDP^{-1}$ 형태로 인수분해하고(D는 대각행렬), A^6을 구하라(연습문제 27번 참조).

$$A = \begin{bmatrix} 3 & -1 & -2 \\ 2 & 0 & -2 \\ 2 & -1 & -1 \end{bmatrix}$$

30. 행렬 A가 P에 의해 대각화된 $n \times n$ 행렬일 때, A'를 대각화 하는 행렬을 구하라.

31. 행렬 A가 대각화 가능한 $n \times n$ 행렬일 때, 만약 행렬 B가 A와 유사하면, B도 대각화 가능함을 보여라.

32. 행렬 A가 가역적이고 대각화 가능하다면 A^{-1}도 대각화 가능함을 보여라. 대각행렬이 아닌 2×2 행렬 중에서 가역적이지 않지만 대각화 가능한 행렬을 구하라.

33. 행렬 A가 $n \times n$ 행렬이고 λ가 중복도 n인 고유벡터일 때, 오직 $A = \lambda I$일 때에만 A가 대각화 가능함을 보여라.

34. $n \times n$ 행렬 A가 어떤 양의 정수 k에 대해 $A^k = \mathbf{0}$을 만족할 때, 거듭제곱이 영(nilpotent)이라고 부른다. 0이 아닌 거듭제곱이 영인 행렬은 대각화 가능하지 않음을 보여라.

35. 선형연산자 $T : \mathcal{P}_2 \longrightarrow \mathcal{P}$ 가 $T(p(x)) = p'(x)$ 일 때,

a. 표준기저 $\{1, x, x^2\}$을 사용한 T에 대한 행렬 A를 구하라.

b. 기저 $\{x, x-1, x^2\}$을 사용한 T에 대한 행렬 B를 구하라.

c. A와 B의 고유값들이 동일함을 보여라.

d. T가 대각화 가능하지 않은 이유를 설명하라.

36. 벡터공간 $V = \mathbf{span}\{\sin x, \cos x\}$에서 정의된 선형연산자 $T : V \to V$ 가 $T(f(x)) = f'(x)$ 일 때, T는 대각화 가능함을 보여라.

37. 선형연산자 $T : \mathbb{R}^3 \longrightarrow \mathbb{R}^3$가 다음과 같을 때, T가 대각화 가능하지 않음을 보여라.

$$T\left(\begin{bmatrix} x_1 \\ x_2 \\ x_3 \end{bmatrix}\right) = \begin{bmatrix} 2x_1 + 2x_2 + 2x_3 \\ -x_1 + 2x_2 + x_3 \\ x_1 - x_2 \end{bmatrix}$$

38. 선형연산자 $T : \mathbb{R}^3 \longrightarrow \mathbb{R}^3$가 다음과 같을 때, T가 대각화 가능함을 보여라.

$$T\left(\begin{bmatrix} x_1 \\ x_2 \\ x_3 \end{bmatrix}\right) = \begin{bmatrix} 4x_1 + 2x_2 + 4x_3 \\ 4x_1 + 2x_2 + 4x_3 \\ 4x_3 \end{bmatrix}$$

39. T가 유한한 차원을 갖는 벡터공간에서 정의된 선형연산자일 때, A가 기저 B_1을 사용한 T의 행렬이고, B가 기저 B_2를 사용한 T의 행렬이라고 하자. 오직 A가 대각화 가능할 때에만 B도 대각화 가능함을 보여라.

5.3 응용: 연립 일차 미분방정식(Systems of Linear Differential Equations)

3.5절에서는 해가 단일 함수인 단일 미분방정식만 살펴보았지만, 많은 모형화(modeling) 문제에서, 단일함수의 미분방정식만으로는 불충분하며, 변수 값의 변화율이 다른 미분방정식과 연결되는 경우가 많다. 이것이 동력학계(dynamical system)의 기본 개념이다. 익숙한 사례들 중 하나는 포식자–먹이(predator-prey) 모델이다. 예를 들어, 어떤 서식지에서 여우와 토끼의 수를 예측하는 모델을 만든다고 가정하자. 여우의 수의 증가율은 여우의 수뿐만 아니라 여우의 영역 내 토

끼의 수에도 영향을 받는다. 마찬가지로, 토끼의 수도 부분적으로는 현재 토끼의 수에 의해 결정되지만, 토끼의 서식지로 유입되는 여우의 수도 영향을 준다. 이러한 관계를 기술하기 위한 수학적 모델을 연립 미분방정식이라고 하고, 다음의 형태를 갖는다.

$$\begin{cases} y_1'(t) = f(t, y_1, y_2) \\ y_2'(t) = g(t, y_1, y_2) \end{cases}$$

이 절에서는 연립 일차 미분방정식을 살펴보도록 하겠다. 포식자-먹이 모델 같은 문제는 연립 비선형 미분방정식에 해당한다.

분리된 연립방정식 (Uncoupled Systems)

3.5절에서 미분방정식 $y' = ay$ 의 일반 해는 $y(t) = Ce^{at}$ ($C = y(0)$)임을 살펴보았다. 이 미분방정식을 두 개로 확장한 것이 다음의 **연립 미분방정식**이다.

$$\begin{cases} y_1' = ay_1 \\ y_2' = ay_2 \end{cases}$$

여기서 a, b는 상수이고, y_1, y_2는 공통 매개변수 t를 갖는 함수들이다. 이 연립 미분방정식은 분리되었다(uncoupled)고 부른다. 왜냐하면, y_1' 과 y_2' 이 각각 y_1과 y_2에 의해 결정되기 때문이다. 이 연립미분방정식의 일반 해는 각 방정식을 풀어서 구할 수 있고, 다음과 같다.

$$y_1(t) = C_1 e^{at}, \qquad y_2(t) = C_2 e^{bt}$$

여기서 $C_1 = y_1(0)$, $C_2 = y_2(0)$이다.

위의 연립 미분방정식을 행렬로 나타낼 수 있다. 다음과 같이 정의하면,

$$\mathbf{y}' = \begin{bmatrix} y_1' \\ y_2' \end{bmatrix} \qquad A = \begin{bmatrix} a & 0 \\ 0 & b \end{bmatrix} \qquad \mathbf{y} = \begin{bmatrix} y_1 \\ y_2 \end{bmatrix}$$

위의 연립 미분방정식은 $\mathbf{y}' = A\mathbf{y}$ 로 쓸 수 있고, 해는 다음과 같다.

$$\mathbf{y}(t) = \begin{bmatrix} e^{at} & 0 \\ 0 & e^{bt} \end{bmatrix} \mathbf{y}(0) \quad \mathbf{y}(0) = \begin{bmatrix} y_1(0) \\ y_2(0) \end{bmatrix}$$

예를 들어, 다음의 연립미분방정식을 풀어보자.

$$\begin{cases} y_1' = -y_1 \\ y_2' = 2y_2 \end{cases}$$

행렬 형태로 쓰면, $\mathbf{y}' = A\mathbf{y} = \begin{bmatrix} -1 & 0 \\ 0 & 2 \end{bmatrix} \mathbf{y}$ 이고, 해는 다음과 같다.

$$\mathbf{y} = \begin{bmatrix} e^{-t} & 0 \\ 0 & e^{2t} \end{bmatrix} \mathbf{y}(0)$$

즉, $y_1(t) = y_1(0)e^{-t}$, $y_2(t) = y_2(0)e^{2t}$ 이다.

위상평면 (The Phase Plane)

단일 미분방정식의 경우, $y(t)$가 t에 의해 어떻게 변화하는지 알아보기 위해, 해를 평면 상에 그리는 것이 가능하다. 그러나, 연립 미분방정식의 경우, 해는 공통 매개변수 t(일반적으로 시간을 나타낸다)에 의해 변화하는 벡터들이다. 그래서 해는 평면 상에서 매개변수화된(parameterized) 곡선 또는 궤적으로 나타나고, 이를 위상평면이라고 부른다. 그림 1에, 다음의 연립 미분방정식의 몇 개의 해에 대한 궤적을 나타내었다.

$$\begin{cases} y_1' = -y_1 \\ y_2' = 2y_2 \end{cases}$$

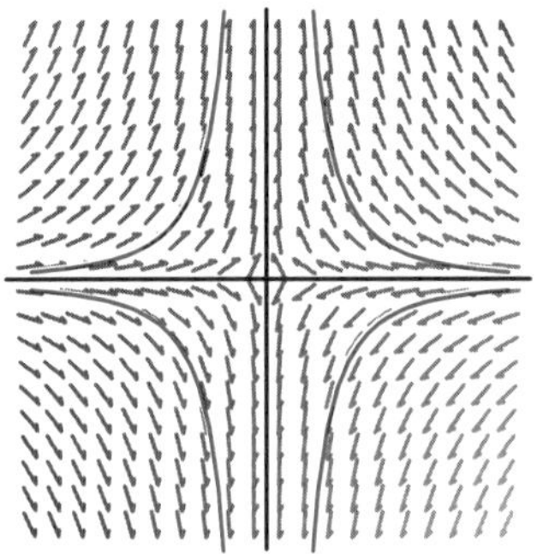

그림 1

그림 1의 벡터들은 연립 미분방정식에 대한 방향장(direction field)을 구성하며, 시간 t가 지남에 따라 궤적에 따른 움직임을 스케치한 것이다. 이 스케치를 연립 미분방정식에 대한 위상묘사 (phase portrait)라고 부른다. 위상묘사는 일반적으로 방향장 없이 그리지만, 여기서는 연립 미분 방정식과 해에 대해 더 잘 이해할 수 있도록 위상묘사를 방향장도 함께 그렸다.

대각화 (Diagonalization)

위의 예에서 A는 대각행렬이었다. 더 일반적인 경우를 생각해 보도록 하자. 연립 미분방정식 $\mathbf{y}' = A\mathbf{y}$에서 행렬 A가 대각행렬이 아니지만 서로 다른 실수 고유값들로 대각화 가능하다면, 이런 종류의 문제를 푸는 방법은 $\mathbf{y}' = A\mathbf{y}$를 분리된(uncoupled) 연립 미분방정식으로 변환하는 것이다. 이 방법을 더 자세히 살펴보기 위해, A가 2×2 행렬이고, 서로 다른 실수 고유값들로 대각화 가능하다고 하자. $\mathbf{y}' = A\mathbf{y}$에서 A가 대각화 가능하므로, 5.2절의 정리 2에 의해, $D = P^{-1}AP$를 만족하는 대각행렬 D와 가역행렬 P가 존재한다. 대각행렬 D는 다음과 같다.

$$D = \begin{bmatrix} \lambda_1 & 0 \\ 0 & \lambda_2 \end{bmatrix}$$

여기서 λ_1과 λ_2는 A의 고유값들이다. P의 열벡터들은 각 고유값에 대한 고유벡터들이다. 연립미분방정식 $\mathbf{y}' = A\mathbf{y}$를 분리시키기 위해, $\mathbf{w} = P^{-1}\mathbf{y}$라 하자. 양변을 미분하면,

$$\begin{aligned} \mathbf{w}' = (P^{-1}\mathbf{y})' &= P^{-1}\mathbf{y}' \\ &= P^{-1}A\mathbf{y} \\ &= P^{-1}(PDP^{-1})\mathbf{y} = (P^{-1}P)(DP^{-1})\mathbf{y} \\ &= DP^{-1}\mathbf{y} \\ &= D\mathbf{w} \end{aligned}$$

D가 대각행렬이므로, 원래의 연립 미분방정식 $\mathbf{y}' = A\mathbf{y}$는 분리된 연립 미분방정식 $\mathbf{w}' = P^{-1}AP\mathbf{w} = D\mathbf{w}$ 로 변환된다. 이 새로운 연립 미분방정식의 일반 해는 다음과 같다.

$$\mathbf{w}(t) = \begin{bmatrix} e^{\lambda_1 t} & 0 \\ 0 & e^{\lambda_2 t} \end{bmatrix} \mathbf{w}(0)$$

이제, 원래의 연립 미분방정식의 해를 구하자. 위의 해에 $\mathbf{w} = P^{-1}\mathbf{y}$를 대입하면,

$$P^{-1}\mathbf{y}(t) = \begin{bmatrix} e^{\lambda_1 t} & 0 \\ 0 & e^{\lambda_2 t} \end{bmatrix} P^{-1}\mathbf{y}(0)$$

이고, 원래의 연립 미분방정식의 해는 다음과 같다.

$$\mathbf{y}(t) = P \begin{bmatrix} e^{\lambda_1 t} & 0 \\ 0 & e^{\lambda_2 1} \end{bmatrix} P^{-1}\mathbf{y}(0)$$

예제 1

다음의 연립 미분방정식의 일반 해를 구하고, 위상 평면에서 몇 개의 궤적을 스케치하라.

$$\begin{cases} y_1' = -y_1 \\ y_2' = 3y_1 + 2y_2 \end{cases}$$

풀이 주어진 연립 미분방정식을 행렬 형태로 쓰면 다음과 같다.

$$\mathbf{y}' = A\mathbf{y} = \begin{bmatrix} -1 & 0 \\ 3 & 2 \end{bmatrix} \mathbf{y}$$

특성방정식 $\det(A - \lambda I) = 0$을 풀면, 행렬 A의 고유값은 $\lambda_1 = -1$, $\lambda_2 = 2$ 이고, 고유벡터는 다음과 같다.

$$\mathbf{v}_1 = \begin{bmatrix} 1 \\ -1 \end{bmatrix} \quad \mathbf{v}_2 = \begin{bmatrix} 0 \\ 1 \end{bmatrix}$$

따라서, A를 대각화 하는 행렬 P는(5.2절의 정리 2 참조) 다음과 같다.

$$P = \begin{bmatrix} 1 & 0 \\ -1 & 1 \end{bmatrix} \quad P^{-1} = \begin{bmatrix} 1 & 0 \\ 1 & 1 \end{bmatrix}$$

분리된 연립 미분방정식은 다음과 같다.

$$\begin{aligned} \mathbf{w}' &= P^{-1}AP\mathbf{w} \\ &= \begin{bmatrix} 1 & 0 \\ 1 & 1 \end{bmatrix} \begin{bmatrix} -1 & 0 \\ 3 & 2 \end{bmatrix} \begin{bmatrix} 1 & 0 \\ -1 & 1 \end{bmatrix} \mathbf{w} \\ &= \begin{bmatrix} -1 & 0 \\ 0 & 2 \end{bmatrix} \mathbf{w} \end{aligned}$$

위의 방정식의 일반 해는

$$\mathbf{w}(t) = \begin{bmatrix} e^{-t} & 0 \\ 0 & e^{2t} \end{bmatrix} \mathbf{w}(0)$$

이므로, 원래 연립 미분방정식의 해는 다음과 같다.

$$\begin{aligned} \mathbf{y}(t) &= \begin{bmatrix} 1 & 0 \\ -1 & 1 \end{bmatrix} \begin{bmatrix} e^{-t} & 0 \\ 0 & e^{2t} \end{bmatrix} \begin{bmatrix} 1 & 0 \\ 1 & 1 \end{bmatrix} \mathbf{y}(0) \\ &= \begin{bmatrix} e^{-t} & 0 \\ -e^{-t} + e^{2t} & e^{2t} \end{bmatrix} \mathbf{y}(0) \end{aligned}$$

따라서, 일반 해는

$$y_1(t) = y_1(0)e^{-t}, \quad y_2(t) = -y_1(0)e^{-t} + \left[y_1(0) + y_2(0)\right]e^{2t}$$

이다.

그림 2에 위상묘사를 나타내었다. 고유값들의 부호와 고유벡터들의 방향은 위상묘사에서 궤적들에 관한 정성적인 정보를 제공한다. 예를 들어, 그림 2에서 흐름은 고유벡터 $\mathbf{v}_1 = \begin{bmatrix} 1 \\ -1 \end{bmatrix}$의 선을 따라서 원점을 향하고 있는데, $\lambda_1 = -1$가 음의 부호를 갖기

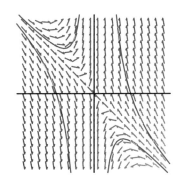

그림 2

때문이다. 반대로, 흐름은 고유벡터 $\mathbf{v}_2 = \begin{bmatrix} 0 \\ 1 \end{bmatrix}$의 선을 따라 원점에서 멀어지는데, $\lambda_2 = 2$가 양

의 부호를 갖기 때문이다.　　　　　　　　　　　　　　　　　　　　　　　　　■ ■

예제 2에서, 고유값들이 같은 부호를 가질 때 연립 미분방정식의 해를 구해보자.

예제 2

다음의 연립 미분방정식의 일반 해를 구하라.

$$\begin{cases} y_1' & = y_1 + 3y_2 \\ y_2' & = \quad\quad 2y_2 \end{cases}$$

풀이 주어진 연립 미분방정식을 행렬 형태로 쓰면 다음과 같다.

$$\mathbf{y}' = A\mathbf{y} = \begin{bmatrix} 1 & 3 \\ 0 & 2 \end{bmatrix} \mathbf{y}$$

A의 고유값은 $\lambda_1 = 1$, $\lambda_2 = 2$이고, 고유벡터는 다음과 같다.

$$\mathbf{v}_1 = \begin{bmatrix} 1 \\ 0 \end{bmatrix} \quad \mathbf{v}_2 = \begin{bmatrix} 3 \\ 1 \end{bmatrix}$$

A를 대각화하는 행렬 P와 P의 역행렬은 각각 다음과 같다.

$$P = \begin{bmatrix} 1 & 3 \\ 0 & 1 \end{bmatrix} \quad P^{-1} = \begin{bmatrix} 1 & -3 \\ 0 & 1 \end{bmatrix}$$

분리된 연립 미분방정식은

$$\begin{aligned} \mathbf{w}' &= \begin{bmatrix} 1 & -3 \\ 0 & 1 \end{bmatrix} \begin{bmatrix} 1 & 3 \\ 0 & 2 \end{bmatrix} \begin{bmatrix} 1 & 3 \\ 0 & 1 \end{bmatrix} \mathbf{w} \\ &= \begin{bmatrix} 1 & 0 \\ 0 & 2 \end{bmatrix} \mathbf{w} \end{aligned}$$

이고, 일반 해는

$$\mathbf{w}(t) = \begin{bmatrix} e^t & 0 \\ 0 & e^{2t} \end{bmatrix} \mathbf{w}(0)$$

이다. 따라서, 원래의 연립 미분방정식의 해는

$$\mathbf{y}(t) = \begin{bmatrix} 1 & 3 \\ 0 & 1 \end{bmatrix} \begin{bmatrix} e^t & 0 \\ 0 & e^{2t} \end{bmatrix} \begin{bmatrix} 1 & -3 \\ 0 & 1 \end{bmatrix} \mathbf{y}(0)$$

$$= \begin{bmatrix} e^t & -3e^t + 3e^{2t} \\ 0 & e^{2t} \end{bmatrix} \mathbf{y}(0)$$

이고, 일반 해는

$$y_1(t) = \left[y_1(0) - 3y_2(0) \right] e^t + 3y_2(0)e^{2t}, \quad y_2(t) = y_2(0)e^{2t}$$

이다.

그림 3의 위상묘사를 보면, λ_1, λ_2가 둘 다 양의 부호를 가지므로
흐름의 방향은 $\mathbf{v}_1$과 $\mathbf{v}_2$의 선을 따라 밖을 향한다.

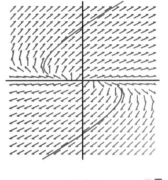

그림 3

앞에서 살펴본 두 개의 미분방정식으로 이루어진 연립 미분방정식을 푸는 방법은, 연립 미분방정식의 행렬 A가 대각화 가능하면, 미분방정식의 수가 많아지더라도 적용할 수 있다.

예제 3

다음의 연립 미분방정식의 일반 해를 구하라.

$$\begin{cases} y_1' = -y_1 \\ y_2' = 2y_1 + y_2 \\ y_3' = 4y_1 + y_2 + 2y_3 \end{cases}$$

풀이 주어진 연립 미분방정식을 행렬로 나타내면 다음과 같다.

$$\mathbf{y}' = A\mathbf{y} = \begin{bmatrix} -1 & 0 & 0 \\ 2 & 1 & 0 \\ 4 & 1 & 2 \end{bmatrix} \mathbf{y}$$

A가 삼각꼴 행렬이므로, A의 고유값들은 대각성분인 $\lambda_1 = -1$, $\lambda_2 = 1$, $\lambda_3 = 2$이고, 고유벡터들은 다음과 같다.

$$\mathbf{v}_1 = \begin{bmatrix} -1 \\ 1 \\ 1 \end{bmatrix} \quad \mathbf{v}_2 = \begin{bmatrix} 0 \\ 1 \\ -1 \end{bmatrix}, \quad \mathbf{v}_3 = \begin{bmatrix} 0 \\ 0 \\ 2 \end{bmatrix}$$

A가 3개의 서로 다른 고유값을 갖는 3×3 행렬이므로, 5.2절의 명제 1에 의해, A는 대각화 가능하다. 이 때 대각화 행렬 P와 P의 역행렬은 다음과 같다.

$$P = \begin{bmatrix} -1 & 0 & 0 \\ 1 & 1 & 0 \\ 1 & -1 & 2 \end{bmatrix} \quad P^{-1} = \begin{bmatrix} -1 & 0 & 0 \\ 1 & 1 & 0 \\ 1 & \frac{1}{2} & \frac{1}{2} \end{bmatrix}$$

분리된 연립 미분방정식은

$$\mathbf{w}' = \begin{bmatrix} -1 & 0 & 0 \\ 1 & 1 & 0 \\ 1 & \frac{1}{2} & \frac{1}{2} \end{bmatrix} \begin{bmatrix} -1 & 0 & 0 \\ 2 & 1 & 0 \\ 4 & 1 & 2 \end{bmatrix} \begin{bmatrix} -1 & 0 & 0 \\ 1 & 1 & 0 \\ 1 & -1 & 2 \end{bmatrix} \mathbf{w}$$

$$= \begin{bmatrix} -1 & 0 & 0 \\ 0 & 1 & 0 \\ 0 & 0 & 2 \end{bmatrix} \mathbf{w}$$

이고, 일반 해는

$$\mathbf{w}(t) = \begin{bmatrix} e^{-t} & 0 & 0 \\ 0 & e^{t} & 0 \\ 0 & 0 & e^{2t} \end{bmatrix} \mathbf{w}(0)$$

이다. 따라서, 원래의 연립 미분방정식의 해는

$$\mathbf{y}(t) = \begin{bmatrix} -1 & 0 & 0 \\ 1 & 1 & 0 \\ 1 & -1 & 2 \end{bmatrix} \begin{bmatrix} e^{-t} & 0 & 0 \\ 0 & e^{t} & 0 \\ 0 & 0 & e^{2t} \end{bmatrix} \begin{bmatrix} -1 & 0 & 0 \\ 1 & 1 & 0 \\ 1 & \frac{1}{2} & \frac{1}{2} \end{bmatrix} \mathbf{y}(0)$$

$$= \begin{bmatrix} e^{-t} & 0 & 0 \\ -e^{-t} + e^{t} & e^{t} & 0 \\ -e^{-t} - e^{t} + 2e^{2t} & -e^{t} + e^{2t} & e^{2t} \end{bmatrix} \mathbf{y}(0)$$

이고, 일반 해는 다음과 같다.

$$y_1(t) = y_1(0)e^{-t} \qquad y_2(t) = -y_1(0)e^{-t} + [y_1(0) + y_2(0)]e^{t},$$

$$y_3(t) = -y_1(0)e^{-t} - [y_1(0) + y_2(0)]e^{t} + [2y_1(0) + y_2(0) + y_3(0)]e^{2t}$$

예제 4에서, 서로 연결된 통의 소금 농도를 모형화할 때, 연립 일차 미분방정식이 어떻게 사용되는지 살펴보자.

예제 4

두 소금물 통이 두 개의 관으로 연결되어 있다. 첫 번째 관을 통해서 소금물이 1번 통에서 2번 통으로 5 갤런/분의 속도로 이동할 수 있다. 두 번째 관을 통해서는 반대로, 소금물이 2번 통에서 1번 통으로 역시 5 갤런/분의 속도로 이동할 수 있다. 초기에 1번 통에는 8 파운드의 소금과 50 갤런의 물이 잘 섞여서 들어있는 상태였고, 2번 통에는 100 갤런의 물만 들어있는 상태였다.

그림 4

a. 어떤 시각 t에서 각 통에 들어있는 소금의 양을 나타내는 연립 미분방정식을 구하라.

b. 분리된 연립 미분방정식을 구하여 연립 미분방정식을 풀어라.

c. t가 무한대가 될 때, 각 통에 담긴 소금의 양을 구하고, 결과를 설명하라.

풀이 **a.** $y_1(t)$와 $y_2(t)$가 t분 후에 각 통에 들어있는 소금의 양(파운드)이라고 하자. 그러면, $y_1'(t)$ 와 $y_2'(t)$ 는 각각 1번 통과 2번 통에 담긴 소금의 양의 변화 속도이다. 미분방정식을 세울 때, 다음 식을 적용하자.

소금의 변화 속도 = 소금 유입 속도 − 소금 유출 속도

각 통에서 소금물의 부피는 일정하므로, 1번 통에 대해서는 유입 속도는 $\frac{5}{100} y_2(t)$ 이고, 유출 속도는 $\frac{5}{50} y_1(t)$ 이다. 2번 통에 대해서는 유입 속도는 $\frac{5}{50} y_1(t)$ 이고, 유출 속도는 $\frac{5}{100} y_2(t)$ 이다. 따라서, 연립 미분방정식은 다음과 같다.

$$\begin{cases} y_1'(t) = \frac{5}{100} y_2(t) - \frac{5}{50} y_1(t) \\ y_2'(t) = \frac{5}{50} y_1(t) - \frac{5}{100} y_2(t) \end{cases} \text{즉,} \begin{cases} y_1'(t) = -\frac{1}{10} y_1(t) + \frac{1}{20} y_2(t) \\ y_2'(t) = \frac{1}{10} y_1(t) - \frac{1}{20} y_2(t) \end{cases}$$

1번 통과 2번 통의 초기 소금의 양이 각각 8파운드와 0파운드이었으므로, 초기조건은 $y_1(0) = 8$, $y_2(0) = 0$이다.

b. 연립 미분방정식을 행렬로 나타내면 다음과 같다.

$$\mathbf{y}' = \begin{bmatrix} -\frac{1}{10} & \frac{1}{20} \\ \frac{1}{10} & -\frac{1}{20} \end{bmatrix} \mathbf{y} \quad \mathbf{y}(0) = \begin{bmatrix} 8 \\ 0 \end{bmatrix}$$

행렬의 고유값은 $\lambda_1 = -3/20$, $\lambda_2 = 0$이고, 고유벡터는 $\begin{bmatrix} -1 \\ 1 \end{bmatrix}$과 $\begin{bmatrix} 1 \\ 2 \end{bmatrix}$이다. 연립 미분방정식을 분리시키는 행렬 P와 P의 역행렬은 다음과 같다.

$$P = \begin{bmatrix} -1 & 1 \\ 1 & 2 \end{bmatrix} \quad P^{-1} = \begin{bmatrix} -\frac{2}{3} & \frac{1}{3} \\ \frac{1}{3} & \frac{1}{3} \end{bmatrix}$$

분리된 연립 미분방정식은

$$\mathbf{w}' = \begin{bmatrix} -\frac{2}{3} & \frac{1}{3} \\ \frac{1}{3} & \frac{1}{3} \end{bmatrix} \begin{bmatrix} -\frac{1}{10} & \frac{1}{20} \\ \frac{1}{10} & -\frac{1}{20} \end{bmatrix} \begin{bmatrix} -1 & 1 \\ 1 & 2 \end{bmatrix} \mathbf{w}$$

$$= \begin{bmatrix} -\frac{3}{20} & 0 \\ 0 & 0 \end{bmatrix} \mathbf{w}$$

이고, 해는

$$\mathbf{w}(t) = \begin{bmatrix} e^{-\frac{3}{20}t} & 0 \\ 0 & 1 \end{bmatrix} \mathbf{w}(0)$$

이다. 원래의 연립 미분방정식의 해를 구하면 다음과 같다.

$$\mathbf{y}(t) = \begin{bmatrix} -1 & 1 \\ 1 & 2 \end{bmatrix} \begin{bmatrix} e^{-\frac{3}{20}t} & 0 \\ 0 & 1 \end{bmatrix} \begin{bmatrix} -\frac{2}{3} & \frac{1}{3} \\ \frac{1}{3} & \frac{1}{3} \end{bmatrix} \mathbf{y}(0)$$

$$= \frac{1}{3} \begin{bmatrix} 2e^{-\frac{3}{20}t} + 1 & -e^{-\frac{3}{20}t} + 1 \\ -2e^{-\frac{3}{20}t} + 2 & e^{-\frac{3}{20}t} + 1 \end{bmatrix} \begin{bmatrix} 8 \\ 0 \end{bmatrix}$$

$$= \frac{8}{3} \begin{bmatrix} 2e^{-\frac{3}{20}t} + 1 \\ -2e^{-\frac{3}{20}t} + 2 \end{bmatrix}$$

c. 원래의 연립 미분방정식의 일반해는 다음과 같다.

$$y_1(t) = \frac{8}{3}\left(2e^{-\frac{3}{20}t} + 1 \right) \qquad y_2(t) = \frac{8}{3}\left(-2e^{-\frac{3}{20}t} + 2 \right)$$

t가 무한대일 때 각 통의 소금의 양을 구하기 위해서 각 해의 극한값을 계산한다.

$$\lim_{t \to \infty} \frac{8}{3}\left(2e^{-\frac{3}{20}t} + 1 \right) = \frac{8}{3}\left(0 + 1 \right) = \frac{8}{3}$$

$$\lim_{t \to \infty} \frac{8}{3}\left(-2e^{-\frac{3}{20}} + 2 \right) = \frac{8}{3}\left(0 + 2 \right) = \frac{16}{3}$$

이 값들은 직관적으로 일리가 있다. 왜냐하면, 최종적으로는 8 파운드의 소금이 모두 섞일 텐데, 그 소금은 두 통의 부피의 비 1:2로 나누어질 것이기 때문이다.

연습문제 5.3

연습문제 1번–6번에서, 주어진 연립 미분방정식의 일반 해를 구하라.

1. $\begin{cases} y_1' = -y_1 + y_2 \\ y_2' = -2y_2 \end{cases}$

2. $\begin{cases} y_1' = -y_1 + 2y_2 \\ y_2' = \ \ y_1 \end{cases}$

3. $\begin{cases} y_1' = \ \ \ y_1 - 3y_2 \\ y_2' = -3y_1 + \ \ y_2 \end{cases}$

4. $\begin{cases} y_1' = \ \ y_1 - y_2 \\ y_2' = -y_1 + y_2 \end{cases}$

5. $\begin{cases} y_1' = -4y_1 - 3y_2 - 3y_3 \\ y_2' = \ \ 2y_1 + 3y_2 + 2y_3 \\ y_3' = \ \ 4y_1 + 2y_2 + 3y_3 \end{cases}$

6. $\begin{cases} y_1' = -3y_1 - \ \ 4y_2 - \ \ 4y_3 \\ y_2' = \ \ 7y_1 + 11y_2 + 13y_3 \\ y_3' = -5y_1 - \ \ 8y_2 - 10y_3 \end{cases}$

연습문제 7번, 8번에서, 주어진 초기값 문제를 풀어라.

7. $\begin{cases} y_1' = -y_1 \\ y_2' = 2y_1 + y_2 \end{cases}$ $\quad y_1(0) = 1 \quad y_2(0) = -1$

8. $\begin{cases} y_1' = 5y_1 - 12y_2 + 20y_3 \\ y_2' = 4y_1 - \ \ 9y_2 + 16y_3 \\ y_3' = 2y_1 - \ \ 4y_2 + \ \ 7y_3 \end{cases}$

$y_1(0) = 2, \ y_2(0) = -1, \ y_3(0) = 0$

9. 두 소금물 통이 두 개의 관으로 연결되어 있다. 첫 번째 관을 통해서 소금물이 1번 통에서 2번 통으로 1 갤런/분의 속도로 이동할 수 있다. 두 번째 관을 통해서는 반대로, 소금물이 2번 통에서 1번 통으로 역시 1 갤런/분의 속도로 이동할 수 있다. 초기에 1번 통

에는 12 파운드의 소금과 60 갤런의 물이 잘 섞여서 들어있는 상태였고, 2번 통에는 120 갤런의 물만 들어있는 상태였다.

a. 어떤 시각 t에서 각 통에 들어있는 소금의 양을 나타내는 연립 미분방정식을 구하라.

b. 분리된 연립 미분방정식을 구하여 연립 미분방정식을 풀어라.

c. t가 무한대가 될 때, 각 통에 담긴 소금의 양을 구하고, 결과를 설명하라.

10. 저녁 9시 바깥 온도가 화씨 0인 추운 겨울밤에 2층 집의 벽난로가 고장났다. 1층, 2층, 바깥 사이의 열 흐름 속도는 그림과 같다. 벽난로가 고장났을 때, 1층의 온도는 화씨 70도, 2층의 온도는 화씨 60도 였다.

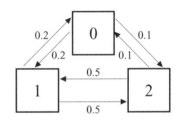

a. 다음의 균형법칙(balance law)을 사용하여 열 흐름을 모형화하는 초기값 문제를 만들어라.

순(net) 변화율 = 유입율 − 유출율

b. **a**의 초기값 문제를 풀어라.

c. 각 층이 화씨 32도에 도달하는데 시간이 얼마나 걸리는 지 계산하라.

5.4 응용: 마르코프 연쇄 (Markov Chains)

확률이론에서 마르코프 연쇄는 일련의 확률 사건을 분석하는 수학적 모델을 일컫는다. 연속적인 사건들의 확률을 계산할 때 중요한 요소는 사건들이 서로 영향을 주는지 여부이다. 예를 들어, 공정한(fair) 동전을 던지는 것은 독립적인 사건이다. 왜냐하면 동전은 이전의 던짐에 대한 기억

을 가지고 있지 않기 때문이다. 마르코프 연쇄는 조건부로 종속적인(conditionally dependent) 확률 사건의 경향을 나타내는 데 유용하다. 이 때, 각 사건의 확률은 과거에 발생한 사건에 종속적이다.

예를 들어, 다음의 두 가지 관찰에 근거한 간단한 날씨 모델을 살펴보자.

1. 만약 오늘 날씨가 맑으면, 내일도 맑을 확률은 70%이다.
2. 만약 오늘 날씨가 흐리면, 내일도 흐릴 확률은 50%이다.

오늘 날씨가 주어졌을 때 내일 날씨에 대한 조건부 확률들을 표 1에 나타내었다. 표 1의 열의 제목은 오늘의 날씨이고 행의 제목은 내일의 날씨이다.

표 1

	맑음	흐림
맑음	0.7	0.5
흐림	0.3	0.5

예를 들어, 오늘 날씨가 맑고 내일 날씨가 맑을 확률은 0.7이고, 오늘 날씨가 맑은데 내일 날씨가 흐릴 확률은 0.3이다. 각 열의 합은 1임에 유의하라. 마르코프 연쇄에서는 이러한 관찰들이 반복적으로 일어난다. 그래서, '오늘 날씨가 맑다면 일주일 후의 날씨도 맑을 확률은 얼마인가?' 같은 질문에 답을 할 수 있다.

상태벡터와 추이행렬 (State Vectors and Transition Matricies)

앞의 날씨 예측의 예에 마르코프 연쇄를 적용하기 위해서, 성분이 현재 날씨의 확률을 나타내는 벡터를 $\mathbf{v} = \begin{bmatrix} v_1 \\ v_2 \end{bmatrix}$ 이라고 하자. v_1은 오늘 날씨가 맑을 확률이고, v_2는 오늘 날씨가 흐릴 확률이다. 매일 $\mathbf{v}$의 성분은 표 1의 확률에 의해 바뀌고, 날씨의 현재 상태(state)를 알려준다. 마르코프 연쇄에서 벡터 $\mathbf{v}$를 상태벡터(state vector)라고 부른다. 그리고, 일련의 상태벡터들을 마르코프 연쇄라고 부른다. 표 1을 사용하여 내일의 날씨를 나타내는 상태벡터 $\mathbf{v}' = \begin{bmatrix} v_1' \\ v_2' \end{bmatrix}$ 를 구하면,

$$v_1' = 0.7v_1 + 0.5v_2 , \quad v_2' = 0.3v_1 + 0.5v_2$$

이다. 즉, 내일 날씨가 맑을 확률 v_1'은 오늘 날씨가 맑을 확률의 0.7배에 오늘 날씨가 흐릴 확률의 0.5배를 더한 것과 같고, 마찬가지로, 내일 날씨가 흐릴 확률 v_2'은 내일 날씨가 맑을 확률의 0.3배에 내일 날씨가 흐릴 확률의 0.5배를 더한 것과 같다. 예를 들어, 오늘 날씨가 맑다면, $v_1 = 1, v_2 = 0$이므로,

$$v_1' = 0.7(1) + 0.5(0) = 0.7 , \quad v_2' = 0.3(1) + 0.5(0) = 0.3$$

이는 앞서 살펴본 관찰들과 일치한다. 행렬 T가 다음과 같다고 하면,

$$T = \begin{bmatrix} 0.7 & 0.5 \\ 0.3 & 0.5 \end{bmatrix}$$

$\mathbf{v}$와 $\mathbf{v}'$의 관계를 T를 사용하여 다음과 같이 행렬로 나타낼 수 있다.

$$\begin{bmatrix} v_1' \\ v_2' \end{bmatrix} = \begin{bmatrix} 0.7 & 0.5 \\ 0.3 & 0.5 \end{bmatrix} \begin{bmatrix} v_1 \\ v_2 \end{bmatrix}$$

마르코프 연쇄에서 한 상태에서 다음 상태로 이동하는데 사용되는 행렬을 추이행렬(transition matrix)이라고 부른다. 가능한 상태의 수를 n이라고 하면, 추이행렬 T는 $n \times n$ 행렬이고, ij 성분은 j 상태에서 i 상태로 이동할 확률이다. 위의 예에서 $t_{12} = 0.5$는 흐린 날 다음에 맑은 날이 될 확률이다. 성분들이 양수이고 합이 1인 벡터들을 확률벡터(probability vector)라고 부른다. 열벡터들이 확률벡터인 행렬을 확률행렬(stochastic matrix)이라고 부른다. 위에서 주어진 추이행렬 T는 확률행렬의 한 예이다.

날씨 예측 예로 돌아와서, 이틀 후의 날씨를 예측하기 위해서는 $\mathbf{v}'$에 T를 곱해야 한다.

$$\begin{bmatrix} v_1'' \\ v_2'' \end{bmatrix} = \begin{bmatrix} 0.7 & 0.5 \\ 0.3 & 0.5 \end{bmatrix} \begin{bmatrix} v_1' \\ v_2' \end{bmatrix}$$

$$= \begin{bmatrix} 0.7 & 0.5 \\ 0.3 & 0.5 \end{bmatrix}^2 \begin{bmatrix} v_1 \\ v_2 \end{bmatrix} = \begin{bmatrix} 0.64 & 0.60 \\ 0.36 & 0.40 \end{bmatrix} \begin{bmatrix} v_1 \\ v_2 \end{bmatrix}$$

예를 들어, 오늘 날씨가 맑았다면, 이틀 후의 날씨에 대한 상태벡터는

$$\begin{bmatrix} v_1'' \\ v_2'' \end{bmatrix} = \begin{bmatrix} 0.64 & 0.60 \\ 0.36 & 0.40 \end{bmatrix} \begin{bmatrix} 1 \\ 0 \end{bmatrix} = \begin{bmatrix} 0.64 \\ 0.36 \end{bmatrix}$$

이다. 일반적으로, n일 후의 날씨에 대한 상태벡터는 다음과 같다.

$$T^n \mathbf{v} = \begin{bmatrix} 0.7 & 0.5 \\ 0.3 & 0.5 \end{bmatrix}^n \begin{bmatrix} v_1 \\ v_2 \end{bmatrix}$$

처음에 던진 질문에 대한 답을 구해보자. 오늘 날씨가 맑았다면, 일주일 후의 날씨에 대한 상태벡터는

$$\begin{bmatrix} 0.7 & 0.5 \\ 0.3 & 0.5 \end{bmatrix}^7 \begin{bmatrix} 1 \\ 0 \end{bmatrix} = \begin{bmatrix} 0.625 & 0.625 \\ 0.375 & 0.375 \end{bmatrix} \begin{bmatrix} 1 \\ 0 \end{bmatrix} = \begin{bmatrix} 0.625 \\ 0.375 \end{bmatrix}$$

즉, 오늘 날씨가 맑다면, 일주일 후에 날씨가 맑을 확률은 0.625이고, 날씨가 흐릴 확률은 0.375이다.

추이행렬의 대각화

방금 살펴본 바와 같이, 마르코프 연쇄에서는, 추이행렬의 거듭제곱을 계산하여 미래의 상태를 결정하는데, 계산을 용이하게 하기 위하여, 5.2절의 방법을 사용하여, 추이행렬을 대각화 한다. 예를 들어, 다시 날씨 예측 예의 추이행렬을 살펴보자.

$$T = \begin{bmatrix} \frac{7}{10} & \frac{5}{10} \\ \frac{3}{10} & \frac{5}{10} \end{bmatrix}$$

T는 서로 다른 고유값 $\lambda_1 = 1$, $\lambda_2 = 2/10$을 갖고, 고유벡터는 다음과 같다.

$$\mathbf{v}_1 = \begin{bmatrix} \frac{5}{3} \\ 1 \end{bmatrix} \qquad \mathbf{v}_2 = \begin{bmatrix} -1 \\ 1 \end{bmatrix}$$

$\mathbf{v}_1$에 $\mathbf{v}_1$의 성분들의 합의 역수를 곱하여 확률벡터로 만든다. 새 벡터 $\hat{\mathbf{v}}_1 = \begin{bmatrix} \frac{5}{8} \\ \frac{3}{8} \end{bmatrix}$는 고유공간 V_{λ_1}에 속하기 때문에 여전히 고유벡터이다. 2×2 추이행렬이 서로 다른 고유값들을 가지므로, 5.2절의 명제 1에 의해, T는 대각화 가능하고, 5.2절의 정리 2에 의해, 다음과 같이 쓸 수 있다.

$$T = PDP^{-1}$$
$$= \begin{bmatrix} \frac{5}{8} & -1 \\ \frac{3}{8} & 1 \end{bmatrix} \begin{bmatrix} 1 & 0 \\ 0 & \frac{2}{10} \end{bmatrix} \begin{bmatrix} 1 & 1 \\ -\frac{3}{8} & \frac{5}{8} \end{bmatrix}$$

5.2절의 연습문제 27에 의해, T의 거듭제곱은 다음과 같다.

$$T^n = PD^nP^{-1} = P \begin{bmatrix} 1^n & 0 \\ 0 & \left(\frac{2}{10}\right)^n \end{bmatrix} P^{-1}$$

앞서 언급한 바와 같이, 위의 식은 n이 클 때 상태벡터를 쉽게 구하게 해 준다. 그리고, n이 커짐에 따라 D^n이 $\begin{bmatrix} 1 & 0 \\ 0 & 0 \end{bmatrix}$에 접근함을 알 수 있는데, 이것은 $\lambda = 1$에 대한 고유벡터가 먼 미래에서의 맑은 날과 흐린 날의 비율의 극한값을 구하는데 유용하다는 것을 뜻한다.

안정상태벡터 (steady state vectov)

초기 상태벡터 $\mathbf{v}$가 주어졌을 때, 마르코프 연쇄에서는 이 벡터의 최종 추이, 즉, n이 커질 때 $T^n\mathbf{v}$가 어떻게 되는 지에 관심이 있다. 임의의 초기 상태벡터 $\mathbf{v}$에 대해, $T^n\mathbf{v}$가 어떤 벡터 $\mathbf{s}$에 접근할 때, $\mathbf{s}$를 마르코프 연쇄의 안정상태벡터라고 부른다.

앞에서 살펴본 날씨예측 모형에서, 추이행렬 T의 고유값은 $\lambda = 1$이고, 이에 대한 확률 고유벡터는 다음과 같았다.

$$\hat{\mathbf{v}}_1 = \begin{bmatrix} \frac{5}{8} \\ \frac{3}{8} \end{bmatrix} = \begin{bmatrix} 0.625 \\ 0.375 \end{bmatrix}$$

이 벡터가 바로 날씨예측 모형의 안정상태벡터이다. 이를 증명하기 위하여, 초기 확률벡터를 $\mathbf{u} = \begin{bmatrix} 0.4 \\ 0.6 \end{bmatrix}$ 라고 하면,

$$T^{10}\mathbf{u} = \begin{bmatrix} 0.6249999954 \\ 0.3750000046 \end{bmatrix} \quad T^{20}\mathbf{u} = \begin{bmatrix} 0.6250000002 \\ 0.3750000002 \end{bmatrix}$$

이다. 이 결과를 보면, n의 값이 증가함에 따라 $T^n\mathbf{u}$가 $\hat{\mathbf{v}}_1$에 접근함을 알 수 있다. 이를 정리한 정리 6의 내용을 살펴보기 전에 용어를 정의하자면, 어떤 n에 대해서 T^n의 모든 성분이 양의 부호일 때 T를 정칙행렬(regular matrix)이라고 부른다.

정리 6

만약 마르코프 연쇄가 정칙 확률 추이행렬 T를 가지면, $T\mathbf{s} = \mathbf{s}$를 만족하는 유일한 확률벡터 $\mathbf{s}$가 존재하며, $\mathbf{s}$는 임의의 초기 확률벡터에 대한 안정상태벡터이다.

예제 1

가입자는 3가지 보험 계획 A, B, C 중 하나에 가입할 수 있다. 각 보험 계획에 등록한 가입자들의 백분율은 각각 25%, 30%, 45%이다. 그리고 과거 경험으로부터 가입자들은 보험 계획을 다음 표의 확률로 변경한다고 가정하자.

	A	B	C
A	0.75	0.25	0.2
B	0.15	0.45	0.4
C	0.1	0.3	0.4

a. 5년 후에 각 보험 계획에 등록된 가입자들의 백분율을 구하라.

b. 안정상태벡터를 구하라.

풀이 행렬 T가 다음과 같다고 하면,

$$T = \begin{bmatrix} 0.75 & 0.25 & 0.2 \\ 0.15 & 0.45 & 0.4 \\ 0.1 & 0.3 & 0.4 \end{bmatrix}$$

a. 5년 후 각 보험 계획에 등록한 가입자의 수는 다음과 같다.

$$T^5\mathbf{v} = \begin{bmatrix} 0.49776 & 0.46048 & 0.45608 \\ 0.28464 & 0.30432 & 0.30664 \\ 0.21760 & 0.23520 & 0.23728 \end{bmatrix} \begin{bmatrix} 0.25 \\ 0.30 \\ 0.45 \end{bmatrix} = \begin{bmatrix} 0.47 \\ 0.30 \\ 0.22 \end{bmatrix}$$

따라서, 계획 A에 등록한 가입자들의 백분율은 47%, 계획 B는 30%, 계획 C는 22%이다.

b. 안정상태벡터는 $\lambda = 1$ 에 대한 확률 고유벡터이므로, 다음과 같다.

$$\mathbf{s} = \begin{bmatrix} 0.48 \\ 0.30 \\ 0.22 \end{bmatrix}$$

연습문제 5.4

연습문제 1–4에서, 행렬에 대한 특이값을 구하라.

1. 매년 도시 인구의 약 15%가 교외로 이사하고, 교외에 사는 인구의 8%가 도시로 이사한다. 현재 도시와 교외의 총인구는 200만명이고 그 중 140만명은 도시에 산다.

a. 마르코프 연쇄의 추이행렬을 구하라.

b. 10년 후 예상 인구를 계산하라.

c. 안정상태벡터를 구하라.

2. 새로운 대중교통 시스템이 개통된 후 교통당국은 자동차를 사용하다가 대중교통 시스템을 사용하는 사람들의 수를 추산하기 위해 사용자의 경향을 연구하였다. 교통당국은 매년 대중교통 이용자의 30%가 다시 자가운전을 하고, 자가운전자의 20%가 대중교통을 이용한다고 추정한다. 인구는 계속 동일하고, 초기에 인구의 35%가 대중교통을 이용한다고 가정하자.

a. 마르코프 연쇄의 추이행렬을 구하라.

b. 2년 후, 5년 후 대중교통 이용자의 수를 예측하라.

c. 안정상태벡터를 구하라.

3. 어떤 식물이 빨강색, 분홍색, 흰색 꽃을 피운다. 빨간 꽃을 피우는 품종이 다른 품종과 교배되면 새 식물이 빨간색, 분홍색, 흰색 꽃을 피우는 품종이 될 확률이 다음의 표와 같다.

	빨강	분홍	흰색
빨강	0.5	0.4	0.1
분홍	0.4	0.4	0.2
흰색	0.1	0.2	0.7

초기에는 분홍색 꽃을 피우는 품종만 있었고, 다른 품종과 교배될 확률은 같다고 가정하자. 3세대 후, 10세대 후에 각 품종이 발생할 확률을 구하라.

4. 택시가 사람들을 태워서 도시 A, B, 그리고 교외 S로 실어 나른다. 한 지역에서 승객을 태워서 다른 지역에 내려줄 확률이 표와 같고, 택시 회사는 택시의 위치를 알고 싶다.

	A	B	S
A	0.6	0.3	0.4
B	0.1	0.4	0.3
S	0.3	0.3	0.3

a. 만약 택시가 A에 있다면, 3번 승객을 태운 후에 S에 있을 확률은 얼마인가?

b. 30%의 택시가 A에 있고, 35%의 택시가 B에 있고, 35%의 택시가 S에 있을 때, 5번 승객을 태운 후에 택시가 A, B, S에 있을 확률을 계산하라.

c. 안정상태벡터를 구하라.

5. 매월 어떤 풍토병에 걸린 사람의 25%가 죽는다. 그리고 건강한 사람의 50%가 병에 걸린다. 이 병이 사라질 것인지 판단하라. 만약 사라진다면 사라질 때까지 얼마나 시간이 걸리는가?

6. 흡연자에 대한 연구에 의하면 매년 흡연자의 55%가 담배를 끊고, 비흡연자의 20%가 새롭게 흡연자가 되거나 다시 담배를 피운다. 인구의 70%가 흡연자였다면, 5년 후, 10년 후, 먼 미래에 인구의 몇 %가 담배를 피우겠는가?

7. 개구리가 네 장의 연꽃 잎 중 하나에 앉아 있다. 연꽃 잎은 사각형 모양으로 배치되어 있고 시계방향으로 A, B, C, D라고 하자. 개구리가 뛸 때, 근처 연꽃 잎으로 뛸 확률은 1/4, 대각선으로 뛸 확률은 1/6, 제자리에서 뛸 확률은 1/3이다.
   a. 마르코프 연쇄의 추이행렬을 구하라.
   b. 개구리가 A에서 시작하여 n번 뛰었을 때, 상태벡터를 구하라.
   c. 안정상태벡터를 구하라.

8. 마르코프 연쇄를 위한 추이행렬이

$$T = \begin{bmatrix} 0 & 1 \\ 1 & 0 \end{bmatrix}$$

일 때,
   a. T의 고유값을 구하라.
   b. $n \geq 1$일 때, T^n을 구하라. T^n을 사용하여 왜 마르코프 연쇄가 안정상태벡터를 갖는지 설명하라.
   c. T가 인구분포를 나타내는 추이행렬이라고 가정하자. 이때, 총 인구는 일정하고 사람들은 두 지역 중 한 지역에서 다른 지역으로 이사할 수 있다. 인구 내 상호작용을 기술하라.

9. $0 < p < 1, 0 < q < 1$인 모든 p, q에 대해서 추이행렬 $T = \begin{bmatrix} 1-p & q \\ p & 1-q \end{bmatrix}$ 이 안정상태 확률벡터 $\begin{bmatrix} \frac{q}{p+q} \\ \frac{p}{p+q} \end{bmatrix}$ 를 가짐을 증명하라.

10. 마르코프 연쇄를 위한 추이행렬 T가 2×2 대칭 확률행렬일 때,
   a. T의 고유값을 구하라.
   b. 안정상태벡터를 구하라.

5장 복습문제

1. a, b는 실수이고, $A = \begin{bmatrix} a & b \\ b & a \end{bmatrix}$ 일 때,

   a. $\begin{bmatrix} 1 \\ 1 \end{bmatrix}$ 이 A의 고유벡터임을 증명하라.

   b. A의 고유값을 구하라.
   c. b의 고유값들에 대한 고유벡터들을 구하라.
   d. c에서 구한 고유벡터들을 사용하여 행렬 A를 대각화 하라. 즉, $P^{-1}AP$가 대각행렬인

행렬 P를 구하라. 대각행렬을 구체적으로 기술하라.

2. 다음의 행렬에 대하여,

$$A = \begin{bmatrix} 0 & 0 & 2 \\ 0 & 2 & 0 \\ 0 & 0 & -1 \end{bmatrix}$$

   a. A의 고유값을 구하라.

b. a의 결과로부터 A가 대각화 가능하다고 결론 내릴 수 있는가? 설명하라.

c. 각 고유값에 대한 고유벡터를 구하라.

d. c의 고유벡터들은 일차독립인가? 설명하라.

e. c의 결과로부터 A가 대각화 가능하다고 결론 내릴 수 있는가? 설명하라.

f. e에 대한 대답이 예이면, A를 대각화 하는 행렬 P를 구하라. 대각행렬 $D = P^{-1}AP$를 구체적으로 기술하라.

3. 다음의 행렬에 대하여 연습문제 2를 반복하라.

$$A = \begin{bmatrix} 1 & 0 & 1 & 0 \\ 1 & 1 & 1 & 0 \\ 0 & 0 & 0 & 0 \\ 1 & 0 & 1 & 0 \end{bmatrix}$$

4. T가 유한한 차원을 갖는 벡터공간에서 정의된 선형연산자이고, 행렬표현이 다음과 같을 때,

$$A = \begin{bmatrix} 1 & 0 & 0 \\ 6 & 3 & 2 \\ -3 & -1 & 0 \end{bmatrix}$$

a. A의 특성방정식을 구하라.

b. A의 고유값을 구하라.

c. A의 각 고유공간의 차원을 구하라.

d. c를 이용하여 T가 대각화 가능한지 설명하라.

e. 행렬 P와 대각행렬 $D = P^{-1}AP$를 구하라.

f. 두 개의 다른 행렬 P_1, P_2와 각각에 대한 대각행렬 $D_1 = P_1^{-1}AP_1$, $D_2 = P_2^{-1}AP_2$를 구하라.

5. 다음의 행렬에 대하여,

$$A = \begin{bmatrix} 0 & 1 & 0 \\ 0 & 0 & 1 \\ -k & 3 & 0 \end{bmatrix}$$

a. A의 특성방정식이 $\lambda^3 - 3\lambda + k = 0$임을 증명하라.

b. $k < -2$일 때, $k = 0$일 때, $k > 2$일 때, $y(\lambda) = \lambda^3 - 3\lambda + k$의 그래프를 그려라.

c. A가 3개의 서로 다른 실수 고유값을 갖는 k 값을 구하라.

6. $B = P^{-1}AP$이고, $\mathbf{v}$가 고유값 λ에 대한 행렬 B의 고유벡터일 때, $P\mathbf{v}$는 고유값 λ에 대한 행렬 A의 고유벡터임을 증명하라.

7. A가 $n \times n$ 행렬이고, A의 각 열의 합이 각각 λ일 때,

a. λ가 A의 고유값임을 증명하라.

b. A의 각 행의 합이 각각 λ일 때에도, 동일한 결과가 성립하는가?

8. V가 벡터공간이고, $T : V \longrightarrow V$가 선형연산자일 때, V의 부분공간 W에 속한 모든 벡터 $\mathbf{w}$에 대해 $T(\mathbf{w})$가 W에 속하면, W는 T에 대해 불변(invariant)이라고 말한다.

a. V와 $\{\mathbf{0}\}$이 왜 모든 선형연산자에 대해 불변인지 설명하라.

b. 만약 T에 대해 불변인 V의 1차원 부분공간이 존재하면, T는 0이 아닌 고유벡터를 가짐을 증명하라.

c. T가 $\mathbb{R}^2$에서 정의된 선형연산자이고, 표준기저를 사용한 행렬표현이 다음과 같을 때, T에 대해 불변인 부분공간은 $\mathbb{R}^2$과 $\{\mathbf{0}\}$뿐임을 증명하라.

$$A = \begin{bmatrix} 0 & -1 \\ 1 & 0 \end{bmatrix}$$

9. a. 벡터공간 V에 대해 두 개의 선형연산자 S, T가, V에 속한 모든 벡터 $\mathbf{v}$에 대해 $S(T(\mathbf{v})) = T(S(\mathbf{v}))$를 만족하면, 교환가능(commute)하다라고 한다. S, T가 V에 대해 교환가능한 선형연산자이고, λ_0가 T의 고유값일 때,

고유공간 V_{λ_0} 은 S에 대해 불변임을, 즉, $S(V_{\lambda_0}) \subseteq V_{\lambda_0}$ 임을 증명하라.

b. S, T가 n차원 벡터공간 V에 대해 교환가능이라고 하자. T가 n개의 서로 다른 고유값을 가질 때, S, T는 공통의 고유벡터를 가짐을 증명하라.

c. 벡터공간 V에서 정의되는 선형연산자 쌍 T, S에 대해서, $[T]_B$와 $[S]_B$가 모두 대각행렬이 되는 V에 대한 순서기저 B가 존재할 때, T, S는 동시 대각화 가능(simultaneously diagonalizable)이라고 말한다. 만약 S, T가 n차원 벡터 공간 V에서 정의되는 동시 대각화 가능 선형연산자이면, S, T는 교환가능임을 증명하라.

d. 다음의 행렬 A, B가 동시 대각화 가능임을 보여라.

$$A = \begin{bmatrix} 3 & 0 & 1 \\ 0 & 2 & 0 \\ 1 & 0 & 3 \end{bmatrix} \qquad B = \begin{bmatrix} 1 & 0 & -2 \\ 0 & 1 & 0 \\ -2 & 0 & 1 \end{bmatrix}$$

10. 자연지수 함수에 대해 $x = 0$에서의 테일러 급수 전개(Taylor series expansion)는 다음과 같다.

$$e^x = 1 + x + \frac{1}{2!}x^2 + \frac{1}{3!}x^3 + \cdots = \sum_{k=0}^{\infty} \frac{1}{n!}x^k$$

A가 $n \times n$ 행렬일 때, 행렬지수함수(matrix exponential)를 다음과 같이 정의한다.

$$e^A = I + A + \frac{1}{2!}A^2 + \frac{1}{3!}A^3 + \cdots$$
$$= \lim_{m \to \infty} \left(I + A + \frac{1}{2!}A^2 + \frac{1}{3!}A^3 + \cdots + \frac{1}{m!}A^m \right)$$

a. D가 다음과 같은 대각행렬일 때, e^D를 구하라.

$$D = \begin{bmatrix} \lambda_1 & 0 & 0 & \cdots & 0 \\ 0 & \lambda_2 & 0 & \cdots & 0 \\ \vdots & \vdots & \ddots & & \vdots \\ 0 & \cdots & \cdots & \cdots & \lambda_n \end{bmatrix}$$

b. 행렬 A가 대각화 가능하고 $D = P^{-1}AP$ 일 때, $e^A = Pe^D P^{-1}$임을 보여라.

c. **a**, **b**의 결과를 이용하여, 행렬 $A = \begin{bmatrix} 6 & -1 \\ 3 & 2 \end{bmatrix}$ 에 대해 e^A를 계산하라.

5장 시험문제

시험문제 1–40에서, 주어진 명제가 참인지 거짓인지 판단하라.

1. 행렬 $P = \begin{bmatrix} 1 & 1 \\ 0 & 1 \end{bmatrix}$ 는 행렬 $A = \begin{bmatrix} -1 & 1 \\ 0 & -2 \end{bmatrix}$ 를 대각화한다.

2. 행렬 $A = \begin{bmatrix} -1 & 1 \\ 0 & -2 \end{bmatrix}$ 는 행렬 $D = \begin{bmatrix} -1 & 0 \\ 0 & -1 \end{bmatrix}$ 와 유사하다.

3. 다음 행렬은 대각화 가능하다.

$$A = \begin{bmatrix} -1 & 0 & 0 \\ 0 & 1 & 0 \\ -1 & -1 & 1 \end{bmatrix}$$

4. 행렬 $A = \begin{bmatrix} -1 & 0 \\ -4 & -3 \end{bmatrix}$ 의 고유값은 $\lambda_1 = -3$, $\lambda_2 = -1$이다.

5. 다음 행렬의 특성방정식은 $\lambda^3 + 2\lambda^2 + \lambda - 4$

이다.

$$A = \begin{bmatrix} -1 & -1 & -1 \\ 0 & 0 & -1 \\ 2 & -2 & -1 \end{bmatrix}$$

6. 행렬 $A = \begin{bmatrix} -4 & 0 \\ 3 & -5 \end{bmatrix}$ 의 고유벡터는 $\begin{bmatrix} 0 \\ 1 \end{bmatrix}$ 와 $\begin{bmatrix} 1 \\ 3 \end{bmatrix}$ 이다.

7. 행렬 $A = \begin{bmatrix} 3 & -2 \\ 2 & -1 \end{bmatrix}$ 의 고유값은 $\lambda_1 = -1$ 이 고, 고유공간 V_{λ_1} 의 차원은 1이다.

8. 만약 $A = \begin{vmatrix} -\frac{1}{2} & \frac{\sqrt{3}}{2} \\ \frac{\sqrt{3}}{2} & \frac{1}{2} \end{vmatrix}$ 이면, $AA^t = I$이다.

9. A가 2×2 행렬이고 $\det(A) < 0$이면, A는 두 개의 실수 고유값을 갖는다.

10. A가 2×2 행렬이고 두 개의 서로 다른 고유 값 λ_1, λ_2를 가지면, $\mathbf{tr}(A) = \lambda_1 + \lambda_2$이다.

11. 행렬 $A = \begin{bmatrix} a & b \\ b & a \end{bmatrix}$ 의 고유값은 $\lambda_1 = a + b$ 와 $\lambda_2 = b - a$ 이다.

12. 모든 정수 k에 대해, 행렬 $A = \begin{bmatrix} 1 & k \\ 1 & 1 \end{bmatrix}$ 은 오직 하나의 고유값을 갖는다.

13. A가 2×2 행렬일 때, A, A^{-1}는 동일한 고유값 을 갖는다.

14. A, B가 유사하면, $\mathbf{tr}(A) = \mathbf{tr}(B)$이다.

15. 행렬 $A = \begin{bmatrix} 1 & 1 \\ 0 & 1 \end{bmatrix}$ 은 대각화 가능하다.

16. 만약 $A = \begin{bmatrix} a & b \\ c & d \end{bmatrix}$ 이고 $a + c = b + d = \lambda$ 이

면, λ는 A의 고유값이다.

시험문제 17–19에서, 행렬 A, B는 다음과 같다.

$$A = \begin{bmatrix} 1 & 0 & 0 \\ 0 & 2 & 0 \\ 0 & 0 & -1 \end{bmatrix} \quad B = \begin{bmatrix} -1 & 0 & 0 \\ 0 & 1 & 0 \\ 0 & 0 & 2 \end{bmatrix}$$

17. A, B는 동일한 고유값을 갖는다.

18. A, B는 유사하다.

19. 행렬 P가 다음과 같으면, $B = P^{-1}AP$ 이다.

$$P = \begin{bmatrix} 0 & 1 & 0 \\ 0 & 0 & 1 \\ 1 & 0 & 0 \end{bmatrix}$$

20. 어떤 2×2 행렬의 고유벡터가 $\begin{bmatrix} -1 \\ 1 \end{bmatrix}$, $\begin{bmatrix} 1 \\ -2 \end{bmatrix}$

이면, 그 행렬은 $\begin{bmatrix} 2\alpha - \beta & \alpha - \beta \\ \beta - 2\alpha & 2\beta - \alpha \end{bmatrix}$ 의 형태

를 갖는다.

21. 단위행렬(identity matrix)과 유사한 행렬은 단위행렬 뿐이다.

22. $\lambda = 0$이 A의 고유값이면, A는 가역적이지 않 다.

23. A가 대각화 가능하면, A는 단 하나의 대각행 렬과 유사하다.

24. $n \times n$ 행렬 A가 오직 $m(m < n)$개의 서로 다 른 고유값을 가지면, A는 대각화 가능하지 않다.

25. $n \times n$ 행렬 A가 n개의 서로 다른 고유값을 가지면, A는 대각화 가능하다.

26. $n \times n$ 행렬 A의 고유벡터들의 집합이 $\mathbb{R}^n$ 의 기저이면, A는 대각화 가능하다.

27. $n \times n$ 행렬 A가 대각화 가능하면, A는 n개의 일차독립인 고유벡터들을 갖는다.

28. A, B가 $n \times n$ 행렬일 때, AB, BA는 동일한 고유값을 갖는다.

29. D가 대각행렬이고 $A = PDP^{-1}$이면, A는 대각화 가능하다.

30. A가 가역적이면, A는 대각화 가능하다.

31. A, B가 $n \times n$ 가역행렬일 때, AB^{-1}, $B^{-1}A$는 동일한 고유값을 갖는다.

32. 다음의 형태를 갖는 3×3 행렬은 언제나 세 개 보다 적은 서로 다른 고유값을 갖는다.

$$\begin{bmatrix} a & 1 & 0 \\ 0 & a & 1 \\ 0 & 0 & b \end{bmatrix}$$

33. $n \times n$ 행렬 A, B가 모두 대각화 가능한 행렬이고 동일한 대각화 행렬을 가지면, $AB = BA$이다.

34. λ가 $n \times n$ 행렬 A의 고유값이면, λ에 대한 모든 고유벡터들의 집합은 $\mathbb{R}^n$의 부분공간이다.

35. $n \times n$ 행렬 A의 각 열의 합이 각각 상수 c이면, c는 A의 고유값이다.

36. A, B가 유사하면, A, B의 특성방정식은 동일하다.

37. λ가 A의 고유값이면, λ^2은 A^2의 고유값이다.

38. A가 $n \times n$ 행렬이고 특성방정식이 $\lambda^2 + \lambda - 6$이면, A^2의 고유값은 $\lambda_1 = 4$, $\lambda_2 = 9$이다.

39. 선형연산자 $T : \mathcal{P}_1 \longrightarrow \mathcal{P}_1$이 $T(a + bx) = a + (a + b)x$이면, 표준기저를 사용한 A에 대한 행렬표현은 $A = \begin{bmatrix} 1 & 0 \\ 1 & 1 \end{bmatrix}$이고 따라서 T는 대각화 가능하지 않다.

40. 만약 $V = \mathbf{span}\{e^x, e^{-x}\}$이고 $T : V \longrightarrow V$가 $T(f(x)) = f'(x)$이면, T는 대각화 가능하다.

6장
내적공간

점점 더 많은 과학자에 의하면, 지구상의 온도 상승의 요인은 이산화탄소와 같은 온실가스의 배출이다. 대기 중 이산화탄소의 주요 원인은 화석연료의 연소에 의한 것이다. 표 1[*]은 1950년부터 2000년까지의 화석연료의 연소로 인한 지구상의 탄소 배출량을 십억 톤 단위로 표시한 것이다. 그림 1에 주어진 데이터의 산포도는 모든 점을 통과하는 하나의 직선은 아니더라도 데이터에 가장 잘 부합되는 그림 1에 나타난 직선으로 근사화될 수 있는 증가하는 추세를 보여준다. 이 직선을 찾아내기 위해서, $x_1 = 1950$을 시작으로 x_i는 연도를, y_i는 대기로 배출된 온실가스의 양으로 지정한다면, $i = 1, 2, \ldots, 11$에 대하여 (x_i, y_i)는 각각의 점에 대응된다. 제곱 오차의 합을 최소화하는 m과 b 값을 찾을 수 있다면, 선형방정식 $y = mx + b$는 이들 데이터에 가장 잘 일치할 것이다.

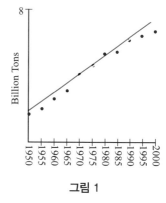

그림 1

[*] Worldwatch Institute, Vital Signs 2006–2007. *The trends that are shaping our future*, W. W. Norton and Company, New York London, 2006.

표 1

전 세계 탄소 배출량 1950–2000			
1950	1.63	1980	5.32
1955	2.04	1985	5.43
1960	2.58	1990	6.14
1965	3.14	1995	6.40
1970	4.08	2000	6.64
1975	4.62		

$$\sum_{i=1}^{11}\left[\,y_i-(mx_i+b)\,\right]^2=\left[\,1.63-(1950m-b)\,\right]^2+\cdots+\left[\,6.64-(2000m-b)\,\right]^2$$

m과 b 값을 찾아내기 위한 하나의 방법은 다변수 미적분학의 결과를 활용하는 것이다. 선형대수를 활용한 또 다른 대안은 이 장에서 언급될 내용으로부터 도출된다. 이 접근방식을 활용하기 위해서, 우리는 다음의 선형시스템을 만족하는 m과 b 값을 찾으려고 할 것이다.

$$\begin{cases} m(1950)+b &=1.63 \\ m(1955)+b &=2.04 \\ &\vdots \\ m(2000)+b &=6.64 \end{cases}$$

행렬의 형태로 이 시스템은 $A\mathbf{x}=\mathbf{b}$로 주어진다. 여기서,

$$A=\begin{bmatrix} 1950 & 1 \\ 1955 & 1 \\ 1960 & 1 \\ 1965 & 1 \\ 1970 & 1 \\ 1975 & 1 \\ 1980 & 1 \\ 1985 & 1 \\ 1990 & 1 \\ 1995 & 1 \\ 2000 & 1 \end{bmatrix} \qquad \mathbf{x}=\begin{bmatrix} m \\ b \end{bmatrix} \qquad \mathbf{b}=\begin{bmatrix} 1.63 \\ 2.04 \\ 2.58 \\ 3.14 \\ 4.08 \\ 4.62 \\ 5.32 \\ 5.43 \\ 6.14 \\ 6.40 \\ 6.64 \end{bmatrix}$$

이다.

이제, 데이터의 각 점을 지나는 하나의 직선은 없기 때문에, 앞선 선형 시스템의 정해(exact solution)는 존재하지 않는다. 그러나 뒤에서 설명되겠지만, 가장 근접한 직선은 $A\mathbf{x}$가 $\mathbf{b}$에 가장 근접하도록 벡터 $\mathbf{x}$를 찾는 것으로부터 도출된다. 이 경우에 있어서, 그림 1에서와 같이 가장 근접한 직선은

$$y = 0.107x - 207.462$$

이다.

    이전의 몇몇 장에서 우리는 유클리드 공간에 대한 지식으로부터 파생된 추상적인 벡터공간의 대수학적인 성질에 초점을 맞추어 왔다. 예를 들면, $\mathbb{R}^n$에서의 벡터 성질에 대한 2.1절에서의 관찰은 3.1절에서 언급된 추상적인 벡터공간의 공리적인 전개에 대한 모형을 제공해 주었다. 이 장에서 우리는 $\mathbb{R}^2$ 및 $\mathbb{R}^3$으로부터 추상적인 벡터공간으로 길이, 거리, 노름의 기하학적인 개념을 일반화시키기 위해서 필요한 추가적인 구조를 전개하는 방식을 따를 것이다. 이러한 기하학적 개념들은 6.2절에서 정의될 내적이라는 $\mathbb{R}^n$에서의 두 벡터의 점곱의 일반화로부터 도출된다. 우리는 먼저 $\mathbb{R}^n$에서의 점곱의 성질 및 유클리드 공간에서의 기하학적 도형과 점곱 간의 관계에 대해서 논의한다.

6.1 $\mathbb{R}^n$에서의 점곱

1.3절의 정의 2에서 $\mathbb{R}^n$에서의 두 개의 벡터

$$\mathbf{u} = \begin{bmatrix} u_1 \\ u_2 \\ \vdots \\ u_n \end{bmatrix} \qquad \mathbf{v} = \begin{bmatrix} v_1 \\ v_2 \\ \vdots \\ v_n \end{bmatrix}$$

의 점곱을

$$\mathbf{u} \cdot \mathbf{v} = u_1 v_1 + u_2 v_2 + \cdots + u_n v_n$$

로 정의하였다.

    점곱과 유클리드 공간에서의 기하학적 도형 간의 관계를 나타내기 위하여, $\mathbb{R}^3$에서의 점 (x_1, x_2, x_3)로부터 원점까지의 거리는

$$d = \sqrt{x_1^2 + x_2^2 + x_3^2}$$

로 주어짐을 상기하라.

    여기서

$$\mathbf{v} = \begin{bmatrix} v_1 \\ v_2 \\ v_3 \end{bmatrix}$$

는 표준 위치에 있는 $\mathbb{R}^3$에 있는 벡터라고 가정하자. 거리 공식을 활용하여 $\|\mathbf{v}\|$로 표기된 $\mathbf{v}$의 길이(즉, 노름)는 $\mathbf{v}$의 끝점으로부터 원점까지의 거리로 정의되고, $\|\mathbf{v}\| = \sqrt{v_1^2 + v_2^2 + v_3^2}$ 로 주어진다.

제곱근 기호 안에 있는 양은 $\mathbf{v}$와 $\mathbf{v}$의 점곱으로 기술할 수 있다. 따라서 $\mathbf{v}$의 길이는 등가적으로 $\|\mathbf{v}\| = \sqrt{\mathbf{v} \cdot \mathbf{v}}$로 쓸 수도 있다.

이 개념을 $\mathbb{R}^n$으로 확장하여 다음과 같은 정의를 얻는다.

정의 1 $\mathbb{R}^n$에서의 벡터의 길이

$\mathbb{R}^n$에서의 벡터

$$\mathbf{v} = \begin{bmatrix} v_1 \\ v_2 \\ \vdots \\ v_n \end{bmatrix}$$

의 길이(즉, 노름)는 $\|\mathbf{v}\|$로 표기되고,

$$\|\mathbf{v}\| = \sqrt{v_1^2 + v_2^2 + \cdots + v_n^2}$$
$$= \sqrt{\mathbf{v} \cdot \mathbf{v}}$$

로 정의된다.

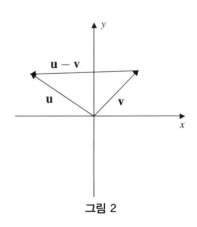

그림 2

예를 들어, $\mathbf{v} = \begin{bmatrix} 1 \\ 2 \\ -1 \end{bmatrix}$라 할 때,

$$\|\mathbf{v}\| = \sqrt{\mathbf{v} \cdot \mathbf{v}} = \sqrt{1^2 + 2^2 + (-1)^2} = \sqrt{6}$$

가 된다.

2.1절에서, 표준 위치에 있는 두 개의 벡터 $\mathbf{u}$와 $\mathbf{v}$의 차 $\mathbf{u} - \mathbf{v}$는 그림 2에 나와 있듯이, $\mathbf{v}$의 끝점에서 $\mathbf{u}$의 끝점으로의 벡터임을 알았다. 이것은 다음 정의에 대한 이론적 근거를 제시한다.

정의 2 $\mathbb{R}^n$에서의 벡터 간의 거리

$$\mathbf{u} = \begin{bmatrix} u_1 \\ u_2 \\ \vdots \\ u_n \end{bmatrix} \text{와} \quad \mathbf{v} = \begin{bmatrix} v_1 \\ v_2 \\ \vdots \\ v_n \end{bmatrix} \text{를 } \mathbb{R}^n\text{에서의 벡터라고 하자.}$$

$\mathbf{u}$와 $\mathbf{v}$ 사이의 거리 는

$$\| \mathbf{u} - \mathbf{v} \| = \sqrt{(\mathbf{u} - \mathbf{v}) \cdot (\mathbf{u} - \mathbf{v})}$$

로 주어진다.

벡터의 방향은 길이와는 무관하므로, $\mathbf{u}$에서 $\mathbf{v}$까지의 거리와 $\mathbf{v}$에서 $\mathbf{u}$까지의 거리는 같다. 즉,

$$\| \mathbf{u} - \mathbf{v} \| = \| \mathbf{v} - \mathbf{u} \|$$

이 성립한다.

예제 1

$\mathbf{v}$는 $\mathbb{R}^n$에서의 임의의 벡터이고, c는 실수일 때,

$$\| c\mathbf{v} \| = | c | \| \mathbf{v} \|$$

가 성립함을 보여라.

풀이 $\mathbf{v} = \begin{bmatrix} v_1 \\ v_2 \\ \vdots \\ v_n \end{bmatrix}$ 라 하자.

그러면,

$$\begin{aligned} \| c\mathbf{v} \| &= \sqrt{(c\mathbf{v}) \cdot (c\mathbf{v})} = \sqrt{(cv_1)^2 + (cv_2)^2 + \cdots + (cv_n)^2} \\ &= \sqrt{c^2 v_1^2 + c^2 v_2^2 + \cdots + c^2 v_n^2} = \sqrt{c^2 (v_1^2 + v_2^2 + \cdots + v_n^2)} \\ &= | c | \sqrt{v_1^2 + v_2^2 + \cdots + v_n^2} = | c | \| \mathbf{v} \| \end{aligned}$$

이 된다. ■

예제 1의 결과는 2.1절의 정의 2 다음에 언급된 임의의 벡터 $\mathbf{v}$와 실수 c의 곱에 대한 결과를 증명한다. 실제로 예제 1의 결과로서 $| c | > 1$ 이면, $c\mathbf{v}$는 $\mathbf{v}$의 확대이며, $| c | < 1$ 이면, $c\mathbf{v}$는 $\mathbf{v}$의 축소이다. 또한 $c < 0$ 이면, $c\mathbf{v}$의 방향은 반대가 된다. 예를 들어, $\mathbf{v}$를 $\mathbb{R}^n$에서의 $\| \mathbf{v} \| = 10$ 인 벡터라고 할 때, $2\mathbf{v}$는 길이가 20이 된다. 벡터 $-3\mathbf{v}$는 길이는 30이고, $\mathbf{v}$의 반대 방향을 향한다. $\mathbb{R}^n$에서의

임의의 벡터의 길이가 1이면, $\mathbf{v}$를 단위벡터라 한다.

| 명제 1 |

$\mathbf{v}$는 $\mathbb{R}^n$에서의 영벡터가 아닌 임의의 벡터라고 할 때,

$$\mathbf{u_v} = \frac{1}{\|\mathbf{v}\|}\mathbf{v}$$

는 $\mathbf{v}$ 방향으로의 단위벡터이다.

증명 정의 1과 예제 1의 결과를 활용하면

$$\left\|\frac{1}{\|\mathbf{v}\|}\mathbf{v}\right\| = \left|\frac{1}{\|\mathbf{v}\|}\right|\|\mathbf{v}\| = \frac{\|\mathbf{v}\|}{\|\mathbf{v}\|} = 1$$

를 얻는다.

$1/\|\mathbf{v}\| > 0$ 이므로, 벡터 $\mathbf{u_v}$는 $\mathbf{v}$와 같은 방향이다.

예제 2

$\mathbf{v} = \begin{bmatrix} 1 \\ 2 \\ -2 \end{bmatrix}$ 라 할 때, $\mathbf{v}$ 방향으로의 단위벡터 $\mathbf{u_v}$를 구하라.

풀이 $\|\mathbf{v}\| = \sqrt{1^2 + 2^2 + (-2)^2} = 3$ 임을 알 수 있다. 그리고 나서 명제 1에 의하여,

$$\mathbf{u_v} = \frac{1}{3}\mathbf{v} = \frac{1}{3}\begin{bmatrix} 1 \\ 2 \\ -2 \end{bmatrix}$$

를 얻는다.　　　　　　　　　　　　　　　　　　　　　　　　　　　■

정리 1은 점곱에 관한 유용한 성질을 보여준다. 증명은 직관적이므로 독자에게 맡긴다.

정리 1

$\mathbf{u}, \mathbf{v}$, 그리고 $\mathbf{w}$는 $\mathbb{R}^n$에서의 임의의 벡터이고, c는 스칼라이다.

1. $\mathbf{u} \cdot \mathbf{u} \geq 0$
2. $\mathbf{u} \cdot \mathbf{u} = 0$일 필요충분조건은 $\mathbf{u} = \mathbf{0}$이다.
3. $\mathbf{u} \cdot \mathbf{v} = \mathbf{v} \cdot \mathbf{u}$
4. $\mathbf{u} \cdot (\mathbf{v} + \mathbf{w}) = \mathbf{u} \cdot \mathbf{v} + \mathbf{u} \cdot \mathbf{w}$이고, $(\mathbf{u} + \mathbf{v}) \cdot \mathbf{w} = \mathbf{u} \cdot \mathbf{w} + \mathbf{v} \cdot \mathbf{w}$
5. $(c\mathbf{u}) \cdot \mathbf{v} = c(\mathbf{u} \cdot \mathbf{v})$

예제 **3**

$\mathbf{u}$와 $\mathbf{v}$는 $\mathbb{R}^n$에서의 임의의 벡터라 하자. $(\mathbf{u} + \mathbf{v}) \cdot (\mathbf{u} + \mathbf{v})$를 전개하기 위하여 정리 1을 활용하라.

풀이 4번의 반복 수행에 의하여

$$(\mathbf{u} + \mathbf{v}) \cdot (\mathbf{u} + \mathbf{v}) = (\mathbf{u} + \mathbf{v}) \cdot \mathbf{u} + (\mathbf{u} + \mathbf{v}) \cdot \mathbf{v}$$
$$= \mathbf{u} \cdot \mathbf{u} + \mathbf{v} \cdot \mathbf{u} + \mathbf{u} \cdot \mathbf{v} + \mathbf{v} \cdot \mathbf{v}$$

를 얻는다.

그리고 3번에 의해서, $\mathbf{v} \cdot \mathbf{u} = \mathbf{u} \cdot \mathbf{v}$ 이므로,

$$(\mathbf{u} + \mathbf{v}) \cdot (\mathbf{u} + \mathbf{v}) = \mathbf{u} \cdot \mathbf{u} + 2\mathbf{u} \cdot \mathbf{v} + \mathbf{v} \cdot \mathbf{v}$$

이 된다.

즉,

$$(\mathbf{u} + \mathbf{v}) \cdot (\mathbf{u} + \mathbf{v}) = \| \mathbf{u} \|^2 + 2\mathbf{u} \cdot \mathbf{v} + \| \mathbf{v} \|^2$$

가 된다.

코시-슈바르츠 부등식(Cauchy-Schwartz inequality)으로 알려진 다음의 결과는 $\mathbb{R}^n$에서의 기하학을 설명하는 근원이 된다. 특히, 이 부등식을 통해 벡터 간의 각을 정의할 수 있다.

정리 2 코시-슈바르츠 부등식 (Cauchy-Schwartz Inequality)

$\mathbf{u}$와 $\mathbf{v}$를 $\mathbb{R}^n$에서의 임의의 벡터라 할 때,

$$|\mathbf{u} \cdot \mathbf{v}| \leq \| \mathbf{u} \| \| \mathbf{v} \|$$

가 된다.

증명 $\mathbf{u} = \mathbf{0}$ 이면, $\mathbf{u} \cdot \mathbf{v} = 0$ 이다. 이 경우에서 우변은 $\| \mathbf{u} \| \| \mathbf{v} \| = 0 \| \mathbf{v} \| = 0$ 이 되므로 방정식이 성립한다. 이제 $\mathbf{u} \neq \mathbf{0}$ 이고, k는 실수라고 가정하자. 벡터 $k\mathbf{u} + \mathbf{v}$ 에 대해 자신과의 점곱을 고려하기로 한다. 정리 1의 1번에 의해,

$$(k\mathbf{u} + \mathbf{v}) \cdot (k\mathbf{u} + \mathbf{v}) \geq 0$$

를 얻는다.

여기서 정리 1의 4번에 의해 좌변을 전개하면,

$$k^2 (\mathbf{u} \cdot \mathbf{u}) + 2k(\mathbf{u} \cdot \mathbf{v}) + \mathbf{v} \cdot \mathbf{v} \geq 0$$

를 얻는다.

좌변의 수식은 실계수를 갖는 k에 대한 이차식이라는 것을 알 수 있다. $a = \mathbf{u} \cdot \mathbf{u}$, $b = \mathbf{u} \cdot \mathbf{v}$,

$c = \mathbf{v} \cdot \mathbf{v}$ 라고 한다면,

$$ak^2 + 2bk + c \geq 0$$

와 같은 부등식으로 다시 쓸 수 있다.

이 부등식은 계수 a, b, c에 제약을 가한다. 특히, 방정식 $ak^2 + 2bk + c = 0$ 는 기껏해야 하나의 실근을 가져야 한다. 그러므로, 이차 공식에 의해, 판별식 $(2b)^2 - 4ac \leq 0$ 이 된다, 즉,

$$(\mathbf{u} \cdot \mathbf{v})^2 \leq (\mathbf{u} \cdot \mathbf{u})(\mathbf{v} \cdot \mathbf{v})$$

이다.

양 변에 제곱근을 취하면, 원하는

$$|\mathbf{u} \cdot \mathbf{u}| \leq \|\mathbf{v}\| \|\mathbf{v}\|$$

의 결과를 얻을 수 있다.

임의의 두 벡터 사이의 각

코시-슈바르츠 부등식을 가지고, 두 벡터 사이의 각을 정의할 차례이다. 이것을 유도하기 위하여, 그림 3에서와 같이 $\mathbf{v}$의 종점과 $\mathbf{u}$의 종점을 연결하는 $\mathbf{u} - \mathbf{v}$와 $\mathbb{R}^2$에서의 영벡터가 아닌 임의의 벡터를 $\mathbf{u}$와 $\mathbf{v}$라 하자. 이들 세 벡터는 $\mathbb{R}^2$에서 삼각형을 형성하므로, 코사인 법칙을 적용하면 다음 식을 얻게 된다.

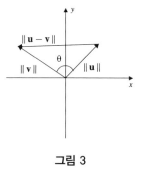

그림 3

$$\|\mathbf{u} - \mathbf{v}\|^2 = \|\mathbf{u}\|^2 + \|\mathbf{v}\|^2 - 2\|\mathbf{u}\| \|\mathbf{v}\| \cos\theta$$

정리 1을 활용하여, 상기 방정식을

$$\mathbf{u} \cdot \mathbf{u} - 2\mathbf{u} \cdot \mathbf{v} + \mathbf{v} \cdot \mathbf{v} = \mathbf{u} \cdot \mathbf{u} + \mathbf{v} \cdot \mathbf{v} - 2\|\mathbf{u}\| \|\mathbf{v}\| \cos\theta$$

과 같이 재기술한다.

소거하고 $\cos\theta$ 에 대해 정리하면,

$$\cos\theta = \frac{\mathbf{u} \cdot \mathbf{v}}{\|\mathbf{u}\| \|\mathbf{v}\|}$$

를 얻는다.

여기서 우리의 목적은 이 결과를 확장하여 n-차원 유클리드 공간에서의 벡터 사이의 각에 대한 코사인 값으로 활용하는 것이다. 그렇게 하기 위하여, 모든 각 θ에 대해 $|\cos\theta| \leq 1$ 일 필요가 있다. 즉, $\mathbb{R}^n$에서의 모든 벡터 $\mathbf{u}$와 $\mathbf{v}$에 대해서

$$-1 \le \frac{\mathbf{u} \cdot \mathbf{v}}{\|\mathbf{u}\| \|\mathbf{v}\|} \le 1$$

이다. 그러나 이 사실은 코시-슈바르츠 부등식으로부터 바로 알 수 있다. 실제로,

$$|\mathbf{u} \cdot \mathbf{v}| \le \|\mathbf{u}\| \|\mathbf{v}\|$$

의 양변을 $\|\mathbf{u}\| \|\mathbf{v}\|$로 나누면,

$$\frac{|\mathbf{u} \cdot \mathbf{v}|}{\|\mathbf{u}\| \|\mathbf{v}\|} \le 1$$

가 되고, 결국

$$-1 \le \frac{\mathbf{u} \cdot \mathbf{v}}{\|\mathbf{u}\| \|\mathbf{v}\|} \le 1$$

이다.

이것은 다음과 같은 정의를 가능하게 해 준다.

정의 3 $\mathbb{R}^n$에서의 벡터 사이의 각

$\mathbf{u}$와 $\mathbf{v}$가 $\mathbb{R}^n$에서의 벡터라고 한다면, 벡터 사이의 각 θ의 코사인 값은

$$\cos\theta = \frac{\mathbf{u} \cdot \mathbf{v}}{\|\mathbf{u}\| \|\mathbf{v}\|}$$

과 같이 정의된다.

예제 4

$$\mathbf{u} = \begin{bmatrix} 2 \\ -2 \\ 3 \end{bmatrix} \qquad \mathbf{v} = \begin{bmatrix} -1 \\ 2 \\ 2 \end{bmatrix}$$

사이의 각을 구하라.

풀이   두 벡터의 길이는

$$\|\mathbf{u}\| = \sqrt{2^2 + (-2)^2 + 3^2} = \sqrt{17} \qquad \|\mathbf{v}\| = \sqrt{(-1)^2 + 2^2 + 2^2} = 3$$

이다. 그리고 벡터의 점곱은

$$\mathbf{u} \cdot \mathbf{v} = 2(-1) + (-2)2 + 3(2) = 0$$

이다.

정의 3에 의하여, **u**와 **v** 사이의 각에 대한 코사인 값은

$$\cos \theta = \frac{\mathbf{u} \cdot \mathbf{v}}{\| \mathbf{u} \| \| \mathbf{v} \|} = 0$$

로 주어진다.

그러므로, $\theta = \pi/2$이고 두 벡터는 서로 수직이다. 이러한 벡터들을 직교한다고 한다. ∎

정의 4 직교 벡터

벡터 사이의 각이 $\pi/2$이면, 벡터 **u**와 **v**는 직교한다고 한다.

정의 3의 직접적인 결과로서, **u**와 **v**가 $\mathbf{u} \cdot \mathbf{v} = 0$인 영벡터가 아닌 $\mathbb{R}^n$에서의 임의의 벡터라고 한다면 $\cos \theta = 0$이고, 따라서 $\theta = \pi/2$가 된다. 역으로, **u**와 **v**가 직교하면, $\cos \theta = 0$이 되고, 따라서

$$\frac{\mathbf{u} \cdot \mathbf{v}}{\| \mathbf{u} \| \| \mathbf{v} \|} = 0 \quad \text{이므로} \quad \mathbf{u} \cdot \mathbf{v} = 0$$

이 된다.

모든 벡터 **v**에 대하여 $\mathbf{0} \cdot \mathbf{v} = 0$ 이므로, 영벡터는 $\mathbb{R}^n$에서의 모든 벡터와 직교한다. 이 결과는 명제 2에서 주어진다.

| 명제 2 |

$\mathbb{R}^n$에서의 두 개의 벡터 **u**와 **v**가 직교할 필요충분조건은 $\mathbf{u} \cdot \mathbf{v} = 0$이다. 영벡터는 $\mathbb{R}^n$에서의 모든 벡터와 직교한다.

명제 2의 하나의 결과는 **u**와 **v**가 직교한다면,

$$\| \mathbf{u} + \mathbf{v} \|^2 = (\mathbf{u} + \mathbf{v}) \cdot (\mathbf{u} + \mathbf{v}) = \| \mathbf{u} \|^2 + 2\mathbf{u} \cdot \mathbf{v} + \| \mathbf{v} \|^2$$
$$= \| \mathbf{u} \|^2 + \| \mathbf{v} \|^2$$

이 된다는 것이다.

이것은 파타고라스 정리(Pythagorean theorem)의 $\mathbb{R}^n$으로의 일반화이다.

정리 3은 $\mathbb{R}^n$에서의 노름에 대한 유용한 성질을 제공한다.

정리3 $\mathbb{R}^n$에서의 노름에 대한 성질

v는 $\mathbb{R}^n$에서의 임의의 벡터이고, c는 스칼라이다.

1. $\| \mathbf{v} \| \geq 0$

2. $\|\mathbf{v}\|=0$ 일 필요충분조건은 $\mathbf{v}=\mathbf{0}$ 이다.

3. $\|c\mathbf{v}\|=|c|\|\mathbf{v}\|$

4. (삼각 부등식) $\|\mathbf{u}+\mathbf{v}\|\leq\|\mathbf{u}\|+\|\mathbf{v}\|$

증명 1번과 2번은 정의 1과 정리 1로부터 바로 도출된다. 3번은 예제 1에 나와 있다. 4번을 보이기 위해,

$$\begin{aligned}\|\mathbf{u}+\mathbf{v}\|^2 &= (\mathbf{u}+\mathbf{v})\cdot(\mathbf{u}+\mathbf{v})\\ &= (\mathbf{u}\cdot\mathbf{u})+2(\mathbf{u}\cdot\mathbf{v})+(\mathbf{v}\cdot\mathbf{v})\\ &= \|\mathbf{u}\|^2+2(\mathbf{u}\cdot\mathbf{v})+\|\mathbf{v}\|^2\\ &\leq \|\mathbf{u}\|^2+2|\mathbf{u}\cdot\mathbf{v}|+\|\mathbf{v}\|^2\end{aligned}$$

를 얻는다.

여기서, 코시-슈바르츠 부등식에 의해, $|\mathbf{u}\cdot\mathbf{v}|\leq\|\mathbf{u}\|\|\mathbf{v}\|$ 이므로,

$$\begin{aligned}\|\mathbf{u}+\mathbf{v}\|^2 &\leq \|\mathbf{u}\|^2+2\|\mathbf{u}\|\|\mathbf{v}\|+\|\mathbf{v}\|^2\\ &= (\|\mathbf{u}\|+\|\mathbf{v}\|)^2\end{aligned}$$

가 된다.

양 변에 제곱근을 취하면,

$$\|\mathbf{u}+\mathbf{v}\|\leq\|\mathbf{u}\|+\|\mathbf{v}\|$$

를 얻을 수 있다.

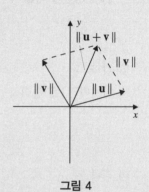

그림 4

기하학적으로, 정리 3의 4번은 그림 4에서 알 수 있듯이, 두 점 간의 최단거리는 직선이라는 직관을 확인시켜 준다.

| 명제 3 |

$\mathbf{u}$와 $\mathbf{v}$는 $\mathbb{R}^n$에서의 벡터라고 가정하자. 그러면 $\|\mathbf{u}+\mathbf{v}\|=\|\mathbf{u}\|+\|\mathbf{v}\|$ 일 필요충분조건은 두 벡터가 같은 방향을 갖는 것이다.

증명 먼저 두 벡터가 같은 방향을 갖는다고 가정하자. 그러면 두 벡터 사이의 각은 0이 되고, 따라서 $\cos\theta=1$ 이고, $\mathbf{u}\cdot\mathbf{v}=\|\mathbf{u}\|\|\mathbf{v}\|$ 이다. 그러므로,

$$\begin{aligned}\|\mathbf{u}+\mathbf{v}\|^2 &= (\mathbf{u}+\mathbf{v})\cdot(\mathbf{u}+\mathbf{v})\\ &= \|\mathbf{u}\|^2+2(\mathbf{u}\cdot\mathbf{v})+\|\mathbf{v}\|^2\\ &= \|\mathbf{u}\|^2+2\|\mathbf{u}\|\|\mathbf{v}\|+\|\mathbf{v}\|^2\\ &= (\|\mathbf{u}\|+\|\mathbf{v}\|)^2\end{aligned}$$

이 된다.

상기 방정식의 양 변에 제곱근을 취하면, $\|\mathbf{u}+\mathbf{v}\|=\|\mathbf{u}\|+\|\mathbf{v}\|$.

역으로, $\|\mathbf{u}+\mathbf{v}\|=\|\mathbf{u}\|+\|\mathbf{v}\|$ 이라고 가정하자. 양 변을 제곱하면,

$$\|\mathbf{u}+\mathbf{v}\|^2=\|\mathbf{u}\|^2+2\|\mathbf{u}\|\|\mathbf{v}\|+\|\mathbf{v}\|^2$$

를 얻게 된다.

그러나, 좌변은

$$\|\mathbf{u}+\mathbf{v}\|^2=(\mathbf{u}+\mathbf{v})\cdot(\mathbf{u}+\mathbf{v})=\|\mathbf{u}\|^2+2\mathbf{u}\cdot\mathbf{v}+\|\mathbf{v}\|^2$$

와 같이 전개할 수도 있다.

$\|\mathbf{u}+\mathbf{v}\|^2$ 에 대한 두 식을 비교해 보면,

$$\|\mathbf{u}\|^2+2\|\mathbf{u}\|\|\mathbf{v}\|+\|\mathbf{v}\|^2=\|\mathbf{u}\|^2+2\mathbf{u}\cdot\mathbf{v}+\|\mathbf{v}\|^2$$

와 같다.

마지막 식을 정리하면, $\mathbf{u}\cdot\mathbf{v}=\|\mathbf{u}\|\|\mathbf{v}\|$ 을 얻게 되어, 결국

$$\frac{\mathbf{u}\cdot\mathbf{v}}{\|\mathbf{u}\|\|\mathbf{v}\|}=1$$

이 된다.

그러므로, $\cos\theta=1$ 이 되고, 따라서 $\theta=0$ 이므로 두 벡터는 같은 방향을 갖는다.

핵심 요약

모든 벡터는 $\mathbb{R}^n$에 있다고 가정하자.

1. 임의의 벡터의 길이 및 두 벡터 사이의 거리는 $\mathbb{R}^2$ 및 $\mathbb{R}^3$에서의 기하하적 개념의 자연스러운 확장이다.

2. 임의의 벡터의 자신과의 점곱은 길이의 제곱을 의미하며, 영벡터일 경우에는 0이다. 두 벡터의 점곱에서는 벡터의 덧셈에 관한 교환법칙과 배분법칙이 성립한다.

3. 코시-슈바르츠 부등식 $|\mathbf{u}\cdot\mathbf{v}|\leq\|\mathbf{u}\|\|\mathbf{v}\|$ 를 활용하여 벡터 사이의 각은 다음과 같이 정의된다.

$$\cos\theta=\frac{\mathbf{u}\cdot\mathbf{v}}{\|\mathbf{u}\|\|\mathbf{v}\|}$$

4. 두 벡터가 직교할 필요충분조건은 벡터의 점곱이 0이다.

5. 벡터의 노름은 비음(非陰)이다. 벡터가 영벡터일 경우에만 0이다. 그리고

$$\|c\mathbf{u}\|=|c|\|\mathbf{u}\| \qquad \|\mathbf{u}+\mathbf{v}\|\leq\|\mathbf{u}\|+\|\mathbf{v}\|$$

를 만족한다.

두 벡터가 같은 방향일 때에만 마지막 부등식의 등호가 성립한다.

6. $\mathbf{u}$와 $\mathbf{v}$가 직교 벡터들이라면, 피타고라스 정리

$$\| \mathbf{u} + \mathbf{v} \|^2 = \| \mathbf{u} \|^2 + \| \mathbf{v} \|^2$$

가 성립한다.

연습문제 6.1

연습문제 1–4에서,

$$\mathbf{u} = \begin{bmatrix} 0 \\ 1 \\ 3 \end{bmatrix} \qquad \mathbf{v} = \begin{bmatrix} 1 \\ -1 \\ 2 \end{bmatrix} \qquad \mathbf{w} = \begin{bmatrix} 1 \\ 1 \\ -3 \end{bmatrix}$$

라고 할 때, 다음 값을 계산하라.

1. $\mathbf{u} \cdot \mathbf{v}$

2. $\dfrac{\mathbf{u} \cdot \mathbf{v}}{\mathbf{v} \cdot \mathbf{v}}$

3. $\mathbf{u} \cdot (\mathbf{v} + 2\mathbf{w})$

4. $\dfrac{\mathbf{u} \cdot \mathbf{w}}{\mathbf{w} \cdot \mathbf{w}} \mathbf{w}$

연습문제 5–10에서,

$$\mathbf{u} = \begin{bmatrix} 1 \\ 5 \end{bmatrix} \qquad \mathbf{v} = \begin{bmatrix} 2 \\ 1 \end{bmatrix}$$

라고 하자.

5. $\| \mathbf{u} \|$를 구하라.

6. $\mathbf{u}$와 $\mathbf{v}$ 사이의 거리를 구하라.

7. $\mathbf{u}$ 방향으로의 단위벡터를 구하라.

8. 두 벡터 사이의 각에 대한 코사인 값을 구하라. 두 벡터는 직교하는가? 설명하라.

9. 길이가 10인 $\mathbf{v}$ 방향으로의 벡터를 구하라.

10. $\mathbf{u}$와 $\mathbf{v}$ 모두에 직교하는 벡터 $\mathbf{w}$를 구하라.

연습문제 11–16에서,

$$\mathbf{u} = \begin{bmatrix} -3 \\ -2 \\ 3 \end{bmatrix} \qquad \mathbf{v} = \begin{bmatrix} -1 \\ -1 \\ -3 \end{bmatrix}$$

라고 하자.

11. $\| \mathbf{u} \|$를 구하라.

12. $\mathbf{u}$와 $\mathbf{v}$ 사이의 거리를 구하라.

13. $\mathbf{u}$ 방향으로의 단위벡터를 구하라.

14. 두 벡터 사이의 각에 대한 코사인 값을 구하라. 두 벡터는 직교하는가? 설명하라.

15. 길이가 3인 $\mathbf{v}$ 반대 방향으로의 벡터를 구하라.

16. $\mathbf{u}$와 $\mathbf{v}$ 모두에 직교하는 벡터 $\mathbf{w}$를 구하라.

17. $\begin{bmatrix} c \\ 3 \end{bmatrix}$가 $\begin{bmatrix} -1 \\ 2 \end{bmatrix}$에 직교하도록 하는 스칼라 c를 구하라.

18. $\begin{bmatrix} -1 \\ c \\ 2 \end{bmatrix}$가 $\begin{bmatrix} 0 \\ 2 \\ -1 \end{bmatrix}$에 직교하도록 하는 스칼라 c를 구하라.

연습문제 19–22에서,

$$\mathbf{v}_1 = \begin{bmatrix} 1 \\ 2 \\ -1 \end{bmatrix} \qquad \mathbf{v}_2 = \begin{bmatrix} 6 \\ -2 \\ 2 \end{bmatrix} \qquad \mathbf{v}_3 = \begin{bmatrix} -1 \\ -2 \\ 1 \end{bmatrix}$$

$$\mathbf{v}_4 = \begin{bmatrix} -1/\sqrt{3} \\ 1/\sqrt{3} \\ 1/\sqrt{3} \end{bmatrix} \qquad \mathbf{v}_5 = \begin{bmatrix} 3 \\ -1 \\ 1 \end{bmatrix}$$

라고 하자.

19. 어느 벡터들이 직교하는지 결정하라.

20. 어느 벡터들이 같은 방향인지 결정하라.

21. 어느 벡터들이 반대 방향인지 결정하라.

22. 어느 벡터들이 단위벡터인지 결정하라.

연습문제 23–28에서,

$$\mathbf{w} = \frac{\mathbf{u} \cdot \mathbf{v}}{\mathbf{v} \cdot \mathbf{v}} \mathbf{v}$$

로 주어진 $\mathbf{v}$ 위로의 $\mathbf{u}$ 의 사영을 구하라. 벡터 $\mathbf{w}$ 는 $\mathbf{v}$ 위로의 $\mathbf{u}$ 의 정사영이라고 한다. 세 개의 벡터 $\mathbf{u}$, $\mathbf{v}$, $\mathbf{w}$ 를 도식화하라.

23. $\mathbf{u} = \begin{bmatrix} 2 \\ 3 \end{bmatrix} \qquad \mathbf{v} = \begin{bmatrix} 4 \\ 0 \end{bmatrix}$

24. $\mathbf{u} = \begin{bmatrix} -2 \\ 3 \end{bmatrix} \qquad \mathbf{v} = \begin{bmatrix} 4 \\ 0 \end{bmatrix}$

25. $\mathbf{u} = \begin{bmatrix} 4 \\ 3 \end{bmatrix} \qquad \mathbf{v} = \begin{bmatrix} 3 \\ 1 \end{bmatrix}$

26. $\mathbf{u} = \begin{bmatrix} 5 \\ 2 \\ 1 \end{bmatrix} \qquad \mathbf{v} = \begin{bmatrix} 1 \\ 0 \\ 0 \end{bmatrix}$

27. $\mathbf{u} = \begin{bmatrix} 1 \\ 0 \\ 0 \end{bmatrix} \qquad \mathbf{v} = \begin{bmatrix} 5 \\ 2 \\ 1 \end{bmatrix}$

28. $\mathbf{u} = \begin{bmatrix} 2 \\ 3 \\ -1 \end{bmatrix} \qquad \mathbf{v} = \begin{bmatrix} 0 \\ 2 \\ 3 \end{bmatrix}$

29. $S = \{\mathbf{u}_1, \mathbf{u}_2, \ldots, \mathbf{u}_n\}$이고, 모든 $i = 1, \ldots, n$ 에 대하여 $\mathbf{v} \cdot \mathbf{u}_i = 0$이라고 가정하자. $\mathbf{v}$는 span(S) 에 있는 모든 벡터와 직교함을 보여라.

30. $\mathbf{v}$는 $\mathbb{R}^n$에서의 고정된 벡터이고, $S = \{\mathbf{u} \mid \mathbf{u} \cdot \mathbf{v} = 0\}$라고 정의하자. S는 $\mathbb{R}^n$의 부분집합임을 보여라.

31. $S = \{\mathbf{v}_1, \mathbf{v}_2, \ldots, \mathbf{v}_n\}$는 서로 직교하는 영벡터가 아닌 벡터들의 집합이라고 가정하자. 다시 말해서, $i \neq j$ 에 대하여, $\mathbf{v}_i \cdot \mathbf{v}_j = 0$이다. S는 일차독립임을 보여라.

32. A는 역행렬이 존재하는 $n \times n$ 행렬이다. $i \neq j$에 대하여, A의 행벡터 i 와 A^{-1}의 열벡터 j 는 서로 직교함을 보여라.

33. $\mathbb{R}^n$에서의 임의의 벡터 $\mathbf{u}$와 $\mathbf{v}$ 에 대하여,

$$\|\mathbf{u} + \mathbf{v}\|^2 + \|\mathbf{u} - \mathbf{v}\|^2 = 2\|\mathbf{u}\|^2 + 2\|\mathbf{v}\|^2$$

이 성립함을 보여라.

34. a. 평면 $P: x + 2y - z = 0$ 에 있는 모든 벡터에 직교하는 벡터를 구하라.

b. 행렬 A의 영공간 $N(A)$가 평면 $x + 2y - z = 0$ 이 되도록 하는 행렬 A를 구하라.

35. $n \times n$ 행렬 A의 열벡터들이 서로 직교한다고 가정하자. A^tA를 구하라.

36. A는 $n \times n$ 행렬이고, $\mathbf{u}$와 $\mathbf{v}$는 $\mathbb{R}^n$에서의 벡터라고 하자.

$$\mathbf{u} \cdot (A\mathbf{v}) = (A^t\mathbf{u}) \cdot \mathbf{v}$$

가 성립함을 보여라.

37. A는 $n \times n$ 행렬이다. A가 대칭행렬일 필요충분조건은 $\mathbb{R}^n$에서의 모든 벡터 $\mathbf{u}$와 $\mathbf{v}$에 대하여,

$$(A\mathbf{u}) \cdot \mathbf{v} = \mathbf{u} \cdot (A\mathbf{v})$$

이 성립하는 것이다. 힌트: 연습문제 36을 참조하라.

6.2 내적공간

6.1절에서 유클리드 공간에서의 벡터의 길이 및 벡터 사이의 각에 대한 개념을 소개하였다. 이 두 가지 개념들은 점곱의 관점에서 정의되고, $\mathbb{R}^n$에서의 기하학적 의미를 부여한다. $\mathbb{R}^n$에서의 점곱은 $\mathbb{R}^n \times \mathbb{R}^n$에서 $\mathbb{R}$로의 함수를 정의한다는 것에 유의한다. 환언하면, 점곱은 $\mathbb{R}^n$의 두 벡터에 작용하여 실수 값을 만들어낸다. 이 개념을 추상적인 벡터공간 V로 확장하기 위해서는, 6.1절의 정리 1에서 주어진 점곱의 성질을 일반화시키는 $V \times V$에서 $\mathbb{R}$로의 함수를 필요로 한다.

정의 1 내적

V를 $\mathbb{R}$에서의 벡터공간이라 하자. V에서의 내적은 다음의 공리를 만족하는 V에 속한 임의의 두 벡터 $\mathbf{u}, \mathbf{v}$의 쌍에 실수 $\langle \mathbf{u}, \mathbf{v} \rangle$를 대응시키는 함수이다:

1. $\langle \mathbf{u}, \mathbf{u} \rangle \geq 0$ 및 $\langle \mathbf{u}, \mathbf{u} \rangle = 0$ 의 필요충분조건은 $\mathbf{u} = \mathbf{0}$이다(양의 정부호).
2. $\langle \mathbf{u}, \mathbf{v} \rangle = \langle \mathbf{v}, \mathbf{u} \rangle$ (대칭성)
3. $\langle \mathbf{u} + \mathbf{v}, \mathbf{w} \rangle = \langle \mathbf{u}, \mathbf{w} \rangle + \langle \mathbf{v}, \mathbf{w} \rangle$
4. $\langle c\mathbf{u}, \mathbf{v} \rangle = c\langle \mathbf{u}, \mathbf{v} \rangle$

마지막 두 성질은 내적이 첫 번째 변수에서 선형이 되도록 한다. 또한 대칭성 공리에 의하여 내적이 두 번째 변수에서도 선형임을 보일 수 있다. 즉,

3'. $\langle \mathbf{u}, \mathbf{v} + \mathbf{w} \rangle = \langle \mathbf{u}, \mathbf{v} \rangle + \langle \mathbf{u}, \mathbf{w} \rangle$
4'. $\langle \mathbf{u}, c\mathbf{v} \rangle = c\langle \mathbf{u}, \mathbf{v} \rangle$

이 추가적인 성질로 인해, 내적은 겹선형(bilinear)이라고 한다.
내적이 정의된 벡터공간 V를 내적공간이라고 한다.

6.1절의 정리 1에 의해, 점곱은 n-차원 유클리드 공간에서의 내적이다. 그러므로, 점곱이 정의된 $\mathbb{R}^n$은 내적공간이다.

예제 1

$\mathbf{v} = \begin{bmatrix} 1 \\ 3 \end{bmatrix}$ 라 하자. $\langle \mathbf{u}, \mathbf{v} \rangle = 0$ 을 만족하는 $\mathbb{R}^2$에서의 모든 벡터 $\mathbf{u}$를 구하라. 단, 내적은 점곱이다.

풀이 $\mathbf{u} = \begin{bmatrix} x \\ y \end{bmatrix}$ 라고 하면,

$$\langle \mathbf{u}, \mathbf{v} \rangle = \mathbf{u} \cdot \mathbf{v} = x + 3y$$

이고, $\langle \mathbf{u}, \mathbf{v} \rangle = 0$ 이기 위해서는 $y = -\frac{1}{3}x$ 이 된다. 그러므로 $\langle \mathbf{u}, \mathbf{v} \rangle = 0$ 을 만족하는 모든 벡터의 집합은 $S = \mathbf{span}\left\{ \begin{bmatrix} 1 \\ -\frac{1}{3} \end{bmatrix} \right\}$ 로 주어진다. 벡터 $\mathbf{v}$와 집합 S는 그림 1에 주어져 있다. S의 모든 벡터는 $\mathbf{v}$에 수직이라는 사실에 유념한다.

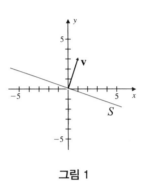

그림 1

또 다른 예로서, 다항식 $\mathcal{P}_2$의 벡터공간을 고려해 보자. $\mathcal{P}_2$에서 내적을 정의하기 위해, $p(x) = a_0 + a_1 x + a_2 x^2$ 및 $q(x) = b_0 + b_1 x + b_2 x^2$ 라고 하자. 여기서 $\langle \cdot, \cdot \rangle : \mathcal{P}_2 \times \mathcal{P}_2 \to \mathbb{R}$ 는

$$\langle p, q \rangle = a_0 b_0 + a_1 b_1 + a_2 b_2$$

로 주어진 함수라고 가정하자. 이 함수는 $\mathbb{R}^3$에서의 점곱과 닮았다는 사실에 유의한다. $\mathcal{P}_2$가 벡터공간이라는 증명은 6.1절의 정리 1의 증명과 동일하게 보일 수 있다.

$\mathcal{P}_2$에서의 내적을 정의하기 위한 또 다른 방법은 정적분을 활용하는 것이다. 특히, $p(x)$와 $q(x)$를 $\mathcal{P}_2$에서의 다항식이라고 하고, $\langle \cdot, \cdot \rangle$ 를

$$\langle p, q \rangle = \int_0^1 p(x)q(x)\,dx$$

로 주어진 함수라고 가정하자.

이 함수 역시 $\mathcal{P}_2$에서의 내적이다. 이 경우의 증명은 실해석학과 관련된 모든 교재에서 찾아볼 수 있는 리만적분 (Riemann integral)의 기초적인 성질에 기초한다.

예제 2

$V = \mathcal{P}_2$를 $\langle p, q \rangle = \int_0^1 p(x)q(x)\,dx$ 로 정의된 내적을 갖는 벡터공간이라고 하자.

a. $p(x) = 1 - x^2$ 및 $q(x) = 1 - x + 2x^2$ 라고 하자. $\langle p, q \rangle$ 를 구하라.

b. $p(x) = 1 - x^2$ 라고 하자. $\langle p, p \rangle > 0$ 임을 증명하라.

풀이 **a.** 내적에 대한 정의를 활용하면,

$$\langle\, p, q\,\rangle = \int_0^1 (1-x^2)(1-x+2x^2)\,dx$$

$$= \int_0^1 (1-x+x^2+x^3-2x^4)\,dx$$

$$= \left(x - \frac{1}{2}x^2 + \frac{1}{3}x^3 + \frac{1}{4}x^4 - \frac{2}{5}x^5 \right)\bigg|_0^1$$

$$= \frac{41}{60}$$

를 얻는다.

b. p의 자신과의 내적은

$$\langle\, p, p\,\rangle = \int_0^1 (1-x^2)(1-x^2)\,dx$$

$$= \int_0^1 (1-2x^2+x^4)\,dx$$

$$= \left(x - \frac{2}{3}x^3 + \frac{1}{5}x^5 \right)\bigg|_0^1$$

$$= \frac{8}{15} > 0$$

로 주어진다.

예제 3은 점곱이 아닌 $\mathbb{R}^n$에서의 내적에 대한 예를 보여준다.

예제 3

$V = \mathbb{R}^2$ 이고

$$\mathbf{u} = \begin{bmatrix} u_1 \\ u_2 \end{bmatrix} \quad \text{와} \quad \mathbf{v} = \begin{bmatrix} v_1 \\ v_2 \end{bmatrix}$$

는 V에서의 벡터라고 하자. k는 양의 실수이며, 함수 $\langle\,\cdot\,,\,\cdot\,\rangle : \mathbb{R}^2 \times \mathbb{R}^2 \to \mathbb{R}$ 는

$$\langle \mathbf{u}, \mathbf{v} \rangle = u_1 v_1 + k u_2 v_2$$

로 정의된다.

V가 내적공간임을 보여라.

풀이 먼저 $\langle\,\cdot\,,\,\cdot\,\rangle$ 가 비음(非陰)임을 보이기로 한다. 앞의 정의로부터,

$$\langle \mathbf{u}, \mathbf{u} \rangle = u_1^2 + k u_2^2$$

를 얻는다.

$k > 0$ 이므로, 모든 벡터 $\mathbf{u}$에 대하여 $u_1^2 + ku_2^2 \geq 0$이다. 추가적으로,
$u_1^2 + ku_2^2 = 0$ 의 필요충분조건은 $u_1 = u_2 = 0$, 즉 $\mathbf{u} = \mathbf{0}$

이다. $\langle \mathbf{u}, \mathbf{v} \rangle = u_1 v_1 + ku_2 v_2 = v_1 u_1 + kv_2 u_2 = \langle \mathbf{v}, \mathbf{u} \rangle$ 이므로 대칭성이 성립한다.

다음으로, $\mathbf{w} = \begin{bmatrix} w_1 \\ w_2 \end{bmatrix}$를 $\mathbb{R}^2$에서의 또 다른 벡터라고 하자. 그러면

$$
\begin{aligned}
\langle \mathbf{u} + \mathbf{v}, \mathbf{w} \rangle &= (u_1 + v_1)w_1 + k(u_2 + v_2)w_2 \\
&= (u_1 w_1 + ku_2 w_2) + (v_1 w_1 + kv_2 w_2) \\
&= \langle \mathbf{u}, \mathbf{w} \rangle + \langle \mathbf{v}, \mathbf{w} \rangle
\end{aligned}
$$

이다.

최종적으로, c가 스칼라라면,

$$
\langle c\mathbf{u}, \mathbf{v} \rangle = (cu_1)v_1 + k(cu_2)v_2 = c(u_1 v_1 + ku_2 v_2) = c\langle \mathbf{u}, \mathbf{v} \rangle
$$

이다.

따라서, $\langle \cdot, \cdot \rangle$로 정의된 $\mathbb{R}^2$는 내적공간이다. ∎

예제 3에서 $k > 0$이라는 조건이 필요하다는 사실을 상기하라. 예를 들어, $k = -1$이고 $\mathbf{u} = \begin{bmatrix} 1 \\ 2 \end{bmatrix}$
이라면, $\mathbf{u}$의 자신과의 내적은 $\langle \mathbf{u}, \mathbf{u} \rangle = (1)^2 + (-1)(2)^2 = -3$로 주어지며, 이것은 정의 1의 첫번째 공리를 위배한다.

다시 모형으로 $\mathbb{R}^n$을 활용하여, 벡터공간 V에서의 벡터 $\mathbf{v}$의 길이 (즉, 노름)를

$$
\| \mathbf{v} \| = \sqrt{\langle \mathbf{v}, \mathbf{v} \rangle}
$$

로 정의한다.

V에서의 두 벡터 $\mathbf{u}$와 $\mathbf{v}$의 거리는

$$
\| \mathbf{u} - \mathbf{v} \| = \sqrt{\langle \mathbf{u} - \mathbf{v}, \mathbf{u} - \mathbf{v} \rangle}
$$

로 정의된다.

내적공간에서의 노름은 $\mathbb{R}^n$에서의 노름과 같은 성질을 만족한다. 결과는 정리 4에 요약되어 있다.

정리4 내적공간에서의 노름에 대한 성질

u와 **v**는 벡터공간 V 에서의 임의의 벡터라 하고, c는 스칼라이다.

1. $\| \mathbf{v} \| \geq 0$
2. $\| \mathbf{v} \| = 0$ 일 필요충분조건은 $\mathbf{v} = \mathbf{0}$ 이다.
3. $\| c\mathbf{v} \| = |c| \| \mathbf{v} \|$
4. $|\langle \mathbf{u}, \mathbf{v} \rangle| \leq \| \mathbf{u} \| \| \mathbf{v} \|$ (코시-슈바르츠 부등식)
5. $\| \mathbf{u} + \mathbf{v} \| \leq \| \mathbf{u} \| + \| \mathbf{v} \|$ (삼각 부등식)

예제 4

$V = \mathbb{R}^2$ 는 $\langle \mathbf{u}, \mathbf{v} \rangle = u_1 v_1 + 3 u_2 v_2$ 로 정의된 내적을 가지고 있다고 가정하자.

$$\mathbf{u} = \begin{bmatrix} 2 \\ -2 \end{bmatrix} \text{와} \qquad \mathbf{v} = \begin{bmatrix} 1 \\ 4 \end{bmatrix}$$

라고 하자.

a. 코시-슈바르츠 부등식이 성립함을 증명하라.

b. 삼각 부등식이 성립함을 증명하라.

풀이 **a.** 내적에 대한 정의를 활용하여,

$$\left| \langle \mathbf{u}, \mathbf{v} \rangle \right| = |(2)(1) + 3(-2)(4)| = |-22| = 22$$

를 얻는다.

u와 **v**의 노름은 각각

$$\| \mathbf{u} \| = \sqrt{\langle \mathbf{u}, \mathbf{u} \rangle} = \sqrt{(2)^2 + 3(-2)^2} = \sqrt{16} = 4$$

와

$$\| \mathbf{v} \| = \sqrt{\langle \mathbf{v}, \mathbf{v} \rangle} = \sqrt{(1)^2 + 3(4)^2} = \sqrt{49} = 7$$

로 주어진다.

$$22 = \left| \langle \mathbf{u}, \mathbf{v} \rangle \right| < \| \mathbf{u} \| \| \mathbf{v} \| = 28 \text{ 이므로,}$$

코시-슈바르츠 부등식이 모든 벡터 **u**와 **v**에 대해서 만족한다.

b. 삼각 부등식을 증명하기 위해,

$$\mathbf{u} + \mathbf{v} = \begin{bmatrix} 2 \\ -2 \end{bmatrix} + \begin{bmatrix} 1 \\ 4 \end{bmatrix} = \begin{bmatrix} 3 \\ 2 \end{bmatrix}$$

임을 알 수 있다. 따라서,

$$\| \mathbf{u} + \mathbf{v} \| = \sqrt{(3)^2 + 3(2)^2} = \sqrt{21}$$

가 된다.

$$\sqrt{21} = \| \mathbf{u} + \mathbf{v} \| < \| \mathbf{u} \| + \| \mathbf{v} \| = 4 + 7 = 11$$

이므로, 모든 벡터 $\mathbf{u}$와 $\mathbf{v}$에 대해서 삼각 부등식이 성립한다. ■

직교집합

6.1절에서와 같은 접근방식을 취하여, 내적공간 V에서의 두 벡터 $\mathbf{u}$와 $\mathbf{v}$ 사이의 각에 대한 코사인 값은

$$\cos \theta = \frac{\langle \mathbf{u}, \mathbf{v} \rangle}{\| \mathbf{u} \| \| \mathbf{v} \|}$$

로 정의된다.

전술한 바와 같이, $\langle \mathbf{u}, \mathbf{v} \rangle = 0$ 이기만 한다면, V에서의 벡터 $\mathbf{u}$와 $\mathbf{v}$는 직교이다.

예제 5

$V = \mathcal{P}_2$는

$$\langle p, q \rangle = \int_{-1}^{1} p(x)q(x)dx$$

로 정의된 내적을 갖는다고 하자.

a. $S = \left\{ 1, x, \frac{1}{2}(3x^2 - 1) \right\}$ 에서의 벡터들은 서로 직교함을 보여라.

b. S의 각 벡터들의 길이를 구하라.

풀이 **a.** S의 각 벡터 쌍의 내적은 다음과 같다.

$$\left\langle 1, x \right\rangle = \int_{-1}^{1} x \, dx = \left. \frac{1}{2}x^2 \right|_{-1}^{1} = 0$$

$$\left\langle 1, \frac{1}{2}(3x^2 - 1) \right\rangle = \int_{-1}^{1} \frac{1}{2}(3x^2 - 1) \, dx = \left. \frac{1}{2}(x^3 - x) \right|_{-1}^{1} = 0$$

$$\left\langle x, \frac{1}{2}(3x^2-1) \right\rangle = \int_{-1}^{1} \frac{1}{2}(3x^3-x)\,dx = \frac{1}{2}\left(\frac{3}{4}x^4 - \frac{1}{2}x^2 \right)\Big|_{-1}^{1} = 0$$

서로 다른 벡터들의 쌍이 직교하므로, S의 모든 벡터들은 서로 직교한다.

b. S의 각 벡터들의 길이를 구하면,

$$\|1\| = \sqrt{\langle 1, 1 \rangle} = \sqrt{\int_{-1}^{1} dx} = \sqrt{2}$$

$$\|x\| = \sqrt{\langle x, x \rangle} = \sqrt{\int_{-1}^{1} x^2\,dx} = \sqrt{\frac{2}{3}}$$

$$\left\| \frac{1}{2}(3x^2-1) \right\| = \sqrt{\left\langle \frac{1}{2}(3x^2-1), \frac{1}{2}(3x^2-1) \right\rangle} = \sqrt{\frac{1}{4}\int_{-1}^{1}(3x^2-1)^2\,dx} = \sqrt{\frac{2}{5}}$$

와 같다.

정의 2 직교집합

벡터들이 서로 수직이면, 내적공간에서의 벡터들의 집합 $\{\mathbf{v}_1, \mathbf{v}_2, \ldots, \mathbf{v}_n\}$는 직교한다고 한다; 환언하면, $i \neq j$에 대하여, $\langle \mathbf{v}_i, \mathbf{v}_j \rangle = 0$이다. 추가적으로, 모든 $i = 1, \ldots n$에 대하여 $\|\mathbf{v}_i\| = 1$이면, 벡터들의 집합은 정규직교한다.

예제 5의 벡터들은 직교집합을 형성함을 알 수 있다. 그러나 정규직교집합을 형성하지는 않는다. 명제 4는 영벡터는 내적공간의 임의의 벡터와 직교함을 보여준다.

| 명제 4 |

V를 내적공간이라고 하자. 그러면 V의 모든 벡터 $\mathbf{v}$에 대하여 $\langle \mathbf{v}, \mathbf{0} \rangle = 0$이다.

증명 V의 임의의 벡터를 $\mathbf{v}$라 하자. 그러면

$$\langle \mathbf{v}, \mathbf{0} \rangle = \langle \mathbf{v}, \mathbf{0} + \mathbf{0} \rangle = \langle \mathbf{v}, \mathbf{0} \rangle + \langle \mathbf{v}, \mathbf{0} \rangle$$

이다.

앞선 수식의 양변으로부터 $\langle \mathbf{v}, \mathbf{0} \rangle$을 빼 주면, 원하는 $\langle \mathbf{v}, \mathbf{0} \rangle = 0$을 얻는다.

영벡터가 아닌 직교집합의 유용한 성질은 그 벡터들이 일차독립이라는 것이다. 예를 들면, $\mathbb{R}^3$의 좌표 벡터들의 집합 $\{\mathbf{e}_1, \mathbf{e}_2, \mathbf{e}_3\}$는 직교하며, 일차독립이다. 정리 5는 내적공간에서의 직교성과 일차독립의 개념을 관련지어 준다.

정리5

$S = \{\mathbf{v}_1, \mathbf{v}_2, ..., \mathbf{v}_n\}$가 내적공간 V에서의 영벡터가 아닌 벡터들의 직교집합이라면, S는 일차독립이다.

증명 집합 S는 영벡터가 아닌 벡터들의 직교집합이므로,

$$i \neq j \text{에 대하여} \langle \mathbf{v}_i, \mathbf{v}_j \rangle = 0 \text{ 이고, 모든 } i \text{ 에 대하여} \langle \mathbf{v}_i, \mathbf{v}_i \rangle = \| \mathbf{v}_i \|^2 \neq 0$$

이다.

여기서,

$$c_1 \mathbf{v}_1 + c_2 \mathbf{v}_2 + \cdots + c_n \mathbf{v}_n = \mathbf{0}$$

라고 가정하자.

벡터들이 일차독립일 필요충분조건은 상기 방정식의 유일한 해가 자명해이다. 즉, $c_1 = c_2 = \cdots = c_n = 0$이다. 여기서, $\mathbf{v}_j$를 집합 S의 원소라고 하자. 상기 방정식의 양변을 $\mathbf{v}_j$로 내적을 취하면,

$$\langle \mathbf{v}_j, (c_1 \mathbf{v}_1 + c_2 \mathbf{v}_2 + \cdots + c_{j-1} \mathbf{v}_{j-1} + c_j \mathbf{v}_j + c_{j+1} \mathbf{v}_{j+1} + \cdots + c_n \mathbf{v}_n) \rangle = \langle \mathbf{v}_j, \mathbf{0} \rangle$$

가 된다.

내적의 선형성과 S가 직교한다는 사실에 기초하여, 상기 방정식은

$$c_j \langle \mathbf{v}_j, \mathbf{v}_j \rangle = \langle \mathbf{v}_j, \mathbf{0} \rangle$$

와 같이 된다.

여기서, 명제 4와 $\| \mathbf{v}_j \| \neq 0$ 이라는 사실에 의해서,

$$c_j \| \mathbf{v}_j \|^2 = 0 \text{ 이므로 } c_j = 0$$

이 된다.

모든 $j = 1, ..., n$에 대해서 이것이 성립하므로, $c_1 = c_2 = \cdots = c_n = 0$이 되고, 따라서 S는 일차독립이다.

따름정리 1

V를 n 차원의 내적공간이라고 할 때, n 개의 영벡터가 아닌 벡터들의 임의의 직교집합은 V의 기저이다.

이 따름정리의 증명은 3.3절의 정리 12의 직접적인 결과이다. 정리 6은 정규직교기저에 관한

임의의 벡터의 좌표를 구하는 수월한 방법을 제공해 준다. 이 성질은 정규직교기저의 유용성과 정당성을 강조한다.

정리6

$B = \{\mathbf{v}_1, \mathbf{v}_2, ..., \mathbf{v}_n\}$는 내적공간 V에 대한 순서가 있는 정규직교기저이고, $\mathbf{v} = c_1\mathbf{v}_1 + c_2\mathbf{v}_2 + \cdots + c_n\mathbf{v}_n$이라고 할 때, B에 대한 $\mathbf{v}$의 좌표는 모든 $i = 1, 2, ..., n$ 에 대해 $c_i = \langle \mathbf{v}_i, \mathbf{v} \rangle$로 주어진다.

증명 $\mathbf{v}_i$를 B의 벡터라고 하자.

$\mathbf{v} = c_1\mathbf{v}_1 + c_2\mathbf{v}_2 + \cdots + c_{i-1}\mathbf{v}_{i-1} + c_i\mathbf{v}_i + c_{i+1}\mathbf{v}_{i+1} + \cdots + c_n\mathbf{v}_n$에서 양 변의 오른쪽에 $\mathbf{v}_i$로 내적을 취하면

$$\begin{aligned} \langle \mathbf{v}, \mathbf{v}_i \rangle &= \langle (c_1\mathbf{v}_1 + c_2\mathbf{v}_2 + \cdots + c_{i-1}\mathbf{v}_{i-1} + c_i\mathbf{v}_i + c_{i+1}\mathbf{v}_{i+1} + \cdots + c_n\mathbf{v}_n), \mathbf{v}_i \rangle \\ &= c_1 \langle \mathbf{v}_1, \mathbf{v}_i \rangle + \cdots + c_i \langle \mathbf{v}_i, \mathbf{v}_i \rangle + \cdots + c_n \langle \mathbf{v}_n, \mathbf{v}_i \rangle \end{aligned}$$

가 된다.

B는 정규직교집합이므로, 상기 식은

$$\langle \mathbf{v}, \mathbf{v}_i \rangle = c_i \langle \mathbf{v}_i, \mathbf{v}_i \rangle = c_i$$

가 된다.

이러한 논거는 B의 모든 벡터에 대해서 수행될 수 있으므로, 모든 $i = 1, 2, ..., n$에 대해서 $c_i = \langle \mathbf{v}, \mathbf{v}_i \rangle$ 이 된다.

정리 6에서, 순서기저 B는 직교하고, $\mathbf{v}$는 V에서의 임의의 벡터라고 할 때, B에 대한 좌표는

$$\text{모든 } i = 1, ..., n \text{ 에 대해 } c_i = \frac{\langle \mathbf{v}, \mathbf{v}_i \rangle}{\langle \mathbf{v}_i, \mathbf{v}_i \rangle}$$

로 주어진다.

따라서,

$$\mathbf{v} = \frac{\langle \mathbf{v}, \mathbf{v}_1 \rangle}{\langle \mathbf{v}_1, \mathbf{v}_1 \rangle} \mathbf{v}_1 + \frac{\langle \mathbf{v}, \mathbf{v}_2 \rangle}{\langle \mathbf{v}_2, \mathbf{v}_2 \rangle} \mathbf{v}_2 + \cdots + \frac{\langle \mathbf{v}, \mathbf{v}_n \rangle}{\langle \mathbf{v}_n, \mathbf{v}_n \rangle} \mathbf{v}_n$$

이다.

핵심 요약

모든 벡터는 내적공간에 있다.

1. 벡터공간에서의 내적은 벡터 쌍을 실수 값에 할당하고, $\mathbb{R}^n$에서의 점곱의 성질을 일반화시키는 함수이다.

2. 벡터의 노름은 $\mathbb{R}^n$에서의 정의와 동일하게 $\|\mathbf{v}\| = \sqrt{\langle \mathbf{v}, \mathbf{v} \rangle}$ 로 정의된다.

3. 벡터들의 직교집합은 일차독립이다. 그러므로, n개의 직교벡터들의 임의의 집합은 n 차원 내적공간에 대한 기저이다.

4. 임의의 벡터가 직교기저에 있는 벡터들에 의해서 표현된다고 할 때, 계수들은 내적의 표현으로부터 명확하게 주어진다. $\{\mathbf{v}_1, \ldots, \mathbf{v}_n\}$가 직교기저이고, $\mathbf{v}$가 임의의 벡터이면,

$$\mathbf{v} = \frac{\langle \mathbf{v}, \mathbf{v}_1 \rangle}{\langle \mathbf{v}_1, \mathbf{v}_1 \rangle} \mathbf{v}_1 + \frac{\langle \mathbf{v}, \mathbf{v}_2 \rangle}{\langle \mathbf{v}_2, \mathbf{v}_2 \rangle} \mathbf{v}_2 + \cdots + \frac{\langle \mathbf{v}, \mathbf{v}_n \rangle}{\langle \mathbf{v}_n, \mathbf{v}_n \rangle} \mathbf{v}_n$$

이다.

B가 정규직교기저라고 한다면,

$$\mathbf{v} = \langle \mathbf{v}, \mathbf{v}_1 \rangle \mathbf{v}_1 + \cdots + \langle \mathbf{v}, \mathbf{v}_n \rangle \mathbf{v}_n$$

가 된다.

연습문제 6.2

연습문제 1–10에서, V가 내적공간인지를 결정하라.

1. $V = \mathbb{R}^2$
$\langle \mathbf{u}, \mathbf{v} \rangle = u_1 v_1 - 2u_1 v_2 - 2u_2 v_1 + 3u_2 v_2$

2. $V = \mathbb{R}^2$
$\langle \mathbf{u}, \mathbf{v} \rangle = -u_1 v_1 + 2u_1 v_2$

3. $V = \mathbb{R}^2$
$\langle \mathbf{u}, \mathbf{v} \rangle = u_1^2 v_1^2 + u_2^2 v_2^2$

4. $V = \mathbb{R}^3$
$\langle \mathbf{u}, \mathbf{v} \rangle = u_1 v_1 + 2u_2 v_2 + 3u_3 v_3$

5. $V = \mathbb{R}^n$
$\langle \mathbf{u}, \mathbf{v} \rangle = \mathbf{u} \cdot \mathbf{v}$

6. $V = M_{m \times n}$
$\langle A, B \rangle = \mathbf{tr}(B^t A)$

7. $V = M_{m \times n}$
$\langle A, B \rangle = \sum_{i=1}^{m} \sum_{j=1}^{n} a_{ij} b_{ij}$

8. $V = \mathcal{P}_n$
$\langle p, q \rangle = \sum_{i=0}^{n} p_i q_i$

9. $V = C^{(0)}[-1, 1]$
$\langle f, g \rangle = \int_{-1}^{1} f(x)g(x)e^{-x}\, dx$

10. $V = C^{(0)}[-1, 1]$
$\langle f, g \rangle = \int_{-1}^{1} f(x)g(x)x\, dx$

연습문제 11–14에서, $V = C^{(0)}[a,b]$ 가

$$\langle f, g \rangle = \int_{a}^{b} f(x)g(x)\, dx$$

의 내적을 갖는다고 하자.
벡터들의 집합이 직교인지를 증명하라.

11. $\{1, \cos x, \sin x\}$; $a = -\pi$, $b = \pi$

12. $\{1, x, \frac{1}{2}(5x^3 - 3x)\}$; $a = -1, b = 1$

13. $\{1, 2x-1, -x^2 + x - \frac{1}{6}\}$; $a = 0, b = 1$

14. $\{1, \cos x, \sin x, \cos 2x, \sin 2x\}$; $a = -\pi$, $b = \pi$

연습문제 15~18에서, $V = C^{(0)}[a,b]$ 가

$$\langle f, g \rangle = \int_a^b f(x)g(x)\,dx$$

의 내적을 갖는다고 하자.

a. 벡터 f 와 g 사이의 거리를 구하라.

b. 벡터 f 와 g 사이의 각에 대한 코사인 값을 구하라.

15. $f(x) = 3x - 2$, $g(x) = x^2 + 1$; $a = 0$, $b = 1$

16. $f(x) = \cos x$, $g(x) = \sin x$; $a = -\pi$, $b = \pi$

17. $f(x) = x$, $g(x) = e^x$; $a = 0$, $b = 1$

18. $f(x) = e^x$, $g(x) = e^{-x}$; $a = -1$, $b = 1$

연습문제 19와 20에서, $V = \mathcal{P}_2$는

$$\langle p, q \rangle = \sum_{i=0}^{2} p_i q_i$$

의 내적을 갖는다고 하자.

a. 벡터 p와 q 사이의 거리를 구하라.

b. 벡터 p와 q 사이의 각에 대한 코사인 값을 구하라.

19. $p(x) = x^2 + x - 2$, $q(x) = -x^2 + x + 2$

20. $p(x) = x - 3$, $q(x) = 2x - 6$

연습문제 21~24에서, $V = M_{n \times n}$ 가

$$\langle A, B \rangle = \mathbf{tr}(B^t A)$$

의 내적을 갖는다고 하자.

a. 벡터 A와 B 사이의 거리를 구하라.

b. 벡터 A와 B 사이의 각에 대한 코사인 값을 구하라.

21. $A = \begin{bmatrix} 1 & 2 \\ 2 & -1 \end{bmatrix}$　　$B = \begin{bmatrix} 2 & 1 \\ 1 & 3 \end{bmatrix}$

22. $A = \begin{bmatrix} 3 & 1 \\ 0 & -1 \end{bmatrix}$　　$B = \begin{bmatrix} 0 & 2 \\ 1 & -2 \end{bmatrix}$

23. $A = \begin{bmatrix} 1 & 0 & -2 \\ -3 & 1 & 1 \\ -3 & -3 & -2 \end{bmatrix}$　$B = \begin{bmatrix} 3 & -1 & -1 \\ -3 & 2 & 3 \\ -1 & -2 & 1 \end{bmatrix}$

24. $A = \begin{bmatrix} 2 & 1 & 2 \\ 3 & 1 & 0 \\ 3 & 2 & 1 \end{bmatrix}$　$B = \begin{bmatrix} 0 & 0 & 1 \\ 3 & 3 & 2 \\ 1 & 0 & 2 \end{bmatrix}$

25. $\begin{bmatrix} 2 \\ 3 \end{bmatrix}$ 에 직교하는 $\mathbb{R}^2$에서의 모든 벡터들의 집합을 표현하라.

26. $\begin{bmatrix} 1 \\ -b \end{bmatrix}$ 에 직교하는 $\mathbb{R}^2$에서의 모든 벡터들의 집합을 표현하라.

27. $\begin{bmatrix} 2 \\ -3 \\ 1 \end{bmatrix}$ 에 직교하는 $\mathbb{R}^3$에서의 모든 벡터들의 집합을 표현하라.

28. $\begin{bmatrix} 1 \\ 1 \\ 0 \end{bmatrix}$ 에 직교하는 $\mathbb{R}^3$에서의 모든 벡터들의 집합을 표현하라.

29. $C^{(0)}[0, 1]$ 에서의 f 와 g 에 대해서 내적을

$$\langle f, g \rangle = \int_0^1 f(x)g(x)\,dx$$

로 정의한다.

a. $\langle x^2, x^3 \rangle$ 를 구하라.

b. $\langle e^x, e^{-x} \rangle$ 를 구하라.

c. $\|1\|$과 $\|x\|$를 구하라.

d. $f(x) = 1$과 $g(x) = x$ 사이의 각을 구하라.

e. $f(x) = 1$ 과 $g(x) = x$ 사이의 거리를 구하라.

30. A는 고정된 2×2 행렬이고, $\mathbb{R}^2 \times \mathbb{R}^2$에서의 함수를

$$\langle \mathbf{u}, \mathbf{v} \rangle = \mathbf{u}^t A \mathbf{v}$$

로 정의한다.

a. $A = I$ 라고 한다면, 이 함수가 내적을 정의하고 있음을 증명하라.

b. $A = \begin{bmatrix} 2 & -1 \\ -1 & 2 \end{bmatrix}$ 라고 할 때, 이 함수가 내적을 정의하고 있음을 증명하라.

c. $A = \begin{bmatrix} 3 & 2 \\ 2 & 0 \end{bmatrix}$ 라고 할 때, 이 함수가 내적을 정의하고 있지 않음을 증명하라.

31. $C^{(0)}[-a, a]$에서의 내적을

$$\langle f, g \rangle = \int_{-a}^{a} f(x)g(x)\,dx$$

로 정의한다.

f 가 우함수이고, g가 기함수이면, f 와 g는 직교함을 보여라.

32. $C^{(0)}[-\pi, \pi]$에서의 내적을

$$\langle f, g \rangle = \int_{-\pi}^{\pi} f(x)g(x)\,dx$$

로 정의한다.

$$\{1, \cos x, \sin x, \cos 2x, \sin 2x, \ldots\}$$

이 직교집합임을 보여라(연습문제 31을 참조하라).

33. 내적공간에서, 집합 $\{\mathbf{u}_1, \mathbf{u}_2\}$가 직교한다면, 스칼라 c_1과 c_2에 대해서 집합 $\{c_1\mathbf{u}_1, c_2\mathbf{u}_2\}$ 역시 직교함을 보여라.

34. $\langle \mathbf{u}, \mathbf{v} \rangle$ 와 $\langle\langle \mathbf{u}, \mathbf{v} \rangle\rangle$ 이 V에서의 두 개의 다른 내적이라면, 이들의 합

$$\langle\langle\langle \mathbf{u}, \mathbf{v} \rangle\rangle\rangle = \langle \mathbf{u}, \mathbf{v} \rangle + \langle\langle \mathbf{u}, \mathbf{v} \rangle\rangle$$

은 또 다른 내적을 정의하고 있음을 보여라.

6.3 정규직교기저

6.2절의 정리 6에서, $B = \{\mathbf{v}_1, \mathbf{v}_2, \ldots, \mathbf{v}_n\}$가 벡터공간 V의 순서있는 정규직교기저라고 할 때, V에 있는 임의의 벡터 $\mathbf{v}$의 좌표는 공간에서의 내적을 활용한 명백한 공식에 의해서 주어진다는 것을 확인하였다. 특히, B에 대한 이들 좌표는 모든 $i = 1, 2, \ldots n$에 대해 $c_i = \langle \mathbf{v}, \mathbf{v}_i \rangle$로 주어진다. 이러한 이유로 인해, 내적공간에 대한 정규직교기저는 유용하다. 앞서 살펴본 바와 같이, 좌표벡터의 집합 $S = \{\mathbf{e}_1, \mathbf{e}_2, \ldots, \mathbf{e}_n\}$는 $\mathbb{R}^n$에 대한 정규직교기저이다. 이번 절에서는 임의의 유한 차원 내적공간에 대한 정규직교기저를 만드는 방법에 대해서 논의하고자 한다.

정사영

물론, 우리가 접하는 대부분의 기저는 정규직교는 아닐 뿐만 아니라, 심지어 직교도 아니다. 그러나 유한 차원의 내적공간에서, 임의의 기저를 정규직교기저로 변환할 수 있다. 그람-슈미트 과

정(Gram-Schmidt process)이라고 불리는 방법은 다른 벡터들 위로의 벡터들의 사영과 관련되어 있다. 이 주제에 대해 논의하기 위해, 그림 1(a)에서와 같이 $\mathbb{R}^2$에서의 벡터를 **u**와 **v**라고 하자.

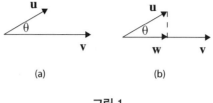

(a)　　　　　(b)

그림 1

우리의 목적은 그림 1(b)에서와 같이, **v** 위로의 **u**의 정사영으로부터 도출되는 벡터 **w**를 찾는 것이다. 이것을 하기 위해서, 삼각법으로부터

$$\cos\theta = \frac{\|\mathbf{w}\|}{\|\mathbf{u}\|} \text{ 이므로 } \|\mathbf{w}\| = \|\mathbf{u}\|\cos\theta$$

임을 상기하라.

또한, 6.1절의 초반부에서 유도된 $\cos\theta$에 대한 표현을 활용하여,

$$\|\mathbf{w}\| = \|\mathbf{u}\|\cos\theta = \|\mathbf{u}\|\frac{\mathbf{u}\cdot\mathbf{v}}{\|\mathbf{u}\|\|\mathbf{v}\|} = \frac{\mathbf{u}\cdot\mathbf{v}}{\|\mathbf{v}\|}$$

를 얻는다.

이 양을 **v** 위로의 **u**의 스칼라 사영이라고 한다. 이제, **w**를 찾기 위해, **v** 방향으로의 단위벡터에 스칼라 사영을 곱하면,

$$\mathbf{w} = \left(\frac{\mathbf{u}\cdot\mathbf{v}}{\|\mathbf{v}\|}\right)\frac{\mathbf{v}}{\|\mathbf{v}\|} = \frac{\mathbf{u}\cdot\mathbf{v}}{\|\mathbf{v}\|^2}\mathbf{v}$$

가 된다.

또한, $\|\mathbf{v}\|^2 = \mathbf{v}\cdot\mathbf{v}$ 이므로, 벡터 **w**는 다음의 형태로 쓸 수 있다.

$$\mathbf{w} = \left(\frac{\mathbf{u}\cdot\mathbf{v}}{\mathbf{v}\cdot\mathbf{v}}\right)\mathbf{v}$$

이 벡터를 **v** 위로의 **u**의 정사영이라고 하고, $\text{proj}_{\mathbf{v}}\,\mathbf{u}$ 로 표기한다. 따라서,

$$\text{proj}_{\mathbf{v}}\,\mathbf{u} = \left(\frac{\mathbf{u}\cdot\mathbf{v}}{\mathbf{v}\cdot\mathbf{v}}\right)\mathbf{v}$$

가 된다.

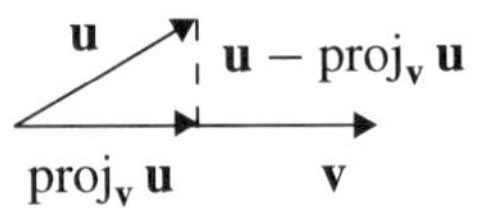

$$\mathbf{u} \qquad \mathbf{u} - \text{proj}_{\mathbf{v}}\, \mathbf{u}$$
$$\text{proj}_{\mathbf{v}}\, \mathbf{u} \qquad \mathbf{v}$$

그림 2

그림 2에 주어진 또 다른 유용한 벡터는 **u**로부터 $\text{proj}_{\mathbf{v}}\, \mathbf{u}$ 으로의 $\mathbf{u} - \text{proj}_{\mathbf{v}}\, \mathbf{u}$ 이다. $\text{proj}_{\mathbf{v}}\, \mathbf{u}$ 가 정의된 방식으로부터, 벡터 $\mathbf{u} - \text{proj}_{\mathbf{v}}\, \mathbf{u}$ 는 그림 2에서와 같이 $\text{proj}_{\mathbf{v}}\, \mathbf{u}$ 에 직교한다. 대수학적으로 $\text{proj}_{\mathbf{v}}\, \mathbf{u}$ 와 $\mathbf{u} - \text{proj}_{\mathbf{v}}\, \mathbf{u}$ 이 직교함을 증명하기 위해서는, 이들 벡터의 점곱이 0이 됨을 보이면 된다. 다시 말해서,

$$(\text{proj}_{\mathbf{v}}\, \mathbf{u}) \cdot (\mathbf{u} - \text{proj}_{\mathbf{v}}\, \mathbf{u}) = \left(\frac{\mathbf{u} \cdot \mathbf{v}}{\mathbf{v} \cdot \mathbf{v}} \mathbf{v} \right) \cdot \left(\mathbf{u} - \frac{\mathbf{u} \cdot \mathbf{v}}{\mathbf{v} \cdot \mathbf{v}} \mathbf{v} \right)$$

$$= \frac{\mathbf{u} \cdot \mathbf{v}}{\mathbf{v} \cdot \mathbf{v}} \left(\mathbf{v} \cdot \mathbf{u} - \frac{\mathbf{u} \cdot \mathbf{v}}{\mathbf{v} \cdot \mathbf{v}} \mathbf{v} \cdot \mathbf{v} \right)$$

$$= \frac{\mathbf{u} \cdot \mathbf{v}}{\mathbf{v} \cdot \mathbf{v}} (\mathbf{v} \cdot \mathbf{u} - \mathbf{u} \cdot \mathbf{v}) = \frac{\mathbf{u} \cdot \mathbf{v}}{\mathbf{v} \cdot \mathbf{v}} (\mathbf{u} \cdot \mathbf{v} - \mathbf{u} \cdot \mathbf{v}) = 0$$

이다.

그림 1에서 주어진 각 θ는 예각이다. θ가 둔각이라면, 그림 3에서와 같이 $\text{proj}_{\mathbf{v}}\, \mathbf{u}$ 는 $-\mathbf{v}$ 위로의 **u**의 정사영을 나타낸다. $\theta = 90^{\circ}$이라면, $\text{proj}_{\mathbf{v}}\, \mathbf{u} = \mathbf{0}$ 이다.

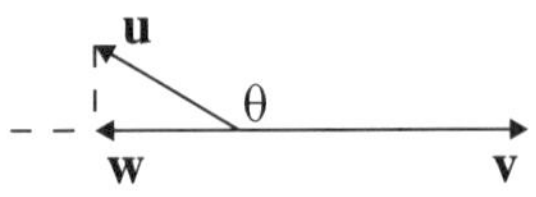

$$\mathbf{u}$$
$$\theta$$
$$\mathbf{w} \qquad \mathbf{v}$$

그림 3

예제 1

$\mathbf{u} = \begin{bmatrix} 1 \\ 3 \end{bmatrix}$ 와 $\mathbf{v} = \begin{bmatrix} 1 \\ 1 \end{bmatrix}$ 라고 하자.

a. $\text{proj}_{\mathbf{v}}\, \mathbf{u}$ 를 구하라.

b. $\mathbf{u} - \text{proj}_{\mathbf{v}}\, \mathbf{u}$ 를 구하고, $\text{proj}_{\mathbf{v}}\, \mathbf{u}$ 가 $\mathbf{u} - \text{proj}_{\mathbf{v}}\, \mathbf{u}$ 에 직교함을 보여라.

풀이 **a.** 위에 주어진 공식으로부터,

$$\text{proj}_{\mathbf{v}}\, \mathbf{u} = \left(\frac{\mathbf{u} \cdot \mathbf{v}}{\mathbf{v} \cdot \mathbf{v}} \right) \mathbf{v} = \left(\frac{(1)(1) + (3)(1)}{(1)(1) + (1)(1)} \right) \begin{bmatrix} 1 \\ 1 \end{bmatrix} = 2 \begin{bmatrix} 1 \\ 1 \end{bmatrix} = \begin{bmatrix} 2 \\ 2 \end{bmatrix}$$

를 얻는다.

b. a번의 결과를 사용하여

$$\mathbf{u} - \text{proj}_{\mathbf{v}}\, \mathbf{u} = \begin{bmatrix} 1 \\ 3 \end{bmatrix} - \begin{bmatrix} 2 \\ 2 \end{bmatrix} = \begin{bmatrix} -1 \\ 1 \end{bmatrix}$$

를 얻는다.

$\text{proj}_{\mathbf{v}}\, \mathbf{u}$ 가 $\mathbf{u} - \text{proj}_{\mathbf{v}}\, \mathbf{u}$ 에 직교함을 보이기 위해, 점곱을 계산한다.

여기서,

$$\text{proj}_{\mathbf{v}}\, \mathbf{u} \cdot \left(\mathbf{u} - \text{proj}_{\mathbf{v}}\, \mathbf{u} \right) = \begin{bmatrix} 2 \\ 2 \end{bmatrix} \cdot \begin{bmatrix} -1 \\ 1 \end{bmatrix} = (2)(-1) + (2)(1) = 0$$

임을 알 수 있다.

그림 4를 참조하라.

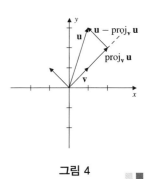

그림 4

정의 1은 지금까지의 개념을 일반적인 내적공간으로 확장하도록 한다.

정의 1 정사영

$\mathbf{u}$와 $\mathbf{v}$는 내적공간에서의 임의의 벡터라고 하자. $\mathbf{v}$ 위로의 $\mathbf{u}$ 의 정사영은 $\text{proj}_{\mathbf{v}}\, \mathbf{u}$ 로 표기하고,

$$\text{proj}_{\mathbf{v}}\, \mathbf{u} = \frac{\langle \mathbf{u}, \mathbf{v} \rangle}{\langle \mathbf{v}, \mathbf{v} \rangle} \mathbf{v}$$

로 정의된다.

벡터 $\mathbf{u} - \text{proj}_{\mathbf{v}}\, \mathbf{u}$ 는 $\text{proj}_{\mathbf{v}}\, \mathbf{u}$ 에 직교한다.

예제 2

$\mathcal{P}_3$에서의 내적을

$$\langle p, q \rangle = \int_0^1 p(x) q(x)\, dx$$

로 정의한다.

$p(x) = x$ 와 $q(x) = x^2$ 라고 하자.

a. $\text{proj}_q\, p$ 를 구하라.

b. $p - \text{proj}_q\, p$ 를 구하고, $\text{proj}_q\, p$ 와 $p - \text{proj}_q\, p$ 가 직교함을 증명하라.

풀이 **a.** 이 경우에서

$$\langle p, q \rangle = \int_0^1 x^3\, dx = \frac{1}{4} \text{ 과 } \langle q, q \rangle = \int_0^1 x^4\, dx = \frac{1}{5}$$

이다.

여기서 q 위로의 p의 정사영은

$$\text{proj}_q\, p = \frac{\langle p, q \rangle}{\langle q, q \rangle} q = \frac{5}{4} x^2$$

와 같다.

b. a번으로부터,

$$p - \text{proj}_q\, p = x - \frac{5}{4} x^2$$

를 얻는다.

벡터 p와 벡터 $p - \text{proj}_q\, p$가 직교함을 보이기 위해, 점곱이 0임을 보이면 된다. 여기서

$$\int_0^1 \frac{5}{4} x^2 \left(x - \frac{5}{4} x^2 \right) dx = \int_0^1 \left(\frac{5}{4} x^3 - \frac{25}{16} x^4 \right) dx = \left(\frac{5}{16} x^4 - \frac{5}{16} x^5 \right) \Big|_0^1 = 0$$

를 얻는다. ■

이제, 내적공간에 대한 정규직교기저를 만드는 것으로 관심을 돌려 보자. 이것의 핵심은 다른 벡터 위로의 하나의 벡터의 사영이다. 사전 단계로서, $V = \mathbb{R}^2$ 이고, 그림 5에서와 같이 $B = \{\mathbf{v}_1, \mathbf{v}_2\}$는 기저라고 하자. 이때, 벡터 $\mathbf{w}_1$와 $\mathbf{w}_2$를

$$\mathbf{w}_1 = \mathbf{v}_1 \text{ 과 } \mathbf{w}_2 = \mathbf{v}_2 - \text{proj}_{\mathbf{v}_1} \mathbf{v}_2$$

로 정의한다.

그림 6에서 알 수 있듯이, 이러한 방식으로 정의된 $\mathbf{w}_2$는 $\mathbf{w}_1$에 직교한다는 것을 예제 1을 통해 살펴보았다. 이들 벡터들을 그것의 길이로 나누어 정규화하면,

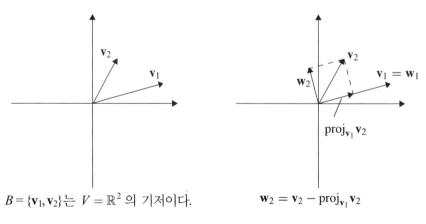

$B = \{\mathbf{v}_1, \mathbf{v}_2\}$는 $V = \mathbb{R}^2$ 의 기저이다. $\mathbf{w}_2 = \mathbf{v}_2 - \text{proj}_{\mathbf{v}_1} \mathbf{v}_2$

그림 5   **그림 6**

$$B' = \left\{ \frac{\mathbf{w}_1}{\|\mathbf{w}_1\|}, \frac{\mathbf{w}_2}{\|\mathbf{w}_2\|} \right\}$$

이 되고, 이것은 $\mathbb{R}^2$에 대한 정규직교기저이다.

    $\mathbb{R}^n$에 대한 정규직교기저를 만들기 위해서는 먼저 지금까지의 개념을 일반적인 내적공간으로 확장할 필요가 있다.

정리 7

모든 유한 차원의 내적공간은 직교기저를 갖는다.

증명 증명은 내적공간의 차원 n에 관한 귀납법에 의한다. 먼저 $n=1$이면, 임의의 기저 $\{\mathbf{v}_1\}$은 직교한다. 이제 n 차원의 모든 내적공간은 직교기저를 갖는다고 가정하자. V를 $\dim(V) = n+1$인 내적공간이라고 하고, $\{\mathbf{v}_1, \mathbf{v}_2, \ldots, \mathbf{v}_n, \mathbf{v}_{n+1}\}$이 기저라고 하자. $W = \mathbf{span}\{\mathbf{v}_1, \mathbf{v}_2, \ldots, \mathbf{v}_n\}$이라 하자. $\dim(W) = n$임을 알 수 있다. 귀납적 가정에 의해서, W는 직교기저 B를 갖는다. $B = \{\mathbf{w}_1, \mathbf{w}_2, \ldots, \mathbf{w}_n\}$이라 하자. $B' = \{\mathbf{w}_1, \mathbf{w}_2, \ldots, \mathbf{w}_n, \mathbf{v}_{n+1}\}$는 V의 또 다른 기저임에 유의한다. 6.2절의 정리 5에 의해, B의 모든 벡터에 직교하는 영벡터가 아닌 $\mathbf{w}$ 벡터를 찾기만 하면 충분하다. (이것은 정리 바로 앞에 제시된 개념을 확장시킨 것이다.)

$$\mathbf{w} = \mathbf{v}_{n+1} - \text{proj}_{\mathbf{w}_1} \mathbf{v}_{n+1} - \text{proj}_{\mathbf{w}_2} \mathbf{v}_{n+1} - \cdots - \text{proj}_{\mathbf{w}_n} \mathbf{v}_{n+1}$$

$$= \mathbf{v}_{n+1} - \frac{\langle \mathbf{v}_{n+1}, \mathbf{w}_1 \rangle}{\langle \mathbf{w}_1, \mathbf{w}_1 \rangle} \mathbf{w}_1 - \frac{\langle \mathbf{v}_{n+1}, \mathbf{w}_2 \rangle}{\langle \mathbf{w}_2, \mathbf{w}_2 \rangle} \mathbf{w}_2 - \cdots - \frac{\langle \mathbf{v}_{n+1}, \mathbf{w}_n \rangle}{\langle \mathbf{w}_n, \mathbf{w}_n \rangle} \mathbf{w}_n$$

이라 하자.

    $\mathbf{w} = \mathbf{0}$이라면, B'는 일차종속이고, 그러므로 V의 기저가 아니므로 $\mathbf{w} \neq \mathbf{0}$임을 알 수 있다. 증명을 완료하기 위해서는, $\mathbf{w}$가 B의 모든 벡터와 직교함을 보여야만 한다. 이것을 보이기 위하여, $\mathbf{w}_i$를 B의 하나의 벡터라고 하자. 그러면

$$\langle \mathbf{w}, \mathbf{w}_i \rangle = \left\langle \mathbf{v}_{n+1} - \text{proj}_{\mathbf{w}_1} \mathbf{v}_{n+1} - \text{proj}_{\mathbf{w}_2} \mathbf{v}_{n+1} - \cdots - \text{proj}_{\mathbf{w}_n} \mathbf{v}_{n+1}, \mathbf{w}_i \right\rangle$$

$$= \langle \mathbf{v}_{n+1}, \mathbf{w}_i \rangle - \frac{\langle \mathbf{v}_{n+1}, \mathbf{w}_1 \rangle}{\langle \mathbf{w}_1, \mathbf{w}_1 \rangle} \langle \mathbf{w}_1, \mathbf{w}_i \rangle - \frac{\langle \mathbf{v}_{n+1}, \mathbf{w}_2 \rangle}{\langle \mathbf{w}_2, \mathbf{w}_2 \rangle} \langle \mathbf{w}_2, \mathbf{w}_i \rangle$$

$$- \cdots - \frac{\langle \mathbf{v}_{n+1}, \mathbf{w}_i \rangle}{\langle \mathbf{w}_i, \mathbf{w}_i \rangle} \langle \mathbf{w}_i, \mathbf{w}_i \rangle - \cdots - \frac{\langle \mathbf{v}_{n+1}, \mathbf{w}_n \rangle}{\langle \mathbf{w}_n, \mathbf{w}_n \rangle} \langle \mathbf{w}_n, \mathbf{w}_i \rangle$$

가 된다.

    이제, $B = \{\mathbf{w}_1, \mathbf{w}_2, \ldots, \mathbf{w}_n\}$에 있는 각각의 벡터들은 서로 직교하므로, 이전의 방정식은

$$\langle \mathbf{w}, \mathbf{w}_i \rangle = \langle \mathbf{v}_{n+1}, \mathbf{w}_i \rangle - 0 - 0 - \cdots - \frac{\langle \mathbf{v}_{n+1}, \mathbf{w}_i \rangle}{\langle \mathbf{w}_i, \mathbf{w}_i \rangle} \langle \mathbf{w}_i, \mathbf{w}_i \rangle - 0 - \cdots - 0$$

$$= \langle \mathbf{v}_{n+1}, \mathbf{w}_i \rangle - \langle \mathbf{v}_{n+1}, \mathbf{w}_i \rangle = 0$$

이 된다.

그러므로 $B' = \{\mathbf{w}_1, \mathbf{w}_2, \ldots, \mathbf{w}_n, \mathbf{w}\}$ 는 V에 있는 $n + 1$개 벡터들의 직교집합이다. B'는 6.2절의 따름정리 1에 의해 V의 기저이다.

정리 7로부터, 모든 유한 차원의 벡터공간은 정규직교기저를 갖는다는 것을 역시 알 수 있다. 즉, $B = \{\mathbf{w}_1, \mathbf{w}_2, \ldots, \mathbf{w}_n\}$ 가 직교기저라고 한다면, 각 벡터를 그것의 길이로 나누어주면 정규직교기저

$$B' = \left\{ \frac{\mathbf{w}_1}{\|\mathbf{w}_1\|}, \frac{\mathbf{w}_2}{\|\mathbf{w}_2\|}, \ldots, \frac{\mathbf{w}_n}{\|\mathbf{w}_n\|} \right\}$$

을 만들 수 있다.

그람-슈미트 과정

정리 7은 유한 차원의 내적공간에서의 직교기저의 존재성을 보장한다. 정리 7의 증명은 또한 벡터공간의 임의의 기저로부터 직교기저를 만들어내기 위한 과정을 제공해 준다. 그람-슈미트 과정이라고 불리는 알고리즘이 여기에 요약되어 있다.

1. $B = \{\mathbf{v}_1, \mathbf{v}_2, \ldots, \mathbf{v}_n\}$ 은 내적공간 V의 임의의 기저이다.
2. 다음과 같은 n개 벡터들의 집합을 정의하기 위해서 B를 활용하라:

$$\mathbf{w}_1 = \mathbf{v}_1$$

$$\mathbf{w}_2 = \mathbf{v}_2 - \text{proj}_{\mathbf{w}_1} \mathbf{v}_2 = \mathbf{v}_2 - \frac{\langle \mathbf{v}_2, \mathbf{w}_1 \rangle}{\langle \mathbf{w}_1, \mathbf{w}_1 \rangle} \mathbf{w}_1$$

$$\mathbf{w}_3 = \mathbf{v}_3 - \text{proj}_{\mathbf{w}_1} \mathbf{v}_3 - \text{proj}_{\mathbf{w}_2} \mathbf{v}_3$$

$$= \mathbf{v}_3 - \frac{\langle \mathbf{v}_3, \mathbf{w}_1 \rangle}{\langle \mathbf{w}_1, \mathbf{w}_1 \rangle} \mathbf{w}_1 - \frac{\langle \mathbf{v}_3, \mathbf{w}_2 \rangle}{\langle \mathbf{w}_2, \mathbf{w}_2 \rangle} \mathbf{w}_2$$

$$\vdots$$

$$\mathbf{w}_n = \mathbf{v}_n - \text{proj}_{\mathbf{w}_1} \mathbf{v}_n - \text{proj}_{\mathbf{w}_2} \mathbf{v}_n - \cdots - \text{proj}_{\mathbf{w}_{n-1}} \mathbf{v}_n$$

$$= \mathbf{v}_n - \frac{\langle \mathbf{v}_n, \mathbf{w}_1 \rangle}{\langle \mathbf{w}_1, \mathbf{w}_1 \rangle} \mathbf{w}_1 - \frac{\langle \mathbf{v}_n, \mathbf{w}_2 \rangle}{\langle \mathbf{w}_2, \mathbf{w}_2 \rangle} \mathbf{w}_2 - \cdots - \frac{\langle \mathbf{v}_n, \mathbf{w}_{n-1} \rangle}{\langle \mathbf{w}_{n-1}, \mathbf{w}_{n-1} \rangle} \mathbf{w}_{n-1}$$

3. 집합 $B' = \{\mathbf{w}_1, \mathbf{w}_2, \ldots, \mathbf{w}_n\}$ 은 V의 직교기저이다.
4. B'에 있는 각각의 벡터들을 그것들의 길이로 나누어주면 벡터공간 V의 정규직교기저

$$B'' = \left\{ \frac{\mathbf{w}_1}{\|\mathbf{w}_1\|}, \frac{\mathbf{w}_2}{\|\mathbf{w}_2\|}, \ldots, \frac{\mathbf{w}_n}{\|\mathbf{w}_n\|} \right\}$$

을 만들 수 있다.

그람-슈미트 과정의 기하하적 해석

$\mathbb{R}^n$에서의 벡터 **v** 위로의 벡터 **u**의 정사영 $\text{proj}_\mathbf{v}\,\mathbf{u}$ 는 1차원 부분공간 $W = \mathbf{span}\{\mathbf{v}\}$로의 **u**의 사영이다. 그림 2와 그림 3을 참조하라. 전술한 바와 같이, 기저 $B = \{\mathbf{v}_1,\,\mathbf{v}_2,\,\mathbf{v}_3\}$로부터 직교기저를 만들기 위해, 그람-슈미트 과정에서의 첫 번째 단계는 $\mathbf{w}_1 = \mathbf{v}_1$이라고 하고, 그리고 나서 $\mathbf{span}\{\mathbf{v}_1\}$으로의 $\mathbf{v}_2$의 정사영을 수행하는 것이다. 그 결과, $\mathbf{w}_1$은 $\mathbf{w}_2 = \mathbf{v}_2 - \text{proj}_{\mathbf{w}_1}\,\mathbf{v}_2$에 직교한다. 다음 단계에서의 우리의 목적은 2차원 부분공간 $\mathbf{span}\{\mathbf{w}_1,\mathbf{w}_2\}$에 직교하는 벡터 $\mathbf{w}_3$를 구하는 것이다. 이것은 그림 7에 제시된 것처럼, 1차원 부분공간 $\mathbf{span}\{\mathbf{w}_1\}$과 $\mathbf{span}\{\mathbf{w}_2\}$에 각각 $\mathbf{v}_3$를 투영함으로써 달성된다. 정사영은 각각

$$\text{proj}_{\mathbf{w}_1}\,\mathbf{v}_3 = \frac{\langle \mathbf{v}_3,\,\mathbf{w}_1 \rangle}{\langle \mathbf{w}_1,\,\mathbf{w}_1 \rangle}\,\mathbf{w}_1 \quad \text{및} \quad \text{proj}_{\mathbf{w}_2}\,\mathbf{v}_3 = \frac{\langle \mathbf{v}_3,\,\mathbf{w}_2 \rangle}{\langle \mathbf{w}_2,\,\mathbf{w}_2 \rangle}\,\mathbf{w}_2$$

와 같다.

그러므로, $\mathbf{span}\{\mathbf{w}_1,\mathbf{w}_2\}$로의 $\mathbf{v}_3$의 정사영은 그림 7에서와 같이 사영

$$\text{proj}_{\mathbf{w}_1}\,\mathbf{v}_3 + \text{proj}_{\mathbf{w}_2}\,\mathbf{v}_3$$

의 합이다.

최종적으로, 요구되는 벡터는

$$\mathbf{w}_3 = \mathbf{v}_3 - \left(\text{proj}_{\mathbf{w}_1}\,\mathbf{v}_3 + \text{proj}_{\mathbf{w}_2}\,\mathbf{v}_3 \right) = \mathbf{v}_3 - \text{proj}_{\mathbf{w}_1}\,\mathbf{v}_3 - \text{proj}_{\mathbf{w}_2}\,\mathbf{v}_3$$

이고, 이것은 그림 7에서와 같이 $\mathbf{w}_1$과 $\mathbf{w}_2$ 모두에 직교한다.

일반적으로, $\dim(W) = n > 1$일 때, 그람-슈미트 과정은 벡터 $\mathbf{v}_{n+1}$를 n개의 1차원 부분공간들, $\mathbf{span}\{\mathbf{w}_1\}$, $\mathbf{span}\{\mathbf{w}_2\}$, ..., $\mathbf{span}\{\mathbf{w}_n\}$로 투영시키는 것으로 표현할 수 있다. 그리고 나서 $\mathbf{w}_1, \mathbf{w}_2, ..., \mathbf{w}_n$ 각각의 벡터에 수직인 벡터 $\mathbf{w}_{n+1}$은 벡터 $\mathbf{v}_{n+1}$으로부터 각각의 사영을 빼줌으로써 얻어진다.

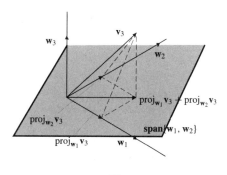

그림 7

예제 3

B를

$$B = \{\mathbf{v}_1, \mathbf{v}_2, \mathbf{v}_3\} = \left\{ \begin{bmatrix} 1 \\ 1 \\ 1 \end{bmatrix}, \begin{bmatrix} -1 \\ 1 \\ 0 \end{bmatrix}, \begin{bmatrix} -1 \\ 0 \\ 1 \end{bmatrix} \right\}$$

로 주어진 $\mathbb{R}^3$에 대한 기저라 하자.

$\mathbb{R}^3$에 대한 정규직교기저를 찾기 위해 그람-슈미트 과정을 B에 적용하라.

풀이 이 경우에서 $\mathbb{R}^3$에서의 내적은 점곱이다. $\mathbf{v}_1 \cdot \mathbf{v}_2 = 0$ 임을 알 수 있고, 따라서 벡터 $\mathbf{v}_1$과 벡터 $\mathbf{v}_2$는 이미 직교한다. 그람-슈미트 과정을 적용하면 $\mathbf{w}_1 = \mathbf{v}_1$ 및 $\mathbf{w}_2 = \mathbf{v}_2$ 를 얻는다. 위에 요약된 단계를 따라가면,

$$\mathbf{w}_1 = \mathbf{v}_1 = \begin{bmatrix} 1 \\ 1 \\ 1 \end{bmatrix}$$

$$\mathbf{w}_2 = \mathbf{v}_2 - \left(\frac{\mathbf{v}_2 \cdot \mathbf{w}_1}{\mathbf{w}_1 \cdot \mathbf{w}_1} \right) \mathbf{w}_1 = \mathbf{v}_2 - \frac{0}{3} \mathbf{w}_1 = \mathbf{v}_2 = \begin{bmatrix} -1 \\ 1 \\ 0 \end{bmatrix}$$

이 된다.

다음으로 $\mathbf{v}_1$과 $\mathbf{v}_3$ 역시 직교한다는 것을 알 수 있고, 이 경우에서는 단지 하나의 사영이 요구된다. 다시 말해서,

$$\mathbf{w}_3 = \mathbf{v}_3 - \left(\frac{\mathbf{v}_3 \cdot \mathbf{w}_1}{\mathbf{w}_1 \cdot \mathbf{w}_1} \right) \mathbf{w}_1 - \left(\frac{\mathbf{v}_3 \cdot \mathbf{w}_2}{\mathbf{w}_2 \cdot \mathbf{w}_2} \right) \mathbf{w}_2$$

$$= \begin{bmatrix} -1 \\ 0 \\ 1 \end{bmatrix} - 0\mathbf{w}_1 - \frac{1}{2} \begin{bmatrix} -1 \\ 1 \\ 2 \end{bmatrix} = \begin{bmatrix} -\frac{1}{2} \\ -\frac{1}{2} \\ 1 \end{bmatrix}$$

이다.

그러면,

$$B' = \{\mathbf{w}_1, \mathbf{w}_2, \mathbf{w}_3\} = \left\{ \begin{bmatrix} 1 \\ 1 \\ 1 \end{bmatrix}, \begin{bmatrix} -1 \\ 1 \\ 0 \end{bmatrix}, \begin{bmatrix} -\frac{1}{2} \\ -\frac{1}{2} \\ 1 \end{bmatrix} \right\}$$

이 $\mathbb{R}^3$에서의 직교기저이다. 그림 8을 참조하라. 그리고 나서 정규직교기저는

$$B'' = \left\{ \frac{\mathbf{w}_1}{\|\mathbf{w}_1\|}, \frac{\mathbf{w}_2}{\|\mathbf{w}_2\|}, \frac{\mathbf{w}_3}{\|\mathbf{w}_3\|} \right\} = \left\{ \frac{1}{\sqrt{3}} \begin{bmatrix} 1 \\ 1 \\ 1 \end{bmatrix}, \frac{1}{\sqrt{2}} \begin{bmatrix} -1 \\ 1 \\ 0 \end{bmatrix}, \frac{1}{\sqrt{6}} \begin{bmatrix} -1 \\ -1 \\ 2 \end{bmatrix} \right\}$$

로 주어진다.

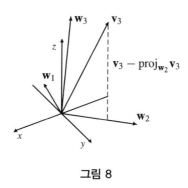

그림 8

예제 4는 다항식 공간에서의 그람-슈미트 과정의 활용을 보여준다.

예제 4

$\mathcal{P}_3$에서의 내적을

$$\langle p, q \rangle = \int_{-1}^{1} p(x)q(x)\,dx$$

와 같이 정의한다.

　$\mathcal{P}_3$에 대한 직교기저를 구하기 위해서 표준기저 $B = \{\mathbf{v}_1, \mathbf{v}_2, \mathbf{v}_3, \mathbf{v}_4\} = \{1, x, x^2, x^3\}$를 활용하라.

풀이 먼저,

$$\langle x, x^3 \rangle = \int_{-1}^{1} x^4\,dx = \frac{2}{5}$$

이므로, B는 직교하지 않는다.

　$[-1, 1]$구간은 대칭 구간이므로,

$$p \text{ 가 기함수라면, } \int_{-1}^{1} p(x)\,dx = 0$$

$$p \text{ 가 우함수라면, } \int_{-1}^{1} p(x)\,dx = 2\int_{0}^{1} p(x)\,dx$$

임을 고려하면 작업의 일부를 간략화할 수 있다.

　이제, $f(x) = x$, $g(x) = x^3$, $h(x) = x^5$ 모두 기함수이므로,

$$\langle \mathbf{v}_1, \mathbf{v}_2 \rangle = \int_{-1}^{1} x\, dx = 0 \qquad \langle \mathbf{v}_2, \mathbf{v}_3 \rangle = \int_{-1}^{1} x^3\, dx = 0$$

$$\langle \mathbf{v}_4, \mathbf{v}_1 \rangle = \int_{-1}^{1} x^3\, dx = 0 \qquad \langle \mathbf{v}_4, \mathbf{v}_3 \rangle = \int_{-1}^{1} x^5\, dx = 0$$

이다.

$\mathbf{v}_1$과 $\mathbf{v}_2$는 직교하므로, 그람-슈미트 과정을 진행하면,

$$\mathbf{w}_1 = \mathbf{v}_1 \text{ 과 } \mathbf{w}_2 = \mathbf{v}_2$$

를 얻는다.

다음으로, $\mathbf{w}_3$을 찾기 위해 필요한 계산은

$$\mathbf{w}_3 = \mathbf{v}_3 - \frac{\langle \mathbf{v}_3, \mathbf{w}_1 \rangle}{\langle \mathbf{w}_1, \mathbf{w}_1 \rangle} \mathbf{w}_1 - \frac{\langle \mathbf{v}_3, \mathbf{w}_2 \rangle}{\langle \mathbf{w}_2, \mathbf{w}_2 \rangle} \mathbf{w}_2$$

$$= \mathbf{v}_3 - \frac{\langle \mathbf{v}_3, \mathbf{v}_1 \rangle}{\langle \mathbf{v}_1, \mathbf{v}_1 \rangle} \mathbf{v}_1 - \frac{\langle \mathbf{v}_3, \mathbf{v}_2 \rangle}{\langle \mathbf{v}_2, \mathbf{v}_2 \rangle} \mathbf{v}_2$$

$$= \mathbf{v}_3 - \frac{\langle \mathbf{v}_3, \mathbf{v}_1 \rangle}{\langle \mathbf{v}_1, \mathbf{v}_1 \rangle} \mathbf{v}_1 - \frac{\langle \mathbf{v}_2, \mathbf{v}_3 \rangle}{\langle \mathbf{v}_2, \mathbf{v}_2 \rangle} \mathbf{v}_2$$

이다.

그러나 우리는 이미 $0 = \langle \mathbf{v}_2, \mathbf{v}_3 \rangle$ 이라는 것을 알고 있고,

$$\langle \mathbf{v}_3, \mathbf{v}_1 \rangle = \int_{-1}^{1} x^2\, dx = 2 \int_{0}^{1} x^2\, dx = \frac{2}{3} \text{ 와 } \langle \mathbf{v}_1, \mathbf{v}_1 \rangle = \int_{-1}^{1} dx = 2$$

이므로,

$$\mathbf{w}_3 = x^2 - \frac{1}{3}$$

이 된다.

$\mathbf{w}_4$를 찾기 위해, $\langle \mathbf{v}_4, \mathbf{v}_1 \rangle = 0$, $\mathbf{w}_1 = \mathbf{v}_1$, 그리고 $\mathbf{w}_2 = \mathbf{v}_2$ 이므로,

$$\mathbf{w}_4 = \mathbf{v}_4 - \frac{\langle \mathbf{v}_4, \mathbf{w}_1 \rangle}{\langle \mathbf{w}_1, \mathbf{w}_1 \rangle} \mathbf{w}_1 - \frac{\langle \mathbf{v}_4, \mathbf{w}_2 \rangle}{\langle \mathbf{w}_2, \mathbf{w}_2 \rangle} \mathbf{w}_2 - \frac{\langle \mathbf{v}_4, \mathbf{w}_3 \rangle}{\langle \mathbf{w}_3, \mathbf{w}_3 \rangle} \mathbf{w}_3$$

$$= \mathbf{v}_4 - \frac{\langle \mathbf{v}_4, \mathbf{v}_2 \rangle}{\langle \mathbf{v}_2, \mathbf{v}_2 \rangle} \mathbf{v}_2 - \frac{\langle \mathbf{v}_4, \mathbf{w}_3 \rangle}{\langle \mathbf{w}_3, \mathbf{w}_3 \rangle} \mathbf{w}_3$$

이 된다.

다음으로, $p(x) = x^5 - \frac{1}{3} x^3$ 은 기함수라는 것을 알 수 있다. 그러므로,

$$\langle \mathbf{v}_4, \mathbf{w}_3 \rangle = \int_{-1}^{1} \left(x^5 - \frac{1}{3} x^3 \right) dx = 0$$

이 된다.

결과적으로,

$$\mathbf{w}_4 = \mathbf{v}_4 - \frac{\langle \mathbf{v}_4, \mathbf{v}_2 \rangle}{\langle \mathbf{v}_2, \mathbf{v}_2 \rangle} \mathbf{v}_2 = x^3 - \frac{3}{5}x$$

이다.

따라서 $\mathcal{P}_3$에 대한 직교기저는

$$B' = \left\{ 1,\, x,\, x^2 - \frac{1}{3},\, x^3 - \frac{3}{5}x \right\}$$

로 주어진다.

각각의 벡터를 정규화하면, 정규직교기저

$$B'' = \left\{ \frac{\sqrt{2}}{2},\, \frac{\sqrt{6}}{2}x,\, \frac{3\sqrt{10}}{4}\left(x^2 - \frac{1}{3}\right),\, \frac{5\sqrt{14}}{4}\left(x^3 - \frac{3}{5}x\right) \right\}$$

를 얻는다.

예제 5

U 는

$$B = \{\mathbf{u}_1, \mathbf{u}_2, \mathbf{u}_3\} = \left\{ \begin{bmatrix} -1 \\ 1 \\ 1 \\ 0 \end{bmatrix}, \begin{bmatrix} -1 \\ 0 \\ 1 \\ 0 \end{bmatrix}, \begin{bmatrix} 1 \\ 0 \\ 0 \\ 1 \end{bmatrix} \right\}$$

의 기저를 가지는 $\mathbb{R}^4$의 부분공간이라고 하자. 여기서 내적은 점곱이다. U에 대한 정규직교기저를 구하라.

풀이 그람-슈미트 과정에 따라, $\mathbf{w}_1 = \mathbf{u}_1$ 이라고 하자. 다음으로

$$\mathbf{w}_2 = \mathbf{u}_2 - \frac{\mathbf{u}_2 \cdot \mathbf{w}_1}{\mathbf{w}_1 \cdot \mathbf{w}_1}\mathbf{w}_1 = \begin{bmatrix} -1 \\ 0 \\ 1 \\ 0 \end{bmatrix} - \frac{2}{3}\begin{bmatrix} -1 \\ 1 \\ 1 \\ 0 \end{bmatrix} = \begin{bmatrix} -\frac{1}{3} \\ -\frac{2}{3} \\ \frac{1}{3} \\ 0 \end{bmatrix} = -\frac{1}{3}\begin{bmatrix} 1 \\ 2 \\ -1 \\ 0 \end{bmatrix}$$

를 얻는다.

계산을 수월하게 하기 위하여, $\mathbf{w}_2$를

$$\mathbf{w}_2 = \begin{bmatrix} 1 \\ 2 \\ -1 \\ 0 \end{bmatrix}$$

로 대체한다.

대체를 정당화하기 위해서, $\mathbf{w}_1 \cdot \mathbf{w}_2 = 0$임을 확인할 수 있다; 즉, $\mathbf{w}_2$에 스칼라를 곱함으로써 $\mathbf{w}_2$가 $\mathbf{w}_1$에 직교한다는 사실이 바뀌지는 않는다. $\mathbf{w}_3$을 구하기 위해, 다음의 계산을 수행한다.

$$\mathbf{w}_3 = \mathbf{u}_3 - \frac{\mathbf{u}_3 \cdot \mathbf{w}_1}{\mathbf{w}_1 \cdot \mathbf{w}_1} \mathbf{w}_1 - \frac{\mathbf{u}_3 \cdot \mathbf{w}_2}{\mathbf{w}_2 \cdot \mathbf{w}_2} \mathbf{w}_2$$

$$= \begin{bmatrix} 1 \\ 0 \\ 0 \\ 1 \end{bmatrix} - \left(-\frac{1}{3} \right) \begin{bmatrix} -1 \\ 1 \\ 1 \\ 0 \end{bmatrix} - \frac{1}{6} \begin{bmatrix} 1 \\ 2 \\ -1 \\ 0 \end{bmatrix} = \frac{1}{2} \begin{bmatrix} 1 \\ 0 \\ 1 \\ 2 \end{bmatrix}$$

앞에서와 마찬가지로, $\mathbf{w}_3$을

$$\mathbf{w}_3 = \begin{bmatrix} 1 \\ 0 \\ 1 \\ 2 \end{bmatrix}$$

로 대체한다.

U 에 대한 직교기저는

$$B' = \left\{ \begin{bmatrix} -1 \\ 1 \\ 1 \\ 0 \end{bmatrix}, \begin{bmatrix} 1 \\ 2 \\ -1 \\ 0 \end{bmatrix}, \begin{bmatrix} 1 \\ 0 \\ 1 \\ 2 \end{bmatrix} \right\}$$

로 주어진다.

B'의 각각의 벡터들을 정규화하면 정규직교기저

$$B'' = \left\{ \frac{1}{\sqrt{3}} \begin{bmatrix} -1 \\ 1 \\ 1 \\ 0 \end{bmatrix}, \frac{1}{\sqrt{6}} \begin{bmatrix} 1 \\ 2 \\ -1 \\ 0 \end{bmatrix}, \frac{1}{\sqrt{6}} \begin{bmatrix} 1 \\ 0 \\ 1 \\ 2 \end{bmatrix} \right\}$$

를 만들 수 있다.

핵심 요약

1. 모든 유한 차원의 내적공간은 정규직교기저를 갖는다.

2. 그람-슈미트 과정은 벡터공간의 임의의 기저로부터 정규직교기저를 만들어내는 알고리즘이다.

연습문제 6.3

연습문제 1–8에서, $\mathbb{R}^n$에서의 표준내적을 활용하라.

a. $\text{proj}_\mathbf{v}\,\mathbf{u}$를 구하라.

b. 벡터 $\mathbf{u} - \text{proj}_\mathbf{v}\,\mathbf{u}$를 구하고, 이 벡터가 $\mathbf{v}$에 직교함을 증명하라.

1. $\mathbf{u} = \begin{bmatrix} -1 \\ 2 \end{bmatrix}$ $\quad \mathbf{v} = \begin{bmatrix} -1 \\ 1 \end{bmatrix}$

2. $\mathbf{u} = \begin{bmatrix} 3 \\ -2 \end{bmatrix}$ $\quad \mathbf{v} = \begin{bmatrix} 1 \\ -2 \end{bmatrix}$

3. $\mathbf{u} = \begin{bmatrix} 1 \\ -2 \end{bmatrix}$ $\quad \mathbf{v} = \begin{bmatrix} 1 \\ 2 \end{bmatrix}$

4. $\mathbf{u} = \begin{bmatrix} 1 \\ -1 \end{bmatrix}$ $\quad \mathbf{v} = \begin{bmatrix} -2 \\ -2 \end{bmatrix}$

5. $\mathbf{u} = \begin{bmatrix} -1 \\ 3 \\ 0 \end{bmatrix}$ $\quad \mathbf{v} = \begin{bmatrix} 1 \\ -1 \\ -1 \end{bmatrix}$

6. $\mathbf{u} = \begin{bmatrix} 1 \\ 0 \\ 1 \end{bmatrix}$ $\quad \mathbf{v} = \begin{bmatrix} 3 \\ 2 \\ -1 \end{bmatrix}$

7. $\mathbf{u} = \begin{bmatrix} 1 \\ -1 \\ -1 \end{bmatrix}$ $\quad \mathbf{v} = \begin{bmatrix} 0 \\ 0 \\ 1 \end{bmatrix}$

8. $\mathbf{u} = \begin{bmatrix} 3 \\ 2 \\ 0 \end{bmatrix}$ $\quad \mathbf{v} = \begin{bmatrix} 1 \\ 0 \\ -1 \end{bmatrix}$

연습문제 9–12에서, $\mathcal{P}_2$에서

$$\langle p, q \rangle = \int_0^1 p(x)q(x)\,dx$$

로 주어진 내적을 활용하라.

a. $\text{proj}_q\,p$를 구하라.

b. 벡터 $p - \text{proj}_q\,p$를 구하고, 이 벡터가 q에 직교함을 증명하라.

9. $p(x) = x^2 - x + 1$, $q(x) = 3x - 1$

10. $p(x) = x^2 - x + 1$, $q(x) = 2x - 1$

11. $p(x) = 2x^2 + 1$, $q(x) = x^2 - 1$

12. $p(x) = -4x + 1$, $q(x) = x$

연습문제 13–16에서, $\mathbb{R}^n$에서의 표준내적을 활용하라. $\mathbb{R}^n$에 대한 정규직교기저를 구하기 위해 기저 B와 그람-슈미트 과정을 활용하라.

13. $B = \left\{ \begin{bmatrix} 1 \\ -1 \end{bmatrix}, \begin{bmatrix} 1 \\ -2 \end{bmatrix} \right\}$

14. $B = \left\{ \begin{bmatrix} 2 \\ -1 \end{bmatrix}, \begin{bmatrix} 3 \\ -2 \end{bmatrix} \right\}$

15. $B = \left\{ \begin{bmatrix} 1 \\ 0 \\ 1 \end{bmatrix}, \begin{bmatrix} 0 \\ -1 \\ 1 \end{bmatrix}, \begin{bmatrix} 0 \\ -1 \\ -1 \end{bmatrix} \right\}$

16. $B = \left\{ \begin{bmatrix} 1 \\ 0 \\ -1 \end{bmatrix}, \begin{bmatrix} 0 \\ 1 \\ 1 \end{bmatrix}, \begin{bmatrix} 1 \\ 1 \\ 1 \end{bmatrix} \right\}$

연습문제 17과 18에서, $\mathcal{P}_2$에서

$$\langle p, q \rangle = \int_0^1 p(x)q(x)\,dx$$

로 정의된 내적을 활용하라.

$\mathcal{P}_2$에 대한 정규직교기저를 구하기 위해 주어진 기저 B와 그람–슈미트 과정을 활용하라.

17. $B = \{x - 1,\ x + 2,\ x^2\}$

18. $B = \{x^2 - x,\ x,\ 2x + 1\}$

연습문제 19–22에서, 부분공간 **span**(W)에 대한 정규직교기저를 구하기 위해 $\mathbb{R}^n$에서의 표준내적을 활용하라.

19. $W = \left\{ \begin{bmatrix} 1 \\ 1 \\ 1 \end{bmatrix}, \begin{bmatrix} 1 \\ -1 \\ -1 \end{bmatrix} \right\}$

20. $W = \left\{ \begin{bmatrix} 0 \\ 1 \\ 1 \end{bmatrix}, \begin{bmatrix} -1 \\ -1 \\ 1 \end{bmatrix} \right\}$

21. $W = \left\{ \begin{bmatrix} -1 \\ -2 \\ 0 \\ 1 \end{bmatrix}, \begin{bmatrix} -1 \\ 3 \\ -1 \\ -1 \end{bmatrix}, \begin{bmatrix} 1 \\ -2 \\ 0 \\ 1 \end{bmatrix} \right\}$

22. $W = \left\{ \begin{bmatrix} 1 \\ -2 \\ 0 \\ 0 \end{bmatrix}, \begin{bmatrix} -1 \\ 3 \\ 1 \\ -1 \end{bmatrix}, \begin{bmatrix} 0 \\ -1 \\ 0 \\ -1 \end{bmatrix} \right\}$

연습문제 23과 24에서, $\mathcal{P}_3$에서

$$\langle p, q \rangle = \int_0^1 p(x)q(x)\,dx$$

로 정의된 내적을 활용하여 부분공간 **span**(W)에 대한 정규직교기저를 구하라.

23. $W = \{x,\ 2x + 1\}$

24. $W = \{1,\ x + 2,\ x^3 - 1\}$

25. 표준내적을 갖는 $\mathbb{R}^4$에서,

$$\mathbf{span} \left\{ \begin{bmatrix} 1 \\ 0 \\ 1 \\ 1 \end{bmatrix}, \begin{bmatrix} 0 \\ 1 \\ -1 \\ 1 \end{bmatrix}, \begin{bmatrix} 2 \\ -3 \\ 5 \\ -1 \end{bmatrix}, \begin{bmatrix} -1 \\ 2 \\ -3 \\ 1 \end{bmatrix} \right\}$$

에 대한 정규직교기저를 구하라.

26. 표준내적을 갖는 $\mathbb{R}^3$에서,

$$\mathbf{span} \left\{ \begin{bmatrix} 2 \\ 0 \\ 1 \end{bmatrix}, \begin{bmatrix} 3 \\ 1 \\ 1 \end{bmatrix}, \begin{bmatrix} 3 \\ -1 \\ 2 \end{bmatrix}, \begin{bmatrix} 1 \\ 1 \\ 0 \end{bmatrix} \right\}$$

에 대한 정규직교기저를 구하라.

27. $\{\mathbf{u}_1, \mathbf{u}_2, \ldots, \mathbf{u}_n\}$을 $\mathbb{R}^n$에 대한 정규직교기저라고 하자. $\mathbb{R}^n$에 있는 모든 벡터 $\mathbf{v}$에 대해서, $\|\mathbf{v}\|^2 = |\mathbf{v} \cdot \mathbf{u}_1|^2 + \cdots + |\mathbf{v} \cdot \mathbf{u}_n|^2$ 임을 보여라.

28. A를 $n \times n$ 행렬이라고 하자. 다음의 조건은 동치임을 보여라.

   a. $A^{-1} = A^t$

   b. A의 행벡터들은 $\mathbb{R}^n$에서의 정규직교기저를 형성한다.

   c. A의 열벡터들은 $\mathbb{R}^n$에서의 정규직교기저를 형성한다.

29. $n \times n$ 행렬 A가 정규직교 열벡터들을 가질 필요충분조건은 $A^tA = I$이다.

30. A가 $m \times n$ 행렬이고, $\mathbf{x}$가 $\mathbb{R}^m$에서의 벡터이고, 그리고 $\mathbf{y}$가 $\mathbb{R}^n$에서의 벡터라고 하자. $\mathbf{x} \cdot (A\mathbf{y}) = A^t\mathbf{x} \cdot \mathbf{y}$임을 보여라.

31. A가 정규직교 열벡터들을 갖는 $m \times n$ 행렬이라고 한다면, $\|A\mathbf{x}\| = \|\mathbf{x}\|$가 성립함을 보여라.

32. A가 정규직교 열벡터들을 갖는 $m \times n$ 행렬이

고, $\mathbf{x}$와 $\mathbf{y}$는 $\mathbb{R}^n$에서의 벡터일 때, $(A\mathbf{x}) \cdot (A\mathbf{y})$ $=\mathbf{x} \cdot \mathbf{y}$가 성립함을 보여라.

33. A가 정규직교 열벡터들을 갖는 $m \times n$ 행렬이고, $\mathbf{x}$와 $\mathbf{y}$는 $\mathbb{R}^n$에서의 벡터일 때, $(A\mathbf{x}) \cdot (A\mathbf{y})$ $= 0$을 만족하는 필요충분조건은 $\mathbf{x} \cdot \mathbf{y} = 0$임을 보여라.

34. 표준내적을 갖는 $\mathbb{R}^4$에서, $\begin{bmatrix} 1 \\ 0 \\ -1 \\ 1 \end{bmatrix}$ 과 $\begin{bmatrix} 2 \\ 3 \\ -1 \\ 2 \end{bmatrix}$

에 모두 직교하는 모든 벡터들의 집합은 부분공간임을 보여라. 부분공간에 대한 기저를 구하라.

35. $S = \{\mathbf{u}_1, \dots, \mathbf{u}_m\}$은 $\mathbb{R}^n$에서의 벡터들의 집합이라고 하자. 모든 $\mathbf{u}_i$에 직교하는 모든 벡터들의 집합은 $\mathbb{R}^n$의 부분공간임을 보여라.

연습문제 36–41에서, (실) $n \times n$ 행렬 A가 대칭행렬이고, $\mathbb{R}^n$에서의 모든 영벡터가 아닌 모든 벡터에 대해서 $\mathbf{u}^t A\mathbf{u} \geq 0$이면, 이 행렬을 양의 준정부호(*positive semidefinite*)라고 한다. 부등식만 성립하는 경우, A는 양의 정부호(*positive definite*)이다.

36. A를 양의 정부호 행렬이라고 하자. 함수 $\langle \mathbf{u}, \mathbf{v} \rangle = \mathbf{u}^t A\mathbf{v}$는 $\mathbb{R}^n$에서의 내적을 정의함을 보여라. ($A = I$일 때, 이 함수는 점곱에 대응한다는 사실에 유의한다.)

37. $A = \begin{bmatrix} 3 & 1 \\ 1 & 3 \end{bmatrix}$ 라고 하자. A가 양의 정부호임을 보여라.

38. A가 양의 정부호이면, 대각선 성분은 양임을 보여라.

39. A가 $m \times n$ 행렬이라고 하자. $A^t A$는 양의 준정부호임을 보여라.

40. 양의 정부호 행렬은 가역임을 보여라.

41. 양의 정부호 행렬의 고유값들은 양수임을 보여라.

42. $\mathbf{v}_1 = \begin{bmatrix} -2 \\ -1 \end{bmatrix}$ $\mathbf{v}_2 = \begin{bmatrix} 2 \\ -4 \end{bmatrix}$라고 하자.

a. 벡터 $\mathbf{v}_1 = \begin{bmatrix} -2 \\ -1 \end{bmatrix}$ 과 벡터 $\mathbf{v}_2 = \begin{bmatrix} 2 \\ -4 \end{bmatrix}$ 는

직교하는가?

$A = \begin{bmatrix} -2 & -1 \\ 2 & -4 \end{bmatrix}$라고 하자.

b. $\det(A^t A)$를 구하라.

c. $\mathbf{v}_1 = \begin{bmatrix} -2 \\ -1 \end{bmatrix}$ 과 $\mathbf{v}_2 = \begin{bmatrix} 2 \\ -4 \end{bmatrix}$에 의해 생성된 직사각형의 면적은 $\sqrt{\det(A^t A)}$임을 보여라.

d. 직사각형의 면적은 $|\det(A)|$임을 보여라.

e. $\mathbf{v}_1$와 $\mathbf{v}_2$를 $\mathbb{R}^2$에서의 임의의 두 개의 직교 벡터들이라고 할 때, 이들 벡터들에 의해 생성되는 직사각형의 면적은 $|\det(A)|$임을 보여라. 단, A는 $\mathbf{v}_1$과 $\mathbf{v}_2$를 행벡터로 하는 행렬이다.

f. 그림에서와 같이 평행사변형을 생성하는 $\mathbf{v}_1$와 $\mathbf{v}_2$를 $\mathbb{R}^2$에서의 두 개의 벡터라고 하자. 평행사변형의 면적은 $|\det(A)|$임을 보여라. 단, A는 $\mathbf{v}_1$과 $\mathbf{v}_2$를 행벡터로 하는 행렬이다.

g. $\mathbb{R}^2$에서의 $\mathbf{v}_1, \mathbf{v}_2, \mathbf{v}_3$는 서로 직교하는 벡터라고 할 때, 이들 세 벡터들에 의해 생성되는 상자의 체적은 $|\det(A)|$임을 보여라. 단, A는 $\mathbf{v}_1, \mathbf{v}_2, \mathbf{v}_3$을 행벡터로 하는 행렬이다.

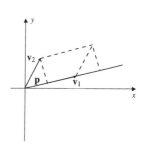

6.4 직교여공간

6장 전반부에서 걸쳐 우리는 내적공간에서의 직교벡터 및 기저의 중요성을 살펴 보았다. 내적공간 V에서의 두 개의 벡터 $\mathbf{u}$와 $\mathbf{v}$가 직교할 필요충분조건은

$$\langle \mathbf{u}, \mathbf{v} \rangle = 0$$

이라는 것을 상기하라.

벡터들이 기저이고 서로 직교하면, 그 벡터들의 묶음은 직교기저를 형성한다. 이 절에서는 직교성의 개념을 내적공간으로 확대하고자 한다. 첫 번째 단계로서, $\mathbf{v}$를 내적공간 V의 임의의 벡터라고 하고, W는 V의 부분공간이라고 가정하자. $\mathbf{v}$가 W에 직교할 필요충분조건은

$$\text{모든 벡터 } \mathbf{w} \in W \text{ 에 대해 } \langle \mathbf{v}, \mathbf{w} \rangle = 0$$

이라 할 수 있다.

예를 들어, W를 유클리드 공간 $\mathbb{R}^3$에서의 yz 평면이라고 하자. W는 덧셈과 스칼라 곱셈에 닫혀있다는 것을 알 수 있고, 따라서 3.2절의 정리 3에 의해 W는 부분공간이다. $\mathbb{R}^3$에서의 내적으로서의 점곱을 활용하여, 좌표벡터

$$\mathbf{e}_1 = \begin{bmatrix} 1 \\ 0 \\ 0 \end{bmatrix}$$

은 W에 직교한다. 왜냐하면, 모든 $y, z \in \mathbb{R}$ 에 대해

$$\begin{bmatrix} 1 \\ 0 \\ 0 \end{bmatrix} \cdot \begin{bmatrix} 0 \\ y \\ z \end{bmatrix} = 0$$

이 성립하기 때문이다.

$\mathbf{e}_1$의 임의의 스칼라 곱 역시 W에 직교한다는 것을 명심하라.

예제 1은 부분공간에 직교하는 벡터를 찾는 방법에 대한 예시를 보여준다.

예제 1

내적으로서 점곱이 정의된 $V = \mathbb{R}^3$를 고려하자. W는

$$W = \text{span} \left\{ \begin{bmatrix} 1 \\ -2 \\ 3 \end{bmatrix} \right\}$$

으로 정의된 부분공간이라고 하자.

　W에 직교하는 $\mathbb{R}^3$에 있는 모든 벡터들을 표현하라.

풀이　$\mathbf{w} = \begin{bmatrix} 1 \\ -2 \\ 3 \end{bmatrix}$ 라고 하자.

그러므로, W에서의 임의의 벡터는 어떤 실수 c에 대해 $c\mathbf{w}$의 형태를 갖는다. 결과적으로, $\mathbb{R}^3$에서의 벡터

$$\mathbf{v} = \begin{bmatrix} x \\ y \\ z \end{bmatrix}$$

가 W에 직교할 필요충분조건은 $\mathbf{v} \cdot \mathbf{w} = 0$이다. 이 마지막 방정식은 방정식

$$x - 2y + 3z = 0$$

와 동치이고, 그것의 해집합은

$$S = \{(2s - 3t, s, t) \mid s, t \in \mathbb{R}\}$$

로 주어진다.

　따라서, W에 직교하는 벡터들의 집합은

$$S' = \left\{ \begin{bmatrix} 2s - 3t \\ s \\ t \end{bmatrix} \,\middle|\, s, t \in \mathbb{R} \right\} = \left\{ s \begin{bmatrix} 2 \\ 1 \\ 0 \end{bmatrix} + t \begin{bmatrix} -3 \\ 0 \\ 1 \end{bmatrix} \,\middle|\, s, t \in \mathbb{R} \right\}$$

로 주어진다.

　$s = t = 1$로 설정하면 W에 직교하는 특정한 벡터

$$\mathbf{v} = \begin{bmatrix} -1 \\ 1 \\ 1 \end{bmatrix}$$

을 찾을 수 있다. 왜냐하면,

$$\mathbf{v} \cdot \mathbf{w} = \begin{bmatrix} -1 \\ 1 \\ 1 \end{bmatrix} \cdot \begin{bmatrix} 1 \\ -2 \\ 3 \end{bmatrix} = (-1)(1) + (1)(-2) + (1)(3) = 0$$

이기 때문이다.

　S'의 벡터들이 표준 위치에 놓여져 있다고 하면, 그림 1에서와 같이 해집합은 $\mathbb{R}^3$에서 평면을

나타낸다. 이것은 $\mathbb{R}^3$에 있는 하나의 벡터에 직교하는 벡터들의 집합은 법선벡터라고 명명된 그 벡터에 수직한 평면 상에 놓일 것이라는 직관을 지원해준다.

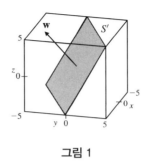

그림 1

부분공간 W에 직교하는 예제 1에서 도출된 벡터들의 집합을 W의 직교여공간(orthogonal complement)이라고 한다. 다음 정의는 이와 같은 개념을 내적공간으로 일반화시킨다.

정의 1 직교여공간

W를 내적공간 V의 부분공간이라고 하자. $W^\perp$로 표기되는 W의 직교여공간은 W에 직교하는 V에 있는 모든 벡터들의 집합이다. 즉,

$$W^\perp = \{\mathbf{v} \in V \mid \text{모든 벡터 } \mathbf{w} \in W \text{ 에 대해 } \langle \mathbf{v}, \mathbf{w} \rangle = 0\}$$

이다.

예제 2

$V = \mathcal{P}_3$라 하고, V에서의 내적을

$$\langle p, q \rangle = \int_0^1 p(x)q(x)\,dx$$

로 정의한다.

W가 상수항 다항식의 부분공간이라고 할 때, $W^\perp$를 구하라.

풀이 $f(x) = a + bx + cx^2 + dx^3$를 $\mathcal{P}_3$에서의 임의의 다항식이라고 하고, $p(x) = k$를 임의의 상수항 다항식이라고 하자. 그리고 나서 f가 $W^\perp$에 있을 필요충분조건은

$$\langle f, p \rangle = \int_0^1 k(a + bx + cx^2 + dx^3)\,dx = k\left(a + \frac{b}{2} + \frac{c}{3} + \frac{d}{4}\right) = 0$$

이다.

이 방정식은 모든 $k \in \mathbb{R}$에 대해서 성립해야 하므로,

$$W^{\perp} = \left\{ a + bx + cx^2 + dx^3 \ \middle| \ a + \frac{b}{2} + \frac{c}{3} + \frac{d}{4} = 0 \right\}$$

이다.

예제 1과 예제 2에서 영벡터는 직교여공간 $W^{\perp}$ 의 성분이 됨을 명심하라. 또한 이들 예제에 대해서 $W^{\perp}$ 가 벡터공간 덧셈과 스칼라 곱셈에 대해서 닫혀있음을 보일 수 있다. 이것은 정리 8로 귀결된다.

정리 8

W를 내적공간 V의 부분공간이라고 하자.

1. 직교여공간 $W^{\perp}$ 는 V의 부분공간이다.

2. W와 $W^{\perp}$ 에 있는 유일한 벡터는 영벡터이다; 즉, $W \cap W^{\perp} = \{\mathbf{0}\}$ 이다.

증명 (1) $\mathbf{u}$와 $\mathbf{v}$를 $W^{\perp}$ 에 있는 벡터라 하고, $\mathbf{w}$는 W에 있는 벡터라고 하면,

$$\langle \mathbf{u}, \mathbf{w} \rangle = 0 \text{ 과 } \langle \mathbf{v}, \mathbf{w} \rangle = 0$$

이 된다.

이제 임의의 스칼라 c에 대해서,

$$\begin{aligned}\langle \mathbf{u} + c\mathbf{v}, \mathbf{w} \rangle &= \langle \mathbf{u}, \mathbf{w} \rangle + \langle c\mathbf{v}, \mathbf{w} \rangle \\ &= \langle \mathbf{u}, \mathbf{w} \rangle + c\langle \mathbf{v}, \mathbf{w} \rangle \\ &= 0 + 0 = 0\end{aligned}$$

을 얻는다.

그러므로, $\mathbf{u} + c\mathbf{v}$는 $W^{\perp}$ 에 있고, 3.2절의 정리 4에 의해서, $W^{\perp}$ 는 V의 부분공간이다.

(2) $\mathbf{w}$를 $W \cap W^{\perp}$ 에 있는 임의의 벡터라고 하자. 그러면,

$$\langle \mathbf{w}, \mathbf{w} \rangle = 0$$

이고, $\mathbf{w} = \mathbf{0}$ (6.2절의 정의 1을 보라.)이다. 그러므로, $W \cap W^{\perp} = \{\mathbf{0}\}$ 이다.

어떤 벡터 $\mathbf{v}$가 부분공간의 직교여공간에 있는지 결정하기 위해서는, $\mathbf{v}$가 부분공간의 기저에 해당하는 각각의 벡터들과 직교하는지만 보이면 충분하다.

| 명제 5 |

W를 내적공간 V의 부분공간이라 하고, $B = \{\mathbf{w}_1, ..., \mathbf{w}_m\}$는 W의 기저라고 하자. 벡터 $\mathbf{v}$가 $W^{\perp}$ 에 있기 위한 필요충분조건은 $\mathbf{v}$가 B의 각각의 벡터들과 직교하는 것이다.

증명 먼저 $\mathbf{v}$가 B의 각각의 벡터들과 직교한다고 가정하자. $\mathbf{w}$를 W에 있는 임의의 벡터라고 하자. 그러면,

$$\mathbf{w} = c_1\mathbf{w}_1 + \cdots + c_m\mathbf{w}_m$$

을 만족하는 스칼라 $c_1, \ldots, c_m$이 존재한다.

$\mathbf{v}$가 $W^{\perp}$에 있다는 것을 보이기 위해, 앞선 식의 양 변을 $\mathbf{v}$로 내적을 취하게 되면,

$$\langle \mathbf{v}, \mathbf{w} \rangle = c_1 \langle \mathbf{v}, \mathbf{w}_1 \rangle + c_2 \langle \mathbf{v}, \mathbf{w}_2 \rangle + \cdots + c_m \langle \mathbf{v}, \mathbf{w}_m \rangle$$

이 된다.

모든 $j = 1, 2, \ldots, m$에 대해 $\langle \mathbf{v}, \mathbf{w}_j \rangle = 0$ 이므로, $\langle \mathbf{v}, \mathbf{w} \rangle = 0$ 이 되고, 따라서 $\mathbf{v} \in W^{\perp}$ 이다.

역으로, $\mathbf{v} \in W^{\perp}$ 이라고 한다면, $\mathbf{v}$는 W에 있는 모든 벡터에 직교한다. 특히, $\mathbf{v}$는 모든 $j = 1, 2, \ldots, m$에 대해 $\mathbf{w}_j$에 직교한다.

예제 3

내적으로서 점곱이 정의된 $V = \mathbb{R}^4$를 가정하고,

$$W = \mathbf{span} \left\{ \begin{bmatrix} 1 \\ 0 \\ -1 \\ -1 \end{bmatrix}, \begin{bmatrix} 0 \\ 1 \\ -1 \\ 1 \end{bmatrix} \right\}$$

이라 하자.

a. W에 대한 기저를 구하라.

b. $W^{\perp}$에 대한 기저를 구하라.

c. $\mathbb{R}^4$에 대한 정규직교기저를 구하라.

d. $\mathbf{v}_0 = \begin{bmatrix} 1 \\ 0 \\ 0 \\ 0 \end{bmatrix}$ 이라 하자.

$\mathbf{v}_0$를 W의 벡터와 $W^{\perp}$의 벡터 합으로 기술할 수 있음을 보여라.

풀이 a. $\mathbf{w}_1 = \begin{bmatrix} 1 \\ 0 \\ -1 \\ -1 \end{bmatrix}$ 과 $\mathbf{w}_2 = \begin{bmatrix} 0 \\ 1 \\ -1 \\ 1 \end{bmatrix}$

이라 하자.

$\mathbf{w}_1$과 $\mathbf{w}_2$는 직교하고, 6.2절의 정리 5에 의해 일차독립이라는 것을 알 수 있다. 그러므로, $\{\mathbf{w}_1,$

$\mathbf{w}_2\}$는 W에 대한 기저이다.

b. 이제 명제 5에 의해, 벡터

$$\mathbf{v} = \begin{bmatrix} x \\ y \\ z \\ w \end{bmatrix}$$

가 $W^{\perp}$에 있을 필요충분조건은 $\mathbf{v} \cdot \mathbf{w}_1 = 0$이고, $\mathbf{v} \cdot \mathbf{w}_2 = 0$이다. 이 조건은 선형시스템을 이끌어 낸다.

$$\begin{cases} x & -z-w=0 \\ y-z+w=0 \end{cases}$$

이 선형시스템에 대한 두 개의 매개변수에 의한 해집합은

$$S = \left\{ \begin{bmatrix} s+t \\ s-t \\ s \\ t \end{bmatrix} \middle| s,t \in \mathbb{R} \right\}$$

이다.

벡터형태로서의 이 시스템의 해는 W의 직교여공간에 대한 표현을 제공해 주며,

$$W^{\perp} = \mathbf{span} \left\{ \begin{bmatrix} 1 \\ 1 \\ 1 \\ 0 \end{bmatrix}, \begin{bmatrix} 1 \\ -1 \\ 0 \\ 1 \end{bmatrix} \right\}$$

로 주어진다.

$$\mathbf{v}_1 = \begin{bmatrix} 1 \\ 1 \\ 1 \\ 0 \end{bmatrix} \text{과 } \mathbf{v}_2 = \begin{bmatrix} 1 \\ -1 \\ 0 \\ 1 \end{bmatrix}$$

이라 하자.

$\mathbf{v}_1$과 $\mathbf{v}_2$는 직교하므로, 6.2절 정리 5에 의해 $\mathbf{v}_1$과 $\mathbf{v}_2$는 일차독립이고, 따라서 $W^{\perp}$에 대한 기저가 된다.

c. B는 $B = \{\mathbf{w}_1, \mathbf{w}_2, \mathbf{v}_1, \mathbf{v}_2\}$ 벡터들의 집합이다. B가 $\mathbb{R}^4$에서의 4개 벡터들의 직교집합이므로, 6.2절 의 따름정리 1에 의해, B는 $\mathbb{R}^4$에 대한 기저가 된다. 각각의 벡터들을 벡터의 길이로 나눠주면,

$$B' = \left\{ \mathbf{b}_1, \mathbf{b}_2, \mathbf{b}_3, \mathbf{b}_4 \right\} = \left\{ \frac{1}{\sqrt{3}} \begin{bmatrix} 1 \\ 0 \\ -1 \\ -1 \end{bmatrix}, \frac{1}{\sqrt{3}} \begin{bmatrix} 0 \\ 1 \\ -1 \\ 1 \end{bmatrix}, \frac{1}{\sqrt{3}} \begin{bmatrix} 1 \\ 1 \\ 1 \\ 0 \end{bmatrix}, \frac{1}{\sqrt{3}} \begin{bmatrix} 1 \\ -1 \\ 0 \\ 1 \end{bmatrix} \right\}$$

로 주어진 $\mathbb{R}^4$에 대한 (순서있는) 정규직교기저를 얻게 된다.

d. 6.2절의 정리 6에 의해, B'에 대한 $\mathbf{v}_0$의 좌표는 $1 \leq i \leq 4$에 대해 $c_i = \mathbf{v}_0 \cdot \mathbf{b}_i$로 주어진다. 따라서

$$c_1 = \frac{1}{\sqrt{3}} \qquad c_2 = 0 \qquad c_3 = \frac{1}{\sqrt{3}} \qquad c_4 = \frac{1}{\sqrt{3}}$$

이다.

이제, B'의 앞에 있는 2개의 벡터는 W에 대한 정규직교기저이고, 다음 2개의 벡터는 $W^\perp$에 대한 정규직교기저임에 유의한다. $\mathbf{w}$를

$$\mathbf{w} = c_1 \mathbf{b}_1 + c_2 \mathbf{b}_2 = \frac{1}{3} \begin{bmatrix} 1 \\ 0 \\ -1 \\ -1 \end{bmatrix}$$

로 주어진 W에 있는 벡터라고 하고, $\mathbf{u}$는

$$\mathbf{u} = c_3 \mathbf{b}_3 + c_4 \mathbf{b}_4 = \frac{1}{3} \begin{bmatrix} 2 \\ 0 \\ 1 \\ 1 \end{bmatrix}$$

로 주어진 $W^\perp$에 있는 벡터라고 하자.

그러면

$$\mathbf{w} + \mathbf{u} = \frac{1}{3} \begin{bmatrix} 1 \\ 0 \\ -1 \\ -1 \end{bmatrix} + \frac{1}{3} \begin{bmatrix} 2 \\ 0 \\ 1 \\ 1 \end{bmatrix} = \begin{bmatrix} 1 \\ 0 \\ 0 \\ 0 \end{bmatrix} = \mathbf{v}_0$$

이다. ∎

예제 3에서의 벡터 $\mathbf{w}$를 $\mathbf{v}$의 부분공간 W로의 정사영이라고 하고, 벡터 $\mathbf{u}$를 W에 직교하는 $\mathbf{v}$의 성분이라고 한다. 일반적으로, 이러한 상황이 정의 2와 정리 9의 내용이다.

정의 2 직합

W_1과 W_2는 벡터공간 V의 부분공간이다. V에 있는 모든 벡터들이 W_1의 벡터와 W_2의 벡터 합으로 유일하게 기술될 수 있으면, V를 W_1과 W_2의 직합 (direct sum)이라고 한다. 이 경우에 $V = W_1 \oplus W_2$로 표기한다.

| 명제 6 |

W_1과 W_2를 $V = W_1 \oplus W_2$인 벡터공간 V의 부분공간이라고 하자. 그러면 $W_1 \cap W_2 = \{\mathbf{0}\}$이다.

증명 $\mathbf{v} \in W_1 \cap W_2$라고 하자. 그러면,

$$\mathbf{v} = \mathbf{w}_1 + \mathbf{0} \text{ 과 } \mathbf{v} = \mathbf{0} + \mathbf{w}_2$$

이다. 여기서, $\mathbf{w}_1 \in W_1$과 $\mathbf{w}_2 \in W_2$이다. 그러므로, 직합 표현의 유일성에 의해서, $\mathbf{w}_1 = \mathbf{w}_2 = \mathbf{0}$을 얻는다.

정리 9 사영 정리

W가 내적공간 V의 유한 차원 부분공간이라고 한다면,

$$V = W \oplus W^\perp$$

이다.

증명 이 정리의 증명은 두 부분으로 되어 있다. 먼저 임의의 벡터 $\mathbf{v} \in V$에 대하여 $\mathbf{w} + \mathbf{u} = \mathbf{v}$를 만족하는 $\mathbf{w} \in W$와 $\mathbf{u} \in W^\perp$가 존재함을 보이면 된다. 그리고 나서 이러한 표현이 유일하다는 것을 보여야 한다.

첫 번째 부분에서, $B = \{\mathbf{w}_1, \ldots, \mathbf{w}_n\}$를 W에 대한 기저라고 하자. 6.3절의 정리 7에 의하여, W에 대한 정규직교기저가 되도록 B를 취할 수 있다. 이제, $\mathbf{v}$를 V에 있는 벡터라 하고, 벡터 $\mathbf{w}$와 $\mathbf{u}$는

$$\mathbf{w} = \langle \mathbf{v}, \mathbf{w}_1 \rangle \mathbf{w}_1 + \langle \mathbf{v}, \mathbf{w}_2 \rangle \mathbf{w}_2 + \cdots + \langle \mathbf{v}, \mathbf{w}_n \rangle \mathbf{w}_n \text{ 과 } \mathbf{u} = \mathbf{v} - \mathbf{w}$$

로 정의된다고 하자.

$\mathbf{w}$는 B에 있는 벡터들의 선형결합이므로, $\mathbf{w} \in W$이다. $\mathbf{u}$가 $W^\perp$에 있다는 것을 보이기 위해, 명제 5에 기초하여 모든 $i = 1, 2, \ldots, n$에 대하여 $\langle \mathbf{u}, \mathbf{w}_i \rangle = 0$ 임을 보인다. 이 때문에, $\mathbf{w}_i$를 B에 있는 하나의 벡터라고 하자. 그러면,

$$\begin{aligned}
\langle \mathbf{u}, \mathbf{w}_i \rangle &= \langle \mathbf{v} - \mathbf{w}, \mathbf{w}_i \rangle \\
&= \langle \mathbf{v}, \mathbf{w}_i \rangle - \langle \mathbf{w}, \mathbf{w}_i \rangle \\
&= \langle \mathbf{v}, \mathbf{w}_i \rangle - \sum_{j=1}^{n} \langle \mathbf{v}, \mathbf{w}_j \rangle \langle \mathbf{w}_j, \mathbf{w}_i \rangle
\end{aligned}$$

이다.

B는 정규직교기저이므로,

$$\langle \mathbf{w}_i, \mathbf{w}_i \rangle = 1 \text{ 이고, 모든 } i \neq j \text{ 에 대해 } \langle \mathbf{w}_j, \mathbf{w}_i \rangle = 0$$

이다.

그러므로,

$$\langle \mathbf{u}, \mathbf{w}_i \rangle = \langle \mathbf{v}, \mathbf{w}_i \rangle - \langle \mathbf{v}, \mathbf{w}_i \rangle \langle \mathbf{w}_i, \mathbf{w}_i \rangle = 0$$

이 된다.

이것은 모든 $i = 1, \ldots, n$에 대해 성립하므로, 명제 5에 의하여 벡터 $\mathbf{u} \in W^\perp$라고 할 수 있다. 증명의 두 번째 부분에 대해서,

$$\mathbf{v} = \mathbf{w} + \mathbf{u} \text{ 와 } \mathbf{v} = \mathbf{w}' + \mathbf{u}'$$

라고 하자. 단, $\mathbf{w}$와 $\mathbf{w}'$는 W에 있고, $\mathbf{u}$와 $\mathbf{u}'$는 $W^\perp$에 있다고 하자. 두 방정식을 빼 주면

$$(\mathbf{w} - \mathbf{w}') + (\mathbf{u} - \mathbf{u}') = 0$$

이 된다. 즉,

$$\mathbf{w}' - \mathbf{w} = \mathbf{u} - \mathbf{u}'$$

이다.

이제, 마지막 방정식으로부터 벡터 $\mathbf{u} - \mathbf{u}'$가 W에 있는 벡터 $\mathbf{w}$와 $\mathbf{w}'$의 선형결합이기 때문에, W에 있다는 것을 알 수 있다. 그러나, $\mathbf{u} - \mathbf{u}'$는 $W^\perp$에 있는 두 벡터의 차이므로 역시 $W^\perp$에 있다. 그러므로, 정리 8의 2번에 의해, $\mathbf{u} - \mathbf{u}' = \mathbf{0}$이고, 따라서 $\mathbf{u} = \mathbf{u}'$이다. 이 경우에서, $\mathbf{w}' - \mathbf{w} = \mathbf{0}$를 얻게 되고, 따라서 $\mathbf{w}' = \mathbf{w}$이다. 그러므로, V에 있는 모든 $\mathbf{v}$에 대하여, $\mathbf{v} = \mathbf{w} + \mathbf{u}$를 만족하는 W에 있는 유일한 벡터 $\mathbf{w}$와 $W^\perp$에 있는 유일한 벡터 $\mathbf{u}$가 존재함을 보였다. 따라서, $V = W \oplus W^\perp$이다.

예제 3의 용어에 기초하여, 정리 9의 벡터 $\mathbf{w}$를 W 위로의 $\mathbf{v}$의 정사영이라고 하고, $\text{proj}_W \mathbf{v}$로 표기하며, 그리고 $\mathbf{u}$를 W에 직교하는 $\mathbf{v}$의 성분이라고 한다.

행렬

3.2절의 정의 4에서, $N(A)$로 표기하는 $m \times n$ 행렬 A의 영공간을 $A\mathbf{x} = \mathbf{0}$을 만족하는 $\mathbb{R}^n$의 모든 벡터 $\mathbf{x}$들의 집합으로 정의하였다. $\text{col}(A)$로 표기되는 A의 열공간은 A의 열벡터들에 의해 생성되는 $\mathbb{R}^m$의 부분공간이다. 마찬가지로, $N(A^t)$로 표기되는 A의 좌영공간(left null space)은 $A^t\mathbf{y} = \mathbf{0}$

을 만족하는 $\mathbb{R}^m$의 벡터 **y**들의 집합이다. 마지막으로, 4.2절에서 논의된 **row**(A)로 표기되는 A의 행공간은 A의 행벡터들에 의해 생성되는 $\mathbb{R}^n$의 부분공간이다. A의 행들은 A^t의 열들이 되므로, **row**$(A)=$**col**(A^t)이다. 이들 4개의 부분공간

$$N(A) \qquad N(A^t) \qquad \mathbf{col}(A) \text{ 와} \qquad \mathbf{col}(A^t)$$

는 행렬 A와 관련된 4가지 기본적인 부분공간들이라고 불린다. 정리 10은 그들 간의 관계를 정립해 준다.

정리 10

A를 $m \times n$ 행렬이라고 하자.

1. $N(A) = \mathbf{col}(A^t)^\perp$

2. $N(A^t) = \mathbf{col}(A)^\perp$

증명 (1) $\mathbf{v}_1, \ldots, \mathbf{v}_m$를 A의 행벡터들이라고 하자. 그러면,

$$A\mathbf{x} = \begin{bmatrix} \mathbf{v}_1 \cdot \mathbf{x} \\ \mathbf{v}_2 \cdot \mathbf{x} \\ \vdots \\ \mathbf{v}_m \cdot \mathbf{x} \end{bmatrix}$$

가 된다.

먼저 **x**를 $N(A)$에 있는 벡터라고 한다면, $A\mathbf{x} = \mathbf{0}$이다. 그리고 나서, 모든 $i = 1, 2, \ldots, m$에 대하여 $\mathbf{v}_i \cdot \mathbf{x} = 0$이다. 그러므로, $\mathbf{x} \in \mathbf{row}(A)^\perp = \mathbf{col}(A^t)^\perp$ 이고 $N(A) \subseteq \mathbf{col}(A^t)^\perp$ 이다. 이에 반해서, **x**를 $\mathbf{col}(A^t)^\perp = \mathbf{row}(A)^\perp$ 에 있는 벡터라고 하자. 그러면, 모든 $i = 1, 2, \ldots, m$에 대하여 $\mathbf{x} \cdot \mathbf{v}_i = 0$이고, 따라서 $A\mathbf{x} = \mathbf{0}$이다. 그러므로, $\mathbf{col}(A^t)^\perp \subseteq N(A)$ 이다. 결과적으로, $N(A) = \mathbf{col}(A^t)^\perp$ 이다.

2번에 대해서는, 1번의 A 대신에 A^t를 사용하라.

선형 시스템

A를 $m \times n$ 행렬이라고 하자. 정리 10에 기초하여, 유클리드 공간의 기하하적 구조와 A의 기본적인 부분공간들의 관점에서 선형시스템 $A\mathbf{x} = \mathbf{b}$를 분석할 차례이다. 첫 번째 단계로서, $\mathbb{R}^n$의 벡터 **x**에 대한 A의 작용을 표현해 본다. **row**$(A) = $**col**$(A^t)$이므로, 정리 10에 의하여, $N(A)$는 **row**(A)의 직교여공간이다. 그러므로, 정리 9에 의하여, $\mathbb{R}^n$의 벡터 **x**는

$$\mathbf{x} = \mathbf{x}_{\text{row}} + \mathbf{x}_{\text{null}}$$

와 같이 유일하게 기술될 수 있다. 여기서, $\mathbf{x}_{\text{row}}$는 A의 행공간에 있고, $\mathbf{x}_{\text{null}}$은 A의 영공간에 있다. 여기서, **x**에 A를 곱하면,

$$Ax = A(x_{row} + x_{null}) = Ax_{row} + Ax_{null}$$

를 얻는다.

$Ax_{null} = 0$이므로, $T(x) = Ax$로 정의된 사상 $T: \mathbb{R}^n \longrightarrow \mathbb{R}^m$ 은 A의 행공간을 A의 열공간에 대응시킨다. $\mathbb{R}^n$의 어떠한 벡터도 정리 10에 의해 A의 열공간의 직교여공간인 $N(A^t)$에 있는 영벡터가 아닌 벡터로 대응되지 않음에 유의한다. 그림 2를 참조하라.

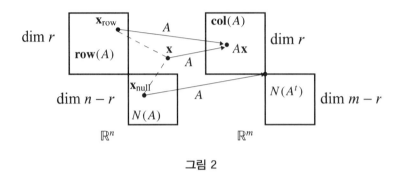

그림 2

다시 기하학적 관점에서, $m \times n$ 행렬 A와 $\mathbb{R}^m$의 주어진 벡터 b에 대한 선형시스템 $Ax = b$의 무모순성(consistency)을 고려하기로 한다. 이미 3.2절에서 $Ax = b$의 해가 존재할 필요충분조건이 b가 A의 열공간에 있다라는 것을 학습하였다. 정리 10에 의하여, 이 시스템의 해가 존재할 필요충분조건은 b가 A의 좌영공간에 수직하는 것이다, 즉, b가 A의 열벡터들에 직교하는 $\mathbb{R}^m$의 모든 벡터에 직교하는 것이다. 이것은 다소 다루기 힘들어 보인다. 그러나, A^t의 영공간에 대한 기저가 몇 개의 벡터들로 구성되는 경우에 대해서는, $Ax = b$의 해가 존재하는지 수월하게 확인할 수 있다. 예를 들면,

$$A = \begin{bmatrix} 1 & 0 & 0 \\ 0 & 1 & 1 \\ -1 & -1 & -1 \end{bmatrix} \text{과 } b = \begin{bmatrix} 2 \\ 1 \\ -3 \end{bmatrix}$$

이라 하자.

$$A^t = \begin{bmatrix} 1 & 0 & -1 \\ 0 & 1 & -1 \\ 0 & 1 & -1 \end{bmatrix} \text{이고, } N(A^t) = \mathbf{span} \left\{ \begin{bmatrix} 1 \\ 1 \\ 1 \end{bmatrix} \right\}$$

이다. b가 $\begin{bmatrix} 1 \\ 1 \\ 1 \end{bmatrix}$에 직교하므로, 명제 5에 의하여, b는 $N(A^t)$에 직교하고, 따라서 **col**(A)에 있다. 그러므로, 선형시스템 $Ax = b$는 해가 존재한다.

핵심 요약

W를 내적공간 V의 부분공간이라고 하자.

1. 3차원에 있는 영벡터가 아닌 하나의 벡터 $\mathbf{v}$의 생성에 의한 직교여공간은 법선벡터를 $\mathbf{v}$로 하는 평면이다.

2. W의 직교여공간은 V의 부분공간이다.

3. W와 그것의 직교여공간에 공통인 유일한 벡터는 영벡터이다.

4. W가 유한 차원이라면, 벡터공간은 W와 그것의 직교여공간의 직합이다. 즉, $V = W \oplus W^\perp$이다.

5. B가 W에 대한 기저라고 한다면, $\mathbf{v}$가 $W^\perp$에 있을 필요충분조건은 $\mathbf{v}$가 B에 있는 모든 벡터와 직교하는 것이다.

6. A가 $m \times n$ 행렬이라면, $N(A) = \mathbf{col}(A^t)^\perp$이고, $N(A^t) = \mathbf{col}(A)^\perp$이다.

연습문제 6.4

연습문제 1–8에서, 표준 내적이 정의된 $\mathbb{R}^n$에서의 W에 대한 직교여공간을 구하라.

1. $W = \mathbf{span}\left\{ \begin{bmatrix} 1 \\ -2 \end{bmatrix} \right\}$

2. $W = \mathbf{span}\left\{ \begin{bmatrix} 1 \\ 0 \end{bmatrix} \right\}$

3. $W = \mathbf{span}\left\{ \begin{bmatrix} 2 \\ 1 \\ -1 \end{bmatrix} \right\}$

4. $W = \mathbf{span}\left\{ \begin{bmatrix} 1 \\ 0 \\ 2 \end{bmatrix} \right\}$

5. $W = \mathbf{span}\left\{ \begin{bmatrix} 2 \\ 1 \\ -1 \end{bmatrix}, \begin{bmatrix} 1 \\ 2 \\ 0 \end{bmatrix} \right\}$

6. $W = \mathbf{span}\left\{ \begin{bmatrix} -3 \\ 1 \\ -1 \end{bmatrix}, \begin{bmatrix} 0 \\ 1 \\ 1 \end{bmatrix} \right\}$

7. $W = \mathbf{span}\left\{ \begin{bmatrix} 3 \\ 1 \\ 1 \\ -1 \end{bmatrix}, \begin{bmatrix} 0 \\ 2 \\ 1 \\ 2 \end{bmatrix} \right\}$

8. $W = \mathbf{span}\left\{ \begin{bmatrix} 1 \\ 1 \\ 0 \\ 1 \end{bmatrix}, \begin{bmatrix} 1 \\ 0 \\ 1 \\ 1 \end{bmatrix}, \begin{bmatrix} 0 \\ 1 \\ 1 \\ 1 \end{bmatrix} \right\}$

연습문제 9–12에서, 표준 내적이 정의된 $\mathbb{R}^n$에서의 W에 대한 직교여공간의 기저를 구하라.

9. $W = \mathbf{span}\left\{ \begin{bmatrix} 2 \\ 1 \\ 1 \end{bmatrix}, \begin{bmatrix} -1 \\ 1 \\ 0 \end{bmatrix} \right\}$

10. $W = \mathbf{span}\left\{ \begin{bmatrix} 1 \\ -1 \\ 1 \end{bmatrix}, \begin{bmatrix} -2 \\ 2 \\ -2 \end{bmatrix} \right\}$

11. $W = \text{span} \left\{ \begin{bmatrix} 3 \\ 1 \\ -1 \\ 2 \end{bmatrix}, \begin{bmatrix} 1 \\ 1 \\ 4 \\ 0 \end{bmatrix} \right\}$

12. $W = \text{span} \left\{ \begin{bmatrix} 1 \\ 1 \\ 1 \\ 1 \end{bmatrix}, \begin{bmatrix} 2 \\ 0 \\ -1 \\ 1 \end{bmatrix}, \begin{bmatrix} 0 \\ 2 \\ 3 \\ 1 \end{bmatrix} \right\}$

연습문제 13과 14에서, 내적이

$$\langle p, q \rangle = \int_0^1 p(x)q(x)\,dx$$

로 정의된 $\mathcal{P}_2$에서의 W에 대한 직교여공간의 기저를 구하라.

13. $W = \text{span}\{x - 1, \ x^2\}$

14. $W = \text{span}\{1, \ x^2\}$

15. 표준 내적이 정의되고, $w_1 + w_2 + w_3 + w_4 = 0$를 만족하는 모든 벡터 $\mathbf{w}$로 구성된 $\mathbb{R}^4$의 부분공간을 W라고 하자. $W^\perp$에 대한 기저를 구하라.

연습문제 16–21에서, W는 표준 내적이 정의된 $\mathbb{R}^n$의 부분공간이다. $\mathbf{v}$가 $\mathbb{R}^n$에 있고, $\{\mathbf{w}_1, \dots, \mathbf{w}_m\}$가 W의 직교기저라고 한다면, W 위로의 $\mathbf{v}$의 정사영은

$$\text{proj}_W \mathbf{v} = \sum_{i=1}^m \frac{\langle \mathbf{v}, \mathbf{w}_i \rangle}{\langle \mathbf{w}_i, \mathbf{w}_i \rangle} \mathbf{w}_i$$

로 주어진다.

W 위로의 $\mathbf{v}$의 정사영을 구하라. 필요하다면, 먼저 W의 직교기저를 구하라.

16. $W = \text{span} \left\{ \begin{bmatrix} 1 \\ 0 \\ -1 \end{bmatrix}, \begin{bmatrix} 2 \\ 1 \\ 1 \end{bmatrix} \right\}$ $\mathbf{v} = \begin{bmatrix} 1 \\ -2 \\ 2 \end{bmatrix}$

17. $W = \text{span} \left\{ \begin{bmatrix} 2 \\ 0 \\ 0 \end{bmatrix}, \begin{bmatrix} 0 \\ -1 \\ 1 \end{bmatrix} \right\}$ $\mathbf{v} = \begin{bmatrix} 1 \\ 2 \\ -3 \end{bmatrix}$

18. $W = \text{span} \left\{ \begin{bmatrix} 3 \\ -1 \\ 1 \end{bmatrix}, \begin{bmatrix} -2 \\ 2 \\ 0 \end{bmatrix} \right\}$ $\mathbf{v} = \begin{bmatrix} 5 \\ -3 \\ 1 \end{bmatrix}$

19. $W = \text{span} \left\{ \begin{bmatrix} 1 \\ 2 \\ 1 \end{bmatrix}, \begin{bmatrix} -1 \\ 3 \\ 2 \end{bmatrix} \right\}$ $\mathbf{v} = \begin{bmatrix} 1 \\ -3 \\ 5 \end{bmatrix}$

20. $W = \text{span} \left\{ \begin{bmatrix} 1 \\ 2 \\ -1 \\ 1 \end{bmatrix}, \begin{bmatrix} 1 \\ 3 \\ -1 \\ 0 \end{bmatrix}, \begin{bmatrix} 3 \\ 0 \\ 1 \\ -1 \end{bmatrix} \right\}$ $\mathbf{v} = \begin{bmatrix} 0 \\ 0 \\ 1 \\ 0 \end{bmatrix}$

21. $W = \text{span} \left\{ \begin{bmatrix} 3 \\ 0 \\ -1 \\ 2 \end{bmatrix}, \begin{bmatrix} -6 \\ 0 \\ 2 \\ 4 \end{bmatrix} \right\}$ $\mathbf{v} = \begin{bmatrix} 1 \\ 2 \\ 1 \\ -1 \end{bmatrix}$

연습문제 22–25에서, W는 표준 내적이 정의된 $\mathbb{R}^n$의 부분공간이다.

a. $W^\perp$를 구하라.

b. W 위로의 $\mathbf{v}$의 정사영을 구하라.(연습문제 16-21을 참조하라.)

c. $\mathbf{u} = \mathbf{v} - \text{proj}_W \mathbf{v}$를 계산하라.

d. $\mathbf{u}$가 $W^\perp$에 있고, 따라서 $\mathbf{v}$는 W의 벡터와 $W^\perp$의 벡터 합인 것을 보여라.

e. $W, W^\perp, \mathbf{v}, \text{proj}_W \mathbf{v}$, 그리고 $\mathbf{u}$를 도식화하라.

22. $W = \text{span} \left\{ \begin{bmatrix} 1 \\ 2 \end{bmatrix} \right\}$ $\mathbf{v} = \begin{bmatrix} 1 \\ 1 \end{bmatrix}$

23. $W = \text{span} \left\{ \begin{bmatrix} 3 \\ -1 \end{bmatrix} \right\}$ $\mathbf{v} = \begin{bmatrix} 0 \\ 1 \end{bmatrix}$

24. $W = \mathbf{span}\left\{\begin{bmatrix} 1 \\ 1 \\ 0 \end{bmatrix}\right\}$ $\mathbf{v} = \begin{bmatrix} 1 \\ 1 \\ 1 \end{bmatrix}$

25. $W = \mathbf{span}\left\{\begin{bmatrix} 1 \\ 1 \\ -1 \end{bmatrix}, \begin{bmatrix} -1 \\ 2 \\ 4 \end{bmatrix}\right\}$ $\mathbf{v} = \begin{bmatrix} 2 \\ 1 \\ 1 \end{bmatrix}$

26. V가 내적공간이라면, $V^\perp = \{\mathbf{0}\}$ 및 $\{\mathbf{0}\}^\perp = V$ 임을 보여라.

27. W_1과 W_2가 내적공간의 유한 차원 부분공간이고, $W_1 \subset W_2$이라면, $W_2^\perp \subset W_1^\perp$ 임을 보여라.

28. 내적이

$$\langle f, g \rangle = \int_{-1}^1 f(x)g(x)\,dx$$

로 주어진 $V = C^{(0)}[-1, 1]$ 와 $W = \{f \in V \mid f(-x) = -f(x)\}$ 를 고려하자.

a. W가 V의 부분공간임을 보여라.

b. $W^\perp = \{f \in V \mid f(-x) = -f(x)\}$ 임을 보여라.

c. $W \cap W^\perp = \{\mathbf{0}\}$ 을 증명하라.

d. $g(x) = \frac{1}{2}[f(x) + f(-x)]$ 와 $h(x) = \frac{1}{2}[f(x) - f(-x)]$ 를 가정하자. $g(-x) = g(x)$ 와 $h(-x) = -h(x)$ 를 증명하고, 따라서 모든 f 는 W의 함수와 $W^\perp$ 의 함수 합으로 기술됨을 보여라.

29. 내적이

$$\langle A, B \rangle = \mathbf{tr}(B^t A)$$

로 주어진 $V = M_{2\times 2}$ 와 $W = \{A \in V \mid A$는 대칭행렬$\}$를 고려하자.

a. $W^\perp = \{A \in V \mid A$ 는 반대칭행렬(skew symmetric)$\}$를 보여라.

b. V 의 모든 A는 W와 $W^\perp$ 의 행렬들의 합으로 기술됨을 보여라.

30. 표준 내적이 정의된 $\mathbb{R}^2$ 에서, 어떤 벡터를 부분공간 W 위로의 정사영으로 대응시키는 변환은 선형 변환이다. $W = \mathbf{span}\left\{\begin{bmatrix} 2 \\ 1 \end{bmatrix}\right\}$ 이라 하자.

a. 표준 기저를 W 위로의 $\mathbb{R}^2$의 정사영으로 대응시키는 행렬 표현 P를 구하라.

b. $\mathbf{v} = \begin{bmatrix} 1 \\ 1 \end{bmatrix}$ 이라 하자. $\mathrm{proj}_W \mathbf{v}$ 를 구하고, 결과가 **a**번에서 구한 행렬 P를 적용한 것과 같아짐을 증명하라.

c. $P^2 = P$임을 보여라.

31. W가 내적공간의 유한 차원 부분공간이라면, $(W^\perp)^\perp = W$ 임을 보여라.

6.5 응용: 최소제곱 근사화

정확한 해를 찾을 수는 없지만, 응용의 요구를 만족하기에는 충분한 근사해가 존재하는 수학과 과학에서의 많은 응용 분야가 있다. 점 (1, 2), 점 (2, 1), 그리고 점 (3, 3)을 통과하는 직선의 방정식을 찾는 문제를 고려해 보자. 그림 1로부터 세 점이 한 직선에 있지 않기 때문에, 이 문제는 해가 없음을 알 수 있다.

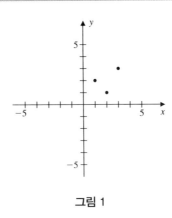

그림 1

이것은 적합도를 측정하기 위한 어떤 기준에 기초하여 세 점에 가장 근접한 직선을 찾는 문제로 유도된다. 이 새로운 문제를 풀기 위한 여러 가지 방법이 있다. 한 가지 방법은 미적분학을 활용하여 직선 자신과 각 점 간의 제곱거리 합이 최소가 되도록 하는 직선을 찾는 개념으로부터 기인한다. 또 다른 꽤 명쾌한 방법은 같은 결과를 도출하기 위해 선형대수학을 이용한다. 이 기법을 설명하기 위해, 점 (1, 2), 점 (2, 1), 그리고 점 (3, 3)에 의해 만족되는 $y = mx + b$ 형태의 방정식을 찾는 원문제를 고려해 보자. 이들 세 점을 방정식 $y = mx + b$에 대입하면 선형시스템

$$\begin{cases} m+b = 2 \\ 2m+b = 1 \\ 3m+b = 3 \end{cases}$$

을 만들어낸다.

전술한 바와 같이, 이 시스템의 해는 존재하지 않는다. 최적의 근사해를 찾기 위한 첫 번째 단계로서,

$$A = \begin{bmatrix} 1 & 1 \\ 2 & 1 \\ 3 & 1 \end{bmatrix} \quad \mathbf{x} = \begin{bmatrix} m \\ b \end{bmatrix} \quad \text{와} \quad \mathbf{b} = \begin{bmatrix} 2 \\ 1 \\ 3 \end{bmatrix}$$

이라 하고, 선형시스템을 $A\mathbf{x} = \mathbf{b}$로 기술한다. 이로부터, $\mathbf{b}$가 $\mathbf{col}(A)$ 내에 있지 않기 때문에 선형시스템의 해는 존재하지 않음을 알 수 있다. 그러므로, 최선의 방법은 그림 2에 주어진 것처럼, $\mathbf{b}$에 가장 근접한 $\mathbf{col}(A)$에 있는 벡터 $\hat{\mathbf{w}}$를 찾는 것이다.

최선의 선택은 $\hat{\mathbf{w}}$를 $\mathbf{col}(A)$로의 $\mathbf{b}$의 정사영으로 하는 것이라는 것을 곧 알게 될 것이다. 이 경우에서, $\hat{\mathbf{w}}$를 찾기 위해서

$$W = \mathbf{col}(A) = \mathbf{span}\left\{ \begin{bmatrix} 1 \\ 2 \\ 3 \end{bmatrix}, \begin{bmatrix} 1 \\ 1 \\ 1 \end{bmatrix} \right\}$$

이라 하자.

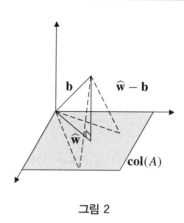

그림 2

6.4절의 정리 9에 의해, 벡터 **b**는

$$\mathbf{b} = \widehat{\mathbf{w}} + \mathbf{y}$$

와 같이 기술할 수 있고, 여기서 **y**는 $W^\perp$에 있다. 6.4절의 정리 10에 의해, $W^\perp = N(A')$를 얻는다. A'를 행 간소화함으로써, W의 직교여공간은

$$W^\perp = \mathbf{span} \left\{ \begin{bmatrix} 1 \\ -2 \\ 1 \end{bmatrix} \right\}$$

이 된다.

이 공간은 1차원이므로, 먼저 6.4절의 용어에 따르면 W에 직교하는 **b**의 성분인 **y**를 찾아냄으로써 계산이 간단해진다. **y**를 찾기 위해, 6.3절의 정의 1을 사용하여 $W^\perp$ 위로의 **b**의 정사영을 계산한다. $\mathbf{v} = \begin{bmatrix} 1 \\ -2 \\ 1 \end{bmatrix}$이라 하면,

$$\mathbf{y} = \frac{\mathbf{b} \cdot \mathbf{v}}{\mathbf{v} \cdot \mathbf{v}} \mathbf{v} = \frac{1}{2} \begin{bmatrix} 1 \\ -2 \\ 1 \end{bmatrix}$$

이 된다.

그러므로,

$$\widehat{\mathbf{w}} = \mathbf{b} - \mathbf{y} = \begin{bmatrix} 2 \\ 1 \\ 3 \end{bmatrix} - \frac{1}{2} \begin{bmatrix} 1 \\ -2 \\ 1 \end{bmatrix} = \frac{1}{2} \begin{bmatrix} 3 \\ 4 \\ 5 \end{bmatrix}$$

가 된다.

마지막으로, m과 b 값을 구하기 위해, 선형시스템 $A\mathbf{x} = \hat{\mathbf{w}}$을 계산하면, 시스템은

$$\begin{bmatrix} 1 & 1 \\ 2 & 1 \\ 3 & 1 \end{bmatrix} \begin{bmatrix} m \\ b \end{bmatrix} = \frac{1}{2} \begin{bmatrix} 3 \\ 4 \\ 5 \end{bmatrix}$$

가 된다.

3.2절의 정리 6에 의해, 우변의 벡터가 $\mathbf{col}(A)$에 있기 때문에, 이 마지막 선형시스템은 해가 존재한다. 선형시스템을 풀어주면, $m = \frac{1}{2}$ 및 $b = 1$ 이 되고, 이것은 각각 가장 근사한 직선 $y = \frac{1}{2}x + 1$ 의 기울기와 y 절편에 해당한다. 벡터

$$\begin{bmatrix} m \\ b \end{bmatrix} = \begin{bmatrix} \frac{1}{2} \\ 1 \end{bmatrix}$$

은 그림 3에서와 같이 직선과 주어진 점들까지의 거리를 제곱한 합이 최소가 되는 직선을 도출하기 때문에 시스템 $A\mathbf{x} = \mathbf{b}$에 대한 최소제곱해(least squares solution)이다.

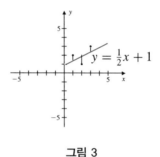

$$y = \frac{1}{2}x + 1$$

그림 3

데이터 점들의 집합에 가장 근사한 직선을 찾는 것을 선형회귀라고 한다.

최소제곱해

이제 $m \times n$ 선형시스템 $A\mathbf{x} = \mathbf{b}$에 대한 최소제곱해를 찾기 위한 일반적인 문제를 고려하기로 한다. $\mathbf{b}$가 $\mathbf{col}(A)$에 있으면 정해(exact solution)는 존재한다; 게다가, A의 열들이 일차독립이면, 해는 유일하다. $\mathbf{b}$가 $\mathbf{col}(A)$에 있지 않는 경우에는, 오차항 $\| \mathbf{b} - A\mathbf{x} \|$를 최소로 하는 $\mathbb{R}^n$의 벡터 $\mathbf{x}$를 찾는다. 벡터의 길이를 정의하기 위해 $\mathbb{R}^m$에서의 표준 내적을 활용하면,

$$\| \mathbf{b} - A\mathbf{x} \|^2 = (\mathbf{b} - A\mathbf{x}) \cdot (\mathbf{b} - A\mathbf{x})$$
$$= [b_1 - (A\mathbf{x})_1]^2 + [b_2 - (A\mathbf{x})_2]^2 + \cdots + [b_m - (A\mathbf{x})_m]^2$$

을 얻는다.

이 방정식이 최소제곱해라는 용어에 대한 이론적 근거를 제공한다.

선형시스템 $A\mathbf{x} = \mathbf{b}$에 대한 최소제곱해 $\hat{\mathbf{x}}$를 찾기 위하여, $W = \mathbf{col}(A)$라고 하자. W는 $\mathbb{R}^m$의 유

한 차원 부분공간이므로, 6.4절 정리 9에 의해, 벡터 **b**는

$$\mathbf{b} = \mathbf{w}_1 + \mathbf{w}_2$$

로 유일하게 기술할 수 있으며, 그림 4에서와 같이 $\mathbf{w}_1$은 W로의 **b**의 정사영이며, $\mathbf{w}_2$는 W에 직교하는 **b**의 성분이다.

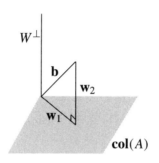

그림 4

이제 정사영은 **col**(A)에 있는 모든 **x**에 대하여 오차항 $\|\mathbf{b} - A\mathbf{x}\|$를 최소화하는 것을 보이자. 먼저,

$$\begin{aligned}
\|\mathbf{b} - A\mathbf{x}\|^2 &= \|\mathbf{w}_1 + \mathbf{w}_2 - A\mathbf{x}\|^2 \\
&= \langle \mathbf{w}_2 + (\mathbf{w}_1 - A\mathbf{x}), \mathbf{w}_2 + (\mathbf{w}_1 - A\mathbf{x}) \rangle \\
&= \langle \mathbf{w}_2, \mathbf{w}_2 \rangle + 2\langle \mathbf{w}_2, \mathbf{w}_1 - A\mathbf{x} \rangle + \langle \mathbf{w}_1 - A\mathbf{x}, \mathbf{w}_1 - A\mathbf{x} \rangle
\end{aligned}$$

를 얻는다.

$\mathbf{w}_1$과 $A\mathbf{x}$는 W에 있고, $\mathbf{w}_2$는 $W^\perp$에 있으므로, 가운데 항은 사라지게 되고,

$$\begin{aligned}
\|\mathbf{b} - A\mathbf{x}\|^2 &= \langle \mathbf{w}_2, \mathbf{w}_2 \rangle + \langle \mathbf{w}_1 - A\mathbf{x}, \mathbf{w}_1 - A\mathbf{x} \rangle \\
&= \|\mathbf{w}_2\|^2 + \|\mathbf{w}_1 - A\mathbf{x}\|^2
\end{aligned}$$

이 된다.

x가

$$A\mathbf{x} = \mathbf{w}_1$$

에 대한 해라고 한다면, 우변의 양은 최소가 된다.

$\mathbf{w}_1$이 **col**(A)에 있으므로, 이 선형시스템은 해가 존재한다. $A\mathbf{x} = \mathbf{w}_1$ 을 만족하는 $\mathbb{R}^n$의 임의의 벡터 $\hat{\mathbf{x}}$를 $A\mathbf{x} = \mathbf{b}$의 최소제곱해라고 한다. 또한, A의 열들이 일차독립이면, 해는 유일하다.

어떤 경우는, 이 절 초반부에서의 예제에서와 같이 $\mathbf{w}_1$을 직접 찾는 것이 가능하다. 그리고 나서 최소제곱해는 $A\mathbf{x} = \mathbf{w}_1$ 을 계산하여 구할 수 있다. 그러나, 대부분의 경우에서는 벡터 $\mathbf{w}_1$을 구하는 것이 어렵다. 법선 방정식

$$A^t A\mathbf{x} = A^t \mathbf{b}$$

를 푸는 것은 이와 같은 어려움으로부터 벗어나게 한다.

정리 11

A는 $m \times n$ 행렬이고, $\mathbf{b}$는 $\mathbb{R}^m$의 벡터이다. $\mathbb{R}^n$의 벡터 $\hat{\mathbf{x}}$가 법선 방정식

$$A^t A\mathbf{x} = A^t \mathbf{b}$$

의 해일 필요충분조건은 $\hat{\mathbf{x}}$가 $A\mathbf{x} = \mathbf{b}$에 대한 최소제곱해인 것이다.

증명 정리 바로 직전의 논의로부터, $A\mathbf{x} = \mathbf{b}$에 대한 최소제곱해 $\hat{\mathbf{x}}$가 존재함을 알고 있다. 6.4절의 정리 9에 의해, $\mathbf{b} = \mathbf{w}_1 + \mathbf{w}_2$를 만족하는 $W = \mathbf{col}(A)$에 있는 유일한 벡터 $\mathbf{w}_1$과 $W^\perp$에 있는 유일한 벡터 $\mathbf{w}_2$가 있다.

먼저 $\hat{\mathbf{x}}$가 최소제곱해라고 가정하자. $\mathbf{w}_2$는 A의 열들에 직교하므로, $A^t \mathbf{w}_2 = \mathbf{0}$이다. 또한, $\hat{\mathbf{x}}$는 최소제곱해이므로, $A\hat{\mathbf{x}} = \mathbf{w}_1$이다. 그러므로,

$$A^t A\hat{\mathbf{x}} = A^t \mathbf{w}_1 = A^t (\mathbf{b} - \mathbf{w}_2) = A^t \mathbf{b}$$

이고, 따라서 $\hat{\mathbf{x}}$는 법선 방정식의 해이다.

역으로, $\hat{\mathbf{x}}$가 $A^t A\mathbf{x} = A^t \mathbf{b}$의 해라고 가정한다면, $\hat{\mathbf{x}}$는 또한 $A\mathbf{x} = \mathbf{b}$의 최소제곱해임을 보이고자 한다. $A^t A\hat{\mathbf{x}} = A^t \mathbf{b}$라고 가정하자. 즉,

$$A^t (\mathbf{b} - A\hat{\mathbf{x}}) = 0$$

이라고 가정하자.

결과적으로, 벡터 $\mathbf{b} - A\hat{\mathbf{x}}$는 A^t의 각 행에 직교하고, 따라서 A의 각 열에 직교한다. A의 열들이 W를 생성하므로, 벡터 $\mathbf{b} - A\hat{\mathbf{x}}$는 $W^\perp$에 있다. 따라서, $\mathbf{b}$는

$$\mathbf{b} = A\hat{\mathbf{x}} + (\mathbf{b} - A\hat{\mathbf{x}})$$

와 같이 기술할 수 있다. 여기서 $A\hat{\mathbf{x}}$는 $W = \mathbf{col}(A)$에 있고, $\mathbf{b} - A\hat{\mathbf{x}}$는 $W^\perp$에 있다. 다시, 6.4절의 정리 9에 의해, 이와 같은 벡터 $\mathbf{b}$의 분해는 유일하고, 따라서 $A\hat{\mathbf{x}} = \mathbf{w}_1$이다. 그러므로, $\hat{\mathbf{x}}$는 최소제곱해이다.

예제 1

$$A = \begin{bmatrix} -2 & 3 \\ 1 & -2 \\ 1 & -1 \end{bmatrix} \text{과 } \mathbf{b} = \begin{bmatrix} 1 \\ -1 \\ 2 \end{bmatrix}$$

라고 하자.

a. $A\mathbf{x} = \mathbf{b}$에 대한 최소제곱해를 구하라.

b. $W = \text{col}(A)$로의 $\mathbf{b}$의 정사영과 분해 $\mathbf{b} = \mathbf{w}_1 + \mathbf{w}_2$를 구하라. 여기서, $\mathbf{w}_1$은 W에 있고, $\mathbf{w}_2$는 $W^\perp$에 있다.

풀이 **a.** 선형시스템 $A\mathbf{x} = \mathbf{b}$는 해가 존재하지 않기 때문에, 최소제곱해는 우리가 구할 수 있는 최적의 근사값이다. 정리 11에 의해, 최소제곱해는 다음의 법선 방정식

$$A^t A \mathbf{x} = A^t \mathbf{b}$$

를 계산함으로써 구할 수 있다.

이 경우에서 법선 방정식은

$$\begin{bmatrix} -2 & 1 & 1 \\ 3 & -2 & -1 \end{bmatrix} \begin{bmatrix} -2 & 3 \\ 1 & -2 \\ 1 & -1 \end{bmatrix} \begin{bmatrix} x \\ y \end{bmatrix} = \begin{bmatrix} -2 & 1 & 1 \\ 3 & -2 & -1 \end{bmatrix} \begin{bmatrix} 1 \\ -1 \\ 2 \end{bmatrix}$$

이고,

$$\begin{bmatrix} 6 & -9 \\ -9 & 14 \end{bmatrix} \begin{bmatrix} x \\ y \end{bmatrix} = \begin{bmatrix} -1 \\ 3 \end{bmatrix}$$

으로 간단하게 정리할 수 있다.

좌변의 행렬은 가역행렬이므로, 따라서

$$\begin{bmatrix} x \\ y \end{bmatrix} = \frac{1}{3} \begin{bmatrix} 14 & 9 \\ 9 & 6 \end{bmatrix} \begin{bmatrix} -1 \\ 3 \end{bmatrix}$$

이 된다.

그리고 나서 최소제곱해는

$$\hat{\mathbf{x}} = \begin{bmatrix} x \\ y \end{bmatrix} = \begin{bmatrix} \frac{13}{3} \\ 3 \end{bmatrix}$$

으로 주어진다.

b. $\text{col}(A)$ 위로의 $\mathbf{b}$의 정사영 $\mathbf{w}_1$을 구하기 위해, $\mathbf{w}_1 = A\hat{\mathbf{x}}$ 이라는 사실을 활용한다. 그래서,

$$\mathbf{w}_1 = \begin{bmatrix} -2 & 3 \\ 1 & -2 \\ 1 & -1 \end{bmatrix} \begin{bmatrix} \frac{13}{3} \\ 3 \end{bmatrix} = \frac{1}{3} \begin{bmatrix} 1 \\ -5 \\ 4 \end{bmatrix}$$

이 된다.

이제 방정식 $\mathbf{w}_2 = \mathbf{b} - \mathbf{w}_1$ 로부터 $\mathbf{w}_2$를 구하면,

$$\mathbf{w}_2 = \mathbf{b} - \mathbf{w}_1 = \begin{bmatrix} 1 \\ -1 \\ 2 \end{bmatrix} - \frac{1}{3} \begin{bmatrix} 1 \\ -5 \\ 4 \end{bmatrix} = \frac{2}{3} \begin{bmatrix} 1 \\ 1 \\ 1 \end{bmatrix}$$

이 된다.

$\mathbf{b}$의 분해는

$$\mathbf{b} = \mathbf{w}_1 + \mathbf{w}_2 = \frac{1}{3} \begin{bmatrix} 1 \\ -5 \\ 4 \end{bmatrix} + \frac{2}{3} \begin{bmatrix} 1 \\ 1 \\ 1 \end{bmatrix}$$

로 주어진다.

$\mathbf{w}_2$는 A의 각 열들과 직교함에 유의한다.

선형회귀

예제 2는 데이터 집합들에서의 추세를 찾기 위해 최소제곱 근사화를 활용한 예를 보여준다.

예제 2

그림 5에 산포도로 주어진 표 1의 데이터는 °C 단위로 표시된 1975년부터 2002년까지의 지구 표면의 평균 온도를 나타낸다.[*] 이들 데이터 점에 가장 근사한 직선의 방정식을 구하라.

표 1

지구 표면의 평균 온도 1975–2002					
1975	13.94	1985	14.03	1994	14.25
1976	13.86	1986	14.12	1995	14.37
1977	14.11	1987	14.27	1996	14.23
1978	14.02	1988	14.29	1997	14.40
1979	14.09	1989	14.19	1998	14.56
1980	14.16	1990	14.37	1999	14.32
1981	14.22	1991	14.32	2000	14.31
1982	14.04	1992	14.14	2001	14.46
1983	14.25	1993	14.14	2002	14.52
1984	14.07				

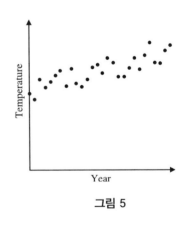

그림 5

풀이 $i = 1, 2, \ldots, 28$ 에 대해 데이터 점을 (x_i, y_i)로 표기하는데, x_i는 $x_1 = 1975$를 시작점으로 하는 연도이고, y_i는 당해년도의 지구 표면의 평균 온도이다. 선형시스템

---

[*] Worldwatch Institute, Vital Signs 2006–2007. *The trends that are shaping our future*, W. W. Norton and Company, New York London, 2006.

$$\begin{cases} m(1975) + b &=& 13.94 \\ m(1976) + b &=& 13.86 \\ & \vdots & \\ m(2002) + b &=& 14.52 \end{cases}$$

이 해를 가진다면, 방정식 $y = mx + b$ 형태의 직선은 모든 데이터 점을 지날 것이다.

행렬의 형태로 쓰면, 이 선형방정식은

$$\begin{bmatrix} 1975 & 1 \\ 1976 & 1 \\ \vdots & \\ 2002 & 1 \end{bmatrix} \begin{bmatrix} m \\ b \end{bmatrix} = \begin{bmatrix} 13.94 \\ 13.86 \\ \vdots \\ 14.52 \end{bmatrix}$$

이다.

선형시스템이 해를 가지지 않기 때문에, 데이터에 가장 근사한 직선을 얻기 위해서는 $\mathbf{x} = \begin{bmatrix} m \\ b \end{bmatrix}$ 이 최소제곱해가 되도록 하는 m과 b 값을 구하면 된다. 이 시스템에 대한 법선 방정식은

$$\begin{bmatrix} 1975 & \cdots & 2002 \\ 1 & \cdots & 1 \end{bmatrix} \begin{bmatrix} 1975 & 1 \\ \vdots & \\ 2002 & 1 \end{bmatrix} \begin{bmatrix} m \\ b \end{bmatrix} = \begin{bmatrix} 1975 & \cdots & 2002 \\ 1 & \cdots & 1 \end{bmatrix} \begin{bmatrix} 13.94 \\ \vdots \\ 14.52 \end{bmatrix}$$

로 주어지고,

$$\begin{bmatrix} 110,717,530 & 55,678 \\ 55,678 & 28 \end{bmatrix} \begin{bmatrix} m \\ b \end{bmatrix} = \begin{bmatrix} 791,553.23 \\ 398.05 \end{bmatrix}$$

와 같이 간단하게 표현할 수 있다.

최소제곱해는

$$\begin{bmatrix} m \\ b \end{bmatrix} = \begin{bmatrix} 0.0168609742 \\ -19.31197592 \end{bmatrix}$$

이다. 그리고 나서 데이터에 가장 근사한 직선은 그림 6에 나와 있듯이, $y = 0.0168609742x - 19.31197592$로 주어진다.

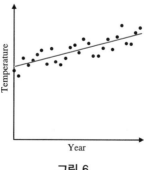

그림 6

예제 2의 과정은 데이터에 가장 근사한 $n \geq 1$인 임의 차수의 다항식을 찾는 것으로 확장할 수 있다. 예를 들면, $n = 2$라고 한다면, 데이터 점들에 대한 $y = ax^2 + bx + c$의 가장 근사한 포물선을 찾는 것은 $n \times 3$ 선형시스템에 대한 최소제곱해를 찾는 것을 필요로 한다. 연습문제 6을 보라.

푸리에 다항식

차수가 n인 삼각 다항식은

$$a_0 + a_1 \cos x + b_1 \sin x + a_2 \cos 2x + b_2 \sin 2x + \cdots + a_n \cos nx + b_n \sin nx$$

의 형태를 갖는 코사인과 사인에 의한 표현법이다.

여기서, 계수들 $a_0, a_1, b_1, a_2, b_2, \ldots, a_n, b_n$은 실수이다. $\mathcal{PC}[-\pi, \pi]$는 $[-\pi, \pi]$ 구간에서 구간연속함수들의 벡터공간을 나타낸다. 벡터공간 $\mathcal{PC}[-\pi, \pi]$는

$$\langle f, g \rangle = \int_{-\pi}^{\pi} f(x)g(x)\,dx$$

로 정의된 내적을 갖는 내적공간이다.

이제 삼각 다항식일 수도 있고 아닐 수도 있는 $[-\pi, \pi]$에서 정의된 구분연속함수 f가 있을 때, 이 함수를 가장 잘 근사화하는 차수 n인 삼각 다항식을 찾는다고 하자.

선형대수학을 활용하여 이 문제를 풀기 위해서는, W를 삼각 다항식들의 $\mathcal{PC}[-\pi, \pi]$의 부분공간이라고 하자. $f_0(x) = 1/\sqrt{2\pi}$ 이고, $k \geq 1$에 대해서,

$$f_k(x) = \frac{1}{\sqrt{\pi}} \cos kx \quad \text{와} \quad g_k(x) = \frac{1}{\sqrt{\pi}} \sin kx$$

라고 하자.

집합 B를

$$B = \left\{ f_0, f_1, f_2, \ldots, f_n, g_1, g_2, \ldots, g_n \right\}$$
$$= \left\{ \frac{1}{\sqrt{2\pi}}, \frac{1}{\sqrt{\pi}} \cos x, \frac{1}{\sqrt{\pi}} \cos 2x, \ldots, \frac{1}{\sqrt{\pi}} \cos nx, \frac{1}{\sqrt{\pi}} \sin x, \frac{1}{\sqrt{\pi}} \sin 2x, \ldots, \frac{1}{\sqrt{\pi}} \sin nx \right\}$$

로 정의하자.

위에 정의된 내적에 따라, B는 W에 대한 정규직교기저임을 증명할 수 있다. 이제 f를 $\mathcal{PC}[-\pi, \pi]$에서의 하나의 함수라고 하자. W는 유한 차원이므로, f는

$$f = f_W + f_{W^\perp}$$

와 같은 유일한 분해를 갖는다. 단, f_W는 W에 있고, $f_{W^\perp}$는 $W^\perp$에 있다. B는 이미 W에 대한 정규직교기저이므로, f_W는 6.4절 정리 9에서 주어진 정사영에 대한 공식을 활용하여 구할 수 있

다. 이 경우에서는

$$f_W = \langle f, f_0 \rangle f_0 + \langle f, f_1 \rangle f_1 + \cdots + \langle f, f_n \rangle f_n + \langle f, g_1 \rangle g_1 + \cdots + \langle f, g_n \rangle g_n$$

과 같다.

이제, 이와 같은 방식으로 정의된 f_W 가 W에 있는 f 에 대한 최상의 근사화임을 주장하고자 한다. 즉,

$$\text{모든 } \mathbf{w} \in W \text{ 에 대해, } \| f - f_W \| \le \| f - \mathbf{w} \| \text{ 이다.}$$

이 주장을 뒷받침하기 위해서,

$$\begin{aligned}
\| f - \mathbf{w} \|^2 &= \| f_W + f_{W^\perp} - \mathbf{w} \|^2 \\
&= \| f_{W^\perp} + (f_W - \mathbf{w}) \|^2 \\
&= \langle f_{W^\perp} + (f_W - \mathbf{w}), f_{W^\perp} + (f_W - \mathbf{w}) \rangle \\
&= \langle f_{W^\perp}, f_{W^\perp} \rangle + 2 \langle f_{W^\perp}, f_W - \mathbf{w} \rangle + \langle f_W - \mathbf{w}, f_W - \mathbf{w} \rangle
\end{aligned}$$

임을 확인하라.

$f_{W^\perp}$ 와 $f_W - \mathbf{w}$ 는 직교하므로, 마지막 방정식의 가운데 항은 0이다. 그래서,

$$\| f - \mathbf{w} \|^2 = \| f_{W^\perp} \|^2 + \| f_W - \mathbf{w} \|^2$$

이다.

$\mathbf{w} = f_W$ 이면, 즉, $\mathbf{w}$를 W 위로의 f 의 정사영이 되도록 선택한다면, 우변이 최소가 됨에 유의하라. 함수 f_W 를 f 에 대한 차수 n의 푸리에 다항식 이라고 한다.

예제 3

$$f(x) = \begin{cases} -1 & -\pi \le x < 0 \\ 1 & 0 < x \le \pi \end{cases}$$

라고 하자.

차수 5인 f 에 대한 푸리에 다항식을 구하라.

풀이 $y = f(x)$ 의 그래프는 그림 7에 나와있다. $f(x)$ 는 기함수이고, $f_k(x)$ 는 $k \ge 0$에 대해 우함수이므로, 곱 $f(x) f_k(x)$ 역시 기함수가 된다. 따라서, 원점을 기준으로 대칭 구간에 대한 적분 값은 0이고,

$$\text{모든 } k \ge 0 \text{ 에 대해, } \langle f, f_k \rangle = 0$$

을 얻는다.

이제 $k \geq 1$에 대해서,

$$\langle f, g_k \rangle = \int_{-\pi}^{\pi} f(x) g_k(x)\, dx$$

$$= -\frac{1}{\sqrt{\pi}} \int_{-\pi}^{0} \sin kx\, dx + \frac{1}{\sqrt{\pi}} \int_{0}^{\pi} \sin kx\, dx$$

$$= \frac{1}{k\sqrt{\pi}}\left[\, 2 - 2\cos k\pi \,\right]$$

$$= \begin{cases} 0 & (k가\ \ 짝수) \\[2mm] \dfrac{4}{k\sqrt{\pi}} & (k가\ \ 홀수) \end{cases}$$

를 얻는다.

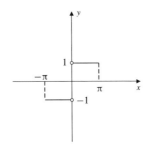

그림 7

그러므로, $[-\pi, \pi]$ 구간에서 함수 f를 가장 잘 근사화하는 차수 5인 푸리에 다항식은

$$p(x) = \frac{4}{\pi}\sin x + \frac{4}{3\pi}\sin 3x + \frac{4}{5\pi}\sin 5x$$

이다.

그림 8에서, 함수 및 $n = 1, 3, 5$에 대한 함수의 푸리에 근사식을 확인할 수 있다.

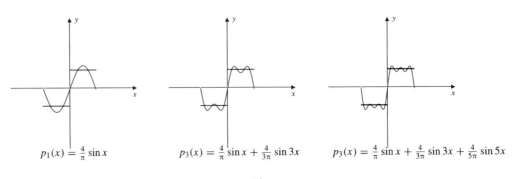

$$p_1(x) = \frac{4}{\pi}\sin x \qquad p_3(x) = \frac{4}{\pi}\sin x + \frac{4}{3\pi}\sin 3x \qquad p_3(x) = \frac{4}{\pi}\sin x + \frac{4}{3\pi}\sin 3x + \frac{4}{5\pi}\sin 5x$$

그림 8

연습문제 6.5

1. $A = \begin{bmatrix} 1 & 3 \\ 1 & 3 \\ 2 & 3 \end{bmatrix}$ 과 $\mathbf{b} = \begin{bmatrix} 4 \\ 1 \\ 5 \end{bmatrix}$

라고 하자.

a. $A\mathbf{x} = \mathbf{b}$에 대한 최소제곱해를 구하라.

b. $W = \mathbf{col}(A)$ 위로의 $\mathbf{b}$의 정사영 및 벡터 $\mathbf{b}$ $= \mathbf{w}_1 + \mathbf{w}_2$의 분해를 구하라. 단, $\mathbf{w}_1$은 W에 있고, $\mathbf{w}_2$는 $W^\perp$에 있다.

2. $A = \begin{bmatrix} 2 & 2 \\ 1 & 2 \\ 1 & 1 \end{bmatrix}$ 과 $\mathbf{b} = \begin{bmatrix} -2 \\ 0 \\ 1 \end{bmatrix}$

이라 하자.

a. $A\mathbf{x} = \mathbf{b}$에 대한 최소제곱해를 구하라.

b. $W = \mathbf{col}(A)$ 위로의 $\mathbf{b}$의 정사영 및 벡터 $\mathbf{b}$ $= \mathbf{w}_1 + \mathbf{w}_2$의 분해를 구하라. 단, $\mathbf{w}_1$은 W에 있고, $\mathbf{w}_2$는 $W^\perp$에 있다.

3. 표는 TWh 단위로 표시된 전 세계의 수력전기 사용량을 나타낸 것이다.

1965	927	1990	2185
1970	1187	1995	2513
1975	1449	2000	2713
1980	1710	2004	2803
1985	2004		

a. 데이터의 산포도를 그려라.

b. 데이터에 가장 근사한 선형 함수를 구하라.

4. 표는 전 세계 신생아 1000명 당의 유아 사망률을 나타낸 것이다.

1955	157	1985	78
1960	141	1990	70
1965	119	1995	66
1970	104	2000	62
1975	93	2005	57
1980	87		

a. 데이터의 산포도를 그려라.

b. 데이터에 가장 근사한 선형 함수를 구하라.

5. 표는 십억 단위의 전 세계 인구를 나타낸 것이다.

1950	2.56
1960	3.04
1970	3.71
1980	4.46
1990	5.28
2000	6.08

a. 데이터의 산포도를 그려라.

b. 데이터에 가장 근사한 선형 함수를 구하라.

6. 표는 전 세계 누적 HIV 감염자수를 백만명 단위로 나타낸 것이다.

1980	0.1	1995	29.8
1982	0.7	1997	40.9
1985	2.4	2000	57.9
1987	4.5	2002	67.9
1990	10	2005	82.7
1992	16.1		

a. 데이터의 산포도를 그려라.

b. 데이터에 가장 근사한 $y = ax^2 + bx + c$ 형태의 곡선을 구하라.

7. 구간 $-\pi \le x \le \pi$에서 $f(x) = x$라 하자.

a. 차수 $n = 2, 3, 4, 5$의 f에 대한 푸리에 다항식을 구하라.

b. **a**번에서 구한 다항식과 $y = f(x)$를 그려라.

8. $f(x) = \begin{cases} x & \text{if } 0 \le x \le \pi \\ x + \pi & \text{if } -\pi \le x < 0 \end{cases}$

라 하자.

a. 차수 $n = 2, 3, 4, 5$의 f에 대한 푸리에 다항식을 구하라.

b. **a**번에서 구한 다항식과 $y = f(x)$를 그려라.

9. 구간 $-\pi \leq x \leq \pi$에 있는 $f(x)=x^2$을 가정하자.

    a. 차수 $n=2, 3, 4, 5$의 f에 대한 푸리에 다항식을 구하라.

    b. **a**번에서 구한 다항식과 $y=f(x)$를 그려라.

10. A는 **rank**$(A)=n$인 $m \times n$ 행렬이고, $A=QR$은 A의 QR 분해라고 하자. (6장 복습문제의 9번을 참조하라.) 선형시스템 $A\mathbf{x}=\mathbf{b}$에 대한 최상의 최소제곱해는 상삼각시스템 $R\mathbf{x}=Q'\mathbf{b}$에 역대입법(back substitution)을 적용하여 구할 수 있음을 보여라.

6.6   대칭행렬의 대각화

5.2절에서 정사각행렬을 대각화하는 방법이 설명되었다. 또한 어떤 $n \times n$ 행렬이 대각화 가능한지 판정하기 위한 기준이 주어졌다. 특히, 5.2절의 정리 2로부터 $n \times n$ 행렬이 대각화 가능할 필요충분조건이 행렬이 n개의 일차독립인 고유벡터를 가질 조건임을 상기하라. 앞서 살펴보았듯이, 이 정리의 적용을 위해서는 행렬의 모든 고유벡터를 찾는 것을 필요로 한다. 그러나, 어떤 경우에서는 정밀한 조사를 통해 행렬이 대각화 가능한지 결정할 수 있다. 그러한 경우의 예가 5.2절의 예제 4에 주어져 있고, 실수 고유값을 갖는 임의의 2×2 실대칭행렬은 대각화가능하다는 것을 보였다. 일반적인 경우에 대한 내용이 이 절의 주요 논의 대상이다.

3.1절의 예제 8의 바로 앞에서 논의된 바에 의하면, 복소수 $\mathbb{C}$의 집합을 정의하였다. 주요 결과의 증명은 독자들이 복소변수의 용어 및 기호에 익숙해질 필요가 있다. 특히, $z=a+bi$가 복소수라고 한다면, $\bar{z}$로 표기되는 z의 공액 복소수는 $\bar{z}=a-bi$이다.

두 복소수가 같을 필요충분조건은 실수부와 허수부가 같다는 것이다. 이로부터 복소수 $z=\bar{z}$일 필요충분조건은 z가 실수이어야 한다는 것을 알 수 있다. 이를 확인하기 위해, 먼저 $z=\bar{z}$라고 하자. 그러면 $bi=-bi$, 즉 $2bi=0$이고, 따라서 $b=0$이다. 그러므로 $z=a+0i$를 얻게 되고, z는 실수이다. 역으로, z가 실수라고 한다면, $z=a+0i=a$이고, $\bar{z}=a-0i=a$ 이 되어, 결국 $z=\bar{z}$이다.

벡터 및 행렬을 위해 막대(*bar*) 표시를 정의하기도 한다. 그래서 $\mathbf{v}$가 복소 성분을 갖는 벡터이고, M이 복소 성분을 포함한 행렬이라면,

$$\bar{\mathbf{v}} = \begin{bmatrix} \overline{v_1} \\ \overline{v_2} \\ \vdots \\ \overline{v_n} \end{bmatrix} \quad \text{과} \quad \bar{M} = \begin{bmatrix} \overline{a_{11}} & \overline{a_{12}} & \cdots & \overline{a_{1n}} \\ \overline{a_{21}} & \overline{a_{22}} & \cdots & \overline{a_{2n}} \\ \vdots & \vdots & \ddots & \vdots \\ \overline{a_{m1}} & \overline{a_{12}} & \cdots & \overline{a_{mn}} \end{bmatrix}$$

가 된다.

이제 주요 결과를 진술할 준비가 되어 있다.

정리12

$n \times n$ 실대칭행렬 A의 고유값은 모두 실수이다.

증명　$\mathbf{v}$를 고유값 λ에 대응하는 A의 고유벡터라고 하자. λ가 실수임을 보이기 위해, $\bar{\lambda} = \lambda$ 임을 보일 것이다. 먼저 행렬 곱 $(\bar{\mathbf{v}}^t A \mathbf{v})^t$를 고려하면, 1.3절의 정리 6에 의해

$$(\bar{\mathbf{v}}^t A \mathbf{v})^t = \mathbf{v}^t A^t \bar{\mathbf{v}}$$

와 같이 기술할 수 있다.

　A가 대칭행렬이므로, $A^t = A$이다. 또한 A는 실수 성분만을 포함하고 있으므로, $\bar{A} = A$ 이다. 따라서,

$$\mathbf{v}^t A^t \bar{\mathbf{v}} = \mathbf{v}^t A \bar{\mathbf{v}} = \mathbf{v}^t \bar{A} \bar{\mathbf{v}} = \mathbf{v}^t \overline{A\mathbf{v}}$$

가 된다.

　이제 $\mathbf{v}$는 고유값 λ에 대응하는 A의 고유벡터이므로, $A\mathbf{v} = \lambda\mathbf{v}$이고, 따라서

$$\mathbf{v}^t \overline{A\mathbf{v}} = \mathbf{v}^t \overline{\lambda\mathbf{v}} = \mathbf{v}^t \bar{\lambda}\bar{\mathbf{v}} = \bar{\lambda}\mathbf{v}^t \bar{\mathbf{v}}$$

가 된다.

　한편으로, 처음의 표현식은

$$(\bar{\mathbf{v}}^t A \mathbf{v})^t = (\bar{\mathbf{v}}^t \lambda\mathbf{v})^t = \mathbf{v}^t \lambda \bar{\mathbf{v}} = \lambda\mathbf{v}^t \bar{\mathbf{v}}$$

로 기술할 수도 있다.

　이 두 결과를 같다고 한다면,

$$\lambda\mathbf{v}^t \bar{\mathbf{v}} = \bar{\lambda}\mathbf{v}^t \bar{\mathbf{v}} \text{ 이고, } (\lambda - \bar{\lambda})\mathbf{v}^t \bar{\mathbf{v}} = 0$$

이 된다.

$\mathbf{v}$는 A의 고유벡터이므로, 영벡터는 아니고, $\mathbf{v}^t \bar{\mathbf{v}}$ 역시 영벡터는 아니다. 3.1절의 정리 2 (4번)를 복소수로 확장한다면, $\lambda - \bar{\lambda} = 0$ 를 얻는다; 그러므로 $\lambda = \bar{\lambda}$ 이고, 따라서 λ는 실수라고 할 수 있다.

　정리 12의 결과는 실대칭행렬의 고유벡터들은 실수 성분만을 갖는다는 것이다. 이를 확인하기 위해, A를 실수 성분을 갖는 대칭행렬이라고 하고, $\mathbf{v}$는 실수 $\lambda = a$에 대응하는 고유벡터라고 하자. $\mathbf{v}$는 $n \times n$ 실수 행렬 $A - aI$의 영공간에 있는 벡터라는 사실에 유의하자. 3.2절의 정리 7에 의해서, $N(A - aI)$는 $\mathbb{R}^n$의 부분공간이다. 따라서, $\mathbf{v}$는 $\mathbb{R}^n$에 있는 벡터이므로, 주장한 바와 같이 실수 성분만을 갖는다.

예제 1

A를

$$A = \begin{bmatrix} 2 & 0 & 2 \\ 0 & 0 & -2 \\ 2 & -2 & 1 \end{bmatrix}$$

로 주어진 대칭행렬이라고 하자.

고유값과 고유값에 대응하는 A의 고유벡터가 모두 실수임을 증명하라.

풀이 A의 특성방정식은

$$\det(A - \lambda I) = -\lambda^3 + 3\lambda^2 + 6\lambda - 8 = 0$$

이다.

특성다항식을 인수분해하면,

$$(\lambda - 1)(\lambda + 2)(\lambda - 4) = 0$$

이다.

그러므로, A의 고유값들은 $\lambda_1 = 1$, $\lambda_2 = -2$, $\lambda_3 = 4$ 이다.

$\lambda_1 = 1$에 대응하는 고유벡터를 구하기 위해, $A - I$의 영공간을 찾는다. 이렇게 하면,

$$A - I = \begin{bmatrix} 1 & 0 & 2 \\ 0 & -1 & -2 \\ 2 & -2 & 0 \end{bmatrix} \text{는 결국 } \begin{bmatrix} 1 & 0 & 2 \\ 0 & 1 & 2 \\ 0 & 0 & 0 \end{bmatrix}$$

이 되는 것을 알 수 있다.

그러므로, $\lambda_1 = 1$에 대응하는 고유벡터는 $\mathbf{v}_1 = \begin{bmatrix} -2 \\ -2 \\ 1 \end{bmatrix}$ 이다. 마찬가지로 $\lambda_2 = -2$와 $\lambda_3 = 4$에 대

응하는 고유벡터들은 각각 $\mathbf{v}_2 = \begin{bmatrix} 1 \\ -2 \\ -2 \end{bmatrix}$와 $\mathbf{v}_3 = \begin{bmatrix} -2 \\ 1 \\ -2 \end{bmatrix}$ 가 되는 것을 알 수 있다. ▨■

직교 대각화

6.1절에서 $\mathbb{R}^n$의 두 개의 벡터 $\mathbf{u}$와 $\mathbf{v}$가 직교할 필요충분조건은 그들의 점곱이 $\mathbf{u} \cdot \mathbf{v} = 0$이라는 것을 보였다. 이 조건의 또 다른 정식화를 행렬 곱셈을 활용하여 전개할 수 있다. 이와 같이 하기 위하여, $\mathbf{u}$와 $\mathbf{v}$가 $\mathbb{R}^n$의 벡터라고 한다면, $\mathbf{v}^t\mathbf{u}$은 $\mathbf{u} \cdot \mathbf{v}$와 같은 단 하나의 성분을 갖는 행렬이라는 것을 알 수 있다. 그러므로, $\mathbf{u}$와 $\mathbf{v}$가 직교할 필요충분조건은 $\mathbf{v}^t\mathbf{u} = \mathbf{0}$이라는 것을 알 수 있다.

정리 13은 실대칭행렬의 서로 다른 고유값에 대응하는 고유벡터들은 직교한다는 것을 보여준다.

정리13

A를 실대칭행렬이라고 하고, $\mathbf{v}_1$과 $\mathbf{v}_2$는 서로 다른 고유값 λ_1과 λ_2에 대응하는 각각의 고유벡터라고 하자. 그러면 $\mathbf{v}_1$과 $\mathbf{v}_2$는 직교한다.

증명 이미 $\mathbf{v}_1$과 $\mathbf{v}_2$는 $\mathbb{R}^n$의 벡터라는 것을 보였다. 그들이 직교함을 보이기 위하여, $\mathbf{v}_1^t \mathbf{v}_2 = \mathbf{0}$ 임을 보일 것이다. 이제, λ_2는 A의 고유값이므로, $A\mathbf{v}_2 = \lambda_2 \mathbf{v}_2$이고, 따라서

$$\mathbf{v}_1^t A\mathbf{v}_2 = \mathbf{v}_1^t \lambda_2 \mathbf{v}_2 = \lambda_2 \mathbf{v}_1^t \mathbf{v}_2$$

이다.

또한 $A^t = A$이므로,

$$\mathbf{v}_1^t A\mathbf{v}_2 = \mathbf{v}_1^t A^t \mathbf{v}_2 = (A\mathbf{v}_1)^t \mathbf{v}_2 = \lambda_1 \mathbf{v}_1^t \mathbf{v}_2$$

가 된다.

$\mathbf{v}_1^t A\mathbf{v}_2$ 에 대한 두 식이 같다고 한다면,

$$(\lambda_1 - \lambda_2)\mathbf{v}_1^t \mathbf{v}_2 = 0$$

을 얻는다.

$\lambda_1 \neq \lambda_2$ 이므로, $\lambda_1 - \lambda_2 \neq 0$ 이다. 그러므로, 3.1절 정리 2의 4번에 의하여, $\mathbf{v}_1^t \mathbf{v}_2 = \mathbf{0}$을 얻게 되고, 이 정리의 바로 직전에 언급된 논의에 의해, $\mathbf{v}_1$이 $\mathbf{v}_2$에 직교함을 할 수 있다.

예제 2

A를

$$A = \begin{bmatrix} 1 & 0 & 0 \\ 0 & 0 & 1 \\ 0 & 1 & 0 \end{bmatrix}$$

으로 주어진 실대칭행렬이라고 하자.

A의 서로 다른 고유값에 대응하는 고유벡터들이 직교함을 보여라.

풀이 A의 특성방정식은

$$\det(A - \lambda I) = -(\lambda - 1)^2 (\lambda + 1) = 0$$

이다.

그래서 고유값은 $\lambda_1 = 1$과 $\lambda_2 = -1$이다. 그러면 고유공간은 (5.1절을 보라.)

$$V_{\lambda_1} = \mathbf{span}\left\{\begin{bmatrix} 1 \\ 0 \\ 0 \end{bmatrix}, \begin{bmatrix} 0 \\ 1 \\ 1 \end{bmatrix}\right\} \text{과 } V_{\lambda_2} = \mathbf{span}\left\{\begin{bmatrix} 0 \\ -1 \\ 1 \end{bmatrix}\right\}$$

로 주어진다.

V_{λ_1} 에 있는 모든 벡터는 $\mathbf{u} = \begin{bmatrix} 1 \\ 0 \\ 0 \end{bmatrix}$ 과 $\mathbf{v} = \begin{bmatrix} 0 \\ 1 \\ 1 \end{bmatrix}$ 의 선형결합이고, $\mathbf{w} = \begin{bmatrix} 0 \\ -1 \\ 1 \end{bmatrix}$ 은 $\mathbf{u}$와 $\mathbf{v}$ 모두에

직교하므로, 6.4절의 명제 5에 의해서, $\mathbf{w}$는 V_{λ_1} 에 있는 모든 벡터에 직교한다. 그러므로, V_{λ_2} 에 있는 모든 벡터는 V_{λ_1} 에 있는 모든 벡터에 직교한다. ■

예제 2에서, 고유공간 V_{λ_1} 에 있는 모든 벡터가 고유공간 V_{λ_2} 에 있는 모든 벡터에 직교함을 보였다. 무엇보다도, V_{λ_1} 에 있는 벡터들이 서로 직교함에 유의할 필요가 있다. 이 경우에서, 행렬은 특별한 분해를 갖게 된다.

$$\begin{bmatrix} 1 \\ 0 \\ 0 \end{bmatrix} \quad \begin{bmatrix} 0 \\ \frac{1}{\sqrt{2}} \\ \frac{1}{\sqrt{2}} \end{bmatrix} \quad \begin{bmatrix} 0 \\ -\frac{1}{\sqrt{2}} \\ \frac{1}{\sqrt{2}} \end{bmatrix}$$

를 얻기 위해, 고유공간의 생성 벡터를 정규화한다.

이들 벡터를 활용하여,

$$P = \begin{bmatrix} 1 & 0 & 0 \\ 0 & \frac{1}{\sqrt{2}} & -\frac{1}{\sqrt{2}} \\ 0 & \frac{1}{\sqrt{2}} & \frac{1}{\sqrt{2}} \end{bmatrix}$$

와 같은 행렬을 도출한다.

이 행렬은 A를 대각화하는데 사용된다. 다시 말해서,

$$P^{-1}AP = \begin{bmatrix} 1 & 0 & 0 \\ 0 & \frac{1}{\sqrt{2}} & \frac{1}{\sqrt{2}} \\ 0 & -\frac{1}{\sqrt{2}} & \frac{1}{\sqrt{2}} \end{bmatrix}\begin{bmatrix} 1 & 0 & 0 \\ 0 & 0 & 1 \\ 0 & 1 & 0 \end{bmatrix}\begin{bmatrix} 1 & 0 & 0 \\ 0 & \frac{1}{\sqrt{2}} & -\frac{1}{\sqrt{2}} \\ 0 & \frac{1}{\sqrt{2}} & \frac{1}{\sqrt{2}} \end{bmatrix} = \begin{bmatrix} 1 & 0 & 0 \\ 0 & 1 & 0 \\ 0 & 0 & -1 \end{bmatrix}$$

이다.

이 경우에서 대각화시키는 행렬 P는 $PP^t = I$의 특별한 성질을 가지고 있으며, 따라서 $P^{-1} = P^t$ 임에 유의한다. 이것은 정의 1로 귀결된다.

정의 1 **직교행렬**

가역행렬이고, $P^{-1} = P^t$이면, 정사각행렬 P를 직교행렬이라고 한다.

　직교행렬의 중요한 성질 중의 하나는 $n \times n$ 직교행렬의 열벡터들 (그리고 행벡터들)이 $\mathbb{R}^n$에 대한 정규직교기저라는 것이다. 환언하면, 이 기저의 벡터들은 서로 직교하며 단위 길이를 가진다.

　이 절의 초반부에서 언급했듯이, 실대칭행렬에 대한 특별히 유용한 사실은 그것은 대각화가능하다는 것이다. 그래서 5.2절의 정리 2에 의해 실대칭행렬은 n개의 일차독립인 고유벡터를 갖는다. 예제 2의 행렬 A에 대해서, 고유벡터들은 서로 직교한다. A를 대각화하기 위해 직교행렬 P를 만들어 내는 데에는 단지 고유벡터를 정규화하는 것만을 필요로 했다. 많은 경우에서는 해야 할 것이 더 많다. 특히, 정리 2에 의해, 서로 다른 고유값에 대응하는 고유벡터들은 직교한다. 그러나, 고유값 λ의 기하하적 중복도가 1보다 크다면, V_λ (일차독립이지만)에 있는 벡터들이 서로 직교하지 않을 수도 있다. 이러한 경우에는 일차독립인 고유벡터들로부터 정규직교기저를 구하기 위해서 6.3절에서 설명되었던 그람-슈미트 과정을 적용할 수 있다. 이전의 논의는 정리 14에 요약되어 있다.

정리14

A를 $n \times n$ 실대칭행렬이라고 하자. 그러면 $P^{-1}AP = P^tAP = D$를 만족하는 직교행렬 P와 대각선행렬 D가 존재한다. 고유값은 D의 대각선 성분이 된다.

$n \times n$ 실대칭행렬 A를 대각화하기 위해 다음의 단계를 적용할 수 있다.

1. A의 고유값과 그에 대응하는 고유벡터를 구한다.
2. A는 대각화가능하므로, n개의 일차독립인 고유벡터가 존재한다. 필요하다면, 고유벡터의 정규직교집합을 구하기 위해 그람-슈미트 과정을 적용하라.
3. 2 단계에서 도출된 열벡터들을 가지고 직교행렬 P를 형성하라.
4. 행렬 $P^{-1}AP = P^tAP = D$는 대각선행렬이다.

예제 3

$$A = \begin{bmatrix} 0 & 1 & 1 \\ 1 & 0 & 1 \\ 1 & 1 & 0 \end{bmatrix}$$

이라 하자.

　$P^{-1}AP$가 대각선행렬이 되도록 하는 직교행렬 P를 구하라.

풀이　A에 대한 특성방정식은

$$\det(A - \lambda I) = -\lambda^3 + 3\lambda + 2 = -(\lambda - 2)(\lambda + 1)^2 = 0$$

으로 주어진다.

그러므로, 고유값들은 $\lambda_1 = -1$과 $\lambda_2 = 2$이다. 이에 대응하는 고유공간은

$$V_{\lambda_1} = \mathbf{span}\left\{\begin{bmatrix} -1 \\ 1 \\ 0 \end{bmatrix}, \begin{bmatrix} -1 \\ 0 \\ 1 \end{bmatrix}\right\} \quad 과 \quad V_{\lambda_2} = \mathbf{span}\left\{\begin{bmatrix} 1 \\ 1 \\ 1 \end{bmatrix}\right\}$$

이다.

B를 벡터들

$$B = \{\mathbf{v}_1, \mathbf{v}_2, \mathbf{v}_3\} = \left\{\begin{bmatrix} 1 \\ 1 \\ 1 \end{bmatrix}, \begin{bmatrix} -1 \\ 1 \\ 0 \end{bmatrix}, \begin{bmatrix} -1 \\ 0 \\ 1 \end{bmatrix}\right\}$$

의 집합이라고 하자.

B는 세 벡터들의 일차독립인 집합이므로, 5.2절의 정리 2에 의해, A는 대각화가능하다. A를 대각화하는 직교행렬 P를 구하기 위해, B에 그람-슈미트 과정을 적용한다. 6.3절의 예제 3에서와 같이 수행하면, 정규직교기저

$$B' = \left\{\frac{1}{\sqrt{3}}\begin{bmatrix} 1 \\ 1 \\ 1 \end{bmatrix}, \frac{1}{\sqrt{2}}\begin{bmatrix} -1 \\ 1 \\ 0 \end{bmatrix}, \frac{1}{\sqrt{6}}\begin{bmatrix} -1 \\ -1 \\ 2 \end{bmatrix}\right\}$$

를 얻는다.

이제 P를

$$P = \begin{bmatrix} \frac{\sqrt{3}}{3} & -\frac{\sqrt{2}}{2} & -\frac{\sqrt{6}}{6} \\ \frac{\sqrt{3}}{3} & \frac{\sqrt{2}}{2} & -\frac{\sqrt{6}}{6} \\ \frac{\sqrt{3}}{3} & 0 & \frac{\sqrt{6}}{3} \end{bmatrix}$$

으로 주어진 행렬이라고 하자.

P는 $P^{-1} = P^t$를 만족하는 직교행렬임을 알 수 있고, 추가적으로,

$$P^t A P = \begin{bmatrix} 2 & 0 & 0 \\ 0 & -1 & 0 \\ 0 & 0 & -1 \end{bmatrix}$$

이 된다.

핵심 요약

A를 $n \times n$ 실대칭행렬이라고 하자.

1. A의 고유값들은 모두 실수이다.
2. A의 서로 다른 고유값에 대응하는 고유벡터들은 직교한다.
3. 행렬 A는 대각화가능하다.
4. $D = P^{-1}AP = P^t AP$ 를 만족하는 직교행렬 P가 존재하는데, 여기서 D는 A의 고유값을 대각선 성분으로 하는 대각선행렬이다.

연습문제 6.6

연습문제 1–4에서, 대칭행렬의 고유값들이 모두 실수임을 증명하라.

1. $A = \begin{bmatrix} 1 & 2 \\ 2 & 1 \end{bmatrix}$

2. $A = \begin{bmatrix} -1 & 3 \\ 3 & -1 \end{bmatrix}$

3. $A = \begin{bmatrix} 1 & 2 & 0 \\ 2 & -1 & 2 \\ 0 & 2 & 1 \end{bmatrix}$

4. $A = \begin{bmatrix} 1 & 1 & -2 \\ 1 & -1 & 2 \\ -2 & 2 & 1 \end{bmatrix}$

연습문제 5–8에서, 서로 다른 고유값에 대응하는 대칭행렬의 고유벡터들이 직교함을 증명하라.

5. $A = \begin{bmatrix} 1 & 2 \\ 2 & -2 \end{bmatrix}$

6. $A = \begin{bmatrix} -3 & 2 \\ 2 & -3 \end{bmatrix}$

7. $A = \begin{bmatrix} 1 & 2 & 0 \\ 2 & -1 & -2 \\ 0 & -2 & 1 \end{bmatrix}$

8. $A = \begin{bmatrix} 1 & 0 & -2 \\ 0 & -1 & 0 \\ -2 & 0 & 1 \end{bmatrix}$

연습문제 9–12에서, $n \times n$ 대칭행렬의 고유공간을 구하고, 고유공간들의 차원의 합이 n이 됨을 증명하라.

9. $A = \begin{bmatrix} 1 & 0 & 2 \\ 0 & -1 & 0 \\ 2 & 0 & 1 \end{bmatrix}$

10. $A = \begin{bmatrix} 1 & 0 & 1 \\ 0 & -1 & 0 \\ 1 & 0 & 1 \end{bmatrix}$

11. $A = \begin{bmatrix} 2 & 1 & 1 & 1 \\ 1 & -2 & 1 & 1 \\ 1 & 1 & -1 & 0 \\ 1 & 1 & 0 & -1 \end{bmatrix}$

12. $A = \begin{bmatrix} 1 & 0 & 0 & 0 \\ 0 & -2 & 0 & 0 \\ 0 & 0 & -1 & 0 \\ 0 & 0 & 0 & 1 \end{bmatrix}$

연습문제 13–16에서, 행렬이 직교행렬인지 결정하라.

13. $A = \begin{bmatrix} \frac{\sqrt{3}}{2} & \frac{1}{2} \\ -\frac{1}{2} & \frac{\sqrt{3}}{2} \end{bmatrix}$

14. $A = \begin{bmatrix} -1 & -\frac{\sqrt{5}}{5} \\ 0 & -\frac{2\sqrt{5}}{5} \end{bmatrix}$

15. $A = \begin{bmatrix} \frac{\sqrt{2}}{2} & \frac{\sqrt{2}}{2} & 0 \\ -\frac{\sqrt{2}}{2} & \frac{\sqrt{2}}{2} & 0 \\ 0 & 0 & 1 \end{bmatrix}$

16. $A = \begin{bmatrix} \frac{2}{3} & \frac{2}{3} & \frac{1}{3} \\ -\frac{2}{3} & \frac{2}{3} & \frac{1}{3} \\ \frac{1}{3} & 0 & 1 \end{bmatrix}$

연습문제 17–22에서, 주어진 행렬 A에 대하여 $D = P^{-1}AP$를 만족하는 직교행렬 P와 대각선행렬 D를 구하라.

17. $A = \begin{bmatrix} 3 & 4 \\ 4 & 3 \end{bmatrix}$

18. $A = \begin{bmatrix} 5 & 2 \\ 2 & 5 \end{bmatrix}$

19. $A = \begin{bmatrix} -1 & 3 \\ 3 & -1 \end{bmatrix}$

20. $A = \begin{bmatrix} 1 & 2 \\ 2 & -2 \end{bmatrix}$

21. $A = \begin{bmatrix} 1 & -1 & 1 \\ -1 & -1 & 1 \\ 1 & 1 & 1 \end{bmatrix}$

22. $A = \begin{bmatrix} 1 & 0 & -1 \\ 0 & -1 & 0 \\ -1 & 0 & 1 \end{bmatrix}$

23. A와 B가 직교행렬이라고 한다면, AB와 BA도 직교행렬임을 보여라.

24. A가 직교행렬이라면, $\det(A) = \pm 1$임을 보여라.

25. A가 직교행렬이라면, A^t도 직교행렬임을 보여라.

26. A가 직교행렬이라면, A^{-1}도 직교행렬임을 보여라.

27. a. 행렬

$$A = \begin{bmatrix} \cos\theta & -\sin\theta \\ \sin\theta & \cos\theta \end{bmatrix}$$

가 직교행렬임을 보여라.

b. A가 2×2 직교행렬이라고 가정하자.

$$A = \begin{bmatrix} \cos\theta & -\sin\theta \\ \sin\theta & \cos\theta \end{bmatrix}$$

또는

$$A = \begin{bmatrix} \cos\theta & \sin\theta \\ \sin\theta & -\cos\theta \end{bmatrix}$$

를 만족하는 실수 θ가 존재함을 보여라.
(힌트: $A^tA = I$ 방정식을 고려하라.)

c. A가 2×2 직교행렬이고, $T : \mathbb{R}^2 \to \mathbb{R}^2$는 $T(\mathbf{v}) = A\mathbf{v}$로 정의되는 선형 연산자라고 가정하자. $\det(A) = 1$이라면, T는 회전이고, $\det(A) = -1$이라면, T는 회전 후 x축에 대칭이다.

28. $B = P^tAP$를 만족하는 직교행렬 P가 존재한다면, 행렬 A와 B는 직교적으로 닮았다(orthogonally similar)고 한다. A와 B가 직교적으로 닮았다고 하자.

a. A가 대칭행렬일 필요충분조건이 B가 대칭행렬이라는 것을 보여라.

b. A가 직교행렬일 필요충분조건이 B가 직교행렬이라는 것을 보여라.

29. $D = P^t A P$ 를 만족하는 대각선행렬 D와 직교행렬 P가 존재하는 $n \times n$ 행렬 A를 가정하자. (행렬 A는 직교 대각화가능하다고 한다.) A가 대칭행렬임을 보여라.

30. A는 가역행렬이고, 직교 대각화가능하다고 하자. A^{-1}가 직교 대각화가능함을 보여라. (연습문제 29를 참조하라.)

31. A를 $n \times n$ 반대칭행렬(skew-symmetric matrix)이라고 하자.

  a. $\mathbf{v}$가 $\mathbb{R}^n$에 있다면, 벡터의 성분들로 $\mathbf{v}^t \mathbf{v}$를 전개하라.

  b. A의 오직 가능한 실수 고유값이 $\lambda = 0$임을 보여라. [힌트: $\mathbf{v}^t(\lambda \mathbf{v})$를 고려하라.]

6.7 응용: 이차형식

복잡한 대수 표현을 다룰 때, 수학자들은 종종 이 표현을 좀 더 쉽게 해석할 수 있도록 설계된 또는 최소한 취급하기에 적합한 변환을 적용함으로써 문제를 단순화시키려고 할 것이다. 이 절에서는 $\mathbb{R}^2$의 어떤 좌표축 변환이 x와 y에서의 방정식이 포물선, 쌍곡선, 원, 타원인 원추곡선 (conic sections)을 표현하는 방정식을 어떻게 간략화하는데 활용될 지 살펴 볼 것이다. 예를 들면, 방정식

$$x^2 - 4x + y^2 - 6y - 3 = 0$$

를 고려하자.

이 방정식을 간단화하기 위하여, $x^2 - 4x$와 $y^2 - 6y$를 완전제곱꼴로 만들어

$$(x^2 - 4x + 4) + (y^2 - 6y + 9) = 3 + 4 + 9$$

를 얻는다.

즉,

$$(x - 2)^2 + (y - 3)^2 = 16$$

이다.

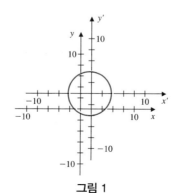

그림 1

이 마지막 방정식은 점(2, 3)을 중심으로 하는 반경 4인 원을 나타낸다. 그림 1에 그래프가 주어져 있다. 이 방정식을 더욱 간단화하기 위하여, 방정식

$$x' = x - 2 \quad \text{와} \quad y' = y - 3$$

에 의하여 좌표축을 이동시킬 수 있다.

그러면 원의 방정식은

$$\left(x'\right)^2 + \left(y'\right)^2 = 16$$

과 같다.

이것은 원점에 중심을 둔 $x'y'$ 평면에서 표준 위치(standard position)에서의 원의 방정식이다.

축의 회전

가장 일반적인 두 개 변수의 이차 방정식(quadratic equation)은

$$ax^2 + bxy + cy^2 + dx + ey + f = 0$$

과 같은 형식을 갖는다. 여기서, a, b, c, d, e, f는 최소한 a, b, c 중의 하나는 영이 되지 않도록 하는 실수이다. x와 y에서의 이차 방정식의 그래프는 계수 값들에 의존하는 원추곡선 (가능한 퇴화 경우를 포함)이다. $b \neq 0$ 일 때, 원추곡선은 표준 위치로부터 회전된다. 표현식

$$ax^2 + bxy + cy^2$$

을 부수된 이차형식(associated quadratic form)이라고 한다. 예를 들면, 이차 방정식

$$2x^2 + 5xy - 7y^2 + 2x - 4y + 1 = 0$$

은

$$2x^2 + 5xy - 7y^2$$

으로 주어진 부수된 이차형식을 가지고 있다.

이차 방정식

$$ax^2 + bxy + cy^2 + dx + ey + f = 0$$

은 또한

$$\mathbf{x} = \begin{bmatrix} x \\ y \end{bmatrix} \qquad A = \begin{bmatrix} a & \frac{b}{2} \\ \frac{b}{2} & c \end{bmatrix} \qquad \mathbf{b} = \begin{bmatrix} d \\ e \end{bmatrix}$$

로 설정함으로써 행렬의 형태로 주어진다.

그리고 나서 상기 이차 방정식은

$$\mathbf{x}^t A \mathbf{x} + \mathbf{b}^t \mathbf{x} + f = 0$$

과 등가이다.

그리고 나서 이차형식 (행렬 형태)은

$$\mathbf{x}^t A \mathbf{x}$$

로 주어진다.

예를 들면, 이차 방정식 $2x^2 + 5xy + y^2 + 3x - y + 1 = 0$ 은 행렬 형태로

$$[x \ y]\begin{bmatrix} 2 & \frac{5}{2} \\ \frac{5}{2} & 1 \end{bmatrix}\begin{bmatrix} x \\ y \end{bmatrix} + [3 \ -1]\begin{bmatrix} x \\ y \end{bmatrix} + 1 = 0$$

으로 주어진다.

부수된 이차형식은

$$[x \ y]\begin{bmatrix} 2 & \frac{5}{2} \\ \frac{5}{2} & 1 \end{bmatrix}\begin{bmatrix} x \\ y \end{bmatrix}$$

이다.

두 개 변수로 구성된 임의의 이차 방정식에 대해서 행렬 A는 대칭행렬임에 유의하라, 즉, $A^t = A$이다. 이 사실로 인해서 방정식을 간단하게 하기 위해 활용할 수 있는 변환을 개발할 수 있게 된다. 특히, 우리가 목표로 하는 사상은 새로운 좌표축에 대해 원추곡선을 표준 위치에 놓이게 하기 위해 필요한 정확한 각만큼 좌표축을 회전시킬 것이다.

이러한 사상을 도출하기 위해, 먼저 A가 실대칭행렬이면, $A = PDP^{-1} = PDP^t$를 만족하는 직교행렬 P와 대각선행렬 D가 존재한다는 6.6절의 정리 14를 상기하라. 다음으로, 어떤 2×2 직교행렬이 회전인지 검토할 필요가 있다.

이제 6.6절의 연습문제 27(b)에 의해, 2×2 실직교행렬은

$$B = \begin{bmatrix} \cos\theta & -\sin\theta \\ \sin\theta & \cos\theta \end{bmatrix} \quad \text{또는} \quad B' = \begin{bmatrix} \cos\theta & \sin\theta \\ \sin\theta & -\cos\theta \end{bmatrix}$$

의 형태를 갖는다.

다음으로, 4.6절로부터 B는 평면에 있는 하나의 벡터를 θ 라디안만큼 회전시키는 선형 연산자의 $\mathbb{R}^2$에서의 표준기저에 대한 행렬 표현임을 상기하라. 행렬 B'는 회전이 아니다 (임의의 기저에 대하여). 이것을 확인하기 위하여, $Q = \{\mathbf{v}_1, \mathbf{v}_2\}$를 $\mathbb{R}^2$에 대한 기저라고 하고, $\theta = 0$이라 하자. 그러면,

$$B' = \begin{bmatrix} 1 & 0 \\ 0 & -1 \end{bmatrix}$$

이다.

기저 Q에 대해, 이 행렬은 $\mathbf{v}_1$에 의해 생성된 직선에 대한 대칭을 나타낸다. 예를 들어, Q가 $\mathbb{R}^2$에 대한 표준기저라고 한다면, B'는 x축에 대한 대칭이다. 이 결과들은 정리 15에 요약되어 있다.

정리15

B를 2×2 실직교행렬이라고 하자.

$$\begin{bmatrix} x' \\ y' \end{bmatrix} = B \begin{bmatrix} x \\ y \end{bmatrix}$$

로 주어진 좌표축 변화가 회전일 필요충분조건은 $\det(B) = 1$ 이다.

두 개의 변수로 구성된 이차 방정식을 분석할 차례이다. C는 방정식

$$\mathbf{x}^t A \mathbf{x} + \mathbf{b}^t \mathbf{x} + f = 0$$

을 갖는 원추곡선이라는 가정에서부터 시작하자.

P는 A를 대각화하는 직교행렬이라고 하자. 그러면,

$$A = PDP^t \quad \text{이고, 여기서} \quad D = \begin{bmatrix} \lambda_1 & 0 \\ 0 & \lambda_2 \end{bmatrix}$$

이고, λ_1과 λ_2는 A의 고유값들이다. P가 직교행렬이므로, P의 형태에 관한 이전 논의로부터, P의 행렬식은 $+1$ 또는 -1 이다. $\det(P) = -1$ 이면, D의 대각선 성분과 함께 P의 열벡터들을 바꿔라.

$$\begin{bmatrix} \sin\theta & \cos\theta \\ -\cos\theta & \sin\theta \end{bmatrix} = \begin{bmatrix} \cos\left(\frac{\pi}{2} - \theta\right) & \sin\left(\frac{\pi}{2} - \theta\right) \\ -\sin\left(\frac{\pi}{2} - \theta\right) & \cos\left(\frac{\pi}{2} - \theta\right) \end{bmatrix}$$

이므로, P의 열벡터들의 재배열은 회전이다. $x'y'$ 좌표축에서의 C에 대한 방정식을 얻기 위해, $\mathbf{x} = P\mathbf{x}'$ 를 $\mathbf{x}^t A \mathbf{x} + \mathbf{b}^t \mathbf{x} + f = 0$ 에 대입하여

$$(P\mathbf{x}')^t A (P\mathbf{x}') + \mathbf{b}^t P\mathbf{x}' + f = 0$$

을 얻는다.

1.3절의 정리 6에 의해, A와 B의 곱이 정의된다면, $(AB)^t = B^t A^t$이고, 행렬의 곱셈은 결합법칙이 성립하므로,

$$(\mathbf{x}')^t P^t A P \mathbf{x}' + \mathbf{b}^t P \mathbf{x}' + f = 0 \text{ 이고, 즉 } (\mathbf{x}')^t D \mathbf{x}' + \mathbf{b}^t P \mathbf{x}' + f = 0$$

을 얻는다.

$\mathbf{b}^t P = \begin{bmatrix} d' \\ e' \end{bmatrix}$ 라 하자. 마지막 방정식은 이제

$$\lambda_1 (x')^2 + \lambda_2 (y')^2 + d'x' + e'y' + f = 0$$

으로 쓸 수 있다.

이 방정식은 $x'y'$ 좌표축의 표준 위치에 있는 원추곡선 C를 나타낸다. 원추곡선의 형태는 고유값에 의존한다. 특히, C는

1. λ_1과 λ_2가 같은 부호이면 타원이다.

2. λ_1과 λ_2가 다른 부호이면 쌍곡선이다.

3. λ_1 또는 λ_2가 0이면 포물선이다.

예제 1

C를 방정식 $x^2 - xy + y^2 - 8 = 0$ 을 갖는 원추곡선이라고 하자.

a. C가 $x'y'$ 항이 없는 표준 위치에 있도록 방정식을 $x'y'$ 좌표축으로 변환하라.

b. 표준 좌표축과 $x'y'$ 좌표축 사이의 각을 구하라.

풀이 **a.** 이 방정식의 행렬 형태는

$$\mathbf{x}^t A \mathbf{x} - 8 = 0 \text{ 이고, 여기서 } A = \begin{bmatrix} 1 & -\frac{1}{2} \\ -\frac{1}{2} & 1 \end{bmatrix}$$

로 주어진다.

A의 고유값들은 $\lambda_1 = \frac{1}{2}$ 과 $\lambda_2 = \frac{3}{2}$ 이고, 이에 대응하는 (단위) 고유벡터들은

$$\mathbf{v}_1 = \frac{1}{\sqrt{2}} \begin{bmatrix} 1 \\ 1 \end{bmatrix} \quad \text{과} \quad \mathbf{v}_2 = \frac{1}{\sqrt{2}} \begin{bmatrix} -1 \\ 1 \end{bmatrix}$$

이다.

그러면 직교행렬

$$P = \frac{1}{\sqrt{2}} \begin{bmatrix} 1 & -1 \\ 1 & 1 \end{bmatrix}$$

은 A를 대각화한다. 또한, $\det(P) = 1$이므로, 정리 15에 의해, 좌표축 변환은 회전이다. $\mathbf{x} = P\mathbf{x}'$를 상기 행렬 방정식에 대입하면

$$\left(\mathbf{x}'\right)^t P^t\, A P\mathbf{x}' - 8 = 0$$

이 된다. 즉,

$$\left(\mathbf{x}'\right)^t D\mathbf{x}' - 8 = 0 \quad \text{이고, 여기서} \quad D = \begin{bmatrix} \frac{1}{2} & 0 \\ 0 & \frac{3}{2} \end{bmatrix}$$

이다.

이 마지막 방정식은 이제

$$[x' \ \ y']\begin{bmatrix} \frac{1}{2} & 0 \\ 0 & \frac{3}{2} \end{bmatrix}\begin{bmatrix} x' \\ y' \end{bmatrix} - 8 = 0$$

으로 쓸 수 있고, $x'y'$ 좌표축에서의 타원의 방정식에 대한 표준형은

$$\frac{(x')^2}{16} + \frac{3(y')^2}{16} = 1$$

이 된다.

그림 2에서와 같이, 이것은 장축이 x' 이고, 단축이 y' 인 타원의 방정식이다.

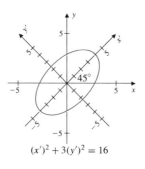

$$(x')^2 + 3(y')^2 = 16$$

그림 2

b. 원래 축과 $x'y'$ 좌표축 사이의 각을 구하기 위해, 고유벡터 $\mathbf{v}_1$은 x' 축 방향임에 유의한다. 이제 6.1절의 정의 3을 활용하여, $\mathbf{e}_1$과 $\mathbf{v}_1$ 사이의 각의 코사인은

$$\cos \theta = \frac{\mathbf{e}_1 \cdot \mathbf{v}_1}{\|\mathbf{e}_1\|\|\mathbf{v}_1\|} = \frac{1}{\sqrt{2}} \quad \text{이므로,} \quad \theta = \frac{\pi}{4}$$

로 주어진다.

축 사이의 각을 구하기 위한 다른 대안은 $x'y'$ 좌표축으로부터 xy 좌표축으로의 추이행렬 P를

$$P = \begin{bmatrix} \frac{1}{\sqrt{2}} & -\frac{1}{\sqrt{2}} \\ \frac{1}{\sqrt{2}} & \frac{1}{\sqrt{2}} \end{bmatrix} = \begin{bmatrix} \cos \theta & -\sin \theta \\ \sin \theta & \cos \theta \end{bmatrix} \quad \text{이므로} \quad \theta = \frac{\pi}{4}$$

로 기술할 수 있다는 점을 명심하라.

예제 2는 회전과 이동을 보여준다.

예제 2

방정식이

$$2x^2 - 4xy - y^2 - 4x - 8y + 14 = 0$$

인 원추곡선 C를 표현하라.

풀이 C에 대한 방정식은

$$[x \ \ y] \begin{bmatrix} 2 & -2 \\ -2 & -1 \end{bmatrix} \begin{bmatrix} x \\ y \end{bmatrix} + [-4 \ \ -8] \begin{bmatrix} x \\ y \end{bmatrix} + 14 = 0$$

으로 주어진 $\mathbf{x}^t A \mathbf{x} + \mathbf{b}^t \mathbf{x} + f = 0$ 형태를 갖는다.

$A = \begin{bmatrix} 2 & -2 \\ -2 & -1 \end{bmatrix}$ 의 고유값들은 $\lambda_1 = -2$ 와 $\lambda_2 = 3$ 이고, 이에 대응하는 (단위) 고유벡터들은

$$\mathbf{v}_1 = \frac{1}{\sqrt{5}} \begin{bmatrix} 1 \\ 2 \end{bmatrix} \quad \text{와} \quad \mathbf{v}_2 = \frac{1}{\sqrt{5}} \begin{bmatrix} -2 \\ 1 \end{bmatrix}$$

이다.

고유값들이 반대 부호를 가지므로, 원추곡선 C는 쌍곡선이다. 쌍곡선을 표현하기 위해, 먼저 A를 대각화한다. 단위 고유벡터들을 활용하여, A를 대각화하는 직교행렬은

$$P = \frac{1}{\sqrt{5}} \begin{bmatrix} 1 & -2 \\ 2 & 1 \end{bmatrix} \quad \text{이고,} \quad \begin{bmatrix} -2 & 0 \\ 0 & 3 \end{bmatrix} = P^t A P$$

가 된다.

방정식 $\mathbf{x}^t A \mathbf{x} + \mathbf{b}^t \mathbf{x} + f = 0$에 $\mathbf{x} = P \mathbf{x}'$를 대입하면

$$[x' \ \ y'] \begin{bmatrix} -2 & 0 \\ 0 & 3 \end{bmatrix} \begin{bmatrix} x' \\ y' \end{bmatrix} + [-4 \ \ -8] \begin{bmatrix} \frac{1}{\sqrt{5}} & \frac{-2}{\sqrt{5}} \\ \frac{2}{\sqrt{5}} & \frac{1}{\sqrt{5}} \end{bmatrix} \begin{bmatrix} x' \\ y' \end{bmatrix} + 14 = 0$$

을 얻는다.

이 방정식을 간단화시키면,

$$-2(x')^2 - 4\sqrt{5}x' + 3(y')^2 + 14 = 0$$

을 얻는다.

즉,

$$-2[(x')^2 + 2\sqrt{5}(x')] + 3(y')^2 + 14 = 0$$

이다.

x'에 대해 완전제곱꼴로 전개하면,

$$-2[(x')^2 + 2\sqrt{5}(x') + 5] + 3(y')^2 = -14 - 10$$

을 얻는다.

즉,

$$\frac{(x' + \sqrt{5})^2}{12} - \frac{(y')^2}{8} = 1$$

이다.

이 마지막 방정식은 x'를 장축으로 하는 쌍곡선을 의미한다. x'축을 이동시키는 추가적인 변환에 의해 결과를 좀 더 간단화시킬 수 있다.

$$x'' = x' + \sqrt{5} \quad \text{와} \quad y'' = y'$$

로 설정함으로써,

이제 방정식은

$$\frac{(x'')^2}{12} - \frac{(y'')^2}{8} = 1$$

이 된다.

그래프는 그림 3에 주어져 있다.

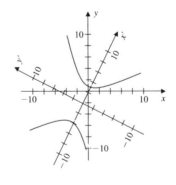

그림 3

이차곡면

세 개의 변수가 있는 이차 방정식의 그래프는

$$ax^2 + bxy + cxz + dy^2 + eyz + fz^2 + gx + hy + iz + j = 0$$

의 형태를 가지는데, 타원면, 쌍곡면, 포물면 또는 원추이다. 2차원의 경우에서와 마찬가지로, 혼합된 항들 xy, xz, yz가 회전을 도출하는 반면, gx, hy, iz 항들은 표준 형태로부터의 이동을 만들어 낸다. 이차형식

$$ax^2 + bxy + cxz + dy^2 + eyz + fz^2$$

은 행렬의 형태로

$$\mathbf{x}^t A \mathbf{x} = [x \ y \ z] \begin{bmatrix} a & \frac{b}{2} & \frac{c}{2} \\ \frac{b}{2} & d & \frac{e}{2} \\ \frac{c}{2} & \frac{c}{2} & f \end{bmatrix} \begin{bmatrix} x \\ y \\ z \end{bmatrix}$$

과 같이 기술할 수 있다.

앞에서와 같이, A의 고유벡터들로부터 파생된 회전은 이차곡면을 표준 형태

$$\lambda_1 (x')^2 + \lambda_2 (y')^2 + \lambda_3 (z')^2 + j = 0$$

으로 변환시키는데 활용될 수 있는데, λ_1, λ_2, λ_3 은 A의 고유값들이다. 자세한 내용은 생략한다.

예제 3

xz 항을 제거함으로써 이차 방정식

$$5x^2 + 4y^2 - 5z^2 + 8xz = 36$$

을 표준형으로 기술하라.

풀이

$$A = \begin{bmatrix} 5 & 0 & 4 \\ 0 & 4 & 0 \\ 4 & 0 & -5 \end{bmatrix}$$

라 하자.

그러면 이차 방정식은

$$[x \ y \ z] \begin{bmatrix} 5 & 0 & 4 \\ 0 & 4 & 0 \\ 4 & 0 & -5 \end{bmatrix} \begin{bmatrix} x \\ y \\ z \end{bmatrix} = 36$$

으로 기술할 수 있다.

행렬 A의 고유값들은

$$\lambda_1 = \sqrt{41} \qquad \lambda_2 = -\sqrt{41} \qquad \lambda_3 = 4$$

이다.

그러므로, 표준 위치의 이차곡면은 방정식

$$\sqrt{41}(x')^2 - \sqrt{41}(y')^2 + 4(z')^2 = 36$$

을 갖는다.

그림 4

일엽쌍곡면(hyperboloid of one sheet)인 곡면의 그래프가 그림 4에 제시되어 있다. ■

연습문제 6.7

연습문제 1–6에서, C를 방정식에 의해 주어진 원추곡선이라고 하자. C가 $x'y'$ 항을 갖지 않는 표준 위치에 있도록 방정식을 $x'y'$ 축으로 변환하라.

1. $27x^2 - 18xy + 3y^2 + x + 3y = 0$

2. $2x^2 - 8xy + 8y^2 + 2x + y = 0$

3. $12x^2 + 8xy + 12y^2 - 8 = 0$

4. $11x^2 - 6xy + 19y^2 + 2x + 4y - 12 = 0$

5. $-x^2 - 6xy - y^2 + 8 = 0$

6. $xy = 1$

7. C를 방정식 $4x^2 + 16y^2 = 16$에 의해 주어진 표준 위치에 있는 원추곡선을 나타낸다고 하자.

a. 행렬의 형태로 이차 방정식을 기술하라.

b. 45º만큼 회전한 원추곡선 C를 표현하는 이차 방정식을 구하라.

8. C를 방정식 $x^2 - y^2 = 1$에 의해 주어진 표준 위치에 있는 원추곡선을 나타낸다고 하자.

a. 행렬의 형태로 이차 방정식을 기술하라.

b. −30º 만큼 회전한 원추곡선 C를 표현하는 이차 방정식을 구하라.

9. C를 방정식 $16x^2 + 4y^2 = 16$에 의해 주어진 표준 위치에 있는 원추곡선을 나타낸다고 하자.

a. C를 60º만큼 회전시켜 얻어진 원추곡선에 대한 이차 방정식을 구하라.

b. 오른쪽으로 3 단위만큼, 위쪽으로 2 단위

만큼 이동한 후에 **a**번에 얻어진 원추곡선을 표현하는 이차 방정식을 구하라.

대한 이차 방정식을 구하라.

b. 오른쪽으로 2 단위만큼, 위쪽으로 1 단위만큼 이동한 후에 **a**번에 얻어진 원추곡선을 표현하는 이차 방정식을 구하라.

10. C를 방정식 $x^2 - y = 0$ 에 의해 주어진 표준위치에 있는 원추곡선을 나타낸다고 하자.

a. C를 30°만큼 회전시켜 얻어진 원추곡선에

6.8 응용: 특이값 분해

앞 절에서 주어진 행렬을 특별한 성질을 갖는 다른 행렬들의 곱으로 기술하는 다양한 방법에 대해서 논하였다. 예를 들면, 1.7절의 LU 분해에서, $m \times n$ 행렬 A를 L은 가역 하삼각행렬이고, U는 상삼각행렬인 $A = LU$로 기술할 수 있다는 것을 살펴 보았다. 또한 1.7절에서, A가 가역행렬이면, 기본행렬들의 곱으로 기술할 수 있음을 살펴 보았다. 5.2절에서 n개의 일차독립인 고유벡터를 갖는 $n \times n$ 행렬 A를

$$A = PDP^{-1}$$

로 기술할 수 있음을 알 수 있었는데, 여기서 D는 A의 고유값들로 된 대각선행렬이다. 특별한 경우로서, A가 대칭행렬이면, A는

$$A = QDQ^t$$

와 같은 분해를 가지는데, 여기서 Q는 대각선행렬이다.

이 절에서 $m \times n$ 행렬에 대한 이 마지막 결과의 일반화를 고려한다. 특히, 약자로 SVD인 특이값 분해를 소개하고, 이것을 통해 임의의 $m \times n$ 행렬을

$$A = U \sum V^t$$

로 기술하는 것을 가능하게 해 주는데, 여기서 U는 $m \times m$ 직교행렬이고, V는 $n \times n$ 직교행렬이고, Σ는 대각선 성분으로 특이값이라 불리는 숫자를 갖는 $m \times n$ 행렬이다.

$m \times n$ 행렬의 특이값

$m \times n$ 행렬 A의 특이값을 정의하기 위하여, 행렬 $A^t A$를 고려하자. A가 $m \times n$ 행렬이므로, A^t는 $n \times m$ 행렬임에 유의하고, 따라서 곱 $A^t A$는 $n \times n$ 정사각행렬이다. $(A^t A)^t = A^t A^{tt} = A^t A$이므로 이 새로운 행렬은 대칭행렬이다. 그러므로, 6.6절의 정리 14에 의해,

$$P^t (A^t A) P = D$$

를 만족하는 직교행렬 P가 존재하는데, 여기서 D는

$$D = \begin{bmatrix} \lambda_1 & 0 & \dots & 0 \\ 0 & \lambda_2 & \dots & 0 \\ \vdots & \vdots & \ddots & \vdots \\ 0 & \dots & \dots & \lambda_n \end{bmatrix}$$

으로 주어지는 $A^t A$의 고유값들을 성분으로 하는 대각선행렬이다.

6.3절의 연습문제 39에 의해 행렬 $A^t A$는 양의 준정부호이므로, 6.3절의 연습문제 41에 의해, $1 \le i \le n$에 대해 $\lambda_i \ge 0$ 이다. 이것으로 인해 다음과 같은 정의를 수립하게 된다.

정의 1 특이값

A를 $m \times n$ 행렬이라고 하자. $1 \le i \le n$에 대해 σ_i로 표기되는 A의 **특이값**은 $A^t A$의 고유값 λ_1, ..., λ_n의 양의 제곱근이다. 즉,

$$1 \le i \le n \text{에 대해, } \sigma_i = \sqrt{\lambda_i}$$

이다.

작아지는 순서대로 A의 특이값을 기술하는 것이 통상적이다.

$$\sigma_1 \ge \sigma_2 \ge \dots \ge \sigma_n$$

5.2절에서 언급했듯이, 이것은 대각화하는 행렬 P의 열들을 교환함으로써 달성될 수 있다.

예제 1

A를

$$A = \begin{bmatrix} 1 & 1 \\ 0 & 1 \\ 1 & 0 \end{bmatrix}$$

으로 주어진 행렬이라고 하자.

A의 특이값을 구하라.

풀이 A의 특이값은 먼저 정사각행렬

$$A^t A = \begin{bmatrix} 1 & 0 & 1 \\ 1 & 1 & 0 \end{bmatrix} \begin{bmatrix} 1 & 1 \\ 0 & 1 \\ 1 & 0 \end{bmatrix} = \begin{bmatrix} 2 & 1 \\ 1 & 2 \end{bmatrix}$$

의 고유값을 계산함으로써 구해진다.

이 경우에서의 특성방정식은

$$\det(A^t A - \lambda I) = (\lambda - 3)(\lambda - 1) = 0$$

으로 주어진다.

$A^t A$의 고유값들은 $\lambda_1 = 3$ 과 $\lambda_2 = 1$ 이고, 따라서 특이값들은 $\sigma_1 = \sqrt{3}$ 과 $\sigma_2 = 1$ 이다. ■

이미 직교기저가 유용하고, 그람-슈미트 과정이 임의의 기저로부터 직교기저를 만드는데 사용될 수 있다는 것을 학습했다. A가 $m \times n$ 행렬이고, $\mathbf{v}_1, ..., \mathbf{v}_r$이 $A^t A$의 고유벡터들이면, $\{A\mathbf{v}_1, ..., A\mathbf{v}_r\}$가 **col**($A$)에 대한 직교기저라는 것을 알게 될 것이다. A의 특이값들과 벡터들 $A\mathbf{v}_1, ..., A\mathbf{v}_r$ 사이의 관계에서부터 논의를 시작한다.

정리16

A는 $m \times n$ 행렬이고, $B = \{\mathbf{v}_1, \mathbf{v}_2, ..., \mathbf{v}_n\}$을 고유값 $\lambda_1, \lambda_2, ..., \lambda_n$에 대응하는 $A^t A$의 고유벡터들로 구성된 $\mathbb{R}^n$의 정규직교기저라고 하자. 그러면,

1. 모든 $i = 1, 2, ..., n$에 대하여, $\| A\mathbf{v}_i \| = \sigma_i$ 이다.

2. $i \neq j$ 에 대하여 $A\mathbf{v}_i$는 $A\mathbf{v}_j$에 직교한다.

증명 첫 번째 진술문에 대하여 6.6절로부터 유클리드 공간에서의 벡터 $\mathbf{v}$의 길이는 행렬 곱 $\| \mathbf{v} \| = \sqrt{\mathbf{v}^t \mathbf{v}}$ 에 의해 주어질 수 있다는 것을 상기하라. 그러므로,

$$\| A\mathbf{v}_i \|^2 = (A\mathbf{v}_i)^t (A\mathbf{v}_i) = \mathbf{v}_i^t (A^t A) \mathbf{v}_i = \mathbf{v}_i^t \lambda_i \mathbf{v}_i = \lambda_i \| \mathbf{v}_i \| = \lambda_i$$

이다.

이 마지막 등식은 $\mathbf{v}_i$가 단위벡터라는 사실로부터 성립한다. 1번은 $\sigma_i = \sqrt{\lambda_i} = \| A\mathbf{v}_i \|$에 의하여 증명이 완료된다. 정리 2번에 대하여, (6.6절에서와 같이) 유클리드 공간에서의 두 벡터들 $\mathbf{u}$와 $\mathbf{v}$의 점곱은 행렬 곱 $\mathbf{u} \cdot \mathbf{v} = \mathbf{u}^t \mathbf{v}$에 의해 주어질 수 있다는 것을 알고 있다. 따라서, B가 $\mathbb{R}^n$의 정규직교기저이므로, $i \neq j$ 라고 한다면,

$$(A\mathbf{v}_i) \cdot (A\mathbf{v}_j) = (A\mathbf{v}_i)^t (A\mathbf{v}_j) = \mathbf{v}_i^t (A^t A) \mathbf{v}_j = \mathbf{v}_i^t \lambda_j \mathbf{v}_i = \lambda_j \mathbf{v}_i^t \mathbf{v}_j = 0$$

이다.

정리 16에서, 벡터들의 집합 $\{A\mathbf{v}_1, A\mathbf{v}_2, ..., A\mathbf{v}_n\}$이 직교임을 보였다. 정리 17은 A가 곱해진 $A^t A$의 고유벡터들은 **col**(A)에 대한 직교기저라는 것을 보여준다.

정리 17

A는 $m \times n$ 행렬이고, $B = \{\mathbf{v}_1, \mathbf{v}_2, ..., \mathbf{v}_n\}$은 A^tA의 고유벡터들로 구성된 $\mathbb{R}^n$의 정규직교기저라고 하자. 이에 대응하는 고유값들은 $\lambda_1 \geq \lambda_2 \geq \cdots \geq \lambda_r > \lambda_{r+1} = \cdots \lambda_n = 0$을 만족한다고 하자. 즉, A^tA는 r 개의 영이 아닌 고유값을 갖는다. 그러면, $B' = \{A\mathbf{v}_1, A\mathbf{v}_2, ..., A\mathbf{v}_r\}$은 A의 열공간에 대한 직교기저이고, $\textbf{rank}(A) = r$이다.

증명 먼저 $1 \leq i \leq r$에 대해, $\sigma_i = \sqrt{\lambda_i}$ 는 모두 영이 아니라는 점에 유의한다; 그러면 정리 16의 1번에 의해, $A\mathbf{v}_1, A\mathbf{v}_2, ..., A\mathbf{v}_r$은 $\textbf{col}(A)$에 있는 영이 아닌 벡터들이다. 정리 16의 2번에 의해, $B' = \{A\mathbf{v}_1, A\mathbf{v}_2, ..., A\mathbf{v}_r\}$은 $\mathbb{R}^m$에서의 벡터들의 직교집합이다. 그러므로, 6.2절의 정리 5에 의해, B'는 일차독립이다. 이제 이들 벡터들이 A의 열공간을 생성하는 것을 보이기 위해, $\mathbf{w}$를 $\textbf{col}(A)$에 있는 하나의 벡터라고 하자. 그러므로, $A\mathbf{v} = \mathbf{w}$를 만족하는 $\mathbb{R}^n$에서의 벡터 $\mathbf{v}$ 존재한다. $B = \{\mathbf{v}_1, \mathbf{v}_2, ..., \mathbf{v}_n\}$이 $\mathbb{R}^n$에 대한 기저이므로,

$$\mathbf{v} = c_1\mathbf{v}_1 + c_2\mathbf{v}_2 + \cdots + c_n\mathbf{v}_n$$

을 만족하는 스칼라 $c_1, c_2, ..., c_n$이 존재한다.

마지막 방정식의 양변에 A를 곱하여,

$$A\mathbf{v} = c_1 A\mathbf{v}_1 + c_2 A\mathbf{v}_2 + \cdots + c_n A\mathbf{v}_n$$

을 얻는다.

이제, $A\mathbf{v}_{r+1} = A\mathbf{v}_{r+2} = \cdots = A\mathbf{v}_n = \mathbf{0}$이라는 사실을 활용하면,

$$A\mathbf{v} = c_1 A\mathbf{v}_1 + c_2 A\mathbf{v}_2 + \cdots + c_r A\mathbf{v}_r$$

이 되고, 따라서 $\mathbf{w} = A\mathbf{v}$가 $\textbf{span}\{A\mathbf{v}_1, A\mathbf{v}_2, ..., A\mathbf{v}_r\}$에 있다. 결과적으로, $B' = \{A\mathbf{v}_1, A\mathbf{v}_2, ..., A\mathbf{v}_r\}$은 A의 열공간에 대한 직교기저이고, A의 계수는 영이 아닌 특이값들의 개수와 같다.

예제 2

A를

$$A = \begin{bmatrix} 1 & 1 \\ 0 & 1 \\ 1 & 0 \end{bmatrix}$$

으로 주어진 행렬이라고 하자.

$T(\mathbf{v}) = A\mathbf{v}$로 정의된 선형변환 $T: \mathbb{R}^2 \longrightarrow \mathbb{R}^3$ 하에서 단위원의 상을 구하라.

풀이 예제 1로부터, A^tA의 고유값들은 $\lambda_1 = 3$ 과 $\lambda_2 = 1$ 이고, 이에 대응하는 고유벡터들은 각각

$$\mathbf{v}_1 = \begin{bmatrix} 1/\sqrt{2} \\ 1/\sqrt{2} \end{bmatrix} \quad \text{과} \quad \mathbf{v}_2 = \begin{bmatrix} -1/\sqrt{2} \\ 1/\sqrt{2} \end{bmatrix}$$

이다. 그러면 A의 특이값들은 $\sigma_1 = \sqrt{3}$과 $\sigma_2 = 1$이다. $C(t)$를 $0 \le t \le 2\pi$에 대해 $\cos(t)\mathbf{v}_1 + \sin(t)\mathbf{v}_2$로 주어진 단위원이라고 하자. T 하에서 $C(t)$의 상은

$$T\big(C(t)\big) = \cos(t)A\mathbf{v}_1 + \sin(t)A\mathbf{v}_2$$

로 주어진다.

정리 17에 의해, $B' = \left\{ \frac{1}{\sigma_1} A\mathbf{v}_1, \frac{1}{\sigma_2} A\mathbf{v}_2 \right\}$는 T의 치역에 대한 기저이다. 그러므로, B'에 대한 $T(C(t))$의 좌표는 $x' = \sigma_1 \cos t = \sqrt{3} \cos t$와 $y' = \sigma_2 \sin t = \sin t$ 이다.

$$\left(\frac{x'}{\sqrt{3}} \right)^2 + (y')^2 = \frac{(x')^2}{3} + (y')^2 = \cos^2 t + \sin^2 t = 1$$

임을 확인하라. 여기서, 그림 1에서 주어진 바와 같이, 이것은 반장축의 길이가 σ_1이고, 반단축의 길이가 σ_2인 타원이다.

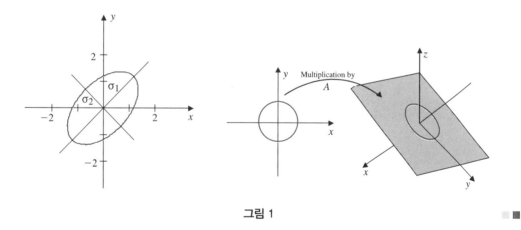

그림 1

어떤 행렬의 경우에서는, 몇몇 특이값들이 영이 될 수도 있다. 예를 들면, 행렬 $A = \begin{bmatrix} 1 & 2 \\ 3 & 6 \end{bmatrix}$

을 고려해 보자. 이 행렬에 대해서, $\mathbf{col}(A) = \mathbf{span}\begin{bmatrix} 1 \\ 3 \end{bmatrix}$을 얻는다. A의 기약 행 사다리꼴은

$\begin{bmatrix} 1 & 2 \\ 0 & 0 \end{bmatrix}$이고, 이것은 오직 하나의 추축 열을 갖는다. 그러므로, A의 계수는 1이다. $A'A$의 고유값들은 $\lambda_1 = 50$과 $\lambda_2 = 0$이고, 이에 대응하는 단위 고유벡터들은

$$\mathbf{v}_1 = \begin{bmatrix} 1/\sqrt{5} \\ 2/\sqrt{5} \end{bmatrix} \quad \text{와} \quad \mathbf{v}_2 = \begin{bmatrix} -2/\sqrt{5} \\ 1/\sqrt{5} \end{bmatrix}$$

이다.

A의 특이값들은 $\sigma_1 = 5\sqrt{2}$ 와 $\sigma_2 = 0$이다. 이제, $\mathbf{v}_1$과 $\mathbf{v}_2$에 A를 곱하면

$$A\mathbf{v}_1 = \begin{bmatrix} \sqrt{5} \\ 3\sqrt{5} \end{bmatrix} \quad \text{와} \quad A\mathbf{v}_2 = \begin{bmatrix} 0 \\ 0 \end{bmatrix}$$

을 얻는다.

$A\mathbf{v}_1$은 A의 1차원 열공간을 생성함을 확인하라. 이 경우에서, $T(\mathbf{x}) = A\mathbf{x}$로 정의된 선형변환 $T: \mathbb{R}^2 \longrightarrow \mathbb{R}^2$ 은 그림 2에서와 같이 단위원을 선분

$$\left\{ t \begin{bmatrix} \sqrt{5} \\ 3\sqrt{5} \end{bmatrix} \,\middle|\, -1 \le t \le 1 \right\}$$

로 사상시킨다.

특이값 분해 (SVD)

이제 $m \times n$ 행렬 A에 대한 특이값 분해를 구하는 문제로 관심을 돌리고자 한다.

정리 18

SVD A는 영이 아닌 특이값 $\sigma_1, \sigma_2, \ldots, \sigma_r$을 갖는 계수 r인 $m \times n$ 행렬이라고 하자. 그러면 $A = U\Sigma V^t$ 를 만족하는 $m \times n$ 행렬 Σ, $m \times m$ 직교행렬 U, 그리고 $n \times n$ 직교행렬 V가 존재한다.

증명 $A^t A$는 $n \times n$ 대칭행렬이므로, 6.6절의 정리 14에 의해 $A^t A$의 고유벡터들로 구성된 $\mathbb{R}^n$의 정규직교기저 $\{\mathbf{v}_1, \ldots, \mathbf{v}_n\}$이 존재한다. 이제 정리 17에 의해, $\{A\mathbf{v}_1, \ldots, A\mathbf{v}_r\}$은 $\mathbf{col}(A)$에 대한 직교기저이다. $\{\mathbf{u}_1, \ldots, \mathbf{u}_r\}$은

$$i = 1, \ldots, r \text{ 에 대해, } \mathbf{u}_i = \frac{1}{\|A\mathbf{v}_i\|} A\mathbf{v}_i = \frac{1}{\sigma_i} A\mathbf{v}_i$$

로 주어진 $\mathbf{col}(A)$에 대한 정규직교기저라고 하자.

다음으로, $\{\mathbf{u}_1, \ldots, \mathbf{u}_r\}$을 $\mathbb{R}^m$의 정규직교기저 $\{\mathbf{u}_1, \ldots, \mathbf{u}_m\}$으로 확장시켜라. 벡터 $\{\mathbf{v}_1, \ldots, \mathbf{v}_n\}$과 $\{\mathbf{u}_1, \ldots, \mathbf{u}_m\}$을 열벡터로 활용하여 직교행렬 V와 U를 각각 정의한다. 따라서,

$$V = \begin{bmatrix} \mathbf{v}_1 & \mathbf{v}_2 & \ldots & \mathbf{v}_n \end{bmatrix} \quad \text{과} \quad U = \begin{bmatrix} \mathbf{u}_1 & \mathbf{u}_2 & \ldots & \mathbf{u}_m \end{bmatrix}$$

이다.

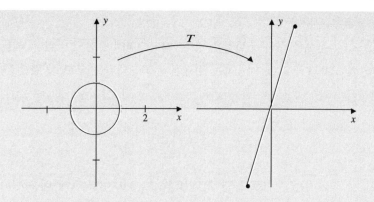

그림 2

또한, $i=1,\ldots,r$ 에 대해 $A\mathbf{v}_i = \sigma_i \mathbf{u}_i$이므로,

$$AV = \begin{bmatrix} A\mathbf{v}_1 & \ldots & A\mathbf{v}_r & \mathbf{0} & \ldots & \mathbf{0} \end{bmatrix} = \begin{bmatrix} \sigma_1 \mathbf{u}_1 & \ldots & \sigma_2 \mathbf{u}_r & \mathbf{0} & \ldots & \mathbf{0} \end{bmatrix}$$

이다.

여기서 Σ를

$$\sum = \left[\begin{array}{cccc|ccc} \sigma_1 & 0 & \ldots & 0 & 0 & \ldots & 0 \\ 0 & \sigma_2 & \ldots & 0 & 0 & \ldots & 0 \\ \vdots & \vdots & \ddots & \vdots & \vdots & \vdots & \vdots \\ 0 & \ldots & \ldots & \sigma_r & 0 & \ldots & 0 \\ \hline 0 & \ldots & \ldots & 0 & 0 & \ldots & 0 \\ \vdots & & & \vdots & \vdots & & \vdots \\ 0 & \ldots & \ldots & 0 & 0 & \ldots & 0 \end{array}\right]$$

으로 주어진 $m \times n$ 행렬이라고 하자.

그러면

$$U\sum = \begin{bmatrix} \mathbf{u}_1 & \mathbf{u}_2 & \ldots & \mathbf{u}_m \end{bmatrix} \sum = \begin{bmatrix} \sigma_1 \mathbf{u}_1 & \ldots & \sigma_r \mathbf{u}_r & \mathbf{0} & \ldots & \mathbf{0} \end{bmatrix} = AV$$

이다.

V가 직교행렬이므로, $V^t = V^{-1}$이고, 결국, $A = U\Sigma V^t$이다.

예제 3

행렬

$$A = \begin{bmatrix} -1 & 1 \\ -1 & 1 \\ 2 & -2 \end{bmatrix}$$

의 특이값 분해를 구하라.

풀이 A의 특이값 분해를 구하는 과정은 정리 18의 증명에 포함되어 있다. 해를 단계별로 제시한다.

단계 1. A^tA의 고유값과 그에 대응하는 정규직교 고유벡터를 구하고, 행렬 V를 정의하라.

행렬

$$A^tA = \begin{bmatrix} 6 & -6 \\ -6 & 6 \end{bmatrix}$$

의 고유값들을 작아지는 순서로 쓰면 $\lambda_1 = 12$와 $\lambda_2 = 0$이다. 그에 대응하는 정규직교 고유벡터들은

$$\mathbf{v}_1 = \begin{bmatrix} -1/\sqrt{2} \\ 1/\sqrt{2} \end{bmatrix} \quad \text{과} \quad \mathbf{v}_2 = \begin{bmatrix} 1/\sqrt{2} \\ 1/\sqrt{2} \end{bmatrix}$$

이다.

V의 열벡터들은 A^tA의 정규직교 고유벡터들로 주어지기 때문에, 행렬 V는

$$V = \begin{bmatrix} -1/\sqrt{2} & 1/\sqrt{2} \\ 1/\sqrt{2} & 1/\sqrt{2} \end{bmatrix}$$

로 주어진다.

단계 2. A의 특이값들을 구하고, 행렬 Σ를 정의하라.

A의 특이값들은 A^tA의 고유값들의 양의 제곱근이므로,

$$\sigma_1 = \sqrt{\lambda_1} = 2\sqrt{3} \quad \text{과} \quad \sigma_2 = \sqrt{\lambda_2} = 0$$

이다.

Σ는 A와 같은 차원을 가지므로, Σ는 3×2이다. 이 경우에서,

$$\Sigma = \begin{bmatrix} 2\sqrt{3} & 0 \\ 0 & 0 \\ 0 & 0 \end{bmatrix}$$

이다.

단계 3. 행렬 U를 정의하라.

행렬 A는 하나의 영이 아닌 특이값을 가지므로, 정리 17에 의해 A의 계수는 1이다. 그러므로, U의 첫 번째 열은

$$\mathbf{u}_1 = \frac{1}{\sigma_1} A \mathbf{v}_1 = \begin{bmatrix} 1/\sqrt{6} \\ 1/\sqrt{6} \\ -2/\sqrt{6} \end{bmatrix}$$

이다.

다음으로 집합 $\{\mathbf{u}_1\}$에 벡터

$$\mathbf{u}_2 = \begin{bmatrix} 2/\sqrt{5} \\ 0 \\ 1/\sqrt{5} \end{bmatrix} \quad \text{과} \quad \mathbf{u}_3 = \begin{bmatrix} -1/\sqrt{2} \\ 1/\sqrt{2} \\ 0 \end{bmatrix}$$

을 추가함으로써 $\mathbb{R}^3$에 대한 정규직교기저로 확장시킨다. 따라서,

$$U = \begin{bmatrix} 1/\sqrt{6} & 2/\sqrt{5} & -1/\sqrt{2} \\ 1/\sqrt{6} & 0 & 1/\sqrt{2} \\ -2/\sqrt{6} & 1/\sqrt{5} & 0 \end{bmatrix}$$

이다.

그리고 나서 A의 특이값 분해는

$$A = U\Sigma V^t = \begin{bmatrix} 1/\sqrt{6} & 2/\sqrt{5} & -1/\sqrt{2} \\ 1/\sqrt{6} & 0 & 1/\sqrt{2} \\ -2/\sqrt{6} & 1/\sqrt{5} & 0 \end{bmatrix} \begin{bmatrix} 2\sqrt{3} & 0 \\ 0 & 0 \\ 0 & 0 \end{bmatrix} \begin{bmatrix} -1/\sqrt{2} & 1/\sqrt{2} \\ 1/\sqrt{2} & 1/\sqrt{2} \end{bmatrix}$$

$$= \begin{bmatrix} -1 & 1 \\ -1 & 1 \\ 2 & -2 \end{bmatrix}$$

로 주어진다.

예제 3에서, A의 특이값 분해를 구하는 과정이 집합 $\{\mathbf{u}_1, \ldots, \mathbf{u}_r\}$을 $\mathbb{R}^m$에 대한 직교기저로 확장시키는 작업에 의해서 복잡해졌다. 또 다른 방법으로, V를 구하기 위해 $A^t A$를, U를 구하기 위해 AA^t를 활용할 수 있다. 이것을 확인하기 위해, $A = U\Sigma V^t$가 A의 특이값 분해라고 한다면, $A^t = V\Sigma^t U^t$라는 것을 명심하라. A의 좌측에 A의 전치행렬을 곱해주면,

$$A^t A = V\Sigma^t U^t U\Sigma V^t = V D_1 V^t$$

를 얻는다. 여기서, D_1은 $A^t A$의 고유값들을 대각선 성분으로 가지는 $n \times n$ 대각선행렬이다. 그러므로, V는 $A^t A$를 대각화하는 직교행렬이다. 다른 한편으로,

$$AA^t = U\Sigma V^t V \Sigma^t U^t = U D_2 U^t$$

이고, 여기서 D_2는 AA^t의 고유값들을 대각선 성분으로 하는 $m \times m$ 행렬이고, U는 AA^t를 대각화하는 직교행렬이다. 행렬 A^tA와 AA^t는 같은 고유값을 가짐을 확인하라. (5.1절의 연습문제 22를 참조하라.) 그러므로, D_1과 D_2의 영이 아닌 대각선 성분들은 같다. 이 과정을 활용하여 얻어진 행렬 U와 V는 유일하지 않다. 또한 U와 V의 열벡터들의 부호를 바꾼 것 역시 AA^t와 A^tA를 대각화하는 직교행렬을 만들어낸다는 것을 유의하라. 그 결과, A의 특이값 분해를 구하는 것은 U 또는 V의 열들의 부호를 바꾼 것을 요구할 수도 있다.

예제 4에서 행렬의 특이값 분해를 구하기 위해 이 개념을 활용한다.

예제 4

행렬

$$A = \begin{bmatrix} 1 & 1 \\ 3 & -3 \end{bmatrix}$$

의 특이값 분해를 구하라.

풀이 먼저

$$A^t A = \begin{bmatrix} 1 & 3 \\ 1 & -3 \end{bmatrix} \begin{bmatrix} 1 & 1 \\ 3 & -3 \end{bmatrix} = \begin{bmatrix} 10 & -8 \\ -8 & 10 \end{bmatrix}$$

임을 확인하라.

계산에 의해 $\mathbf{v}_1 = \dfrac{1}{\sqrt{2}} \begin{bmatrix} 1 \\ -1 \end{bmatrix}$ 은 $\lambda_1 = 18$에 대응하는 A^tA의 단위 고유벡터이고, $\mathbf{v}_2 = \dfrac{1}{\sqrt{2}} \begin{bmatrix} 1 \\ 1 \end{bmatrix}$ 은 $\lambda_2 = 2$에 대응하는 A^tA의 단위 고유벡터라는 것을 확인할 수 있다. 그러므로,

$$V = \frac{1}{\sqrt{2}} \begin{bmatrix} 1 & 1 \\ -1 & 1 \end{bmatrix}$$

이다.

A의 특이값들은 $\sigma_1 = 3\sqrt{2}$ 와 $\sigma_2 = \sqrt{2}$ 이고, 따라서,

$$\Sigma = \begin{bmatrix} 3\sqrt{2} & 0 \\ 0 & \sqrt{2} \end{bmatrix}$$

이다.

U를 구하기 위해,

$$A A^t = \begin{bmatrix} 1 & 1 \\ 3 & -3 \end{bmatrix} \begin{bmatrix} 1 & 3 \\ 1 & -3 \end{bmatrix} = \begin{bmatrix} 2 & 0 \\ 0 & 18 \end{bmatrix}$$

을 계산한다.

$\lambda_1 = 18$ 에 대응하는 단위 고유벡터가 $\mathbf{u}_1 = \begin{bmatrix} 0 \\ 1 \end{bmatrix}$ 이고, $\lambda_2 = 2$ 에 대응하는 단위 고유벡터가

$\mathbf{u}_2 = \begin{bmatrix} 1 \\ 0 \end{bmatrix}$ 이라는 사실을 확인하라. 따라서,

$$U = \begin{bmatrix} 0 & 1 \\ 1 & 0 \end{bmatrix}$$

이다.

그리고 나서 A의 특이값 분해는

$$A = U \Sigma V^t = \begin{bmatrix} 0 & 1 \\ 1 & 0 \end{bmatrix} \begin{bmatrix} 3\sqrt{2} & 0 \\ 0 & \sqrt{2} \end{bmatrix} \begin{bmatrix} \frac{1}{\sqrt{2}} & \frac{-1}{\sqrt{2}} \\ \frac{1}{\sqrt{2}} & \frac{1}{\sqrt{2}} \end{bmatrix} = \begin{bmatrix} 1 & 1 \\ 3 & -3 \end{bmatrix}$$

으로 주어진다.

4개의 기본적인 부분공간들

이번 항에서는 A의 특이값 분해를 구성하는 행렬 U와 V가 6.4절에서 소개된 A의 4개의 기본적인 부분공간들에 대한 정규직교기저를 어떻게 제공하는지 살펴보고자 한다. 논의를 진전시키기 위하여, A는 계수 $r \leq n$인 $m \times n$ 행렬이고, $B = \{\mathbf{v}_1, \dots, \mathbf{v}_n\}$가 $A^t A$의 고유벡터들의 정규직교기저라고 하자. 이 때 대응하는 고유값들은 $\lambda_1 \geq \lambda_2 \geq \cdots \geq \lambda_r > \lambda_{r+1} = \cdots = \lambda_n = 0$이다. 먼저, 정리 17의 증명으로부터 $\sigma_1, \cdots, \sigma_r$이 A의 영이 아닌 특이값이라면,

$$C' = \left\{ \frac{1}{\sigma_1} A\mathbf{v}_1, \dots, \frac{1}{\sigma_r} A\mathbf{v}_r \right\} = \{ \mathbf{u}_1, \dots \mathbf{u}_r \}$$

은 **col**(A)에 대한 기저이다. 다음으로, U의 나머지 열들은 C'를 $\mathbb{R}^m$에 대한 정규직교기저 $C = \{\mathbf{u}_1, \dots, \mathbf{u}_r, \mathbf{u}_{r+1}, \dots, \mathbf{u}_m\}$으로 확장함으로써 정의된다. $C'' = \{\mathbf{u}_{r+1}, \dots, \mathbf{u}_m\}$은 $N(A^t)$에 대한 정규직교기저임을 증명한다. 이를 보이기 위하여, C'의 각 벡터들이 C''의 각 벡터들에 직교함을 확인하라. 그러므로, 6.4절의 명제 5와 $\dim(\mathbb{R}^m) = m$이라는 사실에 의해, **span**$\{\mathbf{u}_{r+1}, \dots, \mathbf{u}_m\}$ = **col**$(A)^\perp$를 얻는다. 6.4절 정리 10의 2번에 의해, **span**$\{\mathbf{u}_{r+1}, \dots, \mathbf{u}_m\} = N(A^t)$이고, 따라서 $C'' = \{\mathbf{u}_{r+1}, \dots, \mathbf{u}_m\}$은 주장한 바대로 $N(A^t)$에 대한 기저이다. 이제 행렬 V로 관심을 돌리고자 한다. 정리 16의 증명으로부터, $A\mathbf{v}_{r+1} = \cdots = A\mathbf{v}_n = \mathbf{0}$을 얻는다. 결과적으로, **span**$\{\mathbf{v}_{r+1}, \dots, \mathbf{v}_n\}$은 $N(A)$에 포함된다. 이제 4.2절의 정리 5에 의해,

$$\dim(N(A)) + \dim(\mathbf{col}(A)) = n$$

이고, $\dim(N(A)) = n - r$ 이다. $B'' = \{\mathbf{v}_{r+1}, \dots, \mathbf{v}_n\}$은 직교하고, 3.3절 정리 12의 (1)번에 의해 $N(A)$에 있는 $n - r$ 개 벡터들의 일차독립인 집합이다. 최종적으로, $B = \{\mathbf{v}_1, \dots, \mathbf{v}_n\}$은 $\mathbb{R}^n$에 대한 정규직교기저이므로, B''의 각 벡터들은 $B' = \{\mathbf{v}_1, \dots, \mathbf{v}_r\}$의 모든 벡터에 직교한다. 따라서,

$$\mathbf{span}\{\mathbf{v}_1, \dots, \mathbf{v}_r\} = N(A)^{\perp} = \mathbf{col}(A^t) = \mathbf{row}(A)$$

이고, B'는 $\mathbf{row}(A)$에 대한 기저이다.

이 논의를 도식화하기 위하여, 예제 3의 행렬 A와 그것의 특이값 분해를 고려해 보자. 지금까지의 논의에 의해,

$$\mathbf{row}(A) = \mathbf{span}\left\{\begin{bmatrix} -1 \\ 1 \end{bmatrix}\right\} \qquad \mathbf{col}(A) = \mathbf{span}\left\{\begin{bmatrix} 1 \\ 1 \\ -2 \end{bmatrix}\right\}$$

$$N(A) = \mathbf{span}\left\{\begin{bmatrix} 1 \\ 1 \end{bmatrix}\right\} \qquad N(A^t) = \mathbf{span}\left\{\begin{bmatrix} 2 \\ 0 \\ 1 \end{bmatrix}, \begin{bmatrix} -1 \\ 1 \\ 0 \end{bmatrix}\right\}$$

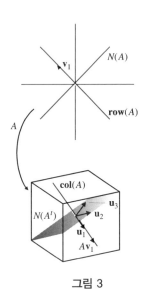

그림 3

을 얻는다.

4개의 기본적인 부분공간들이 그림 3에 제시되어 있다.

데이터 압축

특이값 분해와 관련된 중요한 응용 분야는 데이터 압축이다. 사전 단계로서, 계수 r인 행렬 A (r 개의 영이 아닌 특이값을 갖는)는 특이값 분해 $A = U\Sigma V^t$를 갖는다. 즉,

$$A = U\sum V^t = \begin{bmatrix} \sigma_1\mathbf{u}_1 & \dots & \sigma_r\mathbf{u}_r & \mathbf{0} & \dots & \mathbf{0} \end{bmatrix}V^t$$

$$= \sigma_1\mathbf{u}_1\mathbf{v}_1^t + \sigma_2\mathbf{u}_2\mathbf{v}_2^t + \cdots + \sigma_r\mathbf{u}_r\mathbf{v}_r^t$$

$$= \sigma_1\left(\frac{1}{\sigma_1}A\mathbf{v}_1\right)\mathbf{v}_1^t + \sigma_2\left(\frac{1}{\sigma_2}A\mathbf{v}_2\right)\mathbf{v}_2^t + \cdots + \sigma_r\left(\frac{1}{\sigma_r}A\mathbf{v}_r\right)\mathbf{v}_r^t$$

$$= (A\mathbf{v}_1)\mathbf{v}_1^t + (A\mathbf{v}_2)\mathbf{v}_2^t + \cdots + (A\mathbf{v}_r)\mathbf{v}_r^t$$

이다.

$A\mathbf{v}_i\mathbf{v}_i^t$ 항들의 각각은 계수 1인 행렬임을 확인하라. 결과적으로, 마지막 방정식의 첫 k번째 항까지의 합은 계수 $k \leq r$인 행렬이고, 행렬 A의 근사화이다. 행렬의 이러한 분해는 여러 분야에서 널리 적용된다.

이러한 근사화의 예로서, A는 356×500 행렬이고, 행렬의 각 성분은 그림 4에 주어진 화성 표면에 대한 무채색 색표(gray scale) 이미지의 화소(pixel) 값이라고 하자. 행렬 A에 저장된 이미지

를 근사화하기 위해 상기 방법에 기초한 간단한 알고리즘이 다음과 같이 주어진다:

그림 4

1. $n \times n$ 대칭행렬 $A^t A$의 고유벡터들을 구하라.

2. $k \le r = \mathbf{rank}(A)$를 만족하는 $i = 1, \dots, k$에 대해, $A\mathbf{v}_i$를 계산하라.

3. 행렬 $(A\mathbf{v}_1)\mathbf{v}^t_1 + (A\mathbf{v}_2)\mathbf{v}^t_2 + \cdots + (A\mathbf{v}_k)\mathbf{v}^t_k$는 원판 이미지의 근사화이다.

이미지의 k번째 근사화를 전송하여 지구상에서 다시 재생하기 위해서는 $A^t A$의 고유벡터들 $\mathbf{v}_1$, $\dots, \mathbf{v}_k$와 벡터들 $A\mathbf{v}_1, \dots, A\mathbf{v}_k$를 필요로 한다.

그림 5의 이미지들은 계수 1, 4, 10, 40, 80, 100인 행렬을 활용하여 각각 만들어진 것이다.

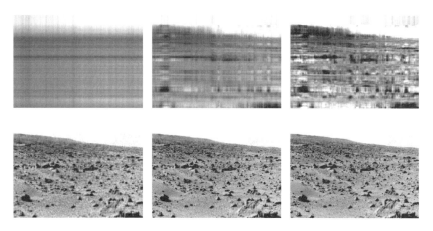

그림 5

각 이미지의 저장 요구조건이 표 1에 나열되어 있다.

표 1

이미지	저장 요구조건	원판에 대한 비율	계수
원판	$356 \times 500 = 178,000$	100%	
근사화 1	$2 \times 500 = 1,000$	0.6	1
근사화 2	$8 \times 500 = 4,000$	1	4
근사화 3	$20 \times 500 = 10,000$	1	10
근사화 4	$80 \times 500 = 40,000$	22	40
근사화 5	$160 \times 500 = 80,000$	45	80
근사화 6	$200 \times 500 = 100,000$	56	100

연습문제 6.8

연습문제 1–4에서, 행렬에 대한 특이값을 구하라.

1. $A = \begin{bmatrix} -2 & -2 \\ 1 & 1 \end{bmatrix}$

2. $A = \begin{bmatrix} -1 & -2 \\ 1 & -2 \end{bmatrix}$

3. $A = \begin{bmatrix} 1 & 0 & 2 \\ 2 & -1 & -1 \\ -2 & 1 & 1 \end{bmatrix}$

4. $A = \begin{bmatrix} 1 & -1 & 0 \\ 0 & 0 & 1 \\ -1 & 1 & 0 \end{bmatrix}$

연습문제 5–8에서, 행렬에 대한 특이값 분해를 수행하라.

5. $A = \begin{bmatrix} 5 & 3 \\ 3 & 5 \end{bmatrix}$

6. $A = \begin{bmatrix} 2 & 2 \\ 4 & -1 \end{bmatrix}$

7. $A = \begin{bmatrix} 1 & 0 & 0 \\ 0 & 1 & 1 \end{bmatrix}$

8. $A = \begin{bmatrix} -2 & 1 & -1 \\ 0 & 1 & 1 \end{bmatrix}$

연습문제 9와 10에서, 행렬 A의 조건수 (condition number)는 가장 작은 특이값에 대한 가장 큰 특이값의 비율 σ_1/σ_r이다. 조건수는 A 또는 $\mathbf{b}$의 섭동 (perturbations)에 대한 선형시스템 $A\mathbf{x} = \mathbf{b}$의 민감도 척도를 제공한다. 조건수가 너무 큰 경우에 선형시스템이 불량조건(ill-conditioned)이라고 하고, 조건수가 무한대일 때는 (역행렬이 존재하지 않을 때), 특이하다 (singular)고 한다.

9. $A = \begin{bmatrix} 1 & 1 \\ 1 & 1.000000001 \end{bmatrix}$ 라고 하자.

  a. 선형시스템

$$A\mathbf{x} = \begin{bmatrix} 2 \\ 2 \end{bmatrix}$$

  을 풀어라.

  b. 선형시스템

$$A\mathbf{x} = \begin{bmatrix} 2 \\ 2.000000001 \end{bmatrix}$$

  를 풀어라.

  c. A에 대한 조건수를 구하라.

10. $\mathbf{b} = \begin{bmatrix} 1 \\ 3 \\ -4 \end{bmatrix}$ 라고 하자.

  a. $A = \begin{bmatrix} -2 & -1 & 0 \\ -2 & -1 & -2 \\ 0 & -2 & 1 \end{bmatrix}$ 이라고 할 때, 선형시스템 $A\mathbf{x} = \mathbf{b}$를 풀어라.

  b. $B = \begin{bmatrix} -2.00001 & -1.001 & 0 \\ -2.01 & -0.87 & -2 \\ 0 & -2 & 1 \end{bmatrix}$ 이라고 할 때, 선형시스템 $B\mathbf{x} = \mathbf{b}$를 풀어라.

  c. A에 대한 조건수를 구하라.

6장 복습문제

1. V를 표준 내적이 정의된 내적공간 $\mathbb{R}^3$ 이라 고 하고,

$$B = \left\{ \begin{bmatrix} 1 \\ 0 \\ 1 \end{bmatrix}, \begin{bmatrix} 1 \\ 0 \\ 1 \end{bmatrix}, \begin{bmatrix} 2 \\ 1 \\ 0 \end{bmatrix} \right\}$$

이라 하자.

a. B가 $\mathbb{R}^3$ 의 기저임을 증명하라.

b. $\mathbb{R}^3$ 의 정규직교기저를 구하기 위해 B를 활용하라.

c. $W = \mathbf{span}\left\{ \begin{bmatrix} 1 \\ 0 \\ 1 \end{bmatrix}, \begin{bmatrix} 1 \\ 0 \\ 0 \end{bmatrix} \right\}$ 이고, $\mathbf{v} = \begin{bmatrix} -2 \\ 1 \\ -1 \end{bmatrix}$

이라 하자. $\mathrm{proj}_W \mathbf{v}$ 를 구하라. (힌트: 먼저 W에 대한 직교기저를 찾기 위해 그람-슈 미트 과정을 활용하라; 그리고 나서 6.4절 의 연습문제 16을 참조하라.)

2. $W = \mathbf{span}\left\{ \begin{bmatrix} -1 \\ 2 \\ 2 \\ -2 \end{bmatrix}, \begin{bmatrix} -3 \\ 0 \\ 0 \\ 0 \end{bmatrix}, \begin{bmatrix} 3 \\ -2 \\ -1 \\ 1 \end{bmatrix}, \begin{bmatrix} 0 \\ 0 \\ -1 \\ 1 \end{bmatrix} \right\}$

을 표준 내적이 정의된 $\mathbb{R}^4$ 의 부분공간이라 고 하자.

a. W에 대한 기저를 구하라.

b. $W^\perp$ 를 구하라.

c. W에 대한 정규직교기저를 구하라.

d. $W^\perp$ 에 대한 정규직교기저를 구하라.

e. $\dim(\mathbb{R}^4) = \dim(W) + \dim(W^\perp)$임을 증명하라.

f. W 위로의 $\mathbf{v} = \begin{bmatrix} -2 \\ 0 \\ 3 \\ -1 \end{bmatrix}$ 의 정사영을 구하라.

3. a, b, c는 실수이고,

$$W = \left\{ \begin{bmatrix} x \\ y \\ z \end{bmatrix} \in \mathbb{R}^3 \;\middle|\; ax + by + cz = 0 \right\}$$

이라 하자. 단, $\mathbb{R}^3$ 에서 표준 내적이 정의되 어 있다.

a. $\begin{bmatrix} a \\ b \\ c \end{bmatrix}$ 가 $W^\perp$ 에 있음을 보여라.

b. $W^\perp$ 를 표현하라.

c. $\mathbf{v} = \begin{bmatrix} x_1 \\ x_2 \\ x_3 \end{bmatrix}$ 이라 하자. $\mathrm{proj}_{W^\perp} \mathbf{v}$ 를 구하라.

d. $\| \mathrm{proj}_{W^\perp} \mathbf{v} \|$를 구하라.

4. $\mathcal{P}_2$에서 내적이

$$\langle p, q \rangle = \int_{-1}^1 p(x)q(x)\,dx$$

로 정의되어 있다.

$p(x) = x$ 와 $q(x) = x^2 - x + 1$ 이라고 하자.

a. $\langle p, q \rangle$ 를 구하라.

b. p와 q 사이의 거리를 구하라.

c. p와 q는 직교하는가? 설명하라.

d. p와 q 사이의 각의 코사인 값을 구하라.

e. $\mathrm{proj}_q\, p$ 를 구하라.

f. $W = \mathbf{span}\{p\}$라 하자. $W^\perp$ 를 구하라.

5. V를

$$\langle f, g \rangle = \int_{-\pi}^{\pi} f(x)g(x)\,dx$$

로 내적이 정의된 내적공간 $C(0)[-\pi, \pi]$ 라

고 하자.

$W = \mathbf{span}\{1, \cos x, \sin x\}$라고 하자.

a. 집합 $\{1, \cos x, \sin x\}$가 직교함을 증명하라.

b. W에 대한 정규직교기저를 구하라.

c. $\mathrm{proj}_W\, x^2$을 구하라.

d. $\| \mathrm{proj}_W\, x^2 \|$을 구하라.

6. $B = \{\mathbf{v}_1, \ldots, \mathbf{v}_n\}$을 내적공간 V에 대한 정규직교기저라고 하고, $\mathbf{v}$를 V에 있는 임의의 벡터라고 하자.

a. B에 대한 $\mathbf{v}$의 좌표 $\begin{bmatrix} c_1 \\ c_2 \\ \vdots \\ c_n \end{bmatrix}$을 구하라.

b. 각각의 $i = 1, 2, \ldots, n$에 대해 $c_i \mathbf{v}_i = \mathrm{proj}_{\mathbf{v}_i}\, \mathbf{v}$임을 보여라.

c. $B = \left\{ \dfrac{1}{\sqrt{2}} \begin{bmatrix} 1 \\ 1 \\ 0 \end{bmatrix}, \dfrac{1}{\sqrt{2}} \begin{bmatrix} 1 \\ -1 \\ 0 \end{bmatrix}, \dfrac{1}{\sqrt{6}} \begin{bmatrix} 1 \\ 1 \\ -2 \end{bmatrix} \right\}$ 를 표준 내적이 정의된 $\mathbb{R}^3$에 대한 정규직교기저라고 하고, $\mathbf{v} = \begin{bmatrix} \frac{1}{\sqrt{2}} + \frac{1}{\sqrt{3}} \\ \frac{1}{\sqrt{2}} - \frac{1}{\sqrt{3}} \\ \frac{1}{\sqrt{3}} \end{bmatrix}$이라 하자.

B에 대한 $\mathbf{v}$의 좌표 $\begin{bmatrix} c_1 \\ c_2 \\ \vdots \\ c_n \end{bmatrix}$을 구하라.

7. B를 표준 내적이 정의된 $\mathbb{R}^n$에 대한 정규직교기저라고 하고, $[\mathbf{v}]_B = \begin{bmatrix} c_1 \\ c_2 \\ \vdots \\ c_n \end{bmatrix}$이라 한다면,

$$\| \mathbf{v} \| = \sqrt{c_1^2 + c_2^2 + \cdots + c_n^2}$$

임을 보여라.

B가 반드시 정규직교기저일 필요는 없는 직교기저라고 할 때, $\| \mathbf{v} \|$에 대한 유사한 공식을 유도하라.

8. $\{\mathbf{v}_1, \ldots, \mathbf{v}_m\}$을 표준 내적이 정의된 $\mathbb{R}^n$의 정규직교집합이라고 하고, $\mathbf{v}$를 $\mathbb{R}^n$의 임의의 벡터라고 하자.

$$\| \mathbf{v} \|^2 \geq \sum_{i=1}^{m} (\mathbf{v} \cdot \mathbf{v}_i)^2$$

을 보여라.

(힌트: $\left\| \mathbf{v} - \sum_{i=1}^{m} \langle \mathbf{v}, \mathbf{v}_i \rangle \mathbf{v}_i \right\|^2$을 전개하라.)

9. (*QR* 분해) A를 일차독립인 열벡터들로 된 $m \times n$ 행렬이라고 하자. 이 복습문제에서 $A = QR$로 기술하는 과정을 설명할 것이다. 여기서, Q는 $\mathbf{col}(A)$에 대한 정규직교기저가 열벡터들인 $m \times n$ 행렬이며, R은 역행렬이 존재하는 $n \times n$ 상삼각행렬이다.

$$A = \begin{bmatrix} 1 & 0 & -1 \\ 1 & -1 & 2 \\ 1 & 0 & 1 \\ 1 & -1 & 2 \end{bmatrix}$$

라 하자.

a. $B = \{\mathbf{v}_1, \mathbf{v}_2, \mathbf{v}_3\}$을 행렬 A의 열벡터들의 집합이라고 하자. B는 일차독립이고, 따라서 $\mathbf{col}(A)$에 대한 기저를 형성함을 증명하라.

b. 정규직교기저 $B_1 = \{\mathbf{w}_1, \mathbf{w}_2, \mathbf{w}_3\}$을 구하기 위해 그람-슈미트 과정을 B에 적용하라.

c. 정규직교기저 $B_2 = \{\mathbf{q}_1, \mathbf{q}_2, \mathbf{q}_3\}$을 구하기 위해 B_1을 활용하라.

e. $A = QR$을 증명하라.

d. 행렬 $Q = [\mathbf{q}_1\ \mathbf{q}_2\ \mathbf{q}_3]$을 정의하라. $i = 1, 2, 3$에 대해 상삼각행렬 R을

$$r_{ij} = \begin{cases} 0 & \text{if } i > j \\ \mathbf{v}_j \cdot \mathbf{q}_i & \text{if } i \le j,\, j = i, \ldots, 3 \end{cases}$$

로 정의하라.

10. $B = \{\mathbf{v}_1, \mathbf{v}_2, \ldots, \mathbf{v}_n\}$을 내적공간 V에 대한 직

교기저라고 하고, $c_1, c_2, \ldots, c_n$을 임의의 영이 아닌 스칼라라고 하자. $B_1 = \{c_1\mathbf{v}_1, c_2\mathbf{v}_2, \ldots, c_n\mathbf{v}_n\}$이 V에 대한 직교기저임을 보여라. 스칼라 값들을 어떻게 선택하면, B_1이 정규직교기저가 되겠는가?

6장 시험문제

시험문제 1–40에서, 진술문이 참 또는 거짓인지 판정하라.

1. $\mathbf{u}$가 $\mathbf{v}_1$과 $\mathbf{v}_2$ 모두에 직교한다면, $\mathbf{u}$는 $\mathbf{span}\{\mathbf{v}_1, \mathbf{v}_2\}$에 직교한다.

2. W가 내적공간 V의 부분공간이고, $\mathbf{v} \in V$이면, $\mathbf{v} - \text{proj}_W \mathbf{v} \in W^\perp$ 이다.

3. W가 내적공간 V의 부분공간이면, $W \cap W^\perp$은 영벡터가 아닌 벡터를 포함한다.

4. 내적공간의 모든 직교집합이 반드시 일차독립인 것은 아니다.

시험문제 5–10에서,

$$\mathbf{v}_1 = \begin{bmatrix} 2 \\ 1 \\ -4 \\ 3 \end{bmatrix} \qquad \mathbf{v}_2 = \begin{bmatrix} -2 \\ 1 \\ 2 \\ 1 \end{bmatrix}$$

이 내적으로 표준 점곱이 정의된 $\mathbb{R}^4$의 벡터라고 하자.

5. $\|\mathbf{v}_1\| = 30$

6. $\mathbf{v}_1$과 $\mathbf{v}_2$ 사이의 거리는 $2\sqrt{14}$ 이다.

7. 벡터 $\mathbf{u} = \frac{1}{\sqrt{30}}\mathbf{v}_1$ 은 단위벡터이다.

8. 벡터 $\mathbf{v}_1$과 벡터 $\mathbf{v}_2$는 직교한다.

9. $\mathbf{v}_1$과 $\mathbf{v}_2$ 사이의 각의 코사인 값은 $-\frac{4}{15}\sqrt{10}$ 이다.

10. $\text{proj}_{\mathbf{v}_1} \mathbf{v}_2 = \begin{bmatrix} -8/15 \\ -4/15 \\ -16/15 \\ -12/15 \end{bmatrix}$ 이다.

시험문제 11–16에서,

$$\mathbf{v}_1 = \begin{bmatrix} 1 \\ 0 \\ 1 \end{bmatrix} \qquad \mathbf{v}_2 = \begin{bmatrix} -1 \\ 1 \\ 1 \end{bmatrix} \qquad \mathbf{v}_3 = \begin{bmatrix} 2 \\ 4 \\ -2 \end{bmatrix}$$

가 내적으로 표준 점곱이 정의된 $\mathbb{R}^3$의 벡터라고 하자.

11. 집합 $\{\mathbf{v}_1, \mathbf{v}_2, \mathbf{v}_3\}$은 직교한다.

12. 집합$\{\mathbf{v}_1, \mathbf{v}_2, \mathbf{v}_3\}$은 $\mathbb{R}^3$에 대한 기저이다.

13. $W = \mathbf{span}\{\mathbf{v}_1, \mathbf{v}_2\}$이고, $\mathbf{u} = \begin{bmatrix} 1 \\ 1 \\ 1 \end{bmatrix}$이라 한다면,

$\text{proj}_W \mathbf{u} = \mathbf{v}_1 + \frac{1}{3}\mathbf{v}_2$ 이다.

14. $W = \mathbf{span}\{\mathbf{v}_1, \mathbf{v}_2, \mathbf{v}_3\}$이라면, $W^\perp = \{\mathbf{0}\}$ 이다.

15. $W = \mathbf{span}\{\mathbf{v}_1, \mathbf{v}_2\}$이라면, $W^\perp = \{\mathbf{0}\}$ 이다.

16. $W = \mathbf{span}\{\mathbf{v}_1, \mathbf{v}_2, \mathbf{v}_3\}$이라면, 임의의 벡터 $\mathbf{v} \in$

$\mathbb{R}^3$에 대해 $\text{proj}_W \mathbf{v} = \mathbf{v}$ 이다.

시험문제 17–23에서, $\mathcal{P}_2$에서

$$\langle p, q \rangle = \int_{-1}^{1} p(x)q(x)\,dx$$

로 정의된 내적을 활용하라.

17. $\| x^2 - x \| = \frac{4}{\sqrt{15}}$

18. 다항식 $p(x) = x$ 와 $q(x) = x^2 - 1$은 직교한다.

19. 다항식 $p(x) = 1$ 과 $q(x) = x^2 - 1$은 직교한다.

20. 집합 $\{1, x, x^2 - \frac{1}{3}\}$ 은 직교한다.

21. 벡터 $p(x) = \frac{1}{2}$ 은 단위벡터이다.

22. $W = \text{span}\{1, x\}$이라면, $\dim(W^\perp) = 1$ 이다.

23. $W = \text{span}\{1, x^2\}$이라면, $W^\perp$에 대한 기저는 $\{1, x\}$이다.

24. $n \times n$ 대칭행렬은 n 개의 서로 다른 실수 고유값을 가진다.

25. $\mathbf{u}$와 $\mathbf{v}$가 $\mathbb{R}^2$에서의 벡터라고 한다면,
    $\langle \mathbf{u}, \mathbf{v} \rangle = 3u_1 v_2 - u_2 v_1$ 은 내적을 정의한다.

26. 임의의 내적에 대해서
    $\langle 2\mathbf{u}, 2\mathbf{v} + 2\mathbf{w} \rangle = 2\langle \mathbf{u}, \mathbf{v} \rangle + 2\langle \mathbf{u}, \mathbf{w} \rangle$ 이다.

27. $W = \text{span}\{1, x^2\}$이

    $$\langle p, q \rangle = \int_{0}^{1} p(x)q(x)\,dx$$

    로 내적이 정의된 $\mathcal{P}_2$의 부분공간이라면,

    $W^\perp$에 대한 기저는 $\{x\}$이다.

28. $\{\mathbf{u}_1, \ldots, \mathbf{u}_k\}$가 내적공간 V의 부분공간 W에 대한 기저이고, $\{\mathbf{v}_1, \ldots, \mathbf{v}_m\}$이 $W^\perp$에 대한 기저이면, $\{\mathbf{u}_1, \ldots, \mathbf{u}_k, \mathbf{v}_1, \ldots, \mathbf{v}_m\}$이 V에 대한 기저이다.

29. A가 그것의 열벡터들이 표준 내적이 정의된 $\mathbb{R}^n$의 직교집합을 형성하는 $n \times n$ 행렬이라고 한다면, $\text{col}(A) = \mathbb{R}^n$이다.

30. 표준 내적이 정의된 $\mathbb{R}^2$에서, $y = 2x$의 직교여공간은 $y = \frac{1}{2}x$ 이다.

31. 표준 내적이 정의된 $\mathbb{R}^3$에서, $-3x + 3z = 0$의 직교여공간은

    $$\text{span}\left\{ \begin{bmatrix} -3 \\ 0 \\ 3 \end{bmatrix} \right\}$$

    이다.

32. 모든 유한 차원의 내적공간은 정규직교기저를 갖는다.

33. $W = \text{span}\left\{ \begin{bmatrix} 1 \\ 2 \\ 1 \end{bmatrix}, \begin{bmatrix} 0 \\ 1 \\ -1 \end{bmatrix} \right\}$ 이라면,

    $W^\perp$에 대한 기저는 또한

    $$A = \begin{bmatrix} 1 & 0 \\ 2 & 1 \\ 1 & -1 \end{bmatrix}$$

    의 영공간에 대한 기저이다.

34. $W = \text{span}\left\{ \begin{bmatrix} 1 \\ 0 \\ 1 \end{bmatrix}, \begin{bmatrix} -1 \\ 1 \\ 0 \end{bmatrix} \right\}$ 이라면,

    $\dim(W^\perp) = 2$ 이다.

35. $W = \text{span}\left\{ \begin{bmatrix} 0 \\ 1 \\ 1 \end{bmatrix}, \begin{bmatrix} 1 \\ 0 \\ 1 \end{bmatrix} \right\}$ 이라면,

$$W^\perp = \mathbf{span}\left\{ \begin{bmatrix} -1 \\ -1 \\ 1 \end{bmatrix} \right\} \text{이다.}$$

36. 표준 내적이 정의된 $\mathbb{R}^5$에서, $\dim(W) = \dim(W^\perp)$을 만족하는 부분공간 W가 존재한다.

37. A가 열벡터들이 정규직교기저인 $n \times n$ 행렬이라면, $AA'\mathbf{v}$는 $\mathbf{col}(A)$ 위로의 $\mathbf{v}$의 정사영이다.

38. $\mathbf{u}$와 $\mathbf{v}$가 직교하고, $\mathbf{w}_1$이 $\mathbf{u}$ 방향으로의 단위벡터이고, $\mathbf{w}_2$가 $\mathbf{v}$ 반대 방향으로의 단위벡터라고 한다면, $\mathbf{w}_1$과 $\mathbf{w}_2$는 직교한다.

39. $\mathbf{u}$와 $\mathbf{v}$가 $\mathbb{R}^n$의 벡터이고, $\mathbf{v}$ 위로의 $\mathbf{u}$의 정사영과 $\mathbf{u}$ 위로의 $\mathbf{v}$의 정사영이 같다면, $\mathbf{u}$와 $\mathbf{v}$는 일차독립이다.

40. A가 $m \times n$ 행렬이라면, AA'와 $A'A$는 같은 계수를 갖는다.

예비 학습 (preliminaries)

A.1 집합 대수(Algebra of Sets)

집합(set)은 수학에서 매우 기초적인 개념으로서, 공통의 특성을 갖는 개체들을 분류하거나 분석할 수 있게 해 준다. 예를 들어, 모든 짝수들의 모임, 3차 다항식들의 모임 등이 집합의 예이다. 집합은 대상들의 잘 정의된 모임이다. 이 말은, 어떤 대상이 집합에 속하는지 여부를 판단할 수 있는 명확한 프로세스가 있다는 뜻이다. 무지개 색인 빨강, 노랑, 초록, 파랑, 보라는 집합

$$C = \{ \text{빨강, 노랑, 초록, 파랑, 보라} \}$$

로 묶을 수 있다. 어떤 집합에 속하는 대상을 그 집합의 구성원(member) 또는 요소(element)라 부른다. x가 집합 S의 요소임을 $x \in S$로 표기한다. 초록은 무지개 색 중 하나이므로 초록 $\in C$이다. 그러나, 오렌지색은 무지개 색이 아니기 때문에 오렌지색 $\notin C$ 이다.

집합을 표현하는 방법은 여러 가지가 있다. 만약 요소의 수가 유한하고 작으면, 집합 C처럼 중괄호 사이에 모든 요소를 쉼표로 구분하여 나열하면 된다. 예를 들면,

$$S = \{ -3, -2, 0, 1, 4, 7 \}$$

와 같은 형태이다. 만약 요소들이 어떤 패턴을 가지고 있다면, 집합은 요소 중 몇 개만 언급하여 표현할 수도 있다. 예를 들면,

$$S = \{ 2, 4, 6, \ldots, 36 \}$$

는 2와 36 사이의 모든 짝수들의 집합을 의미한다. 모든 짝수들의 집합은

$$T = \{ 2, 4, 6, \ldots \}$$

로 표현할 수 있다.

특별한 숫자의 집합은 특별한 기호를 사용한다. 몇 가지를 소개하자면, 자연수의 집합은

$$\mathbb{N} = \{ 1, 2, 3, \ldots \}$$

정수의 집합은

$$\mathbb{Z} = \{ \ldots, -3, -2, -1, 0, 1, 2, 3, \ldots \}$$

유리수의 집합은

$$\mathbb{Q} = \left\{ \frac{p}{q} \;\middle|\; p, q \in \mathbb{Z}, q \neq 0 \right\}$$

마지막으로 실수의 집합은 $\mathbb{R}$이고, 모든 유리수와 무리수로 구성된다. 무리수의 예는 $\sqrt{2}$ 와 π이다. 많은 경우에, 우리가 관심 있는 집합은 더 큰 집합의 부분집합이다. 예를 들어,

$$S = \{ x \in \mathbb{R} \mid -1 \leq x < 4 \}$$

는 –1 이상 4 미만의 모든 실수의 집합이다. 일반적으로 $\{x \in L \mid x$에 대한 조건$\}$으로 표현되는 집합은 "x에 대한 조건을 만족하는 모든 L의 집합"으로 해석된다. 전체 집합이 무엇인지 알 수 있는 경우에는 L을 생략한다.

집합은 포함관계 표현을 사용하여 비교할 수 있다. 두 집합 A, B에 대하여, 집합 A의 모든 원소가 집합 B에 존재할 때, 집합 A는 B를 포함한다고 하고, $A \subseteq B$로 표기한다. 예를 들어,

$$A = \{1, 2\}, \quad B = \{1, 2, 3\}, \quad C = \{2, 3, 4\}$$

일 때, 집합 A의 모든 원소가 집합 B에 존재하므로, $A \subseteq B$이다. 그러나 집합 A는 집합 C의 부분집합은 아니다. 1은 A의 원소이지만, C의 원소는 아니기 때문이다. 이 경우, $A \not\subseteq C$ 이다. 자연수, 정수, 유리수, 실수의 집합에 대해서 다음의 관계가 성립한다.

$$\mathbb{N} \subseteq \mathbb{Z} \subseteq \mathbb{Q} \subseteq \mathbb{R}$$

원소가 없는 집합을 공집합(empty set 또는 null set)이라고 부르고 ϕ로 표기한다. 공집합 ϕ의 특성 중 하나는 모든 집합의 부분집합이라는 것이다.

두 집합 A, B가 똑같은 원소들로 이루어져 있다면, 즉, $A \subseteq B$이고 $B \subseteq A$이면, 집합 A, B는 같다고 하고, $A = B$로 표기한다.

집합 연산

교집합(intersection), 합집합(union) 연산을 사용하여 여러 집합으로부터 원소들을 추출하여 하나의 집합을 구성할 수 있다. 두 집합 A, B의 교집합은 $A \cap B$로 표기하고, 두 집합 A와 B에 모두 존재하는 모든 원소들의 집합이다.

$$A \cap B = \{ x \mid x \in A \text{ 그리고 } x \in B \}$$

두 집합 A, B의 합집합은 $A \cup B$로 표기하고, 집합 A 또는 B에 존재하는 모든 원소들의 집합이다.

$$A \bigcup B = \{x \mid x \in A \text{ 또는 } x \in B\}$$

예를 들어, 두 집합 $A = \{1, 3, 5\}$, $B = \{1, 2, 4\}$에 대하여, 합집합과 교집합은 각각 $A \cap B = \{1\}$, $A \cup B = \{1, 2, 3, 4, 5\}$이다.

벤 다이어그램이라 부르는 그림을 이용하는 방법은 집합 연산을 시각화하는데 도움이 된다. 그림 1은 두 집합의 합집합과 교집합에 대한 벤 다이어그램이다.

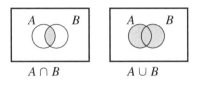

그림 1

예제 1

실수로 이루어진 구간인 두 집합 $A = [-3, 2)$와 $B = [-7, 1)$의 합집합과 교집합을 구하라.

풀이 $-7 < -3 < 1 < 2$이므로 두 구간은 서로 겹친다. 따라서 교집합은

$$A \bigcap B = [-3, 1)$$

이고, 합집합은

$$A \bigcup B = [-7, 2)$$

이다. ■

여기서, 오직 "$x \notin A$ 또는 $x \notin B$"일 때에만 $x \notin A \bigcap B$ 이고, 오직 "$x \notin A$ 그리고 $x \notin B$"일 때에만 $x \notin A \bigcup B$ 임에 유의하라.

집합 A의 집합 B에 대한 여집합(complement)은 A에 속하지 않는 모든 B의 원소들로 구성되며, $B \backslash A$ 로 표기한다. 집합 기호로 표현하면 다음과 같다.

$$B \backslash A = \{x \in B \mid x \notin A\}$$

예를 들어, 실수로 이루어진 구간인 두 집합 $A = [1, 2]$, $B = [0, 5]$에 대해서 여집합은

$$B \backslash A = [0, 1) \bigcup (2, 5]$$

이다. 만약 집합 A가 알려져 있는 전체집합의 일부이면, A의 여집합은 A^c로 표기한다. 예를 들어 집합 $A = [1, 2]$의 실수 집합에 대한 여집합은

$$\mathbb{R} \backslash A = A^c = (-\infty, 1) \bigcup (2, \infty)$$

이다.

또 다른 집합 연산은 두 집합의 데카르트 곱(Cartesian product)이다. $A \times B$로 표기하고, 집합 A의 요소와 집합 B의 요소로 이루어진 순서쌍의 집합이다.

$$A \times B = \{(x, y) \mid x \in A \ \text{그리고} \ y \in B\}$$

예를 들어, $A = \{1, 2\}$, $B = \{10, 20\}$이면,

$$A \times B = \{(1, 10), (1, 20), (2, 10), (2, 20)\}$$

이다. 이 집합은 유클리드 평면의 부분집합이며, 유클리드 평면은 실수 집합 $\mathbb{R}$ 의 데카르트 곱으로 쓸 수 있다. 즉,

$$\mathbb{R}^2 = \mathbb{R} \times \mathbb{R} = \{(x, y) \mid x, y \in \mathbb{R}\}$$

이다.

예제 2

집합 $A = [-3, 2)$, $B = (-2, 1]$의 데카르트 곱을 그려보라.

풀이 $A \times B$는 첫 번째 요소가 집합 A에 속하고 두 번째 요소가 집합 B에 속하는 모든 순서쌍 (x, y)의 집합이고,

$$-3 \le x < 2, \quad -2 < y \le 1$$

이다. 이 2가지 조건을 만족하는 점들은 그림 2와 같이 좌표평면에서 사각형 영역을 구성한다.

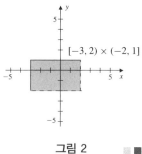

그림 2

예제 3은 집합 연산들이 조합될 때, 실수 간의 산술 연산의 특성과 비슷한 결과를 나타냄을 보여준다.

예제 3

집합 A, B, C에 대하여 $A \cap (B \cup C) = (A \cap B) \cup (A \cap C)$임을 증명하라.

풀이 그림 3의 벤 다이어그램은 두 집합이 서로 다른 방법으로 계산되었지만 결과는 같음을 보여준다. 괄호 안의 연산을 먼저 수행하였다. 물론, 그림 만으로는 증명이 성립되지 않는다. 정식으로 증명하기 위해서는 좌변의 집합이 우변의 집합의 부분집합임을 보이고, 반대로 우변의 집합이 좌변의 집합의 부분집합임을 보여야 한다.

$$A \cap (B \cup C) \qquad (A \cap B) \cup (A \cap C)$$

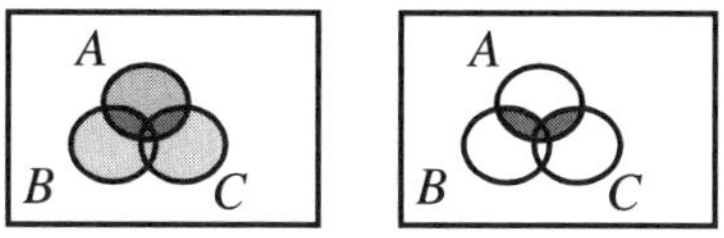

그림 3

만약 $x \in A \cap (B \cup C)$이면, "$x \in A$ 그리고 $x \in B \cup C$"이다. 이것은 "$x \in A$ 그리고 ($x \in B$ 또는 $x \in C$)"와 같다. 다시 이것은 "($x \in A$ 그리고 $x \in B$) 또는 ($x \in A$ 그리고 $x \in C$)"와 같다. 즉, $x \in (A \cap B) \cup (A \cap C)$이다. 그러므로, $A \cap (B \cup C) \subseteq (A \cap B) \cup (A \cap C)$이다.

반대로 $x \in (A \cap B) \cup (A \cap C)$라 가정하면, 이것은 "$x \in (A \cap B)$ 또는 $x \in (A \cap C)$"와 같다. 다시 이것은 "($x \in A$ 그리고 $x \in B$) 또는 ($x \in A$ 그리고 $x \in C$)"과 같고, 둘 중 어느 경우에도 $x \in A$이고, $x \in B$ 또는 $x \in C$이므로 $x \in A \cap (B \cup C)$이다. 그러므로, $(A \cap B) \cup (A \cap C) \subseteq A \cap (B \cup C)$이다.

양변의 집합들이 각각 서로의 부분집합이므로, $A \cap (B \cup C) = (A \cap B) \cup (A \cap C)$이다. ■ ■

정리 1은 예제 3의 결과뿐 아니라 다른 집합 연산의 특성들도 함께 포함하고 있다. 각 특성에 대한 증명은 연습문제로 남겨 둔다.

정리 1

집합 A, B, C가 전체집합 U에 포함된다고 하면,

1. $A \cap A = A$, $A \cup A = A$
2. $(A^c)^c = A$
3. $A \cap A^c = \phi$, $A \cup A^c = U$
4. $A \cap B = B \cap A$, $A \cup B = B \cup A$
5. $(A \cap B) \cap C = A \cap (B \cap C)$, $(A \cup B) \cup C = A \cup (B \cup C)$
6. $A \cap (B \cup C) = (A \cap B) \cup (A \cap C)$
   $A \cup (B \cap C) = (A \cup B) \cap (A \cup C)$

정리 2 드 모르강의 법칙(De Morgan's Laws)

집합 A, B, C에 대하여,

1. $A \setminus (B \cup C) = (A \setminus B) \cap (A \setminus C)$
2. $A \setminus (B \cap C) = (A \setminus B) \cup (A \setminus C)$

증명 (1) 좌변의 집합이 우변의 집합의 부분집합이고, 동시에 우변의 집합이 좌변의 집합의 부분집합임을 보여야 한다. 우선, $x \in A \setminus (B \cup C)$라 하면, 이것은 "$x \in A$ 그리고 $x \notin B \cup C$"와 같다.

다시, 이것은 "$x \in A$ 그리고 $(x \in B$ 그리고 $x \notin C)$"와 같다. 더 풀어 쓰면, "$x \in A$ 그리고 $x \notin B$ 그리고 $x \in A$ 그리고 $x \notin C$"이다. 앞의 둘과 뒤의 둘을 묶어서 표현하면, $x \in (A \setminus B) \cap (A \setminus C)$ 이고, 따라서 $A \setminus (B \cup C) \subseteq (A \setminus B) \cap (A \setminus C)$ 이다. 이번에는, 그 반대를 증명해 보자. $x \in (A \setminus B) \cap (A \setminus C)$라 하면,

$$x \in (A \setminus B) \text{ 그리고 } \qquad x \in (A \setminus C)$$
$$x \in A \text{ 그리고 } \quad x \notin B \text{ 그리고 } \quad x \in A \text{ 그리고 } x \notin C$$
$$x \in A \text{ 그리고 } \quad x \notin B \text{ 그리고 } x \notin C$$
$$x \in A \text{ 그리고 } \quad x \notin (B \cup C)$$

따라서, $(A \setminus B) \cap (A \setminus C) \subseteq A \setminus (B \cup C)$ 이다.

(2) 증명은 (1)의 증명과 유사하다. 연습문제로 남겨둔다.

연습문제 A.1

연습문제 1–6에서, 전체집합은 $\mathbb{Z}$ 이고 집합 A, B 가 다음과 같을 때, 각 집합을 구하라.

$$A = \{-4, -2, 0, 1, 2, 3, 5, 7, 9\}$$
$$B = \{-3, -2, -1, 2, 4, 6, 8, 9, 10\}$$

1. $A \cap B$
2. $A \cup B$
3. $A \times B$
4. $(A \cup B)^c$
5. $A \setminus B$
6. $B \setminus A$

연습문제 7–14에서, 집합 A, B, C가 다음과 같을 때, 각 집합을 구하라.

$$A = (-11, 3] \qquad B = [0, 8] \qquad C = [-9, \infty)$$

7. $A \cap B$
8. $(A \cup B)^c$
9. $A \setminus B$
10. $C \setminus A$
11. $A \setminus C$
12. $(A \cup B)^c \cap C$
13. $(A \cup B) \setminus C$
14. $B \setminus (A \cap C)$

연습문제 15–20에서, 집합 A, B, C가 다음과 같을 때, 각 집합을 좌표평면 위에 그려라.

$$A = (-2, 3] \qquad B = [1, 4] \qquad C = [0, 2]$$

15. $A \times B$
16. $B \times C$
17. $C \times B$
18. $(A \times B) \setminus [C \times (B \cap C)]$
19. $A \times (B \cap C)$
20. $(A \times B) \cap (A \times C)$

연습문제 21–26에서, 집합 A, B, C가 다음과 같을 때, 각 명제가 성립함을 증명하라.

$$A = \{1, 2, 3, 5, 7, 9, 11\}$$
$$B = \{2, 5, 10, 14, 20\}$$
$$C = \{1, 5, 7, 14, 30, 37\}$$

21. $(A \cap B) \cap C = A \cap (B \cap C)$

22. $(A \cup B) \cup C = A \cup (B \cup C)$

23. $A \cap (B \cup C) = (A \cap B) \cup (A \cap C)$

24. $A \cup (B \cap C) = (A \cup B) \cap (A \cup C)$

25. $A \backslash (B \cup C) = (A \backslash B) \cap (A \backslash C)$

26. $A \backslash (B \cap C) = (A \backslash B) \cup (A \backslash C)$

연습문제 27–34에서, 모든 집합 A, B, C에 대하여 각 명제가 성립함을 보여라.

27. $(A^c)^c = A$

28. 집합 $A \cup A^c$는 전체집합 U이다.

29. $A \cap B = B \cap A$

30. $A \cup B = B \cup A$

31. $(A \cap B) \cap C = A \cap (B \cap C)$

32. $(A \cup B) \cup C = A \cup (B \cup C)$

33. $A \cup (B \cap C) = (A \cup B) \cap (A \cup C)$

34. $A \backslash (B \cap C) = (A \backslash B) \cup (A \backslash C)$

35. A, B가 집합일 때, $A \backslash B = A \cap B^c$임을 증명하라.

36. A, B가 집합일 때, $(A \cup B) \cap A^c = B \backslash A$ 임을 증명하라.

37. A, B가 집합일 때, $(A \cup B) \backslash (A \cap B) = (A \backslash B) \cup (B \backslash A)$ 임을 증명하라.

38. A, B가 집합일 때, $(A \cap B) = A \backslash (A \backslash B)$ 임을 증명하라.

39. A, B, C가 집합일 때, $A \times (B \cap C) = (A \times B) \cap (A \times C)$ 임을 증명하라.

40. 두 집합 A, B에 대하여 대칭 차(symmetric difference) 연산 Δ이 $A \Delta B = (A \backslash B) \cup (B \backslash A)$ 으로 정의될 때, $A \Delta B = (A \cup B) \backslash (A \cap B)$ 임을 증명하라.

A.2 함수(Function)

A.1에서 설명한 집합은 함수와 함께 현대 수학의 두 가지 기본 대상이다. 집합이 대상을 정의하는 명사의 역할을 한다면, 함수는 집합의 요소들에게 행해지는 행위를 묘사하는 동사의 역할을 한다. 함수는 한 집합의 모든 요소들을 다른 집합의 요소와 각각 하나씩만 연결시킨다. 미적분학에서 학습한 함수들은 실수 집합에서 정의 된다. 다른 수학 분야는 다른 집합에서 정의된 함수를 필요로 하기도 한다. 다음의 정의는 광범위한 상황에 적용할 수 있을 정도로 일반적이다.

정의 1 함수

집합 $\mathbb{X}$에서 집합 $\mathbb{Y}$로의 함수 f는 $\mathbb{X}$의 모든 원소를 각각 $\mathbb{Y}$의 단 하나의 원소와 연결 짓는 대응 규칙이다.

계속 함수를 설명하기에 앞서, 두 집합을 연결 짓는 다른 방법들이 있음에 주의해야 한다. 일반적인 관계(relation)은 집합 $\mathbb{X}$의 모든 원소 각각에 집합 $\mathbb{Y}$의 단 하나의 원소만을 대응시킬 필요는 없다. 그런데, 함수는 집합 $\mathbb{X}$의 모든 원소 각각에 집합 $\mathbb{Y}$의 단 하나의 원소만을 지정하는 명확한 과정을 갖는 잘 정의된 관계이다. 흔한 비유로, 함수는 입력마다 하나의 출력을 내놓는 기계와 같다.

또한, 함수 f는 집합 $\mathbb{X}$에서 집합 $\mathbb{Y}$로의 사상(mapping)이라고도 불리며, $f: \mathbb{X} \longrightarrow \mathbb{Y}$로 표기한다. 만약 $x \in \mathbb{X}$가 $y \in \mathbb{Y}$에 함수 f를 통해 대응되면, y를 f에 의한 x의 상(image)라고 부르고 $y = f(x)$로 표기한다. 이 때, 집합 $\mathbb{X}$는 f의 정의역(domain)이라 부르고 $\mathrm{dom}(f)$로 표기한다. f의 치역(range)은 f의 모든 상의 집합이며, $\mathrm{range}(f)$로 표기한다. 즉,

$$\mathrm{range}(f) = \{f(x) \mid x \in \mathrm{dom}(f)\}$$

만약 A가 정의역의 부분집합이면, A의 상은 다음과 같이 정의된다.

$$f(A) = \{f(x) \mid x \in A\}$$

위의 표기법을 따르면, $\mathrm{range}(f) = f(\mathbb{X})$ 이다.

함수를 표현하는 방법은 여러 가지이다. 그림 1은 주어진 관계가 함수인지 구별하는 핵심 아이디어를 그림으로 보여준다.

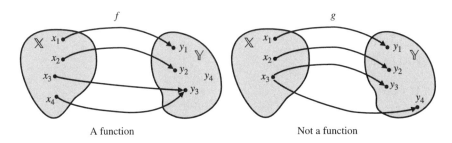

A function   Not a function

그림 1

그림 1에서 관계 f는 함수이다. 왜냐하면, 집합 $\mathbb{X}$의 각 요소들이 집합 $\mathbb{Y}$의 한 요소에 대응하는 관계가 잘 정의되어 있기 때문이다. f의 정의역의 하나 이상의 요소들이 치역의 같은 요소와 연결되어 있음에 주의하라. 이 경우, x_3와 x_4는 모두 y_3에 연결된다. 그러나 그림 1에서 관계 g는 함수가 아니다. 왜냐하면 x_3이 y_3과 y_4와 모두 연결되어 있기 때문이다. 이 예에서, y_4가 f의 치역에 속하지 않으므로, $f(\mathbb{X})$가 $\mathbb{Y}$와 같지 않음에 주의하라. 일반적으로 주어진 사상 $f: \mathbb{X} \longrightarrow \mathbb{Y}$에서 집합 X는 언제나 정의역이지만, $\mathrm{range}(f) \subseteq \mathbb{Y}$ 이다.

함수 $f: \mathbb{X} \longrightarrow \mathbb{Y}$의 그래프(graph)는 데카르트 곱 $\mathbb{X} \times \mathbb{Y}$의 부분집합이며,

$$\mathrm{graph}(f) = \{(x, y) \mid x \in X \text{ and } y = f(x) \in \mathrm{range}(f)\}$$

로 정의된다.

주어진 함수 $f: \mathbb{R} \longrightarrow \mathbb{R}$에서, 그래프는 좌표평면 $\mathbb{R}^2$의 부분집합이다.

예를 들어, 함수 $f: \mathbb{R} \longrightarrow \mathbb{R}$는 다음의 규칙으로 정의될 수 있다.

$$f(x) = x^2 - 4x + 3 = (x-2)^2 - 1$$

함수를 기술하는 규칙이 모든 실수에 대해 정의되어 있으므로 $\text{dom}(f) = \mathbb{R}$ 이다. 포물선의 꼭 지점이 (2, –1)이므로 치역은 [–1, ∞)이다. 그림 2에서 볼 수 있듯이, 정의역과 치역은 함수의 그래프로부터 분명하게 알 수 있다. 또한, $f(0) = 3$이고 $f(4) = 3$이므로, {0, 4}는 3을 상으로 취하는 모든 실수의 집합이다. 이 때, 집합 {0, 4}는 집합 {3}의 역상(inverse image)이라 부른다. 이로부터 다음의 개념을 발전시키게 된다.

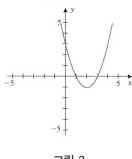

그림 2

만약 $f : \mathbb{X} \longrightarrow \mathbb{Y}$가 함수이고, $B \subseteq Y$이면, B의 역상은 B에 사상되는 정의역의 모든 요소들의 집합이고, $f^{-1}(B)$ 로 표기한다. 즉,

$$f^{-1}(B) = \{x \in \mathbb{X} \mid f(x) \in B\}$$

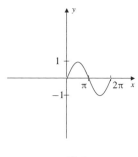

그림 3

집합 $f^{-1}(B)$ 는 집합 B의 원상(preimage)이라고도 한다. 예를 들어, $f : [0, 2\pi] \longrightarrow [-1, 1]$ 을 $f(x) = \sin x$ 로 정의하자. 그림 3의 그래프로부터 다음을 알 수 있다.

$$f^{-1}([0, 1]) = [0, \pi] \qquad f^{-1}([-1, 0]) = [\pi, 2\pi]$$

예제 1

$f : \mathbb{R} \longrightarrow \mathbb{R}$이 $f(x) = x^2 - 4x + 3$으로 정의된다고 하자. 집합 A, B, C, D가 다음과 같을 때,

$$A = [0, 3] \qquad B = [1, 4] \qquad C = [-1, 3] \qquad D = [0, 3]$$

a. 집합 $f(A \cap B)$와 집합 $f(A) \cap f(B)$를 비교하라.

b. 집합 $f(A \cup B)$와 집합 $f(A) \cup f(B)$를 비교하라.

c. 집합 $f^{-1}(C \cap D)$와 집합 $f^{-1}(C) \cap f^{-1}(D)$를 비교하라.

d. 집합 $f^{-1}(C \cup D)$와 집합 $f^{-1}(C) \cup f^{-1}(D)$를 비교하라.

풀이 a. $A \cap B = [1, 3]$이므로, 그림 2로부터 $f(A \cap B) = [-1, 0]$임을 알 수 있다. 다시 f의 그래프를 이용하면, $f(A) = f([0, 3]) = [-1, 3]$이고 $f(B) = f([1, 4]) = [-1, 3]$이므로 $f(A) \cap f(B) = [-1, 3]$임을 알 수 있다. 따라서, 다음과 같이 결론 내릴 수 있다.

$$f(A \cap B) \subseteq f(A) \cap f(B) \ \ \text{그리고} \ \ f(A \cap B) \neq f(A) \cap f(B)$$

b. $A \cup B = [0, 4]$이므로, $f(A \cup B) = [-1, 3]$. 그리고 $f(A) = [-1, 3] = f(B)$이므로, $f(A) \cup f(B) = [-1, 3]$. 따라서,

$$f(A \cup B) = f(A) \cup f(B)$$

c. $C \cap D = [0, 3]$이므로,

$$\begin{aligned} f^{-1}(C \cap D) &= \{x \in \mathbb{R} \mid f(x) \in [0, 3]\} \\ &= \{x \in \mathbb{R} \mid 0 \leq f(x) \leq 3\} \\ &= \{x \in \mathbb{R} \mid 0 \leq (x-2)^2 - 1 \leq 3\} \end{aligned}$$

그림 2로부터 $f^{-1}(C \cap D) = [0, 1] \cup [3, 4]$.

한편, $f^{-1}(C) = [0, 4]$이므로 집합 D의 역상은 $f^{-1}(D) = [0, 1] \cup [3, 4]$. 따라서,

$$f^{-1}(C) \cap f^{-1}(D) = f^{-1}(C \cap D)$$

d. $C \cup D = [-1, 3]$을 이용하여 c번의 결과와 같은 형태의 결론을 도출할 수 있다.

$$f^{-1}(C \cup D) = f^{-1}(C) \cup f^{-1}(D) \qquad\qquad \blacksquare$$

정리 3은, 예제 1에서 살펴본 내용을 포함하여, 집합의 상과 역상에 대한 몇 가지 결과들을 정리한 것이다.

정리 3

$f : \mathbb{X} \longrightarrow \mathbb{Y}$가 함수이고, 집합 A, B가 집합 $\mathbb{X}$의 부분집합, 집합 C, D가 집합 $\mathbb{Y}$의 부분집합이라고 가정하면, 다음의 식들이 성립한다.

1. $f(A \cap B) \subseteq f(A) \cap f(B)$

2. $f(A \cup B) = f(A) \cup f(B)$

3. $f^{-1}(C \cap D) = f^{-1}(C) \cap f^{-1}(D)$

4. $f^{-1}(C \cup D) = f^{-1}(C) \cup f^{-1}(D)$

5. $A \subseteq f^{-1}(f(A))$

6. $f(f^{-1}(C)) \subseteq C$

증명 (1) "$y \in f(A \cap B)$"라 하면, $y = f(x)$를 만족하는 어떤 $x \in A \cap B$가 존재한다. 이것은 "$y \in f(A)$ 그리고 $y \in f(B)$"와 같으므로 "$y \in f(A) \cap f(B)$"이다. 따라서, "$f(A \cap B) \subseteq f(A) \cap f(B)$"이다.

(3) 두 집합이 같음을 보이기 위해 각 집합이 다른 집합의 부분집합임을 보이자. "$x \in f^{-1}(C \cap D)$"라 하면, "$f(x) \in C \cap D$"이고, 이것은 "$f(x) \in C$ 그리고 $f(x) \in D$"와 같다. 그러므로, "$x \in f^{-1}(C)$ 그리고 $x \in f^{-1}(D)$"이다. 따라서, "$f^{-1}(C) \cap f^{-1}(D) \subseteq f^{-1}(C \cap D)$"이다. 이번에는 반대로, "$x \in f^{-1}(C \cap D)$"라 하자. 이것은 "$x \in f^{-1}(C)$ 그리고 $x \in f^{-1}(D)$"와 같다. 그러면, "$f(x) \in C$ 그리고 $f(x) \in D$"이므로, "$f(x) \in C \cap D$"이다. 이것은 "$x \in f^{-1}(C \cap D)$"와 같다. 따라서, "$f^{-1}(C \cap D) \subseteq f^{-1}(C) \cap f^{-1}(D)$"이다.

(5) 만약 "$x \in A$"이면 "$f(x) \in f(A)$"이다. 이것은 "$x \in f^{-1}(f(A))$"로 바꿔 쓸 수 있다. 따라서 "$A \subseteq f^{-1}(f(A))$"이다.

2번, 4번, 6번은 연습문제로 남겨 두었다.

연습문제 1(a)는 정리 3의 1번에서 포함관계를 등식으로 바꿔 쓸 수 없다는 반례를 보여준다.

역함수 (Inverse Functions)

함수 f의 역함수는, 만약 존재한다면, 함수 f와 반대 기능을 하게 된다. 만약 g가 함수 f의 역함수라면, $f(a) = b$일 때 $g(b) = a$이다. 예를 들어, 만약 $f(x) = 3x - 1$이고 $g(x) = (x + 1)/3$이면 $f(2) = 5$이고, $g(5) = 2$이다. 수학에서 가장 중요한 함수-역함수 쌍 중 하나는 $f(x) = e^x$와 $g(x) = \ln x$일 것이다.

함수가 역함수를 가지려면, 치역의 각 요소들에 대한 역상이 잘 정의되어야 한다. 그런데 이런 경우는 종종 성립하지 않는다. 예를 들면, 함수 $f : \mathbb{R} \longrightarrow \mathbb{R}$가 $f(x) = x^2$으로 정의된다면 역함수는 존재하지 않는다.

왜냐하면, 집합 {4}의 역상은 집합 {-2, 2}이기 때문이다. 치역의 부분집합의 역상이 언제나 정의되어야 함에 주의하라. 그러나, 역함수가 존재하지 않을 수도 있다. 역함수가 존재하는 함수를 가역적(invertible)이라고 부른다. 이 절의 뒷부분에서 만약 함수가 가역적이라면 역함수는 유일함을 증명할 것이다. 역함수를 갖는 함수들은 일대일(one-to-one) 특성을 갖는다. 그림 1의 함수는 일대일이 아니다. 왜냐하면, x_3과 x_4가 모두 집합 $\mathbb{Y}$의 같은 요소에 대응되기 때문이다. 이러한 대응은 일대일 함수에서는 일어나지 않는다.

정의 2 일대일 함수

$f : \mathbb{X} \longrightarrow \mathbb{Y}$ 가 함수일 때, 만약 동일하지 않은 모든 x_1과 x_2에 대해서 $f(x_1) \neq f(x_2)$ 이면, 함수 f는 일대일 또는 단사(injective) 함수라고 부른다.

달리 표현하면, 만약 $f(x_1) = f(x_2)$ 이면 언제나 $x_1 = x_2$ 이라면, f는 일대일 함수이다. 함수 $f : \mathbb{R} \longrightarrow \mathbb{R}$에 대해서, 모든 수평선이 f의 그래프와 오직 한 점에서만 만날 때, 이 조건은 성립한다. 만약 그렇다면, f는 수평선 검사(horizontal line test)를 통과한 것이고, 따라서 가역적이다. 이 검사법은 f가 함수인지를 판별하기 위한 수직선 검사(vertical line test)와 유사하다. 함수 f의 역함수는 $f^{-1} : \text{range}(f) \longrightarrow \mathbb{X}$ 로 표기한다. 정리 4는 가역적인 함수들의 특성에 관한 것이다. 증명은 생략했다.

정리 4

집합 $\mathbb{X}$, $\mathbb{Y}$가 공집합이 아니고 $f : \mathbb{X} \longrightarrow \mathbb{Y}$가 함수일 때, 함수 f는 f가 일대일 함수일 때에만 역함수를 갖는다.

예를 들어, $f : \mathbb{R} \longrightarrow \mathbb{R}$이 $y = f(x) = 3x + 1$ 로 정의된다고 하자. 그래프는 직선이고 수평선 검사를 만족하므로 이 함수는 일대일 함수이다. 따라서, 역함수를 갖는다. 이 경우 역함수를 구하는 것은 쉬운 일이다. x를 y로 표현하여 역함수를 구할 수 있다.

$$x = \frac{y - 1}{3}$$

동일한 독립변수로 역함수를 나타내면,

$$f^{-1}(x) = \frac{x - 1}{3}$$

어떤 함수의 역함수를 구하기 어려운 경우에도 역함수의 존재 여부를 보이는 것은 가능하다.

예제 2

함수 $f : \mathbb{R} \longrightarrow \mathbb{R}$이 $f(x) = x^3 + x$ 일 때, 가역적임을 증명하라.

풀이 정리 4에 의하여, f가 가역적임을 보이려면 f가 일대일 함수임을 보이면 된다. 서로 다른 x_1, x_2가 $x_1 < x_2$ 일 때 $f(x_1) \neq f(x_2)$ 임을 보이자. 3차 함수는 모든 x에 대해 순증가(strictly increasing) 함수이므로,

$$x_1 < x_2 \ \text{이고} \ x_1^3 < x_2^3$$

따라서,

$$f(x_1) = x_1^3 + x_1 < x_2^3 + x_2 = f(x_2) \text{ 이므로, } f(x_1) \neq f(x_2)$$

가역적인 함수의 그래프는 역함수의 그래프를 그리는데 사용할 수 있다. 예를 들어, (a, b)가 $y = f(x)$ 의 그래프 상의 한 점이라고 하자. 그러면, $b = f(a)$ 이고, $a = f^{-1}(B)$ 이다. 결국, 점 (b, a)는 $y = f^{-1}(x)$ 의 그래프 상에 있다. 점 (b, a)는 점 (a, b)의 직선 $y = x$에 대한 대칭점이므로 f와 f^{-1}의 그래프도 역시 $y = x$에 대해 대칭이다. 그림 4는 예제 2의 함수와 역함수의 그래프를 그린 것이다.

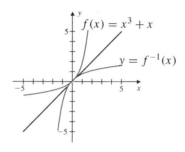

그림 4

$f : \mathbb{X} \longrightarrow \mathbb{Y}$가 함수이고, 상들의 집합이 집합 $\mathbb{Y}$와 같을 때, 즉, $f(\mathbb{X}) = \mathbb{Y}$ 일 때, 이 함수를 전사(onto) 함수라고 부른다.

정의 3 전사함수

함수 $f : \mathbb{X} \longrightarrow \mathbb{Y}$에 대해, 만약 range$(f) = \mathbb{Y}$면, f는 전사(onto 또는 subjective) 함수라고 부른다.

예를 들어, 예제 2의 함수는 전사함수다. 왜냐하면 f의 치역이 모든 실수이기 때문이다. 그림 4를 보라. 만약 함수가 일대일 함수이면서 동시에 전사함수이면 전단사(bijective) 함수라고 부른다.

함수 $f : \mathbb{R} \longrightarrow \mathbb{R}$, $f(x) = x^2$ 는, range$(f) = [0, \infty)$ 이므로, 전사함수가 아니다. 물론, 모든 함수는 치역의 모든 요소를 상으로 취하므로, 함수 $f : \mathbb{R} \longrightarrow [0, \infty)$, $f(x) = x^2$ 는 전사함수다. 이 함수는 일대일 함수는 아니지만, 정의역을 $[0, \infty)$으로 제한하면 전단사함수가 된다. 즉, 함수 $f : [0, \infty) \longrightarrow [0, \infty)$, $f(x) = x^2$ 는 전단사함수다. 예제 2의 함수 역시 전단사함수다. 오직 전단사함수만 역함수를 가짐에 유의하라.

함수의 결합 (Composition of Functions)

함수들을 다양한 방식으로 결합되어 새로운 함수를 만들어 낸다. 예를 들어, 함수 $f: \mathbb{X}_1 \longrightarrow \mathbb{Y}_1$ 와 $g: \mathbb{X}_2 \longrightarrow \mathbb{Y}_2$ 가 실수 변수를 갖는 실수 함수라고 하면, 함수에 대한 표준 산술 연산이 다음과 같이 정의된다.

$$(f + g)(x) = f(x) + g(x)$$
$$(f - g)(x) = f(x) - g(x)$$
$$(fg)(x) = f(x)g(x)$$
$$\left(\frac{f}{g}\right)(x) = \frac{f(x)}{g(x)}$$

이 함수들의 정의역은 $\mathrm{dom}(f + g) = \mathrm{dom}(f - g) = \mathrm{dom}(fg) = \mathbb{X}_1 \cap \mathbb{X}_2$, $\mathrm{dom}(f / g) = (\mathbb{X}_1 \cap \mathbb{X}_2) \setminus \{x \mid g(x) = 0\}$ 이다. 함수들을 결합하는 또 다른 방법은 두 함수의 합성함수(composition)이다. 두 함수 f, g를 합성하면, 한 함수의 출력이 다른 함수의 입력이 된다. 예를 들어, $f(x) = \sqrt{x}$, $g(x) = x^2 - x - 2$ 일 때, $f(g(3)) = f(4) = 2$ 는 3에 대한 합성함수 값이 되고, $(f \circ g)(3)$ 으로 표기한다.

정의 4 합성함수

세 집합 A, B, C가 공집합이 아니고, $f: B \longrightarrow C$ 와 $g: A \longrightarrow B$ 가 함수일 때, 합성함수 $f \circ g: A \longrightarrow C$ 는 다음과 같이 정의된다.

$$(f \circ g)(x) = f(g(x))$$

합성 함수의 정의역은 $\mathrm{dom}(f \circ g) = \{x \in \mathrm{dom}(g) \mid g(x) \in \mathrm{dom}(f)\}$ 이다.

함수와 그 함수의 역함수를 합성하면 x가 된다. 예를 들어, $f(x) = 2x - 1$ 라 하자. f 가 일대일 이므로 가역적이고, $f^{-1}(x) = (x + 1) / 2$ 이다. f와 f^{-1} 를 합성하면,

$$(f^{-1} \circ f)(x) = f^{-1}(f(x)) = \frac{f(x) + 1}{2} = \frac{2x - 1 + 1}{2} = x$$

순서를 바꾸어 합성하면,

$$(f \circ f^{-1})(x) = f(f^{-1}(x)) = 2\left(\frac{x + 1}{2}\right) - 1 = x + 1 - 1 = x$$

정리 5

만약 $f: \mathbb{X} \longrightarrow \mathbb{Y}$ 가 전단사함수이면,

1. $(f^{-1} \circ f)(x) = x$ for all $x \in \mathbb{X}$

2. $(f \circ f^{-1})(x) = x$ for all $x \in \mathbb{Y}$

앞서 언급한 바와 같이, 역함수가 존재한다면 그 역함수는 유일(unique)하다. 예를 들어 $f: \mathbb{X} \longrightarrow \mathbb{Y}$ 가 가역적인 함수이고 f^{-1} 가 역함수라고 하자. 그리고, $g: \mathbb{Y} \longrightarrow \mathbb{X}$ 가 또 다른 역함수이고, 집합 $\mathbb{X}, \mathbb{Y}$ 의 항등 함수(identity function)를 $I_{\mathbb{X}}, I_{\mathbb{Y}}$ 라 하자. 즉, 모든 $x \in \mathrm{X}$ 에 대해 $I_{\mathbb{X}}(x) = x$ 이고, 모든 $y \in \mathbb{Y}$ 에 대해 $I_{\mathbb{Y}}(y) = y$ 이다. 만약, y 가 집합 $\mathbb{Y}$ 의 원소이면,

$$
\begin{aligned}
g(y) &= g \circ I_{\mathbb{Y}}(y) = g \circ (f \circ f^{-1})(y) \\
&= g(f(f^{-1}(y))) = (g \circ f) \circ f^{-1}(y) \\
&= I_{\mathbb{X}}(f^{-1}(y)) = f^{-1}(y)
\end{aligned}
$$

위의 식은 $\mathbb{Y}$ 에 속한 모든 y 에 대해 성립하므로, $g = f^{-1}$ 이다. 결론적으로, 만약 역함수가 존재한다면, 역함수는 유일하다.

정리 6

만약 $f: \mathbb{X} \longrightarrow \mathbb{Y}$ 가 전단사함수이면,

1. $f^{-1}: \mathbb{Y} \longrightarrow \mathbb{X}$ 도 전단사함수다.

2. $(f^{-1})^{-1} = f$

정리 7

집합 A, B, C 가 공집합이 아니고, $f: B \longrightarrow C$ 와 $g: A \longrightarrow B$ 가 함수일 때,

1. 만약 f 와 g 가 단사함수이면, $f \circ g$ 도 단사함수다.

2. 만약 f 와 g 가 전사함수이면, $f \circ g$ 도 전사함수다.

3. 만약 f 와 g 가 전단사함수이면, $f \circ g$ 도 전단사함수 이다.

4. 만약 $f \circ g$ 가 단사함수이면, g 도 단사함수다.

5. 만약 $f \circ g$ 가 전사함수이면, f 도 전사함수다.

증명 (1) 만약 x_1 과 x_2 가 집합 A 에 속하고 $(f \circ g)(x_1) = (f \circ g)(x_2)$ 이면, 합성함수의 정의에 의해, $f(g(x_1)) = f(g(x_2))$ 이다. f 가 단사함수이므로 $g(x_1) = g(x_2)$ 이다. 그리고, g 도 단사함수이므로, $x_1 = x_2$ 이다. 따라서, $f \circ g$ 도 단사함수다.

(5) c가 집합 C에 속한다고 하자. $f \circ g : A \longrightarrow C$ 가 전사함수이므로 $(f \circ g)(a) = c$ 를 만족하는 $a \in A$ 가 존재한다. 즉, $f(g(a)) = c$ 이다. 그런데, $g(a) \in B$ 이므로, c의 값을 갖는 f의 상인 B의 원소가 존재한다. 이 때, c는 임의로 선택된 값이므로 f는 전사함수라고 할 수 있다.

2번, 3번, 4번의 증명은 연습문제로 남겨 두었다.

정리 8

집합 A, B, C가 공집합이 아니고, $f : B \longrightarrow C$와 $g : A \longrightarrow B$ 가 함수일 때, 만약 f와 g가 전단사 함수이면, 합성함수 $f \circ g$ 의 역함수는 $(f \circ g)^{-1} = g^{-1} \circ f^{-1}$ 이다.

증명　정리 7에 의하여 합성함수 $f \circ g : A \longrightarrow C$ 는 전단사함수이다. 그러면, 정리 4에 의해서 역함수 $(f \circ g)^{-1} : C \longrightarrow A$가 존재한다. 그런데, 함수 $g^{-1} \circ f^{-1}$ 도 집합 C에서 집합 A로 사상 된다. 모든 $c \in C$ 에 대하여, $(f \circ g)^{-1}(c) = g^{-1} \circ f^{-1}(c)$ 임이 성립한다. f가 전사함수이므로 $f(b) = c$ 를 만족하는 $b \in B$ 가 존재하고, $b = f^{-1}(c)$ 이다. 다음으로, g가 전사함수이므로 $g(a) = b$ 를 만족하는 $a \in A$ 가 존재하고, $a = g^{-1}(b)$ 이다. 합성함수를 취하면, $(f \circ g)(a) = f(g(a)) = c$ 이고, 따라서 $(f \circ g)^{-1}(c) = a$ 이다. 그런데, $g^{-1}(f^{-1}(c)) = (g^{-1} \circ f^{-1})(c) = a$ 도 성립한다. 이 식이 모든 $c \in C$ 에 대해서 성립하므로, 함수 $(f \circ g)^{-1}$와 $g^{-1} \circ f^{-1}$ 는 동일하다. 즉, $(f \circ g)^{-1} = g^{-1} \circ f^{-1}$ 이다.

연습문제 A.2

연습문제 1–10에서, 집합 X, Y가 다음과 같고,

$$\mathbb{X} = \{1, 2, 3, 4, 5, 6\}$$
$$\mathbb{Y} = \{-2, -1, 3, 5, 9, 11, 14\}$$

함수 $f : \mathbb{X} \longrightarrow \mathbb{Y}$가 다음의 순서 쌍의 집합에 의해 정의될 때, 각 문제를 풀어라.

$$\{(1, -2), (2, 3), (3, 9), (4, -2), (5, 11), (6, -1)\}$$

1. f가 함수인지 설명하라.

2. f가 일대일 함수인가? 설명하라.

3. f가 전사함수인가? range(f)을 구하라.

4. 집합 $A = \{1, 2, 4\}$에 대해, $f(A)$을 구하라.

5. $f^{-1}(\{-2\})$ 는 얼마인가?

6. $f^{-1}(f(\{1\}))$ 는 얼마인가?

7. f가 역함수를 갖는가? 설명하라.

8. $\mathbb{X}$ 에서 $\mathbb{Y}$ 로의 전사함수를 정의할 수 있는가? 설명하라.

9. 일대일 함수인 $g : \mathbb{X} \longrightarrow \mathbb{Y}$을 정의하라.

10. 전사함수인 $g : \mathbb{Y} \longrightarrow \mathbb{X}$ 을 정의할 수 있는가? 설명하라.

연습문제 11–14에서, 함수 $f : \mathbb{R} \longrightarrow \mathbb{R}$이 다음과 같을 때, 각 문제를 풀어라.

$$f(x) = x^2$$

11. 구간 $A = (-3, 5)$, $B = [0, 7)$에 대하여, 다음을 증명하라.

$$f(A \cup B) = f(A) \cup f(B)$$

12. 구간 $C = [1, \infty)$, $D = [3, 5]$에 대하여, 다음을 증명하라.

$$f^{-1}(C \cup D) = f^{-1}(C) \cup f^{-1}(D)$$

13. 구간 $A = [-2, 0]$, $B = [0, 2]$에 대하여, 다음을 증명하라.

$f(A \cap B) \subset f(A) \cap f(B)$, 그리고, 양변은 서로 같지 않다.

14. 함수 $g(x) = x^2$의 정의역이 구간 $[0, \infty)$일 때, 구간 $A = [0, 5)$, $B = [2, 7)$에 대하여, 다음을 증명하라. 이 때, f는 가지고 있지 않지만, g는 가지고 있는 특성은 무엇인가?

$$g(A \cap B) = g(A) \cap g(B)$$

15. 함수 $f : \mathbb{R} \longrightarrow \mathbb{R}$, $f(x) = ax + b$ (a, b는 실수, $a \neq 0$)의 역함수를 구하라.

16. 함수 $f : \mathbb{R} \longrightarrow \mathbb{R}$, $f(x) = x^5 + 2x$ 의 역함수가 존재함을 보여라.

17. 양의 정수 n에 대하여 주어진 함수 f의 $(n-1)$ 차 합성함수가 다음과 같이 정의된다. c가 고정된 실수이고 $f(x) = -x + c$ 일 때, 모든 n에 대하여 $f^n(c)$ 를 구하라.

$$f^n(x) = (f \circ f \circ \cdots \circ f)(x)$$

18. 함수 $f : \mathbb{R} \longrightarrow \mathbb{R}$이 다음과 같을 때, 그래프 $y = f(x)$ 와 $y = (f \circ f)(x)$ 를 그려라.

$$f(x) = \begin{cases} 2x & \text{if } 0 \le x \le \frac{1}{2} \\ 2 - 2x & \text{if } \frac{1}{2} < x \le 1 \end{cases}$$

19. 함수 $f : \mathbb{R} \longrightarrow \mathbb{R}$이 다음과 같을 때,

$$f(x) = e^{2x-1}$$

a. f가 일대일 함수임을 보여라.

b. f가 전사함수인가? 답에 대한 근거를 제시하라.

c. f와 식이 동일하나 전사함수인 함수 g를 정의하라.

d. (c)에서 정의한 g의 역함수를 구하라.

20. 함수 $f : \mathbb{R} \longrightarrow \mathbb{R}$이 다음과 같을 때, f는 일대일 함수가 아님을 증명하라.

$$f(x) = e^{-x^2}$$

21. 함수 $f : \mathbb{N} \longrightarrow \mathbb{N}$이 다음과 같을 때,

$$f(n) = 2n$$

a. f가 일대일 함수임을 보여라.

b. f가 전사함수인가? 설명하라.

c. E가 양의 짝수의 집합이고, O가 양의 홀수의 집합일 때, $f^{-1}(E)$와 $f^{-1}(O)$를 구하라.

22. 함수 $f : \mathbb{Z} \longrightarrow \mathbb{Z}$이 다음과 같고, 집합 E가 짝수의 집합, 집합 O가 홀수의 집합일 때, $f(E)$ 와 $f(O)$ 를 구하라.

$$f(n) = \begin{cases} n+1 & \text{if } n \text{ is even} \\ n-3 & \text{if } n \text{ is odd} \end{cases}$$

23. 함수 $f : \mathbb{Z} \times \mathbb{Z} \longrightarrow \mathbb{Z}$이 다음과 같을 때,

$$f((m, n)) = 2m + n$$

a. 집합 $A = \{(p, q) \mid p$ 와 q 는 홀수$\}$에 대해 $f(A)$를 구하라.

b. 집합 $B = \{(p, q) \mid q$ 는 홀수$\}$에 대해 $f(B)$를 구하라.

c. $f^{-1}(\{0\})$ 을 구하라.

d. 짝수의 집합 E에 대해 $f^{-1}(E)$를 구하라.

e. 홀수의 집합 O에 대해 $f^{-1}(O)$를 구하라.

f. f가 일대일 함수가 아님을 증명하라.

g. f가 전사함수임을 증명하라.

24. 함수 $f : \mathbb{R}^2 \longrightarrow \mathbb{R}^2$이 다음과 같을 때,

$$f((x, y)) = (2x, 2x + 3y)$$

a. f가 일대일 함수임을 보여라.

b. f가 전사함수 인가? 답에 대한 근거를 제시하라.

c. 집합 A가 직선 $y = x + 1$ 위의 모든 점의 집합일 때, $f(A)$를 구하라.

$f : \mathbb{X} \longrightarrow \mathbb{Y}$가 함수이고, 집합 A, B가 X의 부분집합이고, 집합 C, D가 Y의 부분집합일 때, 연습문제 25–27의 명제를 증명하라.

25. $f(A \cup B) = f(A) \cup f(B)$

26. $f^{-1}(C \cup D) = f^{-1}(C) \cup f^{-1}(D)$

27. $f(f^{-1}(C)) \subseteq C$

$f : B \to C$ 와 $g : A \to B$ 가 함수일 때, 연습문제 28–30의 명제를 증명하라.

28. f와 g가 전사함수이면, $f \circ g$ 도 전사함수다.

29. f와 g가 전단사함수이면, $f \circ g$ 도 전단사함수다.

30. $f \circ g$ 가 단사함수이면, g도 단사함수다.

31. $f : \mathbb{X} \longrightarrow \mathbb{Y}$가 함수이고, 집합 A, B가 $\mathbb{X}$의 부분집합일 때, 다음을 증명하라.

$$f(A) \setminus f(B) \subseteq f(A \setminus B)$$

32. $f : \mathbb{X} \longrightarrow \mathbb{Y}$가 함수이고, 집합 C, D가 $\mathbb{Y}$의 부분집합일 때, 다음을 증명하라.

$$f^{-1}(C \setminus D) = f^{-1}(C) \setminus f^{-1}(D)$$

A.3 증명 기법 (Techniques of Proof)

수학은 사실에 기초한다. 이러한 사실들 중 공리(axiom)라고 불리는 것들은 자명한 것으로 받아들여지고 증명이 요구되지 않는다. 공리를 제외한 모든 사실에 대한 명제(statement)는 증명(proof)이 요구된다. 증명은 명제가 타당함을 보이는 과정이다. 수학적 증명의 결과들을 정리(theorem)라고 부른다. 정리는 두 부분으로 구성되어 있는데, 첫 번째 부분은 가설(hypothesis)이라고 부르며 가정(assumption)들의 집합이다. 두 번째 부분은 결론(conclusion)이라고 부르며, 증명이 요구되는 명제이다. 가설을 표기할 때에는 문자 P, 결론을 표기할 때에는 문자 Q를 사용하는 것이 일반적이다. 정리는 다음과 같이 기호화 된다.

$$P \Rightarrow Q$$

위의 정리를 "만약 P라면, Q이다" 또는 "P는 Q를 의미한다" 또는 "P는 Q가 성립하는데 충분한 조건이다"라고 읽는다. 정리의 역(converse)는 다음과 같이 표기하고,

$$Q \Rightarrow P$$

역은 "Q는 P를 의미한다" 또는 "P는 Q가 성립하는데 필요한 조건이다"라고 읽는다. 예를 들어, P는 "메리는 아이오와 주에 산다"라는 명제이고, Q는 "메리는 미국에 산다"라는 명제라고 가정해 보자. 확실하게 $P \Rightarrow Q$는 정리이다. 왜냐하면, 모든 아이오와 주에 사는 사람들은 미국에 사는 사람들이기 때문이다. 그러나, $Q \Rightarrow P$는 정리가 아니다. 왜냐하면, 만약 메리가 캘리포니아 주에 사는 사람이어도, 메리는 미국에 사는 사람이기 때문이다. 즉, Q가 참일 때, 명제 $Q \Rightarrow P$도 항상 참인 것은 아니다. 집합으로 표현해 보면, 집합 A가 아이오와 주에 사는 사람들의 집합이고, 집합 B가 미국에 사는 사람들의 집합일 때, 명제 P는 "메리가 A에 속한다"이고, 명제 Q는 "메리가 B에 속한다"이다. 그렇다면, 메리가 A에 속한다는 것이 메리가 B에 속한다는 것을 의미한다. 또한 분명한 것은, 만약 메리가 집합 $B \backslash A$에 속한다면 메리가 B에 속한다는 것은 메리가 A에 속한다는 것을 의미하지 않는다.

정리 $P \Rightarrow Q$와 대등한 명제는 대우(contrapositive) 명제인 $\sim Q \Rightarrow \sim P$이다. 즉, Q가 아니라는 것은 P가 아니라는 것을 의미한다. 앞의 예에서 만약 메리가 미국에 사는 사람이 아니라면, 메리는 아이오와 주에 사는 사람도 아니라는 것이다. 집합으로 표현하면, 만약 메리 $\notin B$이면, 이것은 메리 $\notin A$를 의미한다.

증명이 필요한 다른 종류의 수학적 명제들이 있다. 예비정리(lemma)는 정리를 증명하기 위해 사전에 도출해 놓은 결과이고, 중간정리(proposition)는 정리만큼 중요하지는 않은 결과이고, 따름정리(corollary)는 정리의 특별한 경우이다. 아직 증명되지 않은 명제를 추측(conjecture)이라고 부른다. 가장 유명한 추측들 중 하나는 유명한 리만 가설(Riemann hypothesis)이다. 단 하나의 반례(counterexample)은 참이 아닌 추측을 반박하기에 충분하다. 예를 들어, "모든 사자는 초록색 눈을 가졌다"는 명제는, 파란색 눈을 가진 사자 한 마리의 발견을 통해, 거짓으로 판명된다.

이 절에서, 세 가지 주요한 증명 방법을 소개하겠다. 네 번째 방법인 수학적 귀납법(mathematical induction)은 다음 절(A.4)에서 다루겠다.

직접 논법 (Direct Argument)

직접 논법에서는 일련의 논리적 단계를 통해 가설 P와 결론 Q를 연결시킨다. 예제 1이 직접 논법의 예이다.

예제 1

p, q가 홀수 일 때, $p + q$가 짝수임을 증명하라.

풀이   직접 논법으로 이 명제를 증명하기 위해, p, q가 홀수라고 가정하자. 그러면, 다음을 만족하는 정수 m, n이 존재한다.

$$p = 2m + 1 \qquad q = 2n + 1$$

p와 q를 더하면,

$$p + q = 2m + 1 + 2n + 1$$
$$= 2(m + n) + 2$$
$$= 2(m + n + 1)$$

$p + q$ 가 2의 배수이므로 $p + q$ 는 짝수이다. ∎

대우 논법 (Contrapositive Argument)

명제 $P \Rightarrow Q$ 의 대우 명제는 $\sim Q \Rightarrow \sim P$ 이다. 기호 "$\sim Q$"는 명제 Q의 부정(negation)을 의미한다. 명제와 그 명제의 대우 명제는 대등하다. 즉, 하나가 성립하면 다른 하나도 성립한다. 대우 논법에서는 $\sim Q$를 가설로 놓고, 직접 논법으로 $\sim P$가 성립함을 보인다.

예제 2

p^2 이 짝수이면, p는 짝수임을 증명하라.

풀이 직접 논법으로 풀어 보면, p^2 이 짝수이므로 $p^2 = 2k$ (k는 정수)로 놓는다. 그러면,

$$p = \sqrt{2k} = \sqrt{2}\sqrt{k}$$

그런데, 위의 식으로부터 p가 짝수라고 결론 내릴 수는 없다.

그렇다면, 대우 논법으로 풀어 보도록 하자. p가 짝수가 아니라고 가정하면, 즉, p가 홀수라고 가정하면, $p = 2k + 1$ (k는 정수)이다. 양변을 제곱하면,

$$p^2 = (2k + 1)^2$$
$$= 4k^2 + 4k + 1$$
$$= 2(2k^2 + 2k) + 1$$

따라서 p^2 는 홀수이다. 그러므로 원래 명제는 성립한다. ∎

모순 논법 (Contradiction Argument)

모순 논법은 어떤 명제가 성립함을 증명하기 위해 정반대를 가정하고 이 가정이 어떤 모순에 도달함을 보이는 것이다. 예를 들어, "자연수의 집합 $\mathbb{N}$ 이 무한함"을 증명하기 위하여, 우선 자연수의 집합이 유한하다고 가정하고 이 가정이 모순됨을 보일 수 있다. 대우 논법은 모순의 한 형태이다. $P \Rightarrow Q$ 를 증명하기 위해 P가 성립하고 $\sim Q$가 성립한다고 가정한 다음, $\sim P$가 성립한다는 결론에 이른다. P와 $\sim P$가 모두 참일 수 없기 때문에 모순이 발생한다. 어떤 경우에는 모순을 인식하기 어려울 수도 있다.

예제 3

$\sqrt{2}$ 가 무리수임을 증명하라.

풀이 모순논법을 사용하기 위해, $\sqrt{2}$ 가 무리수가 아니라고 가정하자. 즉, 다음의 식을 만족하는

정수 p, q가 존재한다고 가정하자.

$$\sqrt{2} = \frac{p}{q}$$

이 때 p, q는 공약수가 없다. $\sqrt{2} = p/q$ 일 때, p, q가 공약수를 가짐을 보임으로써 모순에 도달하게 될 것이다. 양변을 제곱하면,

$$2 = \frac{p^2}{q^2} \quad \longrightarrow \quad p^2 = 2q^2$$

따라서, p^2 은 짝수이다. 그리고 p^2 이 짝수이므로, 예제 2에 의해서 p도 짝수이다. 그러므로, $p = 2k$ (k는 정수)라고 쓸 수 있다. 이 식을 $2q^2 = p^2$ 에 대입하면,

$$2q^2 = p^2 = (2k)^2 = 4k^2 \quad \longrightarrow \quad q^2 = 2k^2$$

따라서, q도 역시 짝수이다. p, q가 모두 짝수이므로 둘은 2를 공약수로 가지고, 이것은 p, q가 공약수를 가지지 않도록 선택되었다는 가정과 모순된다.

한정기호 (Quantifier)

종종 수학적 명제에서 전체를 나타내는 전칭기호(universal quantifier) "$\forall$" 또는 존재를 나타내는 존재기호(existential quantifier) "$\exists$"가 사용된다. 만약 $P(x)$ 가 매개변수 x에 의존하는 명제라면 다음의 기호들은

$$\forall x, P(x)$$

"모든 x에 대해서 $P(x)$"라고 읽힌다. 명제가 참임을 증명하기 위해서는, 명제 $P(x)$ 가 x의 모든 선택에 대해 성립함을 보여야만 한다. 명제가 거짓임을 증명하기 위해서는, 하나의 반례만 찾으면 된다. 다음의 형태를 갖는 명제를 증명하기 위해서는,

$$\exists x, P(x)$$

$P(x)$ 를 만족시키는 적어도 하나의 x를 찾으면 된다. 만약 다음의 명제가 성립하면 그 명제는 거짓이다.

$$\sim(\exists x, P(x))$$

한정기호를 사용한 명제를 부정할 때, "$\sim \exists$"는 "$\forall$"가 되고, "$\sim \forall$"는 "$\exists$"가 된다. 그러므로,

"$\sim(\exists x, P(x))$"는 "$\forall x, \sim P(x)$"와 같고, "$\sim(\forall x, (P(x)))$"는 "$\exists x, \sim P(x)$"와 같다.

연습문제 A.3

연습문제 1-10에서, 집합 X, Y가 다음과 같고,

1. 직각 이등변 삼각형의 대각선이 다른 두 변 중 하나의 $\sqrt{2}$ 배임을 증명하라.

2. 삼각형 ABC가 직각 이등변 삼각형이고 꼭 지점 C가 직각일 때, 그리고, 각 꼭지점의 대변을 a, b, c라고 할 때, 삼각형의 면적이 $c^2/4$ 임을 증명하라.

3. 정삼각형의 면적이 한 변의 길이의 제곱의 $\sqrt{3}/4$ 배임을 증명하라.

4. s, t가 유리수일 때 $(t \neq 0)$, s/t 가 유리수임을 증명하라.

5. a, b, c가 정수이고, b가 a로 나눠지고 c가 b로 나눠질 때, c가 a로 나눠짐을 증명하라.

6. m, n이 짝수일 때, $m+n$ 도 짝수임을 증명하라.

7. n이 홀수일 때, n^2 도 홀수임을 증명하라.

8. n이 자연수일 때 n^2+n+3 은 홀수임을 증명하라.

9. a, b가 연속된 정수일 때, $(a+b)^2$ 은 홀수임을 증명하라.

10. m, n이 홀수일 때, mn도 홀수임을 증명하라.

11. "m, n이 연속된 정수일 때, m^2+n^2 이 4로 나눠진다"는 명제가 거짓임을 증명하라.

12. $f(x) = (x-1)^2$ 이고 $g(x) = x+1$ 일 때, "x가 집합 $S = \{x \in \mathbb{R} \mid 0 \leq x \leq 3\}$ 에 속하면 $f(x)$ $dg(x)$"임을 증명하라.

13. n이 정수이고 n^2 이 홀수일 때, n은 홀수임을 증명하라.

14. n이 정수이고 n^3 이 짝수일 때, n은 짝수임을 증명하라.

15. p, q가 $\sqrt{pq} \neq (p+q)/2$ 를 만족하는 양의 실수일 때, $p \neq q$ 임을 증명하라.

16. c가 홀수일 때, 방정식 $n^2+n-c = 0$ 는 n에 대해 정수해가 없음을 증명하라.

17. x가 $x < \varepsilon$을 만족하는 음이 아닌 실수일 때, 모든 양의 실수 ε에 대해 $x = 0$임을 증명하라.

18. x가 유리수이고 $x+y$ 가 무리수일 때, y는 무리수임을 증명하라.

19. $\sqrt[3]{2}$ 는 무리수임을 증명하라.

20. n이 자연수일 때, 다음을 증명하라.

$$\frac{n}{n+1} > \frac{n}{n+2}$$

21. x, y가 $x < 2y$ 를 만족하는 실수일 때, "$7xy \leq 3x^2 + 2y^2$ 이면, $3x \leq y$"임을 증명하라.

22. 다음 명제가 거짓임을 보이는 반례가 되는, 함수 $f : \mathbb{X} \longrightarrow \mathbb{Y}$와 $\mathbb{X}$의 부분집합 A, B를 정의하라.

If $f(A) \subseteq f(B)$, then $A \subset B$

23. 다음 명제가 거짓임을 보이는 반례가 되는, 함수 $f : \mathbb{X} \longrightarrow \mathbb{Y}$와 $\mathbb{Y}$의 부분집합 C, D를 정의하라.

If $f^{-1}(C) \subseteq f^{-1}(D)$, then $C \subset D$

연습문제 24-30에서, $f : \mathbb{X} \longrightarrow \mathbb{Y}$ 가 함수이고 집합 A, B가 $\mathbb{X}$의 부분집합, 집합 C, D가 $\mathbb{Y}$의 부분집합일 때, 각 명제를 증명하라.

24. $A \subseteq B$ 이면, $f(A) \subseteq f(B)$ 이다.

25. $C \subseteq D$ 이면, $f^{-1}(C) \subseteq f^{-1}(D)$ 이다.

26. f 가 단사함수이면, 모든 A, B에 대해

$$f(A \cap B) = f(A) \cap f(B)$$

27. f 가 단사함수이면, 모든 A, B에 대해

$$f(A \setminus B) = f(A) \setminus f(B)$$

28. f 가 단사함수이면, 모든 A에 대해

$$f^{-1}(f(A)) = A$$

29. f 가 전사함수이면, 모든 C에 대해

$$f(f^{-1}(C)) = C$$

A.4 수학적 귀납법 (Mathematical Induction)

수학 도처에 자연수에 관한 명제들과 모든 자연수에 대해 참인지 거짓인지 알아보는 것이 목적인 명제들이 존재한다. 다음의 세 가지는 간단한 예인데, 세 번째는 "하노이의 탑"이라 불리는 유명한 퍼즐이다.

1. 모든 자연수 n에 대하여 최초 n개의 자연수의 합은 다음과 같다.

$$1 + 2 + 3 + \cdots + n = \frac{n(n+1)}{2}$$

2. $6n + 1$은 모든 자연수 n에 대해서 소수이다.

3. 1번, 2번, 3번으로 이름이 붙여진 3개의 말뚝이 있고, 1번 말뚝에 위로 올라갈수록 지름이 작은 n개의 원판들이 쌓여 있다. 이 원판들을 $2^n - 1$번 이동시키면 모두 3번 말뚝으로 옮길 수 있다. 제약 조건은 원판 위에는 그 원판보다 지름이 더 작은 원판만이 놓일 수 있다는 것이다.

자연수와 관련된 명제를 고려할 때, 유용한 첫 단계는 n에 어떤 특정한 숫자를 대입한 다음 그 명제가 참인지를 알아보는 것이다. 만약 명제가 거짓이라면, 종종 이 단계를 통해 반례를 빨리 찾아내어 거짓임을 파악할 수 있다. 예를 들어 위의 두 번째 명제의 경우, n에 1, 2, 3을 대입하면 $6n + 1$은 각각 7, 13, 19가 되고, 모두가 소수들이다. 그러나, $n = 4$를 대입하면 $6n + 1 = 25$이고 소수가 아니다. 따라서 명제는 모든 자연수 n에 대해 참이 아니다.

첫 번째 명제의 경우, 표 1의 값들은, 주어진 식이 모든 자연수에 대해 성립한다는 설득력 있는 증거를 제시해 준다. 물론, 증명이 필요하다. 예제 1에서 그 증명을 다룰 것이다.

하노이의 탑에 대해서는, $n = 1$일 때 필요한 이동 횟수는 1이고, $n = 2$일 때에는 3이다. $n = 3$일 때에는 다음과 같이 원판을 이동시키면 된다.

$$D3 \longrightarrow P3, \quad D2 \longrightarrow P2, \quad D3 \longrightarrow P2, \quad D1 \longrightarrow P3, \quad D3 \longrightarrow P1, \quad D2 \longrightarrow P3, \quad D1 \longrightarrow P3$$

표 1

$1 + 2 + 3 + \cdots + n$	$\dfrac{n(n+1)}{2}$
1	$\dfrac{(1)(2)}{2} = 1$
$1 + 2 = 3$	$\dfrac{(2)(3)}{2} = 3$
$1 + 2 + 3 = 6$	$\dfrac{(3)(4)}{2} = 6$
$1 + 2 + 3 + 4 = 10$	$\dfrac{(4)(5)}{2} = 10$
$1 + 2 + 3 + 4 + 5 = 15$	$\dfrac{(5)(6)}{2} = 15$
$1 + 2 + 3 + 4 + 5 + 6 = 21$	$\dfrac{(6)(7)}{2} = 21$
$1 + 2 + 3 + 4 + 5 + 6 + 7 = 28$	$\dfrac{(7)(8)}{2} = 28$

여기서 $D1$, $D2$, $D3$는 세 원판을 나타내고, $P1$, $P2$, $P3$는 세 말뚝을 나타낸다. 따라서, $n = 3$ 일 때에는 $7 = 2^3 - 1$ 번 움직여야 한다. 다시 한번, 증거들을 보면 결과가 참인 것 같지만, 만족할만 한 증명은 안 된다. 이 예를 좀 더 살펴보도록 하자. 어떻게 하면 원판이 3개일 때의 결과를 원 판이 4개일 때의 결과를 얻는 데 활용할 수 있을까? 원판이 3개일 때 이동 횟수를 구하기 위해 사용했던 동일한 일련의 단계가 쌓인 원판을 $P1$에서 $P2$ 또는 $P3$으로 옮기는 데 사용될 수 있다. 이제 $P1$에 4개의 원판이 있다고 가정하자. 바닥의 원판이 가장 크므로 상위의 3개 원판을 옮기 는데 $P1$을 사용할 수 있다. 첫 단계로서, 상위 3개 원판을 $P2$로 옮긴다. 이때, 이동 횟수는 $2^3 - 1 = 7$ 번이다. 다음으로, $P1$에 남아있는 가장 큰 원판을 $P3$으로 옮긴다. 이때, 이동 횟수는 1 번이다. 그리고 나서, 전과 동일한 과정을 사용하여, 3개의 원판을 $P2$에서 $P3$으로 옮긴다. 이 때, 이동 횟수는 $2^3 - 1 = 7$ 번이다. 지금까지 총 이동 횟수는

$$2(2^3 - 1) + 1 = 2^4 - 2 + 1 = 2^4 - 1 = 15$$

이 접근 방식은 수학적 귀납법의 기본을 보여준다. 제일 먼저, 기저 명제(base case)라 불리는 최초 명제(initial case)가 성립함을 증명한다. 다음 단계로, 귀납적 가설(inductive hypothesis)은 한 자연수에서 다음 자연수로 진행하는 체계를 제공한다. 하노이의 탑 예에서, 기저 명제는 $n = 1$ 일 때, $P1$에 놓인 1개의 원판을 $P2$ 또는 $P3$로 옮기는 데 이동 횟수 $2^1 - 1 = 1$ 번이 필요하 다는 것이다. 귀납적 가설은 $P1$에 n개의 원판이 놓였을 때에도 이동 횟수 공식이 성립한다고 가 정하는 것이다. 그 다음에, $P1$에 $n+1$ 개의 원판이 놓였을 때에도 성립함을 보여야 한다. 하노이 의 탑 예에서는 $n = 3$ 일 때 성립함을 보였다.

정리 9는 수학적 귀납법의 원리를 공식화 한 것이다. 이 명제의 증명은 생략했지만, 자연수의 공리적 기초론(axiomatic foundation)에 근거하고 있다. 구체적으로 말하면, 증명은 "공집합이 아 닌 자연수의 집합의 부분집합들은 모두 각각 가장 작은 원소를 갖는다"는 정렬 정리(well-ordering principle)을 사용한다.

정리 9 수학적 귀납법의 원리 (The Principle of Mathematical Induction)

P가 자연수 n에 의존하는 명제일 때, 다음이 성립하면,

1. $n = 1$ 일 때, P가 참이다. 그리고,
2. n에 대하여 P가 참일 때, $n+1$ 에 대해서도 P가 참이다.

명제 P는 모든 자연수 n에 대해 참이다.

"수학적 귀납법의 원리"는 "수학적 귀납법"이라고도 하고, 간단히 "귀납법"(induction)이라고도 한다. 수학적 귀납법 과정은, 첫 번째 도미노의 뒤로 무한히 일렬로 세워져 있는 도미노에 비유할 수 있다. 만약 어떤 도미노라도 그 다음 도미노를 쓰러뜨릴 수 있게 놓여져 있다면(귀납적 가설), 전체 도미노들은 첫 번째 도미노를 쓰러뜨리는 것만으로(기저 명제) 모두 쓰러질 것이다.

수학적 귀납법의 원리는, 모든 자연수에 대해 또는 어떤 고정된 자연수 그 이상의 모든 자연수에 대해 주어진 명제가 성립함을 증명하는데 사용된다. 다음의 예제를 살펴보자.

예제 1

모든 자연수 n에 대하여 다음을 증명하라.

$$\sum_{k=1}^{n} k = 1 + 2 + 3 + \cdots + n = \frac{n(n+1)}{2}$$

풀이 $n = 1$ 을 대입하면 주어진 명제는 다음과 같이 성립한다.

$$1 = \frac{(1)(2)}{2}$$

귀납적 가설에 의해 어떤 자연수 n에 대해 주어진 명제가 성립한다고 가정하자. 즉,

$$1 + 2 + 3 + \cdots + n = \frac{n(n+1)}{2}$$

다음으로, 양변에 $n+1$ 을 더하면,

$$1 + 2 + 3 + \cdots + n + (n+1) = \left(1 + 2 + 3 + \cdots + n\right) + (n+1) = \frac{n(n+1)}{2} + (n+1) = \frac{(n+1)(n+2)}{2}$$

위의 등식은 주어진 명제가 n 다음의 원소(successor)인 $n+1$ 에 대해 성립함을 보여준다. 따라서, 귀납법에 의해 주어진 명제는 모든 자연수에 대해 성립한다. ■

예제 2

모든 자연수 n에 대하여, 수 $3^n - 1$ 은 2로 나누어짐을 증명하라.

풀이 표 2에 $n=1,\ 2,\ 3,\ 4,\ 5$일 때, 3^n-1이 2로 나누어짐을 증명하였다.

특별히, $n=1$일 때, $3^n-1=2$이므로 2로 나누어진다. 다음으로, 3^n-1이 2로 나누어진다고 가정하자. 증명을 완성하기 위해 $3^{n+1}-1$이 2로 나누어짐을 증명해야만 한다. 3^n-1이 2로 나누어지므로, 다음을 만족하는 정수 q가 존재한다.

표 2

n	3^n-1
1	2
2	8
3	26
4	80
5	242

$$3^n-1=2q \ \ \text{즉} \ \ 3^n=2q+1$$

다음으로, $3^{n+1}-1$에 위의 식을 대입하면,

$$
\begin{aligned}
3^{n+1}-1 &= 3(3^n)-1 \\
&= 3(2q+1)-1 \\
&= 6q+2 \\
&= 2(3q+1)
\end{aligned}
$$

따라서, $3^{n+1}-1$도 2로 나누어진다. ∎

차례곱(factorial) 기호는 연속된 자연수의 곱을 표현하는데 사용된다. 예를 들면,

$$
\begin{aligned}
1! &= 1 \\
2! &= 1\cdot2 = 2 \\
3! &= 1\cdot2\cdot3 = 6 \\
4! &= 1\cdot2\cdot3\cdot4 = 24 \\
&\vdots \\
20! &= 2,432,902,008,176,640,000
\end{aligned}
$$

어떤 자연수 n에 대해, n-차례곱은 다음과 같은 양수로 정의된다.

$$n! = n(n-1)(n-2)\cdots3\cdot2\cdot1$$

여기서, $0!$은 1로 정의된다.

예제 3

모든 자연수 n에 대해 다음을 증명하라.

$$n! \geq 2^{n-1}$$

풀이 $n=1$일 때, $n!=1!=1$이고 $2^{n-1}=2^0=1$이므로, 주어진 부등식이 성립한다. 그럼, $n!\geq 2^{n-1}$이 성립한다고 가정하자. 그리고, 아래 식이 2^n보다 크거나 같음을 보이자.

$$(n+1)! = (n+1)n!$$

$n!$에 귀납적 가설을 적용하면,

$$(n+1)! \geq (n+1)2^{n-1}$$

모든 자연수 $n \geq 1$ 에 대해 $n+1 \geq 2$ 가 성립하므로,

$$(n+1)! \geq (n+1)2^{n-1} \geq 2 \cdot 2^{n-1} = 2^n$$

따라서, 모든 자연수 n에 대해 부등식 $n! \geq 2^{n-1}$ 이 성립한다. ■

예제 4

모든 자연수 n에 대해, 1부터 $2n-1$ 까지 모든 홀수의 합을 구하라.

풀이 $n=1,\ 2,\ 3,\ 4,\ 5$ 일 때 계산 결과를 표 3에 나타내었다.

표 3

n	$2n-1$	$1+3+\cdots+(2n-1)$
1	1	1
2	3	$1+3=4$
3	5	$1+3+5=9$
4	7	$1+3+5+7=16$
5	9	$1+3+5+7+9=25$

표 3을 보면, 각 $n \geq 1$ 에 대해 다음 식이 성립함을 알 수 있다.

$$1+3+5+7+\cdots+(2n-1) = n^2$$

이를 증명하기 위해 수학적 귀납법을 적용해 보자. $n=1$ 일 때, 좌변은 1이고, 우변은 $1^2 = 1$이므로 위의 식은 성립한다. 그럼, $1+3+5+7+\cdots+(2n-1) = n^2$ 이라고 가정하자. 지표가 $n+1$ 일 때, 다음 식이 성립한다.

$$1+3+5+\cdots+(2n-1)+[2(n+1)-1] = 1+3+5+\cdots+(2n-1)+(2n+1)$$

귀납적 가설을 적용하면,

$$\underbrace{1+3+5+\cdots+(2n-1)}_{n^2}+[2(n+1)-1] = n^2 + (2n+1)$$
$$= n^2 + 2n + 1 = (n+1)^2$$

따라서, 귀납법에 의해 위의 식은 모든 자연수에 대해 성립한다. ■

예제 5

$P_1,\ P_2,\ \ldots,\ P_n$이 좌표평면 상의 n개 점이고, 어떤 3개의 점도 같은 직선 위에 있지 않다고 하면,

모든 점들을 연결하는 선분의 개수는 $\dfrac{n^2-n}{2}$ 임을 증명하라.

풀이 그림 1에 점이 5개인 경우를 나타내었다. 모든 점을 잇는 선분의 개수는 $(5^2-5)/2 = 10$개이다.

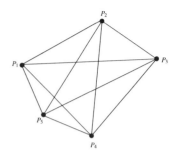

만약 그림 1의 그래프에 점이 하나 더 추가되면 그 결과는 그림 2의 그래프와 같다. 더해진 점과 기존의 5개 점을 연결하는 선분 5개가 추가된다. 일반적으로, 점이 n개인 그래프에 점 하나를 추가하여 점이 $n+1$개가 되면, 선분은 n개 늘어난다.

이러한 관찰을 귀납법으로 증명해 보자. 만약 점이 1개이면, 그래프 상에 선분이 존재하지 않는다. 즉, $n = 1$일 때, $(1^2 - 1)/2 = 0$이므로 주어진 식은 성립한다. 그럼 n개 점을 잇는 선분의 개수는 $(n^2 - n)/2$개라고 가정하자. 만약 점이 하나 더 추가되어 점의 개수가 $n+1$개가 된다면, n개 선분이 추가될 것이다. 따라서, 귀납적 가설을 적용하면,

그림 1

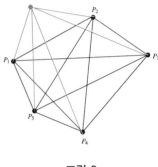

$$\frac{n^2-n}{2} + n = \frac{n^2-n+2n}{2}$$
$$= \frac{n^2+2n+1-1-n}{2}$$
$$= \frac{(n+1)^2-(n+1)}{2}$$

그림 2

따라서, 귀납법에 의해 주어진 식은 모든 자연수에 대해 성립한다. ∎

이항 계수와 이항 정리 (Binomial Coefficients and the Binomial Theorem)

그림 3은 파스칼의 삼각형(Pascal's Triangle)의 첫 8줄을 나타낸 것이다. 각 요소는 바로 위 줄의 좌, 우에 위치한 요소의 합이다.

```
                      1
                   1     1
                1     2     1
             1     3     3     1
          1     4     6     4     1
       1     5    10    10     5     1
    1     6    15    20    15     6     1
 1     7    21    35    35    21     7     1
```

그림 3

그림 4는 $n = 0, 1, 2, 3, \ldots, 7$일 때 $(a+b)^n$의 전개식을 나타낸 것이다. 전개식에서 계수는 파스칼의 삼각형의 숫자와 일치한다.

$$(a+b)^0 \qquad\qquad 1$$
$$(a+b)^1 \qquad\qquad a+b$$
$$(a+b)^2 \qquad\qquad a^2+2ab+b^2$$
$$(a+b)^3 \qquad\qquad a^3+3a^2b+3ab^2+b^3$$
$$(a+b)^4 \qquad\qquad a^4+4a^3b+6a^2b^2+4ab^3+b^4$$
$$(a+b)^5 \qquad\qquad a^5+5a^4b+10a^3b^2+10a^2b^3+5ab^4+b^5$$
$$(a+b)^6 \qquad\qquad a^6+6a^5b+15a^4b^2+20a^3b^3+15a^2b^4+6ab^5+b^6$$
$$(a+b)^7 \quad a^7+7a^6b+21a^5b^2+35a^4b^3+35a^3b^4+21a^2b^5+7ab^6+b^7$$

그림 4

파스칼의 삼각형 또는 $(a+b)^n$ 의 전개식의 계수를 이항 계수(binomial coefficient)라고 부른다. 그림 3에서 숫자 20은 6번째 행, 3번째 열에 위치한다. 차례곱(factorial)을 사용하면 다음의 식을 얻는다.

$$\frac{6!}{3!(6-3)!} = \frac{1\cdot2\cdot3\cdot4\cdot5\cdot6}{(1\cdot2\cdot3)(1\cdot2\cdot3)}$$
$$= \frac{4\cdot5\cdot6}{1\cdot2\cdot3}$$
$$= 20$$

정의 1 이항 계수 (Binomial Coefficient)

$n \geq 0, 0 \leq r \leq n$에 대해, 이항 계수 $\begin{pmatrix} n \\ r \end{pmatrix}$ 는 다음과 같이 정의된다.

$$\begin{pmatrix} n \\ r \end{pmatrix} = \frac{n!}{r!(n-r)!}$$

위에서 파스칼의 삼각형의 숫자들은 바로 위 줄의 좌, 우의 요소들의 합으로 구할 수 있다고 하였다. 다음 항등식은 이항 계수의 정의와 대등한 명제이다.

| 명제 1 |

k, r이 자연수이고, $0 \leq r \leq k$일 때, 다음의 식이 성립한다.

$$\begin{pmatrix} k \\ r \end{pmatrix} = \begin{pmatrix} k-1 \\ r-1 \end{pmatrix} + \begin{pmatrix} k-1 \\ r \end{pmatrix}$$

증명 $r! = r(r-1)!$ 이고, $(k-r)! = (k-r)(k-r-1)!$ 이므로, 우변은 다음과 같이 전개된다.

$$\begin{pmatrix} k-1 \\ r-1 \end{pmatrix} + \begin{pmatrix} k-1 \\ r \end{pmatrix} = \frac{(k-1)!}{(r-1)![(k-1)-(r-1)]!} + \frac{(k-1)!}{r!(k-1-r)!}$$

$$= (k-1)! \left[\frac{1}{(r-1)!(k-r)!} + \frac{1}{r!(k-r-1)!} \right]$$

$$= \frac{(k-1)!}{(r-1)!(k-r-1)!} \left(\frac{1}{k-r} + \frac{1}{r} \right)$$

$$= \frac{(k-1)!}{(r-1)!(k-r-1)!} \left[\frac{r+(k-r)}{r(k-r)} \right]$$

$$= \frac{(k-1)!}{(r-1)!(k-r-1)!} \left[\frac{k}{r(k-r)} \right]$$

$$= \frac{k!}{r!(k-r)!}$$

$$= \binom{k}{r}$$

정리 10 이항 정리 (Binomial Theorem)

a, b가 임의의 수이고, n이 음이 아닌 정수일 때, 다음의 식이 성립한다.

$$(a+b)^n = \binom{n}{0}a^n + \binom{n}{1}a^{n-1}b + \binom{n}{2}a^{n-2}b^2$$

$$+ \cdots + \binom{n}{r}a^{n-r}b^r + \cdots + \binom{n}{n-1}ab^{n-1} + \binom{n}{n}b^n$$

증명 지수 n에 대해 귀납법으로 증명한다. $n=1$일 때, $(a+b)^n = a+b$ 이고,

$$\binom{n}{0}a^1 + \binom{n}{1}b^1 = \binom{1}{0}a + \binom{1}{1}b = a+b$$

따라서, $n=1$일 때 주어진 식은 성립한다. 그럼, 다음의 식이 성립한다고 가정하자.

$$(a+b)^n = \binom{n}{0}a^n + \binom{n}{1}a^{n-1}b + \cdots + \binom{n}{n}ab^{n-1} + \binom{n}{n}b^n$$

지수가 $n+1$일 때, $(a+b)^{n+1} = (a+b)(a+b)^n$ 이고, 귀납적 가설을 적용하면,

$$(a+b)^{n+1} = (a+b)(a+b)^n$$

$$= (a+b) \left[\binom{n}{0}a^n + \binom{n}{1}a^{n-1}b + \cdots + \binom{n}{n}ab^{n-1} + \binom{n}{n}b^n \right]$$

$$= a \left[\binom{n}{0}a^n + \binom{n}{1}a^{n-1}b + \cdots + \binom{n}{n}ab^{n-1} + \binom{n}{n}b^n \right]$$

$$+ b \left[\binom{n}{0}a^n + \binom{n}{1}a^{n-1}b + \cdots + \binom{n}{n}ab^{n-1} + \binom{n}{n}b^n \right]$$

$$= \binom{n}{0} a^{n+1} + \binom{n}{1} a^n b + \cdots + \binom{n}{n} a^2 b^{n-1} + \binom{n}{n} ab^n$$

$$+ \binom{n}{0} a^n b + \binom{n}{1} a^{n-1} b^2 + \cdots + \binom{n}{n} ab^n + \binom{n}{n} b^{n+1}$$

위의 식에서 a, b에 대해 같은 차수인 항들을 모아서 정리하면,

$$(a+b)^{n+1} = \binom{n}{0} a^{n+1} + \left[\binom{n}{0} + \binom{n}{1} \right] a^n b + \left[\binom{n}{1} + \binom{n}{2} \right] a^{n-1} b^2$$

$$+ \cdots + \left[\binom{n}{n-1} + \binom{n}{n} \right] ab^n + \binom{n}{n} b^{n+1}$$

끝으로, 명제 1을 반복하여 적용하면, 다음의 식을 얻는다.

$$(a+b)^{n+1} = \binom{n+1}{0} a^{n+1} + \binom{n+1}{1} a^n b + \binom{n+1}{2} a^{n-1} b^2$$

$$+ \cdots + \binom{n+1}{n} ab^n + \binom{n+1}{n+1} b^{n+1}$$

따라서, 귀납법에 의해 주어진 식은 모든 자연수에 대해 성립한다.

연습문제 A.4

수학적 귀납법을 사용하여 연습문제 1–10의 식이 모든 자연수에 대해 성립함을 증명하라.

1. $1^2 + 2^2 + 3^2 + \cdots + n^2 = \frac{n(n+1)(2n+1)}{6}$

2. $1^3 + 2^3 + 3^3 + \cdots + n^3 = \frac{n^2(n+1)^2}{4}$

3. $1 + 4 + 7 + \cdots + (3n-2) = \frac{n(3n-1)}{2}$

4. $3 + 11 + 19 + \cdots + (8n-5) = 4n^2 - n$

5. $2 + 5 + 8 + \cdots + (3n-1) = \frac{n(3n+1)}{2}$

6. $3 + 7 + 11 + \cdots + (4n-1) = n(2n+1)$

7. $3 + 6 + 9 + \cdots + 3n = \frac{3n(n+1)}{2}$

8. $1 \cdot 2 + 2 \cdot 3 + 3 \cdot 4 + \cdots + n(n+1) = \frac{n(n+1)(n+2)}{3}$

9. $\sum_{k=1}^{n} 2^k = 2^{n+1} - 2$

10. $\sum_{k=1}^{n} k \cdot k! = (n+1)! - 1$

11. 모든 자연수 n에 대해 다음의 합에 대한 식을 찾고, 수학적 귀납법으로 식을 증명하라.

$$2 + 4 + 6 + 8 + \cdots + 2n$$

12. 모든 자연수 n에 대해 다음의 합에 대한 식을 찾아라.

$$\sum_{k=1}^{n} (4k - 3)$$

13. 모든 자연수 $n \geq 5$에 대해 부등식 $2^n > n^2$이 성립함을 보여라. 먼저 $n = 5$일 때 부등식이

성립함을 보이고, 수학적 귀납법의 다음 단계를 진행하라.

14. 모든 자연수 $n \geq 3$에 대해 부등식 $n^2 > 2n+1$이 성립함을 보여라. 먼저 $n = 3$일 때 부등식이 성립함을 보이고, 수학적 귀납법의 다음 단계를 진행하라.

15. 모든 자연수 n에 대해 $n^2 + n$이 2로 나누어짐을 증명하라.

16. 모든 자연수 n에 대해 $x^n - y^n$이 $x - y$로 나누어짐을 증명하라. 예를 들어, $x^2 - y^2 = (x + y)(x - y)$이므로 $x^2 - y^2$은 $x - y$로 나누어진다.

17. 수학적 귀납법을 사용하여, 실수 r과 모든 자연수 n에 대하여 다음의 식이 성립함을 보여라.

$$1 + r + r^2 + r^3 + \cdots + r^{n-1} = \frac{r^n - 1}{r - 1}$$

18. f_n이 n차 피보나치 수(Fibonacci number)라고 하자.

　a. $n = 2, 3, 4, 5$에 대해 첫 n개 피보나치 수의 합을 구하라. 즉, $f_1 + f_2$, $f_1 + f_2 + f_3$, $f_1 + f_2 + f_3 + f_4$, $f_1 + f_2 + f_3 + f_4 + f_5$를 구하라.

　b. 첫 n개 피보나치 수의 합에 대한 공식을 구하라.

　c. (b)에서 구한 공식이 모든 자연수 n에 대해 성립함을 증명하라.

19. $A, B_1, B_2, \ldots$가 집합일 때, 모든 자연수 n에 대해 다음의 식을 증명하라.

$$A \cap (B_1 \cup B_2 \cup \ldots \cup B_n)$$
$$= (A \cap B_1) \cup \ldots \cup (A \cap B_n)$$

20. 모든 자연수 n에 대하여, 사각 격자 하나가 제거된 $2^n \times 2^n$ 격자는 다음 모양을 사용하여 채워짐을 증명하라.

다음 그림은 위의 모양으로 격자를 채운 예이다.

21. $0 \leq r \leq n$일 때, 다음의 식을 증명하라.

$$\binom{n}{r} = \binom{n}{n - r}$$

22. 다음의 식을 증명하라.

$$\binom{n}{r - 1} + \binom{n}{r} = \binom{n + 1}{r}$$

23. 다음의 식을 증명하라.

$$\sum_{k=0}^{n} \binom{n}{k} = 2^n$$

24. 다음의 식을 증명하라.

$$\sum_{k=0}^{n} (-1)^k \binom{n}{k} = 0$$

Answers to Odd-Numbered Exercises

Chapter 1

Section 1.1

1. $x_1 = 3, x_2 = 8, x_3 = -4$

3. $x_1 = 2 - 3x_4, x_2 = 1 - x_4, x_3 = -1 - 2x_4, x_4 \in \mathbb{R}$

5. $x = 0, y = -\frac{2}{3}$

7. $x = 1, y = 0$

9. $S = \left\{ \left(\frac{2t+4}{3}, t \right) \middle| t \in \mathbb{R} \right\}$

11. $x = 0, y = 1, z = 0$

13. $S = \left\{ \left(-1 - 5t, 6t + \frac{1}{2}, t \right) \middle| t \in \mathbb{R} \right\}$

15. $S = \left\{ \left(-t + \frac{2}{3}, -\frac{1}{2}, t \right) \middle| t \in \mathbb{R} \right\}$

17. $S = \left\{ \left(3 - \frac{5}{3}t, -s - \frac{4}{3}t + 3, s, t \right) \middle| s, t \in \mathbb{R} \right\}$

19. $x = -2a + b, y = -3a + 2b$

21. $x = 2a + 6b - c, y = a + 3b, z = -2a - 7b + c$

23. Consistent if $a = -1$

25. Consistent if $b = -a$

27. Consistent for all $a, b,$ and c such that $c - a - b = 0$

29. Inconsistent if $a = 2$

31. Inconsistent for $a \neq 6$

33. $y = \left(x - \frac{3}{2} \right)^2 - 2$; vertex: $\left(\frac{3}{2}, -2 \right)$

35. $y = -(x - 2)^2 + 3$; vertex: $(2, 3)$

37. **a.** $(2, 3)$

b.

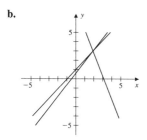

39. **a.** $\begin{cases} x + y = 2 \\ x - y = 0 \end{cases}$

b. $\begin{cases} x + y = 1 \\ 2x + 2y = 2 \end{cases}$

c. $\begin{cases} x + y = 2 \\ 3x + 3y = -6 \end{cases}$

41. **a.** $S = \{(3 - 2s - t, 2 + s - 2t, s, t) \mid s, t \in \mathbb{R}\}$

b. $S = \{(7 - 2s - 5t, s, -2 + s + 2t, t) \mid s, t \in \mathbb{R}\}$

43. **a.** $k = 3$

b. $k = -3$

c. $k \neq \pm 3$

Section 1.2

1. $\begin{bmatrix} 2 & -3 & | & 5 \\ -1 & 1 & | & -3 \end{bmatrix}$

3. $\begin{bmatrix} 2 & 0 & -1 & | & 4 \\ 1 & 4 & 1 & | & 2 \\ 4 & 1 & -1 & | & 1 \end{bmatrix}$

5. $\begin{bmatrix} 2 & 0 & -1 & | & 4 \\ 1 & 4 & 1 & | & 2 \end{bmatrix}$

7. $\begin{bmatrix} 2 & 4 & 2 & 2 & | & -2 \\ 4 & -2 & -3 & -2 & | & 2 \\ 1 & 3 & 3 & -3 & | & -4 \end{bmatrix}$

9. $x = -1, y = \frac{1}{2}, z = 0$

11. $x = -3 - 2z, y = 2 + z, z \in \mathbb{R}$

13. $x = -3 + 2y, z = 2, y \in \mathbb{R}$

15. Inconsistent

17. $x = 3 + 2z - 5w, y = 2 + z - 2w, z \in \mathbb{R}, w \in \mathbb{R}$

19. $x = 1 + 3w, y = 7 + w, z = -1 - 2w, w \in \mathbb{R}$

21. In reduced row echelon form

23. Not in reduced row echelon form

25. In reduced row echelon form

27. Not in reduced row echelon form

29. $\begin{bmatrix} 1 & 0 \\ 0 & 1 \end{bmatrix}$

31. $\begin{bmatrix} 1 & 0 & 0 \\ 0 & 1 & 0 \\ 0 & 0 & 1 \end{bmatrix}$

33. $\begin{bmatrix} 1 & 0 & -1 \\ 0 & 1 & 0 \end{bmatrix}$

35. $\begin{bmatrix} 1 & 0 & 0 & -2 \\ 0 & 1 & 0 & -1 \\ 0 & 0 & 1 & 0 \end{bmatrix}$

37. $x = -1, y = 2$

39. $x = 1, y = 0, z = \frac{1}{3}$

41. Inconsistent

43. $x_1 = -\frac{1}{2} - 2x_3, x_2 = -\frac{3}{4} + \frac{3}{2}x_3, x_3 \in \mathbb{R}$

45. $x_1 = 1 - \frac{1}{2}x_4, x_2 = 1 - \frac{1}{2}x_4, x_3 = 1 - \frac{1}{2}x_4, x_4 \in \mathbb{R}$

47. $x_1 = 1 + \frac{1}{3}x_3 + \frac{1}{2}x_4, x_2 = 2 + \frac{2}{3}x_3 + \frac{3}{2}x_4, x_3 \in \mathbb{R},$
$x_4 \in \mathbb{R}$

49. a. $c - a + b = 0$
b. $c - a + b \neq 0$
c. Infinitely many solutions.
d. $a = 1, b = 0, c = 1; x = -2, y = 2, z = 1$

51. a. $a + 2b - c = 0$
b. $a + 2b - c \neq 0$
c. Infinitely many solutions
d. $a = 0, b = 0, c = 0; x = \frac{4}{5}, y = \frac{1}{5}, z = 1$

Section 1.3

1. $A + B = \begin{bmatrix} 1 & 0 \\ 2 & 6 \end{bmatrix} = B + A$

3. $(A + B) + C = \begin{bmatrix} 2 & 1 \\ 7 & 4 \end{bmatrix} = A + (B + C)$

5. $(A - B) + C = \begin{bmatrix} -7 & -3 & 9 \\ 0 & 5 & 6 \\ 1 & -2 & 10 \end{bmatrix}$

$2A + B = \begin{bmatrix} -7 & 3 & 9 \\ -3 & 10 & 6 \\ 2 & 2 & 11 \end{bmatrix}$

7. $AB = \begin{bmatrix} 7 & -2 \\ 0 & -8 \end{bmatrix}; BA = \begin{bmatrix} 6 & 2 \\ 7 & -7 \end{bmatrix}$

9. $AB = \begin{bmatrix} -9 & 4 \\ -13 & 7 \end{bmatrix}$

11. $AB = \begin{bmatrix} 5 & -6 & 4 \\ 3 & 6 & -18 \\ 5 & -7 & 6 \end{bmatrix}$

13. $A(B + C) = \begin{bmatrix} 1 & 3 \\ 12 & 0 \end{bmatrix}$

15. $2A(B - 3C) = \begin{bmatrix} 10 & -18 \\ -24 & 0 \end{bmatrix}$

17. $2A^t - B^t = \begin{bmatrix} 7 & 5 \\ -1 & 3 \\ -3 & -2 \end{bmatrix}$

19. $AB^t = \begin{bmatrix} -7 & -4 \\ -5 & 1 \end{bmatrix}$

21. $(A^t + B^t)C = \begin{bmatrix} -1 & 7 \\ 6 & 8 \\ 4 & 12 \end{bmatrix}$

23. $(A^tC)B = \begin{bmatrix} 0 & 20 & 15 \\ 0 & 0 & 0 \\ -18 & -22 & -15 \end{bmatrix}$

25. $AB = AC = \begin{bmatrix} -5 & -1 \\ 5 & 1 \end{bmatrix}$

27. A has the form $\begin{bmatrix} 1 & 0 \\ 0 & 1 \end{bmatrix}, \begin{bmatrix} 1 & b \\ 0 & -1 \end{bmatrix}, \begin{bmatrix} -1 & b \\ 0 & 1 \end{bmatrix},$

or $\begin{bmatrix} -1 & 0 \\ 0 & -1 \end{bmatrix}$

29. $A = \begin{bmatrix} 1 & 1 \\ 0 & 0 \end{bmatrix}, B = \begin{bmatrix} -1 & -1 \\ 1 & 1 \end{bmatrix}$

31. $a = b = 4$

33. $A^{20} = \begin{bmatrix} 1 & 0 & 0 \\ 0 & 1 & 0 \\ 0 & 0 & 1 \end{bmatrix}$

35. If $AB = BA$, then $A^2B = AAB = ABA = BAA = BA^2$.

37. If $\mathbf{x} = \begin{bmatrix} 1 \\ 0 \\ \vdots \\ 0 \end{bmatrix}$, then $A\mathbf{x} = \mathbf{0}$ implies the first column of

A has all 0 entries. Then let $\mathbf{x} = \begin{bmatrix} 0 \\ 1 \\ \vdots \\ 0 \end{bmatrix}$ and so on, to

show that each column of A has all 0 entries.

39. The only matrix is the 2×2 zero matrix.

41. Since $(AA^t)^t = (A^t)^tA^t = AA^t$, the matrix AA^t is symmetric. Similarly, $(A^tA)^t = A^t(A^t)^t = A^tA$.

43. If $A^t = -A$, then the diagonal entries satisfy $a_{ii} = -a_{ii}$ and hence $a_{ii} = 0$ for each i.

Section 1.4

1. $A^{-1} = \frac{1}{5}\begin{bmatrix} -1 & 2 \\ -3 & 1 \end{bmatrix}$

3. The matrix is not invertible.

5. $A^{-1} = \begin{bmatrix} 3 & 1 & -2 \\ -4 & -1 & 3 \\ -5 & -1 & 3 \end{bmatrix}$

7. The matrix is not invertible.

9. $A^{-1} = \begin{bmatrix} \frac{1}{3} & -1 & -2 & \frac{1}{2} \\ 0 & 1 & 2 & -1 \\ 0 & 0 & -1 & \frac{1}{2} \\ 0 & 0 & 0 & -\frac{1}{2} \end{bmatrix}$

11. $A^{-1} = \frac{1}{3}\begin{bmatrix} 3 & 0 & 0 & 0 \\ -6 & 3 & 0 & 0 \\ 1 & -2 & -1 & 0 \\ 1 & 1 & 1 & 1 \end{bmatrix}$

13. The matrix is not invertible.

15. $A^{-1} = \begin{bmatrix} 0 & 0 & -1 & 0 \\ 1 & -1 & -2 & 1 \\ 1 & -2 & -1 & 1 \\ 0 & -1 & -1 & 1 \end{bmatrix}$

17. $AB + A = \begin{bmatrix} 3 & 8 \\ 10 & -10 \end{bmatrix} = A(B+I)$

$AB + B = \begin{bmatrix} 2 & 9 \\ 6 & -3 \end{bmatrix} = (A+I)B$

19. a. Since $A^2 = \begin{bmatrix} -3 & 4 \\ -4 & -3 \end{bmatrix}$ and

$-2A = \begin{bmatrix} -2 & -4 \\ 4 & -2 \end{bmatrix}$, then $A^2 - 2A + 5I = 0$.

b. $A^{-1} = \frac{1}{5}\begin{bmatrix} 1 & -2 \\ 2 & 1 \end{bmatrix} = \frac{1}{5}(2I - A)$

c. If $A^2 - 2A + 5I = 0$, then $A^2 - 2A = -5I$, so that $A\left[\frac{1}{5}(2I - A)\right] = \frac{2}{5}A - \frac{1}{5}A^2 = -\frac{1}{5}(A^2 - 2A) = -\frac{1}{5}(-5I) = I$.

21. If $\lambda = -2$, then the matrix is not invertible.

23. a. If $\lambda \neq 1$, then the matrix is invertible.

b. $\begin{bmatrix} -\frac{1}{\lambda-1} & \frac{\lambda}{\lambda-1} & -\frac{\lambda}{\lambda-1} \\ \frac{1}{\lambda-1} & -\frac{1}{\lambda-1} & \frac{1}{\lambda-1} \\ 0 & 0 & 1 \end{bmatrix}$

25. The matrices

$A = \begin{bmatrix} 1 & 0 \\ 0 & 0 \end{bmatrix}$ and $B = \begin{bmatrix} 0 & 0 \\ 0 & 1 \end{bmatrix}$

are not invertible, but $A + B = \begin{bmatrix} 1 & 0 \\ 0 & 1 \end{bmatrix}$ is invertible.

27. $(A+B)A^{-1}(A-B) = (AA^{-1} + BA^{-1})(A-B)$
$= (I + BA^{-1})(A - B)$
$= A - B + B - BA^{-1}B$
$= A - BA^{-1}B$
Similarly, $(A-B)A^{-1}(A+B) = A - BA^{-1}B$.

29. a. If A is invertible and $AB = 0$, then $A^{-1}(AB) = A^{-1}0$, so that $B = 0$.

b. If A is not invertible, then $Ax = 0$ has infinitely many solutions. Let $x_1, \ldots, x_n$ be solutions of $Ax = 0$ and B be the matrix with nth column vector x_n. Then $AB = 0$.

31. $(AB)^t = B^tA^t = BA = AB$

33. If $AB = BA$, then $B^{-1}AB = A$, so $B^{-1}A = AB^{-1}$. Now $(AB^{-1})^t = (B^{-1})^tA^t = (B^t)^{-1}A^t = B^{-1}A = AB^{-1}$.

35. If $A^t = A^{-1}$ and $B^t = B^{-1}$, then $(AB)^t = B^tA^t = B^{-1}A^{-1} = (AB)^{-1}$.

37. a. $(ABC)(C^{-1}B^{-1}A^{-1}) = (AB)CC^{-1}(B^{-1}A^{-1})$
$= ABB^{-1}A^{-1}$
$= AA^{-1} = I$

b. Case 1, $k = 2$: $(A_1A_2)^{-1} = A_2^{-1}A_1^{-1}$
Case 2: Suppose that

$$(A_1A_2\cdots A_k)^{-1} = A_k^{-1}A_{k-1}^{-1}\cdots A_1^{-1}$$

Then

$$(A_1A_2\cdots A_kA_{k+1})^{-1} = ([A_1A_2\cdots A_k]A_{k+1})^{-1}$$
$$= A_{k+1}^{-1}[A_1A_2\cdots A_k]^{-1}$$
$$= A_{k+1}^{-1}A_k^{-1}A_{k-1}^{-1}\cdots A_1^{-1}$$

39. If A is invertible, then the augmented matrix $[A|I]$ can be row-reduced to $[I|A^{-1}]$. If A is upper triangular, then only terms on or above the main diagonal can be affected by the reduction process, and hence the inverse is upper triangular. Similarly, the inverse for an invertible lower triangle matrix is also lower triangular.

41. a. $\begin{bmatrix} ax_1 + bx_3 & ax_2 + bx_4 \\ cx_1 + dx_3 & cx_2 + dx_4 \end{bmatrix} = \begin{bmatrix} 1 & 0 \\ 0 & 1 \end{bmatrix}$

b. From part (a), we have the two linear systems

$\begin{cases} ax_1 + bx_3 = 1 \\ cx_1 + dx_3 = 0 \end{cases}$ and $\begin{cases} ax_2 + bx_4 = 0 \\ cx_2 + dx_4 = 1 \end{cases}$

so
$(ad - bc)x_3 = d$ and $(ad - bc)x_4 = -b$
If $ad - bc = 0$, then $b = d = 0$.

c. From part (b), both $b = 0$ and $d = 0$. Notice that if in addition either $a = 0$ or $c = 0$, then the matrix is not invertible. Also from part(b), we have that $ax_1 = 1, ax_2 = 0, cx_1 = 0$, and $cx_2 = 1$. If a and c are not zero, then these equations are inconsistent and the matrix is not invertible.

Section 1.5

1. $A = \begin{bmatrix} 2 & 3 \\ -1 & 2 \end{bmatrix}$, $x = \begin{bmatrix} x \\ y \end{bmatrix}$, and $b = \begin{bmatrix} -1 \\ 4 \end{bmatrix}$

3. $A = \begin{bmatrix} 2 & -3 & 1 \\ -1 & -1 & 2 \\ 3 & -2 & -2 \end{bmatrix}$, $\mathbf{x} = \begin{bmatrix} x \\ y \\ z \end{bmatrix}$, and

$\mathbf{b} = \begin{bmatrix} -1 \\ -1 \\ 3 \end{bmatrix}$

5. $A = \begin{bmatrix} 4 & 3 & -2 & -3 \\ -3 & -3 & 1 & 0 \\ 2 & -3 & 4 & -4 \end{bmatrix}$, $\mathbf{x} = \begin{bmatrix} x_1 \\ x_2 \\ x_3 \\ x_4 \end{bmatrix}$, and

$\mathbf{b} = \begin{bmatrix} -1 \\ 4 \\ 3 \end{bmatrix}$

7. $\begin{cases} 2x & - & 5y & = & 3 \\ 2x & + & y & = & 2 \end{cases}$

9. $\begin{cases} & - & 2y & & & = & 3 \\ 2x & - & y & - & z & = & 1 \\ 3x & - & y & + & 2z & = & -1 \end{cases}$

11. $\begin{cases} 2x_1 & + & 5x_2 & - & 5x_3 & + & 3x_4 & = & 2 \\ 3x_1 & + & x_2 & - & 2x_3 & - & 4x_4 & = & 0 \end{cases}$

13. $\mathbf{x} = \begin{bmatrix} 1 \\ 4 \\ -3 \end{bmatrix}$

15. $\mathbf{x} = \begin{bmatrix} 9 \\ -3 \\ -8 \\ 7 \end{bmatrix}$

17. $\mathbf{x} = \dfrac{1}{10} \begin{bmatrix} -16 \\ 9 \end{bmatrix}$

19. $\mathbf{x} = \begin{bmatrix} -11 \\ 4 \\ 12 \end{bmatrix}$

21. $\mathbf{x} = \dfrac{1}{3} \begin{bmatrix} 0 \\ 0 \\ 1 \\ -1 \end{bmatrix}$

23. a. $\mathbf{x} = \dfrac{1}{5} \begin{bmatrix} 7 \\ -3 \end{bmatrix}$

b. $\mathbf{x} = \dfrac{1}{5} \begin{bmatrix} -7 \\ 8 \end{bmatrix}$

25. The general solution is

$$S = \left\{ \begin{bmatrix} -4t \\ t \end{bmatrix} \,\middle|\, t \in \mathbb{R} \right\}$$

with a particular nontrivial solution of $x = -4$ and $y = 1$.

27. $A = \begin{bmatrix} 1 & 2 & 1 \\ 1 & 2 & 1 \\ 1 & 2 & 1 \end{bmatrix}$

29. From the fact that $A\mathbf{u} = A\mathbf{v}$, we have $A(\mathbf{u} - \mathbf{v}) = \mathbf{0}$. If A is invertible, then $\mathbf{u} - \mathbf{v} = \mathbf{0}$, that is, $\mathbf{u} = \mathbf{v}$, which contradicts the statement that $\mathbf{u} \neq \mathbf{v}$.

31. a. $\mathbf{x} = \begin{bmatrix} 1 \\ -1 \end{bmatrix}$

b. $C = \dfrac{1}{3} \begin{bmatrix} 1 & -1 & 0 \\ 1 & 2 & 0 \end{bmatrix}$

c. $C\mathbf{b} = \dfrac{1}{3} \begin{bmatrix} 1 & -1 & 0 \\ 1 & 2 & 0 \end{bmatrix} \begin{bmatrix} 1 \\ -2 \\ -1 \end{bmatrix} = \begin{bmatrix} 1 \\ -1 \end{bmatrix}$

Section 1.6

1. The determinant is the product of the terms on the diagonal and equals 24.

3. The determinant is the product of the terms on the diagonal and equals -10.

5. Since the determinant is 2, the matrix is invertible.

7. Since the determinant is -6, the matrix is invertible.

9. a–c. $\det(A) = -5$

d. $\det\left(\begin{bmatrix} -4 & 1 & -2 \\ 3 & -1 & 4 \\ 2 & 0 & 1 \end{bmatrix} \right) = 5$

e. Let B denote the matrix in part (d) and B' denote the new matrix. Then $\det(B') = -2 \det(B) = -10$. Then $\det(A) = \frac{1}{2} \det(B')$.

f. Let B'' denote the new matrix. The row operation does not change the determinant, so $\det(B'') = \det(B') = -10$.

g. Since $\det(A) \neq 0$, the matrix A does have an inverse.

11. Determinant: 13; invertible

13. Determinant: -16; invertible

15. Determinant: 0; not invertible

17. Determinant: 30; invertible

19. Determinant: -90; invertible

21. Determinant: 0; not invertible

23. Determinant: -32; invertible

25. Determinant: 0; not invertible

27. $\det(3A) = 3^3 \det(A) = 270$

29. $\det((2A)^{-1}) = \dfrac{1}{\det(2A)} = \dfrac{1}{2^3 \det(A)} = \dfrac{1}{80}$

31. Since the determinant of the matrix is $-5x^2 + 10x = -5x(x-2)$, the determinant is 0 if and only if $x = 0$ or $x = 2$.

33. $y = \frac{b_2 - a_2}{b_1 - a_1}x + \frac{b_1 a_2 - a_1 b_2}{b_1 - a_1}$

35. a. $A = \begin{bmatrix} 1 & -1 & -2 \\ -1 & 2 & 3 \\ 2 & -2 & -2 \end{bmatrix}$

b. $\det(A) = 2$

c. Since the coefficient matrix is invertible, the linear system has a unique solution.

d. $\mathbf{x} = \begin{bmatrix} 3 \\ 8 \\ -4 \end{bmatrix}$

37. a. $A = \begin{bmatrix} -1 & 0 & -1 \\ 2 & 0 & 2 \\ 1 & -3 & -3 \end{bmatrix}$

b. $\det(A) = 0$

c. Since the determinant of the coefficient matrix is 0, A is not invertible. Therefore, the linear system has either no solutions or infinitely many solutions.

d. No solutions

39. a. $\begin{vmatrix} y^2 & x & y & 1 \\ 4 & -2 & -2 & 1 \\ 4 & 3 & 2 & 1 \\ 9 & 4 & -3 & 1 \end{vmatrix}$

$= -29y^2 + 20x - 25y + 106 = 0$

b.

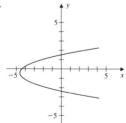

41. a. $\begin{vmatrix} x^2 & y^2 & x & y & 1 \\ 0 & 16 & 0 & -4 & 1 \\ 0 & 16 & 0 & 4 & 1 \\ 1 & 4 & 1 & -2 & 1 \\ 4 & 9 & 2 & 3 & 1 \end{vmatrix}$

$= 136x^2 - 16y^2 - 328x + 256 = 0$

b.

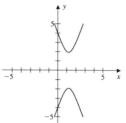

43. a. $\begin{vmatrix} x^2 & xy & y^2 & x & y & 1 \\ 1 & 0 & 0 & -1 & 0 & 1 \\ 0 & 0 & 1 & 0 & 1 & 1 \\ 1 & 0 & 0 & 1 & 0 & 1 \\ 4 & 4 & 4 & 2 & 2 & 1 \\ 9 & 3 & 1 & 3 & 1 & 1 \end{vmatrix}$

$= -12 + 12x^2 - 36xy + 42y^2 - 30y = 0$

b.

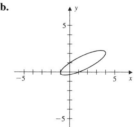

45. $x = \dfrac{\begin{vmatrix} 7 & -5 \\ 6 & -3 \end{vmatrix}}{\begin{vmatrix} 5 & -5 \\ 2 & -3 \end{vmatrix}} = -\dfrac{9}{5}, \ y = \dfrac{\begin{vmatrix} 5 & 7 \\ 2 & 6 \end{vmatrix}}{\begin{vmatrix} 5 & -5 \\ 2 & -3 \end{vmatrix}} = -\dfrac{16}{5}$

47. $x = \dfrac{\begin{vmatrix} 3 & -4 \\ -10 & 5 \end{vmatrix}}{\begin{vmatrix} -9 & -4 \\ -7 & 5 \end{vmatrix}} = \dfrac{25}{73}, \ y = \dfrac{\begin{vmatrix} -9 & 3 \\ -7 & -10 \end{vmatrix}}{\begin{vmatrix} -9 & -4 \\ -7 & 5 \end{vmatrix}}$

$= -\dfrac{111}{73}$

49. $x = \dfrac{\begin{vmatrix} 4 & -3 \\ 3 & 4 \end{vmatrix}}{\begin{vmatrix} -1 & -3 \\ -8 & 4 \end{vmatrix}} = -\dfrac{25}{28}, \ y = \dfrac{\begin{vmatrix} -1 & 4 \\ -8 & 3 \end{vmatrix}}{\begin{vmatrix} -1 & -3 \\ -8 & 4 \end{vmatrix}} = -\dfrac{29}{28}$

51. $x = -\dfrac{160}{103}, y = \dfrac{10}{103}, z = \dfrac{42}{103}$

53. Expansion of the determinant of A across row one equals the expansion down column one of A^t, so $\det(A) = \det(A^t)$.

Section 1.7

1. a. $E = \begin{bmatrix} 1 & 0 & 0 \\ 2 & 1 & 0 \\ 0 & 0 & 1 \end{bmatrix}$

b. $EA = \begin{bmatrix} 1 & 2 & 1 \\ 5 & 5 & 4 \\ 1 & 1 & -4 \end{bmatrix}$

3. a. $E = \begin{bmatrix} 1 & 0 & 0 \\ 0 & 1 & 0 \\ 0 & -3 & 1 \end{bmatrix}$

b. $EA = \begin{bmatrix} 1 & 2 & 1 \\ 3 & 1 & 2 \\ -8 & -2 & -10 \end{bmatrix}$

5. a. $I = E_3 E_2 E_1 A$

$= \begin{bmatrix} 1 & -3 \\ 0 & 1 \end{bmatrix} \begin{bmatrix} 1 & 0 \\ 0 & \frac{1}{10} \end{bmatrix} \begin{bmatrix} 1 & 0 \\ 2 & 1 \end{bmatrix} A$

b. $A = E_1^{-1} E_2^{-1} E_3^{-1}$

$= \begin{bmatrix} 1 & 0 \\ -2 & 1 \end{bmatrix} \begin{bmatrix} 1 & 0 \\ 0 & 10 \end{bmatrix} \begin{bmatrix} 1 & 3 \\ 0 & 1 \end{bmatrix}$

7. a. $I = E_5 E_4 E_3 E_2 E_1 A$

$E_1 = \begin{bmatrix} 1 & 0 & 0 \\ -2 & 1 & 0 \\ 0 & 0 & 1 \end{bmatrix} \quad E_2 = \begin{bmatrix} 1 & 0 & 0 \\ 0 & 1 & 0 \\ -1 & 0 & 1 \end{bmatrix}$

$E_3 = \begin{bmatrix} 1 & -2 & 0 \\ 0 & 1 & 0 \\ 0 & 0 & 1 \end{bmatrix} \quad E_4 = \begin{bmatrix} 1 & 0 & 11 \\ 0 & 1 & 0 \\ 0 & 0 & 1 \end{bmatrix}$

$E_5 = \begin{bmatrix} 1 & 0 & 0 \\ 0 & 1 & -5 \\ 0 & 0 & 1 \end{bmatrix}$

b. $A = E_1^{-1} E_2^{-1} E_3^{-1} E_4^{-1} E_5^{-1}$

9. a. $I = E_6 \cdots E_1 A$

$E_1 = \begin{bmatrix} 0 & 1 & 0 \\ 1 & 0 & 0 \\ 0 & 0 & 1 \end{bmatrix} \quad E_2 = \begin{bmatrix} 1 & -2 & 0 \\ 0 & 1 & 0 \\ 0 & 0 & 1 \end{bmatrix}$

$E_3 = \begin{bmatrix} 1 & 0 & 0 \\ 0 & 1 & 0 \\ 0 & -1 & 1 \end{bmatrix} \quad E_4 = \begin{bmatrix} 1 & 0 & 0 \\ 0 & 1 & 1 \\ 0 & 0 & 1 \end{bmatrix}$

$E_5 = \begin{bmatrix} 1 & 0 & 1 \\ 0 & 1 & 0 \\ 0 & 0 & 1 \end{bmatrix} \quad E_6 = \begin{bmatrix} 1 & 0 & 0 \\ 0 & 1 & 0 \\ 0 & 0 & -1 \end{bmatrix}$

b. $A = E_1^{-1} E_2^{-1} \cdots E_6^{-1}$

11. $A = LU = \begin{bmatrix} 1 & 0 \\ -3 & 1 \end{bmatrix} \begin{bmatrix} 1 & -2 \\ 0 & 1 \end{bmatrix}$

13. $A = LU = \begin{bmatrix} 1 & 0 & 0 \\ 2 & 1 & 0 \\ -3 & 0 & 1 \end{bmatrix} \begin{bmatrix} 1 & 2 & 1 \\ 0 & 1 & 3 \\ 0 & 0 & 1 \end{bmatrix}$

15. $A = LU = \begin{bmatrix} 1 & 0 & 0 \\ 1 & 1 & 0 \\ -1 & -\frac{1}{2} & 1 \end{bmatrix} \begin{bmatrix} 1 & \frac{1}{2} & -3 \\ 0 & 1 & 4 \\ 0 & 0 & 3 \end{bmatrix}$

17. • LU factorization:

$$L = \begin{bmatrix} 1 & 0 \\ -2 & 1 \end{bmatrix} \qquad U = \begin{bmatrix} -2 & 1 \\ 0 & 1 \end{bmatrix}$$

• $\mathbf{y} = U\mathbf{x} = \begin{bmatrix} -2x_1 + x_2 \\ x_2 \end{bmatrix}$

• Solve $L\mathbf{y} = \begin{bmatrix} -1 \\ 5 \end{bmatrix}$: $y_1 = -1, y_2 = 3$

• Solve $U\mathbf{x} = \mathbf{y}$: $x_1 = 2, x_2 = 3$

19. • LU factorization:

$$L = \begin{bmatrix} 1 & 0 & 0 \\ -1 & 1 & 0 \\ 2 & 0 & 1 \end{bmatrix} \qquad U = \begin{bmatrix} 1 & 4 & -3 \\ 0 & 1 & 2 \\ 0 & 0 & 1 \end{bmatrix}$$

• $\mathbf{y} = U\mathbf{x} = \begin{bmatrix} x_1 + 4x_2 - 3x_3 \\ x_2 + 2x_3 \\ x_3 \end{bmatrix}$

• Solve $L\mathbf{y} = \begin{bmatrix} 0 \\ -3 \\ 1 \end{bmatrix}$: $y_1 = 0, y_2 = -3, y_3 = 1$

• Solve $U\mathbf{x} = \mathbf{y}$: $x_1 = 23, x_2 = -5, x_3 = 1$

21. • LU factorization:

$$L = \begin{bmatrix} 1 & 0 & 0 & 0 \\ 1 & 1 & 0 & 0 \\ 2 & 0 & 1 & 0 \\ -1 & -1 & 0 & 1 \end{bmatrix}$$

$$U = \begin{bmatrix} 1 & -2 & 3 & 1 \\ 0 & 1 & 2 & 2 \\ 0 & 0 & 1 & 1 \\ 0 & 0 & 0 & 1 \end{bmatrix}$$

- $\mathbf{y} = U\mathbf{x} = \begin{bmatrix} x_1 - 2x_2 + 3x_3 + x_4 \\ x_2 + 2x_3 + 2x_4 \\ x_3 + x_4 \\ x_4 \end{bmatrix}$

- Solve $L\mathbf{y} = \begin{bmatrix} 5 \\ 6 \\ 14 \\ -8 \end{bmatrix}$:

  $y_1 = 5, y_2 = 1, y_3 = 4, y_4 = -2$

- Solve $U\mathbf{x} = \mathbf{y}$: $x_1 = -25, x_2 = -7, x_3 = 6, x_4 = -2$

23. $A = PLU$

$= \begin{bmatrix} 0 & 1 & 0 \\ 1 & 0 & 0 \\ 0 & 0 & 0 \end{bmatrix} \begin{bmatrix} 1 & 0 & 0 \\ 2 & 5 & 0 \\ 0 & 1 & -\frac{1}{5} \end{bmatrix} \begin{bmatrix} 1 & -3 & 2 \\ 0 & 1 & -\frac{4}{5} \\ 0 & 0 & 1 \end{bmatrix}$

25. $A = LU = \begin{bmatrix} 1 & 0 \\ -3 & 1 \end{bmatrix} \begin{bmatrix} 1 & 4 \\ 0 & 1 \end{bmatrix}$

$A^{-1} = U^{-1}L^{-1} = \begin{bmatrix} 1 & -4 \\ 0 & 1 \end{bmatrix} \begin{bmatrix} 1 & 0 \\ 3 & 1 \end{bmatrix}$

$= \begin{bmatrix} -11 & -4 \\ 3 & 1 \end{bmatrix}$

27. $A = LU = \begin{bmatrix} 1 & 0 & 0 \\ 1 & 1 & 0 \\ 1 & 1 & 1 \end{bmatrix} \begin{bmatrix} 2 & 1 & -1 \\ 0 & 1 & -1 \\ 0 & 0 & 3 \end{bmatrix}$

$A^{-1} = U^{-1}L^{-1}$

$= \begin{bmatrix} \frac{1}{2} & -\frac{1}{2} & 0 \\ 0 & 1 & \frac{1}{3} \\ 0 & 0 & \frac{1}{3} \end{bmatrix} \begin{bmatrix} 1 & 0 & 0 \\ -1 & 1 & 0 \\ 0 & -1 & 1 \end{bmatrix}$

$= \begin{bmatrix} 1 & -\frac{1}{2} & 0 \\ -1 & \frac{2}{3} & \frac{1}{3} \\ 0 & -\frac{1}{3} & \frac{1}{3} \end{bmatrix}$

29. Suppose

$\begin{bmatrix} a & 0 \\ b & c \end{bmatrix} \begin{bmatrix} d & e \\ 0 & f \end{bmatrix} = \begin{bmatrix} 0 & 1 \\ 1 & 0 \end{bmatrix}$

This gives the system of equations $ad = 0, ae = 1, bd = 1, be + cf = 0$. The first two equations are satisfied only when $a \neq 0$ and $d = 0$. But this is incompatible with the third equation.

31. If A is invertible, there are elementary matrices $E_1, \ldots, E_k$ such that $I = E_k \cdots E_1 A$. Similarly, there are elementary matrices $D_1, \ldots, D_\ell$ such that $I = D_\ell \cdots D_1 B$. Then $A = E_k^{-1} \cdots E_1^{-1} D_\ell \cdots D_1 B$, so A is row equivalent to B.

Section 1.8

1. $x_1 = 2, x_2 = 9, x_3 = 3, x_4 = 9$

3. Let $x_5 = 3$. Then $x_1 = x_5 = 3, x_2 = \frac{1}{3}x_5 = 1, x_3 = \frac{1}{3}x_5 = 1, x_4 = x_5 = 3$.

5. Let $x_1, x_2, \ldots, x_7$ be defined as in the figure.

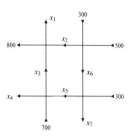

Then $x_1 = 1000 - x_4 - x_7, x_2 = 800 - x_6, x_3 = 1000 - x_4 + x_6 - x_7, x_5 = 300 + x_6 - x_7$
Since the network consists of one-way streets, the individual flows are nonnegative. As a sample solution let $x_4 = 200, x_6 = 300, x_7 = 100$; then $x_1 = 700, x_2 = 500, x_3 = 1000, x_5 = 500$.

7. $x_1 = 150 - x_4, x_2 = 50 - x_4 - x_5, x_3 = 50 + x_4 + x_5$. As a sample solution let $x_4 = x_5 = 20$; then $x_1 = 130, x_2 = 10, x_3 = 90$

9. $x_1 = 1.4, x_2 = 3.2, x_3 = 1.6, x_4 = 6.2$

11. a. $A = \begin{bmatrix} 0.02 & 0.04 & 0.05 \\ 0.03 & 0.02 & 0.04 \\ 0.03 & 0.3 & 0.1 \end{bmatrix}$

b. The internal demand vector is

$A \begin{bmatrix} 300 \\ 150 \\ 200 \end{bmatrix} = \begin{bmatrix} 22 \\ 20 \\ 74 \end{bmatrix}$. The total external demand

for the three sectors is $300 - 22 = 278, 150 - 20 = 130$, and $200 - 74 = 126$, respectively.

c. $(I - A)^{-1} \approx \begin{bmatrix} 1.02 & 0.06 & 0.06 \\ 0.03 & 1.04 & 0.05 \\ 0.05 & 0.35 & 1.13 \end{bmatrix}$

d. $X = (I - A)^{-1}D$

$= \begin{bmatrix} 1.02 & 0.06 & 0.06 \\ 0.03 & 1.04 & 0.05 \\ 0.05 & 0.35 & 1.13 \end{bmatrix} \begin{bmatrix} 350 \\ 400 \\ 600 \end{bmatrix}$

$= \begin{bmatrix} 418.2 \\ 454.9 \\ 832.3 \end{bmatrix}$

13. a.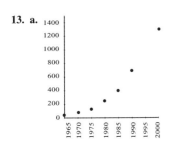

b.
$$\begin{cases} 3,880,900a & + & 1970b & + & c & = & 80 \\ 3,920,400a & + & 1980b & + & c & = & 250 \\ 3,960,100a & + & 1990b & + & c & = & 690 \end{cases}$$

c. $a = \frac{27}{20}, b = -\frac{10,631}{2}, c = 5,232,400$

d.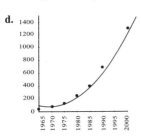

e. The model gives an estimate, in billions of dollars, for health care costs in 2010 at
$$\frac{27}{20}(2010)^2 - \frac{10,631}{2}(2010) + 5,232,400 = 2380$$

15. a. $A = \begin{bmatrix} 0.9 & 0.08 \\ 0.1 & 0.92 \end{bmatrix}$

b. $A \begin{bmatrix} 1,500,000 \\ 600,000 \end{bmatrix} = \begin{bmatrix} 1,398,000 \\ 702,000 \end{bmatrix}$

c. $A^2 \begin{bmatrix} 1,500,000 \\ 600,000 \end{bmatrix} = \begin{bmatrix} 1,314,360 \\ 785,640 \end{bmatrix}$

d. $A^n \begin{bmatrix} 1,500,000 \\ 600,000 \end{bmatrix}$

17. The transition matrix is
$$A = \begin{bmatrix} 0.9 & 0.2 & 0.1 \\ 0.1 & 0.5 & 0.3 \\ 0 & 0.3 & 0.6 \end{bmatrix}$$
so the numbers of people in each category after 1 month are given by
$$A \begin{bmatrix} 20,000 \\ 20,000 \\ 10,000 \end{bmatrix} = \begin{bmatrix} 23,000 \\ 15,000 \\ 12,000 \end{bmatrix}$$

after 2 months by
$$A^2 \begin{bmatrix} 20,000 \\ 20,000 \\ 10,000 \end{bmatrix} = \begin{bmatrix} 24,900 \\ 13,400 \\ 11,700 \end{bmatrix}$$
and after 1 year by
$$A^{12} \begin{bmatrix} 20,000 \\ 20,000 \\ 10,000 \end{bmatrix} \approx \begin{bmatrix} 30,530 \\ 11,120 \\ 8,350 \end{bmatrix}$$

19. a. $I_1 + I_3 = I_2$

b.
$$\begin{cases} 4I_1 & + & 3I_2 & & & = & 8 \\ & & 3I_2 & + & 5I_3 & = & 10 \end{cases}$$

c.
$$\begin{cases} I_1 & - & I_2 & + & I_3 & = & 0 \\ 4I_1 & + & 3I_2 & & & = & 8 \\ & & 3I_2 & + & 5I_3 & = & 10 \end{cases}$$

Solution: $I_1 \approx 0.72, I_2 \approx 1.7, I_3 \approx 0.98$

21. Denote the average temperatures of the four points by $a, b, c,$ and d clockwise, starting with the upper left point. The resulting linear system is
$$\begin{cases} 4a - b & - d = 50 \\ -a + 4b - c & = 55 \\ - b & - d = 45 \\ -a & - c + 4d = 40 \end{cases}$$
The solution is $a \approx 24.4, b \approx 25.6, c \approx 23.1, d \approx 21.9$.

Review Exercises Chapter 1

1. a. $A = \begin{bmatrix} 1 & 1 & 2 & 1 \\ -1 & 0 & 1 & 2 \\ 2 & 2 & 0 & 1 \\ 1 & 1 & 2 & 3 \end{bmatrix}$

b. $\det(A) = -8$

c. Since the determinant of the coefficient matrix is not 0, the matrix is invertible and the linear system is consistent and has a unique solution.

d. The only solution is the trivial solution.

e. From part (b), since the determinant is not zero, the inverse exists.
$$A^{-1} = \frac{1}{8} \begin{bmatrix} -3 & -8 & -2 & 7 \\ 5 & 8 & 6 & -9 \\ 5 & 0 & -2 & -1 \\ -4 & 0 & 0 & 4 \end{bmatrix}$$

f. $x = A^{-1} \begin{bmatrix} 3 \\ 1 \\ -2 \\ 5 \end{bmatrix} = \frac{1}{4} \begin{bmatrix} 11 \\ -17 \\ 7 \\ 4 \end{bmatrix}$

3. $a = 0, c = 0, b = 0;\ a = 0, c = 1, b \in \mathbb{R};$
$a = 1, c = 0, b \in \mathbb{R};\ a = 1, b = 0, c = 1$

5. a. If
$$A = \begin{bmatrix} a_1 & b_1 \\ c_1 & d_1 \end{bmatrix} \qquad B = \begin{bmatrix} a_2 & b_2 \\ c_2 & d_2 \end{bmatrix}$$
then the sum of the diagonal entries is
$$(a_1 a_2 + b_1 c_2) - (a_1 a_2 + b_2 c_1)$$
$$+ (b_2 c_1 + d_1 d_2) - (b_1 c_2 + d_1 d_2) = 0$$

b.
$$\begin{bmatrix} a & b \\ c & -a \end{bmatrix} \begin{bmatrix} a & b \\ c & -a \end{bmatrix} = \begin{bmatrix} a^2 + bc & 0 \\ 0 & a^2 + bc \end{bmatrix}$$
$$= (a^2 + bc)I$$

c. Let $M = AB - BA$. By part (a), $M^2 = kI$ for some k. Then
$$(AB - BA)^2 C = M^2 C$$
$$= (kI)C = C(kI)$$
$$= CM^2 = C(AB - BA)^2$$

7. a. Since $\det(A) = 1$, then A is invertible.

b. Six 1s can be added, making 21 the maximum number of entries that can be 1 and the matrix is invertible.

9. a. $B^t = (A + A^t)^t = A^t + (A^t)^t = A^t + A = B;$
$C^t = (A - A^t)^t = A^t - (A^t)^t = A^t - A = -C$

b. $A = \frac{1}{2}(A + A^t) + \frac{1}{2}(A - A^t)$

Chapter Test: Chapter 1

1. T	**2.** F
3. F	**4.** T
5. F	**6.** T
7. F	**8.** T
9. T	**10.** T
11. T	**12.** T
13. T	**14.** T
15. F	**16.** T
17. F	**18.** T
19. F	**20.** T
21. F	**22.** T

23. T	**24.** T
25. T	**26.** T
27. F	**28.** T
29. F	**30.** T
31. T	**32.** T
33. F	**34.** T
35. F	**36.** T
37. T	**38.** F
39. T	**40.** T
41. T	**42.** F
43. T	**44.** F
45. T	

Chapter 2

Section 2.1

1. $\mathbf{u} + \mathbf{v} = \begin{bmatrix} -1 \\ 2 \\ 3 \end{bmatrix} = \mathbf{v} + \mathbf{u}$

3. $\mathbf{u} - 2\mathbf{v} + 3\mathbf{w} = \begin{bmatrix} 11 \\ -7 \\ 0 \end{bmatrix}$

5. $-3(\mathbf{u} + \mathbf{v}) - \mathbf{w} = \begin{bmatrix} 1 \\ -7 \\ -8 \end{bmatrix}$

7. $\begin{bmatrix} -17 \\ -14 \\ 9 \\ -6 \end{bmatrix}$

9. $(x_1 + x_2)\mathbf{u} = (x_1 + x_2) \begin{bmatrix} 1 \\ -2 \\ 3 \\ 0 \end{bmatrix}$

$$= \begin{bmatrix} x_1 + x_2 \\ -2x_1 - 2x_2 \\ 3x_1 + 3x_2 \\ 0 \end{bmatrix}$$

$$= \begin{bmatrix} x_1 \\ -2x_1 \\ 3x_1 \\ 0 \end{bmatrix} + \begin{bmatrix} x_2 \\ -2x_2 \\ 3x_2 \\ 0 \end{bmatrix}$$

$$= x_1\mathbf{u} + x_2\mathbf{v}$$

11. $\mathbf{v} = 2\mathbf{e}_1 + 4\mathbf{e}_2 + \mathbf{e}_3$

13. $\mathbf{v} = 3\mathbf{e}_2 - 2\mathbf{e}_3$

15. $\mathbf{w} = \begin{bmatrix} \frac{7}{2} \\ 1 \\ -1 \end{bmatrix}$

17. $\begin{cases} c_1 + 3c_2 = -2 \\ -2c_1 - 2c_2 = -1 \end{cases}$

Solution: $c_1 = \frac{7}{4}$, $c_2 = -\frac{5}{4}$

The vector $\begin{bmatrix} -2 \\ -1 \end{bmatrix}$ is a combination of $\begin{bmatrix} 1 \\ -2 \end{bmatrix}$ and $\begin{bmatrix} 3 \\ -2 \end{bmatrix}$.

19. $\begin{cases} c_1 - c_2 = 3 \\ 2c_1 - 2c_2 = 1 \end{cases}$

Solution: The linear system is inconsistent.

The vector $\begin{bmatrix} 3 \\ 1 \end{bmatrix}$ cannot be written as a combination

of $\begin{bmatrix} 1 \\ 2 \end{bmatrix}$ and $\begin{bmatrix} -1 \\ -2 \end{bmatrix}$.

21. $\begin{cases} -4c_1 - 5c_3 = -3 \\ 4c_1 + 3c_2 + c_3 = -3 \\ 3c_1 - c_2 - 5c_3 = 4 \end{cases}$

Solution: $c_1 = \frac{87}{121}, c_2 = -\frac{238}{121}, c_3 = \frac{3}{121}$

The vector $\begin{bmatrix} -3 \\ -3 \\ 4 \end{bmatrix}$ is a combination of the three

vectors.

23. $\begin{cases} -c_1 - c_2 + c_3 = -1 \\ c_2 - c_3 = 0 \\ c_1 + c_2 - c_3 = 2 \end{cases}$

Solution: The linear system is inconsistent

The vector $\begin{bmatrix} -1 \\ 0 \\ 2 \end{bmatrix}$ cannot be written as a

combination of the other vectors.

25. All 2×2 vectors. Moreover, $c_1 = \frac{1}{3}a - \frac{2}{3}b$, $c_2 = \frac{1}{3}a + \frac{1}{3}b$

27. All vectors of the form $\begin{bmatrix} a \\ -a \end{bmatrix}$ such that $a \in \mathbb{R}$.

29. All 3×3 vectors. Moreover, $c_1 = \frac{1}{3}a - \frac{2}{3}b + \frac{2}{3}c$, $c_2 = -\frac{1}{3}a + \frac{2}{3}b + \frac{1}{3}c, c_3 = \frac{1}{3}a + \frac{1}{3}b - \frac{1}{3}c$

31. All vectors of the form $\begin{bmatrix} a \\ b \\ 2a - 3b \end{bmatrix}$ such that $a, b \in \mathbb{R}$.

Section 2.2

1. $\begin{bmatrix} 1 & -2 & | & -4 \\ 1 & 3 & | & 11 \end{bmatrix} \longrightarrow \begin{bmatrix} 1 & 0 & | & 2 \\ 0 & 1 & | & 3 \end{bmatrix}$; yes

3. $\begin{bmatrix} -2 & 3 & | & 1 \\ 4 & -6 & | & 1 \end{bmatrix} \longrightarrow \begin{bmatrix} 1 & -\frac{3}{2} & | & 0 \\ 0 & 0 & | & 1 \end{bmatrix}$; no

5. Yes

$\begin{bmatrix} -2 & 1 & | & -3 \\ 3 & 4 & | & 10 \\ 4 & 2 & | & 10 \end{bmatrix} \longrightarrow \begin{bmatrix} 1 & 0 & | & 2 \\ 0 & 1 & | & 1 \\ 0 & 0 & | & 0 \end{bmatrix}$

7. Yes

$\begin{bmatrix} 2 & 3 & -2 & | & 2 \\ -2 & 0 & 0 & | & 8 \\ 0 & -3 & -1 & | & 2 \end{bmatrix} \longrightarrow \begin{bmatrix} 1 & 0 & 0 & | & -4 \\ 0 & 1 & 0 & | & \frac{2}{3} \\ 0 & 0 & 1 & | & -4 \end{bmatrix}$

9. No

$\begin{bmatrix} 1 & -1 & 0 & | & -1 \\ 2 & -1 & 1 & | & 1 \\ -1 & 3 & 2 & | & 5 \end{bmatrix} \longrightarrow \begin{bmatrix} 1 & 0 & 0 & | & 0 \\ 0 & 1 & 1 & | & 0 \\ 0 & 0 & 0 & | & 1 \end{bmatrix}$

11. Yes

$\begin{bmatrix} 2 & 1 & -1 & | & 3 \\ -3 & 6 & -1 & | & -17 \\ 4 & -1 & 2 & | & 17 \\ 1 & 2 & 3 & | & 7 \end{bmatrix} \longrightarrow \begin{bmatrix} 1 & 0 & 0 & | & 3 \\ 0 & 1 & 0 & | & -1 \\ 0 & 0 & 1 & | & 2 \\ 0 & 0 & 0 & | & 0 \end{bmatrix}$

13. Infinitely many ways

$c_1 = 1 + \frac{1}{3}c_3, c_2 = 1 + \frac{7}{3}c_3, c_3 \in \mathbb{R}$

15. Infinitely many ways

$c_1 = 3 + 6c_4, c_2 = -2 - c_4, c_3 = 2 + 2c_4, c_4 \in \mathbb{R}$

17. Yes

$\begin{bmatrix} 1 & -2 & -1 & | & -2 \\ 2 & 3 & 3 & | & 4 \\ 1 & 1 & 2 & | & 4 \\ -1 & 4 & 1 & | & 0 \end{bmatrix} \longrightarrow \begin{bmatrix} 1 & 0 & 0 & | & -1 \\ 0 & 1 & 0 & | & -1 \\ 0 & 0 & 1 & | & 3 \\ 0 & 0 & 0 & | & 0 \end{bmatrix}$

19. No

$\begin{bmatrix} 2 & 3 & 3 & | & 2 \\ 2 & -1 & -1 & | & 1 \\ -1 & 2 & 2 & | & -1 \\ 3 & -2 & 2 & | & 2 \end{bmatrix} \longrightarrow \begin{bmatrix} 1 & 0 & 0 & | & 0 \\ 0 & 1 & 0 & | & 0 \\ 0 & 0 & 1 & | & 0 \\ 0 & 0 & 0 & | & 1 \end{bmatrix}$

21. $A\mathbf{x} = 2\begin{bmatrix} 1 \\ -2 \end{bmatrix} - \begin{bmatrix} 3 \\ 1 \end{bmatrix}$

23. $(\mathbf{AB})_1 = 3\begin{bmatrix} -1 \\ 3 \end{bmatrix} + 2\begin{bmatrix} -2 \\ 4 \end{bmatrix}$,

$(\mathbf{AB})_2 = 2\begin{bmatrix} -1 \\ 3 \end{bmatrix} + 5\begin{bmatrix} -2 \\ 4 \end{bmatrix}$

25. Not possible.

27. $x^3 - 2x + 1 = \frac{1}{2}(1+x) + 2(-x) + 0(x^2 + 1) + \frac{1}{2}(2x^3 - x + 1)$

29. All vectors $\begin{bmatrix} a \\ b \\ c \end{bmatrix}$ such that $3a - b + c = 0$.

31. $\mathbf{v} = 2\mathbf{v}_1 - \mathbf{v}_2 + 4\mathbf{v}_3$

33. Since $c_1 \neq 0, \mathbf{v}_1 = -\frac{c_2}{c_1}\mathbf{v}_2 - \cdots - \frac{c_n}{c_1}\mathbf{v}_n$.

35. Let $\mathbf{v} \in S_1$. Since $c \neq 0$, then $\mathbf{v} = c_1\mathbf{v}_1 + \cdots + \frac{c_k}{c}(c\mathbf{v}_k)$, so $\mathbf{v} \in S_2$. If $\mathbf{v} \in S_2$, then $\mathbf{v} = c_1\mathbf{v}_1 + \cdots + (cc_k)\mathbf{v}_k$, so $\mathbf{v} \in S_1$. Therefore, $S_1 = S_2$.

37. If $\mathbf{A}_3 = c\mathbf{A}_1$, then $\det(A) = 0$. Since the linear system is assumed to be consistent, it must have infinitely many solutions.

Section 2.3

1. Since $\begin{vmatrix} -1 & 2 \\ 1 & -3 \end{vmatrix} = 1$, the vectors are linearly independent.

3. Since $\begin{vmatrix} 1 & -2 \\ -4 & 8 \end{vmatrix} = 0$, the vectors are linearly dependent.

5. Since $\begin{bmatrix} -1 & 2 \\ 2 & 2 \\ 1 & 3 \end{bmatrix} \longrightarrow \begin{bmatrix} -1 & 2 \\ 0 & 6 \\ 0 & 0 \end{bmatrix}$, the vectors are linearly independent.

7. Since $\begin{vmatrix} -4 & -5 & 3 \\ 4 & 3 & -5 \\ -1 & 3 & 5 \end{vmatrix} = 0$, the vectors are linearly dependent.

9. Since $\begin{bmatrix} 3 & 1 & 3 \\ -1 & 0 & -1 \\ -1 & 2 & 0 \\ 2 & 1 & 1 \end{bmatrix} \longrightarrow \begin{bmatrix} 3 & 1 & 3 \\ 0 & \frac{1}{3} & 0 \\ 0 & 0 & 1 \\ 0 & 0 & 0 \end{bmatrix}$, the vectors are linearly independent.

11. Since

$$\begin{bmatrix} 3 & 0 & 1 \\ 3 & 1 & -1 \\ 2 & 0 & -1 \\ 1 & 0 & -2 \end{bmatrix} \longrightarrow \begin{bmatrix} 3 & 0 & 1 \\ 0 & 1 & -2 \\ 0 & 0 & -\frac{5}{3} \\ 0 & 0 & 0 \end{bmatrix}$$

the matrices are linearly independent.

13. Since

$$\begin{bmatrix} 1 & 0 & -1 & 1 \\ -2 & -1 & 1 & 1 \\ -2 & 2 & -2 & -1 \\ -2 & 2 & 2 & -2 \end{bmatrix}$$

$$\longrightarrow \begin{bmatrix} 1 & 0 & -1 & 1 \\ 0 & -1 & -1 & 3 \\ 0 & 0 & -6 & 7 \\ 0 & 0 & 0 & \frac{11}{3} \end{bmatrix}$$

the matrices are linearly independent.

15. $\mathbf{v}_2 = -\frac{1}{2}\mathbf{v}_1$

17. Any set of vectors containing the zero vector is linearly dependent.

19. a. $\mathbf{A}_2 = -2\mathbf{A}_1$

b. $\mathbf{A}_3 = \mathbf{A}_1 + \mathbf{A}_2$

21. $a \neq 6$

23. a. Since $\begin{vmatrix} 1 & 1 & 1 \\ 1 & 2 & 1 \\ 1 & 3 & 2 \end{vmatrix} = 1$, the vectors are linearly independent.

b. $c_1 = 0, c_2 = -1, c_3 = 3$

25. Since $\begin{vmatrix} 1 & 2 & 0 \\ -1 & 0 & 3 \\ 2 & 1 & 2 \end{vmatrix} = 13$, the matrix is invertible so $A\mathbf{x} = \mathbf{b}$ has a unique solution for every vector $\mathbf{b}$.

27. Linear independent

29. Linearly dependent

31. If $x = 0$, then $c_1 = 0$, and if $x = \frac{1}{2}$, then $c_2 = 0$.

33. Let $x = 0$, then $c_3 = 0$. Now letting $x = 1$ and $x = -1$, $c_1 = c_2 = c_3 = 0$.

35. If $\mathbf{u}$ and $\mathbf{v}$ are linearly dependent, then there are scalars a and b, not both 0, such that $a\mathbf{u} + b\mathbf{v} = \mathbf{0}$. If $a \neq 0$, then $\mathbf{u} = -(b/a)\mathbf{v}$. On the other hand, if there is a scalar c such that $\mathbf{u} = c\mathbf{v}$, then $\mathbf{u} - c\mathbf{v} = \mathbf{0}$.

37. Setting a linear combination of $\mathbf{w}_1, \mathbf{w}_2, \mathbf{w}_3$ to $\mathbf{0}$, we have

$$\mathbf{0} = c_1\mathbf{w}_1 + c_2\mathbf{w}_2 + c_3\mathbf{w}_3$$
$$= c_1\mathbf{v}_1 + (c_1 + c_2 + c_3)\mathbf{v}_2 + (-c_2 + c_3)\mathbf{v}_3$$

if and only if $c_1 = 0, c_1 + c_2 + c_3 = 0$, and $-c_2 + c_3 = 0$ if and only if $c_1 = c_2 = c_3 = 0$.

39. Consider $c_1\mathbf{v}_1 + c_2\mathbf{v}_2 + c_3\mathbf{v}_3 = \mathbf{0}$, which is true if and only if $c_3\mathbf{v}_3 = -c_1\mathbf{v}_1 - c_2\mathbf{v}_2$. If $c_3 \neq 0$, then $\mathbf{v}_3$ would be a linear combination of $\mathbf{v}_1$ and $\mathbf{v}_2$ contradicting the hypothesis that it is not the case. Therefore, $c_3 = 0$. Now since $\mathbf{v}_1$ and $\mathbf{v}_2$ are linearly independent $c_1 = c_2 = 0$.

41. Since $\mathbf{A}_1, \mathbf{A}_2, \ldots, \mathbf{A}_n$ are linearly independent, if

$$A\mathbf{x} = x_1\mathbf{A}_1 + \cdots + x_n\mathbf{A}_n = \mathbf{0}$$

then $x_1 = x_2 = \cdots = x_n = 0$.

Review Exercises Chapter 2

1. Since $\begin{vmatrix} a & b \\ c & d \end{vmatrix} = ad - bc \neq 0$, the column vectors are linearly independent. If $ad - bc = 0$, then the column vectors are linearly dependent.

3. The determinant $\begin{vmatrix} a^2 & 0 & 1 \\ 0 & a & 0 \\ 1 & 2 & 1 \end{vmatrix} = a^3 - a \neq 0$ if and only if $a \neq \pm 1$, and $a \neq 0$. So the vectors are linearly independent if and only if $a \neq \pm 1$, and $a \neq 0$.

5. a. Since the vectors are not scalar multiples of each other, S is linearly independent.

b. Since

$$\left[\begin{array}{cc|c} 1 & 1 & a \\ 0 & 1 & b \\ 2 & 1 & c \end{array}\right] \rightarrow \left[\begin{array}{cc|c} 1 & 1 & a \\ 0 & 1 & b \\ 0 & 0 & -2a + b + c \end{array}\right]$$

the linear system is inconsistent for $-2a + b + c \neq 0$. If $a = 1, b = 1, c = 3$, then the system is inconsistent and $\mathbf{v} = \begin{bmatrix} 1 \\ 1 \\ 3 \end{bmatrix}$ is not a linear combination of the vectors.

c. All vectors $\begin{bmatrix} a \\ b \\ c \end{bmatrix}$ such that $-2a + b + c = 0$

d. Linearly independent

e. All vectors in $\mathbb{R}^3$

7. a. Let $A = \begin{bmatrix} 1 & 1 & 2 & 1 \\ -1 & 0 & 1 & 2 \\ 2 & 2 & 0 & 1 \\ 1 & 1 & 2 & 3 \end{bmatrix}$, $\mathbf{x} = \begin{bmatrix} x \\ y \\ z \\ w \end{bmatrix}$, and

$\mathbf{b} = \begin{bmatrix} 3 \\ 1 \\ -2 \\ 5 \end{bmatrix}$.

b. $\det(A) = -8$

c. Yes, since the determinant of A is nonzero.

d. Since the determinant of the coefficient matrix is nonzero, the matrix A is invertible, so the linear system has a unique solution.

e. $x = \frac{11}{4}, y = -\frac{17}{4}, z = \frac{7}{4}, w = 1$

9. a.

$$x_1\begin{bmatrix} 1 \\ 2 \\ 1 \end{bmatrix} + x_2\begin{bmatrix} 3 \\ -1 \\ 1 \end{bmatrix} + x_3\begin{bmatrix} 2 \\ 3 \\ -1 \end{bmatrix} = \begin{bmatrix} b_1 \\ b_2 \\ b_3 \end{bmatrix}$$

b. Since $\det(A) = 19$, the linear system has a unique solution equal to $\mathbf{x} = A^{-1}\mathbf{b}$.

c. Yes

d. Yes, since the determinant of A is nonzero, A^{-1} exists and the linear system has a unique solution.

Chapter Test: Chapter 2

1. T	**2.** F
3. T	**4.** T
5. F	**6.** F
7. F	**8.** T
9. F	**10.** F
11. T	**12.** T
13. F	**14.** T
15. F	**16.** T
17. T	**18.** F
19. T	**20.** T
21. F	**22.** F
23. F	**24.** F
25. T	**26.** F
27. T	**28.** F
29. T	**30.** F
31. T	**32.** F
33. T	

Chapter 3

Section 3.1

1. Since

$$\begin{bmatrix} x_1 \\ y_1 \\ z_1 \end{bmatrix} \oplus \begin{bmatrix} x_2 \\ y_2 \\ z_2 \end{bmatrix} = \begin{bmatrix} x_1 - x_2 \\ y_1 - y_2 \\ z_1 - z_2 \end{bmatrix}$$

and

$$\begin{bmatrix} x_2 \\ y_2 \\ z_2 \end{bmatrix} \oplus \begin{bmatrix} x_1 \\ y_1 \\ z_1 \end{bmatrix} = \begin{bmatrix} x_2 - x_1 \\ y_2 - y_1 \\ z_2 - z_1 \end{bmatrix}$$

do not agree for all pairs of vectors, the operation $\oplus$ is not commutative, so V is not a vector space.

3. The operation $\oplus$ is not associative, so V is not a vector space.

7. Since

$$(c+d) \odot \begin{bmatrix} x \\ y \end{bmatrix} = \begin{bmatrix} x+c+d \\ y \end{bmatrix}$$

does not equal

$$c \odot \begin{bmatrix} x \\ y \end{bmatrix} + d \odot \begin{bmatrix} x \\ y \end{bmatrix}$$

$$= \begin{bmatrix} x+c \\ y \end{bmatrix} + \begin{bmatrix} x+d \\ y \end{bmatrix}$$

$$= \begin{bmatrix} 2x+c+d \\ 2y \end{bmatrix}$$

for all vectors $\begin{bmatrix} x \\ y \end{bmatrix}$, then V is not a vector space.

9. Since the operation $\oplus$ is not commutative, V is not a vector space.

11. The zero vector is given by $\mathbf{0} = \begin{bmatrix} 0 \\ 0 \end{bmatrix}$. Since this vector is not in V, then V is not a vector space.

13. a. Since V is not closed under vector addition, V is not a vector space.

   b. Each of the 10 vector space axioms are satisfied with vector addition and scalar multiplication defined in this way.

15. Yes, V is a vector space.

17. No, V is not a vector space. Let $A = I$ and $B = -I$. Then $A + B$ is not invertible and hence not in V.

19. Yes, V is a vector space.

21. a. The additive identity is $\mathbf{0} = \begin{bmatrix} 1 & 0 \\ 0 & 1 \end{bmatrix}$, and the additive inverse of A is A^{-1}.

   b. If $c = 0$, then cA is not in V.

23. a. The additive identity is $\mathbf{0} = \begin{bmatrix} 1 \\ 2 \\ 3 \end{bmatrix}$. Let

$$\mathbf{u} = \begin{bmatrix} 1+a \\ 2-a \\ 3+2a \end{bmatrix}. \text{ Then the additive inverse is}$$

$$-\mathbf{u} = \begin{bmatrix} 1-a \\ 2+a \\ 3-2a \end{bmatrix}.$$

   b. Each of the 10 vector space axioms is satisfied.

$$\textbf{c. } 0 \odot \begin{bmatrix} 1+t \\ 2-t \\ 3+2t \end{bmatrix} = \begin{bmatrix} 1+0t \\ 2-0t \\ 3+2(0)t \end{bmatrix} = \begin{bmatrix} 1 \\ 2 \\ 3 \end{bmatrix}$$

25. Each of the 10 vector space axioms is satisfied.

27. Each of the 10 vector space axioms is satisfied.

29. Since $(f+g)(0) = f(0) + g(0) = 1 + 1 = 2$, then V is not closed under addition and hence is not a vector space.

31. a. The zero vector is given by $f(x+0) = x^3$ and $-f(x+t) = f(x-t)$.

   b. Each of the 10 vector space axioms is satisfied.

Section 3.2

1. The set S is a subspace of $\mathbb{R}^2$.

3. The set S is not a subspace of $\mathbb{R}^2$. If $\mathbf{u} = \begin{bmatrix} 2 \\ -1 \end{bmatrix}$ and $\mathbf{v} = \begin{bmatrix} -1 \\ 3 \end{bmatrix}$, then $\mathbf{u} + \mathbf{v} = \begin{bmatrix} 1 \\ 2 \end{bmatrix} \notin S$.

5. The set S is not a subspace of $\mathbb{R}^2$. If $\mathbf{u} = \begin{bmatrix} 0 \\ -1 \end{bmatrix}$ and $c = 0$, then $c\mathbf{v} = \begin{bmatrix} 0 \\ 0 \end{bmatrix} \notin S$.

7. Since

$$\begin{bmatrix} x_1 \\ x_2 \\ x_3 \end{bmatrix} + c \begin{bmatrix} y_1 \\ y_2 \\ y_3 \end{bmatrix} = \begin{bmatrix} x_1 + cy_1 \\ x_2 + cy_2 \\ x_3 + cy_3 \end{bmatrix}$$

and $(x_1 + cy_1) + (x_3 + cy_3) = -2(c+1) = 2$ if and only if $c = -2$, so S is not a subspace of $\mathbb{R}^3$.

9. Since

$$\begin{bmatrix} s-2t \\ s \\ t+s \end{bmatrix} + c \begin{bmatrix} x-2y \\ x \\ y+x \end{bmatrix}$$

$$= \begin{bmatrix} (s+cx)-2(t+cy) \\ s+cx \\ (t+cy)+(s+cx) \end{bmatrix}$$

is in S, then S is a subspace.

11. Yes, S is a subspace.

13. No, S is not a subspace.

15. Yes, S is a subspace.

17. Yes, S is a subspace.

19. No, S is not a subspace since $x^3 - x^3 = 0$, which is not a polynomial of degree 3.

21. Yes, S is a subspace.

23. No, S is not a subspace.

25. Since

$$\begin{bmatrix} 1 & -1 & -1 & 1 \\ 1 & -1 & 2 & -1 \\ 0 & 1 & 0 & 1 \end{bmatrix} \rightarrow \begin{bmatrix} 1 & -1 & -1 & 1 \\ 0 & 1 & 0 & 1 \\ 0 & 0 & 3 & -2 \end{bmatrix}$$

the vector $\mathbf{v}$ is in the span.

27. Since

$$\begin{bmatrix} 1 & 0 & 1 & -2 \\ 1 & 1 & -1 & 1 \\ 0 & 2 & -4 & 6 \\ -1 & 1 & -3 & 5 \end{bmatrix} \rightarrow \begin{bmatrix} 1 & 0 & 1 & -2 \\ 0 & 1 & -2 & 3 \\ 0 & 0 & 0 & 0 \\ 0 & 0 & 0 & 0 \end{bmatrix}$$

the vector $\mathbf{v}$ is in the span.

29. Since

$$c_1(1+x) + c_2(x^2 - 2) + c_3(3x) = 2x^2 - 6x - 11$$

implies $c_1 = -7, c_2 = 2, c_3 = \frac{1}{3}$, the polynomial is in the span.

31. $\mathbf{span}(S) = \left\{ \begin{bmatrix} a \\ b \\ c \end{bmatrix} \middle| a + c = 0 \right\}$

33. $\mathbf{span}(S) = \left\{ \begin{bmatrix} a & b \\ \frac{a+b}{3} & \frac{2a-b}{3} \end{bmatrix} \middle| a, b \in \mathbb{R} \right\}$

35. $\mathbf{span}(S) = \left\{ ax^2 + bx + c \middle| a - c = 0 \right\}$

37. a. $\mathbf{span}(S) = \left\{ \begin{bmatrix} a \\ b \\ \frac{b-2a}{3} \end{bmatrix} \middle| a, b \in \mathbb{R} \right\}$

b. Yes, S is linearly independent.

39. a. $\mathbf{span}(S) = \mathbb{R}^3$

b. Yes, S is linearly independent.

41. a. $\mathbf{span}(S) = \mathbb{R}^3$

b. No, S is linearly dependent.

c. $\mathbf{span}(T) = \mathbb{R}^3$; T is linearly dependent.

d. $\mathbf{span}(H) = \mathbb{R}^3$; H is linearly independent.

43. a. $\mathbf{span}(S) = \mathcal{P}_2$

b. No, S is linearly dependent.

c. $2x^2 + 3x + 5 = 2(1) - (x - 3) + 2(x^2 + 2x)$

d. T is linearly independent; $\mathbf{span}(T) = \mathcal{P}_3$

45. a–b Since

$$\begin{bmatrix} -s \\ s - 5t \\ 2s + 3t \end{bmatrix} = s \begin{bmatrix} -1 \\ 1 \\ 2 \end{bmatrix} + t \begin{bmatrix} 0 \\ -5 \\ 3 \end{bmatrix}$$

then $S = \mathbf{span} \left\{ \begin{bmatrix} -1 \\ 1 \\ 2 \end{bmatrix}, \begin{bmatrix} 0 \\ -5 \\ 3 \end{bmatrix} \right\}$.

Therefore, S is a subspace.

c. Yes, the vectors are linearly independent.

d. $S \neq \mathbb{R}^3$

47. Since $A(\mathbf{x} + c\mathbf{y}) = \begin{bmatrix} 1 \\ 2 \end{bmatrix} + c \begin{bmatrix} 1 \\ 2 \end{bmatrix} = \begin{bmatrix} 1 \\ 2 \end{bmatrix}$ if and only if $c = 0$, then S is not a subspace.

49. Let $B_1, B_2 \in S$. Since

$$\begin{aligned} A(B_1 + cB_2) &= AB_1 + cAB_2 \\ &= B_1 A + c(B_2 A) \\ &= (B_1 + cB_2)A \end{aligned}$$

then $B_1 + cB_2 \in S$ and S is a subspace.

Section 3.3

1. The set S has only two vectors, while $\dim(\mathbb{R}^3) = 3$.

3. Since the third vector can be written as the sum of the first two, the set S is not linearly independent.

5. Since the third polynomial is a linear combination of the first two, the set S is not linearly independent.

7. The set S is a linearly independent set of two vectors in $\mathbb{R}^2$.

9. The set S is a linearly independent set of three vectors in $\mathbb{R}^3$.

11. The set S is a linearly independent set of four vectors in $M_{2\times 2}$. Since $\dim(M_{2\times 2}) = 4$, then S is a basis.

13. The set S is a linearly independent set of three vectors in $\mathbb{R}^3$ and so is a basis.

15. The set S is linearly dependent and is therefore not a basis for $\mathbb{R}^4$.

17. The set S is a linearly independent set of three vectors in $\mathcal{P}_2$ so S is a basis.

19. A basis for S is $B = \left\{ \begin{bmatrix} 1 \\ -1 \\ 0 \end{bmatrix}, \begin{bmatrix} 2 \\ 1 \\ 1 \end{bmatrix} \right\}$ and $\dim(S) = 2$.

21. A basis for S is

$$B = \left\{ \begin{bmatrix} 1 & 0 \\ 0 & 0 \end{bmatrix}, \begin{bmatrix} 0 & 1 \\ 1 & 0 \end{bmatrix}, \begin{bmatrix} 0 & 0 \\ 0 & 1 \end{bmatrix} \right\}$$

and $\dim(S) = 3$.

23. A basis for S is $B = \left\{ x, x^2 \right\}$ and $\dim(S) = 2$.

25. The set S is already a basis for $\mathbb{R}^3$ since it is a linearly independent set of three vectors in $\mathbb{R}^3$.

27. A basis for the span of S is given by

$$B = \left\{ \begin{bmatrix} 2 \\ -3 \\ 0 \end{bmatrix}, \begin{bmatrix} 0 \\ 2 \\ 2 \end{bmatrix}, \begin{bmatrix} -1 \\ -1 \\ 0 \end{bmatrix} \right\}. \text{ Observe that}$$

$\mathbf{span}(S) = \mathbb{R}^3$.

29. A basis for the span of S is given by

$$B = \left\{ \begin{bmatrix} 2 \\ -3 \\ 0 \end{bmatrix}, \begin{bmatrix} 0 \\ 2 \\ 2 \end{bmatrix}, \begin{bmatrix} 4 \\ 0 \\ 4 \end{bmatrix} \right\}. \text{ Observe that}$$

$\mathbf{span}(S) = \mathbb{R}^3$.

31. A basis for $\mathbb{R}^3$ containing S is

$$B = \left\{ \begin{bmatrix} 2 \\ -1 \\ 3 \end{bmatrix}, \begin{bmatrix} 1 \\ 0 \\ 2 \end{bmatrix}, \begin{bmatrix} 1 \\ 0 \\ 0 \end{bmatrix} \right\}$$

33. A basis for $\mathbb{R}^4$ containing S is

$$B = \left\{ \begin{bmatrix} 1 \\ -1 \\ 2 \\ 4 \end{bmatrix}, \begin{bmatrix} 3 \\ 1 \\ 1 \\ 2 \end{bmatrix}, \begin{bmatrix} 1 \\ 0 \\ 0 \\ 0 \end{bmatrix}, \begin{bmatrix} 0 \\ 0 \\ 1 \\ 0 \end{bmatrix} \right\}$$

35. A basis for $\mathbb{R}^3$ containing S is

$$B = \left\{ \begin{bmatrix} -1 \\ 1 \\ 3 \end{bmatrix}, \begin{bmatrix} 1 \\ 1 \\ 1 \end{bmatrix}, \begin{bmatrix} 1 \\ 0 \\ 0 \end{bmatrix} \right\}$$

37. $B = \{\mathbf{e}_{ii} \mid 1 \le i \le n\}$
43. $\dim(W) = 2$

Section 3.4

1. $[\mathbf{v}]_B = \begin{bmatrix} 2 \\ -1 \end{bmatrix}$

3. $[\mathbf{v}]_B = \begin{bmatrix} 2 \\ -1 \\ 3 \end{bmatrix}$

5. $[\mathbf{v}]_B = \begin{bmatrix} 5 \\ 2 \\ -2 \end{bmatrix}$

7. $[\mathbf{v}]_B = \begin{bmatrix} -1 \\ 2 \\ -2 \\ 4 \end{bmatrix}$

9. $[\mathbf{v}]_{B_1} = \begin{bmatrix} -\frac{1}{4} \\ \frac{1}{8} \end{bmatrix}$; $[\mathbf{v}]_{B_2} = \begin{bmatrix} \frac{1}{2} \\ -\frac{1}{2} \end{bmatrix}$

11. $[\mathbf{v}]_{B_1} = \begin{bmatrix} 1 \\ 2 \\ -1 \end{bmatrix}$; $[\mathbf{v}]_{B_2} = \begin{bmatrix} 1 \\ 1 \\ 0 \end{bmatrix}$

13. $[I]_{B_1}^{B_2} = \begin{bmatrix} 1 & -1 \\ 1 & 1 \end{bmatrix}$

$$[\mathbf{v}]_{B_2} = [I]_{B_1}^{B_2}[\mathbf{v}]_{B_1} = \begin{bmatrix} -1 \\ 5 \end{bmatrix}$$

15. $[I]_{B_1}^{B_2} = \begin{bmatrix} 3 & 2 & 1 \\ -1 & -\frac{2}{3} & 0 \\ 0 & -\frac{1}{3} & 0 \end{bmatrix}$

$$[\mathbf{v}]_{B_2} = [I]_{B_1}^{B_2}[\mathbf{v}]_{B_1} = \begin{bmatrix} -1 \\ 1 \\ 0 \end{bmatrix}$$

17. $[I]_{B_1}^{B_2} = \begin{bmatrix} 0 & 0 & 1 \\ 1 & 0 & 0 \\ 0 & 1 & 0 \end{bmatrix}$

$$[\mathbf{v}]_{B_2} = [I]_{B_1}^{B_2}[\mathbf{v}]_{B_1} = \begin{bmatrix} 5 \\ 2 \\ 3 \end{bmatrix}$$

19. $\begin{bmatrix} a \\ b \\ c \end{bmatrix}_B = \begin{bmatrix} -a-b+c \\ a+b \\ a+2b-c \end{bmatrix}$

21. a. $[I]_{B_1}^{B_2} = \begin{bmatrix} 0 & 1 & 0 \\ 1 & 0 & 0 \\ 0 & 0 & 1 \end{bmatrix}$

b. $[\mathbf{v}]_{B_2} = [I]_{B_1}^{B_2} \begin{bmatrix} 1 \\ 2 \\ 3 \end{bmatrix} = \begin{bmatrix} 2 \\ 1 \\ 3 \end{bmatrix}$

23. a. $[I]_S^B = \begin{bmatrix} 1 & 1 \\ 0 & 2 \end{bmatrix}$

b. $\begin{bmatrix} 1 \\ 2 \end{bmatrix}_B = \begin{bmatrix} 3 \\ 4 \end{bmatrix}$ $\quad$ $\begin{bmatrix} 1 \\ 4 \end{bmatrix}_B = \begin{bmatrix} 5 \\ 8 \end{bmatrix}$

$\begin{bmatrix} 4 \\ 2 \end{bmatrix}_B = \begin{bmatrix} 6 \\ 4 \end{bmatrix}$ $\quad$ $\begin{bmatrix} 4 \\ 4 \end{bmatrix}_B = \begin{bmatrix} 8 \\ 8 \end{bmatrix}$

c.

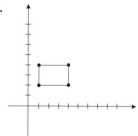

d.

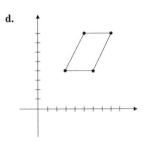

25. a. $[I]_{B_1}^{B_2} = \begin{bmatrix} -1 & -1 & 0 \\ 2 & 2 & -1 \\ 0 & -1 & 1 \end{bmatrix}$

b. $[2\mathbf{u}_1 - 2\mathbf{u}_2 + \mathbf{u}_3]_{B_2} = [I]_{B_1}^{B_2} \begin{bmatrix} 2 \\ -3 \\ 1 \end{bmatrix} = \begin{bmatrix} 1 \\ -3 \\ 4 \end{bmatrix}$

Section 3.5

1. a. $y_1 = e^{2x}, y_2 = e^{3x}$

b. $W[y_1, y_2](x) = \begin{vmatrix} e^{2x} & e^{3x} \\ 2e^{2x} & 3e^{3x} \end{vmatrix} = e^{5x} > 0$ for all x.

c. $y(x) = C_1 e^{2x} + C_2 e^{3x}$

3. a. $y_1 = e^{-2x}, y_2 = xe^{-2x}$

b. $W[y_1, y_2](x) = \begin{vmatrix} e^{-2x} & xe^{-2x} \\ -2e^{-2x} & e^{-2x} - 2xe^{-2x} \end{vmatrix} =$

$e^{-4x} > 0$ for all x.

c. $y(x) = C_1 e^{-2x} + C_2 x e^{-2x}$

5. $y(x) = e^x + 2xe^x$

7. a. $y_c(x) = C_1 e^{3x} + C_2 e^x$

b. $a = 1, b = 3, c = 4$

9. $y(x) = \frac{1}{4} \cos(8x)$

Review Exercises Chapter 3

1. $k \neq 69$

3. a. Since S is closed under vector addition and scalar multiplication, S is a subspace of $M_{2\times 2}$.

b. Yes, let $a = 3, b = -2, c = 0$.

c. $B = \left\{ \begin{bmatrix} 1 & 1 \\ 0 & 1 \end{bmatrix}, \begin{bmatrix} -1 & 0 \\ 1 & 0 \end{bmatrix}, \begin{bmatrix} 0 & 0 \\ 1 & -1 \end{bmatrix} \right\}$

d. The matrix $\begin{bmatrix} 0 & 1 \\ 2 & 1 \end{bmatrix}$ is not in S.

5. a. The set T is a basis since it is a linearly independent set of three vectors in the three-dimensional vector space V.

b. The set W is not a basis for V since it is not linearly independent.

7. Since $\mathbf{v}_1$ can be written as

$$\mathbf{v}_1 = \left(\frac{-c_2}{c_1} \right) \mathbf{v}_2 + \left(\frac{-c_3}{c_1} \right) \mathbf{v}_3 + \cdots + \left(\frac{-c_n}{c_1} \right) \mathbf{v}_n$$

then

$$V = \mathbf{span}\{\mathbf{v}_2, \mathbf{v}_3, \ldots, \mathbf{v}_n\}$$

9. a. The set $B = \{\mathbf{u}, \mathbf{v}\}$ is a basis for $\mathbb{R}^2$ since it is linearly independent. To see this, consider

$$a\mathbf{u} + b\mathbf{v} = \mathbf{0}$$

Now take the dot product of both sides with first $\mathbf{u}$, then $\mathbf{v}$, to show that $a = b = 0$.

b. If $[\mathbf{w}]_B = \begin{bmatrix} \alpha \\ \beta \end{bmatrix}$, then

$$\alpha = \frac{\begin{vmatrix} x & v_1 \\ y & v_2 \end{vmatrix}}{\begin{vmatrix} u_1 & v_1 \\ u_2 & v_2 \end{vmatrix}} = \frac{xv_2 - yv_1}{u_1 v_2 - v_1 u_2}$$

and

$$\beta = \frac{\begin{vmatrix} u_1 & x \\ u_2 & y \end{vmatrix}}{\begin{vmatrix} u_1 & v_1 \\ u_2 & v_2 \end{vmatrix}} = \frac{yu_1 - xu_2}{u_1 v_2 - v_1 u_2}.$$

Chapter Test: Chapter 3

1. F		2. T	
3. F		4. F	
5. T		6. F	
7. F		8. F	
9. T		10. T	
11. T		12. T	
13. T		14. T	
15. T		16. F	
17. F		18. F	
19. T		20. T	
21. T		22. T	
23. T		24. T	
25. T		26. F	
27. T		28. T	
29. T		30. F	
31. T		32. F	
33. T		34. F	
35. T			

Chapter 4

Section 4.1

1. T is linear.

3. T is not linear.

5. T is linear.

7. Since $T(x + y) \neq T(x) + T(y)$ for all real numbers x and y, T is not linear.

9. Since $T(c\mathbf{u}) \neq cT(\mathbf{u})$, T is not linear.

11. Since $T(\mathbf{0}) \neq \mathbf{0}$, T is not linear.

13. T is linear.

15. Since $T(cA) = c^2 T(A) \neq cT(A)$ for all scalars c, T is not linear.

17. a. $T(\mathbf{u}) = \begin{bmatrix} 2 \\ 3 \end{bmatrix}$; $T(\mathbf{v}) = \begin{bmatrix} -2 \\ -2 \end{bmatrix}$

   b. Yes

   c. Yes

19. a. $T(\mathbf{u}) = \begin{bmatrix} 0 \\ 0 \end{bmatrix}$; $T(\mathbf{v}) = \begin{bmatrix} 0 \\ -1 \end{bmatrix}$

   b. No. $T(\mathbf{u} + \mathbf{v}) = \begin{bmatrix} -1 \\ -1 \end{bmatrix}$; $T(\mathbf{u}) + T(\mathbf{v}) = \begin{bmatrix} 0 \\ -1 \end{bmatrix}$

   c. No, by part (b).

21. $T\left(\begin{bmatrix} 1 \\ -3 \end{bmatrix} \right) = \begin{bmatrix} 5 \\ -9 \end{bmatrix}$

23. $T(-3 + x - x^2) = -1 - 4x + 4x^2$

25. $T\left(\begin{bmatrix} 3 \\ 7 \end{bmatrix} \right) = \begin{bmatrix} 22 \\ -11 \end{bmatrix}$

27. a. No. The polynomial $2x^2 - 3x + 2$ cannot be written as a linear combination of x^2, $-3x$, and $-x^2 + 3x$.

   b. Yes. $T(3x^2 - 4x) = \frac{4}{3}x^2 + 6x - \frac{13}{3}$

29. a. $A = \begin{bmatrix} -1 & 0 \\ 0 & -1 \end{bmatrix}$

   b. $T(\mathbf{e}_1) = \begin{bmatrix} -1 \\ 0 \end{bmatrix}$ and $T(\mathbf{e}_2) = \begin{bmatrix} 0 \\ -1 \end{bmatrix}$. Observe that these are the column vectors of A.

31. $T\left(\begin{bmatrix} 0 \\ 0 \\ z \end{bmatrix} \right) = \begin{bmatrix} 0 \\ 0 \end{bmatrix}$, for all $z \in \mathbb{R}$

33. a. The zero vector is the only vector in $\mathbb{R}^3$ such that
$$T\left(\begin{bmatrix} x \\ y \\ z \end{bmatrix} \right) = \begin{bmatrix} 0 \\ 0 \end{bmatrix}$$

   b. $T\left(\begin{bmatrix} 1 \\ -2 \\ 2 \end{bmatrix} \right) = \begin{bmatrix} 7 \\ -6 \\ -9 \end{bmatrix}$

35. $T(c\mathbf{v} + \mathbf{w}) = \begin{bmatrix} cT_1(\mathbf{v}) + T_1(\mathbf{w}) \\ cT_2(\mathbf{v}) + T_2(\mathbf{w}) \end{bmatrix}$
$$= c \begin{bmatrix} T_1(\mathbf{v}) \\ T_2(\mathbf{v}) \end{bmatrix} + \begin{bmatrix} T_1(\mathbf{w}) \\ T_2(\mathbf{w}) \end{bmatrix}$$
$$= cT(\mathbf{v}) + T(\mathbf{w})$$

37. $T(kA + C) = (kA + C)B - B(kA + C)$
$$= kAB - kBA + CB - BC$$
$$= kT(A) + T(C)$$

39. a. $T(cf + g) = \int_0^1 [cf(x) + g(x)] \, dx$
$$= \int_0^1 cf(x) \, dx + \int_0^1 g(x) \, dx$$
$$= c \int_0^1 f(x) \, dx + \int_0^1 g(x) \, dx$$
$$= cT(f) + T(g)$$

   b. $T(2x^2 - x + 3) = \frac{19}{6}$

41. Since neither $\mathbf{v}$ nor $\mathbf{w}$ is the zero vector, if either $T(\mathbf{v}) = 0$ or $T(\mathbf{w}) = 0$, then the conclusion holds. Now assume that $T(\mathbf{v})$ and $T(\mathbf{w})$ are linearly dependent and not zero; then there exist scalars a_0 and b_0, not both 0, such that $a_0 T(\mathbf{v}) + b_0 T(\mathbf{w}) = \mathbf{0}$. Since $\mathbf{v}$ and $\mathbf{w}$ are linearly independent, then $a_0\mathbf{v} + b_0\mathbf{w} \neq \mathbf{0}$ and since T is linear, then $T(a_0\mathbf{v} + b_0\mathbf{w}) = \mathbf{0}$.

43. Let $T(\mathbf{v}) = \mathbf{0}$ for all $\mathbf{v}$ in $\mathbb{R}^3$.

Section 4.2

1. Since $T(\mathbf{v}) = \begin{bmatrix} 0 \\ 0 \end{bmatrix}$, $\mathbf{v}$ is in $N(T)$.

3. Since $T(\mathbf{v}) = \begin{bmatrix} -5 \\ 10 \end{bmatrix}$, $\mathbf{v}$ is not in $N(T)$.

5. Since $T(p(x)) = 2x$, $p(x)$ is not in $N(T)$.

7. Since $T(p(x)) = -2x$, $p(x)$ is not in $N(T)$.

9. Since $T\left(\begin{bmatrix} -1 \\ 2 \\ 1 \end{bmatrix} \right) = \mathbf{v}$, $\mathbf{v}$ is in $R(T)$.

11. The vector $\mathbf{v}$ is not in $R(T)$.

13. The matrix A is in $R(T)$ with $a = 1, b = 0, c = -2$, $d = -1$.

15. The matrix A is not in $R(T)$.

17. $\left\{ \begin{bmatrix} 0 \\ 0 \end{bmatrix} \right\}$

19. $\left\{ \begin{bmatrix} -2 \\ 1 \\ 1 \end{bmatrix} \right\}$

21. $\left\{ \begin{bmatrix} 2 \\ 1 \\ 0 \end{bmatrix}, \begin{bmatrix} 1 \\ 0 \\ 1 \end{bmatrix} \right\}$

23. $\{x, x^2\}$

25. $\left\{ \begin{bmatrix} 1 \\ 0 \\ 2 \end{bmatrix}, \begin{bmatrix} 1 \\ 1 \\ 0 \end{bmatrix}, \begin{bmatrix} 2 \\ -1 \\ 1 \end{bmatrix} \right\}$

27. $\left\{ \begin{bmatrix} 1 \\ 0 \\ 0 \end{bmatrix}, \begin{bmatrix} 0 \\ 1 \\ 0 \end{bmatrix} \right\}$

29. $\{1, x, x^2\}$

31. a. No, $\begin{bmatrix} -6 \\ 5 \\ 0 \end{bmatrix}$ is not in $R(T)$.

 b. $\left\{ \begin{bmatrix} -2 \\ 1 \\ 1 \end{bmatrix}, \begin{bmatrix} 0 \\ 1 \\ -1 \end{bmatrix} \right\}$

 c. Since $\dim(N(T)) + \dim(R(T)) = \dim(\mathbb{R}^3) = 3$ and $\dim(R(T)) = 2$, then $\dim(N(T)) = 1$.

33. a. The polynomial $2x^2 - 4x + 6$ is not in $R(T)$.

 b. $\{-2x + 1, x^2 + x\} = \{T(x), T(x^2)\}$

35. $T\left(\begin{bmatrix} x \\ y \\ z \end{bmatrix} \right) = \begin{bmatrix} x \\ y \end{bmatrix}$

37. a. The range $R(T)$ is the subspace of $\mathcal{P}_n$ consisting of all polynomials of degree $n - 1$ or less.

 b. $\dim(R(T)) = n$

 c. $\dim(N(T)) = 1$

39. a. $\dim(R(T)) = 2$

 b. $\dim(N(T)) = 1$

41. $\left\{ \begin{bmatrix} 1 & 0 \\ 0 & 0 \end{bmatrix}, \begin{bmatrix} 0 & 0 \\ 0 & 1 \end{bmatrix} \right\}$

43. a. The range of T is the set of symmetric matrices.

 b. The null space of T is the set of skew-symmetric matrices.

45. If the matrix A is invertible, then $R(T) = M_{n \times n}$.

Section 4.3

1. T is one-to-one.

3. T is one-to-one.

5. T is one-to-one.

7. T is onto $\mathbb{R}^2$.

9. T is onto $\mathbb{R}^3$.

11. Is a basis

13. Is a basis

15. Is a basis

17. Is a basis

19. Is a basis

21. a. Since $\det(A) = \det\left(\begin{bmatrix} 1 & 0 \\ -2 & -3 \end{bmatrix} \right) = -3 \neq 0$, then T is an isomorphism.

 b. $A^{-1} = -\frac{1}{3} \begin{bmatrix} -3 & 0 \\ 2 & 1 \end{bmatrix}$

 c. $A^{-1}T\left(\begin{bmatrix} x \\ y \end{bmatrix} \right)$
$= \begin{bmatrix} 1 & 0 \\ -\frac{2}{3} & -\frac{1}{3} \end{bmatrix} \begin{bmatrix} x \\ -2x - 3y \end{bmatrix}$
$= \begin{bmatrix} x \\ y \end{bmatrix}$

23. a. Since
$$\det(A) = \det\left(\begin{bmatrix} -2 & 0 & 1 \\ 1 & -1 & -1 \\ 0 & 1 & 0 \end{bmatrix} \right)$$
$$= -1 \neq 0$$
then T is an isomorphism.

 b. $A^{-1} = \begin{bmatrix} -1 & -1 & -1 \\ 0 & 0 & 1 \\ -1 & -2 & -2 \end{bmatrix}$

 c. $A^{-1}T\left(\begin{bmatrix} x \\ y \\ z \end{bmatrix} \right)$
$= \begin{bmatrix} -1 & -1 & -1 \\ 0 & 0 & 1 \\ -1 & -2 & -2 \end{bmatrix} \begin{bmatrix} -2x + z \\ x - y - z \\ y \end{bmatrix}$
$= \begin{bmatrix} x \\ y \\ z \end{bmatrix}$

25. T is an isomorphism.

27. T is an isomorphism.

29. Since $T(cA + B) = (cA + B)^t = cA^t + B^t = cT(A) + T(B)$, T is linear. Since $T(A) = \mathbf{0}$ implies that $A = \mathbf{0}$, T is one-to-one. If B is a matrix in $M_{n \times n}$ and $A = B^t$, then $T(A) = T(B^t) = (B^t)^t = B$, so T is onto. Hence, T is an isomorphism.

31. Since $T(kB + C) = A(kB + C)A^{-1} = kABA^{-1} + ACA^{-1} = kT(B) + T(C)$, T is linear. Since $T(B) = ABA^{-1} = \mathbf{0}$ implies that $B = \mathbf{0}$, T is one-to-one. If C is

a matrix in $M_{n \times n}$ and $B = A^{-1}CA$, then
$T(B) = T(A^{-1}CA) = A(A^{-1}CA)A^{-1} = C$, so T is onto.
Hence, T is an isomorphism.

33.
$$T\left(\begin{bmatrix} a \\ b \\ c \\ d \end{bmatrix}\right) = ax^3 + bx^2 + cx + d$$

35. Since
$$V = \left\{ \begin{bmatrix} x \\ y \\ x + 2y \end{bmatrix} \,\middle|\, x, y \in \mathbb{R} \right\}$$

define $T: V \to \mathbb{R}^2$ by

$$T\left(\begin{bmatrix} x \\ y \\ x + 2y \end{bmatrix}\right) = \begin{bmatrix} x \\ y \end{bmatrix}$$

37. Let $\mathbf{v}$ be a nonzero vector in $\mathbb{R}^3$. Then a line L through the origin can be given by

$$L = \{t\mathbf{v} \mid t \in \mathbb{R}\}$$

Now, let $T: \mathbb{R}^3 \longrightarrow \mathbb{R}^3$ be an isomorphism. Since T is linear, $T(t\mathbf{v}) = tT(\mathbf{v})$. Also, by Theorem 8, $T(\mathbf{v})$ is nonzero. Hence, the set

$$L' = \{tT(\mathbf{v}) \mid t \in \mathbb{R}\}$$

is also a line in $\mathbb{R}^3$ through the origin. The proof for a plane is similar with the plane being given by

$$P = \{s\mathbf{u} + t\mathbf{v} \mid s, t \in \mathbb{R}\}$$

for two linearly independent vectors $\mathbf{u}$ and $\mathbf{v}$ in $\mathbb{R}^3$.

Section 4.4

1. a. $[T]_B = \begin{bmatrix} 5 & -1 \\ -1 & 1 \end{bmatrix}$

b. $T\begin{bmatrix} 2 \\ 1 \end{bmatrix} = \begin{bmatrix} 9 \\ -1 \end{bmatrix}$;

$$T\begin{bmatrix} 2 \\ 1 \end{bmatrix} = \begin{bmatrix} 5 & -1 \\ -1 & 1 \end{bmatrix}\begin{bmatrix} 2 \\ 1 \end{bmatrix} = \begin{bmatrix} 9 \\ -1 \end{bmatrix}$$

3. a. $[T]_B = \begin{bmatrix} -1 & 1 & 2 \\ 0 & 3 & 1 \\ 1 & 0 & -1 \end{bmatrix}$

b. $T\begin{bmatrix} 1 \\ -2 \\ 3 \end{bmatrix} = \begin{bmatrix} 3 \\ -3 \\ -2 \end{bmatrix} = [T]_B\begin{bmatrix} 1 \\ -2 \\ 3 \end{bmatrix}$

5. a. $[T]_B^{B'} = \begin{bmatrix} -3 & -2 \\ 3 & 6 \end{bmatrix}$

b. $T\begin{bmatrix} -1 \\ -2 \end{bmatrix} = \begin{bmatrix} -3 \\ -3 \end{bmatrix}$;

$$T\begin{bmatrix} -1 \\ -2 \end{bmatrix} = \begin{bmatrix} -3 & -2 \\ 3 & 6 \end{bmatrix}\begin{bmatrix} -1 \\ -2 \end{bmatrix}_B$$

$$= \begin{bmatrix} -3 & -2 \\ 3 & 6 \end{bmatrix}\begin{bmatrix} 2 \\ -\frac{3}{2} \end{bmatrix} = \begin{bmatrix} -3 \\ -3 \end{bmatrix}$$

7. a. $[T]_B^{B'} = \begin{bmatrix} -\frac{2}{3} & \frac{2}{3} \\ \frac{13}{6} & -\frac{5}{3} \end{bmatrix}$

b. $T\begin{bmatrix} -1 \\ -3 \end{bmatrix} = \begin{bmatrix} -2 \\ -4 \end{bmatrix}$;

$$\left[T\begin{bmatrix} -1 \\ -3 \end{bmatrix}\right]_{B'} = [T]_B^{B'}\begin{bmatrix} -1 \\ -3 \end{bmatrix}_B = [T]_B^{B'}\begin{bmatrix} 2 \\ 1 \end{bmatrix}$$

$$= \begin{bmatrix} -\frac{2}{3} \\ \frac{8}{3} \end{bmatrix}$$

$$T\begin{bmatrix} -1 \\ -3 \end{bmatrix} = -\frac{2}{3}\begin{bmatrix} 3 \\ -2 \end{bmatrix} + \frac{8}{3}\begin{bmatrix} 0 \\ -2 \end{bmatrix} = \begin{bmatrix} -2 \\ -4 \end{bmatrix}$$

9. a. $[T]_B^{B'} = \begin{bmatrix} 1 & 1 & 1 \\ 0 & -1 & -2 \\ 0 & 0 & 1 \end{bmatrix}$

b. $T(x^2 - 3x + 3) = x^2 - 3x + 3$;

$$\left[T(x^2 - 3x + 3)\right]_{B'} = [T]_B^{B'}[x^2 - 3x + 3]_B$$

$$= [T]_B^{B'}\begin{bmatrix} 1 \\ 1 \\ 1 \end{bmatrix} = \begin{bmatrix} 3 \\ -3 \\ 1 \end{bmatrix}$$

$$T(x^2 - 3x + 3) = 3 - 3x + x^2$$

11. If $A = \begin{bmatrix} a & b \\ c & -a \end{bmatrix}$, then $T(A) = \begin{bmatrix} 0 & -2b \\ 2c & 0 \end{bmatrix}$.

a. $[T]_B = \begin{bmatrix} 0 & 0 & 0 \\ 0 & -2 & 0 \\ 0 & 0 & 2 \end{bmatrix}$

b. $T\left(\begin{bmatrix} 2 & 1 \\ 3 & -2 \end{bmatrix}\right) = \begin{bmatrix} 0 & -2 \\ 6 & 0 \end{bmatrix}$;

$$\left[T\left(\begin{bmatrix} 2 & 1 \\ 3 & -2 \end{bmatrix}\right)\right]_B = [T]_B\begin{bmatrix} 2 \\ 1 \\ 3 \end{bmatrix} = \begin{bmatrix} 0 \\ -2 \\ 6 \end{bmatrix}$$

$$T\left(\begin{bmatrix} 2 & 1 \\ 3 & -2 \end{bmatrix}\right) = 0\begin{bmatrix} 1 & 0 \\ 0 & -1 \end{bmatrix} - 2\begin{bmatrix} 0 & 1 \\ 0 & 0 \end{bmatrix}$$
$$+ 6\begin{bmatrix} 0 & 0 \\ 1 & 0 \end{bmatrix}$$
$$= \begin{bmatrix} 0 & -2 \\ 6 & 0 \end{bmatrix}$$

13. a. $[T]_B = \begin{bmatrix} 1 & 2 \\ 1 & -1 \end{bmatrix}$

b. $[T]_{B'} = \dfrac{1}{9}\begin{bmatrix} 1 & 22 \\ 11 & -1 \end{bmatrix}$

c. $[T]_B^{B'} = \dfrac{1}{9}\begin{bmatrix} 5 & -2 \\ 1 & 5 \end{bmatrix}$

d. $[T]_{B'}^B = \dfrac{1}{3}\begin{bmatrix} 5 & 2 \\ -1 & 5 \end{bmatrix}$

e. $[T]_C^{B'} = \dfrac{1}{9}\begin{bmatrix} -2 & 5 \\ 5 & 1 \end{bmatrix}$

f. $[T]_{C'}^{B'} = \dfrac{1}{9}\begin{bmatrix} 22 & 1 \\ -1 & 11 \end{bmatrix}$

15. a. $[T]_B^{B'} = \begin{bmatrix} 0 & 0 \\ 1 & 0 \\ 0 & \frac{1}{2} \end{bmatrix}$

b. $[T]_C^{B'} = \begin{bmatrix} 0 & 0 \\ 0 & 1 \\ \frac{1}{2} & 0 \end{bmatrix}$

c. $[T]_C^{C'} = \begin{bmatrix} 0 & 1 \\ 0 & 0 \\ \frac{1}{2} & 0 \end{bmatrix}$

d. $[S]_{B'}^B = \begin{bmatrix} 0 & 1 & 0 \\ 0 & 0 & 2 \end{bmatrix}$

e. $[S]_{B'}^B[T]_B^{B'} = \begin{bmatrix} 1 & 0 \\ 0 & 1 \end{bmatrix}$

$[T]_B^{B'}[S]_{B'}^B = \begin{bmatrix} 0 & 0 & 0 \\ 0 & 1 & 0 \\ 0 & 0 & 1 \end{bmatrix}$

f. The function $S \circ T$ is the identity map; that is, $(S \circ T)(ax + b) = ax + b$ so S reverses the action of T.

17. $[T]_B = \begin{bmatrix} 1 & 0 \\ 0 & -1 \end{bmatrix}$

The transformation T reflects a vector across the x-axis.

19. $[T]_B = cI$

21. $[T]_B^{B'} = [1\ 0\ 0\ 1]$

23. a. $[2T + S]_B = 2[T]_B + [S]_B = \begin{bmatrix} 5 & 2 \\ -1 & 7 \end{bmatrix}$

b. $\begin{bmatrix} -4 \\ 23 \end{bmatrix}$

25. a. $[S \circ T]_B = [S]_B[T]_B = \begin{bmatrix} 2 & 1 \\ 1 & 4 \end{bmatrix}$

b. $\begin{bmatrix} -1 \\ 10 \end{bmatrix}$

27. a. $[-3T + 2S]_B = \begin{bmatrix} 3 & 3 & 1 \\ 2 & -6 & -6 \\ 3 & -3 & -1 \end{bmatrix}$

b. $\begin{bmatrix} 3 \\ -26 \\ -9 \end{bmatrix}$

29. a. $[S \circ T]_B = \begin{bmatrix} 4 & -4 & -4 \\ 1 & -1 & -1 \\ -1 & 1 & 1 \end{bmatrix}$

b. $\begin{bmatrix} -20 \\ -5 \\ 5 \end{bmatrix}$

31. $[T]_B = \begin{bmatrix} 0 & 0 & 0 & 6 & 0 \\ 0 & 0 & 0 & 0 & 24 \\ 0 & 0 & 0 & 0 & 0 \\ 0 & 0 & 0 & 0 & 0 \\ 0 & 0 & 0 & 0 & 0 \end{bmatrix}$

$[T(p(x))]_B = \begin{bmatrix} -12 \\ -48 \\ 0 \\ 0 \\ 0 \end{bmatrix}$

$T(p(x)) = p'''(x) = -12 - 48x$

33. $[S]_B^{B'} = \begin{bmatrix} 0 & 0 & 0 \\ 1 & 0 & 0 \\ 0 & 1 & 0 \\ 0 & 0 & 1 \end{bmatrix}$

$[D]_B^{B'} = \begin{bmatrix} 0 & 1 & 0 & 0 \\ 0 & 0 & 2 & 0 \\ 0 & 0 & 0 & 3 \end{bmatrix}$

$[D]_B^{B'}[S]_B^{B'} = \begin{bmatrix} 1 & 0 & 0 \\ 0 & 2 & 0 \\ 0 & 0 & 3 \end{bmatrix} = [T]_B$

35. If $A = \begin{bmatrix} a & b \\ c & d \end{bmatrix}$, then the matrix representation for T is

$$[T]_S = \begin{bmatrix} 0 & -c & b & 0 \\ -b & a-d & 0 & b \\ c & 0 & d-a & -c \\ 0 & c & -b & 0 \end{bmatrix}$$

37. $[T]_B = \begin{bmatrix} 1 & 1 & 0 & 0 & \cdots & \cdots & 0 & 0 \\ 0 & 1 & 1 & 0 & \cdots & \cdots & 0 & 0 \\ 0 & 0 & 1 & 1 & \cdots & \cdots & 0 & 0 \\ \vdots & \vdots & \vdots & \vdots & \vdots & \vdots & \vdots & \vdots \\ 0 & 0 & 0 & 0 & 0 & \cdots & 1 & 0 \\ 0 & 0 & 0 & 0 & 0 & \cdots & 1 & 1 \\ 0 & 0 & 0 & 0 & 0 & \cdots & 0 & 1 \end{bmatrix}$

Section 4.5

1.
$$[T]_{B_1}[\mathbf{v}]_{B_1} = \begin{bmatrix} 1 & 2 \\ -1 & 3 \end{bmatrix}\begin{bmatrix} 4 \\ -1 \end{bmatrix} = \begin{bmatrix} 2 \\ -7 \end{bmatrix}$$
$$[T]_{B_2}[\mathbf{v}]_{B_2} = \begin{bmatrix} 2 & 1 \\ -1 & 2 \end{bmatrix}\begin{bmatrix} -1 \\ -5 \end{bmatrix} = \begin{bmatrix} -7 \\ 9 \end{bmatrix}$$

To show the results are the same, observe that
$$-7\begin{bmatrix} 1 \\ 1 \end{bmatrix} + (-9)\begin{bmatrix} -1 \\ 0 \end{bmatrix} = \begin{bmatrix} 2 \\ -7 \end{bmatrix}.$$

3. a. $[T]_{B_1} = \begin{bmatrix} 1 & 1 \\ 1 & 1 \end{bmatrix}$; $[T]_{B_2} = \begin{bmatrix} 2 & 0 \\ 0 & 0 \end{bmatrix}$

b.
$$[T]_{B_1}[\mathbf{v}]_{B_1} = \begin{bmatrix} 1 & 1 \\ 1 & 1 \end{bmatrix}\begin{bmatrix} 3 \\ -2 \end{bmatrix} = \begin{bmatrix} 1 \\ 1 \end{bmatrix}$$
$$[T]_{B_2}[\mathbf{v}]_{B_2} = \begin{bmatrix} 2 & 0 \\ 0 & 0 \end{bmatrix}\begin{bmatrix} \frac{1}{2} \\ -\frac{5}{2} \end{bmatrix} = \begin{bmatrix} 1 \\ 0 \end{bmatrix}$$

To show the results are the same, observe that
$$1\begin{bmatrix} 1 \\ 1 \end{bmatrix} + 0\begin{bmatrix} -1 \\ 1 \end{bmatrix} = \begin{bmatrix} 1 \\ 1 \end{bmatrix}$$

5. a. $[T]_{B_1} = \begin{bmatrix} 1 & 0 & 0 \\ 0 & 0 & 0 \\ 0 & 0 & 1 \end{bmatrix}$

$$[T]_{B_2} = \begin{bmatrix} 1 & -1 & 0 \\ 0 & 0 & 0 \\ 0 & 1 & 1 \end{bmatrix}$$

b.
$$[T]_{B_1}[\mathbf{v}]_{B_1} = \begin{bmatrix} 1 & 0 & 0 \\ 0 & 0 & 0 \\ 0 & 0 & 1 \end{bmatrix}\begin{bmatrix} 1 \\ 2 \\ -1 \end{bmatrix} = \begin{bmatrix} 1 \\ 0 \\ -1 \end{bmatrix}$$

$$[T]_{B_2}[\mathbf{v}]_{B_2} = \begin{bmatrix} 1 & -1 & 0 \\ 0 & 0 & 0 \\ 0 & 1 & 1 \end{bmatrix}\begin{bmatrix} 3 \\ 2 \\ -4 \end{bmatrix} = \begin{bmatrix} 1 \\ 0 \\ -2 \end{bmatrix}$$

To show that the results are the same, observe that
$$1\begin{bmatrix} 1 \\ 0 \\ 1 \end{bmatrix} + 0\begin{bmatrix} -1 \\ 1 \\ 0 \end{bmatrix} + (-2)\begin{bmatrix} 0 \\ 0 \\ 1 \end{bmatrix} = \begin{bmatrix} 1 \\ 0 \\ -1 \end{bmatrix}$$

7. $P = [I]_{B_2}^{B_1} = \begin{bmatrix} 3 & -1 \\ -1 & 1 \end{bmatrix}$

$$[T]_{B_2} = P^{-1}[T]_{B_1}P$$

$$= \frac{1}{2}\begin{bmatrix} 1 & 1 \\ 1 & 3 \end{bmatrix}\begin{bmatrix} 1 & 1 \\ 3 & 2 \end{bmatrix}\begin{bmatrix} 3 & -1 \\ -1 & 1 \end{bmatrix}$$

$$= \begin{bmatrix} \frac{9}{2} & -\frac{1}{2} \\ \frac{23}{2} & -\frac{3}{2} \end{bmatrix}$$

9. $P = [I]_{B_2}^{B_1} = \begin{bmatrix} \frac{1}{3} & 1 \\ \frac{1}{3} & -1 \end{bmatrix}$

$$[T]_{B_2} = P^{-1}[T]_{B_1}P$$

$$= \begin{bmatrix} \frac{3}{2} & \frac{3}{2} \\ \frac{1}{2} & -\frac{1}{2} \end{bmatrix}\begin{bmatrix} 1 & 0 \\ 0 & -1 \end{bmatrix}\begin{bmatrix} \frac{1}{3} & 1 \\ \frac{1}{3} & -1 \end{bmatrix}$$

$$= \begin{bmatrix} 0 & 3 \\ \frac{1}{3} & 0 \end{bmatrix}$$

11. $P = [I]_{B_2}^{B_1} = \begin{bmatrix} 2 & 1 \\ 3 & 2 \end{bmatrix}$

$$[T]_{B_2} = P^{-1}[T]_{B_1}P$$

$$= \begin{bmatrix} 2 & -1 \\ -3 & 2 \end{bmatrix}\begin{bmatrix} 2 & 0 \\ 0 & 3 \end{bmatrix}\begin{bmatrix} 2 & 1 \\ 3 & 2 \end{bmatrix}$$

$$= \begin{bmatrix} -1 & -2 \\ 6 & 6 \end{bmatrix}$$

13. $[T]_{B_1} = \begin{bmatrix} 1 & -1 \\ -2 & 1 \end{bmatrix}$

$$P = [I]_{B_2}^{B_1} = \begin{bmatrix} -1 & -1 \\ 2 & 1 \end{bmatrix}$$

$$[T]_{B_2} = P^{-1}[T]_{B_1}P$$

$$= \begin{bmatrix} 1 & 1 \\ -2 & -1 \end{bmatrix}\begin{bmatrix} 1 & -1 \\ -2 & 1 \end{bmatrix}\begin{bmatrix} -1 & -1 \\ 2 & 1 \end{bmatrix}$$

$$= \begin{bmatrix} 1 & 1 \\ 2 & 1 \end{bmatrix}$$

15. $[T]_{B_1} = \begin{bmatrix} 0 & 1 & 0 \\ 0 & 0 & 2 \\ 0 & 0 & 0 \end{bmatrix}$

$[T]_{B_2} = \begin{bmatrix} 0 & 2 & 0 \\ 0 & 0 & 1 \\ 0 & 0 & 0 \end{bmatrix}$

If

$$P = [I]_{B_2}^{B_1} = \begin{bmatrix} 1 & 0 & -2 \\ 0 & 2 & 0 \\ 0 & 0 & 1 \end{bmatrix}$$

then $[T]_{B_2} = P^{-1}[T]_{B_1}P$.

17. Since A and B are similar, there is an invertible matrix P such that $B = P^{-1}AP$. Also since B and C are similar, there is an invertible matrix Q such that $C = Q^{-1}BQ$. Therefore, $C = Q^{-1}P^{-1}APQ = (PQ)^{-1}A(PQ)$ so that A and C are also similar.

19. For any square matrices A and B the trace function satisfies the property $\mathbf{tr}(AB) = \mathbf{tr}(BA)$. Now, since A and B are similar matrices, there exists an invertible matrix P such that $B = P^{-1}AP$. Hence,

$$\mathbf{tr}(B) = \mathbf{tr}(P^{-1}AP) = \mathbf{tr}(APP^{-1}) = \mathbf{tr}(A)$$

21. Since A and B are similar matrices, there exists an invertible matrix P such that $B = P^{-1}AP$. Hence,

$$B^n = (P^{-1}AP)^n = P^{-1}A^nP$$

Thus, A^n and B^n are similar.

Section 4.6

1. a. $\begin{bmatrix} 1 & 0 \\ 0 & -1 \end{bmatrix}$

b. $\begin{bmatrix} -1 & 0 \\ 0 & 1 \end{bmatrix}$

c. $\begin{bmatrix} 1 & 0 \\ 0 & 3 \end{bmatrix}$

3. a. $[T]_S = \begin{bmatrix} 3 & 0 \\ 0 & -\frac{1}{2} \end{bmatrix}$

b.

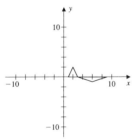

c. $[T]_S^{-1} = \begin{bmatrix} \frac{1}{3} & 0 \\ 0 & -2 \end{bmatrix}$

5. a. $[T]_S = \begin{bmatrix} -\sqrt{2}/2 & \sqrt{2}/2 \\ -\sqrt{2}/2 & -\sqrt{2}/2 \end{bmatrix}$

b.

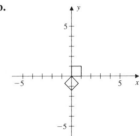

c. $[T]_S^{-1} = \begin{bmatrix} -\sqrt{2}/2 & -\sqrt{2}/2 \\ \sqrt{2}/2 & -\sqrt{2}/2 \end{bmatrix}$

7. a. $\begin{bmatrix} \sqrt{3}/2 & -1/2 & \sqrt{3}/2 - 1/2 \\ 1/2 & \sqrt{3}/2 & \sqrt{3}/2 + 1/2 \\ 0 & 0 & 1 \end{bmatrix}$

b.

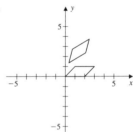

c. $\begin{bmatrix} \sqrt{3}/2 & 1/2 & -1 \\ -1/2 & \sqrt{3}/2 & -1 \\ 0 & 0 & 1 \end{bmatrix}$

9. a. $\begin{bmatrix} \begin{bmatrix} 0 \\ 0 \end{bmatrix} \end{bmatrix}_B = \begin{bmatrix} 0 \\ 0 \end{bmatrix}$

$\begin{bmatrix} \begin{bmatrix} 2 \\ 2 \end{bmatrix} \end{bmatrix}_B = \begin{bmatrix} 2 \\ 0 \end{bmatrix}$

$\begin{bmatrix} \begin{bmatrix} 0 \\ 2 \end{bmatrix} \end{bmatrix}_B = \begin{bmatrix} 1 \\ 1 \end{bmatrix}$

b. $[T]_B^S = \begin{bmatrix} 1 & 1 \\ 1 & -1 \end{bmatrix}$

c. $\begin{bmatrix} 1 & 1 \\ 1 & -1 \end{bmatrix}\begin{bmatrix} 0 \\ 0 \end{bmatrix} = \begin{bmatrix} 0 \\ 0 \end{bmatrix}$

$\begin{bmatrix} 1 & 1 \\ 1 & -1 \end{bmatrix}\begin{bmatrix} 2 \\ 0 \end{bmatrix} = \begin{bmatrix} 2 \\ 2 \end{bmatrix}$

$$\begin{bmatrix} 1 & 1 \\ 1 & -1 \end{bmatrix}\begin{bmatrix} 1 \\ 1 \end{bmatrix} = \begin{bmatrix} 2 \\ 0 \end{bmatrix}$$

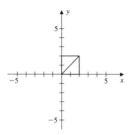

The original triangle is reflected across the line $y = x$.

d. $\begin{bmatrix} 0 & 1 \\ 1 & 0 \end{bmatrix}\begin{bmatrix} 0 \\ 0 \end{bmatrix} = \begin{bmatrix} 0 \\ 0 \end{bmatrix}$

$\begin{bmatrix} 0 & 1 \\ 1 & 0 \end{bmatrix}\begin{bmatrix} 2 \\ 2 \end{bmatrix} = \begin{bmatrix} 2 \\ 2 \end{bmatrix}$

$\begin{bmatrix} 0 & 1 \\ 1 & 0 \end{bmatrix}\begin{bmatrix} 0 \\ 2 \end{bmatrix} = \begin{bmatrix} 2 \\ 0 \end{bmatrix}$

Review Exercises Chapter 4

1. a. The vectors are not scalar multiples, so S is a basis.

b. $T\begin{bmatrix} x \\ y \end{bmatrix} = \begin{bmatrix} x \\ x+y \\ x-y \\ 2y \end{bmatrix}$

c. $N(T) = \{\mathbf{0}\}$

d. Since $N(T) = \{\mathbf{0}\}$, T is one-to-one.

e. $\left\{\begin{bmatrix} 1 \\ 1 \\ 1 \\ 2 \end{bmatrix}, \begin{bmatrix} 0 \\ 1 \\ -1 \\ 2 \end{bmatrix}\right\}$

f. No, T is not onto since $\dim(R(T)) = 2$ and

$\dim(\mathbb{R}^4) = 4$. Also $\begin{bmatrix} a \\ b \\ c \\ d \end{bmatrix}$ is in $R(T)$ if and only

if $c + b - 2a = 0$.

g. $\left\{\begin{bmatrix} 1 \\ 0 \\ 1 \\ 1 \end{bmatrix}, \begin{bmatrix} -1 \\ 1 \\ 0 \\ 1 \end{bmatrix}, \begin{bmatrix} 1 \\ 0 \\ 0 \\ 0 \end{bmatrix}, \begin{bmatrix} 0 \\ 1 \\ 0 \\ 0 \end{bmatrix}\right\}$

h. $[T]_B^C = \begin{bmatrix} -1 & 2 \\ 5 & -4 \\ 7 & -5 \\ -2 & 4 \end{bmatrix}$

i. $\left[A\begin{bmatrix} x \\ y \end{bmatrix}\right]_C = \begin{bmatrix} -1 & 2 \\ 5 & -4 \\ 7 & -5 \\ -2 & 4 \end{bmatrix}\left[\begin{bmatrix} x \\ y \end{bmatrix}\right]_B$

$= \begin{bmatrix} -1 & 2 \\ 5 & -4 \\ 7 & -5 \\ -2 & 4 \end{bmatrix}\begin{bmatrix} \frac{1}{3}x + \frac{1}{3}y \\ \frac{2}{3}x - \frac{1}{3}y \end{bmatrix}$

$= \begin{bmatrix} x-y \\ -x+3y \\ -x+4y \\ 2x-2y \end{bmatrix}$

This implies that $A\begin{bmatrix} x \\ y \end{bmatrix} = \begin{bmatrix} x \\ x+y \\ x-y \\ 2y \end{bmatrix}$.

3. a. $S\begin{bmatrix} x \\ y \end{bmatrix} = \begin{bmatrix} x \\ -y \end{bmatrix}$; $T\begin{bmatrix} x \\ y \end{bmatrix} = \begin{bmatrix} -x \\ y \end{bmatrix}$

b. $[S]_B = \begin{bmatrix} 1 & 0 \\ 0 & -1 \end{bmatrix}$; $[T]_B = \begin{bmatrix} -1 & 0 \\ 0 & 1 \end{bmatrix}$

c. $[T \circ S]_B = \begin{bmatrix} -1 & 0 \\ 0 & -1 \end{bmatrix} = [S \circ T]_B$

The linear operators $S \circ T$ and $T \circ S$ reflect a vector through the origin.

5. a. $[T]_B = \begin{bmatrix} 0 & 1 \\ 1 & 0 \end{bmatrix}$

b. $[T]_B^{B'} = \begin{bmatrix} 1 & 0 \\ 0 & 1 \end{bmatrix}$

7. a. $[T]_B = \begin{bmatrix} 1 & 0 & 0 \\ 0 & 0 & 1 \\ 0 & 1 & 0 \end{bmatrix}$

b. $\left[T\begin{bmatrix} -1 \\ 2 \\ 1 \end{bmatrix}\right]_B = \begin{bmatrix} -1 \\ 1 \\ 2 \end{bmatrix} = T\begin{bmatrix} -1 \\ 2 \\ 1 \end{bmatrix}$

c. $N(T) = \left\{\begin{bmatrix} 0 \\ 0 \\ 0 \end{bmatrix}\right\}$

d. $R(T) = \mathbb{R}^3$

e. $[T^n]_B = \begin{bmatrix} 1 & 0 & 0 \\ 0 & 0 & 1 \\ 0 & 1 & 0 \end{bmatrix}^n$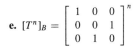

9. Since $T^2 - T + I = \mathbf{0}, T - T^2 = I$. Then

$$(T \circ (I - T))(\mathbf{v}) = T((I - T)(\mathbf{v})) = T(\mathbf{v} - T(\mathbf{v}))$$
$$= T(\mathbf{v}) - T^2(\mathbf{v}) = I(\mathbf{v}) = \mathbf{v}$$

Chapter Test: Chapter 4

1. F   2. F
3. T   4. T
5. T   6. F
7. F   8. F
9. T   10. F
11. T   12. F
13. T   14. T
15. T   16. T
17. T   18. T
19. T   20. T
21. F   22. F
23. T   24. F
25. T   26. F
27. F   28. T
29. F   30. T
31. F   32. F
33. T   34. F
35. F   36. T
37. T   38. T
39. F   40. T

Chapter 5

Section 5.1

1. $\lambda = 3$

3. $\lambda = 0$

5. $\lambda = 1$

7. **a.** $\lambda^2 + 5\lambda = 0$

   b. $\lambda_1 = 0, \lambda_2 = -5$

   c. $\mathbf{v}_1 = \begin{bmatrix} 1 \\ 1 \end{bmatrix}, \mathbf{v}_2 = \begin{bmatrix} -2 \\ 3 \end{bmatrix}$

d. $\begin{bmatrix} -2 & 2 \\ 3 & -3 \end{bmatrix} \begin{bmatrix} 1 \\ 1 \end{bmatrix} = \begin{bmatrix} 0 \\ 0 \end{bmatrix} = 0 \begin{bmatrix} 1 \\ 1 \end{bmatrix}$;

$\begin{bmatrix} -2 & 2 \\ 3 & -3 \end{bmatrix} \begin{bmatrix} -2 \\ 3 \end{bmatrix} = \begin{bmatrix} 10 \\ -15 \end{bmatrix} = -5 \begin{bmatrix} -2 \\ 3 \end{bmatrix}$

9. **a.** $(\lambda - 1)^2 = 0$

   b. $\lambda_1 = 1$

   c. $\mathbf{v}_1 = \begin{bmatrix} 1 \\ 0 \end{bmatrix}$

   d. $\begin{bmatrix} 1 & -2 \\ 0 & 1 \end{bmatrix} \begin{bmatrix} 1 \\ 0 \end{bmatrix} = \begin{bmatrix} 1 \\ 0 \end{bmatrix} = 1 \begin{bmatrix} 1 \\ 0 \end{bmatrix}$

11. **a.** $(\lambda + 1)^2(\lambda - 1) = 0$

    b. $\lambda_1 = -1, \lambda_2 = 1$

    c. $\mathbf{v}_1 = \begin{bmatrix} 1 \\ 0 \\ 0 \end{bmatrix}, \mathbf{v}_2 = \begin{bmatrix} 1 \\ 2 \\ 2 \end{bmatrix}$

    d. $\begin{bmatrix} -1 & 0 & 1 \\ 0 & 1 & 0 \\ 0 & 2 & -1 \end{bmatrix} \begin{bmatrix} 1 \\ 0 \\ 0 \end{bmatrix} = \begin{bmatrix} -1 \\ 0 \\ 0 \end{bmatrix} = -1 \begin{bmatrix} 1 \\ 0 \\ 0 \end{bmatrix}$

    $\begin{bmatrix} -1 & 0 & 1 \\ 0 & 1 & 0 \\ 0 & 2 & -1 \end{bmatrix} \begin{bmatrix} 1 \\ 2 \\ 2 \end{bmatrix} = \begin{bmatrix} 1 \\ 2 \\ 2 \end{bmatrix} = 1 \begin{bmatrix} 1 \\ 2 \\ 2 \end{bmatrix}$

13. **a.** $(\lambda - 2)(\lambda - 1)^2 = 0$

    b. $\lambda_1 = 2, \lambda_2 = 1$

    c. $\mathbf{v}_1 = \begin{bmatrix} 1 \\ 0 \\ 0 \end{bmatrix}, \mathbf{v}_2 = \begin{bmatrix} -3 \\ 1 \\ 1 \end{bmatrix}$

    d. $\begin{bmatrix} 2 & 1 & 2 \\ 0 & 2 & -1 \\ 0 & 1 & 0 \end{bmatrix} \begin{bmatrix} 1 \\ 0 \\ 0 \end{bmatrix} = \begin{bmatrix} 2 \\ 0 \\ 0 \end{bmatrix} = 2 \begin{bmatrix} 1 \\ 0 \\ 0 \end{bmatrix}$

    $\begin{bmatrix} 2 & 1 & 2 \\ 0 & 2 & -1 \\ 0 & 1 & 0 \end{bmatrix} \begin{bmatrix} -3 \\ 1 \\ 1 \end{bmatrix} = \begin{bmatrix} -3 \\ 1 \\ 1 \end{bmatrix} = 1 \begin{bmatrix} -3 \\ 1 \\ 1 \end{bmatrix}$

15. **a.** $(\lambda + 1)(\lambda - 2)(\lambda + 2)(\lambda - 4) = 0$

    b. $\lambda_1 = -1, \lambda_2 = 2, \lambda_3 = -2, \lambda_4 = 4$

    c. $\mathbf{v}_1 = \begin{bmatrix} 1 \\ 0 \\ 0 \\ 0 \end{bmatrix}, \mathbf{v}_2 = \begin{bmatrix} 0 \\ 1 \\ 0 \\ 0 \end{bmatrix}, \mathbf{v}_3 = \begin{bmatrix} 0 \\ 0 \\ 1 \\ 0 \end{bmatrix},$

    $\mathbf{v}_4 = \begin{bmatrix} 0 \\ 0 \\ 0 \\ 1 \end{bmatrix}$

d.

$$\begin{bmatrix} -1 & 0 & 0 & 0 \\ 0 & 2 & 0 & 0 \\ 0 & 0 & -2 & 0 \\ 0 & 0 & 0 & 4 \end{bmatrix} \begin{bmatrix} 1 \\ 0 \\ 0 \\ 0 \end{bmatrix} = \begin{bmatrix} -1 \\ 0 \\ 0 \\ 0 \end{bmatrix}$$

$$= -1 \begin{bmatrix} 1 \\ 0 \\ 0 \\ 0 \end{bmatrix}$$

The other cases are similar.

17. Let $A = \begin{bmatrix} a & b \\ c & d \end{bmatrix}$. The characteristic equation is

$(a - \lambda)(d - \lambda) - bc = 0$, which simplifies to $\lambda^2 - (a + d)\lambda + (ad - bc) = 0$. Observe that the coefficient of λ is $-(a + d)$, which is equal to $-\mathbf{tr}(A)$. Also, the constant term $ad - bc$ is equal to $\det(A)$.

19. Suppose A is not invertible. Then the homogeneous equation $A\mathbf{x} = \mathbf{0}$ has a nontrivial solution $\mathbf{x}_0$. Observe that $\mathbf{x}_0$ is an eigenvector of A corresponding to the eigenvalue $\lambda = 0$ since $A\mathbf{x}_0 = \mathbf{0} = 0\mathbf{x}_0$. On the other hand, suppose that $\lambda = 0$ is an eigenvalue of A. Then there exists a nonzero vector $\mathbf{x}_0$ such that $A\mathbf{x}_0 = \mathbf{0}$, so A is not invertible.

21. Let A be such that $A^2 = A$, and let λ be an eigenvalue of A with corresponding eigenvector $\mathbf{v}$ so that $A\mathbf{v} = \lambda\mathbf{v}$. Then $A^2\mathbf{v} = \lambda A\mathbf{v}$, so $A\mathbf{v} = \lambda^2\mathbf{v}$. The two equations

$$A\mathbf{v} = \lambda\mathbf{v} \qquad \text{and} \qquad A\mathbf{v} = \lambda^2\mathbf{v}$$

imply that $\lambda^2\mathbf{v} = \lambda\mathbf{v}$, so that $(\lambda^2 - \lambda)\mathbf{v} = \mathbf{0}$. Since $\mathbf{v} \neq \mathbf{0}$, then $\lambda(\lambda - 1) = 0$, so that either $\lambda = 0$ or $\lambda = 1$.

23. Let A be such that $A^n = \mathbf{0}$ for some n, and let λ be an eigenvalue of A with corresponding eigenvector $\mathbf{v}$, so that $A\mathbf{v} = \lambda\mathbf{v}$. Then $A^2\mathbf{v} = \lambda A\mathbf{v} = \lambda^2\mathbf{v}$. Continuing in this way, we see that $A^n\mathbf{v} = \lambda^n\mathbf{v}$. Since $A^n = \mathbf{0}$, then $\lambda^n\mathbf{v} = \mathbf{0}$. Since $\mathbf{v} \neq \mathbf{0}$, then $\lambda^n = 0$, so that $\lambda = 0$.

25. If A is invertible, then

$$\det(AB - \lambda I) = \det(A^{-1}(AB - \lambda I)A)$$
$$= \det(BA - \lambda I)$$

27. Since

$$\det(A - \lambda I) = (\lambda - a_{11})(\lambda - a_{22}) \cdots (\lambda - a_{nn})$$

the eigenvalues are the diagonal entries.

29. Let λ be an eigenvalue of C with corresponding eigenvector $\mathbf{v}$. Let $C = B^{-1}AB$. Since $C\mathbf{v} = \lambda\mathbf{v}$, then $B^{-1}AB\mathbf{v} = \lambda\mathbf{v}$. Then $A(B\mathbf{v}) = \lambda(B\mathbf{v})$. Therefore, $B\mathbf{v}$ is an eigenvector of A corresponding to λ.

31. Let $T\begin{bmatrix} x \\ y \end{bmatrix} = \begin{bmatrix} x \\ -y \end{bmatrix}$. The eigenvalues are $\lambda = 1$ and $\lambda = -1$ with corresponding eigenvectors $\begin{bmatrix} 1 \\ 0 \end{bmatrix}$ and $\begin{bmatrix} 0 \\ 1 \end{bmatrix}$, respectively.

33. If $\theta \neq 0$ or $\theta \neq \pi$, then T can only be described as a rotation. Hence, $T\begin{bmatrix} x \\ y \end{bmatrix}$ cannot be expressed by scalar multiplication as this only performs a contraction or a dilation. When $\theta = 0$, then T is the identity map $T\begin{bmatrix} x \\ y \end{bmatrix} = \begin{bmatrix} x \\ y \end{bmatrix}$. In this case every vector in $\mathbb{R}^2$ is an eigenvector with corresponding eigenvalue equal to 1. Also, if $\theta = \pi$, then $T\begin{bmatrix} x \\ y \end{bmatrix} = \begin{bmatrix} -1 & 0 \\ 0 & -1 \end{bmatrix}\begin{bmatrix} x \\ y \end{bmatrix}$. In this case every vector in $\mathbb{R}^2$ is an eigenvector with eigenvalue equal to -1.

35. a. $[T]_B = \begin{bmatrix} -\frac{1}{2} & \frac{1}{2} & 0 \\ -\frac{1}{2} & \frac{1}{2} & 0 \\ -1 & -1 & 1 \end{bmatrix}$

b. $[T]_{B'} = \begin{bmatrix} 1 & 1 & 0 \\ -1 & -1 & 0 \\ -1 & 0 & 1 \end{bmatrix}$

c. The characteristic polynomial for the matrices in parts (a) and (b) is given by $p(x) = x^3 - x^2$. Hence, the eigenvalues are the same.

Section 5.2

1. $P^{-1}AP = \begin{bmatrix} 1 & 0 \\ 0 & -3 \end{bmatrix}$

3. $P^{-1}AP = \begin{bmatrix} 0 & 0 & 0 \\ 0 & -2 & 0 \\ 0 & 0 & 1 \end{bmatrix}$

5. Eigenvalues: $-2, -1$; A is diagonalizable since there are two distinct eigenvalues.

7. Eigenvalues: -1 with multiplicity 2; eigenvectors: $\begin{bmatrix} 1 \\ 0 \end{bmatrix}$; A is not diagonalizable.

9. Eigenvalues: $1, 0$; A is diagonalizable since there are two distinct eigenvalues.

11. Eigenvalues: $3, 4, 0$; A is diagonalizable since there are three distinct eigenvalues.

13. Eigenvalues: -1 and 2 with multiplicity 2;

eigenvectors: $\begin{bmatrix} 1 \\ -5 \\ 2 \end{bmatrix}, \begin{bmatrix} -1 \\ -1 \\ 1 \end{bmatrix}$; A is not

diagonalizable since there are only two linearly independent eigenvectors.

15. Eigenvalues: 1 and 0 with multiplicity 2; eigenvectors:

$\begin{bmatrix} -1 \\ 1 \\ 1 \end{bmatrix}, \begin{bmatrix} 0 \\ 1 \\ 0 \end{bmatrix}, \begin{bmatrix} 0 \\ 0 \\ 1 \end{bmatrix}$; A is diagonalizable since

there are three linearly independent eigenvectors.

17. Eigenvalues: $-1, 2, 0$ with multiplicity 2;

eigenvectors: $\begin{bmatrix} 0 \\ -1 \\ 1 \\ 0 \end{bmatrix}, \begin{bmatrix} 0 \\ 1 \\ 2 \\ 3 \end{bmatrix}, \begin{bmatrix} 0 \\ -1 \\ 0 \\ 1 \end{bmatrix}, \begin{bmatrix} -1 \\ 0 \\ 1 \\ 0 \end{bmatrix}$;

A is diagonalizable since there are four linearly independent eigenvectors.

19. $P = \begin{bmatrix} -3 & 0 \\ 1 & 1 \end{bmatrix}$; $P^{-1}AP = \begin{bmatrix} 2 & 0 \\ 0 & -1 \end{bmatrix}$

21. $P = \begin{bmatrix} 0 & 2 & 0 \\ 1 & 1 & 1 \\ 1 & 3 & 2 \end{bmatrix}$

$P^{-1}AP = \begin{bmatrix} -1 & 0 & 0 \\ 0 & 1 & 0 \\ 0 & 0 & 0 \end{bmatrix}$

23. $P = \begin{bmatrix} 2 & 0 & 0 \\ 1 & 1 & 0 \\ 0 & 0 & 1 \end{bmatrix}$

$P^{-1}AP = \begin{bmatrix} -1 & 0 & 0 \\ 0 & 1 & 0 \\ 0 & 0 & 1 \end{bmatrix}$

25. $P = \begin{bmatrix} -1 & 0 & -1 & 1 \\ 0 & 1 & 0 & 0 \\ 0 & 0 & 1 & 1 \\ 1 & 0 & 0 & 0 \end{bmatrix}$

$P^{-1}AP = \begin{bmatrix} 1 & 0 & 0 & 0 \\ 0 & 1 & 0 & 0 \\ 0 & 0 & 0 & 0 \\ 0 & 0 & 0 & 2 \end{bmatrix}$

27. By induction. If $k = 1$, then $A^k = A = PDP^{-1} = PD^kP^{-1}$. Suppose the result holds for a natural number k. Then

$A^{k+1} = (PDP^{-1})^{k+1}$
$= (PDP^{-1})^k(PDP^{-1})$
$= (PD^kP^{-1})(PDP^{-1})$
$= (PD^k)(P^{-1}P)(DP^{-1})$
$= PD^{k+1}P^{-1}$

29. $P = \begin{bmatrix} 1 & 0 & 1 \\ 1 & -2 & 2 \\ 1 & 1 & 0 \end{bmatrix}$; $D = \begin{bmatrix} 0 & 0 & 0 \\ 0 & 1 & 0 \\ 0 & 0 & 1 \end{bmatrix}$;

$A^k = PD^kP^{-1} = \begin{bmatrix} 3 & -1 & -2 \\ 2 & 0 & -2 \\ 2 & -1 & -1 \end{bmatrix}$

31. Since A is diagonalizable, there is an invertible P and diagonal D such that $A = PDP^{-1}$. Since B is similar to A, there is an invertible Q such that $B = Q^{-1}AQ$. Then

$$D = P^{-1}QBQ^{-1}P = (Q^{-1}P)^{-1}B(Q^{-1}P)$$

33. If A is diagonalizable with an eigenvalue of multiplicity n, then $A = P(\lambda I)P^{-1} = (\lambda I)PP^{-1} = \lambda I$. On the other hand, if $A = \lambda I$, then A is a diagonal matrix.

35. a. $[T]_{B_1} = \begin{bmatrix} 0 & 1 & 0 \\ 0 & 0 & 2 \\ 0 & 0 & 0 \end{bmatrix}$

b. $[T]_{B_2} = \begin{bmatrix} 1 & 1 & 2 \\ -1 & -1 & 0 \\ 0 & 0 & 0 \end{bmatrix}$

c. The only eigenvalue of A and B is $\lambda = 0$, of multiplicity 3.

d. The only eigenvector corresponding to $\lambda = 0$ is

$\begin{bmatrix} -1 \\ 1 \\ 0 \end{bmatrix}$, so T is not diagonalizable.

37. If B is the standard basis for $\mathbb{R}^3$, then

$$[T]_B = \begin{bmatrix} 2 & 2 & 2 \\ -1 & 2 & 1 \\ 1 & -1 & 0 \end{bmatrix}$$

The eigenvalues are $\lambda_1 = 1$, multiplicity 2, and $\lambda_2 = 2$

with corresponding eigenvectors $\begin{bmatrix} 0 \\ -1 \\ 1 \end{bmatrix}$ and

$\begin{bmatrix} 1 \\ -1 \\ 1 \end{bmatrix}$, respectively. Since there are only two

linearly independent eigenvectors, T is not diagonalizable.

39. Since A and B are matrix representations for the same linear operator, they are similar. Let $A = Q^{-1}BQ$. The matrix A is diagonalizable if and only if $D = P^{-1}AP$ for some invertible matrix P and diagonal matrix D. Then

$$D = P^{-1}(Q^{-1}BQ)P = (QP)^{-1}B(QP)$$

so B is diagonalizable. The proof of the converse is identical.

Section 5.3

1.
$$y_1(t) = [y_1(0) + y_2(0)]e^{-t} - y_2(0)e^{-2t}$$
$$y_2(t) = y_2(0)e^{-2t}$$

3.
$$y_1(t) = \frac{1}{2}[y_1(0) - y_2(0)]e^{4t}$$
$$+ \frac{1}{2}[y_1(0) + y_2(0)]e^{-2t}$$
$$y_2(t) = \frac{1}{2}[-y_1(0) + y_2(0)]e^{4t}$$
$$+ \frac{1}{2}[y_1(0) + y_2(0)]e^{-2t}$$

5.
$$y_1(t) = [2y_1(0) + y_2(0) + y_3(0)]e^{-t}$$
$$+ [-y_1(0) - y_2(0) - y_3(0)]e^{2t}$$
$$y_2(t) = [-2y_1(0) - y_2(0) - 2y_3(0)]e^{t}$$
$$+ 2[y_1(0) + y_2(0) + y_3(0)]e^{2t}$$
$$y_3(t) = [-2y_1(0) - y_2(0) - y_3(0)]e^{-t}$$
$$+ [2y_1(0) + y_2(0) + 2y_3(0)]e^{t}$$

7. $y_1(t) = e^{-t}, y_2(t) = -e^{-t}$

9. a. $y_1'(t) = -\frac{1}{60}y_1 + \frac{1}{120}y_2,$
$y_2'(t) = \frac{1}{60}y_1 - \frac{1}{120}y_2$
$y_1(0) = 12, \ y_2(0) = 0$

b. $y_1(t) = 4 + 8e^{-\frac{1}{40}t}, y_2(t) = 8 - 8e^{-\frac{1}{40}t}$

c. $\lim_{t \to \infty} y_1(t) = 4, \lim_{t \to \infty} y_2(t) = 8$
The 12 lb of salt will be evenly distributed in a ratio of 1:2 between the two tanks.

Section 5.4

1. a. $T = \begin{bmatrix} 0.85 & 0.08 \\ 0.15 & 0.92 \end{bmatrix}$

b. $T^{10} \begin{bmatrix} 0.7 \\ 0.3 \end{bmatrix} \approx \begin{bmatrix} 0.37 \\ 0.63 \end{bmatrix}$

c. $\begin{bmatrix} 0.35 \\ 0.65 \end{bmatrix}$

3. $T = \begin{bmatrix} 0.5 & 0.4 & 0.1 \\ 0.4 & 0.4 & 0.2 \\ 0.1 & 0.2 & 0.7 \end{bmatrix}$

$$T^3 \begin{bmatrix} 0 \\ 1 \\ 0 \end{bmatrix} \approx \begin{bmatrix} 0.36 \\ 0.35 \\ 0.29 \end{bmatrix}$$

$$T^{10} \begin{bmatrix} 0 \\ 1 \\ 0 \end{bmatrix} \approx \begin{bmatrix} 0.33 \\ 0.33 \\ 0.33 \end{bmatrix}$$

5. $T = \begin{bmatrix} 0.5 & 0 & 0 \\ 0.5 & 0.75 & 0 \\ 0 & 0.25 & 1 \end{bmatrix}$

The steady-state probability vector is $\begin{bmatrix} 0 \\ 0 \\ 1 \end{bmatrix}$, and

hence the disease will not be eradicated.

7. a. $T = \begin{bmatrix} 0.33 & 0.25 & 0.17 & 0.25 \\ 0.25 & 0.33 & 0.25 & 0.17 \\ 0.17 & 0.25 & 0.33 & 0.25 \\ 0.25 & 0.17 & 0.25 & 0.33 \end{bmatrix}$

b. $T \begin{bmatrix} 1 \\ 0 \\ 0 \\ 0 \end{bmatrix} = \begin{bmatrix} 0.5(0.16)^n + 0.25 \\ 0.25 \\ -0.5(0.16)^n + 0.25 \\ 0.25 \end{bmatrix}$

c. $\begin{bmatrix} 0.25 \\ 0.25 \\ 0.25 \\ 0.25 \end{bmatrix}$

9. Eigenvalues of T: $\lambda_1 = -q + p + 1, \lambda_2 = 1$, with

corresponding eigenvectors $\begin{bmatrix} -1 \\ 1 \end{bmatrix}$ and $\begin{bmatrix} q/p \\ 1 \end{bmatrix}$.

The steady-state probability vector is

$$\frac{1}{1 + q/p} \begin{bmatrix} q/p \\ 1 \end{bmatrix} = \begin{bmatrix} \frac{q}{p+q} \\ \frac{p}{p+q} \end{bmatrix}.$$

Review Exercises Chapter 5

1. a. $\begin{bmatrix} a & b \\ b & a \end{bmatrix} \begin{bmatrix} 1 \\ 1 \end{bmatrix} = \begin{bmatrix} a+b \\ a+b \end{bmatrix}$

$$= (a + b) \begin{bmatrix} 1 \\ 1 \end{bmatrix}$$

b. $\lambda_1 = a + b, \lambda_2 = a - b$

c. $\mathbf{v}_1 = \begin{bmatrix} 1 \\ 1 \end{bmatrix}, \mathbf{v}_2 = \begin{bmatrix} -1 \\ 1 \end{bmatrix}$

d. $P = \begin{bmatrix} 1 & -1 \\ 1 & 1 \end{bmatrix}, D = \begin{bmatrix} a+b & 0 \\ 0 & a-b \end{bmatrix}$

3. a. $\lambda_1 = 0, \lambda_2 = 1$

b. No conclusion can be drawn from part (a) about the diagonalizability of A.

c. $\lambda_1 = 0$: $\mathbf{v}_1 = \begin{bmatrix} 0 \\ 0 \\ 0 \\ 1 \end{bmatrix}$ $\mathbf{v}_2 = \begin{bmatrix} -1 \\ 0 \\ 1 \\ 0 \end{bmatrix}$

$\lambda_2 = 1$: $\mathbf{v}_3 = \begin{bmatrix} 0 \\ 1 \\ 0 \\ 0 \end{bmatrix}$

d. The eigenvectors $\{\mathbf{v}_1, \mathbf{v}_2, \mathbf{v}_3\}$ are linearly independent.

e. A is not diagonalizable as it is a 4×4 matrix with only three linearly independent eigenvectors.

5. a. $\det(A - \lambda I) = \begin{vmatrix} -\lambda & 1 & 0 \\ 0 & -\lambda & 1 \\ -k & 3 & -\lambda \end{vmatrix}$

$= \lambda^3 - 3\lambda + k = 0$

b.

$k = 4$
$k = 3$
$k = 2.5$
$k = 0$
$k = -2.5$
$k = -3$
$k = -4$

c. $-2 < k < 2$

7. a. Let $\mathbf{v} = \begin{bmatrix} 1 \\ 1 \\ \vdots \\ 1 \end{bmatrix}$. Then

$A\mathbf{v} = \begin{bmatrix} \lambda \\ \lambda \\ \vdots \\ \lambda \end{bmatrix} = \lambda \begin{bmatrix} 1 \\ 1 \\ \vdots \\ 1 \end{bmatrix}$

so λ is an eigenvalue of A corresponding to the eigenvector $\mathbf{v}$.

b. Yes, since A and A^t have the same eigenvalues.

Chapter Test: Chapter 5

1.	F	**2.**	F
3.	F	**4.**	T
5.	T	**6.**	T
7.	T	**8.**	T
9.	T	**10.**	T
11.	F	**12.**	F
13.	F	**14.**	T
15.	F	**16.**	T
17.	T	**18.**	T
19.	T	**20.**	F
21.	T	**22.**	T
23.	F	**24.**	F
25.	T	**26.**	T
27.	T	**28.**	T
29.	T	**30.**	F
31.	T	**32.**	T
33.	T	**34.**	F
35.	T	**36.**	T
37.	T	**38.**	T
39.	T	**40.**	T

Chapter 6

Section 6.1

1. 5

3. -11

5. $\sqrt{26}$

7. $\dfrac{1}{\sqrt{26}} \begin{bmatrix} 1 \\ 5 \end{bmatrix}$

9. $\dfrac{10}{\sqrt{5}} \begin{bmatrix} 2 \\ 1 \end{bmatrix}$

11. $\sqrt{22}$

13. $\dfrac{1}{\sqrt{22}} \begin{bmatrix} -3 \\ -2 \\ 3 \end{bmatrix}$

15. $\dfrac{3}{\sqrt{11}} \begin{bmatrix} 1 \\ 1 \\ 3 \end{bmatrix}$

17. $c = 6$

19. $\mathbf{v}_1 \perp \mathbf{v}_2$; $\mathbf{v}_1 \perp \mathbf{v}_4$; $\mathbf{v}_1 \perp \mathbf{v}_5$; $\mathbf{v}_2 \perp \mathbf{v}_3$; $\mathbf{v}_3 \perp \mathbf{v}_4$; $\mathbf{v}_3 \perp \mathbf{v}_5$

21. Since $\mathbf{v}_3 = -\mathbf{v}_1$, the vectors $\mathbf{v}_1$ and $\mathbf{v}_3$ are in opposite directions.

23. $\mathbf{w} = \begin{bmatrix} 2 \\ 0 \end{bmatrix}$

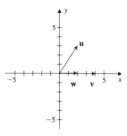

25. $\mathbf{w} = \dfrac{3}{2} \begin{bmatrix} 3 \\ 1 \end{bmatrix}$

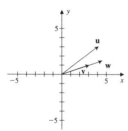

27. $\mathbf{w} = \dfrac{1}{6} \begin{bmatrix} 5 \\ 2 \\ 1 \end{bmatrix}$

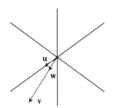

29. Let $\mathbf{u}$ be a vector in $\mathbf{span}\{\mathbf{u}_1, \mathbf{u}_2, \cdots, \mathbf{u}_n\}$. Then there exist scalars $c_1, c_2, \cdots, c_n$ such that

$$\mathbf{u} = c_1 \mathbf{u}_1 + c_2 \mathbf{u}_2 + \cdots + c_n \mathbf{u}_n$$

Then

$$\begin{aligned}
\mathbf{v} \cdot \mathbf{u} &= \mathbf{v} \cdot (c_1 \mathbf{u}_1 + c_2 \mathbf{u}_2 + \cdots + c_n \mathbf{u}_n) \\
&= c_1 \mathbf{v} \cdot \mathbf{u}_1 + c_2 \mathbf{v} \cdot \mathbf{u}_2 + \cdots + c_n \mathbf{v} \cdot \mathbf{u}_n \\
&= c_1(0) + c_2(0) + \cdots + c_n(0) = 0
\end{aligned}$$

31. Consider the equation

$$c_1 \mathbf{v}_1 + c_2 \mathbf{v}_2 + \cdots + c_n \mathbf{v}_n = \mathbf{0}$$

Since

$$\mathbf{v}_1 \cdot (c_1 \mathbf{v}_1 + c_2 \mathbf{v}_2 + \cdots + c_n \mathbf{v}_n) = \mathbf{v}_1 \cdot \mathbf{0}$$

so

$$c_1 \mathbf{v}_1 \cdot \mathbf{v}_1 + c_2 \mathbf{v}_1 \cdot \mathbf{v}_2 + \cdots + c_n \mathbf{v}_1 \cdot \mathbf{v}_n = 0$$

Since S is an orthogonal set of vectors, this equation reduces to

$$c_1 \|\mathbf{v}_1\|^2 = 0$$

and since $\|\mathbf{v}_1\| \neq 0$, then $c_1 = 0$. In a similar way we have $c_2 = c_3 = \cdots = c_n = 0$. Hence, S is linearly independent.

33. Since $\|\mathbf{u}\|^2 = \mathbf{u} \cdot \mathbf{u}$,

$$\begin{aligned}
\|\mathbf{u} + \mathbf{v}\|^2 + \|\mathbf{u} - \mathbf{v}\|^2 &= (\mathbf{u} + \mathbf{v}) \cdot (\mathbf{u} + \mathbf{v}) \\
&\quad + (\mathbf{u} - \mathbf{v}) \cdot (\mathbf{u} - \mathbf{v}) \\
&= \mathbf{u} \cdot \mathbf{u} + 2\mathbf{u} \cdot \mathbf{v} + \mathbf{v} \cdot \mathbf{v} \\
&\quad + \mathbf{u} \cdot \mathbf{u} - 2\mathbf{u} \cdot \mathbf{v} + \mathbf{v} \cdot \mathbf{v} \\
&= 2\|\mathbf{u}\|^2 + 2\|\mathbf{v}\|^2
\end{aligned}$$

35. If the column vectors of A form an orthogonal set, then the row vectors of A^t are orthogonal to the column vectors of A. Consequently,

$$(A^t A)_{ij} = 0 \qquad \text{if } i \neq j$$

On the other hand, if $i = j$, then $(A^t A)_{ii} = \|\mathbf{A}_i\|^2$. Thus,

$$A^t A = \begin{bmatrix} \|\mathbf{A}_1\|^2 & 0 & \cdots & 0 \\ 0 & \|\mathbf{A}_2\|^2 & 0 & \vdots \\ \vdots & 0 & \ddots & 0 \\ 0 & \cdots & 0 & \|\mathbf{A}_n\|^2 \end{bmatrix}$$

37. Suppose that $(A\mathbf{u}) \cdot \mathbf{v} = \mathbf{u} \cdot (A\mathbf{v})$ for all $\mathbf{u}$ and $\mathbf{v}$ in $\mathbb{R}^n$. By Exercise 36,

$$\mathbf{u} \cdot (A\mathbf{v}) = (A^t \mathbf{u}) \cdot \mathbf{v}$$

and by hypothesis

$$\mathbf{u} \cdot (A\mathbf{v}) = (A\mathbf{u}) \cdot \mathbf{v}$$

for all **u** and **v** in $\mathbb{R}^n$. Thus,

$$(A^t\mathbf{u})\cdot\mathbf{v} = (A\mathbf{u})\cdot\mathbf{v}$$

for all **u** and **v** in $\mathbb{R}^n$. Let $\mathbf{u} = \mathbf{e}_i$ and $\mathbf{v} = \mathbf{e}_j$, so $(A^t)_{ij} = A_{ij}$. Hence $A^t = A$, so A is symmetric. For the converse, suppose that $A = A^t$. Then by Exercise 36,

$$\mathbf{u}\cdot(A\mathbf{v}) = (A^t\mathbf{u})\cdot\mathbf{v} = (A\mathbf{u})\cdot\mathbf{v}$$

Section 6.2

1. Since $\langle\mathbf{u},\mathbf{u}\rangle = 0$ when $u_1 = 3u_2$ or $u_1 = u_2$, V is not an inner product space.

3. Since $\langle\mathbf{u}+\mathbf{v},\mathbf{w}\rangle$ and $\langle\mathbf{u},\mathbf{v}\rangle + \langle\mathbf{v},\mathbf{w}\rangle$ are not equal for all $\mathbf{u},\mathbf{v}$, and $\mathbf{w}$, V is not an inner product space.

5. Yes, V is an inner product space.

7. Yes, V is an inner product space.

9. Yes, V is an inner product space.

11.
$$\int_{-\pi}^{\pi} \sin x \, dx = \int_{-\pi}^{\pi} \cos x \, dx$$
$$= \int_{-\pi}^{\pi} \cos x \sin x \, dx = 0$$

13. $\int_0^1 (2x-1)\, dx = 0$

$\int_0^1 \left(-x^2 + x - \frac{1}{6}\right) dx = 0$

$\int_0^1 \left(-2x^3 + 3x^2 - \frac{4}{3}x + \frac{1}{6}\right) dx = 0$

15. **a.** $\| -3 + 3x - x^2 \| = \sqrt{\frac{370}{10}}$

   b. $\cos\theta = -\frac{5}{168}\sqrt{105}$

17. **a.** $\| x - e^x \| = \sqrt{\frac{1}{2}e^2 - \frac{13}{6}}$

   b. $\cos\theta = \frac{2\sqrt{3}}{\sqrt{2e^2-2}}$

19. **a.** $\| 2x^2 - 4 \| = 2\sqrt{5}$

   b. $\cos\theta = -\frac{2}{3}$

21. **a.** $\| A - B \| = \sqrt{\mathrm{tr}\begin{bmatrix} 2 & -5 \\ -5 & 17 \end{bmatrix}} = \sqrt{19}$

   b. $\cos\theta = \frac{3}{5\sqrt{6}}$

23. **a.** $\| A - B \| = \sqrt{\mathrm{tr}\begin{bmatrix} 8 & 0 & 8 \\ 0 & 3 & 4 \\ 8 & 4 & 14 \end{bmatrix}} = \sqrt{25} = 5$

   b. $\cos\theta = \frac{26}{\sqrt{38}\sqrt{39}}$

25. $\left\{ \begin{bmatrix} x \\ y \end{bmatrix} \,\middle|\, 2x + 3y = 0 \right\}$

27. $\left\{ \begin{bmatrix} x \\ y \\ z \end{bmatrix} \,\middle|\, 2x - 3y + z = 0 \right\}$

29. **a.** $\langle x^2, x^3\rangle = \int_0^1 x^5 \, dx = \frac{1}{6}$

   b. $\langle e^x, e^{-x}\rangle = \int_0^1 dx = 1$

   c. $\| 1 \| = \sqrt{\int_0^1 dx} = 1$

   $\| x \| = \sqrt{\int_0^1 x^2 \, dx} = \frac{\sqrt{3}}{3}$

   d. $\cos\theta = \frac{3}{2\sqrt{3}}$

   e. $\| 1 - x \| = \frac{\sqrt{3}}{3}$

31. If f is an even function and g is an odd function, then fg is an odd function. Then

$$\int_{-a}^{a} f(x)g(x)\, dx = 0$$

so f and g are orthogonal.

33. $\langle c_1\mathbf{u}_1, c_2\mathbf{u}_2\rangle = c_1\langle\mathbf{u}_1, c_2\mathbf{u}_2\rangle$
$$= c_1 c_2 \langle\mathbf{u}_1, \mathbf{u}_2\rangle$$
$$= 0$$

Section 6.3

1. **a.** $\mathrm{proj}_\mathbf{v}\,\mathbf{u} = \begin{bmatrix} -\frac{3}{2} \\ \frac{3}{2} \end{bmatrix}$

   b. $\mathbf{u} - \mathrm{proj}_\mathbf{v}\,\mathbf{u} = \begin{bmatrix} \frac{1}{2} \\ \frac{1}{2} \end{bmatrix}$

   $\mathbf{v}\cdot(\mathbf{u} - \mathrm{proj}_\mathbf{v}\mathbf{u}) = \begin{bmatrix} -1 \\ 1 \end{bmatrix}\cdot\begin{bmatrix} \frac{1}{2} \\ \frac{1}{2} \end{bmatrix} = 0$

3. **a.** $\mathrm{proj}_\mathbf{v}\,\mathbf{u} = \begin{bmatrix} -\frac{3}{5} \\ -\frac{6}{5} \end{bmatrix}$

   b. $\mathbf{u} - \mathrm{proj}_\mathbf{v}\,\mathbf{u} = \begin{bmatrix} \frac{8}{5} \\ -\frac{4}{5} \end{bmatrix}$

   $\mathbf{v}\cdot(\mathbf{u} - \mathrm{proj}_\mathbf{v}\,\mathbf{u}) = \begin{bmatrix} 1 \\ 2 \end{bmatrix}\cdot\begin{bmatrix} \frac{8}{5} \\ -\frac{4}{5} \end{bmatrix} = 0$

5. **a.** $\mathrm{proj}_\mathbf{v}\,\mathbf{u} = \begin{bmatrix} -\frac{4}{3} \\ \frac{4}{3} \\ \frac{4}{3} \end{bmatrix}$

b. $\mathbf{u} - \text{proj}_\mathbf{v}\,\mathbf{u} = \begin{bmatrix} \frac{1}{3} \\ \frac{5}{3} \\ -\frac{4}{3} \end{bmatrix}$

$\mathbf{v} \cdot (\mathbf{u} - \text{proj}_\mathbf{v}\,\mathbf{u}) = \begin{bmatrix} 1 \\ -1 \\ -1 \end{bmatrix} \cdot \begin{bmatrix} \frac{1}{3} \\ \frac{5}{3} \\ -\frac{4}{3} \end{bmatrix} = 0$

7. a. $\text{proj}_\mathbf{v}\,\mathbf{u} = \begin{bmatrix} 0 \\ 0 \\ -1 \end{bmatrix}$

b. $\mathbf{u} - \text{proj}_\mathbf{v}\,\mathbf{u} = \begin{bmatrix} 1 \\ -1 \\ 0 \end{bmatrix}$

$\mathbf{v} \cdot (\mathbf{u} - \text{proj}_\mathbf{v}\,\mathbf{u}) = \begin{bmatrix} 0 \\ 0 \\ 1 \end{bmatrix} \cdot \begin{bmatrix} 1 \\ -1 \\ 0 \end{bmatrix} = 0$

9. a. $\text{proj}_q\,p = \frac{5}{4}x - \frac{5}{12}$

b. $p - \text{proj}_q\,p = x^2 - \frac{9}{4}x + \frac{17}{12}$

$\langle q, p - \text{proj}_q\,p \rangle$

$= \int_0^1 (3x - 1)\left(x^2 - \frac{9}{4}x + \frac{17}{12} \right) dx = 0$

11. a. $\text{proj}_q\,p = -\frac{7}{4}x^2 + \frac{7}{4}$

b. $p - \text{proj}_q\,p = \frac{15}{4}x^2 - \frac{3}{4}$

$\langle q, p - \text{proj}_q\,p \rangle$

$= \int_0^1 (x^2 - 1)\left(\frac{15}{4}x^2 - \frac{3}{4} \right) dx = 0$

13. $\left\{ \frac{1}{\sqrt{2}} \begin{bmatrix} 1 \\ -1 \end{bmatrix}, \frac{1}{\sqrt{2}} \begin{bmatrix} -1 \\ -1 \end{bmatrix} \right\}$

15. $\left\{ \frac{1}{\sqrt{2}} \begin{bmatrix} 1 \\ 0 \\ 1 \end{bmatrix}, \frac{1}{\sqrt{6}} \begin{bmatrix} 1 \\ 2 \\ -1 \end{bmatrix}, \frac{1}{\sqrt{3}} \begin{bmatrix} 1 \\ -1 \\ -1 \end{bmatrix} \right\}$

17. $\left\{ \sqrt{3}(x - 1),\ 3x - 1,\ 6\sqrt{5}(x^2 - x + \frac{1}{6}) \right\}$

19. $\left\{ \frac{1}{\sqrt{3}} \begin{bmatrix} 1 \\ 1 \\ 1 \end{bmatrix}, \frac{1}{\sqrt{6}} \begin{bmatrix} 2 \\ -1 \\ -1 \end{bmatrix} \right\}$

21. $\left\{ \frac{1}{\sqrt{6}} \begin{bmatrix} -1 \\ -2 \\ 0 \\ 1 \end{bmatrix}, \frac{1}{\sqrt{6}} \begin{bmatrix} -2 \\ 1 \\ -1 \\ 0 \end{bmatrix}, \frac{1}{\sqrt{6}} \begin{bmatrix} 1 \\ 0 \\ -2 \\ 1 \end{bmatrix} \right\}$

23. $\left\{ \sqrt{3}x,\ -3x + 2 \right\}$

25. $\left\{ \frac{1}{\sqrt{3}} \begin{bmatrix} 1 \\ 0 \\ 1 \\ 1 \end{bmatrix}, \frac{1}{\sqrt{3}} \begin{bmatrix} 0 \\ 1 \\ -1 \\ 1 \end{bmatrix} \right\}$

27. Let
$$\mathbf{v} = c_1 \mathbf{u}_1 + c_2 \mathbf{u}_2 + \cdots + c_n \mathbf{u}_n$$
Then
$$\begin{aligned} \| \mathbf{v} \|^2 &= \mathbf{v} \cdot \mathbf{v} \\ &= c_1^2(\mathbf{u}_1 \cdot \mathbf{u}_1) + c_2^2(\mathbf{u}_2 \cdot \mathbf{u}_2) + \cdots + c_n^2(\mathbf{u}_n \cdot \mathbf{u}_n) \\ &= c_1^2 + c_2^2 + \cdots + c_n^2 \\ &= |\mathbf{v} \cdot \mathbf{u}_1|^2 + \cdots + |\mathbf{v} \cdot \mathbf{u}_n|^2 \end{aligned}$$

29. Since
$$\sum_{k=1}^n a_{ki} a_{kj} = \begin{cases} 0 & \text{if } i \neq j \\ 1 & \text{if } i = j \end{cases} = \left(A^t A \right)_{ij}$$
then $A^t A = I$.

31. Since $\|A\mathbf{x}\| = \sqrt{A\mathbf{x} \cdot A\mathbf{x}}$ and
$$A\mathbf{x} \cdot A\mathbf{x} = \mathbf{x}^t \cdot (A^t A\mathbf{x}) = \mathbf{x} \cdot \mathbf{x}$$
then $\|A\mathbf{x}\|^2 = \mathbf{x} \cdot \mathbf{x} = \|\mathbf{x}\|^2$ so $\|A\mathbf{x}\| = \|\mathbf{x}\|$.

33. By Exercise 32, $A\mathbf{x} \cdot A\mathbf{y} = \mathbf{x} \cdot \mathbf{y}$. Then $A\mathbf{x} \cdot A\mathbf{y} = 0$ if and only if $\mathbf{x} \cdot \mathbf{y} = 0$

35. Let
$$W = \{\mathbf{v} \mid \mathbf{v} \cdot \mathbf{u}_i = 0 \text{ for all } i = 1, 2, \ldots, m\}$$
If c is a real number and $\mathbf{x}$ and $\mathbf{y}$ are vectors in W, then
$$(\mathbf{x} + c\mathbf{y}) \cdot \mathbf{u}_i = \mathbf{x} \cdot \mathbf{u}_i + c\mathbf{y} \cdot \mathbf{u}_i = 0 + c(0) = 0$$
for all $i = 1, 2, \ldots, n$.

37.
$$\begin{aligned} \mathbf{v}^t A \mathbf{v} &= [x \ y] \begin{bmatrix} 3 & 1 \\ 1 & 3 \end{bmatrix} \begin{bmatrix} x \\ y \end{bmatrix} \\ &= 3x^2 + 2xy + 3y^2 \\ &\geq (x + y)^2 \geq 0 \end{aligned}$$

39.
$$\begin{aligned} \mathbf{x}^t A^t A \mathbf{x} &= (A\mathbf{x})^t A\mathbf{x} = (A\mathbf{x}) \cdot (A\mathbf{x}) \\ &= \|A\mathbf{x}\|^2 \geq 0 \end{aligned}$$

41. Since $A\mathbf{x} = \lambda\mathbf{x}$, then $\mathbf{x}^t A\mathbf{x} = \lambda\|\mathbf{x}\|^2$. Since A is positive definite and $\mathbf{x}$ is not the zero vector, then $\mathbf{x}^t A\mathbf{x} > 0$, so $\lambda > 0$.

Section 6.4

1. $W^\perp = \text{span}\left\{\begin{bmatrix} 1 \\ 1 \\ \frac{1}{2} \end{bmatrix}\right\}$

3. $W^\perp = \text{span}\left\{\begin{bmatrix} 1 \\ -2 \\ 0 \end{bmatrix}, \begin{bmatrix} 0 \\ 1 \\ 1 \end{bmatrix}\right\}$

5. $W^\perp = \text{span}\left\{\begin{bmatrix} \frac{2}{3} \\ -\frac{1}{3} \\ 1 \end{bmatrix}\right\}$

7. $W^\perp = \text{span}\left\{\begin{bmatrix} -\frac{1}{6} \\ -\frac{1}{2} \\ 1 \\ 0 \end{bmatrix}, \begin{bmatrix} \frac{2}{3} \\ -1 \\ 0 \\ 1 \end{bmatrix}\right\}$

9. $\left\{\begin{bmatrix} -\frac{1}{3} \\ -\frac{1}{3} \\ 1 \end{bmatrix}\right\}$

11. $\left\{\begin{bmatrix} \frac{1}{2} \\ -\frac{3}{2} \\ 1 \\ 0 \end{bmatrix}, \begin{bmatrix} -\frac{1}{2} \\ \frac{1}{2} \\ 0 \\ 1 \end{bmatrix}\right\}$

13. $\left\{\frac{50}{9}x^2 - \frac{52}{9}x + 1\right\}$

15. $\left\{\begin{bmatrix} 1 \\ 1 \\ 1 \\ 1 \end{bmatrix}\right\}$

17. An orthogonal basis is

$$B = \left\{\begin{bmatrix} 2 \\ 0 \\ 0 \end{bmatrix}, \begin{bmatrix} 0 \\ -1 \\ 0 \end{bmatrix}\right\}$$

$$\text{proj}_W \mathbf{v} = \begin{bmatrix} 1 \\ 2 \\ 0 \end{bmatrix}$$

19. $\text{proj}_W \mathbf{v} = \begin{bmatrix} 0 \\ 0 \\ 0 \end{bmatrix}$

21. An orthogonal basis is

$$B = \left\{\begin{bmatrix} 3 \\ 0 \\ -1 \\ 2 \end{bmatrix}, \begin{bmatrix} -5 \\ 21 \\ -3 \\ 6 \end{bmatrix}\right\}$$

$$\text{proj}_W \mathbf{v} = \frac{4}{73}\begin{bmatrix} -5 \\ 21 \\ -3 \\ 6 \end{bmatrix}$$

23. a. $W^\perp = \text{span}\left\{\begin{bmatrix} 1 \\ 3 \end{bmatrix}\right\}$

b. $\text{proj}_W \mathbf{v} = \frac{1}{10}\begin{bmatrix} -3 \\ 1 \end{bmatrix}$

c. $\mathbf{u} = \mathbf{v} - \text{proj}_W \mathbf{v} = \frac{1}{10}\begin{bmatrix} 3 \\ 9 \end{bmatrix}$

d. $\frac{1}{10}\begin{bmatrix} 3 \\ 9 \end{bmatrix} \cdot \begin{bmatrix} -3 \\ 1 \end{bmatrix} = 0$

e.

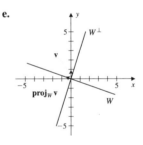

25. Notice that the vectors $\mathbf{v}_1$ and $\mathbf{v}_2$ are not orthogonal. Using the Gram-Schmidt process orthogonal vectors with the same span are

$$\begin{bmatrix} 1 \\ 1 \\ -1 \end{bmatrix} \quad \begin{bmatrix} 0 \\ 3 \\ 3 \end{bmatrix}$$

a. $W^\perp = \text{span}\left\{\begin{bmatrix} 2 \\ -1 \\ 1 \end{bmatrix}\right\}$

b. $\text{proj}_W \mathbf{v} = \frac{1}{3}\begin{bmatrix} 2 \\ 5 \\ 1 \end{bmatrix}$

c. $\mathbf{u} = \mathbf{v} - \text{proj}_W \mathbf{v} = \frac{1}{3}\begin{bmatrix} 4 \\ -2 \\ 2 \end{bmatrix}$

d. Since **u** is a scalar multiple of $\begin{bmatrix} 2 \\ -1 \\ 1 \end{bmatrix}$, then **u** is in $W^\perp$.

e.

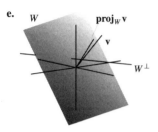

27. Let $\mathbf{w} \in W_2^\perp$, so $\langle \mathbf{w}, \mathbf{u} \rangle = 0$ for all $\mathbf{u} \in W_2$. Since $W_1 \subseteq W_2$, then $\langle \mathbf{w}, \mathbf{u} \rangle = 0$ for all $\mathbf{u} \in W_1$. Hence $\mathbf{w} \in W_1^\perp$, so $W_2^\perp \subseteq W_1^\perp$.

29. a. Let $A = \begin{bmatrix} d & e \\ f & g \end{bmatrix}$ and $B = \begin{bmatrix} a & b \\ b & c \end{bmatrix}$. Then

$$\langle A, B \rangle = \mathbf{tr}\left(\begin{bmatrix} a & b \\ b & c \end{bmatrix} \begin{bmatrix} d & e \\ f & g \end{bmatrix} \right)$$

$$= \mathbf{tr} \begin{bmatrix} ad + bf & ae + bg \\ bd + cf & be + cg \end{bmatrix}$$

So $A \in W^\perp$ if and only if $ad + bf + be + cg = 0$ for all real numbers $a, b,$ and c. This implies $A = \begin{bmatrix} 0 & e \\ -e & 0 \end{bmatrix}$. That is, A is skew-symmetric.

b. $\begin{bmatrix} a & b \\ c & d \end{bmatrix} = \begin{bmatrix} a & \frac{b+c}{2} \\ \frac{b+c}{2} & d \end{bmatrix} + \begin{bmatrix} 0 & \frac{b-c}{2} \\ -\frac{b-c}{2} & 0 \end{bmatrix}$

Section 6.5

1. a. $\hat{\mathbf{x}} = \begin{bmatrix} \frac{5}{2} \\ 0 \end{bmatrix}$

b. $\mathbf{w}_1 = A\hat{\mathbf{x}} = \begin{bmatrix} \frac{5}{2} \\ \frac{5}{2} \\ 5 \end{bmatrix}$

$\mathbf{w}_2 = \mathbf{b} - \mathbf{w}_1 = \begin{bmatrix} \frac{3}{2} \\ -\frac{3}{2} \\ 0 \end{bmatrix}$

3. a.

b. $y = \frac{653{,}089}{13{,}148} x - \frac{317{,}689{,}173}{3287}$

5. a.

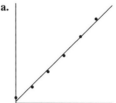

b. $y = 0.07162857143 x - 137.2780952$

7. a.
$$p_2(x) = 2 \sin x - \sin 2x$$
$$p_3(x) = 2 \sin x - \sin 2x + \frac{2}{3} \sin 3x$$
$$p_4(x) = 2 \sin x - \sin 2x + \frac{2}{3} \sin 3x$$
$$- \frac{1}{2} \sin 4x$$
$$p_5(x) = 2 \sin x - \sin 2x + \frac{2}{3} \sin 3x$$
$$- \frac{1}{2} \sin 4x + \frac{2}{5} \sin 5x$$

b.

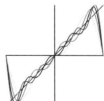

9. a.
$$p_2(x) = \frac{1}{3}\pi^2 - 4 \cos x + \cos 2x$$
$$p_3(x) = \frac{1}{3}\pi^2 - 4 \cos x + \cos 2x - \frac{4}{9} \cos 3x$$
$$p_4(x) = \frac{1}{3}\pi^2 - 4 \cos x + \cos 2x - \frac{4}{9} \cos 3x$$
$$+ \frac{1}{4} \cos 4x$$

$$p_5(x) = \frac{1}{3}\pi^2 - 4\cos x + \cos 2x - \frac{4}{9}\cos 3x$$
$$+ \frac{1}{4}\cos 4x - \frac{4}{25}\cos 5x$$

b.

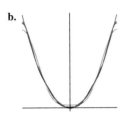

Section 6.6

1. $\lambda_1 = 3, \lambda_2 = -1$

3. $\lambda_1 = 1, \lambda_2 = -3, \lambda_3 = 3$

5. $\lambda_1 = -3$ with eigenvector $\mathbf{v}_1 = \begin{bmatrix} -1 \\ 2 \end{bmatrix}$; $\lambda_2 = 2$ with

eigenvector $\mathbf{v}_2 = \begin{bmatrix} 2 \\ 1 \end{bmatrix}$. Observe that $\mathbf{v}_1 \cdot \mathbf{v}_2 = 0$.

7. $\lambda_1 = 1$ with eigenvector $\mathbf{v}_1 = \begin{bmatrix} 1 \\ 0 \\ 1 \end{bmatrix}$; $\lambda_2 = -3$ with

eigenvector $\mathbf{v}_2 = \begin{bmatrix} -1 \\ 2 \\ 1 \end{bmatrix}$; $\lambda_3 = 3$ with eigenvector

$\mathbf{v}_3 = \begin{bmatrix} -1 \\ -1 \\ 1 \end{bmatrix}$. Observe that $\mathbf{v}_1 \cdot \mathbf{v}_2 = \mathbf{v}_1 \cdot \mathbf{v}_3 = \mathbf{v}_2 \cdot \mathbf{v}_3 = 0$.

9. $V_3 = \text{span} \left\{ \begin{bmatrix} 1 \\ 0 \\ 1 \end{bmatrix} \right\}$

$V_{-1} = \text{span} \left\{ \begin{bmatrix} -1 \\ 0 \\ 1 \end{bmatrix}, \begin{bmatrix} 0 \\ 1 \\ 0 \end{bmatrix} \right\}$

$\dim(V_3) + \dim(V_{-1}) = 1 + 2 = 3$

11. $V_3 = \text{span} \left\{ \begin{bmatrix} 3 \\ 1 \\ 1 \\ 1 \end{bmatrix} \right\}$

$V_{-3} = \text{span} \left\{ \begin{bmatrix} 0 \\ -2 \\ 1 \\ 1 \end{bmatrix} \right\}$

$V_{-1} = \text{span} \left\{ \begin{bmatrix} -1 \\ 1 \\ 2 \\ 0 \end{bmatrix}, \begin{bmatrix} 0 \\ 0 \\ -1 \\ 1 \end{bmatrix} \right\}$

$$\dim(V_3) + \dim(V_{-3}) + \dim(V_{-1})$$
$$= 1 + 1 + 2 = 4$$

13. Yes.

$$\begin{bmatrix} \sqrt{3}/2 & 1/2 \\ -1/2 & \sqrt{3}/2 \end{bmatrix} \begin{bmatrix} \sqrt{3}/2 & -1/2 \\ 1/2 & \sqrt{3}/2 \end{bmatrix} = \begin{bmatrix} 1 & 0 \\ 0 & 1 \end{bmatrix}$$

15. Yes.

$$\begin{bmatrix} \sqrt{2}/2 & \sqrt{2}/2 & 0 \\ -\sqrt{2}/2 & \sqrt{2}/2 & 0 \\ 0 & 0 & 1 \end{bmatrix} \begin{bmatrix} \sqrt{2}/2 & -\sqrt{2}/2 & 0 \\ \sqrt{2}/2 & \sqrt{2}/2 & 0 \\ 0 & 0 & 1 \end{bmatrix}$$

$$= \begin{bmatrix} 1 & 0 & 0 \\ 0 & 1 & 0 \\ 0 & 0 & 1 \end{bmatrix}$$

17. $P = \begin{bmatrix} -1/\sqrt{2} & 1/\sqrt{2} \\ 1/\sqrt{2} & 1/\sqrt{2} \end{bmatrix}$; $D = \begin{bmatrix} -1 & 0 \\ 0 & 7 \end{bmatrix}$

19. $P = \begin{bmatrix} -1/\sqrt{2} & 1/\sqrt{2} \\ 1/\sqrt{2} & 1/\sqrt{2} \end{bmatrix}$; $D = \begin{bmatrix} -4 & 0 \\ 0 & 2 \end{bmatrix}$

21. $P = \begin{bmatrix} -1/\sqrt{3} & 1/\sqrt{2} & -1/\sqrt{6} \\ 1/\sqrt{3} & 0 & -2/\sqrt{6} \\ 1/\sqrt{3} & 1/\sqrt{2} & 1/\sqrt{6} \end{bmatrix}$

$D = \begin{bmatrix} 1 & 0 & 0 \\ 0 & 2 & 0 \\ 0 & 0 & -2 \end{bmatrix}$

23. Since $AA^t = BB^t = I$, then

$$(AB)(AB)^t = AB(B^t A^t)$$
$$= A(BB^t)A^t = AIA^t$$
$$= AA^t = I$$

Similarly, $(BA)(BA)^t = I$.

25. Since $AA^t = I$, A^t is the inverse of A so $A^t A = I$ and hence A^t is also orthogonal.

27. a. Since $\cos^2\theta + \sin^2\theta = 1$, then

$$\begin{bmatrix} \cos\theta & -\sin\theta \\ \sin\theta & \cos\theta \end{bmatrix}\begin{bmatrix} \cos\theta & \sin\theta \\ -\sin\theta & \cos\theta \end{bmatrix} = \begin{bmatrix} 1 & 0 \\ 0 & 1 \end{bmatrix}$$

29. If $D = P^t A P$, then

$$D^t = (P^t A P)^t = P^t A^t P$$

Since D is a diagonal matrix, then $D^t = D$, so $D = P^t A P$ and hence $P^t A P = P^t A^t P$. Then $P(P^t A P)P^t = P(P^t A^t P)P^t$, so $A = A^t$.

31. a. $\mathbf{v}^t\mathbf{v} = v_1^2 + \cdots + v_n^2$

b. The transpose of both sides of the equation $A\mathbf{v} = \lambda\mathbf{v}$ gives $\mathbf{v}^t A^t = \lambda\mathbf{v}^t$. Since A is skew-symmetric, $\mathbf{v}^t(-A) = \lambda\mathbf{v}^t$. Now, right multiplication of both sides by $\mathbf{v}$ gives $\mathbf{v}^t(-A\mathbf{v}) = \lambda\mathbf{v}^t\mathbf{v}$, so $\mathbf{v}^t(-\lambda\mathbf{v}) = \lambda\mathbf{v}^t\mathbf{v}$. Then $2\lambda\mathbf{v}^t\mathbf{v} = 0$ so $2\lambda(v_1^2 + \cdots + v_n^2) = 0$ and this gives $\lambda = 0$.

Section 6.7

1. $30(y')^2 + \sqrt{10}x' = 0$

3. $2(x')^2 + (y')^2 = 1$

5. $\frac{(x')^2}{2} - \frac{(y')^2}{4} = 1$

7. a. $[x\ y]\begin{bmatrix} 4 & 0 \\ 0 & 16 \end{bmatrix}\begin{bmatrix} x \\ y \end{bmatrix} - 16 = 0$

b. $10x^2 - 12xy + 10y^2 - 16 = 0$

9. a. $7x^2 + 6\sqrt{3}xy + 13y^2 - 16 = 0$

b. $7(x-3)^2 + 6\sqrt{3}(x-3)(y-2) + 13(y-2)^2 - 16 = 0$

Section 6.8

1. $\sigma_1 = \sqrt{10}, \sigma_2 = 0$

3. $\sigma_1 = 2\sqrt{3}, \sigma_2 = \sqrt{5}, \sigma_3 = 0$

5. $A = \begin{bmatrix} \frac{1}{\sqrt{2}} & \frac{1}{\sqrt{2}} \\ \frac{1}{\sqrt{2}} & -\frac{1}{\sqrt{2}} \end{bmatrix}\begin{bmatrix} 8 & 0 \\ 0 & 2 \end{bmatrix}\begin{bmatrix} \frac{1}{\sqrt{2}} & \frac{1}{\sqrt{2}} \\ \frac{1}{\sqrt{2}} & -\frac{1}{\sqrt{2}} \end{bmatrix}$

7. $A = \begin{bmatrix} 0 & 1 \\ 1 & 0 \end{bmatrix}\begin{bmatrix} \sqrt{2} & 0 & 0 \\ 0 & 1 & 0 \end{bmatrix}\begin{bmatrix} 0 & \frac{1}{\sqrt{2}} & \frac{1}{\sqrt{2}} \\ 1 & 0 & 0 \\ 0 & -\frac{1}{\sqrt{2}} & \frac{1}{\sqrt{2}} \end{bmatrix}$

9. a. $x_1 = 2, x_2 = 0$ **b.** $x_1 = 1, x_2 = 1$
c. $\sigma_1/\sigma_2 \approx 6,324,555$

Review Exercises Chapter 6

1. a. $\begin{bmatrix} 1 & 1 & 2 \\ 0 & 0 & 1 \\ 1 & 0 & 0 \end{bmatrix} \longrightarrow \begin{bmatrix} 1 & 0 & 0 \\ 0 & 1 & 0 \\ 0 & 0 & 1 \end{bmatrix}$

b. $\left\{ \begin{bmatrix} 0 \\ 1 \\ 0 \end{bmatrix}, \begin{bmatrix} \sqrt{2}/2 \\ 0 \\ -\sqrt{2}/2 \end{bmatrix}, \begin{bmatrix} \sqrt{2}/2 \\ 0 \\ \sqrt{2}/2 \end{bmatrix} \right\}$

c. $\mathbf{proj}_W\mathbf{v} = \begin{bmatrix} -2 \\ 0 \\ -1 \end{bmatrix}$

3. a. If $\begin{bmatrix} x \\ y \\ z \end{bmatrix} \in W$, then

$$\begin{bmatrix} x \\ y \\ z \end{bmatrix} \cdot \begin{bmatrix} a \\ b \\ c \end{bmatrix} = ax + by + cz = 0$$

so $\begin{bmatrix} a \\ b \\ c \end{bmatrix}$ is in $W^\perp$.

b. $W^\perp = \mathbf{span}\left\{ \begin{bmatrix} a \\ b \\ c \end{bmatrix} \right\}$

That is, $W^\perp$ is the line in the direction of $\begin{bmatrix} a \\ b \\ c \end{bmatrix}$ and which is perpendicular (the normal vector) to the plane $ax + by + cz = 0$.

c. $\mathbf{proj}_{W^\perp}\mathbf{v} = \frac{ax_1 + bx_2 + cx_3}{a^2 + b^2 + c^2}\begin{bmatrix} a \\ b \\ c \end{bmatrix}$

d. $\| \mathbf{proj}_{W^\perp}\mathbf{v} \| = \frac{|ax_1 + bx_2 + cx_3|}{\sqrt{a^2 + b^2 + c^2}}$

Note: This gives the distance from the point (x_1, x_2, x_3) to the plane.

5. a. $\langle 1, \cos x \rangle = \int_{-\pi}^{\pi} \cos x\, dx = 0$

$\langle 1, \sin x \rangle = \int_{-\pi}^{\pi} \sin x\, dx = 0$

$\langle \cos x, \sin x \rangle = \int_{-\pi}^{\pi} \cos x \sin x\, dx = 0$

b. $\left\{ \frac{1}{\sqrt{2\pi}}, \frac{1}{\sqrt{\pi}}\cos x, \frac{1}{\sqrt{\pi}}\sin x \right\}$

c. $\mathbf{proj}_W x^2 = \frac{1}{3}\pi^2 - 4\cos x$

d. $\| \mathbf{proj}_W x^2 \| = \frac{1}{3}\sqrt{2\pi^5 + 144\pi}$

7. Using the properties of an inner product and the fact that the vectors are orthonormal,

$$\| \mathbf{v} \| = \sqrt{\mathbf{v} \cdot \mathbf{v}}$$

$$= \sqrt{c_1^2 \langle \mathbf{v}_1, \mathbf{v}_1 \rangle + \cdots + c_n^2 \langle \mathbf{v}_n, \mathbf{v}_n \rangle}$$

$$= \sqrt{c_1^2 + \cdots + c_n^2}$$

If the basis is orthogonal, then

$$\| \mathbf{v} \| = \sqrt{c_1^2 \langle \mathbf{v}_1, \mathbf{v}_1 \rangle + \cdots + c_n^2 \langle \mathbf{v}_n, \mathbf{v}_n \rangle}$$

9. a.
$$\begin{bmatrix} 1 & 0 & -1 \\ 1 & -1 & 2 \\ 1 & 0 & 1 \\ 1 & -1 & 2 \end{bmatrix} \longrightarrow \begin{bmatrix} 1 & 0 & 0 \\ 0 & 1 & 0 \\ 0 & 0 & 1 \\ 0 & 0 & 0 \end{bmatrix}$$

b. $B_1 = \left\{ \begin{bmatrix} 1 \\ 1 \\ 1 \\ 1 \end{bmatrix}, \begin{bmatrix} \frac{1}{2} \\ -\frac{1}{2} \\ \frac{1}{2} \\ -\frac{1}{2} \end{bmatrix}, \begin{bmatrix} -1 \\ 0 \\ 1 \\ 0 \end{bmatrix} \right\}$

c. $B_2 = \left\{ \begin{bmatrix} \frac{1}{2} \\ \frac{1}{2} \\ \frac{1}{2} \\ \frac{1}{2} \end{bmatrix}, \begin{bmatrix} \frac{1}{2} \\ -\frac{1}{2} \\ \frac{1}{2} \\ -\frac{1}{2} \end{bmatrix}, \begin{bmatrix} -\frac{\sqrt{2}}{2} \\ 0 \\ \frac{\sqrt{2}}{2} \\ 0 \end{bmatrix} \right\}$

d. $Q = \begin{bmatrix} \frac{1}{2} & \frac{1}{2} & -\frac{\sqrt{2}}{2} \\ \frac{1}{2} & -\frac{1}{2} & 0 \\ \frac{1}{2} & \frac{1}{2} & \frac{\sqrt{2}}{2} \\ \frac{1}{2} & -\frac{1}{2} & 0 \end{bmatrix}$

$R = \begin{bmatrix} 2 & -1 & 2 \\ 0 & 1 & -2 \\ 0 & 0 & \sqrt{2} \end{bmatrix}$

e. $A = QR$

Chapter Test: Chapter 6

1. T   **2.** T

3. F   **4.** F

5. F   **6.** T

7. T   **8.** F

9. F   **10.** F

11. T   **12.** T

13. T   **14.** T

15. F   **16.** T

17. T   **18.** T

19. F   **20.** T

21. F   **22.** T

23. F   **24.** F

25. F   **26.** F

27. T   **28.** T

29. T   **30.** F

31. T   **32.** T

33. F   **34.** F

35. T   **36.** F

37. T   **38.** T

39. F   **40.** T

Appendix A

Section A.1

1. $A \cap B = \{-2, 2, 9\}$

3. $A \times B = \{(a, b) \mid a \in A, b \in B\}$

There are $9 \times 9 = 81$ ordered pairs in $A \times B$.

5. $A \backslash B = \{-4, 0, 1, 3, 5, 7\}$

7. $A \cap B = [0, 3]$

9. $A \backslash B = (-11, 0)$

11. $A \backslash C = (-11, -9)$

13. $(A \cup B) \backslash C = (-11, -9)$

15.

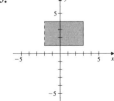

17.

19.

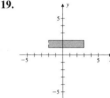

21. $(A \cap B) \cap C = \{5\} = A \cap (B \cap C)$

23. $A \cap (B \cup C) = \{1, 2, 5, 7\} = (A \cap B) \cup (A \cap C)$

25. $A \backslash (B \cup C) = \{3, 9, 11\} = (A \backslash B) \cap (A \backslash C)$

Section A.2

1. Since for each first coordinate there is a unique second coordinate, f is a function.

3. Since there is no x such that $f(x) = 14$, the function is not onto. The range of f is the set $\{-2, -1, 3, 9, 11\}$.

5. $f^{-1}(\{-2\}) = \{1, 4\}$

7. Since f is not one-to-one, f does not have an inverse.

9. $\{(1, -2), (2, -1), (3, 3), (4, 5), (5, 9), (6, 11)\}$

11. $f(A \cup B) = f((-3, 7)) = [0, 49)$

$f(A) \cup f(B) = [0, 25] \cup [0, 49) = [0, 49)$

13. $f(A \cap B) = f(\{0\}) = \{0\}$

$f(A) \cap f(B) = [0, 4] \cap [0, 4] = [0, 4]$

Therefore, $f(A \cap B) \subset f(A) \cap f(B)$, but $f(A \cap B) \neq f(A) \cap f(B)$.

15. $f^{-1}(x) = \frac{x-b}{a}$

17. If n is odd, then $f^{(n)}(x) = -x + c$. If n is even, then $f^{(n)}(x) = x$.

19. a. To show that f is one-to-one, we have

$$e^{2x_1 - 1} = e^{2x_2 - 1}$$
$$\Leftrightarrow 2x_1 - 1 = 2x_2 - 1$$
$$\Leftrightarrow x_1 = x_2$$

b. Since the exponential function is always positive, f is not onto $\mathbb{R}$.

c. Define $g : \mathbb{R} \rightarrow (0, \infty)$ by $g(x) = e^{2x-1}$.

d. $g^{-1}(x) = \frac{1}{2}(1 + \ln x)$.

21. a. To show that f is one-to-one, we have $2n_1 = 2n_2$ if and only if $n_1 = n_2$.

b. Since every image is an even number, the range of f is a proper subset of $\mathbb{N}$.

c. $f^{-1}(E) = \mathbb{N}$; $f^{-1}(O) = \phi$

23. a. $f(A) = \{2k + 1 \mid k \in \mathbb{Z}\}$

b. $f(B) = \{2k + 1 \mid k \in \mathbb{Z}\}$

c. $f^{-1}(\{0\}) = \{(m, n) \mid n = -2m\}$

d. $f^{-1}(E) = \{(m, n) \mid n \text{ is even}\}$

e. $f^{-1}(O) = \{(m, n) \mid n \text{ is odd}\}$

f. Since $f((1, -2)) = 0 = f((0, 0))$, then f is not one-to-one.

g. If $z \in \mathbb{Z}$, let $m = 0$ and $n = z$, so that $f(m, n) = z$.

Section A.3

1. If the side is x, then $h^2 = x^2 + x^2 = 2x^2$, so

$h = \sqrt{2}x$.

3. If the side is x, then the height is $h = \frac{\sqrt{3}}{2}x$, so the area is $A = \frac{1}{2}x\frac{\sqrt{3}}{2}x = \frac{\sqrt{3}}{4}x^2$.

5. If a divides b, there is some k such that $ak = b$; and if b divides c, there is some ℓ such that $b\ell = c$. Then $c = b\ell = (ak)\ell = (k\ell)a$, so a divides c.

7. If n is odd, there is some k such that $n = 2k + 1$. Then $n^2 = (2k + 1)^2 = 2(2k^2 + k) + 1$, so n^2 is odd.

9. If $b = a + 1$, then $(a + b)^2 = (2a + 1)^2 = 2(2a^2 + 2a) + 1$, so $(a + b)^2$ is odd.

11. Let $m = 2$ and $n = 3$. Then $m^2 + n^2 = 13$, which is not divisible by 4.

13. Contrapositive: Suppose n is even, so there is some k such that $n = 2k$. Then $n^2 = 4k^2$, so n^2 is even.

15. Contrapositive: Suppose $p = q$. Then $\sqrt{pq} = \sqrt{p^2} = p = (p + q)/2$.

17. Contrapositive: Suppose $x > 0$. If $\epsilon = x/2 > 0$, then $x > \epsilon$.

19. Contradiction: Suppose $\sqrt[3]{2} = p/q$ such that p and q have no common factors. Then $2q^3 = p^3$, so p^3 is even and hence p is even. This gives that q is also even, which contradicts the assumption that p and q have no common factors.

21. If $7xy \leq 3x^2 + 2y^2$, then $3x^2 - 7xy + 2y^2 = (3x - y)(x - 2y) \geq 0$. There are two cases: either both factors are greater than or equal to 0, or both are less than or equal to 0. The first case is not possible since the assumption is that $x < 2y$. Therefore, $3x \leq y$.

23. Define $f:\mathbb{R} \to \mathbb{R}$ by $f(x) = x^2$. Let $C = [-4, 4]$, $D = [0, 4]$. Then $f^{-1}(C) = [-2, 2] = f^{-1}(D)$ but $C \not\subseteq D$.

25. If $x \in f^{-1}(C)$, then $f(x) \in C$. Since $C \subset D$, then $f(x) \in D$. Hence, $x \in f^{-1}(D)$.

27. If $y \in f(A \backslash B)$, there is some x such that $y = f(x)$ with $x \in A$ and $x \notin B$. So $y \in f(A) \backslash f(B)$, and $f(A \backslash B) \subset f(A) \backslash f(B)$. Now suppose $y \in f(A) \backslash f(B)$. So there is some $x \in A$ such that $y = f(x)$. Since f is one-to-one, this is the only preimage for y, so $x \in A \backslash B$. Therefore, $f(A) \backslash f(B) \subset f(A \backslash B)$.

29. By Theorem 3 of Sec. A.2, $f(f^{-1}(C)) \subset C$. Let $y \in C$. Since f is onto, there is some x such that $y = f(x)$. So $x \in f^{-1}(C)$, and hence $y = f(x) \in f(f^{-1}(C))$. Therefore, $C \subset f(f^{-1}(C))$.

Section A.4

1. Base case: $n = 1 : 1^2 = \frac{1(2)(3)}{6}$
Inductive hypothesis: Assume the summation formula holds for the natural number n.
Consider

$$1^2 + 2^2 + 3^2 + \cdots + n^2 + (n+1)^2$$
$$= \frac{n(n+1)(2n+1)}{6} + (n+1)^2$$
$$= \frac{n+1}{6}(2n^2 + 7n + 6)$$
$$= \frac{n+1}{6}(2n+3)(n+2)$$
$$= \frac{(n+1)(n+2)(2n+3)}{6}$$

3. Base case: $n = 1 : 1 = \frac{1(3-1)}{2}$
Inductive hypothesis: Assume the summation formula holds for the natural number n.
Consider

$$1 + 4 + 7 + \cdots + (3n - 2) + [3(n+1) - 2]$$
$$= \frac{n(3n-1)}{2} + (3n+1)$$
$$= \frac{3n^2 + 5n + 2}{2}$$
$$= \frac{(n+1)(3n+2)}{2}$$

5. Base case: $n = 1 : 2 = \frac{1(4)}{2}$
Inductive hypothesis: Assume the summation formula holds for the natural number n.
Consider

$$2 + 5 + 8 + \cdots + (3n - 1) + [3(n+1) - 1]$$
$$= \frac{1}{2}(3n^2 + 7n + 4)$$
$$= \frac{(n+1)(3n+4)}{2}$$
$$= \frac{(n+1)(3(n+1)+1)}{2}$$

7. Base case: $n = 1 : 3 = \frac{3(2)}{2}$
Inductive hypothesis: Assume the summation formula holds for the natural number n.
Consider

$$3 + 6 + 9 + \cdots + 3n + 3(n+1)$$
$$= \frac{1}{2}(3n^2 + 9n + 6)$$
$$= \frac{3}{2}(n^2 + 3n + 2)$$
$$= \frac{3(n+1)(n+2)}{2}$$

9. Base case: $n = 1 : 2^1 = 2^2 - 2$
Inductive hypothesis: Assume the summation formula holds for the natural number n.
Consider

$$\sum_{k=1}^{n+1} 2^k = \sum_{k=1}^{n} 2^k + 2^{n+1}$$
$$= 2^{n+1} - 2 + 2^{n+1}$$
$$= 2^{n+2} - 2$$

11. From the data in the table

n	$2 + 4 + \cdots + 2n$
1	$2 = 1(2)$
2	$6 = 2(3)$
3	$12 = 3(4)$
4	$40 = 4(5)$
5	$30 = 5(6)$

we make the conjecture that

$$2 + 4 + 6 + \cdots + (2n) = n(n+1)$$

Base case: $n = 1 : 2 = 1(2)$
Inductive hypothesis: Assume the summation formula holds for the natural number n.
Consider

$$2 + 4 + 6 + \cdots + 2n + 2(n + 1)$$
$$= n(n + 1) + 2(n + 1)$$
$$= (n + 1)(n + 2)$$

13. Base case: $n = 5 : 32 = 2^5 > 25 = 5^2$
Inductive hypothesis: Assume $2^n > n^2$ holds for the natural number n.
Consider $2^{n+1} = 2(2^n) > 2n^2$. But since $2n^2 - (n + 1)^2 = n^2 - 2n - 1 = (n - 1)^2 - 2 > 0$, for all $n \geq 5$, we have $2^{n+1} > (n + 1)^2$.

15. Base case: $n = 1 : 1^2 + 1 = 2$, which is divisible by 2.
Inductive hypothesis: Assume $n^2 + n$ is divisible by 2.
Consider $(n + 1)^2 + (n + 1) = n^2 + n + 2n + 2$. By the inductive hypothesis, $n^2 + n$ is divisible by 2, so since both terms on the right are divisible by 2, then $(n + 1)^2 + (n + 1)$ is divisible by 2. Alternatively, observe that $n^2 + n = n(n + 1)$, which is the product of consecutive integers and is therefore even.

17. Base case: $n = 1 : 1 = \frac{r-1}{r-1}$
Inductive hypothesis: Assume the formula holds for the natural number n.
Consider

$$1 + r + r^2 + \cdots + r^{n-1} + r^n$$
$$= \frac{r^n - 1}{r - 1} + r^n$$
$$= \frac{r^n - 1 + r^n(r - 1)}{r - 1}$$
$$= \frac{r^{n+1} - 1}{r - 1}$$

19. Base case: $n = 2 : A \cap (B_1 \cup B_2) = (A \cap B_1) \cup (A \cap B_2)$, by Theorem 1 of Sec. A.1
Inductive hypothesis: Assume the formula holds for the natural number n.
Consider

$$A \cap (B_1 \cup B_2 \cup \cdots \cup B_n \cup B_{n+1})$$
$$= A \cap [(B_1 \cup B_2 \cup \cdots \cup B_n) \cup B_{n+1}]$$
$$= [A \cap (B_1 \cup B_2 \cup \cdots \cup B_n)] \cup (A \cap B_{n+1})$$
$$= (A \cap B_1) \cup (A \cap B_2) \cup \cdots \cup (A \cap B_n) \cup (A \cap B_{n+1})$$

21.
$$\binom{n}{r} = \frac{n!}{r!(n - r)!}$$
$$= \frac{n!}{(n - r)!(n - (n - r))!}$$
$$= \binom{n}{n - r}$$

23. By the binomial theorem,

$$2^n = (1 + 1)^n = \sum_{k=0}^{n} \binom{n}{k}$$

찾아보기 (Index)

| 저 자 약 력 |

■ **이부영**
- 동아대학교 이과대학 수학과 학사
- 동아대학교 수학과 석사
- 경상대학교 수학과 박사
- 일본 오사카대학교 교환교수
- 미국 Oregon State University 교환교수
- 〈현재〉 동아대학교 수학과 교수

■ **원중연**
- 서울대학교 산업공학과 학사
- 서울대학교 대학원 산업공학과 석사
- 서울대학교 대학원 산업공학과 박사
- 국토개발연구원 연구원
- 미국 George Washington 대학교 Operations Research학과 교환교수
- 〈현재〉 경기대학교 산업경영공학과 교수

■ **허 돈**
- 서울대학교 전기공학부 학사
- 서울대학교 전기공학부 석사
- 서울대학교 전기컴퓨터공학부 박사
- 미국 Burns&McDonnell Engineering Company 연구원
- 〈현재〉 광운대학교 전기공학과 부교수

■ **박필성**
- 서울대학교 해양학과 학사
- 미국 Old Dominion대학교 응용수학과 석사
- 미국 Maryland 대학교 응용수학과 박사
- 한국해양연구원 전산센터장, 수치모델연구그룹장
- 〈현재〉 수원대학교 컴퓨터학과 교수

■ **배유석**
- 서울대학교 전기공학과 공학사
- 서울대학교 대학원 전기공학과 석사
- 한국과학기술원 전기 및 전자공학과 공학박사
- 미국국립표준연구소 연구원
- 삼성전자 DM연구소 책임연구원
- 휴노테크놀로지 연구소장
- 〈현재〉 한국산업기술대학교 컴퓨터공학과 교수

■ **진상일**
- 한국과학기술원(KAIST) 전기 및 전자공학과 학사
- 한국과학기술원(KAIST) 전기 및 전자공학과 석사
- 한국과학기술원(KAIST) 전기 및 전자공학과 박사
- 〈현재〉 한국산업기술대학 겸임교수

정가 28,000원

선형대수학의 이해와 응용

2011년 2월 22일 초판 인쇄
2011년 3월 2일 초판 발행

저 자 : 이부영·원중연·허돈·박필성·
       배유석·진상일

발행자 : 우 명 찬·송   준

발행처 : 홍릉과학출판사

주 소 : ㉾ 142-885 서울시 강북구 인수동 455-60

등 록 : 1976년 10월 21일 제5-66호

전 화 : 999－2274~5, 996－8341, 903－7037

팩 스 : 905-6729

ISBN 978-89-7283-928-6

hongpub@hongpub.co.kr

www.hongpub.co.kr

저 자 와
협의하여
인지생략